S0-BDP-839

BROTHERS

DU MÊME AUTEUR

Vivre !, Le Livre de poche, 1994 ; Babel n° 880.
Un monde évanoui, Philippe Picquier, 1994.
Le Vendeur de sang, Actes Sud, 1997 ; Babel n° 748.
Un amour classique, Actes Sud, 2000 ; Babel n° 955.
Cris dans la bruine, Actes Sud, 2003.
1986, Actes Sud, 2006.
Brothers, Actes Sud, 2008.
Sur la route à dix-huit ans, Actes Sud, 2009.

Titre original :
Xiongdi – Brothers
兄弟
Editeur original :
Shanghai wenyi chubanshe, Shanghai

ISBN 978-2-7427-8982-5

YU HUA

BROTHERS

roman traduit du chinois
par Angel Pino et Isabelle Rabut

LIVRE PREMIER

I

Li Guangtou, un nabab de chez nous autres, au bourg des Liu*[1], avait conçu l'idée insensée de dépenser vingt millions de dollars rien que pour s'acquitter du droit d'aller faire du tourisme dans l'espace à bord d'un vaisseau Soyouz. Assis sur la lunette de ses toilettes en plaqué or, dont la renommée avait franchi les limites de nos murs, il imaginait déjà, les yeux clos, sa vie future de vagabond intersidéral lancé sur orbite : dans le silence insondable, il se penchait en avant et voyait la surface magnifique de la Terre se dérouler progressivement. Il sentit ses larmes couler malgré lui en réalisant pour la première fois qu'il n'avait plus aucun parent sur cette Terre.

Il avait eu un frère, nommé Song Gang, auquel il était très lié. Song Gang était son aîné d'un an, il le dépassait d'une tête et c'était un type honnête et intransigeant. Il était mort trois ans auparavant et n'était plus qu'un tas de cendres dans une minuscule boîte en bois. Quand Li Guangtou pensait à cette petite boîte où Song Gang était enfermé, il soupirait : même un arbuste calciné aurait produit plus de cendres.

Du temps où elle était encore de ce monde, la mère de Li Guangtou le lui répétait souvent : "Tel père, tel fils."

* Le lecteur trouvera les notes des traducteurs en fin de volume, p. 989 et suiv.

C'était de Song Gang qu'elle parlait. Elle disait que Song Gang était aussi loyal et aussi bon que son père, que le père et le fils étaient comme deux courges qui auraient poussé sur la même tige. Dès qu'il était question de Li Guangtou, en revanche, elle secouait la tête et affirmait qu'il n'y avait rien de commun entre lui et son père, qu'ils étaient à cent lieues l'un de l'autre. Pourtant, quand Li Guangtou, l'année de ses quatorze ans, fut surpris dans les toilettes publiques à mater les fesses de cinq femmes, l'opinion de sa mère changea radicalement : elle dut se rendre à l'évidence et admettre que Li Guangtou et son père étaient eux aussi deux courges issues d'une même tige. Li Guangtou se souvenait parfaitement de la scène, du regard fuyant et effrayé de sa mère, et de son air triste quand elle avait tourné les talons et qu'elle avait marmonné, en essuyant ses larmes :

— Tel père, tel fils.

Li Guangtou n'avait jamais connu son père. Le jour de sa naissance, celui-ci avait péri dans des conditions peu ragoûtantes. Sa mère prétendait qu'il s'était noyé, et Li Guangtou avait voulu savoir où : dans la rivière ? dans l'étang ? dans le puits ? Mais sa mère était restée muette. Il était demeuré dans l'ignorance jusqu'au moment où il avait été pris en flagrant délit à mater les fesses des filles aux W.-C. et où, pour employer un mot à la mode, il avait alimenté la presse à scandale. Car c'est seulement quand le scandale des toilettes avait éclaté et que sa mauvaise réputation s'était répandue comme une traînée de poudre dans le bourg que Li Guangtou avait fini par apprendre que son père et lui étaient bel et bien comme deux courges poussées sur la même tige. C'est dans une fosse à merde que son père s'était noyé, il était tombé dedans par mégarde alors qu'il tentait d'apercevoir le derrière d'une fille aux toilettes.

"Tel père, tel fils", répétait à l'envi tout le bourg, en riant à gorge déployée. Cette devise était devenue chez nous aussi banale que les feuilles sur un arbre. Même les bébés qui tètent encore et savent à peine parler avaient appris à prononcer cette redoutable maxime pourtant formulée en chinois classique[2]. Les gens se montraient Li Guangtou du doigt, en faisant des messes basses et en ricanant sous cape. Mais Li Guangtou, arborant un air innocent, arpentait les rues comme si de rien n'était. Il riait en son for intérieur : il avait bientôt quinze ans et il savait à présent comment sont les hommes.

De nos jours, des fesses de femmes nues, on en voit partout, à la télévision, au cinéma, dans les VCD ou les DVD, dans les publicités ou dans les magazines, sur les stylos à bille ou les briquets… Des postérieurs de toutes sortes, des postérieurs d'importation ou des postérieurs de fabrication chinoise ; des blancs, des jaunes, des noirs et des bruns ; des larges, des étroits, des gros et des maigres ; des lisses et des rugueux ; des jeunes et des vieux ; des faux et des vrais. On n'a que l'embarras du choix, et une paire d'yeux ne suffit pas pour tout regarder. De nos jours, les fesses d'une femme à poil, cela ne vaut plus rien : il suffit de lever la tête pour en voir une paire, on a à peine le temps d'éternuer qu'on tombe sur une deuxième, et on n'a pas sitôt tourné le coin de la rue qu'on risque de marcher sur une troisième. Mais en ce temps-là, il n'en allait pas de même. C'était un trésor que personne n'aurait échangé contre tout l'or du monde, et il n'y a qu'aux toilettes qu'on pouvait espérer en mater une. Et voilà comment un petit voyou du genre de Li Guangtou s'était fait pincer la main dans le sac là-bas, et pourquoi un grand voyou comme son père y avait perdu la vie.

En ce temps-là, les toilettes publiques n'étaient pas comme celles d'aujourd'hui, où même avec un périscope on n'apercevrait pas les fesses de sa voisine. A l'époque, seule une mince cloison séparait le coin des hommes de celui des femmes, et la tranchée qui courait en dessous était commune aux deux sexes. Les bruits on ne peut plus explicites de défécation et de jets d'urine qui provenaient du côté des femmes vous enflammaient l'imagination. Alors, à l'endroit où aurait dû se trouver votre derrière, vous glissiez avidement la tête et, les deux mains arrimées à la planche, le corps plié en deux, les yeux irrités par la puanteur, sans prêter attention aux asticots qui grouillaient autour de vous, tel un champion de natation qui s'apprête à plonger, vous lanciez votre tête et votre corps le plus loin possible en avant de façon à apercevoir la plus grande surface possible de postérieur.

Cette fois-là, Li Guangtou avait vu cinq derrières simultanément : un petit, un gros, deux maigres, et un ni gros ni maigre, bien alignés comme cinq quartiers de porc suspendus dans une charcuterie. Le gros ressemblait à de la viande fraîche, les deux maigres à de la viande salée. Quant au petit, il ne méritait pas qu'on s'attarde sur lui. Celui qui plut à Li Guangtou, c'était celui qui n'était ni gros ni maigre. Il l'avait juste devant les yeux, c'était le plus rond des cinq, tellement rond qu'on aurait cru qu'il avait été roulé en boule. La peau tendue laissait apparaître le coccyx légèrement proéminent. Li Guangtou, le cœur battant, aurait voulu voir les poils pubiens de l'autre côté du coccyx, il aurait voulu voir l'endroit d'où ils sortaient. Il avait continué d'avancer le buste, de tendre le cou, mais alors qu'il était sur le point de toucher au but, il avait été surpris.

Un individu répondant au nom de Zhao Shengli avait fait irruption juste à cet instant dans les toilettes. C'était un des deux grands lettrés du bourg. En voyant un homme, la tête et le buste enfoncés dans le trou, il avait compris aussitôt ce qui se passait. Tirant Li Guangtou par ses vêtements, il l'avait relevé d'un coup sec comme on arrache une carotte.

Zhao Shengli avait alors une vingtaine d'années, et il avait déjà publié dans la revue ronéotée de la maison de la culture du district un quatrain qui lui avait valu le surnom flatteur de Zhao le Poète. Il était si excité par sa prise qu'il en était tout rouge. Il traîna dehors le garçon de quatorze ans et entreprit de le sermonner copieusement dans son registre poétique imagé :

— Au lieu de contempler les fleurs de colza qui colorent de jaune la campagne, au lieu de contempler les poissons qui folâtrent dans la rivière, au lieu de lever la tête pour admirer les nuages immaculés qui flottent dans l'azur, toi, tu mets la tête là-dedans…

Zhao le Poète vociférait ainsi devant les toilettes depuis plus de dix minutes sans que rien ne bouge à l'intérieur de la partie réservée aux femmes. Enervé, il courut à la porte et intima l'ordre aux cinq postérieurs de sortir en vitesse. Oubliant ses élégances de poète, il cria sans ménagement :

— Arrêtez ce que vous êtes en train de faire. Quelqu'un vous matait le cul, et vous ne vous en êtes même pas rendu compte. Sortez tout de suite.

Les propriétaires des cinq derrières se décidèrent enfin et sortirent en trombe, qui en pestant, qui en grinçant des dents, qui en poussant des cris d'orfraie, qui en pleurnichant. Celle qui pleurait était le petit derrière que Li Guangtou avait jugé peu digne d'intérêt, une gamine de onze ou douze ans. Elle se couvrait le visage des deux mains, secouée de sanglots, comme si Li Guangtou ne s'était pas contenté de l'épier et qu'il l'avait violentée. Li Guangtou, que Zhao le Poète tenait toujours, restait là, regardant le petit derrière en larmes. Pourquoi pleures-tu ? se disait-il, avec ton petit cul qui n'est pas encore fini, il n'y a pas de quoi ; et putain, si je l'ai regardé, c'est bien malgré moi.

Une belle jeune fille de dix-sept ans sortit la dernière. Les joues en feu, elle jeta un regard furtif sur Li Guangtou et s'éloigna tout aussi furtivement. Zhao le Poète essaya de la retenir en s'époumonant : "Ne sois pas timide comme cela, lui disait-il, il faut que tu obtiennes réparation." Mais elle pressa le pas sans se retourner. En voyant ses fesses se tortiller, Li Guangtou reconnut le postérieur tellement rond qu'on aurait cru qu'il avait été roulé en boule.

Quand le derrière rond se fut éloigné et que le petit derrière pleurnichard en eut fait autant, un derrière maigre déversa sur lui un tombereau d'injures, lui cracha à la figure, puis s'essuya la bouche de la main avant de s'éloigner à son tour. Li Guangtou suivit des yeux sa propriétaire ; son derrière était si maigre que son pantalon semblait vide.

Il ne resta plus que trois personnes pour accompagner Li Guangtou au poste de police : Zhao le Poète, le visage rayonnant ; le gros derrière qui ressemblait à de la viande fraîche ; et le derrière maigre qui ressemblait à de la viande salée. Ils escortaient Li Guangtou à travers notre petite ville de moins de cinquante mille âmes, et ils avaient déjà effectué la moitié du chemin quand l'autre grand lettré du bourg, Liu Chenggong, se joignit au cortège.

Le dénommé Liu Chenggong avait lui aussi une vingtaine d'années, et il avait lui aussi publié une œuvre dans la revue ronéotée de la maison de la culture du district. Il s'agissait d'une nouvelle qui couvrait deux pages au texte serré, deux pages qui avaient quand même plus de gueule que le quatrain de Zhao le Poète, lequel n'avait servi qu'à boucher un trou. Liu Chenggong avait lui aussi un surnom flatteur, celui de Liu l'Ecrivain, un surnom qui n'avait rien à envier à celui de Zhao le Poète, et il n'était évidemment pas disposé à lui céder la première place en quelque domaine que ce soit. Un sac à riz vide à la main, il était en route pour le magasin de céréales quand il avait aperçu Zhao le Poète qui paradait dans la rue, tout fier d'avoir capturé Li Guangtou le voyeur.

Comme il n'était pas question pour lui de laisser Zhao tenir le haut de l'affiche tout seul, il voulut profiter également de cette occasion de se mettre en valeur. Il s'approcha en braillant et lança à Zhao le Poète, avec l'air d'un sauveur providentiel :

— Je viens t'aider.

Les deux plumitifs étaient des amis intimes. Liu l'Ecrivain avait épuisé tous les qualificatifs pour louer le quatrain de Zhao le Poète, et Zhao le Poète lui avait renvoyé l'ascenseur et renchéri dans l'hyperbole pour vanter les mérites des deux pages de Liu l'Ecrivain. Au départ, Zhao le Poète tenait Li Guangtou en marchant derrière lui, mais quand il vit Liu l'Ecrivain arriver en vociférant, il s'écarta sur la gauche pour laisser à celui-ci le côté droit. Ainsi réunis, les deux grands lettrés du bourg des Liu, agrippant Li Guangtou par le col, l'un à droite et l'autre à gauche, entreprirent une marche interminable le long des rues. Ils répétaient à qui voulait les entendre qu'ils conduisaient leur prisonnier au commissariat, or ils évitèrent soigneusement le poste de police tout proche et firent un crochet jusqu'à un poste plus éloigné, veillant à emprunter les grandes artères et non pas les ruelles afin de bien se faire remarquer. Tandis qu'ils promenaient Li Guangtou, ils lui dirent, comme s'il y avait lieu de l'envier :

— Regarde un peu, tu es escorté par deux grands lettrés. Tu ne connais pas ta chance, mon gars…

Zhao le Poète crut bon d'ajouter :

— C'est comme si Li Bai et Du Fu[3] t'escortaient…

Liu l'Ecrivain trouva que la comparaison de Zhao le Poète tombait à plat, car Li Bai et Du Fu étaient tous les deux des poètes, alors que lui-même était romancier. Aussi rectifia-t-il :

— Plus exactement, c'est comme si Li Bai et Cao Xueqin[4] t'escortaient…

Bien qu'encadré par les deux autres, Li Guangtou tournait la tête dans tous les sens, avec un air de parfaite insouciance. En entendant les deux lettrés de notre bourg des Liu se comparer à Li Bai et à Cao Xueqin, il ne put s'empêcher de ricaner :

— Même moi je sais que Li Bai a vécu sous les Tang, et Cao Xueqin sous les Qing. Comment quelqu'un des Tang pourrait-il se retrouver avec quelqu'un des Qing ?

Les badauds massés sur leur passage éclatèrent de rire et applaudirent la remarque de Li Guangtou. Ils déclarèrent que les deux grands lettrés du bourg des Liu avaient peut-être du talent en matière littéraire mais qu'en histoire ils en savaient moins long que ce vaurien qui matait le cul des filles. Les deux compères étaient rouges de confusion. Zhao le Poète tendit le cou :

— C'était une simple comparaison…

— Qu'à cela ne tienne, intervint Liu l'Ecrivain. Puisque ce sont un poète et un romancier qui t'escortent, disons que ce sont Guo Moruo et Lu Xun[5].

La foule approuva cette dernière comparaison et Li Guangtou hocha la tête lui aussi :

— Oui, en quelque sorte.

Zhao le Poète et Liu l'Ecrivain n'osèrent plus s'aventurer sur le terrain des comparaisons littéraires. Tenant toujours Li Guangtou par le col, ils avançaient d'un pas majestueux en dénonçant, non moins majestueusement, son comportement de voyou. Sur le chemin, Li Guangtou aperçut beaucoup de monde. Des gens qu'il connaissait, et d'autres qu'il ne connaissait pas, et qui riaient sur tous les tons. Zhao le Poète et Liu l'Ecrivain, tout en marchant, faisaient des commentaires incessants à l'adresse des badauds, avec une conscience professionnelle bien supérieure à celle des présentateurs qu'on voit sur le petit écran aujourd'hui. Les deux femmes dont Li Guangtou avait maté les fesses leur donnaient la réplique comme deux invitées de marque dans une émission de télévision. Leur visage exprimait tantôt la colère, tantôt l'humiliation, tantôt un mélange des deux. Ils continuaient d'avancer quand soudain le gros derrière poussa un cri : elle venait d'apercevoir son mari dans la foule. Eclatant en sanglots, elle apostropha celui-ci :

— Il a vu mon derrière, et je ne sais trop quoi encore. Frappe-le !

L'assistance se tourna en riant vers le mari. Le visage en feu, les sourcils froncés, il restait planté comme un piquet. Alors Zhao le Poète et Liu l'Ecrivain immobilisèrent Li Guangtou, puis ils le tirèrent par ses vêtements vers l'infortuné mari comme ils auraient mis un os à ronger dans la gueule d'un chien. La femme au gros fessier continuait à sangloter et à réclamer à grands cris que son mari corrige Li Guangtou :

— Jusqu'à présent tu étais le seul à l'avoir vu, et maintenant vous êtes deux sur terre, toi et ce voyou. Que vais-je devenir ? Dépêche-toi de le frapper ! Vise les yeux ! Pourquoi restes-tu là sans bouger ? Ça ne te fait pas honte ?

L'assistance éclata de rire, et Li Guangtou lui-même ne put s'empêcher de ricaner en pensant que si cet homme devait avoir honte ce n'était pas à cause de lui mais à cause de son épouse. La femme au gros fessier interpella de nouveau son mari d'une voix aiguë :

— Tu vois, ça le fait rigoler. Il a eu ce qu'il voulait, il est content. Dépêche-toi de le frapper ! C'est toi la victime et tu attends les bras croisés ?

L'homme, qui faisait grise mine, c'était Tong le Forgeron, quelqu'un de très connu dans notre bourg des Liu. Li Guangtou avait souvent visité sa forge quand il était petit, et admiré les magnifiques gerbes d'étincelles qui jaillissaient sous son marteau. A présent, Tong le Forgeron avait la mine plus grise qu'un morceau de fer. Il leva sa grosse pogne de forgeron et l'abattit sur le visage de Li Guangtou comme s'il avait frappé un bout de métal. Si bien que celui-ci tomba à terre, si bien qu'il perdit deux dents, si bien qu'il fut aveuglé par des gerbes d'étincelles, si bien qu'il eut la moitié du visage tuméfié, si bien que ses oreilles bourdonnèrent pendant cent sept ans. Cette claque donna à Li Guangtou le sentiment que sa faute était bien cher payée, et il se jura que dorénavant, si d'aventure il croisait encore le derrière de la femme du forgeron, il fermerait les yeux et ne les rouvrirait pas même si elle lui offrait un pont d'or.

Zhao le Poète et Liu l'Ecrivain continuèrent à exhiber Li Guangtou, lequel, après cette dérouillée, avait le visage enflé et le nez en sang. Ils firent plusieurs tours le long de la grande rue du bourg, et passèrent par trois fois devant le commissariat. Et par trois fois, les policiers contemplèrent le spectacle depuis le pas de leur porte sans que Zhao le Poète et Liu l'Ecrivain consentent à entrer. Zhao le Poète et Liu l'Ecrivain, flanqués des deux derrières, le gros et le maigrelet, poursuivaient leur marche sans fin. Jusqu'au moment où le gros fessier semblable à de la viande fraîche en eut assez et où le postérieur maigrelet qui ressemblait à de la viande salée ne voulut plus faire un pas de plus. Quand les deux postérieurs furent rentrés chez eux, Zhao le Poète et Liu l'Ecrivain effectuèrent un dernier tour dans la ville, et lorsqu'ils eurent les reins et les jambes brisés de fatigue et le gosier bien sec, ils se décidèrent enfin à conduire Li Guangtou au poste.

Les cinq policiers présents sur place se précipitèrent sur Li Guangtou, l'entourèrent et entreprirent de l'interroger. Ils commencèrent par s'enquérir du nom des cinq victimes, puis posèrent des questions à propos de chacun des fessiers. Ils ne s'attardèrent pas sur le petit derrière, mais voulurent obtenir des détails sur les quatre autres. On n'aurait jamais cru qu'ils menaient un interrogatoire, mais plutôt qu'ils soutiraient des renseignements à Li Guangtou, et lorsque ce dernier commença à leur expliquer comment il avait réussi à apercevoir le derrière de Lin Hong, celui qui n'était ni gros ni maigre et qui était tellement rond qu'on aurait cru qu'il avait été roulé en boule, les visages des cinq policiers étaient aussi captivés que si on leur avait raconté une histoire de fantôme. La jeune fille aux fesses bien rondes, Lin Hong, était une beauté fameuse de notre bourg des Liu, et les cinq policiers avaient souvent cherché à deviner son joli postérieur à travers son pantalon quand elle passait dans la rue. Nombreux, en ville, étaient ceux qui s'étaient livrés, eux aussi, au même exercice, mais seul Li Guangtou avait pu juger d'après nature. Pour les cinq policiers, l'occasion était trop belle. Ils pressèrent Li Guangtou de questions, et quand celui-ci évoqua la peau tendue de Lin Hong et son coccyx légèrement proéminent, ce furent cinq paires d'yeux qui se mirent brusquement à briller comme des ampoules électriques. Li Guangtou se défendit aussitôt d'avoir vu autre chose, et instantanément les dix ampoules s'éteignirent comme s'il s'était produit une panne de courant. Les visages des policiers exprimaient la déception et le mécontentement. Ils frappèrent sur la table en hurlant :

— Clémence pour qui avoue, sévérité pour les récalcitrants[6]. Réfléchis bien, qu'est-ce que tu as vu encore ?

Li Guangtou expliqua en tremblant qu'il s'était penché encore plus dans l'espoir d'apercevoir les poils pubiens de Lin Hong et de voir à quoi ressemblait l'endroit où ils poussaient. Comme il avait peur, Li Guangtou parlait à voix très basse, et ses auditeurs retenaient leur souffle. On aurait dit de nouveau que Li Guangtou racontait une histoire de fantôme mais, au moment où le fantôme allait apparaître, l'histoire s'arrêta. Li Guangtou déclara en effet qu'à la seconde même où il allait apercevoir les poils, Zhao le Poète l'avait relevé brutalement, l'empêchant ainsi de rien voir.

— Il s'en est fallu de si peu… dit-il, la mine dépitée.

Quand Li Guangtou eut terminé son récit, les cinq policiers ne réagirent pas immédiatement. Ils avaient toujours les yeux braqués sur lui et quand, passé un moment, ils prirent conscience que ses lèvres ne bougeaient plus, ils comprirent que derechef l'histoire se terminait en queue de poisson. L'expression de leurs visages était étrange, c'était celle de cinq crève-la-faim qui voient un canard rôti s'envoler sous leur nez. L'un d'eux ne put s'empêcher de s'en prendre à Zhao le Poète :

— Qu'est-ce que ce Zhao pouvait bien aller faire aux toilettes ? Il ne pouvait pas rester tranquillement chez lui à écrire ses vers ?

Quand les policiers furent convaincus qu'ils ne tireraient plus rien de Li Guangtou, ils convoquèrent sa mère pour qu'elle le ramène à la maison. Ils savaient par lui qu'elle s'appelait Li Lan et qu'elle travaillait à la filature de soie. Un des policiers sortit sur le pas de la porte et demanda à la cantonade qui connaissait Li Lan, celle qui travaillait à la filature. Il s'égosillait depuis cinq ou six minutes quand enfin quelqu'un arriva, qui se rendait là-bas. L'homme s'inquiéta de savoir ce qu'on voulait à Li Lan.

— Il faut qu'elle se présente au commissariat pour récupérer son voyou de fils.

Li Guangtou patienta tout l'après-midi comme un objet trouvé qui attend son propriétaire. Assis sur un banc, il regardait le soleil qui entrait par la porte. Au début, la tache de lumière étalée sur le ciment était aussi grande que le battant de la porte, puis la bande de lumière rétrécit de plus en plus jusqu'à se réduire aux dimensions d'une perche de bambou. Enfin, brusquement, il n'y eut plus rien. Li Guangtou ignorait encore qu'il était devenu une gloire locale. Tous les gens qui passaient devant le commissariat, hommes ou femmes, en profitaient pour entrer, la mine hilare, afin de voir à quoi ressemblait l'individu qui matait les fesses des filles aux toilettes. Dans les intervalles où il n'y avait personne, un ou deux policiers, qui ne voulaient pas lâcher le morceau, s'approchaient de lui et lui lançaient d'un ton menaçant, en frappant sur la table :

— Réfléchis bien, est-ce que tu n'as pas autre chose à ajouter ?

C'est au crépuscule seulement que la mère de Li Guangtou fit son apparition à l'entrée du commissariat. Elle n'était pas venue plus tôt de crainte d'être montrée du doigt dans la rue. Quinze ans auparavant, c'est son mari qui l'avait couverte de honte, et à présent Li Guangtou, marchant sur les traces de son père, mettait l'opprobre à son comble. Elle avait profité de la nuit tombante pour venir en catimini, la tête enveloppée dans un foulard et un masque sur la bouche. En franchissant la porte, elle jeta un œil sur son fils et, effrayée, détourna aussitôt le regard. Debout devant les policiers, elle déclina timidement et d'une voix tremblante son identité. Le policier qui, en principe, n'était plus en service et aurait dû être chez lui, s'emporta contre elle : Bordel, savait-elle quelle heure il était, déjà 8 heures ; il n'avait pas encore dîné ; il se proposait d'aller au cinéma ce soir, il avait dû se battre au guichet pour se procurer un billet, et maintenant il verrait que couic ; même en prenant l'avion, il arriverait juste pour voir le mot "Fin" sur l'écran. La mère de Li Guangtou se tenait piteusement devant lui, acquiesçant de la tête à chacun de ses reproches.

— Bordel, arrêtez de remuer la tête comme ça, cria le policier pour finir, et filez en vitesse, je ferme.

Li Guangtou se retrouva dans la rue avec sa mère. Celle-ci marchait en silence, tête baissée, en se tenant à l'écart des lumières. Il la suivait, en balançant les bras avec décontraction, et l'air dégagé, comme si ce n'était pas lui mais sa mère qui avait joué les voyeurs dans les toilettes. De retour à la maison, la mère se dirigea sans un mot vers sa chambre, elle s'enferma et on n'entendit plus un bruit. Au milieu de la nuit, Li Guangtou, en rêve, eut le sentiment vague qu'elle était venue au pied de son lit et qu'elle remontait comme d'habitude la couverture qu'il avait repoussée du pied. Plusieurs jours durant, Li Lan n'adressa pas la parole à son fils, puis, par une soirée pluvieuse, elle laissa couler ses larmes et déclara : "Tel père, tel fils." Assise derrière la lampe qui diffusait une faible lueur, elle expliqua d'une faible voix à Li Guangtou que lorsque son père s'était noyé en cherchant à voir le derrière des filles aux toilettes elle en avait éprouvé une telle honte qu'elle avait songé à se pendre, et qu'elle n'avait renoncé à son geste qu'à cause de cet enfant qui pleurait dans son berceau. Si elle avait su qu'il imiterait son père, conclut-elle, elle se serait tuée.

II

Après l'affaire des toilettes, c'en fut fait de la réputation de Li Guangtou. Tout le monde, dans notre bourg des Liu, savait qui était ce garçon de quatorze ans. Les jeunes filles l'évitaient dans la rue, de même que les fillettes et les femmes d'un certain âge. Li Guangtou ne décolérait pas : il ne s'était pas rincé l'œil plus de deux minutes dans les toilettes et on le traitait comme un violeur. Cependant, dans son malheur il avait eu de la chance car il avait réussi à voir les fesses de Lin Hong, la plus belle d'entre les belles du bourg. Les hommes mûrs comme les jeunes gens, et même les garçons à peine pubères, restaient bouche bée sur son passage et bavaient devant elle, certains même étaient si excités qu'ils en saignaient du nez. Le soir venu, nul n'aurait su dire combien de garçons, sur combien de lits et dans combien de chambres se masturbaient avec entrain en songeant, les yeux fermés, à deux ou trois endroits de son anatomie. C'était déjà une bonne fortune pour ces pauvres diables quand ils avaient réussi à la rencontrer une fois dans la semaine, et encore ne laissait-elle apparaître que le visage, le cou et les mains. L'été était une saison plus favorable, ils avaient en effet une chance d'apercevoir ses pieds chaussés de sandales et ses mollets dépassant sous sa jupe. Mais rien d'autre. Seul Li Guangtou avait vu ses fesses nues, et pour cela tous les hommes du bourg l'enviaient.

Ils en avaient conclu qu'une telle bonne fortune n'avait pu lui être accordée qu'en raison de ses mérites dans une vie antérieure.

Li Guangtou était donc devenu célèbre du jour au lendemain et, si toutes les femmes l'évitaient, les hommes, en revanche, lui faisaient bon visage quand ils le croisaient et ils lui lançaient des sourires entendus. Ils le prenaient par l'épaule en pleine rue, cherchaient à engager la conversation et, après s'être assurés qu'il n'y avait personne alentour, ils lui glissaient en douce :

— Dis donc, mon gars, qu'est-ce que tu as vu au juste ?

Alors Li Guangtou répondait, en prenant à dessein une voix tonitruante :

— J'ai vu des fesses !

Son interlocuteur sursautait et lui disait, en lui serrant l'épaule :

— Putain, pas si fort !

Puis il jetait un regard circonspect autour de lui et, une fois certain que nul n'avait rien remarqué, il continuait à interroger tout bas Li Guangtou :

— Dis-moi, celles de Lin Hong… elles sont comment ?

Malgré son jeune âge, Li Guangtou comprenait quelle valeur il avait aux yeux des autres. Il en allait de sa réputation comme du tofu puant, lequel est aussi délectable au goût qu'il sent mauvais. Il savait que parmi les cinq derrières qu'il avait surpris aux toilettes, quatre étaient du tout-venant, mais que celui de Lin Hong, lui, était de qualité supérieure. C'était un derrière au moins cinq étoiles, hors de prix. Et si, par la suite, Li Guangtou était devenu le nabab du bourg des Liu que l'on sait, c'est qu'il avait le commerce dans le sang. A quatorze ans déjà, il faisait des affaires avec le derrière de Lin Hong, et avec lui les enchères montaient vite. Rien qu'à voir la mine affable de tous ces libidineux, rien qu'à la façon dont ils le prenaient par le cou ou lui tapaient sur l'épaule, il devinait qu'ils cherchaient à lui soutirer le secret du derrière de Lin Hong. Lorsque les cinq policiers, au commissariat, sous couvert de mener leur enquête, avaient cherché, déjà, à le percer, Li Guangtou avait répondu à leurs questions sans rien oser dissimuler. Depuis, il s'était fait plus malin, il ne donnait plus rien à l'œil : face à la fausse cordialité de ses interlocuteurs, il ne laissait pas échapper l'ombre d'un poil pubien, s'en tenant à un seul mot, celui de "fesses". Si bien que ceux qui étaient venus avec l'espoir d'en savoir plus sur le derrière de Lin Hong restaient perplexes.

Liu l'Ecrivain travaillait en fait comme ouvrier tourneur à l'usine de quincaillerie. Comme il aimait manier la plume et qu'il ne manquait pas de bagout, il était entré dans les bonnes grâces de son patron, lequel l'avait promu au rang de chef du service des approvisionnements et des ventes. Liu l'Ecrivain avait une petite amie, qui n'était ni laide ni belle. Dès qu'il avait pris du galon et qu'il avait publié dans la revue ronéotée de la maison de la culture du district sa nouvelle de deux pages, estimant que celle-ci n'était plus digne de son rang, il avait reporté ses vues sur Lin Hong, imitant en cela tous les hommes du bourg, les hommes mariés comme les célibataires. Il chercha donc à se débarrasser de sa petite amie mais l'intéressée ne l'entendit pas de cette oreille. Elle ne voulut pas lâcher son écrivain maintenant qu'il était reconnu. Elle se planta dans la rue, à la porte du commissariat, et expliqua en larmes que Liu l'Ecrivain avait déjà couché avec elle. Tandis qu'elle se lamentait, elle montrait ses dix doigts écartés, si bien que les gens du bourg en conclurent que la chose avait eu lieu dix fois. Mais à la stupéfaction générale, elle affirma qu'ils avaient couché ensemble cent fois. Après une telle scène, Liu l'Ecrivain renonça à son projet. A l'époque, si on avait couché ensemble, on était obligé de se marier. Le directeur de l'usine convoqua Liu l'Ecrivain pour lui passer un savon, et il lui mit le marché en main : ou bien il épousait cette fille, auquel cas il serait maintenu dans ses fonctions, ou bien il la plaquait, et alors il pouvait dire adieu à son poste de chef de service, et il ne lui resterait plus qu'à garder la porte de l'usine ou à nettoyer les toilettes. Liu l'Ecrivain pesa rapidement le pour et le contre, et comme il tenait davantage à sa vie professionnelle qu'à sa vie privée, il se résolut à battre sa coulpe devant sa petite amie. Leurs relations reprirent comme auparavant. On les voyait faire du lèche-vitrines ou aller au cinéma collés l'un contre l'autre, et ils passèrent commande de meubles au menuisier en prévision de leurs noces.

Zhao le Poète fut très sensible aux déboires de Liu l'Ecrivain, qui avait remis sa vie entière entre les mains d'une femme sans pudeur. Il avait ruiné son avenir pour une passion éphémère. Zhao le Poète, compatissant, répétait à qui voulait l'entendre :

— Comme on dit : "Faux pas un jour, regrets toujours."

Jusqu'à ce que quelqu'un lui fasse valoir ce qui suit :

— Comment ça, "faux pas un jour" ? Ils ont déjà couché ensemble cent fois. Ça fait au moins cent faux pas.

Zhao le Poète réduit à quia se rabattit sur un autre proverbe :

— Un héros se joue de tout, sauf des jolies femmes.

On lui fit alors remarquer :

— Un héros, lui ? Et elle, qu'est-ce qu'elle a de joli ?

Zhao le Poète hocha la tête, admiratif devant la clairvoyance des masses[1] : si Liu l'Ecrivain avait été incapable de se jouer d'une femme qui n'était même pas belle, quel avenir se préparait-il ? Il cessa d'éprouver de la sympathie et de la commisération pour lui, et lâcha avec mépris, en secouant la main :

— Cet homme-là n'arrivera jamais à rien.

Liu l'Ecrivain avait beau être plongé dans les préparatifs de son mariage, il gardait la tête ailleurs. Il continuait de baver devant les charmes de Lin Hong et, chaque soir avant de s'endormir, il se concentrait, l'une après l'autre, sur toutes les parties du corps de la jeune fille comme il se serait exercé au *qigong*[2], avec l'espoir qu'au pays des rêves il deviendrait son amant. Bien qu'il eût exhibé Li Guangtou dans les rues en le tenant par le col, de concert avec Zhao le Poète, il le regardait d'un œil neuf depuis qu'il savait que Li Guangtou détenait le secret du derrière de Lin Hong. Afin que l'illusion soit plus parfaite quand il rencontrait Lin Hong et s'unissait à elle en imagination ou en rêve, Liu l'Ecrivain brûlait de connaître le secret de son corps. Depuis cette procession dans les rues, dès qu'il croisait Li Guangtou, il venait à sa rencontre en lui souriant comme à un vieil ami. Toutefois, mécontent de ne pas pouvoir lui arracher autre chose que le mot "fesses", il lui demanda un jour, en lui donnant une tape sur la nuque comme l'aurait fait un grand frère :

— Est-ce que tu ne pourrais pas être un peu plus précis ?

— A quel propos ? répliqua Li Guangtou.

— Quand tu parles de fesses, c'est trop abstrait. Essaie d'être un peu plus concret.

Li Guangtou se mit à parler plus fort :

— Concret, ça veut dire quoi pour des fesses ?

— Oh là, oh là, pas si fort.

Après s'être assuré qu'ils étaient seuls, Liu l'Ecrivain s'expliqua avec des gestes :

— Il y a des postérieurs larges et des postérieurs étroits, des gros et des maigres.

Li Guangtou se remémora les cinq derrières qu'il avait vus alignés dans les toilettes et répondit, l'air ébloui :

— C'est vrai, il y en a des larges et des étroits, des gros et des maigres.

Là-dessus, il reprit son mutisme. Liu l'Ecrivain, croyant qu'il avait besoin d'être mis sur la voie, expliqua patiemment :

— Le derrière, c'est comme le visage, il varie d'une personne à l'autre. Par exemple, il y a des gens qui ont un grain de beauté sur le visage, et d'autres qui n'en ont pas. Eh bien, celui de Lin Hong… il est comment ?

Li Guangtou réfléchit longuement avant de répondre :

— Lin Hong n'a pas de grain de beauté sur la figure.

— Je sais bien qu'elle n'en a pas, dit Liu l'Ecrivain. Je ne te parlais pas de son visage. Eh bien, ses fesses, comment sont-elles ?

En dépit de son jeune âge, Li Guangtou était astucieux :

— Si je te le dis, qu'est-ce que tu me donnes ?

Liu l'Ecrivain se vit contraint de graisser la patte à Li Guangtou. Comme il avait affaire à un enfant, il crut pouvoir s'en tirer avec quelques bonbons. Tout en mâchant un bonbon, Li Guangtou invita Liu l'Ecrivain à se pencher vers lui et à approcher son oreille, après quoi, prenant une mine de conspirateur, il décrivit avec force détails le petit derrière insignifiant. La perplexité se lisait sur le visage de Liu l'Ecrivain :

— C'est bien du derrière de Lin Hong que tu me parles ? demanda-t-il à voix basse.

— Non, répondit l'autre, je te parle du plus petit des derrières que j'ai vus.

— Petit salopard, fulmina Liu l'Ecrivain, toujours à voix basse. Moi, c'est du derrière de Lin Hong que je te parle.

Li Guangtou secoua la tête :

— Je n'ose pas en parler.

— Putain de ta mère (Liu l'Ecrivain continuait de fulminer), c'est pourtant pas ta mère ni ta sœur…

Li Guangtou songea que Liu l'Ecrivain n'avait pas tort. Il hocha la tête :

— C'est vrai, ce n'est ni ma mère ni ma sœur…

Mais aussitôt il secoua la tête :

— Il n'empêche, c'est l'amante de mes rêves et je n'ose pas parler d'elle.

— Qu'est-ce qu'un petit salopard comme toi peut faire comme rêves ? demanda Liu l'Ecrivain, qui bouillait d'impatience. Qu'est-ce qu'il faut pour que tu te décides ?

Li Guangtou réfléchit longuement, les sourcils froncés, avant de répondre :

— Si tu m'offres un bol de nouilles, ça m'aidera à parler d'elle.

Liu l'Ecrivain, après un instant d'hésitation, dit en serrant les dents :

— D'accord.

Li Guangtou, qui avait déjà l'eau à la bouche, chercha à profiter de son avantage :

— Je ne veux pas des nouilles nature à 9 *fen*[3] le bol, je veux des nouilles aux trois fraîcheurs[4] à 3,5 *mao* le bol, avec dedans du poisson, de la viande et des crevettes.

— Des nouilles aux trois fraîcheurs ? s'écria Liu l'Ecrivain. Alors là, petit salopard, tu ne manques pas d'air. Même moi, Liu l'Ecrivain, qui suis pourtant célèbre, j'en mange tous les trente-six du mois. J'y regarde à deux fois avant de m'en offrir et il faudrait que je t'en paie ! Tu rêves ou quoi ?

Li Guangtou approuva de la tête :

— C'est vrai ça, pourquoi m'offrirais-tu des nouilles que tu n'as pas les moyens de te payer ?

— Exactement. (Liu l'Ecrivain constata, ravi, que Li Guangtou revenait à de meilleures dispositions.) Alors, tu te contenteras d'un bol de nouilles nature.

Li Guangtou, tout en ravalant sa salive, prit une mine désolée :

— Je ne suis pas sûr que des nouilles nature me donnent envie de parler d'elle.

Liu l'Ecrivain serra les dents rageusement. Il brûlait d'écraser son poing contre la face de Li Guangtou et de lui abîmer le portrait. Toutefois, le premier moment de fureur passé, il finit par consentir à satisfaire la demande de Li Guangtou. Il poussa un juron – cette fois, ce n'était plus "Putain de ta mère" mais "Putain de ta grand-mère" –, puis il dit :

— C'est bon, tu les auras tes nouilles aux trois fraîcheurs, mais il faudra tout me raconter dans les moindres détails.

Tong le Forgeron voulut à son tour obtenir des renseignements sur le postérieur de Lin Hong. Après que Li Guangtou avait surpris le gros postérieur de son épouse, il lui avait asséné en pleine rue, de toute sa force de forgeron, une gifle magistrale qui lui avait coûté deux dents et l'avait laissé les oreilles bourdonnantes pendant cent sept ans. Tong le Forgeron, lui aussi, avait la tête ailleurs. Chaque soir, il s'endormait dans les bras de sa grosse femme, mais dès qu'il avait fermé l'œil, il songeait à la silhouette gracieuse de Lin Hong. Tong le Forgeron, qui ne tournait pas autour du pot comme Liu l'Ecrivain, alla droit au but. Avisant Li Guangtou dans la rue, il lui barra le passage de sa large carrure :

— Hé, petit gars, lui dit-il, en baissant la tête, tu me remets ?

Li Guangtou leva les yeux vers lui :

— Même réduit en cendres, je vous reconnaîtrais encore.

Refroidi par cet accueil, Tong le Forgeron se rembrunit :

— Dois-je en conclure que tu aimerais me voir mort ?

— Pas du tout, pas du tout, se hâta de répliquer Li Guangtou, craignant que la lourde main ne s'abatte encore sur lui.

Puis Li Guangtou écarta ses lèvres avec ses doigts pour que Tong le Forgeron puisse inspecter l'intérieur de sa bouche :

— Vous voyez, dit-il, il me manque deux dents, c'est vous qui me les avez fait tomber…

Ensuite, il montra son oreille gauche :

— A l'intérieur, ça bourdonne comme s'il y avait des abeilles.

Tong le Forgeron eut un petit rire et, prenant à témoin les passants, il déclara tout fort :

— Comme tu n'es encore qu'un môme, je te paie un bol de nouilles à titre de réparation.

Tong le Forgeron se dirigea vers le Restaurant du Peuple en roulant des mécaniques. Li Guangtou lui emboîta le pas, les deux mains dans le dos, en songeant à cette pensée du président Mao : "Il n'y a au monde ni amour sans cause, ni haine sans cause[5]." Si Tong le Forgeron proposait subitement de lui offrir des nouilles, c'était certainement qu'il voulait se renseigner sur le derrière de Lin Hong. Les mains toujours dans le dos, il courut à petits pas pour le rattraper, et lui glissa :

— Vous m'invitez pour que je vous parle des derrières, n'est-ce pas ?

Tong le Forgeron hocha la tête en ricanant, et se fendit d'un compliment :

— Que voilà un petit gars futé.

— Pourtant, vous avez ce qu'il faut à la maison… reprit Li Guangtou.

— Les hommes sont comme ça, lui souffla Tong le Forgeron. Ils mangent dans leur bol, mais ils gardent un œil sur la casserole.

Quand Tong le Forgeron pénétra dans le Restaurant du Peuple, on aurait dit qu'il était plein aux as. Mais une fois assis, il se comporta comme un radin et, au lieu de faire servir à Li Guangtou un bol de nouilles aux trois fraîcheurs, il commanda un bol de nouilles nature. Li Guangtou s'abstint de tout commentaire mais, en son for intérieur, il n'en pensait pas moins. Quand on eut apporté les nouilles, il prit ses baguettes et commença à manger avec force bruits. Il fut bientôt en nage, la morve lui coulait du nez. Tong le Forgeron regardait sa morve descendre jusqu'à sa bouche et remonter chaque fois qu'il reniflait. Elle était déjà remontée à quatre reprises, le bol de nouilles était à moitié vide et Li Guangtou n'avait toujours pas parlé. Tong le Forgeron s'impatienta :

— Eh, eh, c'est bien beau de manger, mais tu avais dit que tu parlerais.

Li Guangtou aspira sa morve, épongea son front, jeta un regard circulaire, puis se mit à parler à voix basse. Au lieu des fesses de Lin Hong, il évoqua un gros derrière. Quand il eut terminé sa description, Tong le Forgeron le fixa d'un air soupçonneux :

— C'est bizarre, déclara-t-il, méfiant, on jurerait le derrière de ma femme…

— Oui, c'est bien de lui que je parle, répondit Li Guangtou, sans chercher à feindre.

Tong le Forgeron éclata, et il hurla en brandissant le poing :

— Petit salopard, je vais te réduire en bouillie !

Li Guangtou se leva d'un bond pour esquiver le coup. Tous les clients attablés se retournèrent vers eux, et Tong le Forgeron arrêta sa main. Le geste inachevé se transforma en un signe inoffensif :

— Reste là, reprends ta place, ordonna-t-il à Li Guangtou.

Li Guangtou hocha la tête en souriant à l'adresse des clients. Il savait que Tong le Forgeron n'oserait rien entreprendre contre lui en présence de témoins. Il se rassit face à lui et Tong le Forgeron, livide, lui dit :

— Allez, à Lin Hong maintenant…

Li Guangtou regarda autour de lui. Les clients du restaurant les observaient toujours. Il sourit, rassuré, et répondit en baissant la voix :

— La viande et les légumes, ce n'est pas le même prix. Un bol de nouilles nature, c'est bon pour le derrière de votre femme. Celui de Lin Hong, ça vaut un bol de nouilles aux trois fraîcheurs.

Tong le Forgeron resta muet de fureur pendant un long moment. Et comme Li Guangtou reprenait son bol tranquillement, il le lui arracha des mains et lança, l'air mauvais :

— Ça suffit comme ça, c'est moi qui vais le finir.

Li Guangtou se tourna vers les clients du restaurant qui les fixaient tous les deux sans rien comprendre : à l'instant, c'était Li Guangtou qui aspirait bruyamment ses nouilles, et maintenant c'était Tong le Forgeron. Li Guangtou leur sourit :

— Je vous explique : il m'a offert un demi-bol de nouilles, et maintenant je lui rends son invitation.

Dès lors, Li Guangtou afficha les prix : un bol de nouilles aux trois fraîcheurs, c'était le tarif pour connaître le secret du derrière de Lin Hong. Pendant les six mois où ses oreilles continuèrent à bourdonner, jusqu'à ce qu'il eût atteint l'âge de quinze ans, Li Guangtou ingurgita cinquante-six bols de nouilles aux trois fraîcheurs. Le freluquet aux joues creuses d'autrefois arborait maintenant une mine resplendissante[6]. Il pensait qu'il avait eu une sacrée veine dans son malheur car il avait mangé en six mois son quota de nouilles pour toute la vie. A l'époque il ignorait encore qu'il deviendrait plus tard milliardaire et qu'il mangerait jusqu'à l'écœurement les mets les plus fins du monde entier. C'était encore un gosse sans le sou, et un simple bol de nouilles aux trois fraîcheurs suffisait à le transporter au comble du bonheur. Il avait l'impression de se promener au paradis, et les cinquante-six bols qu'il avala en six mois furent autant de montées au septième ciel.

Li Guangtou ne parvenait pas toujours aisément à ses fins. A chaque fois, le chemin était semé d'embûches, et son bol, il l'obtenait de haute lutte. Les gens qui venaient le trouver avec l'espoir de percer le secret du derrière de Lin Hong essayaient de le circonvenir avec un bol de nouilles nature, mais il ne se laissait pas berner. Il marchandait pied à pied jusqu'à ce qu'on lui cède. Ceux qui avaient dû lui offrir des nouilles aux trois fraîcheurs le regardèrent d'un autre œil : "Ce petit salopard de quinze ans, disaient-ils, est plus retors qu'un vieux salopard de cinquante."

Presque en face de la forge de Tong le Forgeron, un rémouleur, qui travaillait avec son fils, avait installé son atelier. Le père s'appelait Guan les Ciseaux l'Ancien ; et le fils, Guan les Ciseaux le Jeune. Guan les Ciseaux le Jeune avait appris le métier avec son père à l'âge de quatorze ans. Il en avait à présent une vingtaine, il n'était pas marié et n'avait pas de petite amie, et lui aussi était sous le charme de Lin Hong depuis belle lurette. Il voulut extorquer le secret de son derrière contre un bol de nouilles nature. Quand il rencontra Li Guangtou, il lui expliqua, en agitant devant lui ses mains devenues blanches à force d'aiguiser des lames, que la belle vie allait bientôt finir pour lui : Lin Hong aurait bientôt un fiancé et, à compter de ce jour, plus personne ne lui offrirait de nouilles. C'est pourquoi Li Guangtou avait intérêt à se dépêcher de profiter des nouilles nature qu'on lui proposait pendant qu'il en était encore temps, car sous peu il n'aurait même plus le bouillon à boire.

Li Guangtou ne comprit pas bien ce qu'il insinuait :

— Pourquoi ? demanda-t-il.

Guan les Ciseaux le Jeune répondit :

— Réfléchis bien. Quand Lin Hong aura un fiancé, il en saura certainement beaucoup plus que toi, pas vrai ? Alors c'est lui que tout le monde ira interroger, et toi, tu n'intéresseras plus personne.

Ces paroles frappées au coin du bon sens ébranlèrent Li Guangtou mais, après réflexion, il découvrit une faille dans le raisonnement. L'hilarité le prit, et il répliqua :

— Parce que tu t'imagines que le fiancé de Lin Hong ira raconter des choses pareilles ?

Après quoi, le menton levé, le regard filtrant, il ajouta, perdu dans sa rêverie :

— Si un jour je devenais le fiancé de Lin Hong, je la fermerais…

Et enfin, avec un superbe aplomb, il déclara à Guan les Ciseaux le Jeune :

— Mais en attendant que je devienne son fiancé, profite de l'occasion et dépêche-toi de me payer des nouilles aux trois fraîcheurs, pendant qu'il en est encore temps…

Si Li Guangtou était inflexible sur la question des nouilles aux trois fraîcheurs, il tenait à son crédit : du moment qu'il obtenait gain de cause, il dévoilait sans rien garder pour lui tous les secrets du derrière de Lin Hong. C'est pourquoi la clientèle ne tarissait pas, la demande excédait continuellement l'offre. Certains même en redemandaient, tel celui-là qui, souffrant de troubles de mémoire, revint le voir trois fois.

Tandis que Li Guangtou décrivait le derrière de Lin Hong, chacun de ses auditeurs affichait la même expression : la bouche entrouverte, l'air extatique, salivant sans s'en rendre compte. A la fin, pensifs, ils déclaraient invariablement :

— Ça c'est drôle.

Grâce à la description circonstanciée de Li Guangtou, ils découvraient des différences entre le derrière réel de Lin Hong et celui qu'ils imaginaient le soir en se masturbant.

Zhao le Poète était allé trouver Li Guangtou à son tour. Il lui offrit un des cinquante-six bols de nouilles que Li Guangtou ingurgita. En le dégustant, Li Guangtou était aux anges. Il déclara que, curieusement, les nouilles de Zhao le Poète lui avaient paru plus savoureuses que toutes les autres. Il se frappa fièrement la poitrine :

— Il n'y a qu'une seule personne en Chine qui ait mangé plus de nouilles aux trois fraîcheurs que moi.

— Qui ça ? s'enquit Zhao le Poète.

— Le président Mao, répondit-il avec dévotion. Evidemment, lui, il peut manger tout ce qu'il veut. Mais, à part lui, personne ne peut rivaliser avec moi.

Zhao le Poète, lui aussi, avait fréquemment épié les filles aux toilettes, et les toilettes en question étaient son domaine réservé. Mais, au bout d'un an, il n'avait toujours pas aperçu le derrière de Lin Hong. Or ce Li Guangtou, qui n'avait fait que passer sur ses terres, avait réussi là où il avait échoué. C'était lui, Zhao le Poète, qui avait planté l'arbre, et c'était Li Guangtou qui avait profité de l'ombre. Si ce jour-là Li Guangtou ne l'avait pas précédé aux toilettes, c'est lui, à coup sûr, Zhao le Poète, qui aurait vu le premier les fesses de Lin Hong. Pour être aussi verni, il fallait que le ciel soit avec lui. Zhao le Poète s'était rendu aux toilettes avec la ferme intention de reluquer les fesses des femmes mais, quand il avait pris Li Guangtou la main dans le sac, cela l'avait tellement excité qu'il en avait oublié la raison de sa présence et que tout son intérêt s'était reporté sur sa proie. C'est pourquoi il l'avait exhibée inlassablement dans les rues.

Puisque tant de gens étaient venus apprendre de Li Guangtou le secret des fesses de Lin Hong, Zhao le Poète ne voulait pas être en reste. Mais pas question de lui offrir ne fût-ce qu'un bol de nouilles nature. Si en exhibant Li Guangtou il avait été à l'origine de sa mauvaise réputation, celui-ci lui devait aussi ses cinquante bols de nouilles et quelques et sa mine éclatante. Quand on boit de l'eau, estimait-il, on ne doit pas oublier celui qui a découvert la source. Zhao le Poète sortit un exemplaire de la revue ronéotée éditée par la maison de la culture du district et, prenant l'air d'un Li Bai doublé d'un Du Fu, il chercha la page sur laquelle était imprimé son poème pour le fourrer sous le nez de Li Guangtou. Au moment où Li Guangtou s'apprêtait à prendre la revue, Zhao le Poète écarta sa main, comme s'il craignait qu'on ne lui vole son portefeuille. Li Guangtou avait les mains trop sales pour toucher sa revue, et c'est donc lui-même qui la tint tandis que Li Guangtou lisait son poème.

Au lieu de lire le poème, Li Guangtou compta les caractères. Après quoi, il dit :

— C'est trop court, il n'y a que quatre vers de sept caractères chacun, soit vingt-huit caractères en tout.

Zhao le Poète en fut mortifié :

— Il n'y a peut-être que vingt-huit caractères, mais chaque mot est un vrai bijou.

Li Guangtou déclara qu'il comprenait que Zhao le Poète puisse éprouver de la tendresse pour ses propres œuvres :

— On préfère toujours ses œuvres à soi, lança-t-il d'un air entendu, alors qu'on préfère les femmes des autres.

Zhao le Poète rétorqua avec dédain :

— Qu'est-ce qu'un blanc-bec comme toi en sait ?

Puis Zhao le Poète entra dans le vif du sujet. Il expliqua qu'il était en train d'écrire un roman qui racontait l'histoire d'un jeune homme qu'on avait surpris à mater le cul des filles aux toilettes et que dans cet ouvrage il y avait quelques descriptions psychologiques pour lesquelles il avait besoin de l'aide de Li Guangtou.

— Tu veux savoir quoi au juste ? demanda Li Guangtou.

Zhao le Poète le mit sur la voie :

— Qu'as-tu éprouvé la première fois que tu as aperçu le derrière d'une fille ? Par exemple, celui de Lin Hong…

Li Guangtou comprit où il voulait en venir :

— C'est donc ça, tu cherches à te renseigner sur le derrière de Lin Hong. Ce sera un bol de nouilles aux trois fraîcheurs.

— Et puis quoi encore, riposta Zhao le Poète, furieux, tu me prends pour qui ? Sache que je ne m'appelle pas Liu l'Ecrivain, mais Zhao le Poète, et que j'ai voué ma vie depuis longtemps aux belles lettres. J'ai fait le serment que si je ne parvenais pas à faire publier mes œuvres dans une des meilleures revues du pays : *primo*, je ne me chercherais pas de petite amie ; *secundo*, je ne me marierais pas ; *tertio*, je n'aurais pas d'enfants.

Li Guangtou eut le sentiment que quelque chose clochait dans cette déclaration. Il pria Zhao le Poète de la reprendre depuis le début. Ce dernier, s'imaginant que ses arguments avaient fait mouche, les répéta en y mettant toute son âme. Li Guangtou, qui avait trouvé le défaut, déclara, tout content de lui :

— Ce que tu racontes n'est pas logique. Si tu ne te cherches pas de petite amie, tu ne risques pas de te marier, et encore moins d'avoir des enfants. Tu peux t'arrêter au point un, les points deux et trois sont superflus.

Suffoqué par la colère, Zhao le Poète resta muet. Il ouvrit en vain la bouche plusieurs fois, avant de lâcher :

— Laissons ça, tu ne comprends rien à la littérature. Parlons plutôt de ce que tu as éprouvé…

Li Guangtou leva un doigt :

— Un bol de nouilles aux trois fraîcheurs.

Zhao le Poète n'en crut pas ses oreilles : avait-on jamais vu pareil effronté ? Il serra les dents puis, tout sourires, repartit à l'attaque :

— Réfléchis bien, tu es le héros de mon roman. Quand il aura paru et qu'il deviendra célèbre, toi aussi tu le seras, pas vrai ?

Constatant que Li Guangtou l'écoutait avec attention, il poursuivit :

— Et quand tu seras célèbre, tu me remercieras…

Li Guangtou ricana :

— Tu me décris sous les traits d'un personnage négatif, et tu voudrais encore que je te sois reconnaissant ?

Zhao le Poète était stupéfait par la roublardise de ce garçon, pourtant si jeune. Pas étonnant qu'on dise partout de ce petit salopard de quinze ans qu'il était plus retors qu'un vieux salopard de cinquante. Zhao le Poète se força à sourire :

— Au dénouement, le jeune homme retrouve le droit chemin.

Mais du roman de Zhao le Poète, Li Guangtou n'avait cure. Le doigt toujours levé, il répéta, d'un ton qui n'admettait pas la réplique :

— Qu'il s'agisse de ce que j'ai éprouvé ou des fesses de Lin Hong, ce sera un bol de nouilles aux trois fraîcheurs.

Zhao le Poète leva les yeux au ciel :

— Un lettré et une brute épaisse ne sauraient se comprendre.

Puis il ajouta, la mort dans l'âme :

— Eh bien, d'accord !

Au Restaurant du Peuple, Li Guangtou, tout en mangeant les nouilles aux trois fraîcheurs offertes par Zhao le Poète, entreprit de raconter ce qu'il avait éprouvé en voyant les fesses de ces femmes. Il expliqua qu'il tremblait de tous ses membres.

— Ça, c'est physique, remarqua Zhao le Poète, mais dans ton cœur, qu'est-ce que tu éprouvais ?

— Mon cœur, il tremblait tout pareil.

Zhao le Poète apprécia la réponse de Li Guangtou et s'empressa de la noter dans son calepin. Puis Li Guangtou en arriva au derrière de Lin Hong. Tout en épongeant la sueur qui lui coulait sur le visage et la morve qui descendait jusqu'à sa bouche, il s'abîma longuement dans ses souvenirs avant de confier :

— Là, je ne tremblais plus.

Zhao le Poète, décontenancé, demanda :

— Et pourquoi donc ?

— C'est comme ça, répondit Li Guangtou. Quand j'ai vu le derrière de Lin Hong, j'ai été tellement fasciné que je ne ressentais plus rien. Je ne pensais plus qu'à une chose, en voir encore plus et encore mieux. Je n'entendais plus rien, sinon comment aurais-tu pu entrer sans que je m'en aperçoive ?

— C'est plausible. (Zhao le Poète avait les yeux brillants.) Comme on dit, rien n'est plus expressif que le silence, c'est le stade suprême de l'art.

Puis, lorsque Li Guangtou commença à parler de la peau tendue de Lin Hong et de son coccyx légèrement proéminent, la respiration de Zhao le Poète se fit haletante. Tandis que Li Guangtou racontait comment il s'était penché un peu plus pour tenter d'apercevoir les poils pubiens de Lin Hong et l'endroit où ils poussaient, on aurait cru que Zhao le Poète, comme naguère les policiers, écoutait une histoire de fantôme tant son visage avait l'air captivé. Mais, arrivé au moment fort du récit, il s'aperçut que Li Guangtou avait fermé la bouche. Il s'impatienta :

— Et après ?

— Il n'y a pas d'après, dit Li Guangtou, très en colère.

— Et pourquoi ça ?

Zhao le Poète était encore tout à la scène que Li Guangtou venait de lui décrire.

Li Guangtou frappa du poing sur la table :

— C'est juste à ce moment crucial que toi, pauvre connard, tu m'as relevé !

Zhao le Poète secoua la tête et dit d'une voix où perçait un regret infini :

— Ah, si seulement moi, pauvre connard, j'étais rentré dix minutes plus tard !

— Dix minutes ! se récria tout bas Li Guangtou. Il aurait suffi de dix secondes, pauvre connard.

III

Li Guangtou s'appelait Li Guang. Pour économiser de l'argent et s'épargner des frais de coupe, sa mère, chaque fois qu'elle le conduisait chez le coiffeur, demandait qu'on le tonde. Voilà ce qui lui avait valu, alors qu'il savait à peine marcher, le sobriquet de *Li Guangtou*, Li la Boule à zéro. Tout le monde, depuis sa plus tendre enfance, l'appelait comme cela, y compris sa mère : à l'époque où elle l'appelait Li Guang, elle se laissait presque toujours entraîner malgré elle à ajouter un *tou*, si bien qu'elle avait fini par l'appeler tout bonnement Li Guangtou. Même quand il commençait à avoir les cheveux aussi hirsutes qu'une meule de foin, on continuait de l'appeler Li Guangtou. Une fois parvenu à l'âge adulte, dès lors que, cheveux ou pas, il était Li Guangtou, il décida de se raser le crâne en permanence. Le Li Guangtou d'alors n'était pas encore le gros richard du bourg, c'était un garçon pauvre et il s'était aperçu qu'il n'était pas facile d'entretenir son crâne lisse, et que cela lui coûtait deux fois plus cher que de garder des cheveux. Aussi claironnait-il partout qu'être un vrai pauvre cela entraînait des frais ! Son frère Song Gang n'allait chez le coiffeur qu'une fois par mois, quand lui devait s'y rendre au moins à deux reprises. Le coiffeur faisait aller et venir son coupe-chou étincelant sur son crâne comme s'il lui avait rasé le menton. Il lui laissait la peau du crâne aussi lisse que du satin et plus luisante que sa lame. Quand il sortait d'entre ses mains, Li Guangtou ne volait pas son nom.

Li Lan, la mère de Li Guangtou, quitta ce monde l'année des quinze ans de son fils. Selon Li Guangtou, sa mère était une femme qui avait de l'amour-propre, alors que son père et lui-même étaient deux êtres sans vergogne. Le doigt levé, il affirmait que s'il existait sans doute dans le monde d'autres femmes qui avaient eu à la fois un mari et un fils assassins, sa mère à lui était probablement la seule femme dont le mari et le fils avaient tous deux été surpris à mater le cul des filles aux toilettes.

En ce temps-là, nombreux étaient les hommes qui épiaient les filles aux toilettes mais, pour la plupart, cela ne tirait pas à conséquence. Li Guangtou, lui, avait été capturé et montré à la foule, et son père était mort noyé dans la fosse. A ses yeux, son père avait été l'homme le plus malchanceux de la terre : perdre la vie pour un malheureux jeton, quelle arnaque ! A ce compte-là, autant échanger une pastèque contre des graines de sésame. Dans l'ordre de la poisse, Li Guangtou considérait qu'il arrivait en deuxième position derrière son père. Lui aussi aurait mieux fait d'échanger une pastèque contre des graines de sésame. Mais, grâce au ciel, il avait réussi à conserver son capital vital et, par la suite, avec ses cinquante-six bols de nouilles aux trois fraîcheurs, il était sorti bénéficiaire de l'opération. Comme dit le proverbe, "tant que la montagne sera là, on ne manquera pas de bois". La mère de Li Guangtou, elle, n'avait ni montagne ni bois. La déveine du père et du fils avait fini par retomber entièrement sur ses épaules, et l'innocente Li Lan était devenue la femme la plus malchanceuse ici-bas.

Li Guangtou ignorait combien son père avait aperçu de derrières mais, instruit par son expérience, il supposait que son père avait dû trop se pencher. Il avait sans doute cherché à voir les poils pubiens. Il avait dû se baisser progressivement, les deux jambes presque en l'air, tout le poids de son corps reposant entièrement sur ses mains, en s'agrippant au cadre de bois que le contact d'innombrables fessiers avait rendu lisse et brillant. Peut-être le malheureux avait-il aperçu les poils qui hantaient ses rêves. Ses yeux devaient être ronds comme des soucoupes. Les émanations de la fosse avaient dû le faire pleurer, et les larmes avaient dû lui piquer les yeux, mais sans doute à cet instant avait-il tout fait pour ne pas battre des paupières. Il transpirait d'excitation et d'énervement, et ses mains qui serraient le cadre étaient de plus en plus glissantes.

A cet instant, un gars d'un mètre quatre-vingt-cinq s'était précipité dans les toilettes tout en déboutonnant sa braguette. Il n'avait vu personne, si ce n'est deux jambes levées. Il avait poussé un cri de surprise, comme s'il avait rencontré un fantôme. Et ce cri avait arraché le père de Li Guangtou à sa contemplation et l'avait glacé de terreur. Ses deux mains avaient lâché prise, et il était tombé la tête la première dans la fosse emplie d'une sorte de boue épaisse et visqueuse. En l'espace de quelques secondes, cette boue lui avait obstrué la bouche et les narines, et aussitôt après la trachée-artère, et c'est ainsi qu'il avait succombé, étouffé.

L'homme qui avait poussé ce cri d'effroi n'était autre que Song Fanping, le père de Song Gang, qui allait devenir plus tard le beau-père de Li Guangtou. Quand le père de Li Guangtou fut tombé, la tête la première, dans la fosse, son futur beau-père en fut pétrifié. Il eut l'impression qu'en un clin d'œil les deux jambes levées avaient disparu. Une sueur froide perla sur son front et il se demanda si les fantômes, maintenant, se promenaient en plein jour. C'est alors que des cris aigus s'élevèrent des toilettes pour femmes, qui étaient juste à côté : le père de Li Guangtou, en tombant comme une bombe dans la fosse, avait aspergé les fesses de leurs occupantes, lesquelles, sursautant de terreur, s'étaient retournées et avaient vu un homme dans la fosse en regardant sous elles.

S'en était suivie une scène de panique. Les femmes n'arrêtaient pas de crier comme les cigales en été, attirant une foule de badauds des deux sexes. Une des femmes, qui s'était ruée dans la rue en oubliant de remonter sa culotte, quand elle vit les hommes la fixer avec des yeux avides, repartit aussi vite dans les toilettes en glapissant. D'autres, prenant conscience, après avoir été aspergées, qu'elles n'avaient pas apporté suffisamment de papier[1], prièrent les hommes à l'extérieur de cueillir pour elles des feuilles d'arbre. Trois d'entre eux grimpèrent illico à un platane et raflèrent la moitié des larges feuilles qui se trouvaient à la cime. Puis ils chargèrent une jeune fille, accourue sur les lieux, de les porter à l'intérieur, et les femmes, le derrière en l'air, se nettoyèrent avec ce qu'elles avaient réclamé.

A l'autre bout, dans les toilettes pour hommes, un groupe d'hommes était en grande discussion. En passant la tête dans chacun des onze trous prévus pour faire ses besoins, ils avaient découvert le père de Li Guangtou, et discutaient maintenant de savoir s'il était mort ou vif et de la façon dont on allait le repêcher. Certains suggéraient de le remonter avec des perches en bambou, mais d'autres objectèrent qu'avec un tel procédé on serait tout juste parvenu à remonter une poule. Pour remonter un homme, il aurait fallu des tiges en métal, des perches en bambou se rompraient à coup sûr. Seulement voilà, où dégoter des tiges assez longues ?

C'est alors que le futur beau-père de Li Guangtou, le dénommé Song Fanping, se dirigea vers la partie de la fosse septique qui se trouvait dehors, et par laquelle les ouvriers chargés de l'hygiène la vidangeaient, et sauta dedans sans se poser de questions. Voilà qui explique pourquoi Li Lan, plus tard, lui voua une telle adoration. Tandis que tous les hommes restaient plantés là et se contentaient de remuer les lèvres, Song Fanping n'avait pas hésité à sauter dans la fosse. Des excréments jusqu'à la poitrine, il avançait lentement en levant haut les bras. Les asticots lui grimpaient déjà le long du cou et du visage, mais il continuait d'avancer sans baisser les bras, et c'est seulement quand il en eut sur la bouche, les yeux, le nez et les oreilles qu'il commença de les chasser.

Song Fanping parvint dans la partie de la fosse située sous les toilettes, puis en ressortit lentement, en tenant le père de Li Guangtou à deux mains comme on porte un plateau. Quand il fut arrivé à l'air libre, il souleva sa charge et la déposa sur le bord de la fosse. Ensuite, il agrippa les rebords de la fosse pour s'en extraire.

Les badauds massés là reculèrent prestement. La vue du père de Li Guangtou et de Song Fanping couverts d'excréments et d'asticots leur donnait la chair de poule. Ils poussaient des exclamations en se pinçant le nez et en se couvrant la bouche. Une fois sur la terre ferme, Song Fanping s'accroupit près du père de Li Guangtou, plaça sa main un moment sous ses narines, puis sur sa poitrine :

— Il est mort, déclara-t-il aux masses en se relevant.

Après quoi, ce colosse s'éloigna en portant sur son dos le cadavre du père de Li Guangtou. La scène fit encore bien plus sensation que l'exhibition publique de Li Guangtou plus tard : un homme couvert d'excréments portant le cadavre d'un autre lui aussi couvert d'excréments. Les excréments dégoulinaient sur le chemin et des bouffées malodorantes flottaient le long des deux grandes rues et de la ruelle qu'ils parcoururent. Deux mille personnes au bas mot étaient accourues pour profiter du spectacle. Une centaine d'entre elles se plaignirent d'avoir perdu leurs chaussures parce qu'on leur avait marché sur les pieds, et une dizaine de femmes prétendirent que des voyous leur avaient peloté les fesses. Quelques-uns, enfin, avançaient en jurant comme des charretiers parce qu'on leur avait fait les poches et volé leurs cigarettes. Au milieu de ce déferlement humain, les deux pères successifs de Li Guangtou arrivèrent à la porte de sa maison.

Li Guangtou était encore dans le ventre de sa mère. Celle-ci, déjà au courant du drame, attendait, le dos collé contre le chambranle de la porte, le ventre bombé. Elle regarda son mari qu'on avait descendu des épaules d'un autre homme, et qui gisait à présent de travers sur le sol. Elle regardait son mari mort comme si c'était un inconnu qui était étendu là. Ses yeux donnaient l'impression d'être vides, sans expression. Terrassée par ce coup inattendu du sort, elle restait appuyée là comme un mannequin. Elle ne réalisait pas ce qui lui arrivait, elle n'avait même pas conscience d'être debout devant sa porte.

Quand Song Fanping eut déposé le père de Li Guangtou, il se dirigea vers le puits, tira plusieurs seaux et se rinça abondamment. On était encore en mai et, au contact de l'eau glacée du puits qui lui coulait le long du cou jusque dans ses vêtements, il fut pris de frissons. Lorsqu'il se fut débarrassé des excréments qui recouvraient ses cheveux et son corps, il jeta un coup d'œil sur Li Lan. En voyant son expression hébétée, il préféra ne pas partir immédiatement et il entreprit de laver le père de Li Guangtou avec l'eau du puits. Il rinça et rinça encore le cadavre sous toutes ses faces, puis il resta debout à regarder Li Lan : son expression était toujours aussi hébétée. Alors il secoua la tête et, prenant dans ses bras le père de Li Guangtou, il se dirigea vers la porte. Li Lan, debout sur le seuil, ne bougea pas davantage, de sorte que Song Fanping dut se mettre de profil pour entrer dans la maison.

Song Fanping remarqua que tout dans la chambre, les oreillers, les draps et les couvertures, était brodé de caractères “double-bonheur” rouge vif[2]. C'était l'indice qu'il s'agissait d'un couple de jeunes mariés. Il hésita un instant, le mort dans les bras, et ne déposa pas le cadavre tout mouillé du père de Li Guangtou sur le sol mais sur le lit des nouveaux époux. Quand il se retourna pour quitter la pièce, Li Lan, toujours immobile, était à la même place. Il aperçut la foule à l'extérieur et les visages de ces gens qui avaient l'air d'être au spectacle. Il invita tout bas Li Lan à rentrer chez elle et à fermer sa porte en vitesse. Elle sembla ne pas avoir entendu, ne se tourna pas vers lui. Elle était figée comme une statue. Song Fanping, résigné, hocha la tête et se dirigea, tout ruisselant, vers la foule. A son approche, les masses s'écartèrent prestement pour lui ouvrir un passage comme s'il était encore couvert d'excréments. Dans le mouvement de panique provoqué, des chaussures furent à nouveau perdues et des fesses pelotées. A cause de l'eau glacée avec laquelle il s'était aspergé tout à l'heure, Song Fanping éternua plusieurs fois d'affilée. Il sortit de la ruelle et s'engagea sur l'avenue. L'assistance reforma le cercle et continua à observer avec une curiosité insatiable la pauvre Li Lan.

C'est alors que le corps de Li Lan, appuyé contre le chambranle de la porte, s'effondra tout doucement. Une expression douloureuse se dessina sur son visage jusqu'ici inerte. Elle était étendue sur le sol, les jambes écartées, ses dix doigts enfoncés dans la boue comme si elle voulait s'agripper à la terre. De grosses gouttes de sueur perlaient sur son front ; les yeux arrondis, elle regardait l'assistance sans un mot. Quelqu'un s'aperçut que son pantalon se teignait de rouge et s'écria, affolé :

— Regardez, regardez, elle saigne !

Une femme qui avait déjà eu des enfants comprit ce qui se passait et hurla :

— Elle accouche !

IV

Après avoir mis au monde Li Guangtou, Li Lan commença à souffrir de migraines chroniques. Aussi loin qu'il lui souvînt, Li Guangtou avait toujours vu sa mère la tête enveloppée d'un foulard, comme les paysannes qui travaillaient aux champs. Les douleurs sourdes, comme les douleurs aiguës qui arrivaient sans crier gare, la faisaient pleurer à longueur d'année. Elle se frappait souvent le crâne avec un doigt, et le son de plus en plus clair rappelait celui des poissons de bois qu'on martèle dans les temples.

Les premiers temps qui suivirent la perte de son mari, la mère de Li Guangtou n'avait plus tous ses esprits, et quand, peu à peu, elle revint à elle, elle n'éprouva ni chagrin ni colère, seulement de la honte. La grand-mère de Li Guangtou était venue de la campagne pour prendre soin d'eux et, pendant les trois mois que dura son congé de maternité, Li Lan resta cloîtrée chez elle, n'osant même pas se placer devant la fenêtre de crainte d'être vue. Quand son congé s'acheva et qu'elle dut retourner travailler à la filature de soie, c'est en tremblant de tous ses membres, et le visage livide, qu'elle ouvrit la porte. Elle était aussi terrorisée en franchissant le seuil que si elle avait dû sauter dans un chaudron d'huile bouillante. Malgré tout, elle réussit à sortir et avança toute frissonnante sur l'avenue, la tête inclinée sur la poitrine, rasant les murs. Les regards qui se posaient sur elle étaient autant d'aiguilles qui la piquaient. Quelqu'un qui la connaissait l'appela par son nom ; elle sursauta et faillit tomber comme si elle avait été touchée par une balle. Dieu seul sait comment elle gagna l'usine, comment elle parvint à travailler jusqu'au soir à côté de son métier à filer et comment elle remonta l'avenue pour rentrer à la maison. De ce jour, elle s'enferma dans le mutisme, et même quand elle était avec sa mère et son fils, porte et fenêtre closes, elle ne parlait que très rarement.

Dès sa plus tendre enfance, Li Guangtou fut victime de discriminations. Quand sa grand-mère l'emmenait dehors en le portant dans ses bras, les gens les montraient du doigt, ou bien se pressaient autour d'eux comme à un spectacle de lanterne magique. Ils regardaient Li Guangtou en se permettant des commentaires inconvenants. Ils disaient, parlant de lui : "Tu sais bien, celui qui s'est noyé dans la fosse à merde en essayant de mater le cul des filles…" Or, comme souvent ils ne finissaient pas leur phrase, on aurait cru que c'était le bébé qui avait essayé de voir les fesses des filles aux toilettes. Ils disaient aussi que ce petit bâtard était son père tout craché et, à leur façon de s'exprimer, on comprenait que ce n'était pas son physique dont il était question. La grand-mère de Li Guangtou était décomposée. Bientôt, elle refusa de franchir la porte, elle se contentait, de loin en loin, de se placer devant la fenêtre avec l'enfant dans les bras, et lui faisait prendre le soleil à travers les carreaux. Dès qu'un passant essayait de jeter un coup d'œil à l'intérieur, elle s'écartait vivement. C'est ainsi que, peu à peu, Li Guangtou fut privé de soleil et grandit dans une pièce sombre. Son visage n'avait pas les belles couleurs des nourrissons et il n'avait pas les joues pleines.

Pendant ce temps, Li Lan était torturée par ses migraines. Elle sifflait constamment entre ses dents. Depuis la mort honteuse de son mari, Li Lan n'avait plus croisé le regard de personne, elle n'avait plus jamais élevé la voix et, même quand la douleur était aiguë, elle se contentait de siffler entre ses dents. C'est seulement dans son sommeil qu'elle poussait parfois des gémissements. Lorsqu'elle prenait son fils dans ses bras, elle pleurait longuement en contemplant son visage pâle et ses bras maigrelets. Mais cela ne lui donnait pas plus le courage d'emmener son fils dans la rue quand le soleil brillait.

Après avoir hésité pendant plus d'un an, Li Lan se décida, par une belle nuit de lune, à serrer Li Guangtou contre elle et à s'engager furtivement dans l'avenue. Sa tête baissée était collée contre le visage de son fils. Elle avançait à vive allure en longeant les murs, et c'est uniquement après s'être assurée qu'il n'y avait aucun bruit de pas alentour qu'elle ralentissait. Elle levait la tête, regardait la lune brillante dans le ciel et se baignait dans les souffles frais du vent nocturne. Elle aimait se tenir sur le pont vide et fixer l'eau qui scintillait sous les reflets de la lune et ondoyait dans un mouvement perpétuel. Dans la clarté lunaire, les arbres de la rive semblaient dormir tranquillement et, de leurs cimes s'élançant vers le ciel et chargées de rayons de lune, il émanait des ondes pareilles à celles de l'eau du fleuve. Il y avait aussi des lucioles qui dansaient un ballet, tourbillonnant en tous sens dans la nuit noire, comme si elles suivaient les inflexions d'une mélodie.

Alors Li Lan, soutenant son fils de son bras droit, lui montrait de la main gauche l'eau sous le pont, les arbres sur la rive, la lune au ciel et le ballet des lucioles. Elle lui disait :

— Ça c'est une rivière, ça c'est un arbre, ça c'est la lune, ça c'est un ver luisant…

Puis elle se disait à elle-même, avec un sentiment de félicité :

— Comme la nuit est étincelante…

Désormais Li Guangtou, privé des rayons du soleil, se baignait dans la lumière nocturne de la lune. A l'heure où les autres enfants dormaient à poings fermés, le petit noctambule se montrait partout en ville. Une nuit, Li Lan, son fils dans les bras, marcha sans s'en rendre compte jusqu'à l'extérieur de la porte du Sud. La vaste campagne s'étalait sous la lune à l'infini. Li Lan laissa échapper une légère exclamation. Habituée qu'elle était au silence mystérieux de la maison et de l'avenue, elle découvrait soudain la grandeur non moins mystérieuse de la campagne sous la lune. Li Guangtou commença à s'agiter lui aussi. Il tendit ses deux mains vers la campagne aussi vaste que le ciel et il émit des petits cris de souris.

Bien des années plus tard, quand Li Guangtou, devenu le nabab de notre bourg des Liu, décida d'aller faire du tourisme dans l'espace, dès qu'il fermait les yeux pour imaginer ce qu'il verrait de tout là-haut en baissant la tête, il retrouvait miraculeusement ses impressions d'enfant : dans sa magnificence, la Terre qu'il se figurait ressemblait au spectacle qu'il avait vu la première fois que sa mère l'avait amené devant la porte du Sud, quand la campagne se déployait sans limite sous la lune et que les yeux du nourrisson tournoyaient comme le vaisseau Soyouz.

C'est sous la ravissante et froide lumière de la lune que Li Guangtou apprit de sa mère ce qu'était une rue, une maison, le ciel, la campagne... Il n'avait pas encore deux ans et levait les yeux avec un étonnement indicible sur ce monde ravissant et froid.

Une fois où Li Lan s'attardait dehors, avec Li Guangtou, sous le clair de lune, elle rencontra Song Fanping. Elle avançait dans l'avenue silencieuse, son fils contre elle, quand une famille au complet surgit en face, en grande conversation. C'était la famille de Song Fanping. Le père, un homme de haute taille, portait au creux de son bras son fils Song Gang, qui avait un an de plus que Li Guangtou, et son épouse avait un panier à la main. Leurs voix résonnaient dans le silence de la nuit avec autant de clarté que des coups frappés à une porte. En entendant la voix de Song Fanping, Li Lan releva brusquement la tête : elle était sûre de connaître ce grand gaillard. C'était lui qui s'était présenté chez elle tout puant, avec sur son dos son mari tout puant. Li Lan était alors appuyée contre le chambranle de la porte, apparemment inconsciente de ce qui se passait, mais elle avait gardé à jamais en mémoire la voix de cet homme et la manière dont il s'était rincé avec l'eau du puits avant de rincer le cadavre de son mari. C'est pourquoi elle avait relevé la tête, et ses yeux, en apercevant cet homme, brillèrent probablement un peu. Elle s'empressa de baisser la tête de nouveau et poursuivit son chemin à la hâte, car l'homme s'était arrêté : il était debout, de l'autre côté de l'avenue, et murmurait quelque chose à son épouse.

Au cours des nuits qui suivirent, Li Lan, portant Li Guangtou dans ses bras, rencontra Song Fanping dans la rue à deux autres reprises. La première fois, il était encore accompagné des siens ; la deuxième, il était seul. Cette dernière fois, la haute silhouette de Song Fanping barra soudain la route à la mère et au fils. Ses gros doigts caressèrent le visage levé de l'enfant, et il dit à Li Lan :

— Ce petit est trop maigre. Vous devriez lui faire prendre un peu plus le soleil. Le soleil apporte des vitamines.

La pauvre Li Lan n'osait même pas relever la tête pour le regarder. Elle serrait Li Guangtou contre elle en tremblant de tous ses membres, et Li Guangtou était secoué comme une maison sous l'effet d'un tremblement de terre. Song Fanping sourit et poursuivit son chemin en les frôlant. Cette nuit-là, Li Lan n'alla pas admirer l'éclat de la lune, elle se dépêcha de rentrer à la maison et, si elle siffla entre ses dents, ce ne fut sans doute pas à cause de la migraine.

Quand Li Guangtou eut trois ans, la grand-mère laissa sa fille et son petit-fils pour s'en retourner dans son village. Li Guangtou savait à présent marcher, mais il était toujours très maigre, plus maigre encore que lorsqu'il était bébé. Li Lan continuait à éprouver des maux de tête par intermittence et, comme elle baissait souvent le front, elle s'était un peu voûtée. Après le départ de la grand-mère, Li Guangtou commença à avoir des occasions de sortir au soleil. Quand Li Lan allait au marché, elle l'emmenait avec elle. Comme d'habitude, elle avançait sans s'attarder, la tête baissée, et Li Guangtou la suivait d'un pas mal assuré, en la tenant par son vêtement. En réalité, plus personne ne les montrait du doigt, ni ne leur accordait même un regard. Pourtant, Li Lan avait toujours l'impression que les yeux des gens étaient rivés sur elle comme des clous.

La mère de Li Guangtou, cette femme fluette, se rendait tous les deux mois au magasin de céréales pour acheter 40 livres de riz. C'était pour Li Guangtou le moment le plus heureux. Quand elle rentrait à la maison avec ses 40 livres de riz sur le dos, il n'avait pas besoin de trottiner derrière elle. En portant le sac, elle soufflait et laissait échapper des sifflements : car dorénavant elle sifflait même en soufflant et en parlant. Elle s'arrêtait tous les quelques pas, et Li Guangtou avait le temps d'observer le spectacle de la rue.

Par un jour d'automne, à midi, le grand Song Fanping s'avança vers eux. Li Lan, la tête baissée, s'épongeait le visage. Elle vit soudain une main vigoureuse soulever le sac de riz. Etonnée, elle leva la tête vers cet homme qui souriait, et qui lui dit :

— Je vais le porter jusque chez vous.

Song Fanping souleva le sac de 40 livres aussi facilement que s'il se fût agi d'un panier vide et, de sa main gauche, il attrapa aussi Li Guangtou et le hissa sur ses épaules, en disant à l'enfant de s'accrocher à son front avec les deux mains. Li Guangtou n'avait jamais vu la rue d'aussi haut, jusqu'ici il levait toujours la tête pour regarder, et c'était la première fois qu'il devait la baisser pour suivre des yeux les passants. A cheval sur les épaules de Song Fanping, il n'arrêtait pas de rire.

Le sac de Li Lan dans une main et le fils de Li Lan sur le dos, le colosse parlait d'une voix sonore dans le mouvement de la rue. Li Lan marchait à ses côtés, la tête basse. Elle était pâle et tout son corps était recouvert d'une sueur froide. Elle aurait voulu disparaître dans un trou de souris, persuadée que le monde entier l'observait en ricanant. Song Fanping posa des questions tout le long du chemin, et Li Lan se contentait de hocher la tête et de laisser entendre des sifflements.

Ils arrivèrent enfin à la porte de la maison. Song Fanping déposa Li Guangtou à terre et transvasa le contenu du sac dans la cuve à riz. Il jeta un coup d'œil vers le lit. Les draps et la housse de la couverture étaient les mêmes que trois ans auparavant, mais la couleur des caractères "double-bonheur" avait passé et ils s'effilochaient. Avant de partir, il dit à Li Lan qu'il s'appelait Song Fanping et qu'il était professeur au collège. Il lui proposa ses services dès qu'elle aurait besoin d'un coup de main pour acheter du riz ou du charbon. Après son départ, Li Lan laissa pour la première fois son fils jouer dehors. Elle s'enferma dans la maison et nul ne sait ce qu'elle y fit. Quand elle ouvrit la porte au crépuscule, Li Guangtou était assis devant et il dormait.

Li Guangtou se souvenait qu'il avait cinq ans quand la femme de Song Fanping était morte de maladie. Lorsque Li Lan apprit la nouvelle, elle resta longtemps debout devant la fenêtre, en faisant entendre ses sifflements habituels, à regarder le soleil décliner et la lune monter dans le ciel. Puis, prenant son fils par la main, elle se dirigea sans bruit sous le clair de lune vers la maison de Song Fanping.

Elle n'eut pas le courage d'entrer, mais resta debout derrière un arbre : dans la pièce faiblement éclairée, des gens étaient assis, d'autres marchaient, et au centre était posé un cercueil. Li Guangtou tenait sa mère par le pan de son vêtement et écoutait ses sifflements. En levant la tête pour regarder la lune et les étoiles, il s'aperçut que sa mère pleurait et qu'elle ne cessait d'essuyer ses larmes.

— Tu pleures, maman ? lui demanda-t-il.

— Hmm, répondit Li Lan.

Et elle lui expliqua que quelqu'un était mort dans la maison de leur bienfaiteur. Ils attendirent encore un moment, puis Li Lan reprit son fils par la main, et ils rentrèrent à la maison en silence.

Le lendemain soir, de retour du travail, Li Lan s'assit à la table pour fabriquer de la monnaie de papier[1]. Elle confectionna un grand nombre de sapèques et de lingots[2], et les lia séparément avec du fil blanc. Li Guangtou avait pris place à côté d'elle, et il la regardait avec beaucoup d'intérêt découper le papier avec des ciseaux, puis plier les lingots un par un. Sur certains d'entre eux, elle inscrivait le caractère "or" et, sur d'autres, le caractère "argent". Soulevant un lingot d'"or", elle expliqua à Li Guangtou qu'avec cela, autrefois, on pouvait acheter une maison. Li Guangtou, le doigt pointé sur les lingots d'"argent", demanda à sa mère ce qu'on pouvait acheter avec. Li Lan répondit qu'on pouvait aussi acheter une maison, mais plus petite. Li Guangtou voyait les lingots d'"or" et d'"argent" s'entasser sur la table et il aurait été curieux de savoir combien de maisons on pouvait acheter avec. Il commençait tout juste à apprendre à compter et il comptait les lingots un par un, mais quand il arrivait à dix, ne connaissant pas les autres chiffres, il revenait à un. Les lingots s'amoncelaient sur la table, et malgré ses efforts, dès qu'il arrivait à dix, c'était comme s'il s'engageait dans une impasse. Il suait à grosses gouttes, sans parvenir à faire la somme, et sa mère, amusée par son manège, ne put s'empêcher de sourire.

Après avoir confectionné un gros tas de lingots en papier, Li Lan s'attaqua aux sapèques. Elle découpa d'abord des disques de papier, qu'elle perfora au milieu, puis elle traça soigneusement sur chacun des disques des traits et des caractères. Li Guangtou eut l'impression que les sapèques rondes étaient beaucoup plus difficiles à fabriquer que les lingots, et il aurait bien aimé savoir combien de maisons on aurait pu s'acheter avec une seule de ces pièces. Il demanda à sa mère si avec tout cela on n'aurait pas pu avoir toute une rangée de maisons. Li Lan souleva une longue ligature de sapèques et déclara qu'avec on ne pouvait s'offrir qu'un vêtement. Li Guangtou se remit à suer à grosses gouttes, il ne parvenait pas à comprendre comment un vêtement pouvait coûter plus cher qu'une maison. Li Lan expliqua à son fils que dix ligatures de sapèques ne valaient pas un lingot. Et Li Guangtou recommença à suer pour la troisième fois : si dix ligatures de sapèques valaient moins qu'un lingot, pourquoi sa mère se donnait-elle tant de mal pour en fabriquer ? Li Lan répondit que cet argent n'avait pas cours ici-bas, mais dans le monde de l'au-delà. Cela représentait les frais de voyage des morts. En entendant ce mot de "mort", Li Guangtou eut un frisson. Et en voyant l'obscurité dehors, il frissonna de plus belle. Il demanda à sa mère à qui étaient destinés ces frais de voyage. Li Lan s'interrompit pour lui répondre :

— C'est pour quelqu'un de la famille de notre bienfaiteur.

Le jour de l'enterrement de la femme de Song Fanping, Li Lan entassa dans un panier les sapèques qu'elle avait enfilées en ligatures et les lingots. Elle prit Li Guangtou par la main et, le panier au bras, alla se poster dans la rue.

Dans le souvenir de Li Guangtou, ce matin-là, c'était la première fois que Li Lan marchait la tête haute dans la rue. Elle cherchait des yeux le cortège funèbre. Des gens qui la connaissaient jetaient un coup d'œil dans son panier en passant à côté d'elle. Certains même soulevèrent les ligatures de sapèques et les lingots, et la félicitèrent pour son habileté, avant de s'enquérir :

— Il y a eu un autre décès dans ta famille ?

Li Lan, baissant la tête, répondait doucement :

— Ce n'est pas quelqu'un de chez moi…

Le cortège funèbre ne se composait que d'une dizaine de personnes. Le cercueil reposait sur une charrette à bras qui grinçait sur les dalles du chemin. Li Guangtou constata que les gens du cortège avaient la tête ceinte d'un bandeau blanc et qu'ils portaient une bande d'étoffe, blanche également, fixée à la taille. Ils avançaient en se lamentant. Un seul visage, parmi eux, lui était connu, celui de Song Fanping, le colosse sur les épaules duquel il avait contemplé le monde de la rue.

Song Fanping tenait par la main Song Gang, l'aîné de Li Guangtou d'un an. En passant à leur hauteur, il marqua le pas un moment. Il se retourna et adressa un signe de tête à Li Lan, et Song Gang en fit autant en direction de Li Guangtou. Li Lan prit Li Guangtou par la main et se joignit au cortège. Le cortège suivit la longue avenue jusqu'à l'endroit où les dalles s'arrêtaient et se retrouva alors sur un chemin de terre de campagne.

Li Guangtou fit une longue marche en compagnie de ces gens qui sanglotaient tout bas. Le cortège arriva enfin à une fosse fraîchement creusée et, lorsque le cercueil descendit à l'intérieur, les sanglots feutrés se transformèrent instantanément en cris déchirants. Li Lan, un peu à l'écart, tenant son panier au bras et Li Guangtou d'une main, regardait ces gens en pleurs qui jetaient des pelletées de terre dans la fosse. Sur le trou comblé, un tertre s'éleva. Les cris déchirants se transformèrent de nouveau en sanglots feutrés. Alors Song Fanping se tourna et vint se placer devant Li Lan et Li Guangtou. Il regarda Li Lan avec des yeux pleins de larmes, prit le panier qu'elle lui tendait et se dirigea vers le tertre. Il sortit les lingots et les sapèques en papier, les posa sur le tertre, y mit le feu avec une allumette et, quand la monnaie de papier commença à crépiter, les pleurs s'amplifièrent à nouveau. Li Guangtou vit que sa mère, elle aussi, était gagnée par les larmes : à cet instant, elle songeait à son propre malheur.

Puis Li Guangtou fit de nouveau une longue marche pour rentrer en ville. Li Lan suivait toujours en queue du cortège, tenant son panier au bras et son fils par la main. Song Fanping, en tête, se retournait sans arrêt pour regarder la mère et le fils. Quand ils furent à proximité de la ruelle où vivait Li Lan, Song Fanping s'immobilisa et attendit que Li Lan et Li Guangtou le rejoignent. A voix basse, il invita la mère et le fils à venir prendre chez lui un dîner de tofu en l'honneur de la défunte, suivant la coutume de notre bourg des Liu.

Li Lan, hésitante, secoua la tête. Elle s'engagea dans la ruelle en tirant Li Guangtou par la main et rentra chez elle. Li Guangtou, qui avait marché presque toute la journée, se coucha et s'endormit. Li Lan s'assit toute seule dans la chambre, elle fixait la fenêtre d'un regard perdu, en faisant entendre son sifflement. Elle sortit brusquement de sa torpeur au crépuscule, quand on frappa à la porte. Elle ouvrit et se trouva nez à nez avec Song Fanping.

L'apparition subite de Song Fanping lui fit perdre tous ses moyens. Elle ne vit pas le panier qu'il tenait à la main, et elle oublia de le faire entrer. Par habitude, elle baissa la tête. C'est seulement quand Song Fanping sortit les plats de son panier et les lui tendit qu'elle comprit : il lui apportait à domicile le repas de tofu. Elle prit les plats presque en tremblant, en transvasa prestement le contenu dans sa propre vaisselle, puis nettoya la vaisselle de Song Fanping près de la cuve à eau. Quand elle rendit la vaisselle propre à Song Fanping, ses mains tremblèrent à nouveau. Song Fanping prit la vaisselle et la déposa dans son panier, avant de tourner les talons. Li Lan avait encore baissé la tête par habitude, et c'est seulement quand le bruit des pas de Song Fanping eut disparu qu'elle se rendit compte qu'elle ne lui avait pas proposé d'entrer. Mais, quand elle releva la tête, la ruelle sombre était vide.

V

Li Guangtou n'aurait su dire comment le père de Song Gang s'était mis avec sa mère. Il avait presque sept ans quand il apprit que cet homme s'appelait Song Fanping.

Par un soir d'été, Li Lan, tenant son fils par la main, le conduisit chez le coiffeur pour qu'on lui rase le crâne, puis elle l'emmena près du terrain de basket situé en face du cinéma. C'était le seul du bourg qui fût éclairé et que, pour cette raison, nous appelions le terrain éclairé. Un match devait avoir lieu, opposant notre équipe à celle d'un autre bourg. Un millier de spectateurs des deux sexes s'étaient déplacés, en traînant la savate. Ils s'étaient massés en cercles concentriques autour du terrain éclairé, si bien que celui-ci avait l'air d'une fosse géante et qu'ils ressemblaient, eux, à de la terre extraite de cette fosse qu'on aurait entassée sur les bords. Les hommes fumaient, les femmes s'étaient mises à manger des graines de pastèque, les arbres à proximité étaient pris d'assaut par des enfants qui poussaient des cris aigus. Des hommes jurant comme des charretiers étaient juchés sur le mur d'enceinte : ils étaient les uns contre les autres, si serrés qu'il n'y avait presque plus de jour entre eux, et pourtant ceux qui étaient au pied du mur cherchaient encore à monter dessus. Ceux d'en haut leur donnaient des coups de pied pour les empêcher de grimper ou bien les repoussaient du bras, mais les assaillants, nullement découragés, vociféraient contre eux en postillonnant.

C'est là que Li Guangtou parla pour la première fois à Song Gang. Le garçon, vêtu d'un maillot blanc et d'un short bleu, la morve au nez, tenait Li Lan par un pan de son vêtement. Li Lan caressait la tête de Song Gang, son visage et son cou. A voir ses gestes affectueux, on aurait dit qu'elle avait envie de l'avaler. Puis Li Lan rapprocha les deux enfants, elle leur tint un long discours auquel ils ne comprirent rien à cause des éclats de voix qui s'élevaient autour d'eux. Des écorces de graines de pastèque, crachées par des femmes, voltigeaient entre eux, mêlées aux volutes de fumée que recrachaient les hommes. De l'autre côté du mur, on avait commencé à se battre. Une branche d'arbre s'était cassée et deux enfants étaient tombés. Li Lan continuait à parler en s'égosillant, et cette fois-ci ils l'entendirent.

Li Lan présenta Song Gang à Li Guangtou :

— C'est ton grand frère, il s'appelle Song Gang.

Li Guangtou hocha la tête et salua l'autre enfant :

— Song Gang.

Puis Li Lan présenta Li Guangtou à Song Gang :

— C'est ton petit frère, il s'appelle Li Guangtou.

En entendant le sobriquet de Li Guangtou, Song Gang regarda son crâne luisant et fut pris d'un fou rire :

— Tu t'appelles Li Guangtou, ça c'est marrant.

Song Gang ne rit pas longtemps, tout à coup il éclata en sanglots : un homme l'avait brûlé au bras avec sa cigarette. L'air que prit Song Gang en pleurant les yeux fermés amusa à son tour Li Guangtou. Il était sur le point de s'esclaffer, quand il fut lui aussi brûlé, au cou, par une cigarette, et se mit également à pleurer.

Enfin, le coup d'envoi du match fut donné. Sur le terrain aveuglant de clarté, au milieu des vagues sonores qui déferlaient comme un typhon, Song Fanping fit sensation. Sa stature, sa vigueur, sa souplesse, sa technique laissaient Li Lan bouche bée. Elle n'avait plus de voix à force de crier et ses yeux étaient rougis par l'excitation. Dès que Song Fanping marquait un panier, il déployait les bras et passait en courant devant les spectateurs comme s'il allait prendre son envol. Une fois même, il bondit de dessous le panier et réalisa un dunk, le seul qu'il ait réussi de toute sa vie, et le premier que le millier de gens massés autour du terrain eussent jamais vu. Le grondement des voix s'arrêta tout net, les spectateurs, interdits, se regardaient les uns les autres, chacun voulant s'assurer qu'il n'avait pas rêvé. Puis le terrain éclairé fut secoué par un tonnerre de clameurs tel qu'on n'en avait jamais entendu, y compris lors de l'invasion japonaise[1].

Song Fanping, lui-même, n'en revenait pas. Il resta pétrifié sous le panier. Puis, quand il prit conscience de l'exploit qu'il venait d'accomplir, ses yeux s'arrondirent, son visage s'empourpra, et il courut vers Li Lan et les enfants. Il souleva de terre sans crier gare Song Gang et Li Guangtou, et se rua vers le panneau en les tenant à bout de bras. Sans les cris d'effroi de Song Gang et de Li Guangtou, il les aurait, grisé par l'enthousiasme, jetés dans le panier. Grâce au ciel, une fois sous le panier, il réalisa subitement qu'ils n'étaient pas des ballons. Il retourna sur ses pas en riant, posa les enfants sur le sol, puis, emporté par son élan, il enlaça brusquement Li Lan. Sous un millier de regards, il la souleva et, sur le terrain éclairé, les rires fusèrent : des gros rires, des rires discrets, des rires pointus, des rires flûtés, des rires grivois, des rires perfides, des rires bêtes, des rires secs, des rires mouillés et des rires contraints. Quand la forêt est grande, on y trouve toutes sortes d'oiseaux ; quand la foule est nombreuse, on y entend toutes sortes de rires.

En ce temps-là, voir un homme enlacer une femme, c'était comme aujourd'hui regarder un film classé X. Quand Song Fanping eut relâché Li Lan, il reprit sa place sur le terrain en courant une fois encore les bras déployés. Et Li Lan, qui venait à l'instant de jouer dans un film classé X, n'était plus la même. Désormais, la moitié seulement des spectateurs regardaient le match, les autres l'observaient avec curiosité. Les gens discutaient entre eux. Ils se souvenaient de cet homme qui avait perdu la vie en essayant de mater les fesses des filles aux toilettes, ils montraient Li Lan du doigt : "Ah, ils se sont mis ensemble", disaient-ils, saisis soudain par l'évidence. Li Lan, quant à elle, nageait dans le bonheur, les yeux humides de larmes, les lèvres tremblantes, elle ne se souciait pas du qu'en-dira-t-on.

Quand le match fut terminé, Song Fanping retira son maillot trempé de sueur, Li Lan le prit et serra contre sa poitrine le vêtement imprégné d'une odeur aigre comme s'il se fût agi d'un trésor. Tous les quatre entrèrent dans la buvette. Au moment où ils s'assirent, le maillot de Song Fanping avait déjà mouillé le chemisier blanc de Li Lan et dessous on devinait ses seins sans qu'elle s'en rende compte. Song Fanping commanda deux bols de haricots mungo glacés et deux bouteilles de limonade frappée. Li Guangtou et Song Gang commencèrent à manger les haricots, et Song Fanping décapsula les bouteilles. Il en poussa une vers Li Lan et, levant l'autre, la vida d'un trait. Li Lan ne but pas et tendit sa bouteille à Song Fanping. Celui-ci, après un moment d'hésitation, la prit et la vida comme la première. Ils étaient assis là, échangeant des regards, sans se préoccuper des enfants. Les yeux de Song Fanping revenaient sans cesse malgré lui sur la poitrine mouillée de Li Lan, et ceux de Li Lan contemplaient le torse nu de Song Fanping. La vue de ses larges épaules et de ses muscles développés faisait chavirer Li Lan, et son visage était cramoisi.

Li Guangtou et Song Gang ne s'inquiétaient pas plus d'eux. C'était la première fois qu'ils dégustaient ce genre de rafraîchissement. Jusque-là, ce qu'ils avaient avalé de plus frais, c'était l'eau du puits. Maintenant, ils dégustaient des haricots mungo sortis de la glacière, recouverts d'une couche de sucre blanc floconneuse. Quand ils avaient pris le bol entre leurs mains, la sensation de froid qu'ils avaient éprouvée était déjà à elle seule plus agréable que celle qu'on ressentait en buvant l'eau du puits. Le sucre blanc, gagné par l'humidité, ressemblait à de la neige qui fond, et il noircissait. Leur cuillère plongeait dedans puis ressortait, et ce qui en ressortait entrait dans leur bouche. Quel plaisir, quel bonheur ! Dans la fournaise de l'été, leur bouche allait au-devant des haricots frais et sucrés. Après la première bouchée, leur bouche, comme une machine qui se serait mise en marche, ne s'était plus arrêtée. Ils aspiraient bruyamment les haricots qui leur glaçaient le palais, ils ouvraient la bouche comme s'ils s'étaient brûlés, ils haletaient, ils se tapaient sur les joues comme s'ils avaient mal aux dents. Puis ils recommençaient à aspirer à grand bruit les haricots et, quand ils eurent tout englouti, ils passèrent encore et encore leur langue dans le bol, léchant jusqu'à la dernière goutte le jus des haricots. Leur langue continua à s'activer même après, ils léchaient la fraîcheur qui restait sur le bol, et ils ne se résignèrent à le reposer que quand celui-ci fut devenu plus chaud que leur langue. Ils levèrent alors la tête, regardèrent Song Fanping et Li Lan, ils regardèrent le père de Song Gang et la mère de Li Guangtou, et dirent :

— On reviendra demain, hein ?

Et Song Fanping et Li Lan répondirent d'une même voix :

— D'accord !

VI

Li Guangtou et Song Gang ignoraient que leur mère et leur père respectifs allaient se marier deux jours après. Li Lan acheta deux livres de bonbons de fabrication shanghaïenne et fit griller une marmite de fèves et une marmite de graines de pastèque. Elle transvasa ensuite le tout dans un seau en bois, et elle puisa une poignée de ce mélange qu'elle offrit à Li Guangtou. Li Guangtou étala sa part sur la table et compta : il n'y avait que douze fèves, dix-huit graines de pastèque et deux bonbons.

Le jour de ses noces, Li Lan, debout avant l'aube, enfila un chemisier et un pantalon neufs, ainsi qu'une paire de sandales neuves en plastique rutilantes. Assise au bord du lit, elle regarda la nuit se dissiper à la fenêtre et le soleil montant faire rougeoyer les carreaux. Des sifflements s'échappaient de sa bouche. En fait, ses migraines étaient passées et, si elle sifflait, c'est que sa respiration était de plus en plus haletante. La perspective de ce remariage imminent lui mettait les joues en feu et son cœur battait la chamade. Elle haïssait cette nuit et, quand l'aube enfin arriva, son impatience grandit, et ses sifflements plus sonores que jamais arrachèrent à trois reprises Li Guangtou à son sommeil. La troisième fois, Li Lan ne l'autorisa pas à se rendormir ; elle le fit lever, lui ordonna de se laver les dents et de se débarbouiller en vitesse, lui fit enfiler un maillot et un short neufs, ainsi qu'une paire de sandales en plastique neuves. Elle était accroupie, occupée à lui attacher les boucles de ses sandales, quand elle entendit une charrette à bras arriver en grinçant devant chez eux. Elle se leva d'un bond et se rua sur la porte. Song Fanping, qui avait poussé la charrette jusqu'ici, était debout face à elle, rayonnant, et Song Gang, assis sur la charrette, interpella Li Guangtou en riant dès qu'il l'aperçut. Puis il se tourna vers son père, toujours en riant :

— Qu'est-ce qu'il est marrant, son nom !

Les voisins de Li Lan s'étaient rassemblés et observaient avec étonnement Song Fanping et Li Lan qui déménageaient les affaires de Li Lan pour les charger sur la charrette. Parmi eux se trouvaient trois collégiens. Celui qui répondait au nom de Sun Wei avait les cheveux longs, et les deux autres s'appelaient Liu Chenggong et Zhao Shengli : les deux futurs lettrés de notre bourg des Liu – ceux qui devaient exhiber plus tard Li Guangtou dans tout le bourg après l'avoir surpris à mater les fesses des filles –, Liu l'Ecrivain et Zhao le Poète, n'étaient encore que les deux collégiens Liu Chenggong et Zhao Shengli. Ils entouraient la charrette, très excités par ce qui se passait, et riaient en échangeant des clins d'œil. Ils s'adressèrent à Li Lan avec un rire bizarre :

— Vous allez vous remarier, c'est ça ?

Li Lan, cramoisie, s'approcha des voisins avec son seau dans les bras, et leur distribua des poignées du mélange de fèves, de graines de pastèque et de bonbons. Song Fanping s'interrompit lui aussi et passa derrière Li Lan pour distribuer des cigarettes aux hommes. Les voisins, mâchant les fèves, croquant les graines et mastiquant les bonbons, regardaient tout joyeux Song Fanping et Li Lan remplir la charrette.

Puis la charrette s'engagea dans l'avenue de ce jour d'été. Le chemin était dallé et certaines dalles tremblaient au passage des roues. Les poteaux électriques en bois bourdonnaient au coin des rues comme des abeilles. Sur la charrette s'entassaient les vêtements et les couvertures de Li Lan, sa table et ses sièges, sa cuvette pour le visage et sa cuvette pour les pieds, ainsi que sa batterie de cuisine, ses couverts et ses baguettes. La mère de Li Guangtou qui se remariait et le père de Song Gang qui se remariait ouvraient la marche, et les enfants d'un premier lit, Li Guangtou et Song Gang, suivaient la charrette.

Li Lan avait prélevé deux poignées du mélange de fèves, de graines de pastèque et de bonbons dans le seau, et les avaient fourrées dans les mains de Li Guangtou et de Song Gang. Les deux enfants, derrière, avaient les mains pleines. Ils salivaient de gourmandise, mais leurs mains étaient trop petites pour contenir toutes les friandises, et certaines déjà leur avaient glissé entre les doigts. Et comme ils n'avaient pas de troisième main pour les ramasser ou pour les fourrer dans leur bouche, ils avaient beau avoir des friandises plein les mains, leur bouche restait vide.

Des poules et des coqs suivaient les deux enfants et se disputaient en gloussant les graines tombées sur le sol. Les volailles couraient entre les jambes des enfants et battaient des ailes pour tenter d'atteindre leurs mains. Et les enfants, en essayant de leur échapper, éparpillaient de plus en plus de graines et de fèves.

Song Fanping, tirant la charrette, et Li Lan, tenant le seau dans ses bras, avançaient dans la grande rue où il y avait de plus en plus de monde. Un sourire flottait sur leurs lèvres. Beaucoup de gens qui les connaissaient s'étaient arrêtés, et regardaient avec étonnement cet homme et cette femme, ils regardaient Li Guangtou et Song Gang harcelés par les poules et les coqs, ils se les montraient du doigt et s'interrogeaient mutuellement.

Song Fanping, laissant la charrette, s'approcha d'eux, tira des cigarettes de sa poche et les distribua aux hommes. Li Lan le suivit avec son seau et distribua des poignées du mélange de fèves, de graines de pastèque et de bonbons aux femmes et aux enfants. Cet homme et cette femme cramoisis et en nage, hochant la tête et souriant sans arrêt, expliquaient d'une voix tremblante qu'ils allaient se marier. Les gens opinaient à leur tour du chef, ils regardaient Song Fanping et Li Lan, puis ils regardaient Song Gang et Li Guangtou et, en riant sur tous les tons, ils disaient :

— Vous vous mariez ! Ah bon, vous vous mariez…

Song Fanping et Li Lan descendaient la rue en souriant, ils descendaient la rue en racontant qu'ils allaient se marier et, sur leur chemin, les gens fumaient les cigarettes de la noce, ils mâchaient les bonbons de la noce, ils mastiquaient les fèves de la noce, ils croquaient les graines de la noce. Li Guangtou et Song Gang, eux, derrière, n'avaient rien eu, occupés qu'ils étaient à protéger le contenu de leurs mains. Les coqs et les poules les poursuivaient toujours, les enfants salivaient, ils voyaient les autres se gaver de friandises tandis qu'eux devaient se contenter d'avaler leur salive.

Les passants regardaient Li Guangtou et Song Gang, et discutaient entre eux. Une chose les intriguait : dans cette famille recomposée, lequel des deux gamins pouvait être considéré comme l'enfant du premier lit ? Ils arrivèrent finalement à cette conclusion :

— Ce sont tous les deux des enfants du premier lit.

Puis ils interpellèrent Song Fanping et Li Lan :

— Vous faites bien la paire…

On arriva enfin devant la maison de Song Fanping, et cette noce qui ressemblait à une procession avait rejoint son terminus. Song Fanping déchargea la charrette et transporta les affaires à l'intérieur. Li Lan resta dehors avec son seau dans les bras. Elle y puisait encore pour régaler les voisins de la famille Song, mais il ne restait plus grand-chose dans le seau et sa pêche était de plus en plus maigre.

Li Guangtou et Song Gang s'empressèrent de filer dans la chambre et de grimper sur le lit, ils déposèrent dessus ce qu'ils tenaient dans leurs mains. Les fèves et les graines étaient mouillées de sueur. Ils avaient tellement envie de manger leurs friandises qu'ils en étaient à deux doigts de défaillir : ils enfournèrent d'un seul coup dans leur bouche graines, fèves et bonbons, si bien que leurs joues étaient gonflées comme une paire de fesses et qu'ils ne pouvaient plus les bouger. C'est alors seulement qu'ils se rendirent compte qu'ils n'avaient toujours rien avalé. Au même instant, Song Fanping, de dehors, les appela. Les badauds massés devant la maison, las d'observer les mariés, voulaient maintenant voir les deux garçons.

Li Guangtou et Song Gang sortirent avec leurs joues gonflées. A la vue des visages boursouflés et des yeux qui n'étaient plus que des fentes, on s'esclaffa :

— Qu'est-ce que vous avez de si bon dans la bouche ?

Les enfants secouaient la tête dans tous les sens, incapables de prononcer une parole. Dans la foule, quelqu'un lança :

— Ne vous y fiez pas, ils ont beau avoir les joues comme un ballon gonflé à bloc, on pourrait encore y mettre autre chose.

L'homme qui avait parlé pénétra, le sourire aux lèvres, dans la maison de Song Fanping. Après avoir fouillé partout, il dénicha deux couvercles de tasses en porcelaine blanche et enfonça dans la bouche de Li Guangtou et dans celle de Song Gang les boutons ronds en forme de tétine fixés dessus. Les couvercles tenaient tout seuls dans la bouche des enfants. Une tempête de rires secoua l'assistance : on se tordait de rire, on tremblait de rire, on pleurait de rire, on en perdait sa morve, on en bavait, on en pétait. Les gens avaient l'impression que Li Guangtou et Song Gang, avec leur couvercle de tasse dans la bouche, étaient deux nourrissons tétant les seins de Li Lan. Li Lan, rouge de confusion, glissa un regard vers son nouveau mari. L'embarras se lisait sur le visage de Song Fanping. Il s'approcha des deux enfants, les débarrassa des couvercles et leur dit :

— Rentrez.

Li Guangtou et Song Gang retournèrent dans la chambre et reprirent leur place sur le lit. Ils avaient encore la bouche tellement gonflée qu'ils ne pouvaient toujours pas remuer les lèvres. Ils se regardèrent tristement : leur bouche était pleine et pourtant ils n'avaient encore rien avalé. Li Guangtou réagit le premier. Il eut l'idée de plonger la main dans sa bouche pour la vider peu à peu, et Song Gang l'imita. Ils posèrent les fèves, les graines de pastèque et les bonbons ainsi récupérés sur le drap. Les friandises, visqueuses et brillantes comme de la morve, souillèrent la parure nuptiale du père et de la mère. Mais leur bouche ayant été trop longtemps distendue, quand les enfants y enfournèrent derechef les friandises, ils ne parvinrent plus à la refermer. Chacun fixait d'un air pitoyable la bouche béante de l'autre. "Comment se tirer de ce mauvais pas ?" s'interrogeaient-ils. Au même moment, Song Fanping et Li Lan les appelèrent à nouveau de dehors.

Les voisins de Li Lan étaient venus jusqu'ici avec leurs enfants, collégiens ou écoliers. Pour trouver la maison de Song Fanping, ils avaient demandé leur chemin tout le long du trajet, à travers les rues et les ruelles. Leur arrivée surprit agréablement Li Lan, mais sa joie se dissipa aussi vite qu'un éternuement pour faire place instantanément à la déception. Ce n'était pas pour féliciter Li Lan et Song Fanping que ces gens étaient là, ils venaient chercher leurs coqs et leurs poules égarés. Les gallinacés avaient suivi Li Guangtou et Song Gang jusque dans la grande rue, et maintenant on avait perdu leurs traces. Les propriétaires des animaux braillaient, interpellant en criant Li Lan et Song Fanping :

— Et les poulets, et les poulets, où sont-ils ces putains de poulets ?

Les nouveaux mariés, ne sachant pas de quoi ils parlaient, s'étonnèrent :

— Quels poulets ?

— Nos poulets…

Et les autres entreprirent avec force détails de décrire leurs volailles. Ils affirmèrent que de nombreux témoins avaient vu leurs coqs et leurs poules suivre Li Guangtou et Song Gang dans la rue. Song Fanping ne comprenait pas :

— Un poulet, ce n'est pas un chien. Un chien, ça vous suit, mais comment un poulet pourrait-il suivre quelqu'un dans la rue ?

Les autres invoquèrent encore les nombreux témoins qui avaient vu ces deux petits salopards de Li Guangtou et de Song Gang marcher en laissant échapper entre leurs doigts des graines de pastèque et des fèves. Leurs coqs et leurs poules picoraient sur leurs talons et les avaient suivis ainsi jusqu'à la grande rue. Song Fanping et Li Lan avaient donc rappelé les deux enfants pour les interroger :

— Et les poulets, et les poulets ?

Les deux enfants, toujours incapables de refermer leur bouche, en étaient réduits à remuer la tête et le reste du corps pour signifier qu'ils ne savaient rien.

Les trois hommes, les trois femmes et les trois collégiens venus récupérer leurs volailles, ainsi que les deux gamins légèrement plus âgés que Li Guangtou et Song Gang, soit onze personnes au total, encerclaient Li Guangtou et

Song Gang, et les questionnaient en parlant tous en même temps :

— Et les poulets, ils ne vous ont pas suivis peut-être ?

Li Guangtou et Song Gang hochèrent la tête, et les autres se tournèrent vers Song Fanping et Li Lan :

— Vous voyez bien, ces deux petits salopards avouent.

Puis ils recommencèrent à questionner Li Guangtou et Song Gang :

— Les poulets, où sont ces putains de poulets ?

Li Guangtou et Song Gang secouèrent la tête. Les autres étaient furieux :

— Tout à l'heure, ces deux petits salopards faisaient oui de la tête, et maintenant ils font non…

Les coqs et les poules, clamèrent-ils, n'étaient pas des puces ou des poux qu'on peut avoir sous le nez sans les voir, et ils annoncèrent qu'ils allaient chercher, qu'ils allaient fouiller. Sur ce, ils pénétrèrent dans la chambre de Song Fanping. Ils ouvrirent l'armoire, regardèrent sous le lit, soulevèrent le couvercle de la marmite. Celui des collégiens qui avait les cheveux longs, Sun Wei, fit ouvrir la bouche à Li Guangtou et à Song Gang et renifla pour détecter un éventuel relent de viande de poulet. La vérification n'ayant pas été concluante, il proposa à Zhao Shengli de venir renifler à son tour. Zhao Shengli, n'étant sûr de rien lui non plus, pria Liu Chenggong d'en faire autant. Après avoir reniflé, celui-ci déclara :

— Apparemment, non…

Les gens qui étaient entrés pour perquisitionner dans la maison ne découvrirent pas la moindre plume de poulet, et ils en ressortirent en jurant comme des charretiers. Song Fanping n'était plus le jeune marié radieux de tout à l'heure, c'était un jeune marié à la mine déconfite. Son épouse, terrorisée, était livide, et elle s'accrochait à un pan de son vêtement. Elle ne cessait de tirer Song Fanping par ses habits, craignant qu'il n'en vienne aux mains avec ces individus. Mais Song Fanping ne se départit pas de son calme et, quand les autres quittèrent la chambre en débitant un torrent d'injures, il continua à prendre sur lui : il ne proféra pas un mot, se contentant de les regarder les yeux écarquillés.

Les visiteurs poursuivirent leurs recherches dans la maison, sans oublier d'inspecter le puits. Les têtes se penchèrent à tour de rôle au-dessus du puits, mais ce n'est ni la face d'un coq ni celle d'une poule qu'ils aperçurent, seulement la leur, qui se reflétait dans l'eau. Les trois collégiens grimpèrent aux arbres comme des singes pour vérifier que les volailles ne se trouvaient pas sur le toit : "Pas le moindre coq, pas la moindre poule, dirent-ils, rien que des moineaux."

Ils étaient bredouilles, et pourtant ils n'eurent pas un mot pour s'excuser en partant. Au contraire, ils continuèrent à jurer. L'un d'eux lança :

— Peut-être qu'ils se sont noyés dans les chiottes, en essayant de mater le cul d'une fille.

— Les poulets font ça aussi ?

— Les coqs, oui, pardi !

Les rires fusèrent : gros rires des hommes, ricanements des femmes. Li Lan tremblait de tous ses membres, elle n'osait même plus tenir Song Fanping par son vêtement car elle avait le sentiment d'être la cause des ennuis de son mari. Song Fanping était à bout de patience. Tandis qu'ils s'en allaient, les visiteurs continuaient à se donner la réplique :

— Et les poules ?

— Les poules ? Une fois que le coq est mort, elles se remarient.

Song Fanping rugit en pointant le doigt sur le dernier qui venait de parler :

— Arrive ici, toi !

Tout le monde tourna la tête. Les trois hommes avec les trois collégiens, les trois femmes avec les deux enfants. Quand ils se furent tous arrêtés, Song Fanping reprit :

— Vous tous, ramenez-vous !

Les autres pouffèrent. Les trois hommes et les trois collégiens s'approchèrent de Song Fanping et l'entourèrent, et les trois femmes, tenant les deux enfants par la main, se placèrent sur le côté comme si elles étaient au théâtre. Forts de leur avantage numérique, ils demandèrent en souriant à Song Fanping s'il comptait les inviter au banquet de noces. Song Fanping leur répondit avec un rire méprisant : "Pas de gueuleton, rien que des gnons." Et il montra du doigt l'homme qui se trouvait au milieu :

— Répète ce que tu viens de dire à l'instant.

— Qu'est-ce que j'ai dit ? s'enquit avec un sourire mauvais celui qu'on interpellait.

Song Fanping eut un instant d'hésitation :

— Tu as dit que la poule…

L'homme poussa une exclamation et déclara que cela lui revenait :

— Tu veux que je répète ?

— Si tu oses répéter, menaça Song Fanping, je te casse la gueule.

L'homme jeta un coup d'œil sur ses compagnons et sur les trois collégiens, avant de dire d'un ton enjoué :

— Et si je ne répète pas ?

Song Fanping resta interdit. Puis il secoua la main avec un sourire amer :

— C'est bon, partez.

Les visiteurs s'esclaffèrent. Les trois collégiens, barrant la route à Song Fanping, lancèrent d'une seule voix :

— Quand le coq est mort, la poule épouse un autre homme ?

Song Fanping brandit le poing, puis le baissa. Il secoua la tête en regardant les trois collégiens. Après quoi, il les écarta et voulut rentrer chez lui. L'homme qu'il avait interpellé dit :

— Comment ça, elle épouse un autre homme ? Non, elle épouse un autre coq !

Song Fanping se retourna et son poing partit sans crier gare. Son mouvement et son geste furent si rapides, si précis, si brutaux qu'il renversa l'homme comme une vieille couverture qu'on jette par terre. Sous l'effet de la violence du coup, les bouches restées si longtemps ouvertes de Li Guangtou et de Song Gang se refermèrent brusquement.

Quand l'homme se releva, il avait les lèvres en sang. Il cracha à plusieurs reprises, de la salive mêlée à du sang et à de la morve. Après avoir décoché son coup de poing, Song Fanping avait bondi en arrière, hors du cercle qui l'entourait. Quand les autres se ruèrent sur lui, il s'accroupit puis tendit la jambe droite pour les faire trébucher. C'est ce jour-là que Li Guangtou et Song Gang comprirent le sens de l'expression "faire un balayage[1]". D'un seul mouvement, Song Fanping avait fait tomber les trois hommes et chanceler les trois collégiens.

Quand les autres se relevèrent et se précipitèrent vers lui pour la deuxième fois, Song Fanping tendit sa jambe gauche et atteignit un des hommes au ventre. Celui-ci s'écroula en hurlant et renversa dans sa chute les deux hommes qui étaient derrière lui. Les trois hommes et les trois collégiens étaient stupéfaits, ils se regardèrent comme s'ils se demandaient ce qui leur arrivait.

Song Fanping leur faisait face les poings serrés. L'un des hommes cria au reste de la bande d'encercler Song Fanping, et aussitôt tous les six l'enfermèrent entre eux. Song Fanping joua des poings en essayant de faire diversion, mais à peine s'était-il dégagé qu'il était rattrapé et encerclé à nouveau. Puis ce fut une mêlée. Impossible de voir ce qui se passait à l'intérieur. Tantôt les assaillants formaient une boule aussi compacte qu'un pain à la vapeur, tantôt ils se dispersaient comme du riz soufflé.

Les deux garçons qui avaient trois ou quatre ans de plus que Li Guangtou et Song Gang profitèrent de la confusion pour se saisir chacun, qui de Li Guangtou, qui de Song Gang. Ils se mirent à leur flanquer des gifles, des coups de pied dans les mollets, et à leur envoyer sur le visage des crachats mêlés de morve. Au début, Li Guangtou et Song Gang ne se laissèrent pas faire et voulurent rendre la pareille : gifles, coups de pied dans les mollets et crachats mêlés de morve. Mais ils avaient les bras trop courts pour atteindre leurs visages, les jambes trop courtes pour atteindre leurs mollets, et pas autant de salive et de morve, à leur âge, que leurs adversaires. Au bout de quelques rounds, ils comprirent qu'ils n'étaient pas de taille, et ils éclatèrent en sanglots.

Song Fanping entendit les pleurs des deux enfants mais, occupé déjà à se battre à un contre six, il n'avait pas le temps de leur porter secours. Li Guangtou et Song Gang durent se réfugier en pleurant auprès de Li Lan, laquelle pleurait aussi à torrents, et encore plus fort qu'eux. Elle implorait les voisins de Song Fanping et les curieux qui s'étaient rassemblés pour qu'ils aident son mari. Elle les suppliait un par un, et Li Guangtou et Song Gang la suivaient pas à pas en la tenant par son vêtement. Les deux autres enfants marchaient derrière Li Guangtou et Song Gang, ils continuaient à les gifler, ils continuaient à leur décocher des coups de pied, ils continuaient à aspirer leur morve et à la leur cracher sur le visage. Li Guangtou et Song Gang suppliaient en pleurant Li Lan de les aider, et Li Lan suppliait en pleurant l'assistance d'aider son mari.

Parmi les voisins de Song Fanping et la foule des curieux, il y eut enfin des réactions. D'abord deux ou trois personnes, puis une dizaine. Ils se précipitèrent pour repousser les six hommes qui encerclaient et frappaient Song Fanping. Ils s'interposèrent entre les belligérants. Song Fanping avait les yeux gonflés, la bouche et le nez ensanglantés et les vêtements déchirés. Ses six adversaires n'étaient guère en meilleur état, si ce n'est que leurs vêtements étaient encore intacts.

Les intercesseurs entreprirent de raisonner les deux parties. On ne perd pas un poulet de gaieté de cœur, firent-ils valoir à Song Fanping ; on ne perd pas un poulet sans se laisser aller à quelques excès de langage. C'est un grand jour pour lui, firent-ils valoir aux autres en parlant de Song Fanping : "Si on n'a pas de considération pour la face des bonzes, qu'au moins on en ait pour la face du Bouddha ; si on ne respecte pas les jours ordinaires, qu'au moins on respecte un jour de mariage." Ils poussèrent Song Fanping à l'intérieur de la maison, et ses adversaires vers la rue :

— Ça va, ça va. Mieux vaut avoir un ennemi en moins qu'en plus. Rentre chez toi, Song Fanping, et vous autres rentrez chez vous.

En dépit de ses blessures, Song Fanping restait là, la tête haute, et les six hommes étaient bien décidés à ne pas partir eux non plus. Forts de leur nombre, ils étaient résolus à ne pas céder. Pour eux les choses ne pouvaient pas en demeurer là, il fallait conclure coûte que coûte :

— Nous exigeons de lui qu'au moins il s'excuse…

Les intercesseurs finirent par trouver une solution : Song Fanping offrirait une cigarette à chacun. Selon la coutume de l'époque, offrir une cigarette à la fin d'une querelle était une façon de reconnaître ses torts, c'était une manière de s'excuser. Ses adversaires acceptèrent sur-le-champ une issue qui leur permettait de sauver les apparences :

— C'est bon, on le laisse tranquille pour aujourd'hui.

Les intercesseurs se dirigèrent ensuite vers Song Fanping. A lui, ils ne parlèrent pas d'excuses : il était censé offrir des cigarettes pour fêter son mariage. Song Fanping ne fut pas dupe :

— Je n'ai pas de cigarettes à offrir, dit-il en secouant la tête, je n'ai que mes deux poings.

Après avoir prononcé ces paroles, Song Fanping aperçut les yeux gonflés par les pleurs de Li Lan ; il vit les visages de Song Gang et de Li Guangtou couverts de larmes, et souillés de la salive et de la morve des autres gamins. Aussitôt, le chagrin se peignit sur ses traits. Après être resté immobile un moment, il pénétra tête basse dans la maison, puis en ressortit de même, un paquet de cigarettes à la main. Tout en déchirant l'emballage, il se dirigea vers les trois hommes et les trois collégiens, sortit les cigarettes une par une et en tendit une à chacun, y compris aux trois derniers. Quand il eut fini sa distribution, et alors qu'il tournait les talons, ceux à qui il venait d'offrir les cigarettes l'interpellèrent avec arrogance :

— Pas si vite, donne-nous du feu.

Sur le visage de Song Fanping, la tristesse se mua instantanément en colère. Il jeta par terre le paquet de cigarettes mais, comme il allait se retourner, prêt à en découdre à nouveau, Li Lan se précipita sur lui et l'étreignit avec force. Elle l'implora à voix basse en pleurant :

— Laisse-moi y aller, c'est moi qui vais leur donner du feu. Laisse-moi y aller…

Li Lan s'approcha des autres, une boîte d'allumettes à la main. Elle essuya ses larmes, puis gratta une allumette et approcha la flamme des cigarettes l'une après l'autre.

Le garçon aux cheveux longs, Sun Wei, recracha exprès la première bouffée de fumée sur le visage de Li Lan.

Song Fanping avait vu la scène, mais cette fois-ci il ne se mit pas en colère, il baissa la tête, se retourna et entra dans la maison. Et Li Guangtou, alors, remarqua que son beau-père pleurait. C'était la première fois que Li Guangtou voyait Song Fanping pleurer, ce grand gaillard de Song Fanping.

Quand toutes les cigarettes furent allumées, Li Lan remit la boîte d'allumettes dans sa poche, elle s'approcha de Li Guangtou et de Song Gang, et souleva un pan de sa veste pour essuyer les larmes sur leurs visages, ainsi que la morve et la salive qui les souillaient. Elle prit les deux enfants par la main, enjamba le seuil de la maison et referma la porte derrière elle.

Song Fanping était assis dans un coin de la pièce. Lui qui d'ordinaire ne touchait pas au tabac, il fuma cinq cigarettes d'affilée. A entendre le bruit de sa toux, on aurait dit qu'il vomissait. Il cracha par terre de la salive et du flegme, mêlés à du sang. Ce spectacle effraya les deux enfants. Ils étaient assis sur le lit de la pièce de devant. Ils n'étaient toujours pas remis de leurs émotions et les quatre jambes, qui pendaient du lit, tremblaient. Li Lan était debout à côté de la porte, le visage dans les mains. Elle pleurait toujours et les larmes coulaient entre ses doigts. Quand il eut fumé ses cinq cigarettes, Song Fanping se leva, ôta sa chemise en lambeaux, effaça les marques de sang sur son visage, puis il essuya avec sa sandale les crachats mêlés de sang sur le sol, avant de passer dans la pièce du fond.

Quand Song Fanping réapparut au bout d'un moment, c'était un autre homme. Il avait enfilé un maillot blanc propre et, malgré son visage tuméfié, il arborait un large sourire. Il tendit ses deux poings devant Li Guangtou et Song Gang, et leur dit :

— Vous savez ce que j'ai dans les mains ?

Les deux enfants firent non de la tête. Il leur mit ses poings sous le nez et, quand il écarta les doigts, ils découvrirent un bonbon à l'intérieur de chacune de ses mains. Ils retrouvèrent le sourire. Song Fanping développa les bonbons et les fourra dans la bouche des enfants. Leurs bouches s'emplirent d'un goût sucré ! Il leur avait fallu attendre que le soleil soit sur le point de se coucher pour éprouver enfin ce goût sucré qu'ils recherchaient depuis le matin.

Song Fanping s'approcha de Li Lan, il lui sourit avec son visage tuméfié, lui donna des tapes dans le dos, lui caressa les cheveux, puis lui parla longuement à l'oreille. Li Guangtou et Song Gang, assis sur le lit, croquaient le bonbon qui leur rendait la bouche si douce. Ils ignoraient ce que Song Fanping lui avait raconté mais ils virent que peu de temps après Li Lan souriait.

Ce soir-là, ils s'assirent tous les quatre en cercle. Song Fanping avait préparé un poisson, un bol de légumes sautés, et Li Lan avait sorti de ses bagages un bol de ragoût de viande qu'elle avait cuisiné à l'avance. Song Fanping déboucha une bouteille de vin jaune de Shaoxing[2], s'en versa un verre et en versa un autre à Li Lan. Li Lan dit qu'elle ne buvait pas d'alcool, Song Fanping dit qu'il n'en buvait pas non plus, et il ajouta qu'après cela personne n'en boirait plus, mais que ce soir il fallait absolument en boire :

— Ce soir, c'est notre vin de noces que nous allons boire.

Song Fanping leva haut son verre, jusqu'à la lampe qui diffusait une faible lueur, et attendit que Li Lan lève le sien à son tour. Song Fanping heurta son verre contre celui de Li Lan, et elle sourit, confuse. Song Fanping but d'un trait son vin jaune. La blessure qu'il avait aux lèvres lui fit tordre son visage de douleur. Puis, comme s'il venait de manger un piment, il agita sa main devant sa bouche ouverte. Il invita Li Lan à vider son verre, elle aussi but d'un trait, et il attendit qu'elle repose son verre pour reposer le sien.

Li Guangtou et Song Gang étaient assis côte à côte sur un banc. Leurs têtes arrivaient juste au niveau de la table, leurs mentons reposaient dessus, comme les mains de leur père et de leur mère. Song Fanping et Li Lan plaçaient à tour de rôle dans le bol de leurs enfants de la viande, du poisson et des légumes. Li Guangtou avala une bouchée de viande, puis une bouchée de poisson, puis une bouchée de légumes, accompagnés de riz, après quoi il cessa de manger. Il se tourna vers Song Gang, assis à côté de lui, et dit tout bas :

— Des bonbons.

Song Gang, qui était en train de se régaler de poisson et de viande, s'arrêta lui aussi de manger après avoir entendu les paroles de Li Guangtou. Et il dit, tout bas également :

— Des bonbons.

Les deux enfants connaissaient le goût exquis du poisson et de la viande ; ils n'avaient guère l'occasion d'y goûter plus de deux ou trois fois par an, mais ils avaient encore plus envie de bonbons. Ils avaient à peine eu le goût du sucre dans la bouche qu'à nouveau ils avaient celui du sel. Ils réclamèrent des bonbons. D'une petite voix d'abord, puis d'une voix sonore, et finalement à grands cris. "Des bonbons, des bonbons, des bonbons...", ils ne disaient plus rien d'autre.

Li Lan déclara que les bonbons de noce étaient terminés. Ils avaient distribué en chemin tout le contenu du seau. Song Fanping demanda en riant aux deux enfants quel genre de bonbons ils voulaient manger. Les deux enfants ramassèrent en même temps les papiers de bonbons qui traînaient sur la table et lancèrent d'une seule voix :

— Des bonbons comme ça.

Song Fanping plongea la main dans sa poche d'un air solennel :

— Ce que vous voulez, déclara-t-il, ce sont des bonbons durs.

Les enfants opinèrent du chef énergiquement et allongèrent le cou pour regarder dans sa poche. Mais Song Fanping secoua la tête :

— Il n'y en a plus.

Les deux enfants, déçus, étaient au bord des larmes. Song Fanping ajouta alors :

— Je n'ai plus de bonbons durs, je n'ai plus que des bonbons mous.

Les enfants écarquillèrent aussitôt les yeux. C'était la première fois qu'ils entendaient dire qu'il existait au monde une sorte de bonbons qu'on appelle les bonbons mous. Ils virent Song Fanping se lever et fouiller ses poches comme s'il était à la recherche des bonbons mous en question, tandis que leurs petits cœurs battaient. Song Fanping retourna ses poches l'une après l'autre pour montrer qu'elles étaient vides :

— Où sont-ils passés, s'interrogeait-il, où sont-ils passés ?

Quand Song Fanping eut retourné toutes ses poches, Li Guangtou et Song Gang, qui le fixaient anxieusement, éclatèrent en sanglots. Song Fanping se tapa sur la tête :

— Ça y est, ça me revient…

Song Fanping se dirigea sur la pointe des pieds vers la pièce du fond, en prenant autant de précautions que s'il voulait attraper une poignée de poux ou de puces, provoquant ainsi l'hilarité de Li Lan. Quand sa face tuméfiée reparut à la porte, Li Guangtou et Song Gang aperçurent le sac de caramels au lait qu'il tenait à la main.

Les enfants s'exclamèrent. C'était la première fois qu'ils allaient manger un bonbon mou parfumé à la crème. Sur le papier d'emballage était dessiné un gros lapin blanc car c'étaient des caramels de la marque Lapin Blanc[3]. Song Fanping expliqua que c'était sa sœur, à Shanghai, qui les lui avait envoyés, c'était son cadeau de mariage. Song Fanping en fit goûter un à Li Lan, il en goûta un lui-même, et en donna cinq à chacun des deux garçons.

Li Guangtou et Song Gang placèrent un bonbon dans leur bouche, ils le sucèrent lentement, croquèrent dedans lentement, avalèrent leur salive lentement. Leur salive était aussi sucrée que le bonbon, aussi parfumée que le lait. Li Guangtou mit du riz dans sa bouche et le mâcha en même temps que le bonbon, et Song Gang l'imita. Le riz qu'ils avaient dans la bouche devint à son tour aussi sucré que le bonbon, il devint aussi parfumé que le lait. Le riz qu'ils avaient dans la bouche s'appelait maintenant lui aussi Lapin Blanc. Tout en se délectant, Song Gang prononça affectueusement le nom de Li Guangtou.

Et Li Guangtou en retour, tout en continuant de manger, prononça le nom de celui-ci :

— Song Gang.

Song Fanping et Li Lan souriaient de bonheur, et Song Fanping, regardant le crâne luisant de Li Guangtou, dit à Li Lan :

— Il ne faudrait plus l'appeler par son surnom, mais par son vrai nom.

Et il se tapa sur la tête :

— Je ne le connais que par son surnom, Li Guangtou, je ne connais pas son vrai nom.

Puis il demanda à Li Lan :

— Quel est le nom de Li Guangtou ?

Li Lan ne put réprimer un rire :

— Tu viens de dire qu'il ne fallait plus l'appeler par son surnom, et c'est ce que tu viens de faire.

Song Fanping leva ses mains et déclara, comme s'il se rendait :

— A compter de ce jour, il est interdit d'appeler cet enfant par son surnom... Alors, comment s'appelle-t-il ?

— Li Guangtou s'appelle... commença-t-elle sans réfléchir.

Elle s'interrompit et se couvrit la bouche, consciente d'avoir enfreint la règle.

— Il s'appelle Li Guang, dit-elle, hilare.

Song Fanping acquiesça :

— Li Guang, c'est bon.

Puis il se tourna vers les deux enfants :

— Song Gang, Li Guangtou, j'ai quelque chose à vous annoncer...

Song Fanping, en voyant Li Lan rire sous cape, demanda avec précaution :

— Est-ce que je l'aurais encore appelé par son surnom ?

Li Lan fit oui de la tête. Song Fanping se gratta le crâne :

— Tant pis, on n'a qu'à l'appeler par son surnom. Si on l'appelle Li Guang, on risque à tout moment de déraper et de l'appeler Li Guangtou.

Song Fanping partit d'un grand rire et se retourna vers les enfants. Son rire se transforma en sourire :

— A partir d'aujourd'hui, vous êtes deux frères. Il faudra être comme deux doigts de la main, il faudra vous entraider, partager les joies et les peines, il faudra travailler dur pour progresser continuellement...

Song Fanping et Li Lan étaient devenus mari et femme, Song Gang et Li Guangtou étaient devenus frères. Les deux familles n'en formaient plus qu'une. Li Guangtou et Song Gang se couchèrent dans la pièce de devant, Li Lan et Song Fanping dans celle de derrière. Ce soir-là, les deux enfants s'allongèrent en tenant dans leurs mains les papiers des caramels Lapin Blanc, humant le parfum de lait resté dedans, prêts à rencontrer en rêve d'autres bonbons. Avant de s'endormir, Li Guangtou entendit grincer le lit dans la pièce de derrière, et il entendit sa mère pleurer et parfois pousser de petits cris. Il eut l'impression que les pleurs de sa mère n'étaient pas comme d'habitude, on n'aurait pas dit qu'elle pleurait vraiment. Au même moment, sur la petite rivière qui coulait devant la maison, une barque passait, et le grincement de la godille ressemblait à la voix de sa mère s'échappant de la chambre.

VII

Song Fanping était d'un tempérament joyeux. Après les coups qu'il avait reçus, il avait le visage enflé et le simple fait de sourire lui faisait mal. Et pourtant, il continuait à rire aux éclats. Le lendemain de son mariage, il entreprit solennellement de laver les cheveux de Li Lan. Son visage tuméfié ressemblait à une tête de porc accrochée dans une boucherie mais, sans se soucier le moins du monde des sourires bizarres des voisins, il versa dans une cuvette de l'eau tirée au puits, mouilla la chevelure de Li Lan, l'enduisit de savon et commença à frictionner le cuir chevelu de son épouse comme l'aurait fait un coiffeur. Si bien que Li Lan avait la tête couverte de mousse. Puis il tira à nouveau de l'eau du puits pour procéder au rinçage, essuya la tête de Li Lan avec une serviette et lui lissa les cheveux avec un peigne en bois. Il ne voulut rien laisser faire à Li Lan et, quand celle-ci leva les yeux, elle vit autour d'eux une dizaine d'adultes et d'enfants debout qui les observaient en ricanant comme au spectacle. Son visage était écarlate mais il respirait également le bonheur.

Après quoi, Song Fanping annonça d'une voix forte qu'ils allaient se promener en ville. Des gouttes d'eau tombaient encore des cheveux de Li Lan. Elle eut une hésitation en regardant le visage enflé de Song Fanping. Lisant dans ses pensées, Song Fanping lui glissa tout bas qu'il n'avait plus mal. Ensuite, il verrouilla la porte et entraîna avec lui Li Guangtou et Song Gang, et Li Lan se résigna à les suivre.

Li Guangtou et Song Gang marchaient au milieu, encadrés par leurs parents, et tous se tenaient par la main. Les gens qu'ils croisaient sur leur passage les regardaient en riant : ils savaient que les parents venaient de se remarier, ils savaient que les enfants étaient d'un premier lit, ils savaient que le jeune marié, le jour de ses noces, s'était bagarré contre six personnes en même temps. En revanche, ils étaient fort étonnés de voir le marié se promener avec ce visage tuméfié. Sans compter qu'il avait l'air de jubiler. Dès qu'il apercevait une de ses connaissances, il la saluait à haute voix, puis, désignant Li Lan disait d'un ton enjoué :

— C'est ma femme.

Et il ajoutait du même ton enjoué, en montrant les enfants :

— Et ces deux-là, ce sont mes fils.

Tout le monde dans la rue avait l'air de bonne humeur, mais cette bonne humeur n'avait rien de commun avec celle de Song Fanping. La bonne humeur de Song Fanping était la bonne humeur d'un jeune marié ; et celle des passants, la bonne humeur que dicte la malveillance. Li Lan savait à quoi s'en tenir sur leurs sourires bizarres, elle savait ce qu'ils se racontaient en les montrant du doigt, et c'est pourquoi elle baissait la tête. Song Fanping savait lui aussi à quoi s'en tenir, et c'est pourquoi il murmura à Li Lan :

— Lève la tête.

La famille remonta deux grandes rues dans la bonne humeur. Quand ils passèrent devant la buvette, les deux enfants jetèrent un regard plein de nostalgie à l'intérieur, mais leurs parents les tirèrent par la main et continuèrent d'avancer, en feignant de ne rien voir. En arrivant devant la boutique du photographe, Song Fanping s'arrêta et annonça avec entrain qu'ils allaient se faire prendre en photo tous ensemble. Pour le coup, il avait complètement oublié quelle tête il avait. Li Lan proposa d'attendre avant de faire la photo. Song Fanping était déjà dans la boutique et, en se retournant, il vit que Li Lan était restée à la porte, avec les deux enfants. Alors il leur adressa des signes énergiques pour les inviter à entrer, mais Li Lan refusa de bouger.

Song Fanping expliqua au photographe venu à sa rencontre qu'il voulait faire une photo de famille. Mais à la façon dont le photographe le dévisageait l'air stupéfait, il se souvint que le jour était mal choisi pour se laisser prendre en photo. Il pencha la tête pour se regarder dans le miroir du magasin et dit au photographe :

— On ne prendra pas la photo aujourd'hui, ma femme préfère qu'on fasse ça plus tard.

Ce joyeux drille de Song Fanping riait comme un fou en sortant de chez le photographe. Sa gaieté détint sur Li Lan, et ils riaient maintenant tous les deux en continuant à avancer. Puis ce furent Li Guangtou et Song Gang qui se mirent de la partie, sans pour autant savoir ce qu'il y avait de risible.

Depuis son remariage, Li Lan était radieuse. Pendant les sept ans qui avaient suivi la disparition de son premier mari, mort noyé dans les toilettes, elle avait vécu l'enfer, sept ans d'enfer durant lesquels ses cheveux étaient restés en bataille. Maintenant, elle avait refait ses nattes de jeune fille, et elle attachait même une faveur rouge à leur bout. Son visage s'était rempli et elle avait pris des couleurs, comme après une cure de ginseng. Ses migraines avaient disparu du jour au lendemain, et ses lèvres qui n'avaient cessé de siffler pendant sept ans recommençaient à chantonner. Son époux en secondes noces, lui aussi, avait une mine resplendissante. Quand il entrait ou qu'il sortait de la maison, son pas résonnait comme le son du tambour, et lorsqu'il pissait au coin du mur dehors, le jet était dru et sonore comme une pluie d'orage.

Les nouveaux mariés restèrent collés l'un à l'autre tout le temps de leur lune de miel. Dès qu'ils avaient un moment de libre, ils allaient s'enfermer dans leur chambre. Et Li Guangtou et Song Gang en étaient réduits à faire travailler leur imagination. En entendant les lèvres de leurs parents claquer, ils étaient convaincus que s'ils s'enfermaient, c'était pour manger des caramels Lapin Blanc. Et des caramels Lapin Blanc, les nouveaux mariés n'en mangeaient pas que le jour, ils en mangeaient aussi la nuit. Avant le crépuscule, ils envoyaient Li Guangtou et Song Gang au lit, et ils bouclaient la porte de leur chambre. Et les deux bouches ne cessaient de claquer. Tandis que les enfants des voisins continuaient à courir dehors et à crier, Li Guangtou et Song Gang, eux, étaient déjà couchés. Song Fanping et Li Lan étaient censés dormir eux aussi, mais on entendait sans arrêt le bruit de leurs bouches dans la chambre. Li Guangtou et Song Gang entraient au pays des songes en pleurant et en salivant, et le lendemain, à l'aube, quand ils se réveillaient, leurs larmes avaient séché mais leur salive coulait encore.

La gourmandise faisait abondamment saliver Li Guangtou et Song Gang. Une fois, après le déjeuner, Song Fanping et Li Lan recommencèrent à faire claquer leurs lèvres dans la chambre. Li Guangtou se colla contre un jour de la porte pour espionner à l'intérieur, et Song Gang se colla contre son dos pour qu'il lui rapporte immédiatement ce qu'il voyait. A travers la première fente, Li Guangtou aperçut les quatre jambes de ses parents, celles de Song Fanping sur celles de Li Lan, et les enserrant. Li Guangtou chuchota à Song Gang :

— Ils sont sur le lit, en train de manger…

Li Guangtou changea de poste d'observation et, à travers une autre fente, il aperçut le corps de Song Fanping pesant sur celui de Li Lan, et ses mains serrant sa taille. Il dit tout bas :

— Ils sont en train de manger, dans les bras l'un de l'autre…

Par une troisième fente, Li Guangtou parvint à distinguer leurs visages posés l'un sur l'autre. Il vit Song Fanping embrasser Li Lan avec fougue. La scène le fit d'abord ricaner car il la trouvait du plus haut comique, puis elle le fascina. Song Gang, debout derrière lui, le poussa plusieurs fois sans qu'il s'en rende compte, et répéta tout bas avec insistance :

— Eh, eh, et maintenant, ils mangent comment ?

Emoustillé par ce qu'il voyait, Li Guangtou se retourna et dit d'un ton mystérieux :

— Ce ne sont pas des caramels qu'ils mangent, ce sont les lèvres.

Song Gang, qui ne comprenait pas, demanda sur le même ton :

— Ils mangent les lèvres de qui ?

Li Guangtou, toujours aussi mystérieux, poursuivit :

— Ton père mange les lèvres de ma mère, et ma mère mange les lèvres de ton père.

Song Gang fut saisi. Il s'imagina que Song Fanping et Li Lan étaient en train de s'entre-dévorer comme deux bêtes sauvages. A ce moment-là, la porte de la chambre s'ouvrit brusquement : Song Fanping et Li Lan se tenaient sur le seuil, regardant les enfants avec étonnement. Song Gang constata que leurs lèvres à tous les deux étaient encore sur leurs visages, et il en fut soulagé. Pointant son doigt sur le nez de Li Guangtou, il déclara :

— Il a menti, il m'a dit que vous vous étiez avalé les lèvres.

Li Guangtou se défendit, en secouant la tête :

— Je n'ai jamais dit que vous vous étiez avalé les lèvres, j'ai simplement dit que vous vous les mangiez.

Song Fanping et Li Lan eurent un rire gêné. Ils ne dirent rien et partirent au travail. Après leur départ, Li Guangtou, pour prouver qu'il n'était pas un menteur, fit asseoir Song Gang sur le lit et, quand celui-ci fut bien installé comme au cinéma, il prit un banc et le plaça devant Song Gang. Il s'allongea dessus et, la tête levée, dit :

— Le banc, on dirait que c'est ma mère.

Puis il se désigna lui-même :

— Moi, on dirait que je suis ton père.

Ces comparaisons faites, il entreprit concrètement de démontrer ce que c'était qu'une bouche qui en mange une autre. Il était collé contre le banc, les deux bras serrés autour, et ses lèvres embrassaient le banc à grands renforts de smacks. Son corps commença à onduler de haut en bas, au rythme des smacks. En même temps, il parlait à Song Gang :

— Voilà, c'est comme ça qu'ils faisaient.

Song Gang s'étonna de son manège :

— Pourquoi est-ce que tu remues comme ça ? demanda-t-il.

— Je fais pareil que ton père, répondit Li Guangtou.

Song Gang s'esclaffa :

— Qu'est-ce que tu es drôle !

— C'est ton père qui est drôle.

Li Guangtou, sur son banc, remuait de plus en plus vite. Son visage commençait à rougir et sa respiration s'accélérait. Song Gang eut peur, il sauta du lit et poussa Li Guangtou des deux mains :

— Eh, eh, qu'est-ce qui t'arrive ?

Li Guangtou cessa progressivement de remuer, il se releva et, l'air ravi, il pointa le doigt sur son entrejambe :

— Quand on bouge comme ça, confia-t-il à Song Gang, ça fait durcir le zizi et ça fait du bien.

Puis il invita avec enthousiasme Song Gang à se coucher sur le banc pour qu'il essaie à son tour. Song Gang regarda Li Guangtou d'un air incrédule. En se couchant sur le banc, il aperçut des traces de salive laissées par Li Guangtou, mêlées à quelque chose de brillant qui ressemblait à de la morve. Il secoua la tête et se rassit, avant de dire, en montrant le banc :

— Regarde, tu as mis de la morve partout.

Li Guangtou, confus, s'empressa d'essuyer le banc avec sa manche, et invita derechef Song Gang à se coucher dessus. Song Gang se pencha en avant, puis se rassit une deuxième fois :

— Ça sent la morve, chicana-t-il.

Li Guangtou ne savait plus où se fourrer et, afin que Song Gang puisse partager sa joie, il lui conseilla avec empressement de se coucher sur le banc en sens inverse. Song Gang s'allongea à nouveau, et Li Guangtou lui donna des directives comme un entraîneur à son champion. Il lui expliqua comment il devait remuer et corrigeait sans arrêt ses mouvements. Enfin, quand il eut l'impression que les mouvements de Song Gang ressemblaient de plus en plus à ceux de Song Fanping, il s'assit sur le lit en s'épongeant le front, et lui lança triomphalement :

— Ça fait du bien, hein ? Ça fait durcir le zizi.

A sa grande déception, Song Gang trouva la chose sans intérêt, il se redressa et déclara :

— Le banc est tout dur, ça me fait mal au zizi.

Li Guangtou regarda Song Gang avec perplexité :

— Comment se fait-il que ça te fasse mal ?

Puis, toujours très prévenant, il plaça leurs deux oreillers sur le banc et, craignant que cela ne soit pas encore assez confortable, il alla chercher dans la chambre de derrière les oreillers de Song Fanping et de Li Lan, et les posa sur les deux autres. Il souriait avec prévenance, et dit avec prévenance à Song Gang :

— Comme ça, c'est sûr, ça va te faire du bien.

Song Gang ne pouvait résister à de telles attentions, il se coucha sur les oreillers et commença à remuer sous la direction de Li Guangtou. Mais très vite il se redressa et annonça qu'il éprouvait toujours une sensation désagréable : on aurait dit qu'il y avait dans l'oreiller des petits cailloux qui lui faisaient mal au zizi.

Alors le miracle se produisit : les deux enfants, fous de joie, venaient de découvrir le reste des caramels Lapin Blanc que leurs parents avaient cachés dans une taie d'oreiller. Avant cela, ils avaient fouillé en vain la maison de fond en comble, ils s'étaient couverts de poussière en inspectant sous le lit et avait failli mourir étouffés en retournant les couvertures et les matelas en pure perte. Autant chercher une aiguille dans une botte de foin. Et voilà que maintenant, alors qu'ayant perdu tout espoir ils avaient abandonné leurs recherches, les caramels Lapin Blanc surgissaient d'eux-mêmes dans ces oreillers.

Les deux enfants se mirent à brailler comme deux chiens affamés. Ils éparpillèrent tous les caramels sur le lit. Li Guangtou s'en fourra d'un seul coup trois dans la bouche, et Song Gang au moins deux. Ils les mangèrent en riant. Ils ne les faisaient plus tourner dans leur bouche, ils ne les suçaient plus, ils les mastiquaient énergiquement. De toute façon, il leur en restait beaucoup. Ils voulaient que le goût du sucre et le goût du lait leur remplissent la bouche, qu'ils leur descendent jusque dans les entrailles, qu'ils leur coulent par le nez.

En un tournemain, les deux enfants avaient dévoré presque tous les caramels. Sur trente-sept, il n'en restait plus que quatre, quand Song Gang, pris d'une crainte subite, se mit à pleurer : qu'allait-il arriver, expliqua-t-il entre deux sanglots, si les parents en rentrant s'apercevaient du larcin ? Cette perspective fit frissonner Li Guangtou, mais son angoisse fut passagère et, risquant le tout pour le tout, il engouffra les quatre derniers caramels. Song Gang le regarda faire, médusé :

— Tu n'as pas peur, toi ? demanda-t-il en pleurant.

Li Guangtou avala les quatre caramels et s'essuya la bouche :

— C'est maintenant que j'ai peur, avoua-t-il.

Les deux enfants, assis sur le lit, étaient figés, interdits, pétrifiés. Ils fixaient les trente-sept papiers de bonbon éparpillés sur le lit comme des feuilles balayées par le vent d'automne. Song Gang était inconsolable. Il redoutait que Song Fanping et Li Lan, en découvrant leur forfait, ne leur infligent une punition sévère : Song Fanping allait leur faire une tête au carré, comme celle qu'il avait lui-même le jour du mariage. Impressionné par les sanglots de Song Gang, Li Guangtou se laissait gagner par l'inquiétude. Des frissons lui parcoururent l'échine et, quand il eut fini de trembler, il imagina un stratagème ingénieux : il proposa d'aller chercher des cailloux de la taille des caramels et de les envelopper dans les papiers des bonbons. Song Gang retrouva le sourire et descendit du lit pour suivre Li Guangtou. Les deux enfants sortirent de la maison et cherchèrent des cailloux sous l'arbre, près du puits, dans la rue, et même au coin du mur où Song Fanping avait coutume de soulager sa vessie. Ils rapportèrent leur butin sur le lit, enveloppèrent les cailloux dans les papiers avant de les mettre dans le sac de caramels. Puis ils glissèrent dans la taie d'oreiller ces trente-sept faux caramels aux formes biscornues. Enfin, ils replacèrent les oreillers sur le lit des parents.

Lorsque tout fut fini, la crainte envahit de nouveau Song Gang. Il recommença à pleurer :

— Ils finiront quand même par s'en rendre compte, lâcha-t-il entre deux sanglots.

Li Guangtou, lui, ne pleurait pas. Il eut un rire nerveux très bref, puis, dodelinant de la tête, il consola Song Gang :

— Pour le moment, ils ne savent rien.

Li Guangtou, depuis son plus jeune âge, faisait partie de ces gens pour qui demain est un autre jour. Maintenant que les caramels Lapin Blanc étaient finis, son attention s'était reportée sur le banc. Tandis que Song Gang sanglotait, il s'allongea encore dessus et reprit ses mouvements de va-et-vient. Cette fois, il savait comment s'y prendre. Il s'arrangeait pour que son centre de gravité repose sur son sexe afin que celui-ci frotte bien contre le banc. Il fut bientôt cramoisi et son souffle s'accéléra.

Li Guangtou et Song Gang devinrent inséparables. Li Guangtou appréciait Song Gang, son aîné d'un an. Depuis qu'il avait un grand frère, il pouvait courir dehors librement. Avant cela, quand Li Lan se rendait à l'usine, elle l'enfermait à la maison et il passait des journées entières tout seul entre quatre murs. Song Fanping procédait différemment : il accrochait une clef au cou de Song Gang et laissait les deux enfants folâtrer comme deux cerfs-volants ayant rompu leur fil. Song Fanping et Li Lan, qui avaient craint que les enfants ne se battent comme des chiffonniers, découvrirent avec surprise qu'ils s'entendaient comme larrons en foire. Les seules marques qu'ils portaient sur le visage ou sur le corps étaient dues à des chutes, ce n'étaient jamais des bleus consécutifs aux coups que l'un aurait administrés à l'autre. L'unique fois où ils eurent les lèvres fendues et le nez en sang, ce fut le jour où ils se bagarrèrent tous les deux contre d'autres enfants.

Dès que Li Guangtou eut découvert avec son corps de nouveaux horizons, cela produisit sur lui l'effet d'une drogue : il se frottait le sexe à tout bout de champ. Même quand il se promenait tranquillement dans les rues avec Song Gang, il lui arrivait de s'arrêter et d'annoncer :

— Je vais me frotter un peu.

Alors, il enlaçait un poteau électrique en bois et se collait contre lui, et il commençait à se frotter dessus en écoutant le bourdonnement du courant, jusqu'à ce que sa mine resplendisse et que sa respiration devienne plus forte. Après chacune de ces séances, il était au comble du bonheur :

— Qu'est-ce que ça fait du bien, confiait-il à Song Gang.

Song Gang enviait terriblement l'expression qu'avait Li Guangtou dans ces moments-là. C'était une énigme pour lui, et il demandait souvent à Li Guangtou :

— Pourquoi est-ce qu'à moi ça ne me fait rien ?

C'était aussi une énigme pour Li Guangtou :

— C'est vrai ça, pourquoi est-ce qu'à toi ça ne te fait rien ?

A plusieurs reprises, alors que Li Guangtou et Song Gang franchissaient le pont, Li Guangtou fut pris subitement de l'envie de se frotter. Il se coucha sur la rambarde du pont et commença ses va-et-vient comme il le faisait sur le banc. Le pont enjambait la petite rivière de notre bourg des Liu et les remorqueurs faisaient souvent retentir leurs sirènes en glissant dessous. Quand une sirène retentissait, l'excitation de Li Guangtou redoublait, au point qu'une fois son plaisir lui arracha des cris.

Au même moment, trois collégiens passaient près de là, les trois avec lesquels Song Fanping s'était bagarré. Ils s'arrêtèrent à côté du parapet et observèrent Li Guangtou avec curiosité :

— Hé, petit gars, qu'est-ce que tu fais ?

Li Guangtou se retourna et redescendit de son perchoir avant de répondre, encore tout essoufflé :

— Quand on se frotte comme ça, le zizi devient tout dur, et ça fait du bien…

Les trois autres en restèrent babas. Li Guangtou poursuivit sa démonstration. On pouvait faire pareil, expliqua-t-il, sur un poteau électrique, mais c'était plus fatigant parce qu'on était debout, alors mieux valait faire ça couché.

— A la maison, conclut-il, on peut faire ça sur un banc…

Après avoir entendu les commentaires experts de Li Guangtou, les trois collégiens s'exclamèrent, stupéfaits :

— Il est déjà pubère, le petit gars !

Li Guangtou comprit enfin pourquoi, à la différence de Song Gang, il éprouvait du plaisir en se frottant. Quand les trois collégiens se furent éloignés, il déclara, subjugué par cette révélation :

— Ah, c'est donc ça, je suis déjà pubère.

Puis, se rengorgeant, il ajouta à l'adresse de Song Gang :

— Ton père est comme moi, il est déjà pubère. Alors que toi, tu ne l'es pas encore.

Au cours de leurs escapades à travers les rues, Li Guangtou et Song Gang se rendaient volontiers dans la ruelle de l'Ouest des Remparts, la plus animée. On y trouvait la boutique du forgeron, celle du tailleur, celle du rémouleur, celle de l'arracheur de dents. On pouvait aussi y croiser Wang les Esquimaux, qui battait le pavé en frappant sur sa glacière[1].

Les deux enfants commençaient par s'arrêter devant la boutique du tailleur, et ils regardaient Zhang le Tailleur, que tout le monde connaissait dans le bourg, prendre des mesures avec un mètre ruban : d'abord le tour de cou, puis le tour de poitrine et enfin le tour de hanches. Sa main virevoltait sur le corps des femmes, mais celles-ci, loin de s'en offusquer, riaient aux éclats.

Après avoir observé Zhang le Tailleur, Li Guangtou et Song Gang allaient jeter un coup d'œil dans la boutique des deux Guan les Ciseaux. Guan les Ciseaux l'Ancien avait la quarantaine, et Guan les Ciseaux le Jeune, quinze ans. Ils étaient assis sur des tabourets, de part et d'autre d'un baquet rempli d'eau. Deux meules étaient posées de biais dans le baquet, sur lesquelles les deux Guan aiguisaient leurs ciseaux dans un bruit d'averse.

Après avoir observé les deux Guan les Ciseaux, ils se rendaient chez Yu l'Arracheur de dents. En fait, Yu l'Arracheur de dents n'avait pas de boutique, il ouvrait un parapluie en toile huilée au bord de la rue et, pour attirer le chaland, installait dessous une table occupée, à gauche, par une rangée de daviers de toutes tailles, et, à droite, par quelques dizaines de dents de toutes tailles qu'il avait arrachées. Derrière la table, il y avait un banc, et à côté une chaise longue en rotin. Quand il y avait un client, celui-ci s'allongeait sur la chaise, et Yu l'Arracheur de dents s'asseyait sur le banc. Et quand il n'y avait pas de client, c'est lui qui s'installait sur la chaise. Une fois que Li Guangtou, apercevant la chaise vide, y avait pris place pour se reposer, Yu l'Arracheur de dents, par un réflexe conditionné, empoigna un davier et s'apprêtait à le lui fourrer dans la bouche quand Li Guangtou se mit à pousser des cris d'effroi. Yu l'Arracheur de dents, comprenant qu'il avait pris à tort Li Guangtou pour un patient, l'extirpa de la chaise en criant :

— Merde alors, fous-moi le camp avec tes dents de lait !

La boutique de Tong le Forgeron était l'endroit préféré des deux enfants. Tong le Forgeron possédait une voiture à bras, ce qui, en ce temps-là, était le fin du fin. Cela vous posait bien plus alors que de posséder un camion aujourd'hui. Une fois par semaine, il se rendait à la décharge et en rapportait des rebuts de cuivre ou de la ferraille. Li Guangtou et Song Gang aimaient le regarder battre le métal et transformer le cuivre de récupération en cadres, ou la ferraille en faucilles ou en houes. Ils étaient surtout émerveillés quand les étincelles jaillissaient.

— Est-ce que c'est comme ça que les étoiles sont apparues dans le ciel ? avait demandé Song Gang.

— Oui, avait répondu Tong le Forgeron, c'est moi qui les ai fabriquées.

Song Gang vouait une admiration sans bornes à Tong le Forgeron, parce que c'est de sa forge qu'étaient sorties toutes les étoiles du ciel. Li Guangtou, lui, n'en croyait pas un mot. Il affirmait que Tong le Forgeron se vantait et que les étoiles qu'il fabriquait tombaient par terre et mouraient avant même de franchir le seuil de l'atelier.

Li Guangtou avait beau savoir que Tong le Forgeron se vantait, il aimait quand même le regarder travailler. Depuis que les trois collégiens lui avaient fourni la justification théorique de son penchant pour les frottements, il avait jeté son dévolu sur le banc de la forge. Alors que jusque-là il s'était contenté de rester assis dessus avec Song Gang pour observer Tong le Forgeron, désormais il avait pris totalement possession du siège, de sorte que Song Gang était obligé de rester debout à côté de lui. Mais Li Guangtou avait un argument imparable :

— Qu'est-ce que tu veux ? Je suis pubère, disait-il en ouvrant les bras d'un air navré.

Il ondulait, le souffle court, en contemplant les étoiles qui jaillissaient, et s'exclamait avec Song Gang :

— Les étoiles, les étoiles, regarde toutes ces étoiles…

A l'époque, Tong le Forgeron n'avait qu'une vingtaine d'années, et il n'avait pas encore épousé la femme au gros derrière. Râblé et musclé, il tenait des pinces dans sa main gauche et brandissait un marteau de la main droite, et, tout en battant le fer, il gardait un œil sur Li Guangtou. Il comprit ce que Li Guangtou faisait et s'étonna qu'un petit salopard de cet âge se livre à de telles pratiques. Distrait par ce spectacle, il faillit se taper sur la main gauche avec son marteau, lâcha les pinces comme s'il s'était brûlé, sursauta, posa son marteau en jurant et interpella Li Guangtou, qui haletait sur le banc :

— Hé, quel âge as-tu ?

— Presque huit ans, répondit Li Guangtou, essoufflé.

— Merde alors ! s'exclama Tong le Forgeron, stupéfait. Espèce de petit salopard, tu n'as pas huit ans, et tu as déjà des problèmes de libido.

C'est ainsi que Li Guangtou découvrit ce qu'était la libido. Comme Tong le Forgeron était plus âgé que les collégiens, il était persuadé que ses propos étaient bien plus fondés que les leurs. Il cessa donc de parler de puberté et, changeant de vocabulaire, il déclara fièrement à Song Gang :

— Toi, tu n'as pas de problèmes de libido, mais ton père en a, et moi aussi.

C'est sur les poteaux électriques que Li Guangtou mit à l'honneur sa technique. Après s'être bien frotté, il grimpait jusqu'en haut puis se laissait glisser en se collant au maximum contre le poteau. Une fois revenu au sol, il disait à Song Gang avec des trémolos dans la voix :

— Je t'assure, c'est vraiment bon !

Un jour, il venait d'arriver au sommet du poteau quand il vit approcher les trois collégiens. Il se hâta de redescendre et, au lieu de confier ses impressions à Song Gang, il s'empressa d'appeler les trois collégiens :

— Vous n'avez rien compris. Quand je me frotte et que mon zizi devient tout dur, ça n'a rien à voir avec la puberté, ce sont des problèmes de libido.

VIII

Passé les débordements de la lune de miel, l'existence heureuse de Song Fanping et de Li Lan adopta son rythme de croisière. Ils partaient au travail ensemble et revenaient à la maison ensemble. L'école où enseignait Song Fanping était plus près de la maison, il était donc le premier à arriver au pont, ses cours finis, et il attendait là pendant trois minutes que Li Lan le rejoigne. Après quoi ils rentraient tous les deux, épaule contre épaule, le sourire aux lèvres. Ils faisaient les courses ensemble, préparaient les repas ensemble, faisaient la lessive ensemble, se couchaient ensemble et se levaient ensemble. Il n'y avait quasiment aucun moment où ils ne fussent pas ensemble.

Au bout d'un an de cette vie, Li Lan fut reprise par ses anciennes migraines, que son bonheur de jeune mariée avait fait disparaître provisoirement. Et son mal, telle une épargne qui grossit au fil du temps, se réveilla avec une violence redoublée. Li Lan ne se contentait plus de siffler entre ses dents, la douleur lui arrachait des larmes. Elle s'entoura la tête d'une serviette blanche comme si elle venait d'accoucher. Du matin jusqu'au soir, elle se frappait les tempes avec son index, à la manière d'un moine tapant sur un poisson de bois, et ses coups résonnaient dans toute la maison.

Pendant cette période, Song Fanping ne ferma pas souvent l'œil. Il était réveillé au beau milieu de la nuit par les cris de douleur de sa femme. Alors il quittait le lit, tirait un seau d'eau au puits, plongeait la serviette dans l'eau glacée, l'essorait et la posait sur le front de Li Lan, ce qui était pour celle-ci d'un grand soulagement. Chaque nuit, il devait répéter plusieurs fois cette opération, comme il aurait eu à le faire s'il s'était occupé d'un malade atteint d'une forte fièvre. Song Fanping était partisan de ce que Li Lan aille se faire soigner une bonne fois pour toutes à l'hôpital, il n'avait nulle confiance dans les médecins du district. Installé devant la table, il écrivait presque chaque semaine à sa sœur de Shanghai afin qu'elle prenne contact au plus vite avec un hôpital. Dans ses lettres, il parlait sans arrêt d'"urgence" et terminait par une rangée de points d'exclamation.

Deux mois plus tard, sa sœur lui répondit qu'elle avait engagé les démarches souhaitées. Toutefois, une autorisation de transfert émanant de l'hôpital local était indispensable. Ce jour-là, Li Lan eut l'occasion de mesurer les talents de son mari. Song Fanping sollicita une demi-journée de congé auprès de son école, et accompagna Li Lan à l'usine l'après-midi. Il voulait parler au directeur de la filature pour le convaincre de laisser Li Lan partir à Shanghai. Li Lan, trop timide pour solliciter un congé maladie elle-même, conduisit Song Fanping jusqu'au bureau de son supérieur et le supplia tout bas d'entrer seul. Song Fanping acquiesça en souriant et, comme il franchissait la porte, il pria Li Lan de l'attendre, certain qu'il était du résultat.

Depuis qu'il avait réussi son dunk stupéfiant, Song Fanping était devenu une vedette dans toute la ville. Quand il se présenta au directeur de la filature, ce dernier ne lui laissa pas le temps d'achever et, l'interrompant d'un geste de la main, il lui révéla qu'il savait qui il était. Puis ils discutèrent comme deux vieux amis pendant plus d'une heure, au point que Song Fanping en oublia presque que Li Lan l'attendait dehors. Celle-ci les écoutait derrière la porte, fascinée par ce qu'elle entendait. Et plus tard, en se remémorant son mari, elle dirait, submergée par l'émotion : "Qu'est-ce qu'il parlait bien !"

Quand Song Fanping sortit, accompagné du directeur, non seulement celui-ci acceptait que Li Lan parte à Shanghai, mais il l'exhorta à ne penser à rien d'autre là-bas qu'à se soigner car l'usine se chargerait de résoudre tous les problèmes éventuels.

L'éloquence de Song Fanping, qui subjuguait tant Li Lan, fit de nouveau merveille à l'hôpital. Il se lança dans une conversation endiablée avec un jeune médecin : ils échangeaient des propos érudits, sautant avec aisance d'un sujet à l'autre, et tombant d'accord sur tout. Li Lan, assise à côté d'eux, suivait bouche bée leur discussion volubile. Elle en avait oublié ses maux de tête et contemplait Song Fanping avec ravissement : jamais elle n'aurait soupçonné que l'homme qui partageait sa vie depuis plus d'un an fût aussi brillant. Après leur avoir remis l'autorisation nécessaire, le jeune médecin reconduisit Song Fanping et Li Lan jusqu'à la porte de l'hôpital. Visiblement, il avait encore envie de discuter et, au moment de prendre congé, quand il serra la main de Song Fanping, il se déclara enchanté de la discussion amicale qu'ils avaient eue ensemble et ajouta qu'il espérait qu'elle pourrait se prolonger à l'occasion, au cours d'une longue soirée, autour d'une bouteille de vin jaune et de quelques plats.

Sur le chemin du retour, Li Lan exultait. Elle cherchait sans cesse à toucher la main de Song Fanping. Quand il se tourna vers elle, il vit briller dans ses yeux une flamme aussi vive qu'un feu de bois. Une fois qu'ils furent arrivés à la maison, Li Lan entraîna Song Fanping dans la chambre, elle ferma la porte et le serra fort dans ses bras. La tête appuyée sur sa large poitrine, elle mouilla sa chemise de larmes de bonheur.

Depuis que son précédent mari avait trouvé la mort dans la fosse à excréments, cette femme craintive avait vécu dans l'humiliation et s'était accoutumée à sa solitude. Song Fanping lui avait procuré un bonheur inespéré et, plus que tout, elle avait trouvé en lui un appui. Et ce protecteur était à ses yeux si puissant qu'elle avait le sentiment que plus jamais elle n'aurait à baisser la tête dans la rue : Song Fanping lui avait rendu sa fierté.

Song Fanping, surpris par l'émotion de Li Lan, la repoussa en riant, et voulut savoir ce qui lui prenait. Au lieu de répondre, Li Lan le serra encore plus fort. Elle ne relâcha son étreinte que lorsque parvinrent de la pièce d'à côté les voix de Li Guangtou et de Song Gang criant qu'ils avaient faim, faim, faim. Song Fanping s'inquiéta de la raison de ses pleurs, mais elle tourna la tête timidement, ouvrit la porte et s'éclipsa.

Li Lan prit l'autocar pour Shanghai le lendemain après-midi. Dès midi, toute la famille était dehors. Song Fanping portait le sac de voyage gris qu'il avait acheté à Shanghai à l'occasion de son premier mariage et sur lequel était imprimé, en rouge grenat, le mot “Shanghai”. Ils avaient tous des vêtements propres et ils passèrent d'abord chez le photographe. Plus d'un an auparavant, le lendemain de son mariage avec Li Lan, Song Fanping y avait emmené les siens mais, à cause de son visage tuméfié, ils avaient dû renoncer à se faire prendre en photo, et par la suite le projet lui était sorti de la tête. A présent que Li Lan partait se faire soigner à Shanghai, Song Fanping avait repensé à cette photo.

Quand tous les quatre furent arrivés chez le photographe, Song Fanping surprit à nouveau sa femme par l'étendue de son savoir. C'est lui qui prit les choses en main, ordonnant au photographe de régler différemment la lumière de façon à éviter les ombres sur les visages. Le photographe, docile, déplaça le projecteur, tout en opinant aux recommandations de Song Fanping. Lorsque tout fut prêt, Song Fanping alla jeter un coup d'œil à travers le viseur de l'appareil photo et demanda encore qu'on déplace le projecteur. Puis il prodigua des conseils aux enfants pour qu'ils tiennent la tête bien droite et qu'ils sourient. Il fit asseoir Li Guangtou et Song Gang au milieu, Li Lan à côté de Song Gang, et lui-même se plaça à côté de Li Guangtou. Il commanda à tout le monde de fixer la main levée du photographe, et c'est lui qui compta, à la place de ce dernier :

— Un, deux, trois, souriez !

Le photographe déclencha l'obturateur, *clic-clac*. Et les sourires éclatants de toute la famille s'incrustèrent sur le cliché en noir et blanc. Song Fanping, après avoir payé, rangea soigneusement dans son portefeuille le reçu bleu et, se retournant vers les deux enfants, leur annonça qu'ils verraient la photo dans une semaine. Puis il ramassa le sac de voyage gris et se dirigea vers la gare routière, sa femme et ses enfants derrière lui.

Dans la salle d'attente de la gare, ils s'installèrent sur un banc. Song Fanping donna pour la énième fois la description physique de sa sœur à Li Lan et lui expliqua que celle-ci l'attendrait à la gare routière de Shanghai, à droite de la porte en sortant, et qu'elle tiendrait dans sa main un exemplaire du *Quotidien Libération*, comme il en était convenu avec elle par lettre. Tandis que Song Fanping débitait son discours, un homme avec sur le dos une botte de cannes à sucre s'était arrêté devant eux et haranguait la foule pour vendre sa marchandise. Li Guangtou et Song Gang levèrent un visage plein d'espoir et regardèrent leurs parents d'un air pitoyable.

Songeant qu'elle allait être séparée des enfants, Li Lan, qui d'ordinaire aurait volontiers poussé l'économie jusqu'à se priver de manger et de boire, leur acheta une canne à sucre entière. Les enfants virent l'homme peler la canne à sucre, puis la couper en quatre tronçons. Après quoi ils ne firent plus attention à ce que racontaient leurs parents, trop occupés qu'ils étaient à déguster les deux morceaux de canne auxquels chacun avait eu droit.

Le contrôle des billets commença, et Song Fanping dut derechef déployer toute son éloquence pour convaincre le contrôleur de les autoriser à entrer tous les quatre. Ils montèrent ensemble dans l'autocar. Tandis que Li Lan s'installait dans son siège, Song Fanping plaça le sac de voyage gris sur le porte-bagages et pria un jeune homme de le lui descendre quand ils seraient arrivés à destination. Puis Song Fanping emmena Li Guangtou et Song Gang, et ils descendirent de l'autocar. Ils restèrent sous la fenêtre de Li Lan, qui les couvait des yeux tous les trois et hochait la tête à chaque parole de Song Fanping. Pour finir, Song Fanping rappela à Li Lan de ne pas oublier de rapporter quelque chose aux enfants, et Li Guangtou et Song Gang, qui mordaient dans leur canne à sucre, s'écrièrent aussitôt :

— Des caramels Lapin Blanc !

Les parents se souvinrent qu'il en restait encore à la maison et en firent la réflexion aux enfants. Ceux-ci en conçurent une telle frayeur qu'ils n'osaient même plus toucher à leur canne à sucre. Heureusement, l'autocar démarrait. Quand il quitta la gare, Li Lan tourna vers eux des yeux pleins de larmes. Song Fanping lui fit des signes de la main, et l'autocar disparut. Song Fanping était tout souriant, il ne savait pas que c'était la dernière fois qu'il voyait sa femme. La dernière image qu'il allait conserver d'elle, c'était une image de profil, elle essuyait ses larmes. Quant à Li Guangtou et Song Gang, l'impression qu'ils eurent, c'était celle de l'autocar s'éloignant dans un nuage de poussière.

IX

Après le départ de Li Lan pour Shanghai, la Grande Révolution culturelle[1] arriva dans notre bourg des Liu. Song Fanping partait tôt le matin et rentrait tard le soir, passant toutes ses journées à l'école. Li Guangtou et Song Gang, eux aussi, partaient tôt le matin et rentraient tard le soir, mais ils passaient leurs journées dans la rue. Les rues du bourg commencèrent à s'emplir de gens. Chaque jour, des troupes de manifestants allaient et venaient. De plus en plus de gens portaient des brassards rouges[2] sur les manches et des badges rouges à l'effigie du président Mao sur la poitrine, et brandissaient le *Petit Livre rouge* des citations du président Mao[3]. De plus en plus de gens sortaient dans la rue, criant et chantant, on aurait dit une meute de chiens aboyant. Ils braillaient des slogans révolutionnaires et chantaient des chants révolutionnaires. De plus en plus de dazibaos[4] rendaient les murs de plus en plus épais et, quand le vent soufflait dessus, les murs bruissaient comme des arbres feuillus. On commença à voir apparaître des gens coiffés de chapeaux pointus en papier, avec de grandes pancartes suspendues sur la poitrine[5]. Certains, tapant sur de vieilles casseroles ou de vieux bols, passaient en criant des "A bas" contre eux-mêmes. Li Guangtou et Song Gang savaient que ces gens coiffés de chapeaux pointus, portant des pancartes et frappant sur de vieux couvercles de casserole, étaient ce que tout un chacun appelait des ennemis de classe[6]. N'importe qui avait le droit de les gifler, de leur donner des coups de pied dans le ventre, de se moucher et de s'essuyer les doigts dans leur cou, et de se déboutonner pour pisser sur eux. Ils subissaient ces humiliations sans un mot, sans oser lever les yeux, et les autres riaient à gorge déployée en leur ordonnant de se souffleter eux-mêmes, de crier des slogans où ils s'attaquaient d'abord à eux-mêmes et ensuite à leurs ancêtres… Pour Li Guangtou et Song Gang, ce fut l'été le plus inoubliable de leur enfance. Ils ne savaient pas que c'était la Révolution culturelle qui était arrivée, ils ignoraient que le monde avait changé. Tout ce qu'ils savaient, c'est que, au bourg des Liu, chaque jour était un jour de fête.

Li Guangtou et Song Gang gambadaient dans tout le bourg comme deux chiens sauvages. Ils étaient en nage à force de courir derrière les cortèges, ils avaient la bouche sèche à force de reprendre les slogans de la foule – "Vive, vive, vive"[7], "A bas, à bas, à bas" —, ils avaient la gorge aussi rouge et enflée que le derrière d'un singe. En chemin, Li Guangtou ne perdait pas une occasion de violenter tous les poteaux électriques de notre bourg des Liu. Il venait d'avoir huit ans et se livrait à son activité habituelle, sans cesser d'observer avec intérêt les gens qui défilaient dans la rue, et tout en se frottant, la mine resplendissante, il levait le poing en rythme et scandait avec la foule "Vive" ou "A bas". Les passants, à la vue de Li Guangtou étreignant son poteau, pouffaient en échangeant des clins d'œil, ils comprenaient de quoi il retournait et s'ils s'abstenaient de tout commentaire, ils n'en riaient pas moins sous cape. D'autres étaient plus naïfs. C'est ainsi qu'une femme, qui tenait une boutique de *dim sum*[8] à côté de la gare routière, s'étonna de voir Li Guangtou en pleine action :

— Qu'est-ce que tu fais là, petit ?

Li Guangtou jeta un coup d'œil sur la femme, qu'on appelait la mère Su, sans lui répondre, trop occupé qu'il était à se frotter et à scander des slogans. Les trois collégiens se trouvèrent à passer par là. Au lieu d'évoquer cette fois sa puberté, ils montrèrent Li Guangtou embrassant son poteau, puis les fils électriques suspendus dessus :

— Il fabrique de l'électricité, expliquèrent-ils à la mère Su.

Toute l'assistance s'esclaffa, y compris Song Gang, qui se tenait à l'écart, bien qu'il n'ait pas compris pourquoi il fallait rire. Li Guangtou, furieux qu'on se méprenne sur la nature de ses frottements, s'interrompit et, s'épongeant le front, il lança avec condescendance aux trois collégiens :

— Vous n'avez rien compris.

Puis, se tournant vers la mère Su, il ajouta :

— J'ai des problèmes de libido.

La mère Su, estomaquée, secoua la tête :

— C'est mal…

Au même moment arrivait le cortège le plus long que notre bourg des Liu eût jamais connu. Il s'étirait d'une extrémité de la rue à l'autre, et les drapeaux rouges y étaient aussi nombreux que les poils sur le cuir d'une vache, les plus grands de la taille d'un drap, les plus petits de la taille d'un mouchoir. Les hampes s'entrechoquaient et les étendards claquaient ensemble, s'inclinant tantôt à droite, tantôt à gauche au gré du vent.

Tong, le forgeron de notre bourg des Liu, levait haut son marteau en criant qu'il voulait devenir un forgeron révolutionnaire prêt à défendre sa cause avec courage, promettant d'aplatir et de réduire en bouillie la tête de chien et les pattes de chien des ennemis de classe. Il en ferait des faucilles et des houes, il en ferait des rebuts de cuivre et de la ferraille.

Yu, l'arracheur de dents de notre bourg des Liu, levait haut son davier en criant qu'il voulait devenir un dentiste révolutionnaire capable de distinguer clairement entre ce qu'il faut aimer et ce qu'il faut haïr, promettant d'arracher leurs bonnes dents aux ennemis de classe et leurs mauvaises dents à ses frères et sœurs de classe.

Zhang, le tailleur de notre bourg des Liu, son mètre ruban autour du cou, criait qu'il voulait devenir un tailleur révolutionnaire lucide et clairvoyant, promettant de coudre pour ses frères et sœurs de classe les vêtements les plus modernes et les plus beaux du monde, et de coudre pour les ennemis de classe des vêtements funéraires, ou plutôt non, des linceuls, les plus usés et les plus déguenillés du monde.

Wang, le marchand de glaces de notre bourg des Liu, sa glacière sur le dos, criait qu'il voulait devenir un bâton de glace révolutionnaire qui ne fond jamais. “Esquimaux”, hurlait-il entre deux slogans, promettant de n'en vendre qu'à ses frères et sœurs de classe et pas aux ennemis de classe. Ses affaires prospéraient : vendre un esquimau équivalait pour lui à délivrer un certificat de bon révolutionnaire. Il criait :

— Venez vite m'en acheter, si vous m'en achetez, c'est que vous êtes des frères et des sœurs de classe ; si vous ne m'en achetez pas, c'est que vous êtes des ennemis de classe.

Les deux Guan, père et fils, les rémouleurs de notre bourg des Liu, levaient haut leurs paires de ciseaux en criant qu'ils voulaient devenir deux paires de ciseaux révolutionnaires au fil bien tranchant, menaçant les ennemis de classe de leur couper la queue. Guan les Ciseaux l'Ancien venait à peine de parler, que Guan les Ciseaux le Jeune fut pris d'une envie pressante et, tout en marmonnant “couper, couper, couper, la queue, la queue, la queue”, il fendit la foule des manifestants et partit se soulager contre un mur.

Ce grand gaillard de Song Fanping marchait en tête du cortège, tenant à bout de bras un immense drapeau rouge, aussi large que deux draps de lit auxquels on aurait ajouté deux dessus d'oreillers. Son drapeau courait dans le vent, la toile tremblante avait l'air de jaillir, et on aurait dit que Song Fanping avançait en brandissant une vague déferlante. Son maillot blanc était trempé de sueur, et ses muscles tressautaient sur ses épaules et ses bras comme un écureuil. Même la sueur sur son visage cramoisi coulait d'émotion. Ses yeux brillaient comme des éclairs à l'horizon. Avisant Li Guangtou et Song Gang, il leur cria :

— Hé, les enfants, venez par ici !

Li Guangtou, qui n'avait toujours pas lâché son poteau, interrogeait avec étonnement les gens qui l'entouraient : pourquoi la mère Su avait-elle parlé de “mal” ? A l'appel de Song Fanping, il abandonna aussitôt son poste et se précipita vers lui flanqué de Song Gang. Les deux enfants agrippèrent, chacun d'un côté, Song Fanping par son maillot, et celui-ci baissa la hampe du drapeau pour leur permettre de l'empoigner avec lui. Li Guangtou et Song Gang marchaient en tête du plus long cortège du bourg, en tenant la hampe du plus grand drapeau rouge du bourg. Song Fanping avançait à grandes enjambées, et les enfants le suivaient à petites foulées, en se collant à lui. Beaucoup de gamins couraient au même rythme qu'eux, en bavant d'envie. Mais ils de-vaient se contenter de courir en groupe, sur le bord de la chaussée. Les trois collégiens arrogants, contraints également de se satisfaire du bas-côté de la rue, couraient avec les autres en riant stupidement. Li Guangtou et Song Gang suivaient Song Fanping comme des petits chiens s'efforçant d'emboîter le pas à un éléphant. Ils avaient le souffle coupé et la gorge en feu. Une fois arrivé au pont, Song Fanping s'arrêta enfin, et derrière lui tout le cortège.

Une foule grouillante emplissait les rues et les ruelles en contrebas du pont, et tout le monde avait les yeux rivés sur Song Fanping debout, en haut. Tous les drapeaux, grands ou petits, flottaient en direction du pont. Song Fanping souleva des deux mains au-dessus de sa tête son immense drapeau rouge, et le vent fit claquer le plus grand étendard de notre bourg des Liu comme un chapelet de pétards. Puis il entreprit de le faire danser de gauche à droite, et Li Guangtou et Song Gang, tête levée, contemplèrent ce drapeau énorme qui tournoyait. Il décrivait un demi-cercle de leur gauche à leur droite, puis un demi-cercle de leur droite à leur gauche. Le souffle provoqué par les va-et-vient du drapeau sur le pont ébouriffait les chevelures de nombreux spectateurs, et leurs cheveux à eux aussi commençaient à virevolter de gauche à droite. Pendant que Song Fanping manœuvrait le drapeau, des clameurs montèrent de la foule. Li Guangtou et Song Gang virent une forêt de poings se lever puis retomber, et les slogans hurlés grondaient autour d'eux comme le canon.

Li Guangtou se mit à brailler comme quand il étreignait son poteau :

— J'ai une poussée de libido, expliqua-t-il, rouge d'excitation, à Song Gang.

Et, constatant que Song Gang était cramoisi et qu'il tendait le cou en vociférant les yeux fermés, il lui demanda, stupéfait, en lui donnant une bourrade :

— Toi aussi ?

Ce devait être le jour de gloire de Song Fanping. La manifestation terminée, chacun rentra chez soi, mais Song Fanping continuait à marcher dans la rue, tenant Li Guangtou et Song Gang par la main. Beaucoup de gens l'interpellaient, et Song Fanping leur répondait par des "hmm, hmm". Certains même venaient lui serrer la main. Les deux enfants, qui l'encadraient, se rengorgeaient car toute la ville avait l'air de connaître Song Fanping. Leur curiosité piquée au vif, ils harcelaient Song Fanping de questions : qui était cet homme qui l'avait appelé par son nom, et cet autre qui lui avait serré la main ? Et comme à force d'avancer il leur sembla qu'ils s'éloignaient de plus en plus de la maison, ils s'enquirent de l'endroit où ils allaient.

— On va manger au restaurant, dit Song Fanping d'une voix sonore.

Quand ils arrivèrent au Restaurant du Peuple, tous ceux qui étaient là, des employés chargés de prendre les commandes aux clients en passant par les serveurs, leur faisaient des signes en souriant, et Song Fanping agitait sa grande main dans leur direction comme le président Mao du haut de la grande porte de la place Tian'anmen. Ils s'assirent à une table devant la fenêtre. Tout le personnel de salle fit cercle autour d'eux, et les clients vinrent prendre place à leurs côtés, leur bol à la main. Le cuisinier, alerté par le remue-ménage, sortit de la cuisine et se posta, couvert de graisse, derrière Li Guangtou et Song Gang. Les questions fusaient de toutes parts, à propos de tout et de n'importe quoi, du président Mao, le Grandiose Dirigeant, ou de la Grandiose Révolution culturelle prolétarienne, aux querelles de ménage et aux maladies des enfants. Il avait suffi que Song Fanping agite le plus grand drapeau rouge de l'histoire du bourg des Liu pour qu'il devienne le personnage le plus important de son histoire. Il était assis bien droit, ses énormes mains posées à plat sur la table, et il entamait chacune de ses réponses en disant :

— Le président Mao nous enseigne que…

Après quoi il répétait les propos du président Mao : il n'y avait rien dans ses réponses qui fût de lui. Ses auditeurs remuaient sans arrêt la tête comme des pics-verts et s'extasiaient en poussant des petits cris comme s'ils avaient mal aux dents. Li Guangtou et Song Gang avaient l'estomac dans les talons, les boyaux vides, mais ils n'osaient pas ouvrir la bouche et regardaient Song Fanping avec admiration. Il leur semblait que la gorge de Song Fanping était celle du président Mao, que ses postillons étaient ceux du président Mao.

Li Guangtou et Song Gang ne surent pas combien de temps ils restèrent attablés au Restaurant du Peuple, ils ne virent pas le soleil se coucher et ne s'aperçurent pas qu'on avait allumé les lampes. Quand enfin ils eurent devant eux leur bol fumant de nouilles nature, le cuisinier couvert de graisse vint leur demander, en baissant la tête vers eux :

— Le bouillon est bon, hein ?

— Excellent, répondirent les enfants d'une seule voix.

Le cuisinier couvert de graisse était aux anges :

— C'est du bouillon de viande… Pour les autres, on utilise de l'eau bouillante, mais pour vous c'est du bouillon de viande.

Quand ils furent rentrés à la maison ce soir-là, Song Fanping se lava à l'eau du puits avec Li Guangtou et Song Gang. Vêtus tous les trois d'un simple caleçon, le corps mouillé, ils se frottèrent avec du savon, puis Song Fanping puisa plusieurs seaux d'eau pour rincer les deux enfants et se rincer lui-même. Les voisins, qui prenaient le frais devant leur porte, n'arrêtaient pas de lui parler en agitant leurs éventails. Ils commentaient la majesté du cortège et l'allure imposante de Song Fanping brandissant son drapeau rouge, si bien que Song Fanping, qui était au bord de l'épuisement, reprit des couleurs et se remit à parler d'une voix sonore. De retour dans sa chambre, tandis que Li Guangtou et Song Gang se couchaient, Song Fanping, rayonnant, s'installa sous la lampe pour écrire à Li Lan. Li Guangtou, qui ne dormait pas encore, fit observer en riant à Song Gang que son père était rouge d'émotion. Song Fanping écrivit longtemps, il fit entrer dans sa lettre tous les événements de la journée.

Quand Li Guangtou et Song Gang se réveillèrent le lendemain matin, Song Fanping était debout au pied de leur lit, le visage toujours rayonnant. Il tendit ses mains vers eux : un badge rouge à l'effigie du président Mao brillait dans chacune d'elles. C'était un cadeau à épingler sur la poitrine, à l'endroit où battait le cœur. Puis il s'en accrocha un lui-même, prit le *Petit Livre rouge* et franchit le seuil en arborant un visage aussi coloré que le recueil de citations et les badges. Son pas martelait le sol, et Li Guangtou et Song Gang entendirent un voisin lui demander :

— Tu vas encore agiter le drapeau rouge, aujourd'hui ?

— Bien sûr ! répondit Song Fanping d'une voix retentissante.

Li Guangtou et Song Gang collèrent mutuellement leur oreille contre la poitrine de l'autre pour repérer l'endroit où battait le cœur, puis chacun épingla sur la poitrine de son frère le badge du président Mao. Sur celui de Song Gang, le président Mao était au-dessus de la place Tian'anmen, et le président Mao de Li Guangtou surplombait la mer[9]. Après le petit déjeuner, les deux enfants gagnèrent la grande rue, face au soleil du matin. Les grands drapeaux qui ressemblaient à des draps et les petits drapeaux qui ressemblaient à des mouchoirs envahissaient encore les rues de notre bourg des Liu.

Les manifestants d'hier étaient revenus, ils riaient à gorge déployée ; les gens qui avaient collé des dazibaos hier enduisaient à nouveau les murs de colle ; Tong le Forgeron, qui brandissait hier son marteau, le brandissait toujours, en promettant de broyer et d'aplatir la tête de chien et les pattes de chien des ennemis de classe ; Yu l'Arracheur de dents, qui brandissait hier son davier, le brandissait toujours, en promettant d'arracher leurs bonnes dents aux ennemis de classe ; Wang les Esquimaux, qui vendait ses glaces hier, trimballait toujours sa glacière sur le dos, et suivait la troupe des manifestants en tapant sur sa caisse, et en promettant de vendre ses esquimaux à ses frères et à ses sœurs de classe ; Zhang le Tailleur, qui défilait hier avec son mètre ruban autour du cou, avait toujours son mètre ruban autour du cou, il promettait de confectionner les habits funéraires les plus usés et les plus déguenillés qui soient pour les ennemis de classe, ou plutôt non, se corrigea-t-il encore, les linceuls les plus usés et les plus déguenillés ; Guan les Ciseaux l'Ancien, qui brandissait hier ses ciseaux, les brandissait toujours, et coupait dans les airs les queues imaginaires des ennemis de classe ; Guan les Ciseaux le Jeune, qui hier pissait contre le mur, était revenu au même endroit, et il était en train de déboutonner sa braguette ; tous ceux qui hier postillonnaient, toussaient, éternuaient, pétaient, crachaient et se disputaient, étaient aujourd'hui dans la rue, tous sans exception.

Les trois collégiens, Sun Wei, Zhao Shengli et Liu Chenggong, étaient là également. Quand ils aperçurent les badges à l'effigie du président Mao qu'arboraient Li Guangtou et Song Gang, ils ricanèrent comme trois traîtres dans un film sur la guerre de résistance[10], et Li Guangtou et Song Gang n'en menaient pas large. Sun Wei les Longs Cheveux montra un poteau électrique en bordure de la rue, et lança à Li Guangtou :

— Hé, petit gars, et ta libido ?

Li Guangtou comprit que les trois autres ne nourrissaient pas à son endroit les meilleures intentions. Il tira Song Gang sur le côté, et dit en secouant la tête :

— Non, en ce moment je n'en ai pas.

Sun Wei les Longs Cheveux empoigna Li Guangtou et le poussa vers le poteau :

— Fais-nous une petite démonstration, ordonna-t-il en ricanant.

Li Guangtou chercha à se dégager :

— Non, cria-t-il, je n'ai pas de libido en ce moment.

Zhao Shengli et Liu Chenggong, qui se tordaient de rire, empoignèrent Song Gang et le poussèrent à son tour vers le poteau :

— Toi aussi, tu vas nous faire une petite démonstration.

Song Gang affichait un air candide et, tout en se débattant, il leur expliqua :

— Je n'ai pas de libido, moi. Je vous assure, je n'en ai jamais eu.

Les trois collégiens collèrent Li Guangtou et Song Gang contre le poteau, et leurs six mains leur pincèrent le nez, les oreilles et les joues, comme on pince un pain à la vapeur, si cruellement que les deux enfants poussèrent des cris aigus. Puis ils leur arrachèrent leurs badges.

Après quoi ils s'en allèrent, fiers d'eux. Song Gang resta planté là, il ouvrit la bouche et se mit à pleurer. Il pleurait si fort que les larmes et la morve lui coulaient dans la bouche. Il se lamentait auprès de tous les passants et dénonçait les trois individus qui leur avaient volé leurs présidents Mao, à lui et à Li Guangtou. Il désignait leurs silhouettes au loin puis, quand elles eurent disparu, la direction dans laquelle les voleurs s'en étaient allés. Il décrivait inlassablement les badges :

— Le président Mao a un visage rouge ; un des visages rouges est au-dessus de Tian'anmen, et l'autre au-dessus des vagues de la mer.

Li Guangtou ne pleura pas. Désignant à son tour la direction dans laquelle les trois collégiens s'étaient évanouis, et tremblant d'indignation, il se plaignit d'eux aux passants :

— Je n'ai pas de libido en ce moment, et eux tenaient absolument à ce que je leur fasse une démonstration…

L'assistance se tordait de rire. Voyant Song Gang hoqueter de sanglots, Li Guangtou fut lui aussi gagné par le chagrin et se mit à pleurer en pensant à son badge du président Mao arraché par les trois collégiens. Song Gang, désignant sa propre poitrine, déclara :

— Je venais d'accrocher ce matin même mon badge du président Mao…

Et Li Guangtou, faisant de même :

— A l'intérieur mon cœur bat toujours, mais à l'extérieur le président Mao a disparu…

Les deux enfants se sentaient seuls dans la rue, livrés à eux-mêmes. Ils pensèrent à Song Fanping, leur grand gaillard de père qui d'un seul mouvement de jambe était capable d'envoyer au tapis plusieurs adversaires. C'était sûr, Song Fanping allait corriger les trois collégiens et récupérer leurs présidents Mao. Il les attraperait par le col et les soulèverait comme des poulets, et il leur flanquerait une telle frousse qu'ils en hurleraient en tremblant comme des feuilles.

— Viens, on va chercher papa, proposa Song Gang à Li Guangtou.

Il était midi, et les deux gamins avaient le ventre vide. Ils longèrent les rues, main dans la main. Ils ne se lâchaient pas et, quand quelqu'un devait passer entre eux, ils se reprenaient la main aussitôt. Ils coururent après tous les cortèges de manifestants pour voir si Song Fanping ne marchait pas en tête, brandissant le drapeau rouge. Ils passèrent aussi en revue les lieux possibles de rassemblement pour voir si Song Fanping n'était pas juché quelque part, haranguant la foule. Ils allèrent partout, interrogèrent tout le monde, interpellèrent chacun des adultes qu'ils croisaient, mais Song Fanping demeurait introuvable. Ils se rendirent au pont où la veille Song Fanping avait mis toute la ville en émoi en agitant son drapeau rouge. Maintenant, ici, il n'y avait plus de drapeau rouge, rien d'autre qu'une poignée d'individus, debout, tête basse, coiffés d'un chapeau pointu, une grande pancarte passée autour du cou. Les enfants savaient que c'étaient des ennemis de classe. Ils s'arrêtèrent devant eux. Song Gang demanda aux rebelles munis de brassards rouges qui arpentaient le pont de long en large :

— Vous n'auriez pas vu mon papa ?

Un des hommes au brassard rouge répondit :

— Qui c'est ton papa ?

— Mon papa, c'est Song Fanping, dit Song Gang. Celui qui agitait le drapeau rouge ici, hier…

Et Li Guangtou ajouta :

— Il est très célèbre. Quand il va manger des nouilles, on les lui sert avec du bouillon de viande.

A cet instant, la voix de Song Fanping retentit dans le dos des deux enfants :

— Je suis là, fistons.

Les deux enfants se retournèrent et virent Song Fanping. Il portait un chapeau pointu en papier et avait une pancarte sur la poitrine sur laquelle étaient inscrits les mots : *"Dizhu Song Fanping"* (Propriétaire foncier Song Fanping)[11]. Ils ne connaissaient pas ces caractères, tout ce qu'ils déchiffrèrent, c'étaient les croix rouges qui barraient chacun des mots. Le corps de Song Fanping leur cachait le soleil comme un battant de porte. Les enfants étaient debout dans son ombre, le visage levé vers lui. Song Fanping avait les yeux pochés et les commissures des lèvres éclatées. Il regardait Li Guangtou et Song Gang en souriant, mais son sourire était raide. Les enfants ne comprenaient pas ce qui se passait ni comment Song Fanping pouvait se retrouver subitement dans cet état après le triomphe qu'il avait remporté la veille sur le pont. Song Gang l'interrogea timidement :

— Qu'est-ce que tu fais là, papa ?

Song Fanping dit à voix basse :

— Vous avez faim, n'est-ce pas ?

Les enfants acquiescèrent en même temps. Song Fanping sortit de la poche de son pantalon 2 *mao* pour qu'ils aillent s'acheter de quoi manger. L'homme au brassard rouge l'apostropha :

— Interdit de parler, et baisse ta tête de chien.

Song Fanping baissa la tête, et Li Guangtou et Song Gang reculèrent de quelques pas, effrayés. L'homme au brassard rouge vociférait sur le pont. Song Fanping, au milieu de ses hurlements, jeta un coup d'œil en coulisse sur les deux enfants. Comme ils le voyaient sourire, ceux-ci reprirent courage et s'avancèrent de nouveau vers lui. Ils lui racontèrent que ces trois salopards de collégiens leur avaient volé leurs badges du président Mao.

— Est-ce que tu peux les récupérer ? demanda Song Gang.

Song Fanping hocha la tête :

— Bien sûr.

— Et tu leur donneras une correction ? demanda Li Guangtou.

Song Fanping hocha encore la tête :

— Bien sûr.

Les deux enfants gloussèrent. C'est alors que l'homme au brassard rouge s'approcha et administra une paire de gifles à Song Fanping en hurlant :

— Putain, je t'avais dit de ne pas parler, et tu parles quand même.

Song Fanping, dont les coins de la bouche saignaient, pressa les enfants :

— Partez.

En un clin d'œil, Li Guangtou et Song Gang se retrouvèrent au pied du pont. Ils tremblaient de tous leurs membres et marchaient de plus en plus vite, se retournant sans cesse pour tenter d'apercevoir Song Fanping sur le pont. Song Fanping avait la tête baissée, si bas qu'on aurait pu croire qu'elle pendait au bout du cou. Les enfants gagnèrent le quartier commerçant et entrèrent dans une boutique de *dim sum* où ils achetèrent des pains farcis. Ils les engloutirent, bouchée après bouchée, debout devant le magasin. Là-bas sur le pont, Song Fanping courbait l'échine. Le Song Fanping d'aujourd'hui, ils le sentaient, n'était plus celui d'hier. Song Gang baissa la tête et se mit à pleurer sans bruit. Il serra les poings et les leva jusqu'à ses yeux, et il essuya ses larmes comme il aurait tenu une paire de jumelles. Li Guangtou, lui, ne pleurait pas, il pensait à l'insigne du président Mao sur la mer, persuadé maintenant qu'il ne le récupérerait sans doute jamais. Tandis que Song Gang sanglotait, Li Guangtou marcha jusqu'à un poteau électrique, il le serra dans ses bras et fit mine de se frotter, puis il revint sur ses pas et annonça, déprimé, à Song Gang :

— Je n'ai plus de libido.

Il faisait déjà nuit quand Song Fanping rentra à la maison, et ses pas étaient très lourds, comme s'il avait deux jambes de bois. Il se dirigea vers sa chambre sans un mot et resta étendu sans bouger sur son lit pendant une heure. Li Guangtou et Song Gang, qui étaient dans la pièce d'à côté, ne l'entendirent pas se retourner une seule fois. La lumière glacée de la lune entrait par la fenêtre. Les deux enfants, qui commençaient à avoir peur, se rendirent dans la chambre. Song Gang grimpa le premier sur le lit, suivi de

Li Guangtou, et ils s'assirent aux pieds de Song Fanping. Au bout d'un certain temps, Song Fanping se redressa subitement :

— Tiens, je m'étais endormi, dit-il.

Puis on alluma la lumière, et les rires retentirent. Song Fanping entreprit de préparer le repas sur le réchaud à pétrole, et Li Guangtou et Song Gang, debout à ses côtés, le regardaient faire. Song Fanping leur expliquait comment rincer le riz et laver les légumes, comment allumer le réchaud et comment faire cuire le riz. Lorsqu'il en fut à faire sauter les légumes, Song Fanping ordonna à Li Guangtou de verser de l'huile dans le wok, et à Song Gang de saler les légumes. Puis, leur tenant la main à tour de rôle, il les aida à faire sauter les légumes trois fois chacun. Au bout de neuf fois, le bol de légumes était prêt. Ils s'assirent tous les trois et commencèrent à manger, et bien qu'ils n'eussent qu'un seul bol à se partager, ils mangèrent de très bon cœur. Après le dîner, Song Fanping fit remarquer à Li Guangtou et à Song Gang que depuis le départ de leur mère pour Shanghai il ne les avait pas encore emmenés au bord de la mer. Si demain il ne ventait pas, et s'il ne pleuvait pas trop fort, il les conduirait là-bas, pour voir les vagues, pour voir le ciel au-dessus de la mer et pour voir les mouettes qui virevoltent entre la mer et le ciel.

Li Guangtou et Song Gang poussèrent des cris d'excitation, mais Song Fanping, effrayé, leur couvrit la bouche de ses mains. Sa mine épouvantée les effraya à leur tour. Alors Song Fanping retira ses mains et sourit, un index pointé en l'air :

— Vous avez failli faire tomber le toit, avec vos cris.

Li Guangtou et Song Gang trouvèrent sa réflexion très amusante, et d'eux-mêmes ils se couvrirent la bouche pour étouffer leurs rires.

X

Le lendemain, alors qu'ils s'apprêtaient à partir pour le bord de mer, une dizaine d'individus à brassards rouges, venus de l'école de Song Fanping, se présentèrent à la maison et se répandirent à l'intérieur comme des crabes. Li Guangtou et Song Gang ignoraient qu'ils étaient là pour perquisitionner les lieux, et ils crurent que c'étaient des amis de Song Fanping passés lui rendre visite. En voyant ces porteurs de brassards rouges à l'air martial occuper tout l'espace, Li Guangtou et Song Gang étaient ravis. Ils se faufilaient entre eux comme dans une forêt. C'est alors qu'un bruit terrible les fit sursauter. Ils virent avec épouvante l'armoire s'effondrer à terre. Leurs vêtements, les affaires contenues dans les tiroirs, jonchaient le sol, et les porteurs de brassards rouges, tels des chiffonniers, étaient penchés dessus et fouillaient dedans pour trouver les titres de propriété détenus par Song Fanping. Puisque Song Fanping était issu d'une famille de propriétaires fonciers, il devait logiquement cacher chez lui les titres de propriété qu'il comptait ressortir au premier changement de régime. Les porteurs de brassards rouges retournèrent aussi les planches des lits et soulevèrent les lattes du plancher. Li Guangtou et Song Gang s'étaient réfugiés près de Song Fanping et regardaient sans comprendre la mine souriante de leur père. Les brassards rouges sortirent un à un après avoir transformé la maison en champ de ruines, sans avoir mis la main sur les documents qu'ils cherchaient. Song Fanping, qui avait toujours le sourire, sortit avec eux comme s'il raccompagnait des invités :

— Vous prendrez bien une tasse de thé avant de partir, leur proposa-t-il même.

— Non, merci, répondit l'un des hommes.

Song Fanping était debout devant l'entrée, le sourire aux lèvres, et c'est seulement quand les autres eurent disparu au bout de la ruelle qu'il se retourna et rentra dans la maison. A cet instant, il était encore souriant mais, dès qu'il s'assit sur le tabouret, son sourire s'effaça, aussi vite qu'une lampe qui s'éteint. Si bien que Li Guangtou et Song Gang en eurent le frisson. Song Fanping resta assis là un long moment sans bouger, la mine sinistre. Les enfants s'approchèrent de lui :

— Est-ce qu'on va tout de même au bord de la mer ? demandèrent-ils en tremblant.

Song Fanping sursauta comme s'il se réveillait en plein rêve, et dit aussitôt :

— On y va !

Et, jetant un coup d'œil dehors, sur le soleil, il ajouta :

— Avec un beau temps pareil, il faut y aller, c'est évident.

Puis il montra les habits épars sur le sol :

— Mais d'abord, on va faire un peu de ménage.

Song Fanping redressa l'armoire renversée à terre, il remit en place les planches des lits et fixa les lattes du plancher qui avaient été soulevées. Li Guangtou et Song Gang le suivaient, rangeant les vêtements dans l'armoire et les objets dans les tiroirs. Comme si la lampe s'était brusquement rallumée, Song Fanping était de nouveau souriant. Il s'activait en plaisantant avec les enfants. A midi, tout était en ordre, et la maison encore plus propre que d'habitude. Ils s'épongèrent le visage avec des serviettes, époussetèrent leurs vêtements et se recoiffèrent devant le miroir. Ils étaient prêts à sortir pour aller voir la mer.

Au moment où ils ouvraient la porte, ils tombèrent sur sept ou huit collégiens portant des brassards rouges qui les attendaient devant la maison. Parmi eux se trouvaient les trois collégiens qui avaient volé leurs insignes du président Mao à Li Guangtou et à Song Gang. Li Guangtou et Song Gang s'exclamèrent, et Song Gang dit à son père :

— Papa, ce sont eux qui nous ont volé nos insignes du président Mao. Vite, donne-leur une correction…

Li Guangtou apostropha les trois collégiens :

— Rendez-les ! Rendez-nous nos insignes !

Les trois collégiens repoussèrent les enfants en ricanant et Sun Wei les Longs Cheveux dit à Song Fanping :

— Nous sommes des gardes rouges, nous venons perquisitionner !

Song Fanping prit un visage souriant :

— Entrez, entrez, je vous en prie.

Cette attitude conciliante déconcerta Li Guangtou et Song Gang. Les gardes rouges s'engouffrèrent comme un seul homme dans la maison, et des bruits s'élevèrent aussitôt de toutes parts. L'armoire qui venait d'être redressée fut renversée par terre ; les planches des lits qui venaient d'être remises en place, enlevées ; les lattes du plancher qui venaient d'être fixées, soulevées ; les vêtements qui venaient d'être rangés, dispersés sur le sol. Les gens qui tout à l'heure étaient venus de l'école de Song Fanping et qui avaient tout mis sens dessus dessous, renversé les planches des lits et soulevé les lattes du plancher, avaient un but précis : mettre la main sur les livres et les papiers, et les passer au crible, dans l'espoir de ramener au grand jour les titres de propriété cachés de Song Fanping. Les gardes rouges qui venaient de faire irruption, eux, se conduisirent comme des loups dans une bergerie ou des chiens dans un poulailler. Ils brisèrent la vaisselle en la jetant par terre, cassèrent les baguettes et les jetèrent par terre. Tandis qu'ils fouillaient, ils se remplissaient les poches, et ils trouvaient encore le temps de s'interroger les uns les autres sur leurs découvertes.

Les gardes rouges mirent la maison de Song Fanping à sac pendant tout l'après-midi et, quand ils constatèrent qu'il n'y avait plus rien à casser ou à confisquer et quand leurs poches furent pleines à ras bords, ils sortirent en sifflotant. Au moment où il franchissait la porte, Sun Wei les Longs Cheveux se retourna vers Song Fanping :

— Hé, toi, sors !

Le jour du mariage de Song Fanping et de Li Lan, les trois collégiens, Sun Wei, Zhao Shengli et Liu Chenggong, accompagnés de leurs pères respectifs, avaient livré un combat épique contre Song Fanping. Song Fanping, d'un seul mouvement de jambe, en avait renversé trois et avait fait trébucher les trois autres. Maintenant, les trois collégiens qu'il avait fait trébucher un peu plus d'un an auparavant, entendaient bien prendre leur revanche. Ils ordonnèrent à Song Fanping d'aller se placer sur le terre-plein situé devant la porte, ils voulaient faire étalage de leur technique. La robuste silhouette de Song Fanping se dressait comme une pagode de fer. Les trois collégiens commencèrent par s'échauffer, ils s'accroupirent et balayèrent l'espace autour d'eux avec leur jambe droite. Ils se livrèrent à plusieurs essais, mais le résultat était piteux : ou bien ils perdaient l'équilibre et tombaient les fesses par terre, ou bien leurs jambes grattaient le sol en soulevant un nuage de poussière. Les autres collégiens présents secouèrent la tête en disant :

— Rien à faire, ça ne ressemble pas à un balayage.

— Ça ressemble à quoi, alors ?

— Je n'en sais rien, mais pas à un balayage en tout cas.

Sun Wei les Longs Cheveux interpella Song Fanping, qui se tenait la tête baissée :

— Dis donc, à ton avis, c'était un balayage ou pas ?

— Ça y ressemblait, c'est sûr, mais vous n'avez pas encore la manière.

— C'est quoi la manière ? lui demanda Sun Wei. Allez, vide ton sac.

Song Fanping se mit dans la peau de l'entraîneur et réclama l'attention des trois collégiens. Il exécuta le geste deux fois coup sur coup avec agilité, et les autres collégiens, admiratifs, durent reconnaître qu'il s'agissait là d'un authentique balayage. Puis Song Fanping répéta le geste au ralenti, en expliquant que le balayage ne comportait que trois mouvements : s'accroupir, balayer avec la jambe et se relever aussitôt après. Il fallait que ces trois mouvements soient enchaînés, comme s'il n'y en avait qu'un seul, ce qui supposait de la vitesse. Il ajouta que le centre de gravité du corps devait se porter à l'avant, de sorte que la jambe qui balaie ait plus de force, et qu'on pouvait s'appuyer par terre avec les deux mains. Là-dessus, Song Fanping invita les trois collégiens à commencer l'exercice. Il les interrompait à tout moment pour leur montrer comment s'y prendre. Enfin, il leur annonça qu'ils savaient à présent effectuer parfaitement la figure d'un point de vue technique, mais qu'il leur manquait la vitesse :

— Pour qu'on ne remarque pas qu'il y a trois mouvements, il faut aller très vite. La rapidité, ça ne s'acquiert pas du jour au lendemain. Exercez-vous à la maison tous les jours, et quand ceux qui vous regardent auront l'impression que vous ne faites qu'un seul geste, c'est que vous aurez acquis la vitesse.

Cet après-midi-là, Song Fanping, joignant la théorie à la pratique, instruisit les trois collégiens sans ménager sa peine. Quand ceux-ci eurent le sentiment de ne pas trop mal se débrouiller, ils crièrent à Song Fanping de se préparer car ils voulaient lui montrer un échantillon de leur savoir-faire. Song Fanping se campa, jambes écartées, et le premier à se présenter fut Zhao Shengli. Zhao Shengli commença par s'échauffer devant Song Fanping, et ses gestes suscitèrent des vivats.

Lorsqu'il s'accroupit et accomplit le geste pour de bon, sa jambe balaya celles du colosse de fer. Song Fanping ne bougea pas d'un pouce mais son adversaire se retrouva au tapis, le nez dans la poussière. Ce fut une tempête de rires. Le deuxième à se lancer fut Liu Chenggong. Il jaugea du regard la stature impressionnante de Song Fanping. Il craignait de subir le même sort que son camarade mais, s'apercevant que Song Fanping se tenait jambes écartées, il ricana et annonça qu'il avait compris : il ordonna à Song Fanping de rapprocher ses jambes, sûr dans ces conditions de l'envoyer à terre. Pourtant, au moment où il s'accroupissait, il eut peur malgré tout de mordre la poussière, et au lieu d'un balayage il asséna à Song Fanping un violent coup sur le tibia. La douleur fit vaciller Song Fanping, mais il ne s'écroula pas. L'assistance applaudit :

— Bravo !

Le suivant était Sun Wei les Longs Cheveux. Il se glissa derrière Song Fanping et recula tout en gardant les yeux fixés sur sa silhouette. Il s'arrêta une dizaine de mètres plus loin, prit son élan comme pour un saut en longueur et, arrivé dans le dos de Song Fanping, il lui envoya son pied à la jointure de la cuisse et de la jambe. Song Fanping tomba à genoux.

— Bravo, se cria à lui-même Sun Wei.

Puis il déclara triomphalement à ses camarades :

— Vous avez vu ma technique !

Les autres collégiens répliquèrent :

— Ce que tu viens de faire, ça ne s'appelle pas un balayage…

— Quoi ?

Sun Wei donna un coup de pied à Song Fanping agenouillé par terre :

— Parle, toi. Est-ce que ce n'était pas un balayage ?

Song Fanping hocha la tête et dit à voix basse :

— Si.

Song Fanping avait été précipité à terre par un faux balayage, et les collégiens s'éloignèrent, la tête levée, en sifflotant un air faux. Song Fanping attendit qu'ils soient loin pour se relever. Il vit son fils, Song Gang, essuyer ses larmes sans un mot, et il vit son fils adoptif, Li Guangtou, les yeux arrondis par l'effroi. Li Guangtou et Song Gang étaient désemparés : Song Fanping, qu'ils croyaient si fort, venait de se faire plumer tel un vulgaire poulet. Song Fanping épousseta son pantalon et interpella les deux enfants comme si de rien n'était :

— Hé, vous deux, venez par ici !

Les enfants s'approchèrent d'un pas hésitant, Song Gang essuyant ses larmes et Li Guangtou se grattant la tête.

— Est-ce que ça vous dirait d'apprendre le balayage ? leur demanda-t-il en souriant.

La proposition surprit les deux enfants. Song Fanping jeta un regard circulaire, puis s'accroupit et leur glissa sur un ton mystérieux :

— Vous savez pourquoi tout à l'heure ils n'ont pas réussi à me faire tomber ? C'est parce qu'il y a un truc que je ne leur ai pas révélé. Je le réserve pour vous deux.

Li Guangtou et Song Gang, oubliant instantanément ce qui venait de se produire, poussèrent des cris de joie comme la veille au soir, et Song Fanping, subitement inquiet, leur mit derechef les mains sur la bouche. Les enfants, regardant instinctivement le ciel, se récrièrent :

— Il n'y a pas de toit au-dessus de nous…

Song Fanping jeta des regards inquiets autour de lui :

— Ce n'est pas à cause du toit, mais il ne faudrait pas que quelqu'un surprenne le secret du balayage.

Les enfants saisirent le message et, sans plus rien dire, se mirent au travail. Pour commencer, ils se tenaient derrière lui et imitaient ses gestes, puis Song Fanping se retournait pour leur prodiguer ses conseils. Au bout d'à peine une demi-heure, Song Fanping décréta qu'il leur avait tout enseigné et qu'il était temps de passer à la pratique. Il resta debout et invita Li Guangtou à essayer le premier. Li Guangtou s'approcha de lui, s'accroupit et lança sa jambe. Le geste était léger, et pourtant Song Fanping se retrouva les fesses par terre. Il se releva, se remit en position et proposa à Song Gang d'essayer à son tour. Song Gang, lui aussi, réussit presque sans effort à l'envoyer au tapis. Song Fanping se releva en geignant et en se frottant le postérieur. Il ne cacha pas son étonnement :

— Vous êtes sacrément forts ! Il n'est pas né celui qui vous battra.

Les deux enfants, requinqués, entreprirent de ranger de nouveau la maison dévastée. La joie d'être passés maîtres dans l'art du balayage avait décuplé leur énergie. Ils aidèrent Song Fanping à remonter l'armoire, à remettre en place les planches des lits, et fixèrent les lattes du plancher ainsi qu'il le leur montrait. Ils ramassèrent la vaisselle cassée et les baguettes brisées, et les jetèrent sur le tas d'ordures près de la porte. Ils se démenaient comme de beaux diables quand tout à coup ils se souvinrent qu'ils n'avaient rien mangé de la journée, et ils se sentirent sans forces. A peine allongés sur leur lit, ils s'endormaient déjà.

Au bout d'un certain temps, Song Fanping les réveilla pour le dîner. La lumière était allumée dans la pièce. Li Guangtou et Song Gang, assis sur leur lit, se frottaient les yeux, et Song Fanping, prenant un enfant sous chaque bras, les porta jusqu'à la table. Comme la veille, ils découvrirent qu'il n'y avait qu'un seul bol de légumes et trois bols de riz. Les quatre bols, qui avaient survécu au raid mené par les gardes rouges, étaient ébréchés. Li Guangtou et Song Gang en prirent chacun un et ils se rendirent compte alors qu'il n'y avait pas de baguettes : elles avaient été cassées par les collégiens, et eux-mêmes les avait jetées sur le tas d'ordures quand ils avaient rangé la pièce. Les enfants tenaient leur bol de riz fumant et regardaient les légumes bien verts en se demandant comment ils allaient faire pour se servir.

Song Fanping avait oublié qu'ils n'avaient plus de baguettes. Comme il se levait pour aller les chercher, il se souvint qu'elles avaient été cassées et jetées. Sa haute silhouette se dressait, immobile, et la faible lumière de la lampe dessinait sur le mur l'ombre de sa tête aussi large qu'une cuvette. Song Fanping demeura dans cette position un instant, après quoi il se retourna, un sourire énigmatique aux lèvres :

— Avez-vous déjà vu les baguettes qu'utilisaient nos anciens ? lança-t-il aux enfants, sur un ton de conspirateur.

Li Guangtou et Song Gang secouèrent la tête, leur curiosité piquée au vif :

— Qu'est-ce qu'ils utilisaient comme baguettes ?

Song Fanping se dirigea vers la porte en souriant :

— Attendez-moi là, je vais en chercher.

Li Guangtou et Song Gang le virent sortir sur la pointe des pieds, et refermer la porte derrière lui avec précaution, en s'entourant d'autant de mystère que s'il partait en voyage dans le passé lointain. Quand il fut dehors, les deux enfants se regardèrent, épatés par ce père qui, nul ne sait comment, allait chercher des baguettes chez les anciens. Un moment plus tard, la porte s'ouvrit, et Song Fanping reparut, rayonnant, les deux mains dans le dos.

— Tu as trouvé les baguettes des anciens ? interrogèrent les enfants.

Song Fanping hocha la tête et, quand il se fut installé à table, il sortit les mains de derrière son dos et tendit une paire de baguettes à Li Guangtou et une autre à Song Gang. Les enfants inspectèrent les baguettes des anciens. Elles avaient à peu près la même longueur que les baguettes ordinaires, mais elles n'avaient pas la même épaisseur. Elles étaient légèrement courbées et il y avait des nœuds dans le bois. Li Guangtou fut le premier à s'en rendre compte :

— Ce sont des branches d'arbre ! s'exclama-t-il.

Song Gang fit la remarque à son tour :

— Comment ça se fait que les baguettes des anciens ressemblent à des branches ? demanda-t-il à Song Fanping.

— Les baguettes des anciens, précisément, ce sont des branches, répondit celui-ci. Comme en ce temps-là il n'y avait pas de baguettes, les gens utilisaient des branches à la place.

Pour les deux enfants, ce fut une révélation : c'était donc ainsi que les anciens mangeaient. Li Guangtou et Song Gang commencèrent à manger avec les branches que Song Fanping venait de cueillir, et quand ils les portèrent à leur bouche ils trouvèrent qu'elles avaient un petit goût amer et âcre. Ils mangèrent leur nourriture d'aujourd'hui avec les baguettes des anciens, ils mangeaient avec beaucoup d'appétit et des gouttes de sueur perlaient sur leur visage. Quand ils eurent le ventre plein, ils s'aperçurent qu'il faisait nuit et se souvinrent enfin qu'ils auraient dû aller au bord de la mer. Aujourd'hui il n'y avait pas eu de vent, il n'avait pas plu, et le soleil avait brillé si fort qu'on en était aveuglé, et pourtant ils n'avaient pu se rendre au bord de la mer. Aussitôt, leurs mines s'allongèrent, et Song Fanping voulut savoir si c'était à cause des baguettes des anciens. Mais les enfants le détrompèrent.

— On ne pourra pas aller à la mer aujourd'hui, se plaignit Song Gang.

— Qui a prétendu cela ? répliqua Song Fanping en souriant.

— Il n'y a plus de soleil, fit remarquer Li Guangtou.

— Oui, mais il y a la lune, répondit Song Fanping.

Le matin même, par un soleil resplendissant, ils s'apprêtaient à partir pour la mer, et c'est sous la lumière froide de la lune qu'ils s'y rendirent enfin. Les deux enfants, encadrant Song Fanping, marchèrent longtemps sur le chemin éclairé par la lune. Quand ils furent au bord de la mer, c'était la marée haute. Ils grimpèrent sur la digue. Il n'y avait personne alentour, rien que le vent froid qui soufflait et le grondement des vagues. Les vagues, en battant le rivage, soulevaient une écume qui formait une longue bande blanche sur les flots. Le blanc tournait parfois au gris, parfois au noir. Dans le lointain, il y avait des zones d'ombre et de lumière, et la lune, au ciel, tantôt se montrait, et tantôt se cachait dans les nuages. C'était la première fois que les enfants voyaient la mer la nuit, et ce spectacle insolite et changeant les plongea dans l'excitation. Ils ne purent s'empêcher de crier, mais cette fois Song Fanping ne leur couvrit pas la bouche, ses grosses mains leur caressaient les cheveux, et il les laissa crier tandis que lui était perdu dans la contemplation de la mer enveloppée d'obscurité.

Quand ils se furent assis sur la digue, cette mer nocturne commença à faire peur aux enfants. Il n'y avait que le bruit du vent et des flots, la lune n'apparaissait que par intermittence et la mer semblait tantôt se dilater, et tantôt se rétracter. Li Guangtou et Song Gang, l'un à droite et l'autre à gauche, étreignirent Song Fanping, et Song Fanping ouvrit ses bras pour les serrer contre lui. Ils ne surent pas combien de temps ils étaient restés assis, car pour finir ils s'endormirent. Song Fanping prit un des enfants dans ses bras et l'autre sur son dos, et les ramena à la maison.

XI

Dans notre bourg des Liu, les séances de lutte-critique[1] se multipliaient. Elles se succédaient de l'aube à la nuit sur le terrain de sport du collège, qui ressemblait à une foire. Chaque matin, Song Fanping sortait avec sa grande pancarte à la main. Arrivé à l'entrée du collège, il se l'accrochait au cou et attendait là, tête basse. Une fois que tous les participants de la séance de lutte-critique étaient à l'intérieur, il ôtait sa pancarte, empoignait un balai et balayait la rue devant l'école. Dès qu'une séance était terminée, il suspendait derechef sa pancarte autour de son cou et reprenait sa place près de l'entrée, tête basse. Les gens qui étaient dedans déferlaient comme une marée, ils lui donnaient des coups de pied, l'insultaient, lui crachaient dessus, et lui, vacillant de droite et de gauche, les laissait faire sans rien dire. Là-dessus, une nouvelle séance débutait. C'est seulement à la nuit tombée, quand Song Fanping était sûr qu'il ne restait plus personne sur le terrain de sport, qu'il rentrait à la maison, sa pancarte et son balai à la main.

A ce moment-là, Li Guangtou et Song Gang entendaient son pas lourd, et Song Fanping franchissait le seuil, le visage marqué par la fatigue. Il commençait invariablement par s'asseoir sur un tabouret en silence, puis il se relevait et se passait le visage à l'eau du puits. Ensuite, avec un torchon, il essuyait la poussière, les traces de semelles de chaussures et la salive des enfants qui maculaient sa pancarte. Li Guangtou et Song Gang n'osaient pas parler, ils attendaient patiemment. Ils étaient certains que lorsque Song Fanping se serait lavé le visage et qu'il aurait nettoyé sa pancarte il retrouverait sa bonne humeur et leur parlerait gaiement.

Li Guangtou et Song Gang ne savaient pas que les caractères inscrits sur la pancarte signifiaient "Propriétaire foncier Song Fanping", mais ils savaient que c'étaient ces caractères-là qui avaient précipité son malheur. Avant qu'ils ne soient là, Song Fanping agitait fièrement le drapeau rouge sur le pont. Mais depuis qu'ils étaient apparus, tout le monde, même les enfants, pouvait lui cracher ou lui pisser dessus. Un jour, Li Guangtou et Song Gang ne purent s'empêcher de lui demander :

— Qu'est-ce qu'ils veulent dire ces caractères ?

Song Fanping venait de nettoyer sa grande pancarte. La question des enfants le laissa pantois, mais il leur répondit en souriant :

— A la fin de l'été, vous allez entrer à l'école. Alors je vais déjà vous apprendre à lire, et nous allons commencer par ces caractères…

Pour la première leçon de Li Guangtou et de Song Gang, Song Fanping leur appris à s'asseoir bien droits, les mains posées à plat, puis il accrocha sa pancarte au mur et alla chercher une baguette des anciens. Ces préparatifs lui prirent pas loin d'une demi-heure. Les enfants, très excités, attendaient avec impatience que la leçon débute.

Song Fanping, debout devant la pancarte, s'éclaircit la voix par trois fois :

— On commence. J'indique d'abord les règles : premièrement, il est interdit de bouger ; deuxièmement, il faut lever le doigt avant de parler.

Song Fanping prit la baguette des anciens et pointa le premier caractère inscrit sur la pancarte :

— Ce caractère se prononce *di*. Réfléchissez, qu'est-ce que cela peut vouloir dire ? Voyons qui répondra le premier.

Song Fanping pointa son doigt vers le sol, puis tapa du pied par terre, tout en lançant des regards d'intelligence à Li Guangtou et à Song Gang. Devançant Song Gang, Li Guangtou montra le sol de la main en s'écriant :

— Je sais…

Song Fanping le coupa :

— Pas si vite, il faut lever le doigt avant de parler.

Li Guangtou leva le doigt :

— *Di*, c'est ce qui est dessous, dit-il, et nous, nous sommes dessus.

— C'est ça, dit Song Fanping. Tu es drôlement malin.

Puis Song Fanping pointa le deuxième caractère :

— Celui-ci est encore plus difficile. Il se prononce *zhu*. Réfléchissez, avez-vous déjà entendu prononcer ce *zhu* ?

Li Guangtou devança à nouveau Song Gang, et leva le doigt. Mais cette fois, Song Fanping ne le laissa pas répondre :

— Tout à l'heure, c'est toi qui as parlé le premier. Maintenant, on va laisser Song Gang parler. Réfléchis, Song Gang, est-ce que tu as déjà entendu prononcer ce caractère ?

— Ce ne serait pas le *zhu* qu'il y a dans "*Mao zhuxi*" (président Mao) ? avança timidement Song Gang.

— Exactement, dit Song Fanping. Tu es drôlement malin.

Li Guangtou protesta :

— Il n'a pas levé le doigt…

— C'est vrai ça, dit Song Fanping à Song Gang. Tu n'as pas levé le doigt, il faut que tu le lèves.

Song Gang s'empressa d'obéir, tout en s'enquérant avec appréhension :

— Ce n'est pas trop tard ?

Song Fanping éclata de rire :

— Non, évidemment.

Ce jour-là, les deux enfants apprirent cinq caractères, à commencer par le *di* de *dishang* (par terre), et le *zhu* de *Mao zhuxi* (président Mao). Ils comprenaient enfin ce qu'il y avait d'inscrit sur la pancarte : en associant les caractères, cela donnait *dizhu*, "président par terre[2]", suivi de "Song Fanping".

Dans les jours qui suivirent, Song Fanping ne sortit jamais sans sa pancarte. Il partait de bonne heure et rentrait tard, tenant sa pancarte comme ces femmes qui vont au travail en emportant leur panier à provisions. Li Guangtou et Song Gang continuaient à fureter dans toute la ville, ils en avaient exploré tous les coins. Là où un être humain était allé, ils étaient allés aussi ; là où un poulet, un canard, un chien ou un chat était allé, ils étaient allés aussi. Les drapeaux rouges et les gens continuaient d'envahir les rues, il y en avait autant que de poils sur le cuir d'une vache, et on se serait cru en permanence à la sortie du cinéma. Il y avait également de plus en plus d'individus affublés de chapeaux pointus et pourvus d'une pancarte. Au début, Song Fanping était tout seul à balayer la rue devant la porte du collège ; au bout de quelques jours, ils étaient trois : deux autres professeurs l'avaient rejoint, chacun avec sa pancarte autour du cou, et ces trois hommes, de gabarits différents, passaient leur temps ici, tête basse. L'un des professeurs, un homme d'un certain âge, d'apparence fluette et portant des lunettes, avait sur sa pancarte les mêmes caractères que Song Fanping, *dizhu*. Li Guangtou et Song Gang furent saisis par cette découverte :

— Alors vous aussi vous êtes un président par terre.

Le professeur se mit à trembler, son visage était livide comme celui d'un mort. Il dit aux enfants :

— Je suis un propriétaire foncier, je suis un sale type. Dépêchez-vous de me taper dessus, de m'insulter, de me critiquer…

Li Guangtou et Song Gang voyaient souvent Sun Wei, Zhao Shengli et Liu Chenggong s'exercer à la technique du balayage au bord de la rue. Presque tous les jours, les trois collégiens se retrouvaient sous un platane : ils étreignaient le tronc de l'arbre et répétaient leur geste en tournant autour. Sun Wei les Longs Cheveux était capable de décrire un tour complet d'un seul mouvement, ses gestes ressemblaient à ceux d'un acrobate et sa toison volait au vent. Zhao Shengli et Liu Chenggong n'accomplissaient pas plus d'un demi-tour, après quoi ils s'écrasaient sur le derrière ou bien laissaient retomber leur jambe. De sorte que Sun Wei leur servait d'entraîneur. Tout en recoiffant de ses doigts sa longue chevelure, il répétait les instructions de Song Fanping :

— Plus vite, encore plus vite. Pour qu'on ne remarque pas qu'il y a trois mouvements, il faut aller très vite. Il faut qu'on ait l'impression que vous ne faites qu'un seul geste…

Quand Li Guangtou et Song Gang les croisaient, ils prenaient de grands airs, convaincus qu'il manquait aux trois collégiens un truc essentiel, et qu'eux seuls possédaient réellement la maîtrise du balayage. Song Fanping n'avait pas enseigné la véritable technique aux trois collégiens, il leur avait caché le truc le plus important, et c'est pourquoi en passant près d'eux, main dans la main, Li Guangtou et Song Gang riaient sous cape.

Les trois collégiens étaient trop absorbés par leurs exercices pour remarquer que ces deux petits morveux se moquaient d'eux en douce. Sun Wei les Longs Cheveux, bien décidé à ne pas s'arrêter en si bon chemin, s'exerçait maintenant à faire deux fois le tour de l'arbre d'un seul coup. Un jour, il tourna si rapidement qu'il ne put contrôler son mouvement et fut éjecté de sa trajectoire.

Li Guangtou et Song Gang, qui avaient été témoins de la scène, ne purent s'empêcher de rire. Les trois collégiens vinrent à leur rencontre, les yeux furibonds. Sun Wei les Longs Cheveux, qui s'était relevé couvert de poussière, se planta devant eux et leur lança méchamment :

— Putain, qu'est-ce qu'il y a de drôle ?

Li Guangtou et Song Gang ne furent pas impressionnés le moins du monde. Song Gang le regarda de haut :

— Ce qui nous fait rire, c'est ton balayage.

— Hmm. (La longue tignasse regarda ses deux compères d'un air étonné.) Il a le toupet de se moquer de mon balayage, mon balayage à moi ?

— Son balayage à lui ? dit Song Gang à Li Guangtou en affectant un air condescendant.

— Son balayage à lui ? gloussa Li Guangtou avec le même air condescendant.

L'expression hautaine de Li Guangtou et de Song Gang laissa les trois collégiens médusés :

— Putain…

A cet instant, Song Gang lança d'une voix sonore :

— Je vais vous dire quelque chose. Il y a un truc que mon papa ne vous a pas enseigné, et c'est le plus important. A nous, il nous l'a enseigné.

— Putain…

Les trois collégiens continuaient de jurer. Sun Wei les Longs Cheveux ajouta :

— Alors comme ça, toi aussi tu sais faire le balayage ?

Song Gang montra Li Guangtou du doigt :

— On sait le faire tous les deux.

Les trois collégiens s'esclaffèrent. Regardant Li Guangtou et Song Gang, ils déclarèrent :

— Alors comme ça, vous savez le faire tous les deux ? Pourtant, vous n'êtes pas plus grands que nos bites.

Sun Wei les Longs Cheveux s'adressa à Song Gang :

— Montre-moi un peu pour voir.

— Mets-toi bien d'aplomb sur tes jambes, dit Song Gang.

L'étonnement de la longue tignasse redoubla. Il se tourna vers Zhao Shengli et Liu Chenggong :

— Il veut que je me mette bien d'aplomb ? Putain, mais c'est qu'il voudrait me balayer les jambes !

Au milieu des rires, Sun Wei se campa devant Song Gang, jambes écartées d'abord, puis jambes serrées et enfin sur une seule jambe :

— Comment veux-tu que je me tienne ? demanda-t-il à Song Gang.

Song Gang pointa le doigt vers le sol :

— Pose bien tes deux jambes par terre.

Sun Wei reposa en souriant sa jambe, et Song Gang se tourna vers Li Guangtou :

— Tu veux commencer, ou je commence ?

A cet instant, Li Guangtou ne se sentant pas suffisamment prêt, dit à Song Gang :

— Commence.

Song Gang recula de quelques pas, il prit son élan et balaya les jambes de Sun Wei. S'il avait été un lapin levant la patte pour frapper un chien, son attaque n'aurait pas eu moins d'effet. Sun Wei les Longs Cheveux continua à ricaner tandis que Song Gang roulait au sol comme un ballon. Song Gang se releva, sans réaliser ce qui lui était arrivé. Il regarda Li Guangtou d'un air perplexe. Li Guangtou, lui, savait maintenant ce que valait leur balayage à tous les deux, mais Song Gang, ce pauvre imbécile, n'avait toujours rien compris. Les trois collégiens riaient à gorge déployée et, en les entendant, Li Guangtou avait des pincements au cœur. Sun Wei les Longs Cheveux leva la jambe en ricanant, et son balayage envoya Song Gang au tapis :

— Tu as vu ? lança-t-il à Li Guangtou, ça c'est un balayage.

Sur ce, Sun Wei tendit sa jambe à nouveau, et il infligea le même sort à Li Guangtou. Après quoi, les trois collégiens, tels des chiens sauvages traquant des poulets, se lancèrent dans une course folle aux trousses de Li Guangtou et de Song Gang. Ils leur faisaient faire culbute sur culbute, et à peine les deux enfants s'étaient-ils relevés que déjà ils mordaient la poussière. Ils parcoururent ainsi un bon bout de chemin. Tout en poursuivant Li Guangtou et Song Gang et en s'acharnant sur eux, les trois collégiens se congratulaient en riant.

— Et si on leur faisait un balayage groupé ? proposa Sun Wei les Longs Cheveux à Zhao Shengli et à Liu Chenggong.

De quoi s'agissait-il ? Cela consistait à attendre que Li Guangtou et Song Gang se soient relevés pour les faucher tous les deux en même temps. De sorte que Li Guangtou et Song Gang tombaient l'un sur l'autre, en se blessant au visage et aux mains, et quand leurs crânes s'entrechoquaient, ils en voyaient trente-six chandelles et il leur semblait entendre le *teuf-teuf* d'un tracteur.

Des masses révolutionnaires de notre bourg des Liu, témoins de la scène, s'emportèrent contre les trois collégiens qui malmenaient ainsi deux enfants même pas en âge d'aller à l'école : en profitant de leur force pour s'en prendre à plus petits qu'eux-mêmes, ils ne valaient pas mieux que les seigneurs de la guerre de l'ancienne société.

Zhao Shengli et Liu Chenggong ne bronchèrent pas, mais Sun Wei les Longs Cheveux répliqua sentencieusement :

— Ce sont les fils du propriétaire foncier Song Fanping, ce sont des petits propriétaires fonciers.

Les masses révolutionnaires restèrent muettes, et regardèrent Li Guangtou et Song Gang tomber et se cogner l'un à l'autre jusqu'à ce que, sonnés, ils restent étendus par terre. Sun Wei, Zhao Shengli et Liu Chenggong, eux aussi, étaient en nage et hors d'haleine. Ils entourèrent Li Guangtou et Song Gang et leur ordonnèrent, avec des cris et des rires, de se mettre debout. Li Guangtou et Song Gang, exténués, ne parvenaient plus à bouger. Allongés sur le sol, ils déclarèrent :

— On est très bien couchés…

Ils venaient de comprendre que la seule façon pour eux d'échapper aux assauts des trois collégiens était de demeurer coûte que coûte par terre. Les coups de pied, les insultes, les menaces, rien n'y fit. Pour finir, les trois collégiens essayèrent la manière douce :

— Si vous vous levez, on arrête les balayages…

Li Guangtou et Song Gang ne se laissèrent pas piéger, ils refusèrent de bouger. Sun Wei les Longs Cheveux pointa du doigt un poteau électrique devant eux et tenta de circonvenir Li Guangtou :

— Hé, petit gars, et si tu grimpais au poteau pour nous montrer ta libido ?

Li Guangtou secoua la tête :

— Je n'en ai pas en ce moment.

Zhao Shengli et Liu Chenggong l'encouragèrent :

— Monte dessus, et ça viendra tout seul.

Li Guangtou continuait à secouer la tête :

— Non, pas aujourd'hui. Allez-y vous-mêmes.

— Putain, tonnèrent-ils. Putains de petits merdeux, et de petits merdeux de première.

Et Sun Wei les Longs Cheveux ajouta :

— Relevez-moi ces deux petits merdeux, qu'on leur refasse des balayages.

Au moment où Zhao Shengli et Liu Chenggong s'apprêtaient à relever Li Guangtou et Song Gang, Tong le Forgeron révolutionnaire vola généreusement à leur secours :

— Ça suffit, hurla-t-il.

Son cri terrorisa les trois collégiens.

— Ce sont des petits propriétaires fonciers, marmonna Sun Wei les Longs Cheveux.

— Qu'est-ce que tu racontes, répliqua Tong le Forgeron en montrant Li Guangtou et Song Gang. Ce sont des fleurs de la patrie[3].

Sun Wei les Longs Cheveux jaugeant les bras musclés et la taille épaisse de Tong le Forgeron préféra ne pas insister.

— Et vous aussi vous êtes des fleurs de la patrie, ajouta Tong le Forgeron en montrant les trois collégiens.

Les trois collégiens se regardèrent et éclatèrent de rire, puis ils s'éloignèrent, toujours hilares. Tong le Forgeron les suivit brièvement des yeux tandis qu'ils s'en allaient, puis il regarda Li Guangtou et Song Gang, encore par terre, avant de tourner lui-même les talons. Il marchait énergiquement en clamant d'une voix sonore :

— Ce sont tous des fleurs de la patrie.

Li Guangtou et Song Gang se relevèrent. Song Gang, meurtri de partout, observait Li Guangtou, meurtri de partout. Song Gang ne s'expliquait pas pourquoi tout à l'heure il n'avait pas réussi à renverser Sun Wei les Longs Cheveux. Il s'en ouvrit à Li Guangtou : n'aurait-il pas omis d'utiliser le fameux truc ? Li Guangtou s'emporta :

— Il n'y a pas de truc, ton père s'est fichu de nous.

Song Gang secoua son visage enflé :

— C'est notre papa à tous les deux, il ne peut pas s'être moqué de ses fils.

— C'est ton père à toi, brailla Li Guangtou, pas le mien.

Ils restèrent là tous les deux à se disputer, puis Song Gang, après avoir pleuré un bon coup, déclara en s'essuyant le nez :

— Allez, on va demander à papa.

Quand Li Guangtou et Song Gang arrivèrent à la porte du collège, la séance de lutte-critique venait de se terminer. Song Fanping, sa pancarte autour du cou, était debout, tête baissée, avec les deux autres. Un groupe d'élèves était sorti du bâtiment et les entourait en scandant des slogans hostiles, et des individus portant un brassard rouge étaient en train de dire quelque chose. Les deux enfants ne savaient pas qu'après avoir participé à la grande séance de lutte-critique à l'intérieur, ces gens-là en tenaient une petite à l'extérieur. Ils se faufilèrent entre eux et se retrouvèrent devant Song Fanping. Song Gang tira son père par la manche :

— Papa, tu nous as bien enseigné le truc pour le balayage ?

Song Fanping gardait la tête baissée et ne bougeait pas. Song Gang, vexé, fondit en larmes. Il poussa son père de la main :

— Papa, dis à Li Guangtou que tu nous l'as enseigné…

Song Fanping ne parlait toujours pas. Alors, Li Guangtou cria :

— Tu t'es moqué de nous, tu ne nous as pas du tout appris le balayage… Tu t'es aussi moqué de nous pour les caractères de la pancarte. Il y a marqué “propriétaire foncier”, et toi tu nous as raconté que ça voulait dire “président par terre”…

Li Guangtou était loin d'imaginer les conséquences de son intervention, et la scène qui s'ensuivit le laissa muet de terreur. Les gens qui étaient là restèrent un moment interdits, puis ce fut une grêle de coups de poing et de coups de pied qui s'abattit sur Song Fanping, le laissant à moitié mort. Au milieu des cris, leurs pieds s'acharnèrent sur leur victime, tombée à terre. Ils exigeaient que Song Fanping leur explique sans détour comment il avait perfidement calomnié le grand leader, le grand guide, le grand commandant, le grand timonier, le président Mao[4].

Li Guangtou n'avait jamais vu battre un homme avec une telle sauvagerie. Song Fanping avait le visage en sang, et ses cheveux mêmes étaient teints en rouge. Il était étendu sur le sol et personne n'aurait su dire combien de pieds d'adultes ou d'enfants lui étaient montés sur le corps. On le piétinait comme une marche d'escalier. Il ne chercha pas à esquiver les coups, seul son regard fuyait, il fuyait pour apercevoir Li Guangtou et Song Gang. Quand il les aperçut, ce fut comme si ses yeux voulaient leur parler, et ses yeux effrayèrent Li Guangtou. Puis ce dernier fut poussé en dehors du cercle, il ne vit plus les yeux de Song Fanping, il vit seulement Song Gang se glisser en pleurant parmi les gens et ressortir en pleurant poussé par les gens. Song Gang, qui n'avait que huit ans, hormis pleurer, ne savait rien faire d'autre que pousser de toutes ses forces pour essayer de fendre la foule. Les gens qui faisaient cercle étaient de plus en plus nombreux, et Song Gang était de plus en plus loin de son père. A la fin, plus aucun son ne sortait de sa bouche béante. Il revint vers Li Guangtou, le visage barbouillé de larmes, ouvrant et refermant la bouche comme s'il lui criait quelque chose, mais Li Guangtou n'entendait rien. Après avoir crié un moment, Song Gang assena un coup de poing à Li Guangtou, auquel celui-ci répondit par un autre coup de poing, puis les deux enfants, comme s'ils distribuaient les cartes au poker, s'envoyèrent des coups alternativement, trente-six au total.

XII

Après son passage à tabac, Song Fanping fut emmené dans une grande bâtisse, une sorte d'entrepôt, où il fut enfermé. Pendant la semaine qui suivit, Song Gang et Li Guangtou ne s'adressèrent pas la parole. Song Gang était de toute façon incapable d'articuler un mot. Ce jour-là, il s'était cassé la voix à force de crier et plus aucun son ne sortait de sa bouche. Seule la salive lui coulait au coin des lèvres. Li Guangtou savait que c'était parce qu'il avait trop parlé que Song Fanping croupissait maintenant dans cet entrepôt qui tenait lieu de prison. Le soir, quand il se couchait, il se remémorait la scène au cours de laquelle Song Fanping avait été piétiné rageusement sur les marches de l'escalier, il revoyait les yeux affolés de Song Fanping qui le cherchaient, et qui cherchaient Song Gang. Li Guangtou était très malheureux, mais en paroles il restait très dur, et il se moquait de Song Gang et de sa bouche en forme de trou du cul qui ne laissait échapper que des pets silencieux.

Pour Li Guangtou s'ouvrit alors une période de solitude. Il se promenait seul dans les rues, s'asseyait seul sous un arbre, s'accroupissait seul au bord de la rivière pour se désaltérer et soliloquait pour lui-même… Debout dans la rue, il regardait, il attendait, espérant qu'un enfant de son âge aussi solitaire que lui viendrait à sa rencontre. Il transpirait, et le soleil séchait sa sueur, il transpirait encore, et le soleil séchait à nouveau sa sueur. Mais il ne voyait rien d'autre que des gens organisés en cortèges et des drapeaux rouges qui défilaient. Tous les enfants à peu près de son âge passaient devant lui un par un sans s'arrêter, ils marchaient avec leur mère qui les tirait par la main. Personne ne lui parlait, personne même ne lui jetait un regard. C'est seulement quand quelqu'un le heurtait par inadvertance ou lançait un crachat qui atterrissait malencontreusement sur ses pieds, qu'on s'avisait de son existence. Il n'y avait que les trois collégiens pour s'intéresser à lui. Dès qu'ils l'apercevaient, ils lui faisaient des signes enthousiastes et l'interpellaient de loin :

— Hé, petit gars, montre-nous un peu ta libido.

Sur ce, ils s'approchaient de lui d'un pas alerte. Li Guangtou savait que ce n'était qu'un prétexte et qu'ils cherchaient à s'exercer à ses dépens au balayage, à lui flanquer la frousse et à lui mettre le visage en compote. Aussi détalait-il à toutes jambes.

— Hé, petit gars, ne pars pas, criaient en riant les trois collégiens derrière lui, on ne va pas te faire de balayage…

Cet été-là, Li Guangtou, pour échapper aux balayages des collégiens, en fut souvent réduit à courir à perdre haleine, si vite qu'il en trébuchait. Si vite que ses jambes de huit ans étaient toutes endolories, que ses poumons de huit ans suffoquaient, que son cœur de huit ans battait à grands coups, qu'il était plus mort que vif. Il arrivait enfin, exténué, dans la ruelle de Tong le Forgeron, de Zhang le Tailleur, des Guan les Ciseaux et de Yu l'Arracheur de dents.

A cette époque, ils étaient devenus respectivement un forgeron révolutionnaire, un tailleur révolutionnaire, des rémouleurs révolutionnaires et un dentiste révolutionnaire. Quand un client se présentait avec un coupon de tissu chez Zhang le Tailleur, celui-ci s'informait préalablement de son statut de classe : si c'était un paysan pauvre, il l'accueillait avec le sourire ; si c'était un paysan moyen, il prenait le coupon à contrecœur ; si c'était un propriétaire foncier, il brandissait aussitôt le poing en criant des slogans révolutionnaires, et le client, la mine défaite, quittait la boutique son coupon sous le bras. Et tandis qu'il s'éloignait dans la ruelle, Zhang le Tailleur, debout devant sa porte, continuait à l'apostropher :

— Je vais te coudre un habit funéraire, le plus usé et le plus déguenillé qui soit, ou plutôt non, un linceul.

Les deux Guan les Ciseaux avaient une conscience révolutionnaire encore plus élevée que celle de Zhang le Tailleur : ils ne faisaient pas payer les paysans pauvres, ils faisaient payer plus cher les paysans moyens ; quant aux propriétaires fonciers, ils les faisaient détaler comme des rats. Les deux Guan, brandissant leurs ciseaux et les faisant crisser, se tenaient devant leur boutique et menaçaient en criant les fuyards de leur couper la queue :

— Toi, le propriétaire foncier, on va te faire changer de sexe.

Yu l'Arracheur de dents était un révolutionnaire opportuniste. Au client qui arrivait, il ne demandait pas son statut de classe, quand celui-ci s'était allongé sur la chaise en rotin, il ne lui demandait rien non plus, et quand l'autre ouvrait la bouche pour lui montrer la dent gâtée, pas davantage. Il craignait de rater une affaire et de perdre de l'argent si d'aventure il avait dû apprendre que son client était un propriétaire foncier. Cependant, s'il n'avait pas posé la question il n'aurait pas été un dentiste révolutionnaire. Yu l'Arracheur de dents voulait à la fois la révolution et l'argent. Il attendait donc d'avoir introduit son davier dans la bouche du client et de tenir la mauvaise dent pour l'interroger à haute et intelligible voix :

— Parle, quel est ton statut de classe ?

Le client, la bouche obstruée par le davier, répondait par des grognements indistincts. Yu l'Arracheur de dents approchait ostensiblement son oreille pour saisir ce qu'il disait, puis il s'exclamait :

— Paysan pauvre ? C'est bon ! Je t'arrache ta mauvaise dent.

A peine avait-il fini de parler que la mauvaise dent était extraite. Aussitôt, il saisissait avec sa pince une boule de coton qu'il plaçait dans la bouche du client à l'endroit qui saignait et ordonnait au patient de serrer les mâchoires pour stopper l'hémorragie. De cette façon, le client était à nouveau réduit au mutisme et, même s'il s'agissait d'un propriétaire foncier, Yu l'Arracheur de dents en faisait d'autorité un paysan pauvre. Rayonnant, il exhibait devant le client la dent qu'il venait de lui extraire :

— Tu as vu ? C'est une dent gâtée de paysan pauvre. Si tu avais été un propriétaire foncier, ce n'est pas cette mauvaise dent que je t'aurais arrachée, mais sûrement une bonne.

Puis Yu l'Arracheur de dents affichait la mine de celui pour qui révolution et commerce ne sont pas deux tâches incompatibles, et il tendait la main pour réclamer son dû :

— Le président Mao nous enseigne que la révolution n'est pas un dîner de gala[1]… Quand on arrache une dent révolutionnaire, il faut payer un sou révolutionnaire.

Tong le Forgeron révolutionnaire ne s'enquérait jamais du statut de classe de ses clients. Partant du principe qu'il était lui-même irréprochable, il estimait que jamais un ennemi de classe n'aurait osé mettre les pieds dans sa forge. Il déclarait d'un ton pénétré, en se frappant la poitrine :

— Seuls les paysans pauvres et moyens pauvres qui travaillent dur viennent acheter chez moi des faucilles et des houes. Les exploiteurs de la classe des propriétaires fonciers qui ne font rien de leurs dix doigts n'ont pas besoin de tout ça.

Quand le torrent de la révolution déferla, Tong le Forgeron, Zhang le Tailleur et les Guan les Ciseaux ne tardèrent pas à se lancer ardemment dans le travail révolutionnaire. Tong le Forgeron, le torse nu, un brassard rouge de révolutionnaire autour de son bras nu, ne fabriquait plus de faucilles ni de houes mais des lances à pompons rouges. Les lances à pompons rouges sorties de son atelier allaient directement en face, dans la boutique du rémouleur, où les deux Guan les Ciseaux, torse nu eux aussi, un brassard rouge de révolutionnaire autour de leur bras nu, n'aiguisaient plus les ciseaux : assis sur des tabourets, jambes écartées, en nage, ils affûtaient les fers des lances. Les lances affûtées par les deux Guan étaient aussitôt livrées dans la boutique d'à côté, celle du tailleur. Zhang le Tailleur, vêtu d'un tricot de corps, avait également les bras nus et un brassard rouge de révolutionnaire. Il ne confectionnait plus de vêtements, mais uniquement des drapeaux rouges et des brassards rouges, ainsi que les pompons rouges dont on ornait les lances. La Grande Révolution culturelle était en train de transformer notre bourg des Liu en monts Jinggang : "Au pied des monts s'agitent nos drapeaux, / Sur les cimes se répondent tambours et clairons[2]."

Yu l'Arracheur de dents avait lui aussi un brassard rouge de révolutionnaire. C'est Zhang le Tailleur qui le lui avait offert. Alors que chez Tong, chez les Guan et chez Zhang l'activité battait son plein et qu'on débitait les lances à la chaîne, Yu l'Arracheur de dents était contraint à l'oisiveté : les lances à pompons n'ayant pas de dents, il ne pouvait ni en arracher ni en plomber, et encore moins en implanter de fausses. Allongé dans sa chaise en rotin, il n'avait rien d'autre à faire qu'à attendre l'appel de la révolution.

Li Guangtou furetait partout. Après avoir observé ce qui se passait dans les boutiques, transformées en arsenal, de

Tong, des Guan et de Zhang, il se dirigea en bâillant vers le parapluie en toile huilée de Yu l'Arracheur de dents. Privé de la compagnie habituelle de Song Gang, Li Guangtou se sentait seul et s'ennuyait, et il traînait ses bâillements avec lui. Et comme les bâillements sont communicatifs, Yu l'Arracheur de dents, devant Li Guangtou qui bâillait sans arrêt, ne cessait d'ouvrir et de fermer la bouche lui aussi.

Auparavant, Yu l'Arracheur de dents n'avait sur sa table que les mauvaises dents qu'il avait extraites, mais à présent, pour être en phase avec son époque, il y exposait aussi une dizaine de bonnes dents arrachées par mégarde. Il voulait montrer aux masses révolutionnaires que sa position de classe était nette : toutes ces bonnes dents, expliquait-il, avaient été extraites de la bouche d'ennemis de classe. Lorsqu'il vit Li Guangtou arriver et se glisser sous son parapluie de toile huilée, Yu l'Arracheur de dents, sans se soucier de son jeune âge, se redressa sur sa chaise en rotin et lui montra sur la table la dizaine de bonnes dents extraites par erreur :

— Ce sont des bonnes dents arrachées à des ennemis de classe.

Puis, désignant les quelques dizaines de mauvaises dents disposées là pour attirer le client, il ajouta :

— Ce sont des mauvaises dents arrachées aux frères et aux sœurs de classe.

Li Guangtou hocha la tête sans enthousiasme. Il regardait avec indifférence les bonnes dents des ennemis de classe et les mauvaises dents des frères et des sœurs de classe. Il s'assit sur le banc à côté de la chaise longue de Yu l'Arracheur de dents et continua à bâiller. Yu l'Arracheur de dents, qui était resté allongé toute la matinée à s'ennuyer, n'était pas mécontent de recevoir la visite de Li Guangtou, mais celle-ci se soldait par un concours de bâillements.

Yu l'Arracheur de dents se redressa et, avisant un poteau électrique planté de l'autre côté de la rue, donna une tape sur la tête de Li Guangtou :

— Tu ne veux pas t'occuper du poteau là-bas ?

— C'est déjà fait, dit Li Guangtou en secouant la tête.

— Recommence, suggéra Yu l'Arracheur de dents, pour l'encourager.

— Ça ne m'intéresse pas, j'ai déjà fait tous les poteaux de la ville.

— Bigre ! sursauta Yu l'Arracheur de dents, jadis tu aurais été un empereur et tu aurais eu un harem. Mais avec les critères d'aujourd'hui, tu as tout du violeur en série, et tu risques d'aller en prison et d'être fusillé.

Li Guangtou fut si choqué par ces derniers mots qu'il s'arrêta au milieu de son bâillement :

— On peut se retrouver en prison et être fusillé rien que pour avoir fait ça sur un poteau ? demanda-t-il en écarquillant les yeux.

— Evidemment, répliqua Yu l'Arracheur de dents, avant de nuancer son propos : Tout dépend de ta position de classe.

— C'est quoi une position de classe ? interrogea Li Guangtou, qui ne comprenait pas.

Yu l'Arracheur de dents lui montra le poteau d'en face :

— D'après toi, ce sont des ennemies de classe ou des sœurs de classe ?

Li Guangtou, les yeux encore écarquillés, ne comprenait toujours pas. Yu l'Arracheur de dents, subitement en verve, expliqua, la mine réjouie :

— Si pour toi un poteau est une ennemie de classe, quand tu lui fais ça, ça relève de la lutte-critique. Mais si tu considères que c'est une sœur de classe, dans ce cas tu dois te marier avec, autrement c'est du viol. Et si tu as fait ça avec tous les poteaux de la ville, ça veut dire que tu as violé toutes tes sœurs de classe. Est-ce que ça ne mérite pas la prison et une balle dans la tête ?

Li Guangtou comprit en l'entendant qu'il n'avait rien à craindre. Maintenant qu'il était rassuré, ses yeux arrondis reprirent leur forme initiale. Yu l'Arracheur de dents lui donna une tape sur la tête :

— Tu as pigé ? Tu as pigé ce que c'était qu'une position de classe ?

— Oui, dit Li Guangtou en hochant la tête.

— Alors dis-moi, pour toi ce sont des ennemies de classe ou des sœurs de classe ?

Li Guangtou cligna des yeux avant de répondre :

— Et si je les considérais comme des poteaux de classe ?

Yu l'Arracheur de dents resta sans voix un moment, puis il éclata de rire :

— Espèce de petit salopard ! s'exclama-t-il.

Li Guangtou demeura une demi-heure chez Yu l'Arracheur de dents. Celui-ci riait de bon cœur, mais Li Guangtou, qui continuait de se barber, se leva et retourna à la boutique de Tong le Forgeron. Il s'assit sur le banc, le dos contre le mur, la tête penchée et le buste de travers, et regarda Tong le Forgeron fabriquer avec ardeur les fers des lances à pompons rouges. Il tenait les fers de la main gauche au moyen de tenailles et, de la main droite, il tapait bruyamment dessus avec son marteau, en faisant jaillir des étincelles dans tout l'atelier. Le brassard rouge qu'il portait au bras gauche glissait sans arrêt et la main qui serrait les tenailles ne cessait de se lever pour le remettre à sa place quand il était tombé au poignet. Et à chaque fois, le fer de la lance, coincé entre les tenailles, pointait vers le ciel. Tout en battant le fer, Tong le Forgeron, en sueur, observait Li Guangtou. Il songeait que naguère encore ce petit salopard, à peine arrivé, venait se frotter sur le banc, et il le voyait maintenant affalé contre le mur, l'air abattu, tel un poulet malade. Il ne put s'empêcher de l'interpeller :

— Hé, tu ne fais plus l'amour avec le banc ?

Li Guangtou gloussa :

— Faire l'amour ?

Il trouvait l'expression très amusante. Puis il secoua la tête et dit avec un triste sourire :

— A présent, je n'ai plus de libido.

Tong le Forgeron ricana :

— Ce petit salopard est devenu impuissant.

Li Guangtou rit à son tour, et demanda à Tong le Forgeron :

— Impuissant, qu'est-ce que ça veut dire ?

Tong le Forgeron posa son marteau et prit la serviette qui était accrochée au tour de son cou pour s'éponger :

— Ouvre ton pantalon et regarde ton zizi…

Li Guangtou obtempéra.

— Il est tout mou, pas vrai ? fit Tong le Forgeron.

Li Guangtou acquiesça :

— Il est mou comme de la pâte.

— C'est ça qu'on appelle être impuissant.

Tong le Forgeron remit la serviette autour de son cou et ajouta, en plissant les yeux :

— Quand ton zizi est aussi dur qu'un petit canon prêt à tirer, c'est que tu as de la libido ; quand il est aussi mou que de la pâte, c'est que tu es impuissant.

— C'est donc ça, je suis impuissant ! s'exclama Li Guangtou, comme s'il avait découvert l'Amérique.

Li Guangtou s'était déjà taillé une petite réputation dans notre bourg des Liu. Des masses désœuvrées y traînaient sans arrêt. Tantôt elles suivaient les cortèges sur un bout du parcours en levant le poing et en criant des slogans, tantôt, appuyées contre les troncs des platanes, elles bâillaient à s'en décrocher la mâchoire. Parmi elles, tout le monde connaissait Li Guangtou. Dès qu'elles l'apercevaient, elles retrouvaient de l'entrain et s'apostrophaient, sans pouvoir retenir leurs rires :

— Tiens, voilà le gamin qui se fait les poteaux électriques.

Mais Li Guangtou n'était plus que l'ombre de lui-même. Song Fanping était emprisonné dans l'entrepôt, et Song Gang ne lui parlait plus depuis qu'il avait perdu sa voix. Seul, le ventre vide, il errait dans les rues l'air abattu, et les poteaux électriques qui bordaient la chaussée le laissaient désormais de marbre. Lui, en revanche, ne laissait pas de marbre les masses en vadrouille. Tandis que le flot ininterrompu des cortèges s'écoulait, elles vinrent lui barrer la route, et elles lui dirent, en montrant discrètement un poteau électrique :

— Hé, petit gars, ça fait un bout de temps qu'on ne t'a pas vu t'occuper d'un poteau.

Li Guangtou secoua la tête, et répondit d'une voix sonore :

— Maintenant, je ne fais plus l'amour avec eux.

Les masses en vadrouille, la main sur la bouche, se tordaient de rire. Elles entourèrent Li Guangtou et l'empêchèrent de partir. Et quand le cortège fut loin, elles l'interrogèrent à nouveau :

— Et pourquoi est-ce que tu ne fais plus l'amour avec eux ?

Li Guangtou déboutonna sa braguette avec autorité afin que les masses puissent constater par elles-mêmes :

— Vous avez vu mon zizi, hein ?

Les curieux se penchèrent tous ensemble pour jeter un coup d'œil à l'intérieur du pantalon de Li Guangtou, si bien que leurs têtes s'entrechoquèrent, et elles s'entrechoquèrent derechef quand ils la hochèrent. Ils déclarèrent, en se couvrant la tête avec les mains, que oui, ils avaient vu.

Et Li Guangtou leur demanda, toujours avec la même autorité :

— Alors, est-ce qu'il est dur comme un petit canon ou mou comme de la pâte ?

Les curieux, ne sachant pas où il voulait en venir, hochèrent à nouveau la tête :

— Il est tout mou, comme de la pâte…

— C'est pour ça que je ne fais plus l'amour, conclut Li Guangtou triomphalement.

Puis, secouant la main tel un redresseur de torts qui s'apprête à dire adieu au monde des aventuriers[3], il sortit du cercle des badauds et, quelques pas plus loin, il se retourna et leur lança, sur le ton de celui qui a beaucoup vécu :

— Je suis devenu impuissant !

Stimulé par les éclats de rire des masses, il s'éloigna la tête haute, d'un pas majestueux, et en passant à côté d'un poteau de bois il lui décocha un coup de pied afin de bien lui signifier que désormais tout était fini entre eux.

XIII

Tandis qu'il errait dans les rues, Li Guangtou n'avait pas un sou en poche. Quand il avait soif, il buvait l'eau de la rivière, et quand il avait faim il se résignait à avaler sa salive et à rentrer à la maison. Celle-ci ressemblait désormais à une jarre brisée. L'armoire gisait à terre, et Song Gang et lui n'avaient pas la force de la relever ; les vêtements étaient répandus sur le sol, et les deux enfants n'avaient pas le courage de les ramasser. Depuis que Song Fanping était enfermé dans l'entrepôt, des gens étaient venus perquisitionner la maison à deux reprises, et à chaque fois Li Guangtou s'était éclipsé aussitôt, laissant Song Gang se débrouiller seul avec eux : le pauvre filet de voix de Song Gang ne manquerait pas de les énerver, et ils ne manqueraient pas de lui flanquer des gifles.

Ces jours derniers, Song Gang n'était pas sorti et il s'activait aux fourneaux comme un cuisinier. Li Guangtou n'avait rien retenu des cours de cuisine de Song Fanping, au contraire de Song Gang. Lorsque Li Guangtou arrivait à la maison, déprimé et le ventre creux, Song Gang avait déjà préparé le repas, il avait disposé les bols et les deux paires de baguettes des anciens sur la table, et s'était assis devant en attendant le retour de Li Guangtou. Quand il voyait Li Guangtou entrer en salivant, Song Gang faisait entendre son filet de voix, et Li Guangtou comprenait qu'il lui disait : te voilà enfin. A peine Li Guangtou avait-il franchi la porte qu'il se jetait sur son bol et en dévorait le contenu.

Li Guangtou ignorait à quoi Song Gang consacrait son temps. Tous les jours, Song Gang s'occupait du réchaud à pétrole, il grattait précautionneusement une allumette, et allumait précautionneusement l'une après l'autre les mèches de coton, qui étaient chaque fois plus courtes et sur lesquelles il devait tirer. Il était en sueur, avait les mains couvertes de pétrole, les ongles tout noirs. Ensuite, il préparait pour Li Guangtou une marmite de riz à moitié cru. Quand Li Guangtou mangeait le riz de Song Gang, ses mâchoires faisaient autant de bruit que s'il avait mangé des fèves, et le riz lui restait sur l'estomac. Souvent, avant d'être rassasié, il commençait à roter, et le bruit de ses rots était pareil à celui de ses mâchoires. Les légumes cuisinés par Song Gang étaient tout aussi infects. Alors que ceux de Song Fanping étaient bien verts, les siens se transformaient en une bouillie jaune, et prenaient la couleur des légumes en saumure à l'extérieur et la couleur noire du pétrole à l'intérieur. Ils étaient ou bien trop salés ou bien trop fades. Li Guangtou, qui avait cessé de parler à Song Gang, finit par exploser :

— Le riz n'est pas assez cuit, et les légumes sont en marmelade. Tu es bien un fils de propriétaire foncier…

Song Gang rougit violemment et susurra des choses indistinctes. Li Guangtou, qui ne comprenait rien, lança :

— Arrête ton bourdonnement. Tu as l'air d'un moustique qui pète ou d'une punaise qui pisse.

Le temps que Song Gang retrouve sa voix, il avait appris à cuire le riz. Les enfants avaient épuisé la réserve de légumes constituée par Song Fanping et il ne leur restait plus qu'un peu de riz. Song Gang remplit les bols, sur la table il y avait une bouteille de sauce de soja, et quand il vit entrer Li Guangtou, sa voix éraillée retentit enfin :

— Cette fois-ci, il est cuit ! s'écria-t-il, radieux.

Effectivement, le riz était cuit, et chaque grain était gonflé et brillant. Dans le souvenir de Li Guangtou, ce fut le meilleur riz qu'il eût jamais mangé. Bien que par la suite il ait eu l'occasion d'en manger du encore mieux cuit, aucun ne lui parut jamais aussi bon que celui préparé par Song Gang ce jour-là. Il se dit que Song Gang avait eu une veine de pendu de réussir un tel exploit. Après avoir ingurgité plusieurs jours de suite du riz à moitié cru, voilà qu'il mangeait enfin du riz parfaitement cuit. A défaut de légumes, ils avaient de la sauce de soja. Ils en versèrent sur leur riz fumant, et quand ils l'eurent soigneusement mélangé, le riz prit une teinte noire, rouge et brillante, comme s'il avait été fardé, et le parfum de la sauce de soja transporté par la vapeur chaude du riz se répandit dans toute la pièce.

Il faisait déjà nuit. Les deux enfants mangeaient ce mets brillant. La lumière de la lune pénétrait par la fenêtre, le vent glissait sur le toit. Song Gang se mit à parler, de sa voix éraillée. La bouche pleine de riz au soja, il grommela :

— Je me demande quand papa va revenir.

A peine avait-il prononcé ces mots, que son visage se couvrit de larmes. Il posa son bol et commença à sangloter, la tête basse, tout en continuant à avaler son riz. Puis, essuyant ses larmes au fur et à mesure qu'elles coulaient, il donna libre cours à son chagrin. Sa voix éraillée ressemblait à une sirène d'alarme mal alimentée qui a des ratés, tandis que son corps tremblait au rythme de ses sanglots.

Li Guangtou baissait la tête également. Il était subitement devenu triste. Il aurait voulu dire quelques mots à Song Gang pour le remercier d'avoir préparé un aussi bon riz, mais finalement il resta muet : “C'est le fils d'un propriétaire foncier”, songea-t-il.

Le lendemain du jour où Song Gang avait préparé ce riz épatant, il servit à nouveau, au déjeuner, du riz à moitié cru. En voyant les grains ratatinés et sans éclat dans son bol, Li Guangtou comprit que, zut ! il allait falloir encore s'infliger du riz mal cuit. Song Gang, installé devant la table, était en train de se livrer à une expérience scientifique : il saupoudrait soigneusement de sel un des deux bols et versait dans l'autre un peu de sauce de soja, et il goûtait alternativement le riz à moitié cru saupoudré de sel et le riz à moitié cru imbibé de sauce de soja. Quand Li Guangtou entra, Song Gang connaissait déjà les résultats de son test, et il annonça gaiement à Li Guangtou que le riz à moitié cru saupoudré de sel était bien plus savoureux que l'autre. Il lui suggéra de verser le sel par très petites quantités et de le manger au fur et à mesure qu'il le verserait, avant qu'il ne fonde, car une fois le sel fondu le riz n'avait plus de goût.

Li Guangtou était furieux :

— Je n'en veux pas de ton riz à moitié cru, je veux du riz cuit.

Song Gang releva la tête et lui annonça une mauvaise nouvelle :

— Il n'y a plus de pétrole. Le riz n'était pas encore tout à fait cuit quand le feu s'est éteint.

La colère de Li Guangtou retomba. Il se résigna à s'asseoir et à manger le riz mal cuit. S'il n'y avait plus de pétrole, il n'y aurait plus de feu, et Li Guangtou se désolait que Song Gang ne sache pas pisser du pétrole et chier des flammes. Song Gang avait recommandé à Li Guangtou de manger sans attendre après avoir versé son sel, et Li Guangtou suivit ses instructions. Il mangea donc ainsi, et ses yeux se mirent à briller. Les grains de sel et les grains de riz à moitié crus qu'il mastiquait ensemble craquaient dans sa bouche. Les grains de sel surtout, en se désintégrant dans sa bouche, libéraient un goût délicieux. Li Guangtou comprit pourquoi Song Gang lui avait prodigué ce conseil : de même que le feu jaillit par frottement, le sel libérait sa saveur sous la pression des dents. Une fois les grains fondus, la saveur avait disparu, il ne restait plus que le goût salé. Pour la première fois, Li Guangtou trouva que le riz à moitié cru n'était pas aussi infect que cela. C'est alors que Song Gang lui annonça une autre mauvaise nouvelle :

— Il n'y a plus de riz non plus.

Le soir venu, les deux enfants continuèrent à manger le riz à moitié cru saupoudré de sel. C'étaient les restes du repas de midi. Le lendemain matin, c'est le soleil qui les réveilla en dardant ses rayons sur leurs fesses. Ils allèrent d'abord soulager leur vessie dehors, au coin du mur, tirèrent un seau d'eau du puits pour faire leur toilette, et c'est alors seulement qu'ils se souvinrent qu'ils n'avaient désormais plus rien à se mettre sous la dent. Li Guangtou s'assit un moment sur le seuil, essayant d'imaginer comment ce morveux de Song Gang allait se débrouiller pour leur dégoter quelque chose à manger. Song Gang fouilla dans l'armoire renversée, puis parmi les vêtements éparpillés sur le sol, sans rien découvrir de comestible. Il se résigna donc à avaler sa salive en guise de petit déjeuner.

Li Guangtou dut en faire autant, et il continua à errer dehors comme un chien perdu. Au début, il était encore capable de sautiller, mais à midi il ressemblait à un ballon crevé. La faim avait transformé ce gamin de huit ans en un vieillard de quatre-vingts. Non seulement la tête lui tournait et ses membres étaient sans force, mais des hoquets ne cessaient de monter de son estomac désespérément vide. Li Guangtou resta longuement assis sous un platane, au bord de la chaussée. La tête penchée, il regardait les gens dans la rue. Il vit passer quelqu'un, devant lui, qui mangeait un petit pain farci à la viande, et il remarqua que le jus de viande lui coulait aux coins de la bouche et que l'homme le léchait. Une femme passa à côté de lui, elle croquait des graines de pastèque, et les cosses atterrirent sur ses cheveux. Mais ce qui horripila le plus Li Guangtou, ce fut de voir un chien lui filer sous le nez avec un os dans la gueule.

Li Guangtou n'aurait pas su expliquer comment il rentra à la maison. Tout ce qu'il savait, c'est qu'il mourait de faim. Il n'espérait pas y trouver quelque chose à manger, il voulait simplement s'allonger. Or voilà qu'en arrivant à la porte d'entrée, il aperçut le dos de Song Gang attablé. Li Guangtou exulta et, puisant dans ses dernières forces, il se précipita vers lui.

Il déchanta aussitôt qu'il découvrit ce que mangeait Song Gang. Assis devant un bol d'eau claire, Song Gang se mettait un peu de sel dans la bouche, attendait qu'il fonde doucement, puis buvait une gorgée d'eau. Après avoir absorbé le sel, il avalait une petite gorgée de sauce de soja, en se gonflant les joues comme pour mieux la déguster, et quand sa bouche était suffisamment imbibée de sauce de soja, il buvait une autre gorgée d'eau.

Song Gang ingurgitait sans entrain son sel, sa sauce de soja et son eau. Il avait tellement faim qu'il n'avait même pas envie d'adresser la parole à Li Guangtou. Il se contenta de lui indiquer le deuxième bol sur la table, et Li Guangtou comprit que ce bol lui était destiné. Li Guangtou s'assit, et malgré son immense déception il se mit à imiter Song Gang : un bol d'eau, avec un peu de sel et de sauce de soja, c'était toujours mieux que rien. Bien qu'en réalité il n'y eût rien à manger, Li Guangtou eut l'impression d'avoir déjeuné. Il se sentait légèrement mieux et s'étendit sur le lit, en se proposant à lui-même d'aller faire un tour dans le monde des rêves pour voir s'il trouverait là-bas de quoi se sustenter. Là-dessus, il se passa la langue sur les lèvres et s'endormit.

Aussitôt dit aussitôt fait, Li Guangtou, en débarquant au pays des rêves, tomba nez à nez sur un panier à vapeur géant tout fumant dont des cuisiniers habillés de blanc soulevaient le couvercle en poussant des "Ho ! hisse !" pour rythmer leur effort. Li Guangtou aperçut à l'intérieur de l'étuve des pains farcis à la viande, aussi nombreux que les participants des assemblées de lutte-critique sur le terrain de sport du collège, et qui laissaient échapper du jus. Les cuisiniers remirent le couvercle en place en disant que les petits pains n'étaient pas encore assez cuits. Li Guangtou protesta en faisant observer que la viande rendait déjà son jus, mais aucun des cuisiniers ne prêta attention à lui et il dut se résoudre à patienter longuement à côté de l'étuve. Quand le jus commença à s'écouler hors de l'étuve, les cuisiniers s'écrièrent enfin : "C'est cuit." Ils ôtèrent le couvercle en poussant des "Ho ! hisse !" et dirent : "A table." Li Guangtou eut la sensation qu'il plongeait tête la première dans l'étuve. Il se retrouva avec un tas de petits pains farcis dans les bras, mais comme il baissait la tête pour mordre dans un pain juteux, il s'éveilla.

C'est Song Gang qui l'avait tiré du sommeil. Il secouait Li Guangtou en criant de sa voix éraillée :

— J'ai trouvé, j'ai trouvé !

Le petit pain dans lequel Li Guangtou s'apprêtait à mordre s'était volatilisé par la faute de Song Gang. Il en pleura de dépit, et tout en essuyant ses larmes, il tenta d'asséner un coup de pied à Song Gang. Il ne cessait de crier : "Les petits pains, les petits pains, les petits pains." Mais il passa instantanément des pleurs au rire quand il s'aperçut que Song Gang agitait dans sa main de l'argent et des tickets de céréales[1]. Il avait vu distinctement deux billets de 5 yuans.

Song Gang lui expliqua avec force détails comment il avait mis la main sur l'argent et les tickets de céréales laissés par Song Fanping. Mais Li Guangtou n'écoutait rien, il avait le cerveau obstrué par les petits pains juteux. Ses forces lui étaient revenues d'un seul coup, il sauta du lit et dit à Song Gang :

— Allez, on va acheter des pains farcis.

Song Gang secoua la tête :

— Je vais d'abord demander l'autorisation à papa, et s'il est d'accord, alors on ira acheter des pains farcis.

— Le temps qu'on arrive jusqu'à ton père, on aura crevé de faim ! répliqua Li Guangtou.

Mais Song Gang secouait toujours la tête :

— On ne mourra pas de faim, cela ne prendra pas beaucoup de temps de le trouver.

Merde alors, maintenant qu'ils avaient l'argent et les tickets, et que les pains farcis étaient à portée de main, voilà que cet imbécile de Song Gang s'était mis dans l'idée d'aller voir son paternel. Li Guangtou en trépignait de rage. Il avait envie d'arracher à Song Gang l'argent et les tickets, mais celui-ci, comprenant son intention, s'empressa de tout fourrer dans sa poche. Les deux enfants s'empoignèrent et roulèrent à terre. Song Gang protégeait sa poche de ses deux mains. Celles de Li Guangtou essayaient de se frayer un chemin entre ses doigts jusqu'à sa poche. Les enfants, qui n'avaient rien mangé de la journée, étaient affaiblis. Après s'être battus un moment, ils s'arrêtèrent pour souffler, la bouche grande ouverte, puis ils recommencèrent à se battre, et à souffler de nouveau. A la fin, c'est Song Gang qui se releva le premier, il voulut s'enfuir par la porte, mais Li Guangtou, qui s'était empressé de se relever à son tour, lui barra le passage. Ils vacillaient tous les deux sur leurs jambes, Li Guangtou en travers de la porte, Song Gang debout à l'intérieur de la pièce. Face à face, ils firent une pause pour reprendre haleine. Puis Song Gang se retourna et se dirigea vers la cuisine. Li Guangtou l'entendit puiser de l'eau dans la cuve et boire un long moment. Le ventre plein d'eau, Song Gang affronta à nouveau Li Guangtou :

— J'ai repris des forces ! lança-t-il de sa voix éraillée.

Song Gang poussa Li Guangtou des deux mains et celui-ci tomba dehors. En sautant par-dessus son corps, il réussit à prendre la fuite pour rejoindre son propriétaire foncier de père. Li Guangtou était couché devant la maison comme un cochon mort, et quand il se fut remis sur ses pieds puis assis sur le seuil, il ressemblait à un chien malade. Il poussa quelques sanglots qui accentuèrent encore sa sensation de faim, aussi arrêta-t-il immédiatement de pleurer. Il regardait le vent souffler dans les feuilles des arbres et le soleil scintiller sur ses orteils, et il regrettait que les rayons du soleil ne soient pas des filaments de viande et le vent du bouillon. Il resta un moment appuyé contre le chambranle de la porte, puis se leva et alla se remplir le ventre d'eau à la cuisine. Il sentit qu'il reprenait des forces. Alors il ferma la porte et se dirigea vers la grande rue.

Cet après-midi-là, Li Guangtou arpenta les rues comme une âme en peine. Il ne trouva rien à manger mais croisa en revanche les trois collégiens. Il était appuyé contre un platane lorsqu'il entendit des rires et des gens qui l'appelaient :

— Hé, petit gars.

Quand Li Guangtou leva la tête, les trois autres étaient déjà autour de lui. A leur mine réjouie, il devina qu'ils venaient s'essayer au balayage. Cette fois-ci, pas moyen pour lui de s'enfuir, et d'ailleurs il n'en avait pas l'énergie. Il leur dit :

— Je n'ai rien mangé de la journée…

Sun Wei les Longs Cheveux répondit :

— On va te faire manger du balayage.

Li Guangtou les implora :

— Non, pas aujourd'hui. Demain, si vous voulez.

— Pas question, répliquèrent-ils tous les trois en même temps. Ce sera aujourd'hui et demain.

Li Guangtou montra un poteau électrique non loin de là, et continua à les implorer :

— Ne me faites pas manger du balayage, demandez-moi plutôt d'aller faire l'amour avec le poteau.

Les trois collégiens riaient aux éclats, et Sun Wei les Longs Cheveux dit :

— Mange d'abord du balayage, et quand tu en auras assez, tu iras faire l'amour avec le poteau.

Li Guangtou se mit à verser des larmes de détresse. Les trois collégiens se firent des politesses comme des frères de sang pour savoir lequel aurait l'honneur de commencer le premier.

C'est alors que Song Gang apparut. Il venait en courant d'en face, des pains farcis à la main, et quand il fut arrivé devant Li Guangtou il se laissa choir sur le sol, entraînant Li Guangtou avec lui. Les deux enfants étaient maintenant assis par terre. Song Gang, qui était en sueur, tendit un pain farci à Li Guangtou. Il était encore fumant. Li Guangtou s'en empara et le porta à sa bouche. A la première bouchée, le jus s'écoula aux coins de ses lèvres, mais avant même qu'il eût avalé, il s'étrangla et resta immobile, le cou tendu. Song Gang lui donna des tapes dans le dos, tout en claironnant à l'adresse des trois collégiens :

— On est assis par terre, on va voir comment vous allez vous y prendre pour nous faire des balayages…

— Merde alors. Les trois collégiens se regardèrent et répétèrent : Merde alors.

Oui, comment allaient-ils s'y prendre ? Ils discutèrent entre eux et convinrent d'empoigner les deux enfants pour les remettre sur leurs pieds. Mais Song Gang les avertit :

— On va appeler au secours, et les gens qui passent viendront voir ce qui arrive…

— Merde alors, dit Sun Wei les Longs Cheveux. Levez-vous si vous êtes des hommes.

Song Gang répliqua du tac au tac :

— Si vous êtes des hommes, faites-nous un balayage pour nous faire mettre debout.

L'obstination de Li Guangtou et de Song Gang désarma les trois collégiens. Ils les regardaient en poussant des jurons, tandis que Li Guangtou achevait son pain farci. Manger l'avait requinqué, et il renchérit sur les propos de Song Gang :

— On est bien, assis par terre. C'est encore plus confortable que sur un lit.

"Putain", lâchèrent les trois collégiens, chacun à leur tour. Puis Sun Wei les Longs Cheveux changea de visage, et, avec un sourire avenant, il s'adressa gentiment à Li Guangtou :

— Hé, petit gars, lève-toi. On te jure qu'on ne te fera pas de balayage. Tu devrais aller faire l'amour avec le poteau…

Li Guangtou eut un petit rire, il se pourlécha les lèvres en dodelinant de la tête, tout en expliquant :

— Je ne fais plus l'amour avec les poteaux, mais toi tu n'as qu'à y aller si tu veux. Je suis devenu impuissant, tu ne le savais pas ?

Les trois collégiens, qui ignoraient le sens de ce mot, se regardèrent avec étonnement, et Zhao Shengli ne put se retenir de poser la question :

— Impuissant, qu'est-ce que ça veut dire ?

Li Guangtou se rengorgea :

— Ouvre ton pantalon et regarde ton zizi…

Zhao Shengli se palpa l'entrejambe et jeta sur Li Guangtou un regard soupçonneux.

— Vérifie, dit Li Guangtou. Est-ce qu'il est dur comme un petit canon ou mou comme de la pâte ?

Zhao Shengli tâta à travers son pantalon :

— Pas la peine de vérifier. En ce moment, évidemment, il est mou comme de la pâte…

A ces mots, Li Guangtou s'exclama ravi :

— Toi aussi, tu es impuissant !

Les trois collégiens comprirent alors ce que signifiait ce mot. Sun Wei et Liu Chenggong éclatèrent de rire, et Sun Wei dit à Zhao Shengli :

— Quel crétin tu fais, tu ne sais même pas ce que ça veut dire impuissant…

Zhao Shengli, humilié, décocha un coup de pied à Li Guangtou :

— Parle pour toi, espèce de petit salopard, moi quand je me réveille le matin, c'est encore plus dur qu'un petit canon…

Li Guangtou se mit en devoir d'éclairer la lanterne de Zhao Shengli :

— Le matin, tu ne l'es peut-être pas ; mais l'après-midi, si.

— Tu déconnes, dit Zhao Shengli. Moi qui te parle, ça va toujours bien, douze mois sur douze, et vingt-quatre heures sur vingt-quatre.

— Vantard.

Li Guangtou lui montra le poteau en bois non loin de là et ajouta :

— Va donc faire l'amour avec le poteau pour qu'on voie un peu…

— Avec un poteau électrique ! s'exclama Zhao Shengli, méprisant. Ça c'est bon pour les petits salopards de ton espèce. Moi, si je veux faire l'amour, j'irai trouver ta mère.

Li Guangtou répliqua avec dédain :

— Pas de danger que ma mère fasse l'amour avec toi…

Puis il montra Song Gang assis à ses côtés et ajouta fièrement :

— Il n'y a qu'avec son père qu'elle fait l'amour…

Sun Wei et Liu Chenggong étaient pliés de rire, tandis que Zhao Shengli débitait un tombereau d'injures. Les trois collégiens, comprenant que même un tremblement de terre ne délogerait pas ces deux petites canailles, se concertèrent sur les moyens d'agir et reparlèrent de les faire lever de force pour leur infliger un balayage. Se rappelant que Tong le Forgeron leur avait porté secours la fois d'avant, Li Guangtou s'écria en riant :

— Voilà Tong le Forgeron qui arrive.

Les trois collégiens tournèrent la tête du côté de la rue, ils regardèrent d'abord tout près d'eux, puis au loin, mais n'aperçurent pas Tong le Forgeron. Chacun d'eux donna un coup de pied à Li Guangtou et à Song Gang, et tandis que les deux enfants hurlaient de douleur ils s'en allèrent, avec le sentiment d'avoir eu le dessus.

Li Guangtou avait réussi à échapper au balayage, et de surcroît il avait mangé un pain farci. L'ennui, c'est qu'il n'avait gardé aucun souvenir de son goût, il se souvenait seulement qu'il s'était étouffé à quatre reprises et que Song Gang lui avait tapé dans le dos. D'après Song Gang, tandis qu'il s'étouffait son cou était tendu comme celui d'une oie.

Li Guangtou et Song Gang étaient redevenus bons amis. Les deux frères se regardèrent en riant pendant près d'une minute, puis ils s'engagèrent dans la rue, main dans la main. Song Gang raconta qu'il avait trouvé son père, celui-ci vivait dans un entrepôt où ils étaient nombreux à être enfermés. Certains pleuraient, d'autres criaient. Li Guangtou voulut savoir pourquoi. Song Gang dit qu'apparemment il y avait des gens qui se battaient là-dedans.

Cet après-midi-là, Song Gang, entraînant Li Guangtou par la main, parcourut trois rues et traversa deux ponts puis une petite ruelle, et ils arrivèrent à l'entrepôt où étaient détenus les propriétaires fonciers et les capitalistes, les contre-révolutionnaires actifs et les contre-révolutionnaires historiques[2], ainsi que tous les ennemis de classe. Li Guangtou aperçut le père de Sun Wei les Longs Cheveux : il se tenait debout à la porte de l'entrepôt, un brassard rouge autour du bras, et fumait une cigarette. En voyant Song Gang, il dit :

— Tiens, encore toi ?

Song Gang montra Li Guangtou :

— C'est mon frère Li Guangtou, il veut voir papa.

Le père de Sun Wei regarda Li Guangtou, et lui demanda :

— Et ta mère ?

— Elle est allée au médecin, à Shanghai, dit Li Guangtou.

Le père de Sun Wei rigola :

— On ne dit pas aller au médecin mais aller chez le médecin.

Le père de Sun Wei jeta son mégot par terre, puis l'écrasa sous sa semelle. Il poussa la porte de l'entrepôt et cria à l'intérieur :

— Song Fanping ! Song Fanping, sors !

Par la porte tenue entrebâillée par le père de Sun Wei, Li Guangtou aperçut un homme couché sur le sol, qui se protégeait la tête de ses mains, tandis qu'un autre homme le fouettait avec un ceinturon. Celui qui était à terre n'émettait pas un son, mais l'autre hurlait comme si c'était lui qu'on frappait et qu'il poussait des cris de douleur. La scène glaça de terreur les deux enfants : Li Guangtou tremblait de tous ses membres et Song Gang était livide. Dans leur trouble, ils ne virent pas Song Fanping arriver. Quand Song Fanping fut devant eux, il leur demanda :

— Vous avez mangé les pains farcis ?

Li Guangtou vit se dresser devant lui la haute stature de Song Fanping. Son tricot de corps était maculé de sang, et il avait les yeux enflés et le visage tuméfié. Li Guangtou comprit qu'on avait dû le tabasser. Song Fanping s'assit sur ses talons pour regarder Li Guangtou, et il dit en lui caressant la tête :

— Li Guangtou, tu as encore du jus de viande aux coins de la bouche.

Li Guangtou baissa la tête et se mit à pleurer tristement. Il regrettait d'avoir trop parlé. S'il n'avait rien dit de tout cela devant la porte de l'école, pensait-il, Song Fanping ne serait pas là à subir tous ces mauvais traitements. En songeant à la gentillesse de Song Fanping à son égard, il se mit à sangloter et à renifler très fort :

— C'est de ma faute, gémit-il.

Song Fanping essuya de son pouce les larmes de Li Guangtou, et plaisanta :

— Si tu renifles aussi fort, la morve va te ressortir par les yeux.

Li Guangtou pouffa de rire. A cet instant, les lamentations et les jurons ininterrompus qui filtraient par l'entrebâillement de la porte se firent plus sonores à l'intérieur de l'entrepôt. On percevait aussi des gémissements intermittents qui ressemblaient à des coassements de grenouilles. Li Guangtou avait peur. Song Gang et lui se tenaient en tremblant à côté de Song Fanping. Ce dernier, lui, paraissait ne rien entendre, il parlait sur un ton gai aux enfants. Son bras gauche pendait bizarrement. Li Guangtou et Song Gang ne savaient pas qu'on le lui avait déboîté à force de le battre. Ils eurent l'impression étrange que c'était un faux bras qui était accroché à l'épaule de Song Fanping. Ils lui demandèrent pourquoi son bras ballottait, et celui-ci, remuant légèrement son bras, expliqua :

— Il est fatigué, j'ai décidé de le laisser se reposer quelques jours.

Ce Song Fanping n'avait décidément pas fini de les épater. Pour être capable de faire reposer son bras de cette manière, il avait, à coup sûr, un don exceptionnel.

Pour satisfaire la curiosité de Li Guangtou et de Song Gang, Song Fanping, devant la porte de cet entrepôt d'où s'échappaient des cris lugubres, se transforma en instructeur et leur enseigna la méthode à suivre pour permettre au bras de se reposer : on commençait par descendre l'épaule, puis on laissait tomber naturellement le bras ; on ne devait pas forcer, on devait faire comme si le bras n'existait plus. Un doigt sur la tempe, Song Fanping expliqua qu'il ne fallait plus penser à ce bras. Quand il eut le sentiment que Li Guangtou et Song Gang étaient prêts, il les fit aligner, cria "Un, deux, trois", et leur ordonna de marcher devant la porte dans un sens, puis dans l'autre, en laissant pendre leur épaule et leur bras. Li Guangtou et Song Gang se rendirent compte qu'à chaque pas le bras qui se reposait bougeait. Les enfants étaient ravis, et chacun d'eux regardait le bras de l'autre se balancer, en poussant des cris d'étonnement.

— Est-ce que vos bras ballottent ?

— Oui, oui ! répondirent d'une seule voix Li Guangtou et Song Gang.

Le père de Sun Wei les Longs Cheveux, qui les observait, était hilare. Ce furent d'abord des rires discrets, puis de grands éclats de rire, et pour finir il s'assit sur ses talons en se tenant le ventre. Quand il se releva, il se tenait toujours le ventre, et il dit à Song Fanping :

— Ça suffit comme ça. Maintenant, il faut que tu rentres.

Song Fanping regagna l'entrepôt en balançant son bras gauche. Au moment de franchir la porte, il se retourna vers les enfants :

— Continuez à vous entraîner à la maison.

Cet après-midi-là, Li Guangtou et Song Gang avaient totalement oublié les bruits terrifiants qui régnaient dans l'entrepôt et le visage tuméfié de Song Fanping. Ils se souvenaient seulement que leur père leur avait demandé de poursuivre leur entraînement. Tout le long du chemin, ils répétèrent avec entrain les gestes qu'il leur avait appris, en faisant ballotter tantôt le bras gauche, tantôt le bras droit. De retour à la maison, ils s'exercèrent couchés, en laissant pendre un bras au bord du lit. Ils s'aperçurent que c'était beaucoup plus facile qu'en marchant. Le seul inconvénient, c'est que dans cette position on attrapait rapidement des fourmis dans les bras.

XIV

Li Guangtou et Song Gang continuèrent à mener leur existence d'orphelins, et ils ne s'en tiraient pas si mal. Ils allaient ensemble acheter du riz en emportant leur sac. Ils aimaient beaucoup la machine à peser les céréales du magasin : ils accrochaient leur sac au déversoir en aluminium, qui ressemblait à un toboggan, et quand la vanne était ouverte, les grains roulaient à l'intérieur comme des enfants qui se laissent glisser. Après quoi, ils tapaient avec force sur le déversoir pour ne pas perdre les derniers grains restés collés dessus. Ils tapaient si fort que le patron du magasin les engueulait et tendait le bras de derrière son comptoir pour leur filer une calotte.

Ils allaient ensemble au marché, un panier à la main. Pendant qu'ils choisissaient les légumes, ils arrachaient subrepticement les feuilles extérieures pour qu'il ne reste que les plus tendres et les plus fraîches. La marchande, énervée, en avait les larmes aux yeux. Elle les maudissait, les traitait de petits salopards, et leur souhaitait tous les maux possibles : s'étrangler rien qu'en respirant, s'étouffer rien qu'en buvant, avoir le trou du cul bouché et celui de la bite itou.

Li Guangtou et Song Gang économisaient sur la nourriture et sur tout le reste. Ils mangeaient végétarien tels des moines, et par la suite, cette diète leur pesant, ils allèrent pêcher des écrevisses. Alors qu'ils se dirigeaient vers la rivière, ils s'avisèrent de ce qu'ils ne savaient pas les préparer. Ils n'avaient pas encore vu l'ombre d'une écrevisse que déjà ils se léchaient les babines en songeant à la façon de les accommoder. Allaient-ils les faire frire, les faire griller, les faire bouillir ? Ils firent donc un détour par l'entrepôt pour prendre conseil auprès de Song Fanping. Arrivés à la porte de l'entrepôt, ils laissèrent spontanément pendre leur bras. Song Fanping sortit, son bras gauche toujours ballottant, et leur expliqua que les écrevisses pouvaient être préparées de toutes les façons pourvu qu'elles deviennent bien rouges :

— Quand elles sont aussi rouges que la langue, précisa-t-il, c'est qu'elles sont cuites.

Song Fanping ajouta que les écrevisses nageaient en eau peu profonde, et recommanda aux enfants de retrousser leur pantalon au-dessus des genoux :

— Dès que votre pantalon sera mouillé, il ne faudra pas aller plus loin : en eau profonde, il n'y a pas d'écrevisses, il n'y a que des serpents.

Li Guangtou et Song Gang tressaillirent : ils ignoraient que Song Fanping cherchait uniquement à leur faire peur parce qu'il craignait qu'ils ne se noient en s'enfonçant trop avant. Les enfants hochèrent la tête et jurèrent qu'ils s'arrêteraient dès que l'eau leur arriverait aux genoux, puis ils s'en allèrent en laissant pendre leur bras. Song Fanping les rappela. Il leur dit de passer prendre un panier en bambou à la maison. Les enfants ne savaient pas à quoi ce panier pouvait leur servir.

— De quoi a-t-on besoin pour attraper des poissons ? demanda Song Fanping.

Les enfants s'arrêtèrent et réfléchirent un moment.

— D'une canne à pêche, répondit Song Gang.

— Ça, c'est quand on pêche à la ligne, reprit Song Fanping. Pour attraper des poissons il faut un filet, et pour les écrevisses il faut un panier en bambou.

Song Fanping, son bras gauche ballant, plia son autre bras comme s'il tenait un panier en bambou, puis il courba le dos et, devant la porte de l'entrepôt, leur montra les gestes qu'il fallait accomplir pour attraper des écrevisses. Il expliqua qu'une fois debout dans la rivière, il convenait d'être aussi vigilant qu'une sentinelle, qu'on devait incliner le panier avant de le plonger dans l'eau et le relever dès que les écrevisses étaient entrées à l'intérieur.

— C'est comme ça qu'on attrape les écrevisses, conclut-il en se redressant.

Puis il voulut s'assurer que les enfants avaient compris. Li Guangtou et Song Gang échangèrent un regard, chacun espérant que l'autre dirait oui. Song Fanping annonça qu'il allait recommencer la démonstration mais, au moment où il se penchait à nouveau, les enfants lui firent remarquer qu'il oubliait quelque chose :

— Tu n'as pas retroussé ton pantalon, dit Li Guangtou.

Song Fanping eut un petit rire. Il s'accroupit pour retrousser ses jambières et reprit tout depuis le début. Cette fois, les deux enfants s'exclamèrent d'une seule voix :

— Compris !

Quand Li Guangtou et Song Gang furent au bord de la rivière, ils remontèrent les jambières de leurs pantalons et avancèrent dans l'eau, qui se mit à onduler sous leurs genoux. Ils jetèrent le panier à l'oblique dans l'eau, en imitant le geste que leur avait montré Song Fanping devant l'entrepôt et attendirent que les écrevisses entrent d'elles-mêmes à l'intérieur. Ils restèrent debout dans le courant tout l'après-midi, transpirant sous le cuisant soleil de l'été. Ils constatèrent avec étonnement que les écrevisses se déplaçaient dans l'eau en sautant et non en remuant la queue comme les poissons. Elles sautaient dans le panier des deux enfants, et quand, une fois, ils en attrapèrent cinq d'un seul coup, ils poussèrent des cris de joie. Mais aussitôt, ils se mirent la main devant la bouche en s'apercevant qu'ils avaient fait fuir les écrevisses, et ils durent changer d'endroit. Au crépuscule, ils s'assirent sur l'herbe de la rive pour compter leurs prises, et ils découvrirent qu'ils en avaient soixante-sept.

Ce soir-là, à voir l'expression de leur visage, à les entendre parler ou à les regarder marcher, on les aurait pris pour un des porteurs de brassard rouge de notre bourg des Liu. Li Guangtou et Song Gang se pavanaient avec leur panier et leurs soixante-sept écrevisses. Des gens s'extasièrent sur leurs prises : ces deux petits salopards, décidément, avaient de la ressource. Li Guangtou se rengorgea sous les compliments. C'était la première fois qu'il aimait s'entendre traiter de petit salopard. Il dit à Song Gang :

— Evidemment, qu'est-ce qu'ils s'imaginent !

De retour à la maison, Li Guangtou donna ses instructions à Song Gang :

— Tu vas plonger ces soixante-sept petites salopes d'écrevisses dans l'eau et les faire bouillir.

Pendant que l'eau chauffait, Li Guangtou ajouta, tout excité :

— Tu les entends sauter, hein, tu les entends sauter ces soixante-sept petites salopes d'écrevisses ?

Quand les bruits qui s'échappaient du wok cessèrent, les enfants soulevèrent le couvercle : les écrevisses étaient devenues toutes rouges. Ils se souvinrent des paroles de Song Fanping : quand elles seraient devenues aussi rouges que leur langue, c'est qu'elles seraient cuites. Song Gang montra sa langue à Li Guangtou et lui demanda de la comparer aux écrevisses.

— Elles sont encore plus rouges que ta langue, déclara Li Guangtou.

Et il montra à son tour sa langue à Song Gang, qui dit :

— Elles sont plus rouges que la tienne aussi.

Puis ils s'écrièrent d'une même voix :

— Vite, à table, on va manger ces petites salopes d'écrevisses.

C'était la première fois qu'ils mangeaient des écrevisses attrapées et cuites par eux-mêmes. Ils avaient oublié de saler l'eau de la marmite et, quand ils eurent mangé les premières écrevisses, ils sentirent, à leur goût si fade, que quelque chose clochait. Alors Song Gang, très inspiré, eut aussitôt une idée lumineuse : il versa de l'huile de soja dans son bol et trempa les écrevisses dedans. Li Guangtou se délectait : ces petites salopes d'écrevisses, disait-il, étaient cent fois meilleures que ces petits salopards de pains farcis à la viande. A cet instant, les enfants ne pensaient plus à rien, ils en avaient même oublié qu'ils étaient en train de manger. Quand ils eurent fini, ils restèrent assis, la bouche encore pleine de saveurs, ils n'étaient toujours pas redescendus sur terre. C'est seulement quand Song Gang lâcha un rot, imité tout de suite après par Li Guangtou, qu'ils réalisèrent qu'ils avaient mangé les soixante-sept écrevisses. Ils s'essuyèrent la bouche et se promirent avec feu :

— On en remangera demain.

Les jours qui suivirent, Li Guangtou et Song Gang se désintéressèrent de la rue, ils n'avaient plus d'yeux que pour la rivière. Chaque matin, très tôt, ils partaient avec leur panier pour attraper des écrevisses et ne rentraient que tard le soir. Ils longeaient la rivière sur une longue distance et revenaient par le même chemin. A force de tremper dans l'eau, leurs pieds et leurs mollets étaient aussi blancs que ceux d'un cadavre. En revanche, grâce à leur nouvelle diète, ils avaient la mine aussi fleurie que celle d'un capitaliste.

Ils apprirent sans l'aide de personne à faire bouillir, griller ou frire les écrevisses. Ils découvrirent qu'il fallait de la sauce de soja quand on les faisait griller, et du sel quand on les faisait frire. Quand la chance entre chez vous, aucune porte ne saurait l'arrêter : un jour, les enfants attrapèrent une centaine d'écrevisses. Ils les laissèrent frire si longtemps dans la marmite remplie d'huile qu'elles attachèrent au fond, et en les mangeant ils se rendirent compte avec ravissement que la carapace des écrevisses caramélisées était croquante et parfumée, bien plus goûteuse que la chair. Quand il n'en resta plus qu'une quarantaine, Song Gang s'arrêta soudain de manger :

— On va les porter à papa, proposa-t-il.

— D'accord ! répondit Li Guangtou.

Les enfants versèrent les écrevisses dans un bol et, au moment de sortir, Song Gang proposa d'aller chercher en plus deux onces de vin jaune. Song Gang se représentait son père riant aux éclats lorsqu'il dégusterait les écrevisses et le vin. Il ouvrit la bouche et vociféra pour imiter le rire de son père. Li Guangtou lui fit remarquer que ce n'était pas très ressemblant, et qu'avec ses "Ah, ah", il avait l'air d'appeler au secours. Il fit donc une démonstration à son tour. Il expliqua que Song Fanping aurait la bouche pleine de chair d'écrevisse et de vin jaune, et que même s'il l'ouvrait en grand, il ne pourrait pas faire autant de bruit, cela donnerait seulement : "Hi, hi." Song Gang rétorqua que l'imitation de Li Guangtou n'était pas plus convaincante et qu'on aurait dit qu'il bâillait.

Ils sortirent en emportant un bol vide et se rendirent à la boutique d'alimentation pour acheter deux onces de vin jaune. Le marchand, apercevant les écrevisses dans le bol, huma profondément. "Est-ce que c'est aussi bon à manger qu'à sentir ?" demanda-t-il. Li Guangtou et Song Gang pouffèrent et répondirent que c'était encore meilleur à manger.

Tandis qu'ils tournaient les talons et quittaient le magasin, ils entendirent, derrière eux, le marchand ravaler sa salive.

C'était le crépuscule. Song Gang tenait le bol de vin jaune et Li Guangtou le bol d'écrevisses. Ils se dirigeaient en marchant avec précaution vers l'entrepôt où se trouvait Song Fanping. Ils tombèrent à nouveau sur les trois collégiens qui faisaient des balayages. Ceux-ci s'avancèrent à leur rencontre en leur criant :

— Hé, les petits gars !

Li Guangtou et Song Gang comprirent qu'ils étaient en mauvaise posture. S'ils n'avaient pas eu le vin et les écrevisses, ils auraient immédiatement détalé. Mais, avec les bols, ils n'auraient pas pu courir vite, aussi préférèrent-ils s'asseoir par terre. Les six jambes balayeuses les cernaient. Li Guangtou et Song Gang, leur bol à la main, levèrent la tête vers les trois collégiens, et Song Gang annonça, d'un air satisfait :

— On est déjà par terre.

Li Guangtou s'attendait à ce que les autres leur disent "levez-vous si vous êtes des hommes". C'est pourquoi il ne put s'empêcher de prendre les devants :

— Si vous êtes des hommes, faites-nous un balayage.

Mais les trois collégiens ne prononcèrent pas les mots attendus, c'était le bol de Li Guangtou qui les intéressait. Sun Wei, Zhao Shengli et Liu Chenggong s'accroupirent à côté de lui, et Sun Wei déclara en reniflant :

— Ça sent drôlement bon. Ces écrevisses ont l'air meilleures que celles qu'on sert au restaurant…

Zhao Shengli enchaîna :

— Putain, il y a aussi du vin jaune.

Les mains de Li Guangtou se mirent à trembler autour du bol. A l'évidence les trois autres en voulaient à ses écrevisses, et de fait ils dirent :

— Hé, petit gars, laisse-nous goûter.

Les six mains se tendirent en même temps vers le bol de Li Guangtou. Celui-ci protégea son bien en hurlant à tue-tête :

— Tong le Forgeron a dit que nous étions tous des fleurs de la patrie.

A l'évocation de ce nom, les mains se retirèrent. Les trois collégiens jetèrent un regard circulaire, mais comme ils ne virent pas Tong le Forgeron et que les passants ne semblaient pas prêter attention à eux, ils tendirent de nouveau leurs mains. Tandis que Li Guangtou braillait et faisait mine de vouloir les mordre, Song Gang s'écria tout à coup :

— Ecrevisses à vendre ! Ecrevisses à vendre !

Ce faisant, Song Gang donna un coup de coude à Li Guangtou, lequel, constatant que les cris de Song Gang avaient attiré l'attention des badauds, s'égosilla à son tour :

— Ecrevisses à vendre ! Elles sentent bon mes écrevisses frites !

Beaucoup de gens s'approchèrent et firent cercle autour de Li Guangtou et de Song Gang, qu'ils regardèrent avec curiosité. Les trois collégiens, qui s'étaient retrouvés à l'extérieur du cercle, se mirent à injurier le père de Song Gang, puis la mère de Li Guangtou, puis les ancêtres de leurs parents, et pour finir ils s'éloignèrent en ravalant leur salive et en s'essuyant la bouche.

— Vous les vendez combien ? demanda quelqu'un.

— 1 yuan pièce, répondit Song Gang.

— Quoi ! s'exclama l'autre. Ce sont des pierres précieuses ou quoi ?

— Sentez-moi ça (Song Gang demanda à Li Guangtou de soulever son bol et poursuivit) : ce sont des écrevisses frites.

Li Guangtou souleva son bol au-dessus de sa tête, et tout le monde huma le parfum. Quelqu'un dit :

— C'est vrai qu'elles sentent bon. Mais ça vaut dans les 1 *fen* les deux.

Et un autre :

— Avec 1 yuan, on pourrait s'en payer une en or. Ces deux petits salopards font de la spéculation.

Song Gang se leva :

— Si elles étaient en or, on ne pourrait pas les manger.

Li Guangtou se leva lui aussi :

— Et puis elles ne sentiraient rien.

Maintenant que les trois collégiens n'étaient plus là, Li Guangtou et Song Gang étaient rassurés. Ils fendirent le cercle qui les entourait et s'en allèrent en se pavanant, leur bol à la main. Ils remontèrent l'avenue, franchirent le pont et arrivèrent devant le portail de l'entrepôt. C'était toujours le père de Sun Wei les Longs Cheveux qui montait la garde, le père de celui qui avait bien failli manger le contenu du bol de Li Guangtou. Quand il vit arriver les deux enfants, il leur dit en souriant :

— Hé, vous n'avez plus le bras qui pend ?

— On ne peut pas, on tient un bol.

Le père de Sun Wei les Longs Cheveux avait senti lui aussi le parfum des écrevisses. Il s'approcha, se pencha pour regarder les écrevisses et le vin, prit une écrevisse dans le bol de Li Guangtou, la mit dans sa bouche et la croqua.

— Qui les a cuisinées ?

— C'est nous, répondit Li Guangtou.

La stupeur se peignit sur le visage de l'homme :

— Ces deux petits salopards, on pourrait les recruter comme cuisiniers pour un banquet d'Etat.

Sur ces mots, il tendit à nouveau la main vers le bol de Li Guangtou, mais celui-ci l'écarta. Alors, il tendit carrément ses deux mains, pour que les enfants lui remettent les deux bols. Les deux enfants reculèrent pour l'éviter. Il poussa un juron, se dirigea vers la porte de l'entrepôt et l'ouvrit d'un coup de pied :

— Song Fanping, sors ! cria-t-il en direction de l'intérieur. Tes deux fils t'apportent à manger et à boire.

Il avait insisté sur les mots "manger" et "boire", et aussitôt cinq ou six hommes portant un brassard rouge sortirent de l'entrepôt, qui demandèrent, en lançant des regards circulaires :

— Qu'est-ce qu'il y a à manger ? Qu'est-ce qu'il y a à boire ?

Leurs narines frémissaient. "Qu'est-ce que ça sent bon, disaient-ils ; ça sent meilleur que le lard." D'habitude, ils ne mangeaient que des raves et des légumes verts, et du porc tout au plus une fois par mois. Or, maintenant qu'ils avaient vu les écrevisses frites que tenait Li Guangtou, on aurait juré que des griffes leur sortaient de la bouche. Ils cernèrent les deux enfants comme une muraille entourant deux arbustes. Ils parlaient tous en même temps : laisse-moi goûter, laisse-moi goûter. Leurs postillons pleuvaient sur les visages de Li Guangtou et de Song Gang. Li Guangtou et Song Gang couvraient leur bol de la main et, affolés, ils se mirent à crier :

— Au secours, au secours.

A cet instant, Song Fanping, le bras ballant, sortit. En voyant leur sauveur, les enfants s'écrièrent :

— Papa, viens vite.

Song Fanping s'avança jusqu'à eux. Li Guangtou et Song Gang se cachèrent derrière lui. Rassurés, ils lui tendirent le bol d'écrevisses et le bol de vin.

— Papa, dit Song Gang, nous avons fait frire des écrevisses pour toi et nous t'avons acheté deux onces de vin jaune.

Song Fanping ne pouvait pas faire usage de son bras gauche, son bras ballant. De sa main droite, il prit le bol d'écrevisses des mains de Li Guangtou. Il n'y toucha pas et le tendit avec respect aux hommes qui portaient un brassard rouge. Il prit ensuite le bol de vin jaune des mains de Song Gang, et fit de même. Comme les autres étaient occupés à manger, il garda le bol dans sa main, toujours avec beaucoup de déférence. Il y avait autant de mains mangeant les écrevisses que de branches sur un arbre. En un clin d'œil, le temps d'un éternuement, le bol fut vide. Les hommes virent le bol de vin jaune que Song Fanping tenait respectueusement dans sa main. Ils s'en emparèrent, chacun en but une grande gorgée, et le bol fut vidé à son tour. Li Guangtou et Song Gang entendirent le vin couler dans leurs gosiers.

Li Guangtou et Song Gang versaient des larmes de tristesse. Ils avaient préparé des écrevisses frites et acheté du vin jaune spécialement pour les offrir à Song Fanping, et celui-ci n'avait goûté ni aux unes ni à l'autre.

— Nous pensions qu'en mangeant les écrevisses et en buvant le vin, tu allais rire aux éclats, se lamenta Song Gang.

Song Fanping s'accroupit et essuya les larmes des enfants. La nuit commençait à tomber. Il ne dit rien, il se contenta d'essuyer leurs larmes. Les deux enfants s'aperçurent soudain qu'il pleurait lui aussi. Il les regardait en souriant mais ses larmes coulaient.

Les hommes qui portaient des brassards rouges, après avoir mangé les écrevisses et bu le vin qui lui était destiné, se retournèrent contre Song Fanping et se mirent à lui asséner des coups de pied en lui criant :

— Allez ouste, debout. Retourne dans l'entrepôt !

Song Fanping essuya ses larmes, et donna une petite tape sur les joues de Li Guangtou et de Song Gang.

— Rentrez, leur dit-il doucement.

Quand Song Fanping se fut relevé, il n'avait plus de larmes. Il adressa un sourire heureux aux hommes qui portaient des brassards rouges, puis, tel un héros, il se dirigea vers la porte de l'entrepôt, son bras gauche toujours ballant, et une fois arrivé là-bas, il se retourna et fit un signe à Li Guangtou et à Song Gang de son bras valide. Et en faisant ce geste, il avait cet air supérieur qu'arborait le président Mao en agitant le sien, du haut de la porte de Tian'anmen, quand il saluait les millions de manifestants[1].

XV

Bien des années plus tard, chaque fois que Li Guangtou évoquait son beau-père, Song Fanping, il disait invariablement, le pouce levé :

— C'était un type courageux.

Song Fanping souffrait le martyre dans cet entrepôt, qui n'était en réalité qu'une prison : son bras gauche déboîté enflait de plus en plus, mais il ne se plaignait pas. Il continua d'écrire à Li Lan. Il lui avait écrit sa première lettre le jour où il avait agité son drapeau sur le pont. C'était alors son heure de gloire, et c'est pourquoi sa lettre débordait de ferveur. Quand Li Lan l'avait parcourue sur son lit d'hôpital, à Shanghai, c'était la première fois qu'elle lisait la lettre d'un homme. Et c'était une lettre si stimulante qu'elle fit à Li Lan l'effet d'une prise d'hormones. Le père biologique de Li Guangtou ne lui avait jamais écrit. Avec cet homme qui allait mourir noyé dans les latrines, l'épisode le plus romantique qu'elle avait vécu, c'était cette fois où, en pleine nuit, il avait frappé à ses carreaux avec dans l'idée de l'entraîner dans les rizières pour une folle étreinte. Aussi, quand elle reçut cette lettre de Song Fanping, elle en devint toute cramoisie. Puis les lettres défilèrent entre ses mains, et à chacune d'elles le rouge lui montait au visage et elle avait le cœur battant.

Entre-temps, Song Fanping avait été abattu[1], mais pour que Li Lan se laisse soigner tranquillement à Shanghai, il mettait toujours la même ferveur dans ses lettres. Au lieu de lui révéler sa situation véritable, il prétendait que tout allait de mieux en mieux pour lui, à tel point que Li Lan s'imaginait que dans le courant de la Grande Révolution culturelle il était devenu quelqu'un de très important. Dans l'entrepôt où Song Fanping était enfermé, tandis que son bras gauche déboîté pendait, sa main droite continuait à lui inventer un présent glorieux. Ce furent Li Guangtou et Song Gang qui expédièrent à sa place les lettres suivantes. Quand les deux enfants se présentaient à la porte de l'entrepôt, le père de Sun Wei les Longs Cheveux leur remettait le pli, après quoi ils se rendaient à la poste. Quand Song Fanping envoyait lui-même ses lettres, il avait l'habitude de coller le timbre en haut à droite de l'enveloppe. Li Guangtou et Song Gang ne savaient pas à quel endroit il fallait poser le timbre. Comme ils avaient vu quelqu'un le coller au dos de l'enveloppe, Li Guangtou fit de même. La fois suivante, ce fut au tour de Song Gang de coller le timbre, et comme il avait vu quelqu'un d'autre le mettre sur le rabat de l'enveloppe, c'est là qu'il le plaça.

Pendant ce temps, à Shanghai, Li Lan ne jouissait plus de la même quiétude. A l'hôpital, il y avait des séances quotidiennes de lutte-critique, et les médecins qu'elle connaissait avaient été abattus l'un après l'autre. Elle était anxieuse et voulait rentrer à la maison. Mais dans son courrier, Song Fanping l'en dissuadait : il ne voulait pas qu'elle revienne avant d'être complètement guérie de ses migraines. Sur son lit d'hôpital, les jours lui paraissaient des années. Elle avait lu les lettres de Song Fanping un nombre incalculable de fois et aurait pu les réciter par cœur. Dans sa solitude shanghaïenne, elles représentaient son unique consolation.

Li Lan avait également examiné les enveloppes sous toutes les coutures, et elle s'était aperçue qu'à compter d'une certaine date les timbres avaient changé de place. Ils étaient tantôt au dos de l'enveloppe tantôt sur le rabat. Quand elle recevait une lettre timbrée au dos, elle se disait en elle-même que la prochaine le serait sans doute sur le rabat.

Li Guangtou et Song Gang collaient le timbre à tour de rôle et jetaient la lettre à tour de rôle dans la boîte. Et ils respectèrent rigoureusement cette alternance. Li Lan ressentait un vague malaise qui ne fit que s'accentuer au fil du temps. Son esprit commença à battre la campagne, et l'inquiétude lui provoqua des insomnies. Ses migraines, naturellement, en furent aggravées. Elle qui suivait jusqu'ici scrupuleusement les consignes de Song Fanping, elle se permit de faire preuve d'autorité. Elle lui expliqua qu'en raison de la Grande Révolution culturelle les médecins avaient interrompu leurs consultations, et qu'elle avait décidé de rentrer à la maison.

Quand Li Lan avait pris l'autocar pour Shanghai, Song Fanping l'avait assurée qu'il viendrait la chercher lui-même le jour où elle serait guérie. Pour tenter de calmer l'angoisse qui la rongeait, et résolue à en avoir le cœur net, elle rappela à Song Fanping sa promesse.

La réponse ne lui parvint qu'au bout de quinze jours. Au moment où il avait écrit sa lettre, Song Fanping venait d'être tabassé pendant plus d'une heure à coups de ceinturon. Mais ce type courageux, même en prison, n'était pas homme à faillir à sa parole, et il accepta sans barguigner de se rendre à Shanghai pour y récupérer son épouse. Il lui fixa même un rendez-vous précis : à midi tapant, devant la porte de l'hôpital.

Cette lettre, la dernière que Song Fanping adressa à son épouse, arracha à Li Lan des larmes de soulagement. Ses inquiétudes étaient apaisées et elle passa une fort bonne nuit.

Le soir même, Song Fanping s'évadait de l'entrepôt. Il profita de ce que le père de Sun Wei était aux toilettes pour entrouvrir discrètement la porte et filer. Quand il arriva à la maison, il était un peu plus d'une heure du matin. Li Guangtou et Song Gang dormaient depuis longtemps. Une main les caressait et une lumière brillait sur eux : Song Gang, le premier, se réveilla en se frottant les yeux. En apercevant Song Fanping assis à côté de son lit, il poussa un cri de joie et de surprise. Puis Li Guangtou à son tour se réveilla en se frottant les yeux. Song Fanping annonça aux deux enfants le retour de Li Lan. Son épouse, leur mère, rentrait à la maison. Song Fanping emprunterait l'autocar au petit matin pour aller chercher Li Lan à Shanghai, et ils reviendraient ensemble par l'autocar de l'après-midi. Song Fanping montra l'obscurité dehors :

— Demain, au coucher du soleil, nous serons là.

Li Guangtou et Song Gang sautaient sur le lit comme deux singes joyeux. Song Fanping agita sa main droite pour les inviter à se calmer. “Il ne faut pas réveiller les gens”, murmura-t-il en désignant les maisons voisines à droite et à gauche. Aussitôt, Li Guangtou et Song Gang se couvrirent la bouche de la main et descendirent sans bruit du lit. Song Fanping regarda l'armoire renversée et les vêtements épars dans toute la maison. Son visage s'assombrit :

— Si votre mère en rentrant à la maison voit ce foutoir, elle va piquer une grosse colère et risque de repartir à Shanghai. Et alors, qu'est-ce que vous ferez ?

Li Guangtou et Song Gang se rembrunirent. Song Fanping poursuivit :

— Qu'est-ce qu'il faut faire pour qu'elle ne reparte pas à Shanghai ?

Li Guangtou et Song Gang, après un moment de réflexion, s'exclamèrent d'une seule voix :

— Il faut faire le ménage !

— Exactement !

Song Fanping se dirigea vers l'armoire tombée à terre, il s'accroupit et en souleva l'extrémité avec son bras droit, puis il la soutint avec son épaule et, en se relevant, il releva le meuble avec lui. Li Guangtou et Song Gang restèrent bouchée bée : Song Fanping n'avait eu besoin que d'une seule main pour remettre en place une armoire énorme, il n'avait pas eu besoin de s'aider de la main gauche, laquelle continuait à se reposer, ballante. Les enfants entreprirent de ranger la maison en suivant Song Fanping, ou plutôt en suivant sa main droite. Ils aidaient sa main droite à ramasser les vêtements qui jonchaient le sol. Tandis que la main droite de Song Fanping balayait, eux vidaient les ordures ; tandis que sa main droite passait la vadrouille, ils essuyaient la table et les bancs avec un torchon. Quand tout fut en ordre, ils entendirent le chant du coq, et une lueur laiteuse apparaissait dans le ciel. Les deux enfants s'assirent sur le seuil, face à l'extérieur : ils regardèrent Song Fanping qui tirait de l'eau au puits avec sa main droite et qui se savonnait et se rinçait avec sa main droite. Puis Song Fanping regagna la maison, et ils se tournèrent de l'autre côté pour le regarder enfiler des vêtements propres avec sa main droite. Il passa un maillot rouge sur le devant duquel il y avait une rangée de caractères jaunes qu'ils ne savaient pas lire. Song Fanping leur expliqua que ce maillot lui avait été donné par l'équipe de basketball de l'université où il avait fait ses études. Puis il enfila des sandales de plastique crème, une paire que Li Lan lui avait offerte avant leur mariage et qu'il n'avait portée qu'en une seule occasion, le jour de leurs noces.

C'est alors que les deux enfants s'aperçurent que le bras gauche pendant de Song Fanping était plus gros qu'avant.

Sa main gauche aussi avait grossi, comme si elle était recouverte d'un gant de coton. Ignorant qu'elle était enflée, ils voulurent savoir pourquoi sa main gauche était plus forte que sa main droite. Song Fanping leur expliqua que c'était parce qu'elle était continuellement au repos :

— Elle ne fait rien, elle se contente de manger, alors elle grossit.

Li Guangtou et Song Gang se dirent que Song Fanping était un vrai magicien. Il était capable d'ordonner à un seul de ses bras de travailler pendant que l'autre se reposait, et même de faire grossir le bras qui restait inactif.

— Quand est-ce que ta main droite grossira ?

Song Fanping eut un petit rire :

— Ça viendra.

Quand le soleil commença à monter dans le ciel, Song Fanping, qui n'avait pas dormi de la nuit, poussa quelques bâillements. Il voulut envoyer les enfants au lit, mais Li Guangtou et Song Gang secouèrent la tête et restèrent assis sur le seuil. Alors il se fraya un chemin entre eux deux. Il devait prendre l'autocar du matin pour aller chercher son épouse à Shanghai. Quand sa haute stature passa au-dessus des têtes de Li Guangtou et de Song Gang, les couleurs de l'aube firent rougeoyer la pièce, et les enfants s'aperçurent alors qu'elle étincelait de propreté comme un miroir qu'on vient d'essuyer. Ils s'exclamèrent en même temps :

— Qu'est-ce que c'est propre !

Song Gang se tourna, et cria à son père qui s'éloignait :

— Papa, reviens.

Song Fanping rebroussa chemin de son pas sonore, et Song Gang lui demanda :

— Quand maman verra comme c'est propre, qu'est-ce qu'elle va dire ?

— Elle va dire : "Je ne retourne pas à Shanghai", répondit Song Fanping.

Li Guangtou et Song Gang éclatèrent de rire, et Song Fanping, lui aussi, partit d'un rire franc. Il s'éloigna en direction du soleil levant. Ses pieds martelaient le sol avec un bruit sec. Quand il eut parcouru une dizaine de mètres, Li Guangtou et Song Gang le virent s'arrêter. Sa main droite se dirigea vers son côté gauche et souleva avec précaution la main gauche ballante, qu'elle plaça dans la poche du pantalon. Il reprit sa marche, sa main gauche ne ballottait plus. Song Fanping s'en allait, une main dans une poche, en rythmant ses pas avec son autre bras. Il avait fière allure, et cette haute silhouette qui marchait vers le soleil levant ressemblait à un héros de cinéma.

XVI

Quand Song Fanping arriva à la gare routière, à l'est de la ville, il aperçut, en haut des escaliers, un individu portant un brassard rouge et armé d'un bâton. L'homme, en voyant Song Fanping descendre du pont, se retourna aussitôt et cria en direction de la salle d'attente, d'où surgirent instantanément cinq autres hommes portant également un brassard rouge. Song Fanping comprit qu'ils allaient l'arrêter. Il hésita un instant, puis marcha à leur rencontre. Il pensait leur montrer la lettre de Li Lan, mais renonça à cette idée. Les six hommes à brassards rouges se tenaient sur le perron de la gare, chacun un bâton à la main. Song Fanping sortit de la poche de son pantalon la main qui pendait au bout de son bras ballant et gravit les marches. Il s'apprêtait à leur expliquer qu'il n'avait pas l'intention de fuir, mais seulement de se rendre à Shanghai pour ramener sa femme. Les bâtons se levèrent sur lui, et instinctivement il se protégea de son bras droit. Quand les bâtons s'abattirent dessus, il ressentit une vive douleur, comme si l'os avait été cassé. Il n'en continua pas moins de l'agiter pour se protéger encore. Il pénétra ainsi dans la salle d'attente et se dirigea vers le guichet. Les six hommes à brassards rouges, brandissant leurs bâtons, le poursuivirent comme six bêtes fauves. A ce moment précis, la douleur était telle que Song Fanping crut que son bras droit allait éclater. Il avait également été frappé d'innombrables fois aux épaules, et il avait l'impression qu'une de ses oreilles avait été arrachée. Il parvint à se frayer un chemin à travers la forêt de bâtons qui lui barrait le passage, et finit par atteindre le guichet. L'employée le fixait avec des yeux dilatés par l'effroi. Son bras gauche luxé se leva comme par miracle pour faire obstacle aux coups qui pleuvaient sur lui. Sa main droite plongea dans sa poche et en sortit de l'argent qu'il tendit à travers le guichet :

— Un billet pour Shanghai.

L'employée s'écroula par terre, évanouie de terreur. Cette situation laissa Song Fanping désemparé. Son bras gauche luxé retomba, et il oublia de se défendre contre les bâtons qui s'écrasaient sur sa tête. Le crâne ensanglanté, il s'effondra. Et les six bâtons continuèrent à s'agiter frénétiquement jusqu'à ce que, l'un après l'autre, ils se brisent. Puis ce furent les douze pieds qui entrèrent dans la danse : et que je te piétine, et que je te tape dedans, et que je te marche dessus. C'est seulement au bout d'une dizaine de minutes, quand Song Fanping, allongé au pied du mur, eut cessé de bouger, que les six hommes à brassards rouges s'arrêtèrent. Ils étaient haletants et se massaient les bras et les jambes, et tout en s'épongeant ils allèrent s'asseoir sous un ventilateur. Epuisés par l'effort qu'ils venaient de fournir, ils regardaient du coin de l'œil leur victime étendue sur le sol, et continuaient à pester contre lui :

— La vache…

Ces hommes à brassards venaient de l'entrepôt qui servait de prison. Quand ils s'étaient aperçus à l'aube de la disparition de Song Fanping, ils s'étaient divisés sur-le-champ en deux équipes qui avaient pris position l'une à la gare et l'autre sur le port. La correction que les six hommes postés à la gare venaient d'infliger à Song Fanping, leurs hurlements, avaient semé la panique dans la salle d'attente : les voyageurs s'étaient réfugiés à l'extérieur, sur les escaliers, des enfants braillaient et des femmes grimaçaient de terreur. De dehors, ils jetaient des regards furtifs dans la salle d'attente, sans oser entrer. C'est seulement quand l'autocar pour Shanghai fut là et qu'on commença à contrôler les billets qu'ils revinrent prudemment, lorgnant d'un air craintif les six brassards qui se reposaient en cercle sous le ventilateur.

Song Fanping, à demi inconscient, entendit confusément les cris du contrôleur, et contre toute attente il revint à lui. Il se redressa en prenant appui contre le mur, essuya le sang sur son visage, et se dirigea en chancelant vers le portillon de contrôle, suscitant des cris d'effroi dans la file des voyageurs. Quand, de dessous leur ventilateur, les six brassards rouges virent Song Fanping se relever brusquement et gagner le portillon, ils échangèrent entre eux des regards stupéfaits et poussèrent des exclamations. L'un d'entre eux s'écria :

— Il ne faut pas le laisser filer…

Les six brassards rouges ramassèrent par terre leurs bâtons brisés et se précipitèrent vers Song Fanping, qu'ils frappèrent au visage. Cette fois, Song Fanping commença à se rebiffer et, tout en cherchant à rendre les coups de son poing droit, il continua à avancer vers le portillon. Le contrôleur, terrorisé, ferma brutalement la grille et détala sans demander son reste. Song Fanping, pris au piège, dut rebrousser chemin en jouant encore des poings. Les six brassards rouges cernèrent cet homme tout juste revenu de son évanouissement et le tabassèrent. Il dégoulinait de sang. Les six brassards rouges le poursuivirent ainsi sans cesser de cogner sur lui jusqu'au perron situé en face de la salle d'attente. Song Fanping se défendait comme un beau diable. Arrivé sur le perron, il posa le pied dans le vide et roula en bas des marches. Les six brassards rouges l'entourèrent et s'acharnèrent sur lui à coups de pied, ils lui plantèrent dans le corps leurs bâtons cassés devenus maintenant aussi pointus que des baïonnettes. Song Fanping fut pris de spasmes : un des bâtons s'était fiché dans son ventre. Le brassard rouge qui l'avait enfoncé l'en retira, et Song Fanping se redressa aussitôt. Le sang jaillit à flots de son ventre et rougit le sol. Song Fanping ne bougeait plus.

Les six brassards rouges eux aussi étaient épuisés. Ils s'accroupirent d'abord pour reprendre leur souffle, puis, comme le soleil d'été tapait trop dur, ils se dirigèrent vers un arbre, s'adossèrent à son tronc et, retroussant leur maillot, s'essuyèrent le torse. Ils étaient persuadés que cette fois Song Fanping ne se relèverait pas. Mais à leur grande surprise, quand l'autocar quitta la gare routière, Song Fanping revint de nouveau à lui et se remit debout. Il avança de quelques pas en vacillant, agita sa main droite et lança d'une voix entrecoupée à l'adresse du véhicule qui s'éloignait :

— Je ne… suis pas… encore… monté…

Les six brassards rouges un peu requinqués se ruèrent sur Song Fanping et le plaquèrent au sol. Song Fanping ne résistait plus et il commença à demander grâce. Lui qui ne se soumettait jamais, à présent il aurait tant voulu continuer à vivre. Rassemblant ses dernières forces, il s'agenouilla. Alors, crachant le sang à pleine bouche, soutenant de sa main droite son ventre d'où le sang s'échappait à flots, il supplia en pleurant les six brassards rouges de ne plus le frapper. Ses larmes étaient mêlées de sang. Il sortit de sa poche la lettre de Li Lan, et bien que son bras gauche disloqué fût devenu raide il réussit tout de même à l'ouvrir. Il voulait leur prouver qu'il ne songeait nullement à s'enfuir. Aucune main ne se tendit pour prendre la lettre, mais les pieds continuaient à le frapper et à le piétiner, et deux bâtons acérés s'enfoncèrent dans son corps, puis en ressortirent : le corps de Song Fanping était devenu une passoire pissant le sang de partout.

Des habitants de notre bourg des Liu avaient assisté au massacre de Song Fanping par les six brassards rouges. La mère Su, qui tenait la boutique de *dim sum* à côté de la gare routière, en pleura. Elle secouait la tête en laissant échapper des plaintes dont nul n'aurait su dire s'il s'agissait de sanglots ou de soupirs.

Song Fanping s'apprêtait à rendre l'âme quand les six brassards rouges s'aperçurent qu'ils avaient faim. Ils délaissèrent provisoirement leur victime et se dirigèrent vers la boutique de la mère Su. Ils se sentaient aussi éreintés que des dockers après une dure journée de labeur et, quand ils s'assirent à l'intérieur, aucun n'avait la force de parler. La mère Su regagna son magasin, la tête baissée. Elle s'assit derrière son comptoir et regarda sans un mot ces six hommes pires que des bêtes sauvages. Après s'être reposés quelques instants, les six brassards rouges lui commandèrent du lait de soja, des beignets et des pains à la vapeur. Puis ils se mirent à manger à grandes bouchées, comme des fauves.

A cet instant, les cinq brassards rouges qui montaient la garde au port arrivèrent en quatrième vitesse. Dès qu'ils avaient appris que Song Fanping avait été capturé à la gare, ils avaient couru jusqu'ici, alléchés par la nouvelle. Les bâtons qu'ils tenaient à la main entrèrent à leur tour en action, et ils se déchaînèrent sur le corps déjà inerte de Song Fanping. Puis, quand leurs bâtons à eux aussi furent cassés, ils commencèrent à le piétiner, à lui taper dedans, à lui marcher dessus. Les six brassards rouges rassasiés sortirent de la boutique de *dim sum*, et les cinq autres y entrèrent pour prendre à leur tour leur petit déjeuner. Puis tous les onze continuèrent à tourmenter Song Fanping, l'un après l'autre. Song Fanping n'avait plus la moindre réaction, et pourtant ils s'entêtaient à lui asséner des coups de pied. Pour finir, la mère Su, incapable de supporter davantage ce spectacle, leur dit :

— Il doit être mort…

Les onze brassards rouges cessèrent alors de le tabasser, et partirent triomphalement en s'épongeant. Ils avaient frappé si fort qu'ils en avaient mal aux pieds, et chacun des onze s'en alla clopin-clopant. La mère Su suivit des yeux les silhouettes qui boitillaient, en se demandant ce qu'il leur restait d'humain : "Comment peut-on être aussi féroce ?" se disait-elle.

XVII

Pendant ce temps, Li Guangtou et Song Gang dormaient à la maison. Ils rêvaient à la joie qui régnerait au foyer après le retour de Li Lan. Quand ils se réveillèrent, il était déjà midi. Ils étaient d'excellente humeur et, bien que Song Fanping les ait prévenus qu'il ne serait pas rentré avant le coucher du soleil, les deux enfants, impatients, prirent aussitôt le chemin de la gare. Ils voulaient attendre là-bas l'autocar qui ramènerait Song Fanping et Li Lan. Une fois dans la rue, ils imitèrent la façon de marcher de Song Fanping, la main gauche enfoncée dans la poche et le bras droit ballant. Ils essayaient de prendre l'allure des héros de cinéma mais, en exagérant leur démarche chaloupée, ils ne réussirent qu'à se donner la dégaine des espions à la solde de l'ennemi.

En descendant du pont, Li Guangtou et Song Gang aperçurent Song Fanping : un homme en marmelade était allongé sur l'esplanade devant la gare. Des passants frôlaient le corps en jetant sur lui un coup d'œil et en échangeant quelques mots. Les enfants passèrent à leur tour près du corps, sans le reconnaître. Song Fanping était couché sur le ventre, un bras coincé sous lui, et l'autre recourbé. Une de ses jambes était raide, la seconde était repliée. Les mouches tournoyaient au-dessus de lui en bourdonnant. Son visage, ses bras et ses jambes, et tous les endroits de son corps sanguinolent étaient recouverts de mouches. Ce spectacle effrayant dégoûta les enfants. Song Gang s'adressa à un homme coiffé d'un chapeau de paille :

— Qui est-ce ? Il est mort ?

L'homme secoua la tête en disant qu'il n'en savait rien, et il se dirigea vers un arbre, ôta son chapeau et s'éventa avec. Li Guangtou et Song Gang gravirent les escaliers et entrèrent dans la salle d'attente. Ils n'étaient restés qu'un court instant dehors, et ils avaient cru fondre sous le soleil virulent de l'été. Les deux gros ventilateurs suspendus au plafond de la salle tournaient en ronronnant. Les gens étaient regroupés dessous, et ils discutaient en bourdonnant comme deux essaims de mouches. Li Guangtou et Song Gang demeurèrent un moment à côté du premier groupe, puis à côté du second. L'air brassé par les ventilateurs n'arrivait pas jusqu'à eux, les endroits ventilés étaient déjà occupés. Ils se dirigèrent vers le guichet et se hissèrent sur la pointe des pieds pour regarder derrière. Ils aperçurent l'employée figée sur son siège, la mine hébétée : elle n'était toujours pas revenue de son épouvante du matin. La voix des deux enfants l'arracha en sursaut de sa torpeur. Elle les fixa :

— Qu'est-ce que vous regardez comme ça ? gronda-t-elle.

Li Guangtou et Song Gang s'empressèrent de se faire tout petits et s'éloignèrent sans bruit. Ils se dirigèrent vers le portillon de contrôle. La grille était entrouverte. Les enfants jetèrent un coup d'œil de l'autre côté. Il n'y avait pas un seul véhicule, rien qu'un employé qui, sa tasse de thé à la main, s'avança vers eux en grondant comme sa collègue du guichet :

— Qu'est-ce que vous faites là ?

Li Guangtou et Song Gang s'enfuirent comme des voleurs, puis, ne sachant où aller, ils firent plusieurs fois le tour de la salle d'attente. C'est alors que Wang les Esquimaux, son tabouret à la main et sa glacière sur le dos, apparut à l'entrée. Il posa son tabouret à la porte, s'assit dessus et commença à taper sur sa glacière avec un bout de bois pour attirer le chaland :

— Esquimaux ! criait-il. Esquimaux pour mes frères et mes sœurs de classe…

Les deux enfants vinrent se poster devant lui et l'observèrent en salivant. Tout en frappant sur sa glacière, Wang les Esquimaux les surveillait à la dérobée. Leur attention fut attirée à nouveau par Song Fanping, qui gisait dehors toujours dans la même position. Song Gang pointa son doigt en direction de Song Fanping :

— Qui est-ce ? demanda-t-il à Wang les Esquimaux.

Wang les Esquimaux tourna à peine les yeux vers les deux enfants et ne répondit pas. Song Gang insista :

— Il est mort ?

Alors, Wang les Esquimaux lança méchamment :

— Si vous n'avez pas de sous, foutez-moi le camp. Ne restez pas là à saliver.

Li Guangtou et Song Gang prirent peur et descendirent l'escalier en se tenant par la main. Ils se retrouvèrent encore sous l'ardent soleil de l'été. Tandis qu'ils passaient à côté du corps couvert de mouches de Song Fanping, Song Gang s'arrêta brusquement et poussa un "Oh" de surprise. Désignant les sandales crème de Song Fanping, il s'écria :

— Il porte les sandales de papa.

Après quoi, avisant le maillot rouge de Song Fanping, il ajouta :

— Il porte aussi le maillot de papa.

Les deux enfants, déconcertés, restaient là à se regarder. Au bout d'un moment, Li Guangtou parla à son tour. Il doutait que ce fût le maillot de leur père, car sur le sien il y avait une rangée de caractères jaunes. Song Gang acquiesça, avant de se raviser et de faire observer que les caractères jaunes étaient sur la poitrine. Les deux enfants s'accroupirent, chassèrent les mouches de la main et tirèrent sur le maillot de Song Fanping pour dégager la partie qui était cachée. Les caractères jaunes apparurent. Song Gang se releva et fondit en larmes :

— Tu crois que c'est papa ? demanda-t-il en pleurant à Li Guangtou.

Li Guangtou ne put retenir ses larmes lui non plus :

— Je n'en sais rien.

Les enfants étaient là, debout, et jetaient des regards autour d'eux en sanglotant. Personne ne vint. Ils s'accroupirent à nouveau et chassèrent les mouches posées sur le visage de Song Fanping pour essayer de le reconnaître. Le visage de Song Fanping était entièrement recouvert de sang et de boue, méconnaissable. Ils eurent l'impression, sans en être sûrs, qu'il ressemblait un peu à Song Fanping. Ils se relevèrent et convinrent qu'il valait mieux prendre l'avis d'un tiers. Ils allèrent trouver deux hommes qui étaient en train de fumer sous un arbre :

— Est-ce que c'est notre papa ? leur demandèrent-ils en montrant Song Fanping.

Les deux hommes, d'abord interdits, secouèrent la tête :

— On ne sait pas qui c'est, votre papa.

Les enfants gravirent les escaliers et se dirigèrent vers Wang les Esquimaux :

— L'homme qui est couché dehors, est-ce que c'est notre papa ? demanda Song Gang, en larmes.

Wang les Esquimaux frappa quelques coups avec son morceau de bois, et les engueula :

— Foutez-moi le camp.

— Nous n'avons pas salivé, protesta Li Guangtou.

— Ça ne fait rien, foutez-moi quand même le camp, dit Wang les Esquimaux.

Li Guangtou et Song Gang, main dans la main, s'engagèrent en sanglotant dans la salle d'attente, et interrogèrent les gens massés sous les deux ventilateurs :

— Est-ce que quelqu'un parmi vous pourrait nous dire si l'homme qui est dehors est notre papa ?

Les appels de détresse des deux enfants soulevèrent une tempête de rires : avait-on jamais vu pareils nigauds, incapables de reconnaître leur père et priant les autres de le faire à leur place ? L'un d'eux, hilare, fit signe aux enfants :

— Hé, les petits, venez un peu par ici.

Les deux enfants s'approchèrent de l'homme. Celui-ci se pencha vers eux :

— Est-ce que vous connaissez mon papa ?

Les deux enfants secouèrent la tête. Il reprit :

— Alors, qui est-ce qui connaît mon papa ?

Les enfants réfléchirent un moment et répondirent d'une seule voix :

— Vous.

— Eh bien, allez-y voir vous-mêmes, dit l'homme.

Et il leur fit un geste pour leur signifier de partir.

Les deux enfants, main dans la main, quittèrent la salle d'attente en sanglotant. Ils descendirent les marches et retournèrent auprès du corps allongé de Song Fanping.

— Notre père, on le connaît, dit Song Gang en pleurant. Mais cet homme est tout barbouillé de sang, on ne voit rien.

Les enfants marchèrent jusqu'à la boutique de *dim sum* près de la gare. La mère Su était toute seule à l'intérieur, occupée à essuyer les tables. Les enfants, intimidés, n'osèrent pas entrer et restèrent à la porte.

— On aimerait vous demander quelque chose, déclara Song Gang d'une petite voix. Mais on a peur que vous vous fâchiez…

La mère Su regarda les deux enfants qui sanglotaient devant chez elle, en examinant leurs vêtements :

— Vous ne viendriez pas mendier, par hasard ?

— Non, répondit Song Gang, en montrant le corps de Song Fanping étendu par terre. On voudrait vous demander si c'est notre papa.

La mère Su lâcha son chiffon, elle avait reconnu Li Guangtou, ce petit voyou qui se frottait aux poteaux électriques en prétendant avoir des problèmes de libido. Après avoir dévisagé Li Guangtou, elle s'adressa à Song Gang :

— Comment s'appelle-t-il votre papa ?

— Il s'appelle Song Fanping, répondit Song Gang.

Les enfants l'entendirent pousser des cris. Ils crurent l'entendre dire : "Ciel", "Mon Dieu", "Oh mes aïeux". Puis, quand elle fut lasse de crier, elle expliqua à Song Gang, d'une voix haletante :

— Il est là depuis un bon moment. Je croyais que tout le monde était mort dans sa famille…

Les enfants n'avaient rien compris à ses paroles. Song Gang insista :

— C'est notre papa ?

— En tout cas, il s'appelle Song Fanping, déclara la mère Su en s'épongeant le front.

Aussitôt Song Gang éclata en sanglots et dit à Li Guangtou :

— Je savais bien que c'était papa. C'est pour ça que j'ai pleuré tout de suite quand je l'ai vu…

Li Guangtou éclata également en sanglots :

— Moi aussi j'ai pleuré quand je l'ai vu.

Les deux enfants se lamentaient bruyamment au cœur de l'été. Ils repartirent auprès du cadavre de Song Fanping, et leurs cris déchirants firent fuir les mouches. Song Gang s'agenouilla, Li Guangtou l'imita. Ils se penchèrent pour examiner attentivement Song Fanping. Le soleil avait fait sécher le sang sur son visage. Song Gang gratta les croûtes de sang une par une et finit par reconnaître son père. Il se retourna et tira Li Guangtou par la main :

— C'est papa.

Li Guangtou hocha la tête, et répéta d'une voix larmoyante :

— C'est papa…

Agenouillés sur le sol de terre battue, devant la gare, les enfants donnèrent libre cours à leur chagrin. De leurs bouches ouvertes, des sanglots s'envolaient vers le ciel avant de retomber, les ailes coupées, et de s'étrangler brusquement ; alors, pendant un long moment, leurs bouches ouvertes ne laissaient plus échapper aucun son, leurs gorges étaient obstruées de larmes et de morve qu'ils ravalaient à grand-peine ; après quoi, leurs cris stridents explosaient à nouveau et faisaient vibrer les airs. Les deux enfants pleuraient ensemble, ils secouaient ensemble Song Fanping, ils criaient ensemble :

— Papa, papa…

Song Fanping ne réagissait pas, et les deux enfants étaient désemparés. Au milieu de ses larmes, Li Guangtou dit à Song Gang :

— A l'aube, ce matin, il allait encore très bien. Comment se fait-il que maintenant il soit sourd et muet ?

Et comme les gens s'agglutinaient autour d'eux, Song Gang leur cria :

— Sauvez mon papa !

Leurs larmes et leur morve coulaient sans discontinuer, et Song Gang, en s'essuyant le nez puis en secouant ses doigts, souilla le pantalon d'une des personnes qui les entouraient. L'homme l'empoigna par son maillot et déversa sur lui une bordée d'injures. A cet instant, Li Guangtou, de la même façon, salit malencontreusement les sandales de ce dernier, lequel le saisit par les cheveux. Tenant un enfant dans chaque main, il les obligea à courber la tête et à nettoyer les traces de morve avec leur maillot. Li Guangtou et Song Gang, tout en braillant, frottèrent avec leurs mains la morve tombée sur le pantalon et les sandales, ne faisant que l'étaler davantage. L'homme, dont la première réaction avait été de s'emporter, ne savait plus maintenant quelle conduite adopter :

— Arrêtez de frotter ! Bordel, arrêtez de frotter !

Li Guangtou et Song Gang étaient agrippés, l'un à sa jambe, l'autre à son pantalon, et ils ne lâchaient pas prise, s'accrochant à lui comme à une planche de salut. L'homme recula, et ils le suivirent en se traînant à genoux et en l'implorant :

— Sauvez papa ! Pitié, sauvez papa !

L'homme les repoussa et secoua sa jambe pour se dégager, mais ils tenaient bon. Il les tira sur une dizaine de mètres sans parvenir à s'en débarrasser. Les enfants continuaient à le supplier en pleurant. L'homme, à bout de souffle, s'épongea, et ne sachant plus que faire, il prit l'assistance à témoin :

— Regardez, regardez mon pantalon, et mes sandales, et mes chaussettes… Merde alors, qu'est-ce que ça veut dire ?

La patronne de la boutique de *dim sum* s'était approchée elle aussi. Elle se tenait devant la foule des curieux, et le spectacle lamentable qu'offraient Song Gang et Li Guangtou lui avait fait monter les larmes aux yeux :

— Ce ne sont que des enfants… glissa-t-elle à l'homme.

Celui-ci vit rouge :

— Des enfants, ça ? Putain, deux petites pestes, oui.

— Fais une bonne action, et aide ces deux petites pestes à ramasser le cadavre, dit la mère Su.

— Comment ! s'indigna l'homme. Tu voudrais que je prenne sur mon dos cette charogne sale et puante ?

La mère Su s'essuya les yeux :

— Je ne te demande pas de le prendre sur ton dos. J'ai une charrette à bras, à la maison, je vais te la prêter.

Là-dessus, la mère Su regagna son magasin et revint peu après avec la charrette. Elle prit la relève des enfants et adjura les badauds de l'aider à hisser Song Fanping sur la voiture. Certains s'éclipsèrent, d'autres reculèrent. La mère Su, fâchée, en désigna quatre un par un :

— Toi, toi, toi et toi… (Puis, tout en parlant, elle montra du doigt Song Fanping étendu à terre.) Peu importe ce qu'il a été de son vivant, maintenant qu'il est mort il faut le ramasser, on ne peut pas le laisser là éternellement.

Finalement, quatre hommes sortirent de la foule, ils s'accroupirent, saisirent en même temps Song Fanping par les bras et par les jambes, comptèrent, "un, deux, trois", et à "trois" ils le soulevèrent. Sous l'effort leur visage se colora. Ils se plaignirent : ce mort était aussi lourd qu'un éléphant. Quand ils eurent hissé le corps jusqu'au niveau de la charrette, ils crièrent encore "un, deux, trois", et à "trois" ils le jetèrent dedans. La voiture tressauta et gémit sous le poids de la grande carcasse de Song Fanping. Les quatre hommes s'essuyèrent les mains en les faisant claquer l'une contre l'autre, et l'un d'eux, reniflant les siennes, dit à la mère Su :

— Il faut qu'on aille se laver les mains dans ta boutique.

— Vas-y, acquiesça celle-ci.

Puis elle se tourna vers l'homme auquel Li Guangtou et Song Gang se cramponnaient :

— Fais donc une bonne action, et emmène le mort.

L'homme baissa la tête vers Li Guangtou et Song Gang, qui étaient à genoux et s'agrippaient à ses jambes, et il leur dit, avec un rire forcé :

— Je crois que je n'ai plus le choix.

Puis il hurla à leur adresse :

— Mais putain, lâchez-moi !

Li Guangtou et Song Gang relâchèrent alors leur étreinte, ils se relevèrent et suivirent l'homme qui s'approchait de la charrette. L'homme prit les bras de la charrette et aboya à nouveau :

— Bon, alors vous habitez où ?

Song Gang secoua la tête énergiquement et dit d'un ton implorant :

— On va à l'hôpital.

— Putain, dit l'homme en lâchant les bras de la charrette. Il est mort, qu'est-ce que tu veux qu'on aille foutre à l'hôpital ?

Song Gang, incrédule, se tourna vers la mère Su :

— Mon papa est mort ?

La mère Su hocha la tête :

— Oui, il est mort. Rentre donc chez toi, mon pauvre petit.

Cette fois, Song Gang ne regarda plus le ciel en pleurant. Il baissa la tête en gémissant, et Li Guangtou en fit autant. Ils entendirent la mère Su dire à l'homme qui avait empoigné les bras de la charrette :

— Tu seras récompensé pour ta bonne action.

L'homme se mit en marche, tirant la charrette, tout en grommelant :

— Récompensé ? mon cul. Ce sera plutôt la honte pour mes ancêtres sur dix-huit générations.

Cet après-midi-là, Li Guangtou et Song Gang, main dans la main, revinrent à la maison en gémissant. Le corps en marmelade de Song Fanping les suivait sur la charrette. Les deux enfants, brisés par le chagrin, avançaient en titubant. Par moments, leurs sanglots s'étranglaient pour repartir ensuite comme une grenade qui aurait explosé. Les cris déchirants des enfants couvraient les chants et les slogans révolutionnaires dans les rues. Les manifestants et les promeneurs se rassemblaient autour d'eux, ils entouraient la charrette comme les mouches entouraient tout à l'heure Song Fanping, et leur cohorte escortait la voiture dans un bourdonnement de commentaires et un vrombissement de questions. L'homme qui tirait la charrette engueula Li Guangtou et Song Gang, qui marchaient devant lui :

— Arrêtez de pleurer. Putain, vous allez ameuter toute la ville, tout le monde va me voir en train de transporter un macchabée…

Les gens voulaient savoir qui était le mort étendu sur la charrette. Une quarantaine ou une cinquantaine de passants posèrent successivement cette question à l'homme qui tirait la charrette, et celui-ci ne décolérait pas. Au tout début, il répondait encore : "Le mort dans la charrette s'appelait Song Fanping, il était professeur au collège." Puis, au bout d'un moment, il eut la flemme d'expliquer : les gens n'avaient qu'à bien regarder ceux qui n'arrêtaient pas de pleurer, le mort était un membre de leur famille. Et pour finir, comme il trouvait que c'était encore trop fatigant, il se contentait d'un :

— Je n'en sais rien.

L'homme qui avançait au cœur de l'été en tirant la charrette était trempé de sueur, qui plus est c'était un cadavre qu'il transportait, et il fallait encore qu'il dépense sa salive pour satisfaire la curiosité des passants. Il rongeait son frein depuis un bon moment, quand une personne de sa connaissance se faufila jusqu'à lui :

— Hé, il y a quelqu'un de mort chez toi ?

L'homme qui tirait la charrette éclata :

— Va te faire foutre !

L'autre resta bouche bée, puis il riposta :

— Qu'est-ce que tu as dit ?

L'homme qui tirait la charrette répéta :

— Va te faire foutre !

L'autre blêmit et, sans un mot, il retira prestement son maillot et dévoila ses muscles. Puis il leva sa main droite et, l'index dressé, il désigna l'homme qui tirait la charrette :

— Putain, si tu répètes ça encore une fois, si tu oses le répéter encore une fois, je t'étends sur la charrette toi aussi…

Sur ce, il ajouta, d'un air bravache :

— Je vais transformer cette charrette en lit à deux places…

L'homme qui tirait la charrette laissa tomber les brancards, et rétorqua avec un rire froid :

— Comme ça, tu pourras monter dedans.

Là-dessus, il avança de deux pas, et cria au visage de l'autre :

— Et puis je t'emmerdes, t'entends ?

L'autre asséna un coup de poing sur le coin de la bouche de l'homme qui tirait la charrette. Celui-ci trébucha et son corps vacilla. Il avait à peine repris son équilibre que son adversaire l'envoyait au tapis d'un coup de pied puis se jetait sur lui et lui martelait le visage de ses poings.

Li Guangtou et Song Gang avançaient toujours en pleurant. En se retournant, ils s'aperçurent que l'homme qui tirait la charrette était à terre, et que celui qui s'était jeté sur lui l'avait à moitié assommé. Song Gang se rua sur ce dernier, suivi de Li Guangtou, et les deux enfants, tels des chiens sauvages, le mordirent au mollet et à l'épaule, lui arrachant des cris de douleur. L'homme parvint à échapper aux enfants en jouant des poings et des pieds. Mais à peine était-il debout que les deux enfants se précipitaient à nouveau sur lui. Song Gang le mordit au bras, et Li Guangtou au-dessus des hanches, et leurs dents traversèrent le vêtement jusqu'à la chair. L'homme leur tira les cheveux, les frappa au visage, mais les enfants tenaient bon, lui infligeant des morsures sur tout le corps, si bien que ce gaillard, qui n'avait rien à envier à Song Fanping pour la taille, criait comme un cochon qu'on égorge. C'est finalement l'homme qui tirait la charrette qui, se relevant, écarta Li Guangtou et Song Gang :

— Ça suffit comme ça, leur ordonna-t-il, arrêtez de le mordre.

Li Guangtou et Song Gang consentirent alors à lâcher leur proie. L'homme était en sang et n'était pas encore revenu de cette attaque surprise. Quand le cortège reprit sa marche, il resta planté là comme un idiot.

Ils continuèrent à avancer. Li Guangtou et Song Gang n'étaient plus que plaies et bosses, et l'homme qui tirait la charrette avait lui aussi du sang plein la figure. Les curieux continuaient d'affluer sur leur passage, les enfants n'osaient plus pleurer et l'homme qui tirait la charrette ne parlait plus. Tout en marchant, les enfants se retournaient pour jeter des regards discrets vers lui. Voyant la sueur couler sur son visage ensanglanté, Song Gang quitta son maillot et le lui tendit par-dessus sa tête :

— Essuie-toi, l'oncle[1].

L'homme qui tirait la charrette secoua la tête :

— Pas la peine.

Song Gang marcha un moment son maillot dans les mains, puis se retourna à nouveau :

— Tu as soif, l'oncle ?

L'homme qui tirait la charrette ne répondit pas, il avançait tête baissée. Song Gang poursuivit :

— J'ai de l'argent, l'oncle. Je vais t'acheter un esquimau.

L'homme qui tirait la charrette secoua une nouvelle fois la tête :

— Pas la peine, j'avale ma salive et ça me désaltère.

Ils avançaient sans bruit vers la maison. Li Guangtou et Song Gang ne pleuraient plus depuis un moment mais, comme Song Gang n'arrêtait pas de se retourner pour se préoccuper du sort de l'homme qui tirait la charrette, et qu'il apercevait chaque fois le cadavre de son père, il se remit à pleurer, et son chagrin contamina Li Guangtou. Les enfants n'osaient pas pleurer trop fort, de crainte de s'attirer les foudres de l'homme qui tirait la charrette, et ils gémissaient en se couvrant la bouche. Derrière eux, l'homme qui tirait la charrette ne prononçait pas une parole, et c'est seulement au moment d'arriver à la maison que les enfants entendirent le son de sa voix, laquelle s'était subitement radoucie :

— Arrêtez de pleurer, sinon je vais pleurer aussi.

Une dizaine de personnes les avaient suivis jusque devant chez eux. Elles attendaient debout, les bras ballants. L'homme qui tirait la charrette se tourna vers l'assistance et pria les volontaires de l'aider à soulever Song Fanping. Personne ne réagit. L'homme qui tirait la charrette, sans plus se soucier de l'assistance, donna ses instructions à Li Guangtou et à Song Gang. Il leur demanda de faire contrepoids sur les bras de la voiture afin qu'elle ne bascule pas. Puis, prenant Song Fanping sous les aisselles, il le fit glisser hors de la voiture et le traîna dans la maison, jusqu'au lit de la chambre du fond. Il avait une demi-tête de moins que Song Fanping, et tandis qu'il le tirait on aurait cru qu'il déplaçait un grand arbre. Sa tête penchait sous l'effort et ses poumons faisaient un bruit de forge. Quand il eut déposé Song Fanping sur le lit, il quitta la pièce et resta assis longuement sur le banc, la tête penchée, cherchant à reprendre haleine. Li Guangtou et Song Gang, qui se tenaient debout, à l'écart, n'osaient pas parler. Après avoir récupéré ses forces, l'homme qui tirait la charrette jeta un coup d'œil vers la foule qui les observait de dehors, et il demanda à Li Guangtou et à Song Gang :

— Vous avez encore qui, à la maison ?

Les enfants répondirent qu'ils avaient encore leur mère, qu'elle allait rentrer bientôt de Shanghai. Me voilà rassuré, dit-il en hochant la tête. Il fit signe aux deux enfants d'approcher et leur tapa sur l'épaule :

— Vous connaissez la ruelle du Drapeau rouge, n'est-ce pas ?

Les enfants répondirent que oui. Il poursuivit :

— J'habite à l'entrée de la ruelle, je m'appelle Tao, Tao Qing. En cas de pépin, venez me trouver là-bas, à l'entrée de la ruelle du Drapeau rouge.

Sur ce, il se leva et se dirigea vers la sortie. Les gens massés à la porte s'écartèrent immédiatement, craignant le contact de cet homme qui venait de prendre un mort dans ses bras. Song Gang et Li Guangtou le raccompagnèrent et, au moment où il empoignait les bras de la charrette, Song Gang, se souvenant des paroles de la mère Su, lui dit :

— Tu seras récompensé pour ta bonne action.

L'homme hocha la tête et s'éloigna en tirant la charrette. Tandis qu'il avançait, Li Guangtou et Song Gang le virent lever sa main gauche pour s'essuyer les yeux.

Cet après-midi-là, Li Guangtou et Song Gang veillèrent le corps de Song Fanping. Celui-ci n'était plus que charpie ensanglantée et, à le voir les enfants commencèrent à prendre peur. Le corps était immobile, la bouche grande ouverte, inerte elle aussi, les yeux étaient arrondis, et les pupilles, à l'intérieur, étaient aussi ternes que deux cailloux. Li Guangtou et Song Gang avaient pleuré, ils avaient crié, ils avaient mordu, et à présent ils tremblaient.

Li Guangtou et Song Gang regardaient les têtes et les corps qui remuaient à la fenêtre et devant la porte, ils entendaient les voix bourdonner : les gens expliquaient quel genre d'homme avait été Song Fanping, et racontaient dans quelles circonstances il était mort. Quand l'un d'eux se mit à plaindre les deux enfants, Song Gang eut une brève crise de larmes, qui gagna Li Guangtou. Après quoi, les deux enfants, toujours effrayés, continuèrent à regarder les gens dehors. Les bourdonnements venaient aussi des nombreuses mouches affluant de tous les côtés pour se repaître du corps de Song Fanping. Il y en avait de plus en plus, on aurait dit que des flocons noirs tourbillonnaient dans la maison. Leurs bourdonnements couvraient celui des voix humaines. Elles avaient commencé à s'attaquer à Li Guangtou et à Song Gang, ainsi qu'aux curieux, dehors. Les deux enfants les entendaient se donner des claques sur les jambes et sur les bras, sur le visage et sur la poitrine. La foule se dispersa en criant et en jurant, chassée par les mouches.

Le soleil commençait à rougir, et quand ils sortirent de la maison, les enfants le virent se coucher. Ils se souvinrent de ce que Song Fanping leur avait annoncé le matin même : au coucher du soleil, il reviendrait avec Li Lan. Persuadés que leur mère allait rentrer incessamment, ils repartirent, main dans la main, vers la gare, dans les dernières lueurs du couchant. En longeant la boutique de *dim sum*, ils virent la mère Su assise dans son magasin, et Song Gang lui lança :

— Nous venons chercher maman, elle rentre de Shanghai.

Les deux enfants se postèrent à l'endroit par lequel les autocars pénétraient dans la gare et, debout sur la pointe des pieds, le cou tendu, ils scrutèrent la route jusqu'à l'horizon. Là-bas, dans la campagne, un nuage de poussière approchait. C'était un autocar, ils entendirent son klaxon. Song Gang se tourna vers Li Guangtou :

— Maman arrive.

Tandis que Song Gang parlait, les larmes ruisselaient sur son visage, et celles de Li Guangtou lui coulaient dans le cou. L'autocar était là, soulevant la poussière. Il tourna devant les enfants et entra dans la gare, et la poussière aussitôt les enveloppa, en les empêchant de rien voir. Quand la poussière fut retombée, les voyageurs, portant leurs valises et leurs sacs, commencèrent à quitter la gare. D'abord par groupes de deux ou trois, puis en une longue file. Ils passèrent devant les enfants, qui ne virent pas Li Lan. Le dernier voyageur quitta la gare, et leur mère n'était toujours pas sortie. Song Gang s'avança vers ce voyageur et l'interpella timidement :

— Est-ce que c'était le car de Shanghai ?

L'homme hocha la tête, et en voyant les visages barbouillés de larmes des enfants il leur demanda :

— Où sont vos parents ? Qu'est-ce que vous faites là ?

Ces questions déclenchèrent une nouvelle crise de larmes. L'homme sursauta et s'empressa de s'éloigner, son bagage à la main. Tout en marchant, il n'arrêtait pas de se retourner et regardait avec curiosité les deux enfants.

— Nous sommes les enfants de Song Fanping, lui lancèrent-ils. Song Fanping est mort, et nous attendons le retour de Li Lan. Li Lan, c'est notre maman…

Les enfants n'eurent pas le temps de finir, l'homme était déjà loin. Li Guangtou et Song Gang continuèrent d'attendre à l'entrée de la gare. Ils pensaient que Li Lan arriverait par l'autocar suivant. Ils restèrent là debout longtemps. La grande porte de bois de la salle d'attente avait été fermée et la grille de l'entrée également, et ils étaient toujours là, attendant que leur mère rentre de Shanghai.

A la tombée de la nuit, la patronne de la boutique de *dim sum* s'approcha d'eux et leur fourra dans la main deux pains farcis à la viande.

— Mangez vite tant que c'est chaud.

Pendant qu'ils mangeaient, la mère Su leur expliqua :

— Aujourd'hui, il ne viendra plus aucun autocar, la porte de la gare est déjà fermée. Vous feriez mieux de rentrer et de revenir demain.

Les enfants écoutèrent son conseil. Ils hochèrent la tête et reprirent le chemin de la maison, en pleurant et en mâchant leurs petits pains farcis. Ils entendirent la mère Su soupirer derrière eux :

— Pauvres gamins…

Song Gang s'arrêta et se retourna vers la mère Su :

— Tu seras récompensée pour ta bonne action.

XVIII

Dès le point du jour, Li Lan attendait à l'entrée de l'hôpital. Bien que Song Fanping eût écrit dans sa lettre qu'il n'arriverait pas à Shanghai avant midi, elle ne tenait plus en place après ces deux mois de séparation. Elle s'était réveillée avant l'aube et avait attendu les premières lueurs assise sur son lit. Sa compagne de chambre, qui venait de subir une opération, s'était retournée dans son lit, réveillée par la douleur. En voyant Li Lan assise là, immobile, tel un fantôme, elle avait poussé un cri d'effroi et ses cicatrices toutes fraîches avaient failli se rouvrir. Quand elle eut reconnu Li Lan, sur le lit d'en face, elle commença à geindre. Désolée, Li Lan s'était confondue en excuses à voix basse. Elle avait ramassé son sac de voyage et avait quitté la chambre pour se rendre à la porte de l'hôpital. La rue, encore plongée dans l'obscurité, était déserte. Li Lan et son sac de voyage, solitaires l'un et l'autre, attendaient côte à côte. Deux ombres silencieuses devant l'entrée de l'hôpital. Cette fois-ci, ce fut le portier de l'hôpital qui eut une belle frayeur. Le vieillard, qui souffrait de la prostate, avait été réveillé par une envie pressante, et il était sorti en tenant son pantalon. Quand il aperçut les deux ombres, le choc fut tel qu'il vida sur lui la moitié de sa vessie.

— Qui va là ? cria-t-il.

Li Lan déclina son nom et son numéro de chambre. Elle expliqua qu'elle devait sortir le jour même de l'hôpital et qu'elle attendait son mari. Le portier, qui n'avait pas encore repris ses esprits, montra du doigt la deuxième ombre :

— Et lui ?

Li Lan souleva son bagage :

— C'est mon sac de voyage.

Le portier poussa un ouf de soulagement. Il tourna à l'angle du bâtiment et vida contre le mur le reste de sa vessie en grommelant :

— Elle m'a flanqué une de ces frousses. Putain, mon froc est trempé…

En l'entendant se plaindre, Li Lan, confuse, ramassa son sac et franchit la porte de l'hôpital. Elle remonta l'avenue jusqu'au carrefour et s'arrêta à côté d'un poteau électrique. Elle écoutait le bourdonnement du courant dans le pylône en regardant l'entrée sombre de l'hôpital toute proche. A cet instant, elle se sentit brusquement plus calme. Tout à l'heure, assise sur son lit, elle se disait qu'elle attendait l'aube ; et maintenant, au coin de la rue, elle se disait qu'elle attendait Song Fanping. Elle voyait déjà en imagination sa silhouette imposante approcher d'un pas enthousiaste.

Li Lan ne bougeait pas. Son corps fluet restait figé dans l'ombre, elle avait réellement quelque chose d'effrayant. Un homme qui arrivait d'en face s'aperçut de sa présence alors qu'il était seulement à une dizaine de mètres d'elle : il sursauta et préféra gagner prudemment l'autre côté de l'avenue. Quand il fut à sa hauteur, il tourna plusieurs fois la tête vers elle afin de l'observer. Un autre homme tomba nez à nez sur elle en tournant à l'angle de la rue. Il eut une telle peur que tout son corps frissonna, mais il se donna aussitôt une contenance et passa devant elle en faisant un écart, les épaules encore tremblantes. Li Lan laissa échapper malgré elle un petit rire, et ce rire qui semblait émaner d'un fantôme acheva de démonter l'homme. Il prit ses jambes à son cou.

Quand les premiers rayons du soleil illuminèrent toute l'avenue, Li Lan cessa de jouer les fantômes. Elle était toujours debout au carrefour mais elle commençait à redevenir un être humain. L'avenue s'animait peu à peu. Elle retourna à l'entrée de l'hôpital, son sac de voyage à la main. Maintenant son attente débutait pour de bon.

Li Lan patienta toute la matinée. Son visage était rouge et son cœur battait fort ; l'avenue était rouge et vibrait de clameurs. Les cortèges pavoisés allaient et venaient dans un flux ininterrompu, et l'été torride semblait plus torride encore. Le portier de l'hôpital avait reconnu Li Lan. Toute la matinée il observa avec curiosité cette femme qui lui avait fait mouiller son pantalon de frayeur avant le lever du soleil. Il la regardait, toute excitée, dévisager chacun des participants des cortèges, ou plus exactement chacun de ceux qui passaient devant elle. L'excitation de Li Lan se fondait dans l'excitation de l'avenue, comme un petit ruisseau qui se jette dans une rivière. Ses yeux excités cherchaient dans le flot humain excité la silhouette de Song Fanping. Le portier, qui s'étonnait de la voir guetter là depuis si longtemps sans que personne ne vienne la chercher, s'approcha d'elle :

— Quand est-ce qu'il arrive, ton mari ?

Li Lan se retourna :

— A midi.

En entendant sa réponse, le portier retourna à sa loge, sceptique, et jeta un œil tout aussi sceptique sur l'horloge murale, qui ne marquait pas encore dix heures. On aurait décidément tout vu : cette femme s'était ramenée ici avant l'aube pour attendre un homme qui n'arriverait qu'à midi.

Puis il observa Li Lan avec une curiosité accrue : depuis combien de temps n'avait-elle pas été touchée par un homme ? s'interrogea-t-il. Et ce fut plus fort que lui, il alla lui demander si elle était séparée de son mari depuis longtemps. Un peu plus de deux mois, répondit Li Lan. Le portier rit sous cape, en se disant qu'elle était bien pressée, au bout de seulement deux mois, et que ce petit bout de femme tout ratatiné était en réalité une sacrée drôlesse.

Voilà presque six heures que Li Lan attendait debout dans l'avenue. Elle n'avait pas bu une goutte d'eau, ni avalé un grain de riz, mais elle était toujours là, fébrile, le visage cramoisi. A l'approche de midi, son émotion et son excitation parvinrent à leur comble. Les regards qu'elle promenait sur les hommes qui passaient étaient comme des clous prêts à les transpercer. A plusieurs reprises, elle crut reconnaître Song Fanping. Dressée sur la pointe des pieds, elle agita frénétiquement la main, les yeux pleins de larmes, et bien que sa joie eût été chaque fois de courte durée, son excitation ne faiblissait pas.

Il était plus de midi et Song Fanping ne se montrait toujours pas. C'est sa sœur aînée qui apparut. Elle descendit d'un bus bondé et courut, dégoulinante de sueur, jusqu'à la porte de l'hôpital. En apercevant Li Lan, elle s'écria joyeusement :

— Ah, tu es encore là…

La sœur de Song Fanping, tout en s'épongeant le front, n'arrêtait pas de parler. Elle expliqua que tout le long du chemin elle avait eu peur d'arriver trop tard, qu'elle avait failli changer de bus pour se rendre à la gare routière, mais qu'heureusement elle avait renoncé à son projet. Tout en parlant, elle tendit à Li Lan un sachet de caramels Lapin Blanc, "pour les enfants" précisa-t-elle. Li Lan prit le sachet et le rangea dans son sac. Elle ne disait rien et se contentait de sourire à la sœur de Song Fanping avec des hochements de tête. Et en même temps, elle ne pouvait s'empêcher de scruter le flot humain dans la rue. La sœur de Song Fanping se mit à surveiller avec elle les silhouettes masculines, elle ne s'expliquait pas le retard de son frère. Elle fit voir sa montre à Li Lan :

— Il devrait être là, il est déjà presque une heure.

Les deux femmes attendirent une demi-heure devant l'hôpital, puis la sœur de Song Fanping s'excusa de ne pouvoir patienter plus longtemps, car elle devait reprendre son travail. Avant de partir, elle réconforta Li Lan : Song Fanping devait avoir été pris dans un embouteillage, il fallait changer trois fois entre la gare et l'hôpital, et il y avait partout des manifestants qui entravaient la circulation. Même les piétons avaient du mal à se frayer un chemin, alors à plus forte raison les véhicules. Sur ce, elle s'éclipsa, mais pour revenir aussitôt et ajouter :

— Si vous n'arrivez pas à attraper le car de cet après-midi, vous n'aurez qu'à venir passer la nuit chez moi.

Li Lan continua à monter la garde devant la porte de l'hôpital, persuadée que la sœur de Song Fanping avait vu juste et que celui-ci était certainement victime des embarras de la circulation. Ses yeux continuaient à dévisager fébrilement tous les hommes qui s'approchaient. Au fur et à mesure que le temps s'écoulait, Li Lan était de plus en plus épuisée, elle avait faim et soif, et n'avait plus la force de se tenir debout. Elle s'assit sur les marches de la loge, le dos appuyé contre le chambranle de la porte, la tête toujours levée et les yeux à l'affût. Dans sa loge, le vieillard regarda l'horloge murale : il était déjà plus de 14 heures.

— Tu poireautes ici depuis avant l'aube, et il est déjà deux heures passées, lui lança-t-il. Tu es restée debout tout le temps, sans rien prendre. Tu crois que tu vas pouvoir tenir longtemps comme ça ?

Li Lan se retourna vers lui en souriant :

— Pour le moment, ça va encore.

Le vieillard poursuivit :

— Tu ferais mieux d'aller t'acheter quelque chose à manger. A vingt mètres, sur la droite, il y a une boutique de *dim sum*.

Li Lan secoua la tête :

— Supposez que je m'éloigne et qu'il arrive.

— Je vais surveiller à ta place, proposa le vieillard. Dis-moi seulement à quoi il ressemble.

Li Lan, après un moment de réflexion, secoua encore la tête :

— Je préfère attendre ici.

Ils se turent tous les deux. Le vieillard était assis à la fenêtre de sa loge, et des gens venaient sans arrêt lui demander des renseignements. Li Lan était toujours assise sur les marches, à l'entrée, et continuait à dévisager chaque nouvel arrivant. A la fin, le vieillard quitta son siège et s'approcha de Li Lan :

— Je vais t'acheter quelque chose à manger.

Li Lan resta sans réaction. Le vieillard répéta son offre, tout en tendant la main vers Li Lan. Celle-ci comprit et s'empressa de sortir de sa poche de l'argent et des tickets de céréales.

— Qu'est-ce que tu veux ? demanda le vieillard. Des pains farcis ? Fourrés à la viande ou bien à la purée de haricots rouges ? Une soupe aux raviolis ?

Li Lan tendit au vieillard l'argent et les tickets de céréales :

— Vous n'avez qu'à m'acheter deux petits pains nature, ça ira comme ça.

Le vieillard prit l'argent et les tickets :

— Tu es drôlement économe.

Une fois arrivé à la porte de l'hôpital, il se retourna pour lui faire ses recommandations :

— Il ne faut laisser entrer personne dans la loge. Ce qu'il y a à l'intérieur est propriété de l'Etat.

Li Lan hocha la tête :

— Entendu.

Il était presque 15 h 30 quand Li Lan avala enfin quelque chose. Elle déchira les petits pains et mit les morceaux un par un dans sa bouche, mâchant lentement, et avalant lentement. Elle n'avait rien bu de toute la journée, et la nourriture avait du mal à passer. C'était comme si elle avait avalé des pastilles amères. Le vieillard s'en rendit compte et lui tendit sa tasse de thé. Li Lan prit la tasse, culottée par le thé, et but lentement son contenu. Elle parvint ainsi à terminer un des deux petits pains. Elle ne mangea pas l'autre, mais l'enveloppa dans du papier et le fourra dans son sac. Après s'être restaurée, elle sentit que les forces lui revenaient peu à peu. Elle se leva et dit au portier :

— L'autocar qu'il a pris arrivait à 11 heures à Shanghai. Même s'il avait fait le trajet à pied, il devrait déjà être ici.

Le vieillard ajouta :

— Oui, même en rampant, il serait déjà là.

A cet instant, Li Lan se dit que Song Fanping avait peut-être pris l'autocar de l'après-midi. Il avait sans doute été retardé par une affaire importante. Elle pensa qu'elle ferait mieux de se rendre elle-même à la gare routière car l'autocar de l'après-midi arrivait à Shanghai à 17 heures. Elle décrivit Song Fanping en détail au portier, en le priant de lui annoncer, au cas où il arriverait, qu'elle se trouvait à la gare routière. Le vieillard la rassura : dès qu'il verrait venir un homme de haute taille, il lui demanderait s'il ne s'appelait pas Song Fanping.

Li Lan, son sac de voyage à la main, franchit le portail de l'hôpital et gagna l'arrêt de l'autobus. Elle attendit là un moment, puis revint à la loge avec son sac.

— Qu'est-ce que tu fais encore ici ? s'étonna le portier.

— J'ai oublié de vous dire quelque chose, répondit Li Lan.

— Quoi donc ?

Li Lan regarda le vieillard droit dans les yeux, et elle déclara solennellement :

— Je vous remercie, vous êtes un chic type.

La fluette Li Lan, portant son énorme sac de voyage, se glissa dans l'autobus. Dans la voiture bondée, elle fut malmenée, suffocant au milieu des odeurs de transpiration, d'aisselles, de pieds et d'haleines. Puis elle descendit de l'autobus pour remonter dans un autre et, après trois changements, elle atteignit la gare routière. Il était presque 17 heures. Elle se posta à la sortie de la gare. Les rayons du soleil couchant l'éclairaient de rouge. Elle observait un à un les autocars qui entraient en gare et détaillait une par une les cohortes de voyageurs qui la quittaient. Elle était aussi rouge et aussi excitée qu'à midi, elle savait que quand elle verrait apparaître un homme qui dépasserait tout le monde d'une tête, ce serait à coup sûr Song Fanping, et c'est pourquoi ses yeux brillants regardaient par-dessus les crânes des voyageurs. A cet instant, elle était toujours persuadée de voir Song Fanping arriver par là, et elle était à cent lieues d'imaginer qu'un incident avait pu se produire.

Pendant ce temps, Li Guangtou et Song Gang l'attendaient à la gare de notre bourg des Liu. A l'heure où les portes de la gare s'étaient fermées, celles de la gare de Shanghai s'étaient fermées elles aussi. Au moment où Li Guangtou et Song Gang rentraient à la maison en mangeant les pains farcis que leur avait offerts la patronne de la boutique de *dim sum*, Li Lan était toujours debout à la sortie de la gare de Shanghai. La nuit tombait peu à peu, et elle n'avait toujours pas vu la haute silhouette de Song Fanping. Et quand on verrouilla la grande grille à l'entrée de la gare, c'était comme si on lui avait vidé le cerveau : elle restait là, comme privée de conscience.

Li Lan passa la nuit à la porte de la salle d'attente. Elle avait bien pensé se rendre chez la sœur de Song Fanping, mais elle ne connaissait pas son adresse, celle-ci avait oublié de la lui donner. Tout comme Li Lan, l'idée ne l'avait pas effleurée que Song Fanping pourrait ne pas venir. Son frère savait où elle habitait, et elle avait pensé que cela suffisait. Li Lan coucha donc par terre comme une clocharde. Dans la nuit d'été, les moustiques bourdonnaient autour d'elle et la piquaient, mais elle ne sentait rien. Elle était dans un demi-sommeil dont elle émergeait plus ou moins de loin en loin.

Au cours de la deuxième moitié de la nuit, une folle vint lui tenir compagnie. Elle s'assit d'abord à côté d'elle et l'observa attentivement en s'esclaffant. Li Lan fut réveillée par son rire bizarre, et l'aspect hirsute de la mendiante, à la lueur du lampadaire, lui arracha un cri de frayeur, auquel la folle répondit par un cri encore plus long et encore plus strident. Elle bondit sur ses pieds comme si Li Lan lui avait fait peur, et se rassit à nouveau le plus calmement du monde, les yeux fixés sur Li Lan, en continuant à pouffer de rire.

Li Lan était encore sous le coup de la stupeur. La folle s'était mise à fredonner un air, tout en débitant des discours interminables. Elle parlait comme une mitraillette. Li Lan n'était plus impressionnée, bien qu'elle ne comprît pas ce que racontait la folle, cette voix qui résonnait sans interruption à ses oreilles la rassérénait. Elle sourit et replongea dans son demi-sommeil.

Au bout d'un moment, Li Lan entendit en rêve des claquements de mains. Elle leva ses paupières lourdes et vit la folle assise à côté d'elle qui agitait les bras pour chasser les moustiques et qui les écrasait entre ses paumes. Après avoir frappé dans ses mains une dizaine de fois de suite, elle prit avec précaution les moustiques écrasés dans ses paumes et les mit dans sa bouche, et elle les avala en pouffant. Son manège rappela à Li Lan le petit pain resté dans son sac. Elle s'assit sur son séant, sortit le petit pain, le partagea en deux et en tendit une moitié à la folle.

La main de Li Lan se trouvait presque sous son nez, or la folle ne semblait toujours rien voir, elle continuait à chasser les moustiques, elle continuait à les mettre dans sa bouche et à les mastiquer, et elle continuait à pouffer. Li Lan commençait à fatiguer mais, alors qu'elle s'apprêtait à baisser son bras, la folle lui arracha brusquement le demi petit pain. Après s'en être emparée, elle se leva aussitôt en poussant des gémissements, descendit les marches de la salle d'attente et, comme si elle cherchait quelque chose, elle fit d'abord plusieurs pas en direction du sud puis revint en arrière et avança en direction du nord, avant de se diriger vers l'est, tenant toujours le petit pain dans sa main levée. Quand elle se fut éloignée, Li Lan comprit enfin ce qu'elle n'avait pas cessé de crier : "Grand frère, grand frère..."

Sous la pâle lumière du lampadaire, il ne restait que Li Lan. Assise là, elle mangeait lentement. Elle se sentait le cœur vide. Elle finissait le petit pain, lorsque le lampadaire s'éteignit subitement. Elle leva la tête et aperçut les rayons du soleil, et alors ses larmes d'un coup jaillirent.

Li Lan prit l'autocar du matin. Tandis que celui-ci quittait la gare routière, elle n'arrêta pas de regarder en arrière, cherchant des yeux la silhouette de Song Fanping. C'est seulement lorsque l'autocar eut quitté Shanghai et que le paysage eut changé dehors, faisant place à la rase campagne, que Li Lan ferma les yeux. Elle appuya sa tête contre la fenêtre et plongea dans un demi-sommeil, au milieu des cahots de la route. Au cours des trois heures que dura le voyage, elle passa continuellement du sommeil à l'éveil. Elle ne cessait de repenser aux lettres : pourquoi les timbres n'étaient-ils jamais collés au même endroit ? Les doutes l'assaillirent à nouveau, de plus en plus forts. Li Lan ne doutait pas que Song Fanping fût un homme de parole : dès lors qu'il s'était engagé à aller la chercher à Shanghai, il tiendrait sa promesse envers et contre tout. S'il n'était pas venu, c'est donc que forcément il était arrivé quelque chose. Cette pensée faisait trembler le cœur de Li Lan, et à mesure que l'autocar se rapprochait de notre bourg des Liu, et que le paysage à l'extérieur devenait plus familier, le mauvais pressentiment de Li Lan se faisait de plus en plus impérieux. Elle avait maintenant la très nette impression qu'il était arrivé malheur à Song Fanping. Frissonnant de tous ses membres, elle se couvrit le visage de ses mains. Elle n'osait rien imaginer, elle se sentait sur le point de s'effondrer et les larmes lui montèrent aux yeux.

Quand l'autocar entra dans la gare de notre bourg des Liu, Li Lan fut la dernière à descendre, avec son sac de voyage gris où était imprimé le mot “Shanghai”. Elle marchait en queue de cortège. Ses jambes lui semblaient aussi lourdes que si on y avait coulé du plomb. Chaque pas lui donnait la sensation de se rapprocher d'une funeste nouvelle. Quand elle sortit de la gare, dans les affres de l'angoisse, deux garçons, aussi sales que des chiffonniers, vinrent vers elle en pleurant. Alors Li Lan comprit que son intuition se vérifiait. Tout devint noir devant ses yeux, et son sac tomba à terre. Ces deux garçons crasseux, c'étaient Li Guangtou et Song Gang.

— Papa est mort, annoncèrent-ils en pleurant à Li Lan.

XIX

Li Lan se tenait debout, immobile. Li Guangtou et Song Gang, en larmes, ne cessaient de lui répéter : papa est mort. Le corps de Li Lan, debout là, paraissait avoir été oublié. A cette heure où brillait le soleil de midi, il faisait noir devant ses yeux, c'était comme si tout à coup elle était devenue aveugle et sourde, et pendant un moment elle ne vit plus rien, elle n'entendit plus rien. Elle resta plantée plus de dix minutes, plus morte que vive, et ses yeux peu à peu retrouvèrent la lumière, et les pleurs des enfants devinrent de plus en plus distincts à ses oreilles. Elle voyait à nouveau la gare routière de notre bourg des Liu, elle voyait les hommes et les femmes qui passaient, elle voyait Li Guangtou et Song Gang. Ses deux enfants étaient barbouillés de larmes et de morve, ils la tiraient par son vêtement et lui disaient en pleurant :

— Papa est mort.

Li Lan hocha la tête tout doucement et murmura :

— Je sais.

Li Lan baissa la tête et regarda son sac de voyage tombé à terre. Au moment de se baisser pour le ramasser, elle s'effondra brutalement à genoux sur le sol, entraînant dans sa chute Li Guangtou et Song Gang qui s'accrochaient à elle. Elle releva les enfants et se releva elle-même en prenant appui sur son sac. Mais quand, pour la deuxième fois, elle voulut ramasser son sac, ses jambes la trahirent à nouveau et elle se retrouva encore à genoux sur le sol. Elle se mit alors à trembler de tous ses membres. Li Guangtou et Song Gang la regardaient avec effroi, ils la secouèrent en l'appelant :

— Maman, maman…

Li Lan se releva en s'appuyant sur les épaules des enfants. Elle poussa un profond soupir, puis elle empoigna le sac et se mit en marche avec difficulté. Le soleil de midi lui donnait le vertige et la faisait zigzaguer. Ils traversèrent l'esplanade devant la gare, les traces du sang de Song Fanping étaient toujours visibles et, sur la terre rougie, il y avait une dizaine de mouches écrasées. Song Gang montra le sol à Li Lan :

— C'est ici que papa est mort.

Les enfants l'instant d'avant ne pleuraient plus, mais en prononçant ces paroles Song Gang fondit de nouveau en larmes, et Li Guangtou ne put retenir les siennes lui non plus. Le sac de Li Lan retomba par terre, elle se pencha pour examiner les traces de sang noircies puis redressa la tête : elle regarda autour d'elle, regarda les deux enfants. Son regard flottait dans ses yeux remplis de larmes. Ensuite, elle s'agenouilla, ouvrit son sac, en sortit un vêtement qu'elle étala sur le sol. Elle ramassa avec précaution les mouches mortes avant de les jeter plus loin, puis elle prit une brassée de terre rouge à pleines mains et la posa sur le vêtement. Elle tria en s'appliquant, grain par grain, la terre qui n'était pas souillée de sang et l'élimina, puis elle reprit une brassée de terre rouge et la déposa aussi sur le vêtement. Elle resta agenouillée pendant tout ce temps et, quand elle eut déposé sur le vêtement toute la terre souillée, elle ne se releva pas, ses mains trituraient encore la terre, continuant à chercher le sang de Song Fanping comme si elles cherchaient de l'or dans du sable.

Elle demeura longtemps ainsi, et des gens s'attroupèrent autour d'elle, qui l'observaient et commentaient ses gestes. Certains la connaissaient, d'autres non, et quelques-uns évoquèrent Song Fanping et la façon dont il avait été battu à mort. Ils racontaient des détails ignorés de Li Guangtou et de Song Gang : les coups de bâton reçus à la tête, les coups de pied en pleine poitrine, et pour finir les bâtons brisés plantés dans son corps… A chaque phrase, les cris stridents de Li Guangtou et de Song Gang repartaient de plus belle. Li Lan, qui entendait cela elle aussi, était secouée de tremblements. A plusieurs reprises elle leva la tête pour regarder ceux qui parlaient, avant de la baisser à nouveau pour poursuivre sa besogne. Finalement, la mère Su sortit de sa boutique et engueula les badauds :

— Fermez-la ! Ce ne sont pas des choses à raconter devant sa femme et ses enfants. Ce n'est pas humain tout ça !

Puis elle ajouta à l'intention de Li Lan :

— Rentre vite chez toi avec tes enfants.

Li Lan acquiesça de la tête. Elle souleva le vêtement rempli de terre rouge, le noua et le rangea dans son sac. C'était déjà l'après-midi. Li Lan marchait devant avec son lourd sac de voyage, et Li Guangtou et Song Gang, qui marchaient derrière en se tenant par la main, voyaient ses épaules pencher d'un côté.

Sur le chemin, Li Lan ne versa pas une larme, ne poussa pas un cri, elle avançait vers la maison de son pas chancelant. Son sac était probablement trop lourd car elle le posa plusieurs fois. Au cours de ces haltes, elle regardait les enfants, mais sans leur adresser la parole. Eux non plus ne pleuraient pas, ni ne parlaient. Elle croisa d'autres personnes qui la connaissaient et l'interpellèrent par son nom : elle se contenta de les saluer d'un signe de tête et d'un sourire.

Li Lan rentra chez elle sans bruit. Quand en poussant la porte elle aperçut son mari mort sur le lit, à la vue de ce corps en charpie elle s'effondra, pour se relever immédiatement. Elle ne pleurait toujours pas. Debout devant le lit, elle secouait la tête sans arrêt. Elle toucha légèrement le visage de Song Fanping, puis, craignant de lui faire mal, affolée, elle recula le bras. Sa main resta suspendue en l'air un moment, puis elle commença à peigner les cheveux en bataille de Song Fanping, d'où tombèrent quelques mouches mortes. Alors sa main droite ramassa une par une les mouches sur le corps de Song Fanping et les plaça dans sa main gauche. Li Lan resta tout l'après-midi à côté du lit à ramasser les mouches sur le cadavre de Song Fanping. Des voisins passèrent la tête par la fenêtre, quelques-uns même entrèrent pour parler à Li Lan, mais celle-ci ne répondait que par des signes de tête, et pas un son ne sortait de sa bouche. Dès qu'ils furent partis, elle boucla porte et fenêtres. Le soir venu, quand il sembla à Li Lan qu'il n'y avait plus de mouches sur le corps de Song Fanping, elle se décida enfin à s'asseoir au bord du lit et elle regarda, l'œil fixe, les lueurs du couchant sur la fenêtre.

Li Guangtou et Song Gang n'avaient rien mangé de la journée. Ils pleurnichaient à côté d'elle et, au bout d'un long moment, Li Lan parut enfin les entendre. Elle se tourna vers eux et leur dit à voix basse :

— Arrêtez de pleurer. Il ne faut pas que les gens nous entendent pleurer.

Aussitôt les deux enfants se couvrirent la bouche de leurs mains.

— On a faim, risqua timidement Li Guangtou.

Li Lan, comme si elle s'éveillait d'un rêve, se leva, leur donna de l'argent et des tickets de céréales, et les envoya s'acheter quelque chose dans la rue. En sortant, les enfants la virent se rasseoir, l'œil fixe, au bord du lit. Ils achetèrent trois petits pains farcis et rentrèrent à la maison en mangeant. Li Lan n'avait pas changé de place. Quand ils lui tendirent le troisième petit pain, elle le regarda l'air perdu :

— Qu'est-ce que c'est ?

— Un petit pain farci, répondirent Li Guangtou et Song Gang.

Li Lan hocha la tête comme si elle avait compris. Elle prit le petit pain et mordit dedans. Elle mastiquait lentement et avalait lentement. Li Guangtou et Song Gang l'observèrent tandis qu'elle mangeait. Quand elle eut fini, elle leur dit :

— Allez donc vous coucher.

Cette nuit-là, dans leur sommeil, les enfants eurent l'impression que quelqu'un entrait et sortait constamment, et ils entendirent de l'eau couler à plusieurs reprises. C'était Li Lan qui allait et venait, et qui tirait de l'eau au puits. Elle lava soigneusement le cadavre de Song Fanping et lui enfila des vêtements propres. Les enfants ne surent pas comment la frêle Li Lan s'y prit pour habiller le colosse, ni à quelle heure elle se coucha. Le lendemain matin, après le départ de Li Lan, Li Guangtou et Song Gang découvrirent Song Fanping sur son lit, aussi frais qu'un jeune marié. Le drap sur lequel il reposait avait été changé également, mais son visage après la toilette était à la fois livide et violacé.

Song Fanping, mort, reposait du côté extérieur du lit, et sur le deuxième oreiller, quelques longs cheveux de Li Lan étaient restés collés. D'autres cheveux à elle étaient accrochés au cou de Song Fanping. Li Lan avait dû passer la nuit la tête appuyée contre la poitrine de Song Fanping. C'était le dernier sommeil qu'elle partageait avec lui. Les vêtements et les draps couverts de sang trempaient dans un baquet sous le lit. A la surface de l'eau flottaient des mouches surgies des coutures des vêtements.

Cette nuit-là, Li Lan avait pleuré toutes les larmes de son corps. Tandis qu'elle nettoyait Song Fanping, elle tremblait à la vue de toutes ces blessures. A plusieurs reprises, elle avait failli pousser des cris de douleur, mais chaque fois elle avait ravalé ses pleurs en perdant connaissance, et chaque fois elle avait eu la force de revenir à elle. Et elle avait mordu ses lèvres jusqu'au sang. Impossible d'imaginer comment elle avait passé cette nuit et comment elle était parvenue à se dominer sans sombrer dans la folie. Ensuite, quand elle s'était allongée sur le lit, qu'elle avait fermé les yeux et posé sa tête sur la poitrine de Song Fanping, elle ne s'était pas endormie, elle avait glissé dans une torpeur aussi longue que la nuit, et elle ne s'était réveillée que quand les rayons du soleil levant avaient pénétré dans la pièce. C'est ainsi qu'elle avait finalement émergé vivante de l'abîme de sa souffrance.

Li Lan, les yeux rouges et gonflés, sortit de chez elle et se dirigea vers le magasin de cercueils. Elle avait pris tout l'argent qui lui restait. Elle aurait voulu acheter pour son mari un cercueil de premier choix, mais elle n'avait pas assez, et elle dut se contenter d'un modèle en planches fines et non laquées. En outre, c'était le plus court des quatre qu'on lui présenta. Il était presque midi quand elle revint à la maison, suivie de quatre hommes qui portaient le cercueil sur leurs épaules. Ils entrèrent directement et posèrent leur charge à côté du lit de Li Guangtou et de Song Gang. Les enfants regardèrent la bière avec épouvante. Les quatre hommes, qui sentaient la sueur, s'épongeaient avec une serviette et s'éventaient avec leur chapeau de paille :

— Et le défunt, où est-il ? demandèrent-ils d'une voix forte, en jetant des regards de tous côtés.

Li Lan, sans rien dire, ouvrit la porte de la pièce du fond et les regarda, toujours muette. Le chef de l'équipe jeta un coup d'œil à l'intérieur et aperçut Song Fanping couché sur le lit. Il fit un signe à ses camarades, et les quatre hommes entrèrent ensemble. Ils discutèrent un moment à voix basse devant le lit, saisirent Song Fanping par les bras et par les jambes. Le chef cria : "Levez", et ils soulevèrent Song Fanping. Sous l'effort, leurs visages prirent la couleur du foie de porc. S'il leur fut difficile de sortir Song Fanping par la porte, il leur fut carrément impossible de le loger dans le cercueil : une fois placé dedans, ses deux pieds dépassaient de la boîte. Debout autour du cercueil, les quatre hommes haletaient. Ils demandèrent à Li Lan combien Song Fanping pesait de son vivant.

Li Lan, appuyée contre la porte, répondit, en parlant tout bas, que son mari pesait plus de 180 livres. Les quatre hommes prirent alors un air entendu, et le chef s'exclama :

— Pas étonnant qu'il soit aussi lourd. Quand on est mort, on pèse deux fois plus lourd. Il doit bien faire ses 360 livres… Putain, c'est un coup à se filer un tour de rein !

Là-dessus, les quatre employés du magasin de cercueils se lancèrent dans une discussion animée, tout en essayant de rentrer les pieds de Song Fanping dans la boîte. Song Fanping était trop grand pour le cercueil. Les quatre hommes s'activèrent pendant une bonne heure. Ils avaient remonté le corps du défunt si haut dans la boîte que sa tête était de travers, mais pour autant les pieds n'étaient toujours pas à l'intérieur. Ils envisagèrent alors de le coucher sur le côté, les mains enserrant les jambes repliées. Ainsi, on pourrait tout caser.

Li Lan n'était pas d'accord, pour elle les morts devaient reposer dans leur cercueil le visage tourné vers le ciel, car les morts veulent continuer à voir le monde :

— Il ne faut pas le coucher de côté, dit-elle, sinon il ne nous verra pas de l'au-delà.

— Mais même si on le couche à plat, il ne verra rien, rétorqua le chef. Dessus, il y a le couvercle du cercueil, et par-dessus encore, la terre… Sans compter que cette position, c'est celle que prennent les bébés dans le ventre de leur mère. Quand on est mort, c'est la position idéale : ça l'aidera plus tard à se réincarner.

Li Lan continuait de secouer la tête. Elle aurait voulu argumenter, mais déjà les quatre hommes s'étaient à nouveau penchés sur le cercueil, occupés à placer le corps sur le côté en s'encourageant de la voix. Là-dessus, ils découvrirent que le cercueil n'était pas suffisamment spacieux : le corps de Song Fanping était trop large, trop épais, et ses jambes trop longues. Même en position fœtale, il n'y avait pas moyen qu'il tienne dedans tout entier. Les quatre hommes étaient exténués, la sueur leur dégoulinait du visage jusqu'au creux de l'estomac. Ils relevèrent leurs maillots pour s'éponger et se plaignirent en jurant auprès de Li Lan :

— Qu'est-ce que c'est que ce cercueil de merde ! Il est à peine plus grand qu'une cuvette pour se laver les pieds…

Li Lan baissait tristement la tête. Les quatre hommes se reposèrent un moment, assis ou adossés contre le mur, puis ils discutèrent entre eux et le chef fit cette proposition à Li Lan :

— Je ne vois qu'une solution. On va lui briser les genoux, et lui replier les jambes, et comme ça il tiendra tout entier.

Li Lan, épouvantée, pâlit et secoua la tête :

— Non, non, pas comme ça… dit-elle en tremblant.

— Alors, c'est insoluble.

Là-dessus, les quatre hommes se levèrent, ramassèrent leurs palanches et leurs cordes, ils déclarèrent, en secouant la tête et en gesticulant, qu'ils avaient fait tout ce qu'ils étaient en mesure de faire. Ils sortirent et Li Lan les suivit dehors :

— Il n'y a vraiment pas d'autre solution ? demanda-t-elle d'un air misérable.

— Non, tu as bien vu, dirent-ils en se retournant.

Les quatre employés du magasin de cercueils avançaient dans la ruelle avec leurs palanches et leurs cordes, et Li Lan les suivait, d'un air pitoyable. Elle répéta sa question sur le même ton :

— Il n'y a vraiment pas d'autre solution ?

— Non, répétèrent-ils, catégoriques.

Quand les quatre hommes sortirent de la ruelle et qu'ils s'aperçurent que Li Lan les suivait toujours, le chef s'arrêta et lui dit :

— Réfléchis un peu. A-t-on jamais vu un mort dont les pieds dépassent du cercueil ? Quoi qu'on fasse, ça vaudra toujours mieux que de le laisser dans cet état-là.

Alors Li Lan baissa la tête douloureusement et lâcha d'un ton douloureux :

— Faites comme vous voulez.

Les quatre hommes rebroussèrent chemin et revinrent à la maison, la pauvre Li Lan toujours derrière eux. Secouant la tête sans rien dire, Li Lan s'approcha du cercueil et regarda un moment en silence Song Fanping qui reposait à l'intérieur. Puis elle se pencha sur la boîte, plongea ses mains dedans, et retroussa avec précaution les jambières du pantalon de Song Fanping. Tandis qu'elle les roulait, elle aperçut de nouveau les plaies sur les mollets de Song Fanping. Elle acheva en tremblant de remonter les jambières jusqu'au-dessus des genoux. Elle releva la tête et vit Li Guangtou et Song Gang. Effrayée, elle fuit leur regard et, tête baissée, elle les prit par la main et les emmena dans la pièce du fond. Elle tira la porte, s'assit sur le lit et ferma les yeux. Li Guangtou et Song Gang s'installèrent près d'elle, l'un à sa droite, l'autre à sa gauche, et elle les prit tous deux par les épaules.

Dans l'autre pièce, le chef cria :

— On y va !

Le corps de Li Lan sursauta comme sous l'effet d'une décharge électrique, et Li Guangtou et Song Gang sursautèrent avec elle. A cet instant, il y avait beaucoup de monde devant chez eux, des voisins et des passants, et d'autres gens que les voisins et les passants avaient prévenus pour qu'ils assistent à la scène. Ils formaient une foule compacte et certains, poussés par les autres, étaient entrés dans la maison. Ils parlaient tous bruyamment. Les quatre employés du magasin de cercueils entreprirent de briser les genoux de Song Fanping. Li Lan et les enfants ignoraient ce qu'ils faisaient. Ils les entendirent annoncer qu'ils allaient se servir d'une brique, puis, après qu'ils en eurent cassé plusieurs, ils parlèrent d'utiliser le dos d'un hachoir, et finalement d'utiliser encore un autre objet. Dans le brouhaha des voix, ils ne comprenaient pas ce que disaient les gens dehors. Ils percevaient simplement des cris et des exclamations, et à part cela le bruit des hommes en action : une suite de sons étouffés ponctués par des sons plus aigus, les bruits secs de l'os qu'on casse.

Li Guangtou et Song Gang n'avaient pas cessé de trembler, et leurs tremblements faisaient autant de raffut que les feuilles des arbres dans la tourmente. Ils se regardaient eux-mêmes avec étonnement, surpris de trembler à ce point. Mais ils finirent par s'apercevoir que c'étaient les bras de Li Lan passés autour de leurs épaules qui leur communiquaient leurs tremblements. Le corps de Li Lan vibrait comme un moteur.

Dans la pièce d'à côté, les quatre hommes avaient maintenant brisé les genoux robustes de Song Fanping. Le chef ordonna aux autres de ramasser les éclats de briques tombés dans le cercueil et, un moment plus tard, de baisser les jambières du pantalon de Song Fanping et de glisser à l'intérieur les mollets brisés. Puis il frappa à la porte de la chambre et dit à Li Lan :

— Viens jeter un coup d'œil avant qu'on ferme le cercueil.

Li Lan se leva, le corps agité de soubresauts, et c'est encore tremblante qu'elle ouvrit la porte et sortit. Dieu sait au prix de quelles difficultés elle approcha du cercueil. Elle vit que les mollets coupés de son mari avait été posés sur ses cuisses, comme si c'étaient les mollets de quelqu'un d'autre qu'on avait mis là. Elle avait du mal à se tenir debout mais ne s'écroula pas. Elle ne vit pas les genoux broyés de Song Fanping car les employés avaient glissé les mollets dans les jambières du pantalon. Toutefois, elle aperçut des éclats d'os et des morceaux de chair collés sur les planches du cercueil. Li Lan s'agrippa à la bière et regarda Song Fanping avec une tendresse infinie. Sur son visage tuméfié et méconnaissable, elle revit l'expression souriante de Song Fanping tel qu'il était de son vivant : il se retournait vers elle et agitait la main, bien réel ; il marchait sur une route déserte sans aucune présence humaine autour de lui ; l'homme que Li Lan avait le plus aimé dans cette vie s'en allait vers les sources jaunes[1].

Li Guangtou et Song Gang, assis sur le lit, dans la pièce du fond, entendirent Li Lan dire d'une voix tremblante :

— Vous pouvez fermer.

XX

Pour Li Guangtou et Song Gang, la force qui avait soutenu Li Lan demeurerait à jamais une énigme : ni quand elle était sortie de la gare routière et avait trouvé Li Guangtou et Song Gang en pleurs, ni quand agenouillée sur le sol elle avait ramassé la terre souillée de sang, ni quand de retour à la maison elle avait vu le cadavre en charpie, ni quand elle était allée acheter le cercueil de planches minces, ni quand elle avait laissé les quatre employés du magasin de cercueils briser les genoux de Song Fanping, elle n'avait versé la moindre larme. En les entendant briser les jambes de Song Fanping, Li Guangtou et Song Gang avaient été plus d'une fois à deux doigts d'éclater en sanglots. Mais ils s'étaient rappelé les paroles de Li Lan : il ne fallait pas que les gens sachent qu'ils pleuraient, et aussitôt ils avaient refermé leur bouche.

Ce soir-là, Li Lan prépara un repas de tofu. C'était la coutume dans notre bourg des Liu, c'est ce qu'on mangeait traditionnellement à l'occasion d'un deuil. Li Lan cuisina une pleine bassine de tofu et la posa au milieu de la table, ainsi qu'un bol de légumes sautés, et à la nuit tombée, au moment d'allumer les lumières, ils s'assirent tous les trois autour. Le cercueil de Song Fanping était à côté, et sur le couvercle se consumait une lampe à huile confectionnée avec un bol. C'était une veilleuse destinée à éclairer le voyage de Song Fanping vers l'au-delà et à empêcher qu'il ne trébuche.

Li Lan n'avait pas desserré les dents de tout l'après-midi et, comme Li Guangtou et Song Gang n'avaient pas osé parler non plus, le silence régnait dans la maison. Les enfants n'entendirent du bruit que quand Li Lan se mit aux fourneaux et qu'ils virent s'élever de la vapeur. C'était le premier repas qu'elle préparait depuis son retour de Shanghai. Debout devant le réchaud à pétrole, elle pleurait sans interruption, mais sans jamais essuyer ses larmes. Quand elle apporta sur la table la bassine de tofu et le bol de légumes, Li Guangtou et Song Gang s'aperçurent que son visage ruisselait de larmes, et elle continua de pleurer comme une fontaine en servant les enfants. Ensuite, elle retourna chercher des baguettes. Elle resta debout longtemps dans l'ombre, puis elle s'approcha de la table en tenant les six branches d'arbres. On aurait dit qu'elle était plongée dans un rêve. Sans cesser de pleurer, elle s'assit sur le banc et contempla les branches.

— Ce sont les baguettes des anciens, lui dit Song Gang d'une voix tremblante.

Elle regarda les deux enfants au milieu de ses larmes et, quand ils lui eurent expliqué l'origine de ces baguettes, elle s'essuya enfin le visage. Et quand elle eut les yeux secs, elle distribua une paire de baguettes des anciens à Li Guangtou et une autre à Song Gang en déclarant doucement :

— Elles sont épatantes, ces baguettes des anciens.

Sur ce, elle se tourna en souriant vers le cercueil. Son sourire était aussi tendre que si Song Fanping avait été assis là à la regarder. Puis elle prit son bol et recommença à pleurer comme une fontaine. Elle mangeait en pleurant sans faire aucun bruit. Li Guangtou s'aperçut que les larmes de Song Gang coulaient dans son bol, et lui-même ne put retenir les siennes. Tous les trois pleuraient et mangeaient en silence.

Le lendemain matin, Li Lan fit soigneusement sa toilette et quand elle fut bien apprêtée, elle prit Li Guangtou et Song Gang par la main et sortit, la tête haute. Accompagnée des enfants, elle arpenta les rues de la Révolution culturelle, avançant indifférente au milieu des drapeaux rouges et des slogans. Beaucoup de gens se la montraient du doigt, mais elle ne voyait rien. Elle se rendit d'abord au magasin de tissu. Les gens n'y achetaient que de l'étoffe rouge, pour y tailler des drapeaux rouges et des brassards rouges. Li Lan, elle, y acheta du crêpe noir et de l'étoffe blanche. Dans le magasin, des gens l'observaient avec curiosité, d'autres, ayant reconnu l'épouse de Song Fanping, s'approchèrent d'elle le poing levé en hurlant des slogans hostiles. Sans se démonter, elle paya, enroula le crêpe noir et l'étoffe blanche, et, toujours sans se démonter, quitta le magasin en serrant contre sa poitrine les deux coupons de tissu.

Li Guangtou et Song Gang tenaient Li Lan par sa veste, marchant au même pas qu'elle ils la suivirent chez le photographe. En triant les affaires de Song Fanping, Li Lan avait trouvé le reçu bleu et l'avait gardé longtemps dans sa main avant de se rappeler qu'ils avaient pris naguère une photo de toute la famille. C'était avant qu'elle ne parte se faire soigner à Shanghai. Song Fanping n'était jamais allé récupérer la photo, et elle en déduisit qu'il avait dû lui arriver malheur aussitôt après qu'elle avait gagné Shanghai.

Le photographe prit le reçu et fouilla longuement. Il finit par trouver la photo. Li Lan la prit d'une main tremblante, elle la serra contre sa poitrine avec le crêpe noir et l'étoffe blanche, sortit de chez le photographe et continua à marcher dans la rue la tête haute. A cet instant, elle avait oublié que Li Guangtou et Song Gang la suivaient. Elle n'avait plus à l'esprit que le sourire de Song Fanping : Song Fanping donnait des instructions au photographe pour disposer les lumières, puis il lui indiquait le moment où il fallait déclencher l'obturateur, et enfin tous les quatre sortaient rayonnants de la boutique et se dirigeaient vers la gare routière. C'est à la gare qu'elle avait dit au revoir à Song Fanping, c'était là que s'était joué pour eux le dernier acte. Quand elle était revenue de Shanghai, Song Fanping déjà ne souriait plus.

Li Lan avançait, la main qui tenait la photo n'arrêtait pas de trembler. Elle essayait de se maîtriser et luttait pour empêcher sa main de sortir la photo de famille de sa pochette en papier. Elle faisait un gros effort sur elle-même. Quand elle arriva sur le pont, un cortège de manifestants lui barra la route. C'est ici que Song Fanping avait agité fièrement son drapeau rouge, ce qu'évidemment elle ignorait. Mais quand elle s'arrêta, elle fut incapable de se maîtriser plus longtemps, sa main sortit la photo de la pochette. Au premier coup d'œil, elle vit le sourire heureux de Song Fanping, et elle n'avait pas encore eu le temps de voir les sourires des trois autres personnes que déjà elle s'effondrait. Voilà trois jours qu'elle tâchait de faire face au poids énorme de la souffrance, trois jours qu'elle tenait bon, et maintenant le sourire plein de vie de Song Fanping sur la photo l'avait terrassée d'un seul coup : elle tomba par terre, la tête la première.

Li Guangtou et Song Gang se tenaient derrière elle, agrippés aux coins de son vêtement, quand brusquement elle avait disparu. Ils avaient devant eux un visage d'homme étonné, et c'est alors seulement qu'ils virent Li Lan au sol. Ils s'accroupirent en pleurant, la secouèrent : elle avait les yeux fermés et ne réagissait pas. Li Guangtou et Song Gang poussaient des cris perçants, il y avait de plus en plus de monde autour d'eux. Les deux enfants, livrés à eux-mêmes, s'agenouillèrent par terre, et ils supplièrent en pleurant les gens qui les entouraient de porter secours à leur mère. Ils ne savaient pas que Li Lan était simplement évanouie et, au milieu de leurs larmes, ils demandaient à la cantonade :

— Pourquoi maman est-elle tombée ?

Ceux qui étaient là restaient debout, aucun ne s'accroupit. Ils parlaient tous en même temps. L'un d'entre eux se pencha vers les enfants :

— Retournez-lui les paupières pour voir si les pupilles sont dilatées.

Li Guangtou et Song Gang s'empressèrent de faire ce qu'on leur suggérait. Les globes oculaires leur apparurent. Ils ignoraient la différence entre le globe oculaire et la pupille.

— Les pupilles sont immenses, dirent-ils en relevant la tête.

— Dans ce cas, conclut l'homme, c'est qu'elles sont dilatées : elle est sans doute morte.

A l'énoncé de ce diagnostic, les enfants se jetèrent dans les bras l'un de l'autre en beuglant, quand un autre homme se pencha à son tour :

— Ne pleurez pas, ne pleurez pas. Vous êtes trop petits pour savoir ce que c'est que la pupille, vous avez dû confondre avec l'œil. Prenez-lui le pouls, s'il bat encore, c'est qu'elle n'est pas morte.

Li Guangtou et Song Gang arrêtèrent instantanément de pleurer :

— Où est le pouls ? demandèrent-ils, anxieux.

L'homme tendit son bras gauche et, de la main droite, montra l'endroit :

— Là, au poignet.

Li Guangtou et Song Gang prirent chacun une main de Li Lan et tâtèrent les poignets. Ils cherchèrent un moment, mais ne trouvèrent pas l'endroit où le pouls battait.

— Est-ce que ça bat ? demanda l'homme.

— Non, dit Li Guangtou, en secouant la tête.

Et aussitôt, il jeta un regard inquiet vers Song Gang, lequel secoua également la tête :

— Non plus.

L'homme se redressa :

— Alors, c'est qu'elle est morte, effectivement.

Li Guangtou et Song Gang étaient désespérés. Ils ouvrirent la bouche et les pleurs fusèrent. Ils pleuraient un moment, puis s'étranglaient ensemble, et les pleurs éclataient de nouveau en chœur.

— Papa est mort, et maman aussi, se lamentait Song Gang.

C'est alors que Tong le Forgeron apparut. Il se fraya un passage jusqu'à eux, s'accroupit et secoua les deux enfants en leur ordonnant de ne pas pleurer :

— Qu'est-ce que c'est que ces histoires de pupilles dilatées ou de pouls qui bat ? Tout ça c'est des affaires de médecin, vous autres, les gosses, vous n'y comprenez que couic. Ecoutez-moi plutôt : vous allez coller une oreille sur sa poitrine pour voir si ça cogne là-dedans.

Song Gang essuya ses larmes et sa morve, et posa sa tête sur la poitrine de Li Lan. Au bout d'un moment, il la releva et dit à Li Guangtou, nerveux :

— On dirait que ça cogne.

Li Guangtou s'empressa à son tour d'essuyer ses larmes et sa morve, et prit la place de Song Gang pour écouter. Il entendit lui aussi le cœur battre, et hocha la tête :

— Oui, ça cogne, dit-il à Song Gang.

Tong le Forgeron se remit debout et apostropha les deux hommes qui avaient parlé avant lui :

— Vous n'y comprenez que couic, tout ce que vous savez, c'est faire peur aux gosses.

Puis il se pencha vers Li Guangtou et Song Gang :

— Elle n'est pas morte, elle est simplement évanouie. Laissez-la couchée, elle finira par se relever d'elle-même.

Li Guangtou et Song Gang passèrent instantanément des larmes au sourire. Song Gang leva son visage vers Tong le Forgeron en s'essuyant les yeux :

— Tu seras récompensé pour ta bonne action.

Tong le Forgeron apprécia les paroles de Song Gang. Il lui dit en souriant :

— J'espère bien.

Li Guangtou et Song Gang s'assirent tranquillement à côté de Li Lan. Allongée par terre, elle leur paraissait endormie. Song Gang ramassa la photo qui était tombée sur le sol, il la regarda puis la montra à Li Guangtou, et la rangea soigneusement dans la pochette. Il y avait de plus en plus de monde sur le pont. Beaucoup de gens se faufilaient jusqu'à eux et interrogeaient leurs voisins sur ce qui s'était passé, avant de tourner les talons et de s'éloigner. Les enfants attendirent patiemment. De loin en loin, ils échangeaient un sourire complice. Au bout d'un long moment, Li Lan, tout à coup, s'assit sur son séant, et les enfants poussèrent des cris de joie :

— Maman s'est réveillée, criaient-ils à la foule qui les entourait.

Li Lan ne savait rien de l'incident dont elle avait été l'héroïne, tout ce qu'elle savait, c'est qu'elle était par terre et qu'elle venait de se relever. Elle se mit debout, l'air confus, épousseta soigneusement ses habits et reprit contre sa poitrine la photo, le crêpe noir et l'étoffe blanche. Li Guangtou et Song Gang s'accrochèrent à nouveau à son vêtement, et tous les trois, tête baissée, sortirent du cercle des curieux qui les entouraient. En chemin, Li Lan ne dit pas un mot, et Li Guangtou et Song Gang n'osèrent pas parler non plus, mais leur émotion était à son comble. Ils se cramponnaient de toutes leurs forces à Li Lan : la résurrection de leur mère, qu'ils croyaient perdue, leur procurait un bonheur indicible. Tandis qu'ils avançaient en se tenant à elle, ils ne cessaient de se chercher du regard, tantôt devant Li Lan, tantôt dans son dos, et ne cessaient de se sourire.

XXI

Trois jours après la mort de Song Fanping, un paysan d'un certain âge se présenta devant chez Li Lan avec une charrette déglinguée. Il se tenait à la porte, vêtu d'un pantalon et d'un maillot tout rapiécés, et, sans rien dire, le visage sillonné de larmes, regardait le cercueil à l'intérieur de la maison. C'était le père de Song Fanping, le grand-père de Song Gang. Ce vieil homme qui, avant la Libération[1], avait possédé plusieurs centaines de *mu*[2] de terre, mais qui n'avait plus désormais de propriétaire foncier que le titre, ses terres ayant été réparties après la Libération entre les paysans du village[3], était venu. Ce vieux propriétaire foncier qui, à présent, était plus pauvre que le plus pauvre des paysans pauvres et moyens pauvres, était venu pour ramener son propriétaire foncier de fils à la maison.

La veille au soir, Li Lan avait préparé les bagages de Song Gang. Li Guangtou et Song Gang, assis sur le lit, la regardaient faire en silence. Ils la virent sortir ses propres affaires du sac de voyage gris marqué du mot "Shanghai", sortir le paquet de terre souillée du sang de Song Fanping ainsi qu'un sachet de caramels Lapin Blanc. Elle fourra à la place les affaires de Song Gang et remit le sachet de bonbons, mais quand, en se retournant, elle croisa le regard plein d'espoir de Li Guangtou, elle ressortit les bonbons, en préleva une poignée pour lui, en offrit deux à Song

Gang et replaça le sachet dans le sac. Tandis qu'ils croquaient leurs bonbons, Li Guangtou et Song Gang ignoraient ce qui était prévu le lendemain et, quand le grand-père propriétaire foncier de Song Gang apparut à la porte, ils ne se doutaient pas encore qu'ils allaient être séparés.

Ce matin-là, ils avaient passé un crêpe noir autour de leur bras, et s'étaient ceint la taille d'une étoffe blanche. Le mince cercueil de Song Fanping était posé sur la charrette avec le sac de voyage de Song Gang. Le vieux propriétaire foncier, sa tête chenue penchée en avant, avançait en tirant la charrette. Li Lan suivait en tenant par la main Li Guangtou et Song Gang.

Du plus loin qu'il lui en souvenait, Li Guangtou n'avait jamais vu cet air de fierté sur le visage de sa mère. Si le père de Li Guangtou ne lui avait apporté que dégoût et humiliation, Song Fanping lui avait procuré amour et dignité. Elle marchait la tête haute, tel un membre du Détachement féminin rouge[4] au cinéma. Le vieux propriétaire foncier courbait l'échine en tirant la voiture, comme s'il avait été soumis à une séance de lutte-critique, et, tout en marchant, il ne cessait de relever la tête pour essuyer ses larmes. Ils croisèrent deux cortèges de manifestants. Les slogans hurlés par les masses révolutionnaires cessèrent et les petits fanions rouges qu'ils brandissaient furent mis tête en bas. Les masses révolutionnaires observèrent les quatre personnes et la charrette avec le cercueil en faisant force commentaires. Un homme, qui portait un brassard rouge, s'approcha de Li Lan :

— Qui est dans le cercueil ?

— Mon mari, répondit Li Lan, calme et fière.

— C'était qui, ton mari ?

— Song Fanping, il était professeur au collège du bourg des Liu.

— Il est mort comment ?

— Il a été battu à mort.
— Pourquoi ?
— C'était un propriétaire foncier.
Quand Li Lan prononça ces mots, "propriétaire foncier", Li Guangtou et Song Gang tressaillirent, et le vieux propriétaire foncier, devant, eut tellement peur qu'il n'osait plus pleurer. Elle, en revanche, avait parlé haut et fort. Les masses révolutionnaires du cortège s'arrêtèrent, sidérées par l'audace de cette femme frêle.
— Si ton mari était un propriétaire foncier, dans ce cas tu es une épouse de propriétaire foncier ? dit l'homme au brassard rouge.
— Oui, répondit Li Lan en hochant la tête d'un air décidé.
L'homme se tourna vers les masses révolutionnaires qui manifestaient :
— Vous êtes témoins, hein ? Quelle arrogance…
Sur ce, il revint vers elle et lui administra une gifle. La tête de Li Lan vacilla sous le choc, du sang perla au coin de sa bouche, mais elle sourit fièrement et continua à soutenir son regard. L'homme au brassard rouge lui flanqua une deuxième gifle. Sa tête vacilla à nouveau, mais elle persista à sourire fièrement et à soutenir son regard :
— C'est tout ? demanda-t-elle.
L'autre resta cloué de stupeur. Il regarda Li Lan, puis les masses dans le cortège, l'air abasourdi.
— Si c'est tout, ajouta Li Lan, alors je m'en vais.
L'homme au brassard rouge éclata :
— Putain…
Il leva la main et flanqua une paire de gifles à Li Lan, dont la tête vacilla de droite à gauche :
— Fous le camp…
Les coins de la bouche de Li Lan saignaient. Elle attrapa Li Guangtou et Song Gang par la main en souriant

et reprit sa route. Les masses révolutionnaires l'observaient médusées, elle avançait en souriant et leur dit en souriant :

— Aujourd'hui, c'est le jour de l'enterrement de mon mari.

Sur ce, les larmes lui montèrent aux yeux. Du coup, Li Guangtou et Song Gang se mirent à pleurer. Devant, le vieux propriétaire foncier en fit autant, et son corps n'arrêtait pas de trembler. Li Lan gronda Li Guangtou et Song Gang :

— Ne pleurez pas.

Et elle précisa à haute et intelligible voix :

— Il ne faut pas pleurer devant les gens.

Les deux enfants placèrent leurs mains devant leur bouche. Ils ne faisaient plus de bruit, mais leurs larmes continuaient de couler. Li Lan ne voulait pas qu'ils pleurent, mais elle-même avait le visage inondé de larmes, et elle marchait en souriant au travers de ses larmes.

Ils franchirent la porte du Sud, passèrent sur un pont de bois qui grinçait et, quand ils entendirent le chant des cigales, ils comprirent qu'ils étaient arrivés en pleine campagne. Il était midi et des volutes de fumée s'élevaient au-dessus des champs, à perte de vue. C'était l'été, les champs étaient déserts. On aurait dit qu'ils étaient seuls au monde, avec Song Fanping couché dans son cercueil. Le vieux père de Song Fanping finit par lâcher la bonde à son chagrin. Il traînait son fils mort en courbant le dos comme un vieux buffle qui laboure le sol. Il allait de l'avant en tremblant de tout son corps, et même ses sanglots tremblaient. Et ses sanglots déclenchèrent ceux de Li Guangtou et de Song Gang. Le bruit de leurs sanglots filtrait à travers leurs doigts, ils avaient beau se couvrir la bouche de leurs mains, le son jaillissait par saccades de leur nez. Ils se pincèrent le nez, mais le bruit des sanglots sortit par leur bouche. Les enfants levèrent la tête craintivement et jetèrent un regard en coulisse vers Li Lan :

— Allez-y, pleurez, leur dit-elle.

Et elle éclata en sanglots avant eux. C'était la première fois que Li Guangtou et Song Gang l'entendaient exhaler toute sa douleur. Elle pleurait de toute son âme, comme si elle avait voulu épuiser tout son chagrin en un seul sanglot. Song Gang relâcha ses mains, laissant échapper ses sanglots, et Li Guangtou s'abandonna lui aussi. Ils avançaient tous les quatre en sanglotant bruyamment. A présent, ils n'avaient plus rien à craindre, ils foulaient des chemins de campagne, les champs étaient si vastes, le ciel si haut. Ils pleuraient ensemble, ils formaient une seule famille. Li Lan pleurait le visage levé, comme si elle regardait le ciel ; le vieux père de Song Fanping baissait la tête en courbant le dos, comme s'il voulait semer ses larmes une à une dans la terre ; Li Guangtou et Song Gang s'essuyaient les yeux et secouaient leurs mains mouillées de larmes au-dessus du cercueil de Song Fanping. Leur chagrin franc et bruyant éclatait en une suite d'explosions qui effrayaient les moineaux perchés sur les arbres au bord de la route et les faisaient fuir comme des gerbes d'écume.

Ils marchèrent ainsi longtemps, jusqu'à ce que le père de Song Fanping, à force de pleurer, n'en puisse plus. Il posa les brancards de la charrette et s'agenouilla. Il avait tellement pleuré qu'il en avait mal aux reins et qu'il était incapable de faire un pas de plus. Tous s'arrêtèrent, et les pleurs peu à peu s'apaisèrent. Li Lan s'essuya les yeux et proposa de tirer la charrette, mais le père de Song Fanping s'y opposa, il tenait à conduire son fils à sa dernière demeure.

Le reste du trajet se fit sans bruit. Ils avaient cessé de pleurer et seule la charrette grinçait. Ils pénétrèrent dans le village natal de Song Fanping. Des parents dépenaillés les accueillirent. Ils avaient déjà creusé la tombe et attendaient, appuyés sur leurs bêches. Song Fanping fut enterré sous un orme à l'entrée du village. Quand son cercueil fut descendu dans la fosse et que ses parents du village commencèrent à le recouvrir de terre, son père s'agenouilla pour trier les cailloux, qu'il jetait plus loin. Li Lan s'agenouilla elle aussi, et ils trièrent ensemble. A mesure que la fosse se comblait, le tertre grossissait, et Song Fanping et Li Lan se redressaient.

Ils se rendirent ensuite à la chaumière du père de Song Fanping. Elle était meublée d'un lit, d'une vieille armoire et d'une table branlante qui servait à prendre les repas. Les parents du village s'installèrent à la table pour manger, et Li Guangtou et Song Gang partagèrent leur repas de légumes salés et de riz nature. Le père de Song Fanping, assis sur un tabouret posé à l'angle du mur, baissait la tête et pleurait, et il n'avala pas une bouchée. Li Lan ne mangea pas non plus. Elle ouvrit la vieille armoire, sortit les vêtements de Song Gang du sac, les plia et les rangea. Li Guangtou la vit mettre aussi dans l'armoire le paquet de caramels Lapin Blanc. Quand tout fut en place, ne sachant plus que faire, elle resta debout à côté de l'armoire en regardant les enfants d'un œil vague.

Ce fut un après-midi silencieux. Après le départ des parents, ils restèrent tous les quatre dans la chaumière sans rien se dire. Li Guangtou avait repéré les arbres et l'étang dehors, les moineaux qui sautillaient dans les arbres et les hirondelles qui s'envolaient de dessous le rebord du toit. Song Gang avait repéré tout cela, lui aussi. Les deux enfants auraient bien aimé sortir, mais ils n'osaient pas. Ils se résignèrent à rester sur le banc, épiant Li Lan et le père de Song Fanping plongés dans leur chagrin. Puis Li Lan parla, elle annonça qu'il était temps de rentrer si on voulait être en ville avant la nuit noire. Le père de Song Fanping se leva, chancelant, il se dirigea vers la vieille armoire, en sortit un petit bocal dans lequel il plongea la main et fouilla un moment avant d'en sortir une poignée de fèves grillées qu'il fourra dans la poche de Li Guangtou.

Ils se retrouvèrent à nouveau à l'entrée du village. Des feuilles s'étaient déposées sur le tertre renflé de Song Fanping. Li Lan alla les ramasser et les jeta sur le côté. Elle ne pleura pas. Les enfants l'entendirent parler, penchée sur le tertre :

— Quand les enfants seront grands, je viendrai te rejoindre.

Li Lan se retourna et s'approcha de Song Gang. Elle s'assit sur ses talons et caressa le visage de l'enfant. Song Gang lui rendit son geste. Brusquement, elle serra Song Gang dans ses bras et, fondant en larmes, lui dit :

— Mon garçon, il faudra que tu prennes bien soin de ton grand-père. Il est âgé, il veut que tu restes avec lui… Mon garçon, maman viendra souvent te voir…

Song Gang ne comprit pas le sens de ces paroles. Il hocha la tête, puis regarda Li Guangtou. Li Lan, après avoir pleuré un moment en étreignant Song Gang, se releva et sécha ses larmes. Elle jeta un coup d'œil vers le père de Song Fanping. Ses lèvres bougèrent mais aucun son n'en sortit. Elle se retourna et prit Li Guangtou par la main.

Li Lan s'engagea avec Li Guangtou sur le chemin de terre. Elle ne se retourna pas. Ses pas traînaient lourdement sur le sol, comme deux vadrouilles qu'on passe mollement. A cet instant, Li Guangtou ignorait encore qu'on le séparait de Song Gang. Li Lan le tirait par la main, et il se retournait à moitié pour voir Song Gang, en se demandant pourquoi celui-ci ne venait pas avec eux. Le grand-père de Song Gang tenait l'enfant par la main, Song Gang était debout devant la tombe de son père et regardait, sans comprendre, Li Lan et Li Guangtou s'en aller lentement. Lui non plus ne savait pas pourquoi il restait là. Li Lan et Li Guangtou étaient de plus en plus loin. Song Gang, en levant la tête, vit son grand-père qui leur adressait des signes d'adieu. Alors, pour l'imiter, il leva une main hésitante, qu'il agita à la hauteur de son épaule. Pendant que Li Lan l'emmenait, Li Guangtou avait constamment gardé la tête tournée vers Song Gang, et quand il vit celui-ci lui faire un signe de loin, à son tour il leva la main à la hauteur de son épaule et l'agita.

XXII

Dès lors, Li Guangtou se retrouva tout seul. A cette époque, Li Lan partait tôt le matin et rentrait tard le soir. La filature de soie où elle travaillait avait cessé la production pour se consacrer à la révolution. Et comme Song Fanping lui avait légué un statut de femme de propriétaire foncier, elle devait se rendre à l'usine pour y subir des séances quotidiennes de lutte-critique. Sans Song Gang, sans compagnon, Li Guangtou errait à longueur de journée dans les rues, désœuvré comme une feuille qui flotte à la surface de la rivière, et pitoyable comme un morceau de papier que le vent pousse sur la chaussée. Il avançait droit devant lui, sans but. Quand il était fatigué, il cherchait un endroit où s'asseoir ; quand il avait soif, il ouvrait le premier robinet venu ; et quand il avait faim, il rentrait à la maison pour manger quelques bouchées de riz froid ou un restant de légumes.

Li Guangtou ne comprenait pas ce que le monde était devenu : avec la Grande Révolution culturelle prolétarienne, on voyait dans les rues de plus en plus de gens coiffés de chapeaux pointus et affublés de grandes pancartes. Même la mère Su, celle de la boutique de *dim sum*, avait été débusquée[1] et soumise à la lutte-critique, en tant que prostituée. Elle avait une fille, mais pas de mari, et c'est ce qui faisait d'elle une prostituée. Un jour, Li Guangtou aperçut de loin une femme aux cheveux rouges debout sur un banc à l'angle de la rue. Comme il n'avait jamais vu de femmes aux cheveux rouges, il s'approcha d'elle par curiosité, et s'aperçut que ses cheveux étaient teints de sang. Elle était debout sur le banc, tête baissée, une pancarte autour du cou. Sa fille, qui avait quelques années de plus que Li Guangtou et qui s'appelait Su Mei, était debout à côté d'elle, et s'accrochait à son vêtement. Li Guangtou s'avança jusqu'au pied du banc et leva la tête pour regarder son visage incliné vers le sol, et il reconnut la patronne de la boutique de *dim sum*.

A côté de la mère Su, il y avait un autre banc sur lequel se tenait, tête baissée, le père de Sun Wei les Longs Cheveux. Cet homme, qui s'était bagarré naguère avec Song Fanping et qui se pavanait devant la porte de l'entrepôt avec son brassard rouge, portait lui aussi maintenant un chapeau pointu et une grande pancarte. Le grand-père de Sun Wei avait tenu un magasin de céréales dans notre bourg des Liu avant la Libération, et il avait fait faillite pendant les troubles de la guerre[2]. Maintenant que la Révolution culturelle s'était étendue et approfondie, on avait déterré le passé capitaliste du père de Sun Wei. Sa pancarte était encore plus grande que la pancarte de propriétaire foncier de Song Fanping.

Sun Wei les Longs Cheveux était aussi abandonné que Li Guangtou. Son père, en héritant d'un chapeau pointu et d'une pancarte, était devenu un ennemi de classe, et aussitôt ses camarades Zhao Shengli et Liu Chenggong avaient pris leurs distances avec lui. Sun Wei ne s'exerçait plus au balayage, on ne voyait plus s'y exercer que les silhouettes de Zhao Shengli et de Liu Chenggong. Ces derniers, dès qu'ils apercevaient Li Guangtou, arboraient un sourire malveillant. Li Guangtou savait qu'ils avaient encore dans l'idée de lui faire subir un balayage. Aussi prenait-il la poudre d'escampette ou bien, s'il était trop tard pour fuir, il se laissait choir sur le derrière et leur lançait avec une mine effrontée :

— Je suis déjà par terre.

Zhao Shengli et Liu Chenggong, n'ayant plus l'occasion de briller, se contentaient de lui décocher un coup de pied en jurant :

— Petit gars puant.

Auparavant ils l'appelaient "Petit gars", et maintenant ils l'appelaient "Petit gars puant". Li Guangtou rencontrait souvent Sun Wei les Longs Cheveux, la tête toujours inclinée sur le côté, allant et venant dans la rue ou appuyé contre la rambarde du pont. Personne ne lui adressait la parole ou ne lui tapait sur l'épaule, même Zhao Shengli et Liu Chenggong, quand ils le croisaient, feignaient de ne pas le connaître. Seul Li Guangtou réagissait comme avant, s'enfuyant à sa vue ou se laissant choir sur le derrière. Quant à lui, il donnait toujours à Li Guangtou du "Petit gars", sans ajouter "puant".

Par la suite, Li Guangtou se lassa de courir à perdre haleine : à chaque fois, il en recrachait ses poumons. Il se dit qu'il valait mieux se laisser tomber à terre et continuer à contempler confortablement le spectacle de la rue. Dorénavant, quand il verrait Sun Wei les Longs Cheveux, il se dépêcherait de s'asseoir, comme quelqu'un qui se précipite sur un siège libre.

— Je suis déjà par terre, dit-il à Sun Wei, en branlant du chef. Tout ce que tu peux faire à la rigueur, c'est me filer un coup de pied.

Sun Wei les Longs Cheveux ricana. Il toucha doucement de la pointe du pied le postérieur de Li Guangtou :

— Hé, petit gars, pourquoi est-ce que tu t'assois par terre dès que tu me vois ?

Li Guangtou répondit d'un air roublard :

— Je me méfie de tes balayages.

Sun Wei les Longs Cheveux continua à ricaner :

— Lève-toi, petit gars, tu n'as rien à craindre de moi.

Mais Li Guangtou secoua la tête :

— Je me lèverai quand tu seras parti.

— Putain, jura l'autre, puisque je te dis que tu n'as rien à craindre. Allez, lève-toi.

Li Guangtou restait sur ses gardes :

— Je suis très bien, assis comme ça.

— Putain, jura encore l'autre en s'en allant.

Et tandis qu'il s'éloignait, il prononça ces vers du président Mao :

— "Ah, J'interroge la terre en sa vague étendue, Quel maître tient le sort de toute la nature[3], hein ?"

Ces deux âmes solitaires se croisaient régulièrement dans la rue, et Li Guangtou, s'il ne s'écartait pas, continuait à se laisser tomber à terre. Chaque fois, Sun Wei le regardait en rigolant, mais Li Guangtou se méfiait toujours des jambes de l'autre, craignant une attaque surprise. Un jour cependant, à midi, Li Guangtou relâcha sa vigilance. A ce moment-là, beaucoup des robinets de la ville avaient été condamnés, et Li Guangtou, tenaillé par la soif, en cherchait partout un où il pût boire. La huitième tentative fut la bonne, celui-là n'était pas cadenassé, et Li Guangtou l'ouvrit et se remplit le ventre d'eau, avant de passer son crâne en sueur sous le jet frais. Il venait de refermer le robinet, quand quelqu'un vint l'ouvrir derrière lui et but longuement à grandes goulées en suçant le robinet comme s'il se fût agi d'un morceau de canne à sucre. Le nouveau venu tenait sa tête inclinée sur le côté, et avait le derrière en l'air, et tout en buvant il lâcha un chapelet de pets. Li Guangtou gloussa, et l'autre, quand il eut fini de boire se redressa et dit :

— Hé, petit gars, qu'est-ce qui t'amuse comme ça ?

Li Guangtou avait reconnu Sun Wei les Longs Cheveux. Sur le coup, écroulé de rire, il en oublia de s'asseoir par terre :

— Quand tu pètes, déclara-t-il, on dirait que tu ronfles.

Sun Wei partit d'un petit rire. Il tourna le robinet afin de réduire le débit de l'eau, puis, à plusieurs reprises, se mouilla le bout des doigts avant de les passer dans ses cheveux pour arranger sa coiffure. Ce faisant, il demanda à Li Guangtou :

— Et l'autre petit gars ?

Li Guangtou comprit qu'il parlait de Song Gang :

— Il est parti à la campagne.

Sun Wei hocha la tête et referma le robinet. Il rejeta sa longue chevelure en arrière et fit signe à Li Guangtou de le suivre. Li Guangtou le suivit mais, au bout de quelques pas, il se rappela subitement le risque qu'il courait, aussi s'empressa-t-il de se laisser tomber à terre. Au bout d'un moment, Sun Wei se rendit compte que Li Guangtou n'était plus derrière lui. Tournant la tête, il vit Li Guangtou assis sur le sol :

— Hé, petit gars, lança-t-il surpris, qu'est-ce que tu fais ?

Li Guangtou montra du doigt les jambes de Sun Wei :

— Tu as des jambes qui balaient.

L'autre éclata de rire :

— Si j'avais voulu te balayer, je l'aurais fait tout à l'heure.

Li Guangtou jugea qu'il y avait du vrai dans cette affirmation, mais il se méfiait encore :

— Tout à l'heure, tu as peut-être oublié, hasarda-t-il.

L'autre fit non de la main :

— Mais non. Allez, lève-toi, je ne te ferai rien, maintenant on est copains.

Enchanté d'être l'objet d'une telle faveur, Li Guangtou se releva presque en sautant. De fait, Sun Wei, au lieu de lui faire subir un balayage, passa son bras autour de ses épaules, et ils se promenèrent dans l'avenue comme deux amis. Sun Wei secouait sa longue crinière en marmonnant : "Ah, J'interroge la terre en sa vague étendue, Quel maître tient le sort de toute la nature, hein ?"

Li Guangtou était rouge d'émotion de se savoir l'ami de Sun Wei, qui était son aîné de sept ans. Depuis la mort de Song Fanping, il n'avait pas de rival pour la technique du balayage, ses cheveux lui couvraient les oreilles et flottaient au vent tandis qu'il marchait, récitant sans arrêt les vers du président Mao en les ponctuant d'exclamations. Li Guangtou était très impressionné par son changement d'attitude. Il se sentait gonflé à bloc quand il allait à ses côtés, et même les gens à brassards rouges ne lui faisaient plus peur.

En arrivant au pont, ils rencontrèrent Zhao Shengli et Liu Chenggong. Ceux-ci furent très surpris de découvrir Sun Wei en compagnie de ce gamin de Li Guangtou. Comme si de rien n'était, Sun Wei entreprit de réciter les vers du président Mao corrigés par ses soins :

— "Ah, J'interroge la terre en sa vague étendue…"

Li Guangtou termina à sa place, tout fier d'être pris au sérieux :

— "… Quel maître tient le sort de toute la nature, hein ?"

Zhao Shengli et Liu Chenggong se parlèrent à l'oreille en dévisageant Sun Wei et pouffèrent en se couvrant la bouche. Sun Wei comprit qu'ils se moquaient de lui. Il s'en prit alors discrètement à Li Guangtou :

— Hé, petit gars, ne reste pas à côté de moi, marche derrière.

L'arrogance de Li Guangtou fondit d'un seul coup. Désormais, interdiction pour lui de marcher à la hauteur de Sun Wei, il devait se contenter de lui coller aux fesses.

La tête penchée et les épaules tombantes, il se tenait derrière lui, déprimé. Il savait que si Sun Wei l'avait pris pour ami, c'était parce qu'il n'en avait plus d'autre et qu'il voulait faire croire qu'il lui en restait un. Malgré tout, il persista à l'accompagner, cela valait toujours mieux que d'être tout seul.

A sa grande surprise, Sun Wei les Longs Cheveux vint le chercher chez lui le lendemain matin. Li Guangtou venait de finir son petit déjeuner, et Sun Wei, à la porte, entonna les vers du président Mao :

— "Ah, J'interroge la terre en sa vague étendue, Quel maître tient le sort de toute la nature, hein ?"

Li Guangtou ouvrit la porte, tout content. Sun Wei lui fit un signe de la main, comme à un vieux copain :

— On y va.

Ils partirent ensemble une nouvelle fois. Li Guangtou se plaça prudemment à côté de Sun Wei et, comme Sun Wei ne protesta pas, cela le rassura. Quand ils furent arrivés au bout de la ruelle, Sun Wei s'arrêta brusquement :

— Tiens, tu ne voudrais pas vérifier que mon pantalon n'est pas déchiré ?

Li Guangtou se pencha sur les fesses de Sun Wei :

— Je ne vois rien.

— Regarde de plus près.

Li Guangtou avait le nez quasiment sur les fesses de Sun Wei, mais il ne voyait toujours rien. C'est alors que Sun Wei lâcha un pet retentissant, qui frappa comme une rafale de vent le visage de Li Guangtou. Sun Wei éclata de rire et il s'éloigna en entonnant à pleine voix :

— "Ah, J'interroge la terre en sa vague étendue…"

Et Li Guangtou s'empressa d'enchaîner :

— "… Quel maître tient le sort de toute la nature, hein ?"

Li Guangtou se rendait bien compte que Sun Wei se payait sa tête, mais cela lui était égal. Ce qui lui importait, c'était de savoir si Sun Wei le laisserait marcher à ses côtés ou le contraindrait à rester derrière.

Pendant les derniers jours de l'été finissant, Li Guangtou et Sun Wei étaient fourrés ensemble du matin au soir. Ils traînaient dans la rue plus longtemps que les rayons du soleil, et parfois la lune brillait déjà qu'ils y étaient encore. Sun Wei n'aimait pas les endroits déserts, il préférait les quartiers animés. Li Guangtou et lui s'attardaient dans les rues comme les mouches au-dessus d'une fosse à purin. Et quand ils quittaient la grande rue, ils ne savaient plus où aller. Sun Wei prenait grand soin de sa longue chevelure : au moins deux fois par jour, il descendait les marches en contrebas de la rue et s'asseyait sur ses talons au bord de la rivière pour prendre un peu d'eau, il arrangeait ses mèches sur son front, puis il secouait sa crinière face à son reflet trouble et lançait quelques sifflements de satisfaction. Li Guangtou comprit plus tard pourquoi Sun Wei aimait tant arpenter la grande rue. Ce qu'il appréciait, c'étaient les vitrines : quand il s'arrêtait devant l'une d'elles et qu'il sifflait, Li Guangtou, même les yeux fermés, savait que Sun Wei était en train de secouer sa longue chevelure.

Ils rencontraient souvent dans la rue le père de Sun Wei. Sun Wei baissait la tête et passait son chemin rapidement, comme s'il craignait d'être reconnu. Son père portait un chapeau de papier pointu, et comme Song Fanping autrefois, il balayait la rue à longueur de journée, dans un sens, puis dans l'autre.

Régulièrement, quelqu'un l'apostrophait :

— Dis donc, est-ce que tu as confessé tes crimes ?

— Oui, c'est fait, répondait-il servilement.

— Réfléchis bien. N'aurais-tu rien oublié ?

— Si, disait-il, en courbant l'échine.

Parfois, c'étaient des enfants qui l'apostrophaient :

— Lève le poing, et crie : "A bas moi."

Alors il levait le poing et criait :

— A bas moi !

Li Guangtou avait la gorge qui le démangeait, et il aurait bien voulu l'apostropher à son tour. Mais avec Sun Wei à côté de lui, il n'osait pas. Une fois, cependant, il ne put se contenir, et quand le père de Sun Wei eut crié : "A bas moi", Li Guangtou ordonna :

— Répète encore deux fois.

Le père de Sun Wei leva le poing deux fois de suite, et cria deux fois : "A bas moi." Sun Wei décocha un coup de pied énergique à Li Guangtou, et l'engueula à voix basse :

— Putain, tu pourrais regarder à qui tu as affaire.

Quand Sun Wei voyait d'autres personnes affublées de chapeaux pointus en train de subir une séance de lutte-critique, il leur flanquait un coup de pied en passant, et Li Guangtou l'imitait. Après quoi, tous deux étaient aussi ravis que s'ils avaient mangé à l'œil un bol de nouilles aux trois fraîcheurs.

— Quand on tombe sur quelqu'un de mauvais, il faut lui filer un coup de pied, expliqua Sun Wei à Li Guangtou, c'est le même principe que quand tu t'essuies le cul après avoir chié.

La mère de Sun Wei ne mâchait pas ses mots autrefois. Le jour du mariage de Li Lan et de Song Fanping, elle les avait copieusement insultés à cause d'une poule égarée. Maintenant que son mari portait un chapeau pointu et une pancarte, elle était métamorphosée, parlant doucement et faisant des sourires à tout le monde. Li Guangtou se présentait souvent le matin à sa porte. Elle savait qu'il était désormais le seul ami de son fils et était aux petits soins pour lui : elle lui disait qu'il avait le visage sale et prenait sa propre serviette pour le débarbouiller, ou bien elle lui signalait qu'il avait perdu un bouton et lui proposait de quitter son vêtement pour qu'elle lui en recouse un. Il n'était pas rare qu'elle demande discrètement des nouvelles de Li Lan, mais Li Guangtou répondait invariablement qu'il ne savait rien, alors elle soupirait, les yeux rougis, et quand elle était sur le point de pleurer elle se détournait.

L'amitié entre Li Guangtou et Sun Wei ne dura pas longtemps. En plus des foules qui manifestaient, des gens avaient surgi dans les rues, armés de ciseaux et de tondeuses à cheveux[4]. Quand ils croisaient quelqu'un qui portait un pantalon serré aux chevilles, ils l'attrapaient et découpaient les jambières de son pantalon, de telle sorte qu'on aurait dit les lanières d'une vadrouille ; et quand ils voyaient un garçon aux cheveux longs, ils le maintenaient à terre et, avec leur tondeuse, transformaient son crâne en un champ d'herbes folles. Porter des pantalons étroits était capitaliste, tout comme, pour un homme, avoir les cheveux longs, et Sun Wei, avec sa crinière, était la cible idéale. Ce matin-là, alors que Li Guangtou et Sun Wei s'engageaient dans la grande rue, et qu'ils venaient d'apercevoir le père de Sun Wei qui balayait au loin, tête baissée, des hommes armés de ciseaux et de tondeuses accoururent vers eux. Sun Wei était en train de réciter :

— "Ah, J'interroge la terre en sa vague étendue, Quel maître tient le sort de toute la nature, hein ?"

En entendant un bruit de pas précipités derrière eux, Li Guangtou se retourna et vit les brassards rouges fondre sur eux avec leurs ciseaux et leurs tondeuses. Il ne comprit pas ce qui arrivait. Il se tourna vers Sun Wei, celui-ci avait déjà pris la poudre d'escampette et courait vers son père. Les brassards rouges passèrent en coup de vent à côté de Li Guangtou et se lancèrent à la poursuite de Sun Wei.

Le camarade collégien de Li Guangtou qui, d'habitude, quand il croisait son père dans la rue en train de balayer, baissait la tête et s'éclipsait, courut cette fois vers lui pour protéger sa chère tignasse. Et, en courant, il criait :

— Au secours, papa !

Un autre brassard rouge apparut brusquement au milieu de la rue. Quand Sun Wei fut devant lui, le brassard rouge lui fit un croc-en-jambe et Sun Wei piqua du nez. Alors qu'il se relevait et reprenait sa course, ses poursuivants le rattrapèrent et le plaquèrent au sol. Li Guangtou arrivait au même moment et aperçut le père de Sun Wei qui accourait en sens inverse. Un souffle de vent emporta son chapeau, il recula pour le ramasser et le replaça sur sa tête, puis il recommença à courir, protégeant son chapeau d'une main et balançant l'autre bras.

Plusieurs brassards rouges costauds maintenaient Sun Wei par terre, et avec leur tondeuse ils rasèrent de force sa belle chevelure. Sun Wei se débattait comme un beau diable. Ses bras étant immobilisés, ses deux jambes se démenaient comme s'il nageait. Deux brassards s'agenouillèrent et bloquèrent ses genoux avec leurs jambes, empêchant les siennes de bouger. Maintenant que son corps était paralysé, Sun Wei ne cessait de lever la tête en appelant :

— Papa, papa…

Dans les mains des brassards rouges, la tondeuse passait comme une scie dans les cheveux et sur le cou de Sun Wei. L'action conjuguée des brassards rouges et des contorsions de Sun Wei fit déraper la tondeuse : glissant de sa tête, elle s'enfonça profondément dans son cou. Les brassards rouges continuaient à couper de toutes leurs forces. Le sang jaillit et rougit la tondeuse, mais les mains des brassards rouges s'activaient toujours : ils avaient tranché l'artère.

Li Guangtou assista à une scène terrifiante. Le sang gicla de l'artère à plus de deux mètres de hauteur, inondant le visage et le corps des brassards rouges qui, effrayés, bondirent comme des ressorts. Le père de Sun Wei, coiffé de son chapeau pointu, arriva enfin. Tandis que le sang giclait du cou de son fils, il continuait à les supplier de le lâcher. Quand il s'agenouilla sur la terre trempée de sang, son chapeau tomba. Cette fois, il ne le ramassa pas mais prit son fils dans ses bras. La tête de celui-ci ballottait comme si elle était coupée. Il appela son fils par son nom, Sun Wei n'eut pas de réaction. Le père leva un visage épouvanté vers l'assistance :

— Est-ce que mon fils est mort ?

Personne ne répondit. Les brassards rouges qui avaient provoqué la mort de son fils essuyaient le sang sur leur visage et roulaient autour d'eux des yeux affolés. Ils étaient sous le choc de ce qui venait de se passer. Puis le père de Sun Wei se leva et hurla en direction des brassards rouges :

— Vous ! Vous avez tué mon fils !

Et en hurlant, il se jeta sur eux. Ils s'égaillèrent de tous côtés. Le père, aveuglé par la colère, serrant les poings, hésitait, ne sachant lequel d'entre eux poursuivre. A cet instant, d'autres brassards rouges arrivèrent. En apercevant le père de Sun Wei, ils l'apostrophèrent et lui ordonnèrent de retourner immédiatement à son balai. Les poings furieux du père de Sun Wei s'abattirent sur eux, et une bagarre terrible s'engagea sous les yeux de Li Guangtou. Ils s'y mirent à quatre contre un, se déplaçant d'un bout à l'autre de la rue en cavalant comme des animaux. La foule des badauds avançait et refluait avec eux. Le père de Sun Wei distribuait des coups de poing, des coups de pied et des coups de tête, rugissant comme un lion devenu fou, seul face aux quatre hommes. Il avait eu le dessous contre Song

Fanping mais Li Guangtou avait la conviction qu'à cette heure il l'aurait battu.

Les hommes aux brassards rouges étaient de plus en plus nombreux dans la rue, une vingtaine à la fin. Ils encerclèrent le père de Sun Wei et, en l'attaquant à tour de rôle, ils réussirent à l'envoyer au tapis. Le père de Sun Wei connut le sort qu'avait connu Song Fanping avant lui : on lui donna des coups de pied, on le piétina, on lui marcha dessus. Quand il cessa de réagir, les brassards rouges arrêtèrent de le malmener et restèrent là, cherchant leur souffle. Lorsque le père de Sun Wei revint à lui, ils hurlèrent :

— Lève-toi et suis-nous.

A cet instant, le père de Sun Wei était redevenu aussi soumis qu'auparavant. Il essuya le sang sur sa figure, remit debout son corps criblé de blessures et ramassa le chapeau pointu taché du sang de son fils qu'il replaça consciencieusement sur son crâne. Tandis qu'il les suivait, le front baissé, ses yeux se posèrent sur Li Guangtou. Il se mit à pleurer et lui dit :

— Cours vite prévenir ma femme que notre fils est mort.

Li Guangtou se rendit en tremblant chez Sun Wei. C'était encore le matin, et la mère de Sun Wei, trouvant Li Guangtou seul devant la porte, crut qu'il venait chercher son fils et s'étonna :

— Vous n'étiez pas sortis ensemble tout à l'heure ?

Li Guangtou secoua la tête. Il tremblait comme une feuille et n'arrivait pas à parler. La mère de Sun Wei remarqua les traces de sang sur son visage et s'alarma :

— Vous ne vous êtes pas battus au moins ?

Li Guangtou se passa la main sur la figure et vit le sang sur ses doigts. Il comprit que c'était le sang qui avait jailli du cou de Sun Wei. Il ouvrit la bouche, laissa échapper quelques sanglots, et annonça d'une voix gémissante :

— Sun Wei est mort.

Li Guangtou vit l'épouvante envahir le visage de la mère de Sun Wei. Elle regardait Li Guangtou avec une expression de terreur absolue. Li Guangtou répéta ce qu'il venait de dire. Il eut l'impression que les yeux de la mère de Sun Wei louchaient. Il ajouta :

— Dans la grande rue.

La mère de Sun Wei quitta sa maison en vacillant. Elle déboucha hors de la ruelle en vacillant et s'engagea dans la grande rue. Li Guangtou la suivait et lui expliquait en bégayant dans quelles circonstances son fils était mort et comment son mari s'était battu avec ses agresseurs. La mère de Sun Wei marchait de plus en plus vite. Son corps, maintenant, ne vacillait plus, avec la vitesse elle avait repris son équilibre, et quand elle fut dans la grande rue, elle se mit à courir. Li Guangtou pressa également le pas sur quelques mètres derrière elle, puis il s'arrêta et la regarda courir. Il vit sa silhouette s'éloigner et, une fois arrivée à l'endroit où son fils gisait, tomber à genoux. Puis il entendit des pleurs horribles : chaque son semblait un râle s'échappant d'une poitrine où l'on aurait planté un poignard.

A compter de ce jour, la mère de Sun Wei ne cessa plus de pleurer. Ses yeux étaient rouges et gonflés comme deux ampoules mais ils continuaient à verser des larmes. Au cours des jours qui suivirent, chaque matin, à l'aube, elle s'engageait dans la grande rue après avoir rasé les murs de la ruelle puis, en rasant les murs de la grande rue, elle se rendait à l'endroit où son fils était mort, et elle restait là, debout, à regarder les traces de sang qu'il avait laissées, en pleurant sans arrêt. Le soir venu, elle rentrait chez elle en rasant les murs, et le lendemain la même scène se reproduisait, et elle pleurait jusqu'à ce que ses sanglots deviennent muets. Des gens qui la connaissaient tentèrent de la raisonner, mais elle leur tourna le dos comme si elle avait honte, en baissant la tête très bas.

Elle avait l'air égaré et le regard fixe. Ses vêtements, ses cheveux et son visage étaient de plus en plus sales. Sa façon de marcher aussi était devenue de plus en plus bizarre : quand sa jambe droite avançait, elle balançait simultanément le bras droit ; et inversement, quand c'était la jambe gauche qui avançait, c'était le bras gauche qui remuait. Dans le langage de notre bourg des Liu, cela s'appelle prendre l'amble. Une fois arrivée à l'endroit où son fils était mort, elle s'asseyait à même le sol. Tout son corps demeurait là, avachi, comme si elle était évanouie, et le bruit de ses pleurs était aussi ténu qu'un bourdonnement de moustique. Beaucoup pensaient qu'elle avait perdu l'esprit, mais quand d'aventure elle levait la tête et rencontrait les yeux de quelqu'un, elle se détournait et baissait de nouveau la tête en essuyant furtivement ses larmes. Par la suite, pour qu'on ne la voie pas pleurer, elle s'assit carrément le dos tourné, le visage collé contre le tronc d'un platane planté au bord de la chaussée.

Dans notre bourg des Liu, les commentaires allaient bon train : pour les uns, elle était folle, pour d'autres le fait qu'elle fût encore capable d'éprouver de la honte prouvait qu'elle ne l'était pas encore. Pour autant, ces derniers étaient dans l'incapacité de fournir une explication claire à son comportement bizarre, et leur hypothèse était qu'elle devait faire une dépression nerveuse. Un jour où, comme à l'accoutumée, elle était venue dans la grande rue, elle perdit ses souliers, et dorénavant on ne la vit plus jamais que pieds nus. Ses vêtements disparurent aussi l'un après l'autre sans qu'elle ne les remplace. Un autre jour, enfin, elle vint s'asseoir à sa place, complètement nue. Les traces de sang avaient été lavées par la pluie, et pourtant elle continuait à regarder par terre en pleurant et à se détourner quand elle s'apercevait qu'on l'observait, et à coller son visage contre l'arbre pour essuyer furtivement ses larmes. Dès lors, les opinions furent unanimes dans le bourg : elle était folle, folle pour de bon.

La malheureuse ne savait plus où elle habitait. A la tombée de la nuit, elle se levait et cherchait partout dans le bourg son logis. Au plus profond de la nuit, elle arpentait les rues silencieusement comme un fantôme, flanquant régulièrement des frousses mémorables aux masses de notre bourg des Liu. Elle finit par ne plus se souvenir de l'endroit où son fils était mort, et s'agitait toute la journée comme quelqu'un qui se dépêche pour prendre son train, courant dans un sens puis dans l'autre, en criant le nom de son fils comme si elle l'appelait pour le dîner :

— Sun Wei, Sun Wei…

Plus tard encore, la mère de Sun Wei disparut du bourg. Elle s'était évanouie dans la nature depuis quelques mois quand les masses de notre bourg des Liu s'avisèrent de ce qu'elles ne l'avaient pas croisée depuis longtemps. Etonnées par cette soudaine disparition, elles se consultèrent : chacun interrogea son voisin à ce propos. Zhao Shengli et Liu Chenggong, qui avaient été les camarades de Sun Wei de son vivant, savaient où elle était allée. Debout au milieu des masses, ils montrèrent du doigt la direction du sud :

— Elle est partie, elle est partie depuis longtemps.

— Partie ? partie pour où ?

— Elle est partie à la campagne.

Zhao Shengli et Liu Chenggong étaient probablement les deux dernières personnes à l'avoir vue. Cet après-midi-là, ils pêchaient sur le pont de bois, à la porte du Sud, quand ils virent approcher la mère de Sun Wei. Elle avait sur elle la veste que la mère Su lui avait jetée sur les épaules un soir sans rien dire. La mère Su lui avait également fait enfiler un pantalon, mais elle ne le portait pas. Comme elle avait ses règles, le sang coulait le long de ses jambes tandis qu'elle franchissait le pont, et Zhao Shengli et Liu Chenggong en étaient restés bouche bée.

Le jour où son fils mourut, le père de Sun Wei fut enfermé dans l'entrepôt transformé en prison. Song Fanping y avait séjourné sous sa surveillance, et maintenant c'était lui. D'aucuns prétendirent même qu'il y occupa la couchette qui avait été celle de Song Fanping. La fin sanglante de son fils lui avait fait perdre la tête, et il s'était attaqué à des rebelles révolutionnaires, portant brassards rouges. Quand les brassards rouges l'eurent incarcéré, ils commencèrent le soir même à le torturer. Ils lui attachèrent les bras et les jambes, et fourrèrent dans son pantalon, qu'ils serrèrent à la taille et aux mollets, un chat sauvage capturé dehors. Le chat sauvage, prisonnier, mordit et griffa toute la nuit, et toute la nuit le père de Sun Wei poussa des hurlements si atroces que les autres prisonniers en tremblaient et que les moins courageux en mouillèrent leur pantalon.

Le lendemain, les brassards rouges essayèrent une autre torture. Ils firent coucher le père de Sun Wei à plat ventre par terre, et ils lui frottèrent la plante des pieds avec une brosse métallique. Sous l'effet de la douleur et des démangeaisons, ses bras et ses jambes furent pris de mouvements spasmodiques comme s'il nageait. Les brassards rouges se tenaient à ses côtés en riant :

— Est-ce que tu sais comment ça s'appelle ? lui demandèrent-ils.

Le père de Sun Wei se tortillait en hurlant. Contraint encore de crier pour leur répondre, il dit, des larmes plein les yeux :

— Je, je, je ne sais pas…

— Tu sais nager, hein ? demanda un brassard rouge en souriant.

Le père de Sun Wei, déjà hors d'haleine, s'obligea à répondre :

— Oui, oui…

— Ça s'appelle le canard qui nage, dirent les brassards rouges, qui se tordaient de rire. Et maintenant tu es un canard qui nage.

Le troisième jour, les brassards rouges ne relâchèrent pas la pression. Ils allumèrent une cigarette et la posèrent debout, par terre. Puis ils ordonnèrent au père de Sun Wei de quitter son pantalon. Tandis qu'il s'exécutait, son visage était tordu de douleur, et ses dents s'entrechoquaient comme le marteau et le fer chez Tong le Forgeron. Le chat sauvage lui avait lacéré les cuisses et la toile du pantalon adhérait à ses plaies. Ôter son pantalon lui était aussi douloureux que s'il s'était arraché la peau. Quand il l'eut enlevé, on vit ses jambes couvertes de pus et de sang. Les brassards rouges le firent s'accroupir sur la cigarette, l'anus bien en face du bout incandescent. Le père de Sun Wei obtempéra, en essayant de retenir ses larmes. Un brassard rouge s'allongea, la tête collée contre le sol, pour diriger les opérations : un peu plus à gauche, un peu plus à droite. Et quand le bout de la cigarette se trouva juste dans l'axe, il donna le signal, en agitant la main :

— Assieds-toi !

Le père de Sun Wei s'assit sur le mégot enflammé. Il sentit celui-ci lui brûler le fondement dans un long grésillement. Il ne sentait déjà plus la douleur, il ne sentait plus que l'odeur de la chair brûlée. Le brassard rouge continuait de crier :

— Assieds-toi ! Assieds-toi !

Il tomba assis par terre, écrasant le mégot sous lui. Le mégot lui roussit l'anus avant de s'éteindre. Il était assis par terre, comme mort. Les brassards rouges se tenaient le ventre de rire, et l'un d'eux lui demanda :

— Et ça, tu sais comment ça s'appelle ?

Il secoua la tête, sans force :

— Je ne sais pas, murmura-t-il.

— C'est ce qui s'appelle fumer avec les fesses.

Le brassard rouge qui venait de parler lui donna un coup de pied :

— Tu t'en souviendras ?

Le père de Sun Wei baissa la tête :

— Je m'en souviendrai : fumer avec les fesses.

Dans cet entrepôt où les cris ne cessaient pas de toute la nuit, le père de Sun Wei souffrit le martyre. Ses jambes étaient de plus en plus enflées, elles suppuraient et une odeur putride s'en échappait. Chaque fois qu'il allait à la selle, il était au supplice, car dès qu'il s'essuyait, c'étaient des douleurs terribles. Les excréments s'accumulaient autour de son anus brûlé, qui commença à s'infecter. Son corps entier était en lambeaux. Debout, assis, couché, en mouvement ou au repos, à chaque instant il souffrait.

Dans cette vie pire que la mort, de nouvelles tortures ne cessaient de s'ajouter aux précédentes, et il ne trouvait un peu de repos qu'au milieu de la nuit. Il s'allongeait sur sa paillasse, son corps entier souffrait et le seul endroit que n'atteignait pas la souffrance physique, c'était son esprit. Dans ces moments-là, sa pensée revenait constamment vers son fils et vers sa femme. Il se demandait où son fils avait été enterré. Devant ses yeux surgissait par intermittence un paysage idyllique, et il se disait que son fils y était enterré. Par moments, ces lieux ravissants lui paraissaient très familiers, et à d'autres moments, étrangers. Puis il se préoccupait du sort de son épouse. Il s'imaginait sa peine après la perte de leur fils : elle n'avait plus que la peau sur les os, elle ne sortait que rarement, et elle attendait à la maison, prostrée, le retour de son mari.

Dans la journée, l'idée du suicide le hantait continuellement, et elle se faisait même de plus en plus impérieuse. Heureusement que la nuit il pouvait penser à son fils et à sa femme abandonnée à elle-même, cela lui permettait de supporter ses souffrances quotidiennes. Il se disait que sa femme devait se présenter tous les jours à la porte de l'entrepôt avec l'espoir de le voir, c'est pourquoi dès qu'elle s'ouvrait il jetait vers l'extérieur des regards anxieux. Une fois, il craqua, et, se prosternant devant un brassard rouge, il l'implora de le laisser aller jusqu'à l'entrée pour qu'il puisse apercevoir sa femme si elle venait lui rendre visite. C'est à cette occasion qu'il apprit qu'elle était devenue folle et qu'elle se promenait toute nue dans les rues.

Le brassard rouge ricana et appela d'autres brassards rouges. Ceux-ci expliquèrent au père de Sun Wei que sa femme avait perdu la raison. Debout devant lui, ils donnèrent en rigolant des détails physiques sur sa femme : elle avait de gros seins, expliquèrent-ils, malheureusement ils tombaient, et elle avait une touffe abondante, mais trop sale, il y avait de la paille de riz collée après…

Le père de Sun Wei se laissa tomber par terre et resta immobile, la tête basse. Il était si profondément touché que ses larmes n'arrivaient plus à couler. Le soir venu, il se coucha, souffrant de partout. A présent, son esprit lui-même souffrait, il ressentait dans sa tête des douleurs insupportables comme si un hachoir lui broyait le cerveau. A deux heures du matin, dans un éclair de lucidité, il décida pour de bon de mettre fin à ses jours. Cette pensée effaça instantanément les souffrances qu'il ressentait, et il put à nouveau réfléchir normalement. Il se rappelait clairement qu'il y avait un gros clou sous son lit, il l'avait découvert il y avait un peu plus d'un mois, c'était ce clou qui lui avait inspiré sa première idée de suicide, et c'est encore à ce clou que sa pensée revenait maintenant. Il descendit du lit, s'agenouilla et fouilla longtemps dans l'obscurité. Il trouva le clou, puis, soulevant le cadre du lit avec les épaules, il extirpa la brique qui en calait un pied et s'assit, adossé au mur. Lui dont le corps n'était plus qu'une plaie, il n'avait plus mal nulle part. C'était un homme marchant à la mort, qui brusquement n'éprouvait plus les souffrances des vivants. Le dos collé au mur, il inspira profondément, leva le clou de sa main gauche et le piqua dans son crâne. Puis il brandit la brique de sa main droite, il pensa à son fils mort et, en souriant, il murmura :

— J'arrive.

La brique qu'il tenait dans la main droite frappa le clou qui, semble-t-il, s'enfonça dans la boîte crânienne. Il était encore lucide. Avant d'abattre sa main droite pour la deuxième fois, il pensa à son épouse devenue folle et qui errait désormais. Incapable de retenir ses larmes, il s'adressa à elle en murmurant :

— Pardon.

Le clou s'enfonça un peu plus. Il avait dû atteindre le cerveau, mais celui-ci réagissait encore. Sa dernière pensée fut pour ces salauds de brassards rouges. Brusquement, une vague de haine le submergea. Les yeux écarquillés, menaçant dans l'obscurité des brassards rouges imaginaires, il rugit comme un dément :

— Je vais vous tuer !

Mobilisant ses dernières forces, il écrasa le clou. Le clou entra de toute sa longueur dans le crâne, et la brique éclata en une dizaine de morceaux.

Le cri ultime du père de Sun Wei avait réveillé en sursaut tous les occupants de l'entrepôt, effrayant même les brassards rouges. Ils allumèrent la lumière et virent le père de Sun Wei appuyé de biais contre le mur, les yeux écarquillés, immobile, et des débris de brique par terre. Sur le coup, aucun d'eux ne pensa qu'il s'était suicidé. Ils s'étonnèrent seulement de le voir à cette place, et un brassard rouge l'engueula :

— Putain, lève-toi. Putain, tu oses soutenir mon regard…

Le brassard rouge avança vers le père de Sun Wei et lui flanqua un coup de pied. Il s'affaissa le long du mur. Alors le brassard rouge sursauta et recula, et il ordonna à deux détenus de s'approcher du père de Sun Wei. Les deux hommes s'accroupirent à côté de lui et examinèrent son corps. Il était couvert de plaies, pour autant ceux-ci ne comprenaient pas ce qui avait pu provoquer la mort. C'est en redressant le corps qu'ils remarquèrent qu'il avait le haut du crâne couvert de sang. Ils examinèrent l'endroit de plus près en le tâtant, et enfin ils comprirent :

— Il y a un clou ! s'exclamèrent-ils, stupéfaits. Il s'est enfoncé un clou dans la tête.

La nouvelle du suicide inouï du père de Sun Wei se répandit à toute vitesse dans notre bourg des Liu. Li Lan se trouvait à la maison quand elle l'apprit. Des voisins commentaient le geste du père de Sun Wei sous sa fenêtre, en soupirant. Elle les entendit parler de quelque chose d'inconcevable, d'incroyable, d'inimaginable… Le clou mesurait plus de deux pouces, et ils ne s'expliquaient pas comment il avait pu le faire entrer tout entier, parfaitement à niveau avec le crâne, comme ces clous qu'on enfonce dans les armoires quand on les assemble, sans que rien ne dépasse à l'extérieur et sans même qu'on puisse toucher du doigt leur tête. Ils prononcèrent ces derniers mots d'une voix tremblante. Ils ne parvenaient pas à comprendre comment il avait pu passer à l'acte : on aurait déjà le cœur qui flanche et la main qui tremble si l'on devait planter un clou d'une longueur pareille dans la tête de quelqu'un d'autre, alors à plus forte raison s'agissant de sa propre tête… Li Lan écoutait debout derrière sa fenêtre et, quand les voisins se furent éloignés, elle se retourna et se dit à elle-même, avec un triste sourire : "Quand un homme est décidé à mourir, rien ne l'arrête."

XXIII

Le chaos était maintenant total dans les rues. Les masses révolutionnaires s'affrontaient en batailles rangées presque quotidiennes. Li Guangtou ne comprenait pas pourquoi ces gens qui portaient tous des brassards rouges et qui agitaient des drapeaux rouges se battaient entre eux. Ils se tapaient dessus à coups de poing, à coups de hampe de drapeau, à coups de bâton, et on aurait cru des mêlées de fauves. Li Guangtou les vit une fois armés de couteaux de cuisine et de haches. Beaucoup d'entre eux étaient en sang, et des traces de sang souillaient les poteaux électriques, les platanes, les murs et la chaussée.

Li Lan ne laissait plus sortir Li Guangtou, et comme elle craignait qu'il ne s'échappe par la fenêtre, elle la cloua. Quand elle partait à l'usine, à l'aube, elle enfermait Li Guangtou dans la maison et la porte ne se rouvrait qu'à son retour, le soir. Une enfance vraiment solitaire commença alors pour Li Guangtou. Du lever au coucher du soleil, son univers se limitait à ces deux pièces. Il entreprit de livrer une guerre totale aux fourmis et aux cafards. Souvent, il s'embusquait sous le lit, un bol d'eau à la main, attendant que les fourmis sortent. Il commençait par les asperger d'eau, puis il les écrasait de la main une à une. Une fois, il vit un gros rat filer sous son nez, et il eut si peur qu'il n'osa plus se glisser sous le lit. Il s'attaqua alors aux cafards de l'armoire et, pour les empêcher de s'enfuir, il s'enfermait avec eux dans le meuble, une chaussure à la main, observant leurs mouvements grâce à la lumière qui filtrait par une fente, prêt à frapper à tout instant. Un jour, il s'endormit dans l'armoire et, quand Li Lan rentra le soir, Li Guangtou était encore à l'intérieur, plongé dans de doux rêves. La pauvre Li Lan, affolée, le chercha partout en poussant des cris, elle courut même jeter un coup d'œil dans le puits. Quand Li Guangtou, réveillé par les appels de sa mère, sortit de l'armoire, Li Lan s'écroula par terre comme une chiffe molle, le visage livide, les mains sur la poitrine, et ne retrouva l'usage de la parole qu'un long moment après.

Tandis que Li Guangtou était abandonné à lui-même, Song Gang vint le voir de sa lointaine campagne. Sans rien dire à son grand-père, il avait quitté le village à l'aube, avec dans sa poche cinq caramels Lapin Blanc, et il était arrivé jusqu'au bourg des Liu en demandant son chemin. Il était presque midi quand il s'arrêta sous la fenêtre de Li Guangtou. Il frappa aux carreaux :

— Li Guangtou ! Li Guangtou… tu es là ? C'est moi, Song Gang.

Li Guangtou, terrassé par l'ennui, était sur le point de s'endormir quand les appels de Song Gang l'arrachèrent de son lit. Il se précipita à la fenêtre et, frappant à son tour aux carreaux, s'écria :

— Song Gang ! Song Gang ! Je suis là.

De l'autre côté de la fenêtre, Song Gang répondit :

— Li Guangtou, ouvre-moi !

— La porte est fermée à clef, dit Li Guangtou, je ne peux pas l'ouvrir.

— Dans ce cas, ouvre la fenêtre.

— Elle est condamnée.

Les deux frères, tout excités, crièrent ainsi un bon moment en frappant aux carreaux. Li Lan avait collé du papier journal sur les carreaux du bas, si bien qu'ils ne se voyaient pas et ne pouvaient communiquer que par des cris. Mais Li Guangtou parvint, en approchant un tabouret de la fenêtre, à se hisser sur le rebord. Les carreaux du haut n'étaient pas masqués : Li Guangtou aperçut enfin Song Gang, et Song Gang, Li Guangtou. Song Gang portait les mêmes vêtements que le jour de l'enterrement de Song Fanping. Il levait la tête vers Li Guangtou :

— Li Guangtou, tu me manques.

Song Gang avait dit cela en souriant, d'un air gêné. Li Guangtou tambourina avec ses deux mains sur les carreaux :

— Toi aussi, Song Gang, tu me manques, confessa-t-il en beuglant.

Song Gang sortit de sa poche les cinq bonbons et les leva pour les montrer à Li Guangtou :

— Tu vois ? C'est pour toi.

A la vue des bonbons, le visage de Li Guangtou s'éclaira :

— Oui je vois, Song Gang. Tu es drôlement gentil.

Li Guangtou salivait copieusement, mais les carreaux le séparaient des bonbons que tenait Song Gang, les mettant ainsi hors d'atteinte.

— Song Gang, cria-t-il, essaie de trouver un moyen pour me les passer.

Song Gang baissa son bras, et réfléchit :

— Je vais te les passer par la fente de la porte.

Li Guangtou se dépêcha de descendre de son perchoir, puis du tabouret et s'approcha de la porte. Par la fente la plus large, il vit apparaître un papier de bonbon. Le papier s'agitait dans la fente, mais le bonbon ne passait pas.

— Ça ne rentre pas, dit Song Gang de dehors.

Li Guangtou bouillait d'impatience :

— Essaie autrement.

Li Guangtou entendait Song Gang souffler derrière la porte. Au bout d'un moment, celui-ci déclara :

— Ça ne rentre toujours pas… Je vais te les faire sentir en attendant.

Song Gang colla un bonbon contre la fente de la porte, et Li Guangtou colla son nez de l'autre côté. Il aspira profondément et, quand ses narines perçurent enfin le discret parfum de crème, il ne put retenir ses sanglots.

— Pourquoi tu pleures, Li Guangtou ?

— Je sens l'odeur des caramels Lapin Blanc, répondit Li Guangtou d'une voix geignante.

Dehors, Song Gang s'esclaffa, et Li Guangtou fut gagné par son rire. En l'espace d'une seconde, il passait des larmes au rire, et du rire aux larmes. Puis les deux enfants s'assirent par terre, de part et d'autre de la porte et, dos à dos, ils discutèrent longuement. Song Gang parla à Li Guangtou de la campagne, il lui expliqua qu'il avait appris à pêcher, à grimper aux arbres, à repiquer le riz et à le récolter, à cueillir les fleurs de coton. Li Guangtou raconta à Song Gang ce qui s'était passé en ville : Sun Wei les Longs Cheveux était mort ; la mère Su, celle qui tenait la boutique de *dim sum*, avait été débusquée, et on lui avait accroché autour du cou une grande pancarte de bois. En entendant le récit de la mort de Sun Wei, Song Gang, dehors, sanglota :

— Le pauvre.

Les deux enfants échangèrent des confidences à travers la porte jusque dans l'après-midi. Quand Song Gang s'aperçut que le soleil avait déjà baissé et que ses rayons touchaient le puits, il se leva précipitamment, frappa à la porte et annonça à Li Guangtou qu'il devait s'en aller. Il avait un long chemin à parcourir et ne voulait pas arriver trop tard. Li Guangtou donna à son tour des coups contre la porte, et supplia Song Gang de lui tenir compagnie un peu plus longtemps :

— Il ne fait pas encore nuit…

Song Gang frappa à la porte :

— Si la nuit tombe, je vais me perdre.

En partant, Song Gang glissa les cinq caramels Lapin Blanc sous une dalle devant la porte, car, expliqua-t-il, on risquait de les lui voler s'il les déposait sur le rebord de la fenêtre. Il s'éloigna de quelques pas, puis revint : il craignait maintenant qu'ils ne soient mangés par les vers de terre. Il cueillit des feuilles de platane, y enveloppa soigneusement les bonbons et les replaça sous la dalle. Puis il colla ses yeux contre la fente de la porte pour apercevoir Li Guangtou :

— Au revoir, Li Guangtou.

— Quand est-ce que je te manquerai à nouveau ? demanda Li Guangtou tristement.

— Je ne sais pas, dit Song Gang en secouant la tête.

Li Guangtou entendit les pas de Song Gang s'éloigner. C'étaient les pas d'un enfant de neuf ans et ils ne faisaient pas plus de bruit que ceux d'un canard. Puis les yeux de Li Guangtou se collèrent contre la fente de la porte pour surveiller les bonbons sous la dalle. Dès que quelqu'un approchait, son cœur battait plus vite : le rôdeur n'allait-il pas soulever la dalle ? Il attendait avec impatience le crépuscule, et avec lui le retour de Li Lan : la porte s'ouvrirait, et il pourrait savourer les bonbons tant convoités.

Song Gang quitta la ruelle d'un pas léger et s'engagea dans la grande rue. Il avançait en jetant constamment des regards à droite et à gauche : il regardait ces bâtiments, ces arbres qui lui étaient familiers. Il vit des gens qui se battaient, certains qui pleuraient, d'autres qui riaient. Il en connaissait quelques-uns et leur sourit, mais ils l'ignorèrent. Un peu déçu, il remonta deux rues, franchit le pont de bois et arriva de l'autre côté de la porte du Sud. Une fois la porte franchie, il se retrouva en plein champ et, dès la première intersection, il se rendit compte qu'il était perdu.

La nuit n'était pas encore tombée. Il était debout au carrefour comme une âme en peine, ne sachant dans quelle direction aller. De tous côtés il y avait des champs et des maisons, et, au loin, l'horizon. Il attendit longtemps au carrefour, jusqu'à ce qu'enfin un homme arrive. "Oncle, oncle", appela-t-il, et il demanda à l'inconnu de lui indiquer le village de son grand-père. L'homme répondit en secouant la tête qu'il n'en savait rien, puis il s'éloigna de sa démarche chaloupée. Song Gang resta planté au milieu de la vaste étendue de champs, sous le ciel infini. Sa peur grandissait. Il pleura un court instant, puis essuya ses larmes et rebroussa chemin. Il franchit la porte du Sud et pénétra derechef dans notre bourg des Liu.

Après le départ de Song Gang, les yeux de Li Guangtou étaient restés collés à la fente de la porte. Il commençait à avoir mal aux paupières, quand tout à coup il vit Song Gang revenir. Il pensa que son frère se languissait déjà de lui et que c'était pour cela qu'il revenait. Tout heureux, il tambourina à la porte, en criant :

— Song Gang, est-ce que je te manque déjà ?

Song Gang, debout de l'autre côté de la porte, secoua la tête et dit d'un air morose :

— Je me suis perdu, je ne sais pas comment rentrer à la maison. Je suis drôlement embêté.

Li Guangtou rigola et, tout en continuant à marteler la porte, il réconforta Song Gang :

— Ne te fais pas de bile, attends que maman rentre, elle connaît le chemin jusque chez toi, elle te raccompagnera.

Convaincu par l'argument, Song Gang hocha la tête énergiquement et se colla contre la fente de la porte pour regarder Li Guangtou, puis il se rassit le dos à la porte, tandis que Li Guangtou en faisait autant de son côté. Dos à dos, ils reprirent leur conversation. Cette fois, c'était Song Gang qui racontait à Li Guangtou ce qui se passait en ville, et ce qu'il avait vu en chemin : les gens qui se battaient, ceux qui pleuraient, ceux qui riaient. Sur ces entrefaites, il se souvint des caramels Lapin Blanc. Il s'empressa de soulever la dalle et de les sortir de leur cachette. Ils l'avaient échappé belle, dit-il : les vers de terre venaient de percer les feuilles qui les enveloppaient, mais ils n'avaient heureusement pas eu le temps de s'attaquer aux bonbons. Song Gang remit prudemment les bonbons dans sa poche, et plaqua sa main par-dessus. Quelques instants plus tard, il murmura :

— Li Guangtou, j'ai faim, je n'ai pas déjeuné. Est-ce que je peux manger un bonbon ?

A l'intérieur, Li Guangtou hésita, ce sacrifice lui coûtait. Dehors, Song Gang poursuivit :

— J'ai vraiment très faim. Laisse-m'en un.

A l'intérieur, Li Guangtou hocha la tête :

— Tu n'as qu'à en manger quatre et m'en laisser un.

Dehors, Song Gang secoua la tête :

— Non, un seul suffira.

Song Gang sortit un bonbon de sa poche, le regarda, puis le porta jusqu'à ses narines et le huma. Li Guangtou, de l'intérieur, l'entendait faire du bruit non pas avec la bouche, mais avec le nez. Cela l'intrigua :

— Comment se fait-il qu'avec ta bouche tu fasses le même bruit qu'avec ton nez ?

Song Gang glousse :

— Je ne l'ai pas mangé, je l'ai senti simplement.

— Pourquoi est-ce que tu ne le manges pas ?

Song Gang avala sa salive :

— Je ne vais pas le manger, c'est ton bonbon. Je me contente de le sentir.

C'est alors que Li Lan arriva. A l'intérieur, Li Guangtou entendit d'abord l'exclamation joyeuse poussée par sa mère, puis les pas précipités de celle-ci et enfin la voix de Song Gang qui criait "Maman". Li Lan, parvenue à la porte, prit Song Gang dans ses bras. Les mots sortaient de sa bouche telles les balles d'une mitraillette. Li Guangtou, enfermé comme dans une prison, tapa contre la porte de toutes ses forces en vociférant. Un long moment s'écoula avant que Li Lan ne l'entende et ne lui ouvre.

Li Guangtou et Song Gang, enfin, étaient réunis pour de bon. Les deux enfants se prirent par la main et se mirent à faire des bonds en criant. Ils furent bientôt en nage et la morve leur coula du nez. Au bout d'une dizaine de minutes de ce manège, Song Gang repensa aux bonbons qu'il avait dans sa poche. Il s'épongea et les sortit. Il les déposa un par un dans la paume de Li Guangtou en les comptant : un, deux, trois, quatre, cinq. Li Guangtou en fourra quatre dans sa poche, et le cinquième dans sa bouche après l'avoir débarrassé de son papier.

Li Lan avait été soumise toute la journée à une séance de lutte-critique à l'usine, et elle rentrait fourbue. Mais la visite de Song Gang lui avait instantanément redonné des couleurs. C'était la première fois qu'elle était aussi heureuse depuis la mort de Song Fanping. Elle voulut fêter le retour de Song Gang en offrant le soir même un bon repas aux deux enfants. Elle les prit par la main et s'engagea avec eux dans la grande rue, avec l'intention d'aller manger des nouilles au Restaurant du Peuple. Ils marchaient dans les rues crépusculaires, et Li Guangtou avait l'impression de n'être pas sorti depuis des années. Il ne marchait pas, il bondissait, et c'était pareil pour Song Gang. Li Lan, entre les deux enfants, était tout sourire. Cela faisait une éternité que Li Guangtou ne l'avait pas vue sourire, et son sourire redoublait l'allégresse des deux enfants.

Quand ils arrivèrent au pont, ils tombèrent sur la mère Su debout avec sa pancarte, tête baissée, et sa fille Su Mei à ses côtés, accrochée à son vêtement. Song Gang s'approcha d'elle :

— Pourquoi est-ce qu'ils t'ont accroché une pancarte à toi aussi ? Tu es pourtant si gentille.

La mère Su, tête basse, se taisait, et Su Mei, en entendant la question de Song Gang, écrasa une larme. Li Lan restait plantée là, la tête basse elle aussi. Elle murmura quelque chose à Li Guangtou, en le poussant du coude, pour qu'il donne un bonbon à Su Mei. Li Guangtou avala sa salive et chercha dans sa poche un caramel Lapin Blanc qu'il tendit à regret à Su Mei. La main avec laquelle elle essuyait ses larmes se tendit pour le prendre. La mère Su leva la tête et sourit à Li Lan, qui lui rendit son sourire. Li Lan resta là encore un moment, puis tira Song Gang par la main. Song Gang comprit qu'il fallait partir et dit à la mère Su :

— Sois tranquille, tu seras récompensée pour ta bonne action.

— Toi aussi, mon petit, murmura la mère Su, tu seras récompensé pour ta bonne action.

Elle leva la tête et regarda Li Lan et Li Guangtou :

— Vous serez tous récompensés.

Li Lan, accompagnée de Li Guangtou et de Song Gang, arriva au Restaurant du Peuple. Les enfants n'y étaient jamais revenus depuis le jour où Song Fanping les y avait amenés. Il venait d'agiter le drapeau rouge, c'était au temps de sa gloire, et pendant qu'ils mangeaient leurs nouilles tous les gens du restaurant s'étaient massés autour d'eux. Le cuisinier leur avait même donné du bouillon de viande. A présent, le restaurant était désert. Li Lan commanda pour chacun des enfants un bol de nouilles nature, et rien pour elle, car elle ne voulait pas trop dépenser. Elle finirait les restes à la maison. Li Guangtou et Song Gang dégustaient leurs nouilles fumantes. La morve leur coulait presque dans la bouche et de loin en loin ils reniflaient pour la faire remonter. Le bouillon leur sembla aussi savoureux que la dernière fois. Le cuisinier, qui les avait reconnus, profitant de ce qu'il n'y avait personne, vint vers eux et leur glissa discrètement :

— C'est du bouillon de viande.

Ce soir-là, Li Lan marcha longuement dans les rues avec les deux enfants. Quand la nuit tomba, ils se rendirent sur le terrain de basket éclairé par des lampadaires. Ils s'assirent tous les trois sur des pierres, en bordure du terrain, et regardèrent l'aire de jeu déserte sous la lune. Li Lan se souvenait des lumières brillantes qui l'éclairaient, du match disputé qui s'y était déroulé, et de la manière dont Song Fanping s'y était illustré, surtout quand il avait épaté l'assistance avec son dunk, provoquant un silence général dans les gradins suivi aussitôt d'un tonnerre d'acclamations. Le sourire de Li Lan était suspendu dans l'obscurité.

— Depuis la mort de votre père, dit-elle aux deux enfants, plus personne au monde n'a réussi à faire un dunk.

Song Gang demeura deux jours chez Li Guangtou. A l'aube du troisième jour, son grand-père, le vieux propriétaire foncier, arriva en portant sur son dos une citrouille. Il ne franchit pas le seuil de la maison, mais resta à la porte, la tête basse. Li Lan l'accueillit chaleureusement, en l'appelant “Papa”, et le tira par la manche pour le faire entrer. Le vieux propriétaire foncier, rougissant, secoua la tête et refusa tout net. Li Lan se résigna à installer pour lui un tabouret dehors. Il ne s'assit pas, il resta debout et se pencha simplement pour déposer la citrouille à l'intérieur de la pièce. Puis il attendit patiemment que Song Gang ait fini de prendre son petit déjeuner. Quand celui-ci fut sorti, il le prit par la main, fit une sorte de révérence à Li Lan et partit en entraînant Song Gang.

Li Guangtou accourut à l'entrée et regarda tristement Song Gang s'éloigner. Song Gang se retournait sans arrêt et le regardait avec des yeux mélancoliques. Sa main levée à hauteur de l'épaule faisait des signes à Li Guangtou, et celle de Li Guangtou lui répondait.

Par la suite, Song Gang vint en ville presque chaque mois. Il n'était plus seul mais accompagnait son grand-père, qui s'y rendait pour vendre ses légumes. Quand le grand-père et son petit-fils arrivaient, il ne faisait pas encore jour et Li Guangtou dormait. Une fois franchie la porte du Sud, Song Gang, tenant dans ses bras deux choux frais, courait à travers les rues d'avant l'aube jusqu'à la maison de Li Guangtou. Il posait ses choux subrepticement contre la porte, puis il filait au marché où l'aube ne s'était pas encore levée et, assis à côté de son grand-père, il criait à sa place :

— Choux à vendre !

Souvent, ils avaient déjà tout vendu au moment où le soleil pointait, et le grand-père, sa palanche vide sur l'épaule, tenant Song Gang par la main, faisait un détour jusque chez Li Guangtou. Le vieillard et l'enfant restaient à la porte tranquillement, épiant les bruits à l'intérieur de la maison pour savoir si la mère et le fils étaient debout. Mais, à cette heure, Li Lan et Li Guangtou continuaient de dormir, et les deux choux n'avaient pas quitté leur place. Song Gang et son grand-père se résignaient à s'en aller sans bruit.

Au cours de la première année, Song Gang, chaque fois qu'il venait en ville, emportait pour Li Guangtou des caramels Lapin Blanc. Il les enveloppait dans des feuilles de platane et les cachait sous la dalle, à l'entrée. Li Guangtou se demandait combien Li Lan en avait donné à Song Gang pour que, presque chaque mois, il puisse encore en manger.

Quand Li Lan, une fois levée, ouvrait la porte et qu'elle apercevait les choux couverts de rosée, elle criait à Li Guangtou :

— Song Gang est passé.

Le premier geste de Li Guangtou était de retourner la dalle et de prendre les bonbons enveloppés dans les feuilles, puis il se dirigeait en courant vers la grande rue. Li Lan savait qu'il voulait voir Song Gang, et elle ne faisait rien pour le retenir. Mais quand Li Guangtou arrivait au marché, il n'y trouvait pas trace de Song Gang, et aussitôt il prenait la direction de la porte du Sud. A quelques reprises, les deux frères réussirent à s'apercevoir de l'autre côté de la porte : Song Gang marchait derrière la palanche de son grand-père, il était déjà loin. Alors Li Guangtou criait en s'époumonant : "Song Gang ! Song Gang..." Et Song Gang, en l'entendant, se retournait, et criait à son tour : "Li Guangtou ! Li Guangtou..."

Li Guangtou restait là, agitant la main et criant le nom de Song Gang. Song Gang, tout en continuant d'avancer, se retournait pour regarder Li Guangtou. Lui aussi agitait la main et criait le nom de Li Guangtou. Song Gang avait déjà disparu de son champ de vision que Li Guangtou criait encore : "Song Gang ! Song Gang..." Car chaque fois, il entendait l'écho venu de l'horizon : "Gang... gang..."

XXIV

De longs mois s'écoulèrent sans qu'on y prenne garde dans notre bourg des Liu. En un clin d'œil, sept ans avaient filé. Au bourg, une femme qui venait de perdre son mari n'avait pas le droit de se laver les cheveux pendant un mois, et certaines attendaient même six mois. Li Lan, quant à elle, ne s'était plus lavé les cheveux depuis le décès de Song Fanping. Personne n'avait soupçonné la profondeur du sentiment qui la liait à Song Fanping, un sentiment plus profond que l'océan. Li Lan resta sept ans sans se laver les cheveux mais elle les enduisait régulièrement de brillantine, si bien que ses cheveux étaient devenus d'un noir brillant. Elle les peignait soigneusement, puis sortait fièrement dans la rue. Les enfants du bourg la suivaient en criant :

— Femme de propriétaire foncier, femme de propriétaire foncier…

Li Lan ne se départait pas de son sourire hautain. Elle n'avait vécu avec Song Fanping qu'un an et deux mois, mais au fond de son cœur cela avait été plus long que toute une vie. Ses cheveux jamais lavés et constamment enduits de brillantine exhalaient une odeur aigre de plus en plus prononcée. Au début, quand elle rentrait chez elle, il flottait dans la maison une odeur semblable à celle des chaussettes sales, et plus tard, c'est dans la rue qu'on sentait cette odeur autour d'elle. Les masses du bourg s'écartaient de Li Lan, et les enfants qui la traitaient de “femme de propriétaire foncier” s’enfuyaient sur son passage :

— Ça pue, ça pue… criaient-ils en se bouchant le nez.

Li Lan s’en faisait une gloire. Elle souhaitait qu’on se souvienne à chaque instant qu’elle était l’épouse de Song Fanping. Quand Li Guangtou entra à l’école, chaque fois qu’il fallait indiquer le nom de son père, elle lui faisait écrire sans hésitation : “Song Fanping.” Cela causa bien du tourment à Li Guangtou car, dès lors qu’il avait mentionné Song Fanping, il était contraint d’inscrire dans la rubrique “statut familial” : “Propriétaire foncier.” A l’école, il était en butte à une discrimination constante. Ses camarades le traitaient de “petit propriétaire foncier”. En dehors de Li Lan, et de Song Gang quand il venait de la campagne, personne ne l’appelait Li Guangtou. Les autres semblaient ne plus connaître son nom, et même les professeurs finirent par l’appeler ainsi :

— Petit Propriétaire foncier, lève-toi, et récite un passage du texte.

Quand il eut dix ans, Li Guangtou se souvint qu’il avait un géniteur, celui-là même qui était mort noyé dans la fosse d’aisance en matant les fesses des filles aux toilettes. Li Guangtou espérait qu’en indiquant son nom il échapperait à ce maudit statut de propriétaire foncier. Un jour il se révolta et, au moment de noter le nom de son père, il demanda à Li Lan :

— Qu’est-ce que je mets ?

Li Lan, qui préparait le repas, resta interdite. Elle regarda son fils sans comprendre, puis elle répondit :

— Song Fanping.

Li Guangtou baissa la tête :

— Et mon autre papa…

Li Lan se rembrunit et elle déclara d’un ton qui n’admettait pas de réplique :

— Tu n’as pas d’autre papa.

Li Lan jouait fièrement son rôle d'épouse de propriétaire foncier, et elle gardait fièrement Song Fanping au fond de son cœur. Cette fierté dura pendant sept ans, jusqu'à l'année des quatorze ans de Li Guangtou. Cette année-là, Li Guangtou fut surpris en train de mater les fesses des filles aux toilettes, et Li Lan s'effondra d'un coup. Quand plus tard Li Guangtou eut à remplir une fiche, Li Lan gomma le nom de Song Fanping et elle écrivit à la place un nom qui lui était parfaitement inconnu : "Liu Shanfeng." Et dans la case concernant le "statut familial" qui suivait, elle remplaça "propriétaire foncier" par "paysan pauvre". Li Lan tendit la fiche corrigée à Li Guangtou, et elle le vit effacer "Liu Shanfeng" et "paysan pauvre" et remettre "Song Fanping" et "propriétaire foncier". A quatorze ans, Li Guangtou ne se souciait plus de son statut de "petit propriétaire foncier". Tout en gommant le nom de son vrai père, il grommela :

— Mon papa, c'est Song Fanping.

Li Lan regarda son fils comme si elle ne le reconnaissait pas. Elle était stupéfaite par ce qu'il venait de dire. Quand il leva la tête vers elle, elle baissa aussitôt la sienne, et dit entre ses dents :

— Ton vrai père s'appelait Liu Shanfeng.

— Qui c'est ça, Liu Shanfeng ? demanda Li Guangtou avec dédain. Si c'est lui mon papa, alors Song Gang n'est plus mon frère.

Quand Li Guangtou fut devenu célèbre pour avoir maté les fesses des filles, il cessa d'être le "petit propriétaire foncier" pour devenir le "petit cul". La réputation sulfureuse de son père, pourtant oubliée depuis longtemps, fut exhumée comme une pièce d'archéologie. Les camarades de Li Guangtou ne l'appelaient plus "Petit Propriétaire foncier" mais "Petit Cul", et ils appelaient son défunt père "Vieux Cul". Même les professeurs l'apostrophaient ainsi :

— Petit Cul, va balayer.

Li Lan crut revivre l'humiliation qu'elle avait ressentie quand son premier mari s'était noyé dans les toilettes. Il ne subsistait plus rien de la fierté que lui avait redonnée Song Fanping. Elle ne marchait plus la tête haute dans la rue, elle était redevenue timorée comme quatorze ans auparavant. Elle allait toujours tête basse, et pressait le pas en rasant les murs. Elle avait l'impression que tout le monde la montrait du doigt et jasait sur elle. Elle ne voulait plus sortir et, même chez elle, elle s'enfermait dans sa chambre et restait assise sur son lit, immobile comme une statue. Ses migraines la reprirent et elle ne cessait de siffler entre ses dents du matin au soir.

En faisant commerce du secret des fesses de Lin Hong, Li Guangtou avait déjà dégusté un grand nombre de bols de nouilles aux trois fraîcheurs et, de temps à autre, de nouilles nature. Et il commençait à avoir la mine resplendissante de celui qui est bien nourri.

Li Guangtou marchait en se pavanant, avec la dégaine d'une célébrité. Il se souciait comme d'une guigne de ceux qui pouffaient en l'appelant "Petit Cul". Ceux-là ne savaient pas à qui ils avaient affaire, au contraire des gens comme Zhao Shengli, Liu Chenggong ou Guan les Ciseaux le Jeune, qui avaient négocié avec lui les détails sur le derrière de Lin Hong et qui, en connaissance de cause, lui donnaient du "Roi du cul". C'étaient les deux lettrés distingués du bourg des Liu Zhao Shengli, devenu Zhao le Poète, et Liu Chenggong, devenu Liu l'Ecrivain, qui lui avaient forgé ce surnom. Li Guangtou en était très satisfait, il le trouvait conforme aux faits[1].

Au cours des quelques mois d'étroite amitié qu'entretinrent l'adolescent Li Guangtou, le jeune poète Zhao Shengli et le jeune écrivain Liu Chenggong, leur sujet de prédilection, celui autour duquel gravitaient toutes leurs discussions, fut le beau derrière de Lin Hong. Nos deux lettrés distingués se torturèrent la cervelle pour sélectionner un grand nombre de termes littéraires, réalistes, lyriques, qualificatifs ou métaphoriques, descriptifs ou argumentatifs, et les soumirent, en dernier ressort, à l'appréciation de Li Guangtou, lui laissant décider quels étaient les plus justes et quels étaient les plus évocateurs appliqués au postérieur de Lin Hong. Dans la première catégorie, Li Guangtou ne retint que des termes réalistes, et dans la seconde, que des termes lyriques. Quand ils eurent épuisé le sujet, les relations cessèrent entre Li Guangtou et eux. Les deux lettrés distingués étaient allés à plusieurs reprises, de nuit, dérober des livres dans une maison. Les ouvrages en question avaient été confisqués pendant la Révolution culturelle et placés sous scellés[2], et pendant qu'ils opéraient, Li Guangtou faisait le guet dehors. Beaucoup des termes raffinés qui devaient servir à décrire le derrière de Lin Hong avaient été puisés dans ces livres volés.

Tong le Forgeron était le seul, parmi ceux qui s'exprimaient en connaissance de cause, à ne pas appeler Li Guangtou "Roi du cul". Il avait essayé de lui extorquer le précieux secret du derrière de Lin Hong contre un vulgaire bol de nouilles nature, mais Li Guangtou ne s'était pas laissé avoir. Tong le Forgeron en avait été pour ses frais. Quand il croisait Li Guangtou dans la rue, il lui lançait d'un air mauvais :

— Hé, salopard de petit cul.

Et lui, sans s'émouvoir, prodiguait à Tong le Forgeron ce conseil avisé :

— Tu ferais mieux de m'appeler "Roi du cul".

Parfois, il arrivait que Li Guangtou rencontre Lin Hong dans la rue. Elle avait à présent dix-huit ans. Une fille de dix-huit ans, c'est une fleur, et Lin Hong, elle, était la fleur des fleurs. Quand elle sortait dans la rue, tous les hommes n'avaient d'yeux que pour cette beauté bouleversante, mais alors que les autres se contentaient de l'admirer sans rien dire, Li Guangtou, lui, se dirigeait droit sur elle, tout fringant, et l'interpellait comme une intime de longue date :

— Ça fait un bail qu'on ne s'était pas vus, Lin Hong. Qu'est-ce que tu deviens ?

Lin Hong s'empourprait face à ce petit voyou de quinze ans qui lui avait maté les fesses aux toilettes et qui avait le culot de l'accoster. Sans se soucier des passants stupéfaits et rigolards, Li Guangtou poursuivait sur un ton chaleureux :

— Tout le monde va bien chez toi, j'espère ?

Lin Hong serrait les dents de colère :

— Ecarte-toi ! lui ordonnait-elle tout bas.

A ces mots, Li Guangtou se retournait et agitait la main en direction de la première personne qui marchait derrière eux, comme si c'était à elle que s'adressaient les paroles de Lin Hong. Puis s'improvisant d'autorité garde du corps, il disait à Lin Hong, qui en pleurait de rage :

— Où vas-tu ? Je t'accompagne.

Lin Hong, qui n'en pouvait plus, explosait :

— Ecarte-toi ! Voyou !

Li Guangtou se retournait à nouveau, vers quelqu'un d'autre, et Lin Hong, alors, précisait :

— C'est à toi que je parle !

Au milieu des rires de l'assistance, Li Guangtou s'arrêtait et, tout en regardant Lin Hong s'éloigner de sa démarche gracieuse, il s'essuyait la bouche d'un air navré, et lançait à la cantonade :

— Elle m'en veut toujours.

Puis il secouait la tête en soupirant et ajoutait, sur le ton du repentir tardif :

— Ce faux pas m'aura été fatal.

Toutes les bêtises de Li Guangtou revenaient une par une aux oreilles de Li Lan, et à chaque nouvelle frasque elle baissait la tête un peu plus. Elle avait déjà pâti du scandale provoqué par son premier mari, et maintenant c'était son fils qui lui faisait honte. Mais elle avait trop pleuré et ses yeux désormais étaient secs. Elle ne disait rien et se désintéressa de Li Guangtou. Elle savait qu'elle n'avait plus barre sur lui. Souvent ses migraines la réveillaient en pleine nuit, et elle se demandait avec anxiété ce qu'il adviendrait de son fils plus tard. Presque chaque fois, elle restait éveillée jusqu'à l'aube, tourmentée par cette question :

— Dieu du ciel, pourquoi a-t-il fallu que je mette au monde un démon pareil ?

Après s'être effondrée psychologiquement, Li Lan s'effondra physiquement. Ses migraines s'aggravèrent et bientôt elle eut des problèmes rénaux. Tandis que Li Guangtou prenait des couleurs en mangeant dehors des nouilles aux trois fraîcheurs, Li Lan, elle, maigrissait. Elle avait cessé de se rendre au travail, elle avait pris un congé de longue maladie et se reposait à la maison. Elle allait tous les jours à l'hôpital pour s'y faire faire des piqûres. Ses cheveux exhalaient une odeur si désagréable que les médecins et les infirmières la sentaient même à travers leurs masques, ils se détournaient pour lui parler et se plaçaient de côté pour la piquer. Quand son état devint plus préoccupant, il fallut l'hospitaliser.

— Il faudra que vous vous laviez les cheveux avant de venir, lui dit-on.

Li Lan baissa la tête, penaude, et rentra chez elle. Elle resta cloîtrée deux jours à se désoler, l'image souriante de Song Fanping constamment devant les yeux. Elle avait le sentiment que se laver les cheveux serait trahir Song Fanping, Song Fanping qu'elle avait tant aimé. Puis elle songea qu'il ne lui restait plus longtemps à vivre et que bientôt sans doute ils seraient réunis tous les deux dans l'au-delà, et qu'alors lui aussi peut-être serait incommodé par l'odeur de ses cheveux. C'est pourquoi, le dimanche suivant, à midi, après avoir mis quelques vêtements propres dans un panier, elle retint Li Guangtou qui s'apprêtait à sortir, et lui dit, après un temps d'hésitation :

— J'ai bien peur que ma maladie ne soit incurable, je veux faire ma toilette avant de mourir.

C'était la première fois depuis le fameux scandale que Li Lan demandait à Li Guangtou de l'accompagner dans la rue. Certes, son fils l'avait déshonorée autant que son ex-mari, et à ce dernier elle n'avait jamais pardonné, bien qu'il eût perdu la vie dans l'affaire. Mais, pour son fils, il en allait autrement : son fils, c'était la chair de sa chair.

Tandis qu'ils étaient en route pour les bains publics, Li Lan s'aperçut brusquement que Li Guangtou était plus grand qu'elle. Un sourire de satisfaction éclaira son visage, et elle ne put s'empêcher de glisser son bras sous celui de son fils. La marche l'essoufflait et elle devait s'arrêter tous les vingt mètres pour s'appuyer contre un arbre et reprendre haleine. Li Guangtou se tenait près d'elle, saluant au passage les gens qu'il connaissait, et expliquant à Li Lan qui ils étaient. Li Lan découvrit avec surprise que ce garçon de quinze ans connaissait plus de monde qu'elle, bien plus.

De chez eux jusqu'aux bains, il n'y avait qu'un *li*[3]. Il fallut à Li Lan plus d'une heure pour parcourir la distance. Chaque fois qu'elle marquait une pause, Li Guangtou attendait patiemment à ses côtés, et lui racontait, d'un ton tranquille, des tas de choses qui s'étaient déroulées au bourg des Liu, et dont Li Lan n'avait jamais entendu parler. Du coup, Li Lan vit son fils d'un autre œil et elle se sentit requinquée. Là-dessus, elle songea que si Li Guangtou avait été aussi droit que Song Gang, il aurait pu devenir vraiment quelqu'un de bien. Hélas…

— Cet enfant est un démon… se dit-elle.

Quand ils furent arrivés à l'entrée des bains, Li Lan se reposa à nouveau, appuyée contre le mur. Puis elle prit Li Guangtou par la main et le pria de ne pas partir et de l'attendre dehors. Li Guangtou hocha la tête et suivit des yeux sa mère tandis qu'elle entrait dans l'établissement. Son pas était lent comme celui d'un vieillard, mais ses cheveux, qu'elle n'avait pas lavés depuis sept ans, étaient d'un noir brillant.

Li Guangtou dut patienter un temps infini à la porte des bains. Cela dura si longtemps qu'il commença à avoir mal aux jambes, et bientôt aux orteils. Il vit sortir un tas de gens, la mine resplendissante et les cheveux dégoulinants. Certains ne manquaient pas de l'interpeller : "Hé, Petit Cul" ou, au contraire, "Hé, Roi du cul". Li Guangtou traitait les premiers par le mépris, et ne leur accordait même pas un regard. En revanche, il faisait bon visage aux seconds, et les saluait avec empressement, car c'étaient eux qui le régalaient et il savait ménager ses relations.

Parmi eux il y avait Tong le Forgeron. Apercevant Li Guangtou, il lui lança un "Hé, salopard de petit cul", avant de lui suggérer, en désignant l'établissement :

— Tu devrais aller mater à l'intérieur. Il y a des paires de fesses partout, on ne sait plus où donner de la tête…

Li Guangtou pouffa au nez de Tong le Forgeron :

— Tu dis n'importe quoi ! Quand il y en a trop, on ne voit rien, on ne sait pas laquelle reluquer.

Là-dessus, il tendit ses cinq doigts :

— Il en faut pas plus de cinq et pas moins de deux, expliqua-t-il doctement à Tong le Forgeron. Au-delà de cinq, ça te brouille les idées ; en dessous de deux, c'est-à-dire une seule, évidemment tu vois bien et ça se grave clairement dans ton esprit, mais tu manques de point de comparaison.

Ces paroles, apparemment, firent mouche car Tong le Forgeron prit un air admiratif :

— Tu en connais un rayon, Salopard de petit cul. Il faudra qu'avant de mourir je te paie des nouilles aux trois fraîcheurs.

Li Guangtou secoua la main modestement, puis corrigea :

— Appelle-moi "Roi du cul", pas "Salopard de petit cul".

— C'est pourtant vrai que tu es le roi du cul, admit Tong le Forgeron, définitivement convaincu.

Voilà près de trois heures que le roi du cul de notre bourg des Liu attendait à la porte des bains, et Li Lan était toujours à l'intérieur. Li Guangtou était partagé entre l'exaspération et la crainte que sa mère ne se fût trouvée mal. Au bout des trois heures, une femme aux cheveux blancs, qui marchait en boitillant derrière des jeunes femmes, apparut. Li Guangtou suivit du regard les jeunes femmes aux cheveux trempés tandis qu'elles s'éloignaient en discutant gaiement, sans remarquer que la vieille femme qui boitillait se dirigeait vers lui. Elle s'arrêta devant lui :

— Li Guangtou, dit-elle doucement.

Li Guangtou sursauta. Jamais il n'aurait pensé que la femme aux cheveux blancs qu'il avait devant lui était sa mère. En entrant, Li Lan avait encore les cheveux tout noirs, et à présent, là, devant Li Guangtou, ils étaient complètement blancs. En souvenir de Song Fanping, elle était restée sept ans sans se laver les cheveux et, d'un seul coup, sous la douche, sa chevelure noire était ressortie blanche.

Pour la première fois, Li Guangtou découvrait que sa mère était vieille, aussi vieille qu'une grand-mère. Li Lan reprit le bras de Li Guangtou et s'en retourna avec lui à la maison, péniblement. En chemin, ils croisèrent des connaissances qui sursautèrent en voyant Li Lan, et collèrent leur visage contre le sien :

— Li Lan, c'est bien toi ? demandaient-ils, incrédules.

— Oui, c'est moi, répondait Li Lan d'une voix lasse, en hochant la tête.

XXV

De retour chez elle, Li Lan s'examina dans le miroir, et elle fut effrayée en constatant à quel point elle avait vieilli. Puis elle eut un mauvais pressentiment, elle se dit qu'elle ne ressortirait peut-être pas de l'hôpital. Ses cheveux ne sentaient plus mauvais, et pourtant elle ne se rendit pas immédiatement là-bas. Elle attendit quelques jours de plus à la maison, et quand elle n'était pas couchée sur son lit, elle restait assise devant la table à regarder anxieusement Li Guangtou :

— Qu'est-ce que tu vas devenir ? soupirait-elle de loin en loin.

Li Lan commença à s'occuper de laisser ses affaires en ordre après sa mort. C'est pour Li Guangtou qu'elle s'inquiétait le plus. Qu'allait-il devenir après son décès ? Elle était convaincue depuis toujours que son fils était promis à un funeste destin. Quand, à quatorze ans, on a maté le derrière des filles aux toilettes, de quel forfait n'est-on pas capable, passé dix-huit ans ? Elle imaginait déjà son fils emprisonné pour quelque crime.

Avant de partir pour l'hôpital, Li Lan voulut assurer l'avenir de son fils. Son certificat de résidence[1] serré contre sa poitrine, aidée par Li Guangtou, elle se rendit au bureau des Affaires civiles du district. Se sachant femme de propriétaire foncier et mère d'un voyou, c'est en tremblant et la tête basse que la pauvre Li Lan pénétra dans la cour, et c'est d'une voix tremblante qu'elle demanda :

— Qui s'occupe des orphelins ?

Elle entra dans une pièce, soutenue par Li Guangtou. Un homme d'une trentaine d'années lisait son journal, assis devant son bureau. Li Guangtou le reconnut au premier coup d'œil, c'était lui qui, sept ans auparavant, avait transporté le corps de Song Fanping de la gare routière à chez eux sur une charrette à bras. Il se souvenait encore de son nom :

— Tiens, c'est toi ! s'exclama-t-il joyeusement. Tu es Tao Qing.

Li Lan tira Li Guangtou par sa veste, jugeant le ton de son fils trop familier. Elle demanda, en faisant des courbettes :

— Vous êtes bien le camarade Tao ?

Tao Qing acquiesça et posa son journal pour regarder de plus près Li Guangtou. Il sembla le remettre. Li Lan, debout à la porte de la pièce, n'osait pas s'avancer. Elle dit, d'une voix chevrotante :

— Camarade Tao, j'ai une requête à formuler.

— Approchez donc, dit Tao Qing en souriant.

Li Lan baissa la tête, mal à l'aise :

— Je n'ai pas un bon statut de classe.

Tao Qing, toujours souriant, insista :

— Mais approchez donc.

Sur ce, il se leva, tira une chaise et la présenta à Li Lan. Celle-ci s'avança, effrayée, mais n'osa pas prendre place sur le siège.

— Commencez par vous installer, dit Tao Qing en désignant la chaise.

Li Lan, après un moment d'hésitation, s'assit. Elle tendit avec déférence son livret de résidence à Tao Qing et lui dit, en montrant Li Guangtou :

— C'est mon fils, il est inscrit sur le livret.

Tao Qing feuilleta le livret :

— Je vois. Qu'est-ce qui vous amène ?

Li Lan eut un sourire amer :

— J'ai de l'urée, je n'en ai plus pour longtemps. Quand je serai morte, mon fils n'aura plus personne. Est-ce qu'il ne pourrait pas avoir droit à des secours ?

Tao Qing, surpris, regarda Li Lan puis Li Guangtou, et aussitôt il hocha la tête :

— Si. Il pourra toucher 8 yuans par mois et des tickets pour 20 livres de céréales ; et tous les trimestres, il aura droit à des tickets d'huile et de tissu. Et cela jusqu'à ce qu'il entre dans la vie active.

Li Lan n'était toujours pas rassurée :

— Je n'ai pas une bonne origine de classe. Je suis femme de propriétaire foncier…

Tao Qing sourit et rendit son livret à Li Lan :

— Rassurez-vous, je connais votre situation. Je m'occupe personnellement de votre cas. Votre fils n'aura qu'à s'adresser à moi dorénavant.

Li Lan respirait enfin, et son visage livide reprit des couleurs. Tao Qing regarda Li Guangtou avec un petit rire :

— Ainsi, c'est donc toi Li Guangtou. Tu es très connu. Vous étiez deux, et comment s'appelle l'autre ?

Li Guangtou comprit qu'il parlait de Song Gang. Il s'apprêtait à répondre quand Li Lan se leva, mal à l'aise : quand Tao Qing avait dit que Li Guangtou était connu, elle avait compris qu'il faisait allusion à l'affaire des toilettes. Elle le remercia avec empressement et demanda à Li Guangtou de l'aider à rentrer à la maison. Li Lan et lui quittèrent ensemble la pièce, puis la cour du bureau des Affaires civiles, et Li Lan, enfin soulagée, s'appuya contre le tronc d'un arbre. Le souffle court, elle soupira :

— Ce camarade Tao est vraiment quelqu'un de bien.

C'est alors que Li Guangtou expliqua à sa mère que c'était ce même Tao Qing qui avait ramené Song Fanping à la maison après qu'il était mort devant la gare. Le visage de Li Lan s'empourpra d'émotion et, sans recourir à l'aide de Li Guangtou, elle retourna toute seule à grands pas dans la cour du bureau des Affaires civiles, rentra dans la pièce dont elle venait de sortir et s'adressa à Tao Qing :

— Vous êtes mon bienfaiteur, je me prosterne devant vous.

Li Lan plongea quasiment par terre et heurta si violemment le sol qu'elle se blessa le front. Et aussitôt, elle éclata en sanglots. Tao Qing se leva, désemparé. Et c'est en l'entendant raconter son histoire en pleurant qu'il comprit pourquoi cette femme s'inclinait ainsi devant lui. Il s'avança, les deux bras tendus, pour la relever, mais Li Lan, toujours agenouillée, se frappa encore le front par deux fois sur le sol. Et Tao Qing dut lui parler comme à un enfant pour qu'elle consente à se relever. Il la reconduisit jusqu'à l'entrée du bureau des Affaires civiles et, en prenant congé d'elle, il lui confia, en levant le pouce :

— C'était un gars comme ça, Song Fanping.

Li Lan tremblait d'émotion et, quand Tao Qing fut rentré, elle dit en pleurant à Li Guangtou, toute heureuse :

— Tu as entendu, n'est-ce pas ? Tu as entendu ce que vient de dire le camarade Tao…

Après avoir quitté le bureau des Affaires civiles, elle se rendit au magasin de cercueils. Du sang perlait à son front, et elle s'arrêtait tous les quelques pas pour se reposer, se répétant à chaque fois le mot de Tao Qing : “C'était un gars comme ça, Song Fanping.” Puis elle balaya du bras l'horizon, et expliqua fièrement à Li Guangtou :

— Tout le monde, au bourg des Liu, pense la même chose. Mais personne n'ose l'avouer.

Li Lan et Li Guangtou la soutenant marchaient plus lentement que des tortues. Arrivée au magasin de cercueils, Li Lan s'assit sur le seuil et, en soufflant, elle essuya le sang qui souillait son front.

— Me voici, lança-t-elle en souriant aux gens du magasin.

Tous, ici, connaissaient Li Lan :

— Cette fois-ci, le cercueil sera pour qui ? demandèrent-ils.

— Pour moi, répondit Li Lan timidement.

Ils restèrent d'abord interdits, puis éclatèrent de rire :

— On n'a jamais vu quelqu'un venir acheter son cercueil lui-même.

Li Lan rit à son tour :

— C'est vrai, je n'ai jamais vu ça, moi non plus.

Li Lan, montrant du doigt Li Guangtou, poursuivit :

— Mon fils est encore petit, et il ne saura pas quel genre de cercueil acheter pour moi. Je vais le choisir maintenant et comme ça, le moment venu, il n'aura plus qu'à en prendre livraison.

Dans la boutique, chacun connaissait le célèbre Li Guangtou. Les employés regardèrent avec des sourires entendus l'intéressé qui se tenait debout à la porte l'air détaché.

— Il n'est pas si petit que ça !

Li Lan, comprenant ce qu'ils insinuaient, baissa la tête. Elle choisit le cercueil le moins cher, un cercueil à 8 yuans. Comme pour Song Fanping, c'était un cercueil en planches fines, non laqué. Les mains tremblantes, elle sortit de son sein son argent enveloppé dans un mouchoir, versa 4 yuans et expliqua que le reliquat serait remis le jour où l'on viendrait récupérer le cercueil.

Maintenant que le problème des subsides de Li Guangtou était réglé et qu'elle avait commandé son cercueil, Li

Lan avait deux poids en moins sur le cœur. Elle aurait dû, dès le lendemain, se rendre à l'hôpital, mais elle calcula que dans six jours ce serait la fête de la Pure Clarté[2], or elle voulait aller balayer la tombe de Song Fanping à la campagne pour cette occasion, et elle décida donc qu'elle irait à l'hôpital après la fête.

Li Lan se traîna, en multipliant les pauses, jusqu'à la librairie de la Chine nouvelle[3] du bourg des Liu. Au rayon papeterie, elle acheta une liasse de feuilles blanches et rentra chez elle, en multipliant les pauses, le paquet serré contre sa poitrine. Elle s'installa devant la table et commença à confectionner des lingots et des sapèques de papier. A chaque fête de la Pure Clarté, depuis la mort de Song Fanping, Li Lan en fabriquait un plein panier, puis, son panier au bras, elle effectuait un long trajet à pied pour aller les brûler à la campagne, sur la tombe de Song Fanping.

La maladie l'avait vidée de ses forces, et après chaque lingot de papier elle devait se reposer. Ses mains n'arrêtaient pas de trembler en traçant les lignes sur les sapèques et en inscrivant les mots "or" et "argent" sur les lingots. Il lui fallut quatre jours pour accomplir le travail d'un après-midi. Elle rangea soigneusement les lingots achevés dans le panier, posa par-dessus avec précaution les sapèques enfilées sur du fil blanc, sourit et poussa un long soupir. Puis elle se mit à pleurer en songeant que ce serait sans doute la dernière fois qu'elle se rendrait sur la tombe de Song Fanping.

Le soir, Li Lan fit venir Li Guangtou auprès de son lit et elle scruta son visage. Elle trouva qu'il ne ressemblait pas du tout à ce Liu Shanfeng, et elle s'en réjouit.

— Dans deux jours, c'est la fête de la Pure Clarté, lui dit-elle d'une voix faible. Je voudrais aller balayer la tombe à la campagne, mais je n'aurai pas la force de faire toute cette route…

— Ne t'en fais pas, maman, je te porterai sur mon dos.

Li Lan secoua la tête en souriant. Elle évoqua son autre fils :

— Demain tu iras à la campagne, et tu ramèneras Song Gang. Vous me porterez à tour de rôle.

— Pas la peine de faire venir Song Gang, assura Li Guangtou en secouant la tête d'un air résolu. J'y arriverai tout seul.

— Mais non, reprit Li Lan, le chemin est trop long. Tout seul, ce serait trop fatigant.

— Si je suis fatigué, on se cherchera un arbre, poursuivit Li Guangtou en secouant la main, et on se reposera dessous.

Li Lan s'entêta :

— Va chercher Song Gang.

— Non, je n'irai pas. Je me débrouillerai tout seul.

Sur ce, Li Guangtou bâilla et il se dirigea vers la pièce de devant pour aller se coucher. Arrivé à la porte, il se retourna vers Li Lan :

— Maman, ne t'en fais pas. Je te le promets : je te conduirai à la campagne et je te ramènerai en ville sans que tu aies à te plaindre.

L'adolescent s'étendit sur son lit, et en moins de cinq minutes il avait résolu le problème du transport de sa mère. Après quoi, la conscience tranquille, il ferma les yeux et des ronflements s'élevèrent aussitôt.

Le lendemain après-midi, Li Guangtou sortit sans se presser de chez lui. Il passa d'abord à l'hôpital, rôda dans les couloirs comme s'il venait rendre visite à un malade et, profitant de ce que les infirmières s'étaient absentées de leur bureau, il s'y glissa d'un bond puis, très calmement, farfouilla dans le tas des flacons de perfusion vides. Il en sélectionna une dizaine qui avaient contenu du glucose, et les examina à la lumière un par un pour voir dans lequel il en restait le plus. Quand il eut fait son choix, il cacha prestement le récipient sous son vêtement et ressortit aussi sec du bureau des infirmières, puis de l'hôpital.

Li Guangtou s'engagea dans l'avenue en se pavanant, son flacon à la main. De temps en temps, il le portait à hauteur de ses yeux et le secouait, curieux de savoir combien au juste il restait de glucose à l'intérieur : à vue de nez un demi-*liang*[4]. Pour en avoir le cœur net, il entra dans un magasin d'huile de soja et agita son flacon devant le vendeur en lui demandant son avis. Le vendeur prit le flacon, et il suffit à cet expert de le secouer deux ou trois fois pour rendre ses conclusions : il y avait dedans entre un demi-*liang* et un *liang* de glucose. Li Guangtou ravi reprit la bouteille et dit en l'agitant :

— C'est nourrissant.

Li Guangtou, portant triomphalement son flacon contenant entre un demi-*liang* et un *liang* de glucose, se dirigea vers la boutique de Tong le Forgeron. Il savait que Tong le Forgeron avait une voiture à bras, et il avait des vues sur elle : il souhaitait l'emprunter pour la journée afin de conduire Li Lan à la campagne. Arrivé à la forge, il resta debout à l'entrée à regarder Tong le Forgeron, en nage, battre le fer. Au bout d'un moment, il lui fit un signe de la main et lui dit, sur le ton du dirigeant en tournée d'inspection :

— Arrête-toi un instant, arrête-toi un instant.

Tong le Forgeron posa son marteau et s'épongea avec sa serviette. Il regarda Li Guangtou s'avancer vers lui et prendre place sur le banc sur lequel enfant il se frottait. Il comprit à son air qu'il avait quelque chose à lui demander.

— Qu'est-ce qui t'amène ici, petit salopard ?

Li Guangtou glousssa :

— Je viens me faire rembourser ce que tu me dois.

— Putain ! s'exclama Tong le Forgeron, en secouant sa serviette. Depuis quand ai-je une dette envers toi, petit salopard ?

Li Guangtou, qui ricanait toujours, rafraîchit la mémoire de Tong le Forgeron :

— Il y a deux semaines, à la porte des bains, tu te souviens de ce que tu as dit ?

— Qu'est-ce que j'ai dit ?

Tong le Forgeron ne se souvenait de rien.

Li Guangtou pointa fièrement le doigt sur son propre nez :

— Tu as dit que moi, Li Guangtou, j'étais un as, et tu as dit qu'il faudrait bien qu'avant de mourir tu me paies des nouilles aux trois fraîcheurs.

La mémoire revint à Tong le Forgeron. Il raccrocha sa serviette autour de son cou :

— Et alors ? demanda-t-il d'un ton rude.

Li Guangtou entreprit de lui passer la brosse à reluire :

— Toi, Tong le Forgeron, tu es un sacré bonhomme. Un rugissement de toi, et le bourg tremble trois fois. Un type comme toi, ça ne peut pas revenir sur sa parole.

— Espèce de petit salopard.

Tong le Forgeron avait prononcé ces dernières paroles en souriant. Après ce que Li Guangtou venait de dire sur lui, il ne pouvait pas se montrer trop grossier à son égard. Il réfléchit un moment et se rengorgea :

— C'est vrai que j'ai dit qu'il faudrait bien qu'avant de mourir je te paie un de ces jours des nouilles aux trois fraîcheurs. Mais je n'ai pas l'intention de mourir tout de suite, et je ne sais pas encore quand je t'inviterai.

— Bien répondu ! jeta Li Guangtou en levant son pouce.

Puis il entra, en rigolant, dans le vif du sujet :

— Voici ce que je te propose. En échange des nouilles aux trois fraîcheurs, tu me prêtes ta charrette pour la journée. Et comme ça, nous serons quittes.

Tong le Forgeron ne savait pas si ce qu'on lui proposait était du lard ou du cochon :

— Tu veux me l'emprunter pour quoi faire ?

Li Guangtou soupira :

— Ma mère veut aller à la campagne pour balayer la tombe de mon père. Tu sais qu'elle est malade : jamais elle ne pourra faire à pied un chemin aussi long. Je veux la transporter sur ta charrette.

Tout en parlant, Li Guangtou avait posé sur le banc le flacon de perfusion.

— Qu'est-ce que c'est que ça ? demanda Tong le Forgeron en désignant le récipient.

— C'est une gourde de l'armée, bluffa Li Guangtou, qui se lança dans des explications. La route est longue jusqu'à la campagne, et le soleil tape fort. Comment faire si ma mère a soif en chemin ? C'est pour ça que j'ai pensé à emporter un récipient plein d'eau. Et ça, justement, c'est une gourde de l'armée.

— Oh ! s'exclama Tong le Forgeron. Je n'aurais jamais imaginé qu'un petit salopard comme toi était un aussi bon fils.

Li Guangtou sourit en affectant un air modeste, et il agita le flacon de perfusion :

— Là-dedans, en plus, il y a entre un demi-*liang* et un *liang* de glucose.

Tong le Forgeron, grand seigneur, dit :

— En considération de la pitié filiale dont tu fais preuve, je te prête la charrette.

Li Guangtou le remercia avec empressement, puis, donnant une tape sur le banc et prenant un air mystérieux, il fit signe à Tong le Forgeron de s'asseoir :

— Il ne sera pas dit que tu m'auras prêté ta charrette pour rien, je te revaudrai ça. C'est ça qu'on appelle la rétribution des bonnes actions.

Tong le Forgeron ne comprenait rien :

— Qu'est-ce que tu me racontes ?

Li Guangtou lui chuchota à l'oreille :

— Le derrière de Lin Hong…

— Oh ! s'exclama Tong le Forgeron, pour qui tout s'éclairait soudain.

Et il s'assit à côté de Li Guangtou, arborant comme lui un air mystérieux. Celui-ci entreprit alors de lui raconter, avec force détails pittoresques, le secret du derrière de Lin Hong. Arrivé au passage le plus palpitant et le plus bouleversant, il cessa de remuer les lèvres. Tong le Forgeron attendit un instant et vit la bouche de Li Guangtou se remettre en mouvement, pour parler, non plus des fesses de Lin Hong, mais de la manière dont Zhao le Poète l'avait saisi au collet au moment crucial. Frustré dans son attente, Tong le Forgeron se leva hors de lui et fit quelques pas de long en large en fulminant :

— Ce salaud de Zhao le Poète…

Bien qu'il fût resté sur sa faim concernant le derrière de Lin Hong, Tong le Forgeron continua à traiter Li Guangtou très gentiment :

— Dorénavant, dès que tu auras besoin de ma charrette, proposa-t-il à Li Guangtou en lui remettant la voiture, tu n'auras qu'un mot à dire.

Li Guangtou fourra dans la poche de son vêtement le flacon de perfusion au glucose dérobé à l'hôpital et se rendit chez Yu l'Arracheur de dents en tirant la charrette de Tong le Forgeron. Il avait jeté son dévolu sur sa chaise longue en rotin. Il avait en tête de la lui emprunter pour l'attacher sur la charrette de Tong le Forgeron de façon à ce que Li Lan voyage confortablement installée.

Quand Li Guangtou arriva, Yu l'Arracheur de dents somnolait sur sa chaise. Li Guangtou laissa tomber les brancards de la charrette, et le bruit réveilla Yu l'Arracheur de dents en sursaut. Il ouvrit les yeux et vit devant lui Li Guangtou et une charrette. Comprenant que ces deux-là n'étaient pas des clients, il referma paresseusement les yeux. Li Guangtou, comme s'il continuait sa tournée d'inspection, se glissa sous le parapluie en toile huilée, les mains derrière le dos, examinant les daviers et les dents sur la table.

On était alors à la fin de la Révolution culturelle. Le torrent impétueux[5] de naguère n'était plus qu'un mince filet d'eau. Yu l'Arracheur de dents n'avait plus besoin d'exhiber des bonnes dents indûment arrachées pour afficher sa position de classe. Exposer des dents qui n'auraient pas dû être arrachées, cela aurait risqué au contraire de nuire à sa réputation professionnelle. En phase avec son époque, Yu l'Arracheur de dents avait remisé les bonnes dents dans sa caisse, cachées sous les billets de banque. Il se disait que le vent finirait bien par tourner et que le mince filet d'eau de la Révolution culturelle redeviendrait tôt ou tard un torrent impétueux : et ce jour-là il ressortirait les bonnes dents et les étalerait sur la table.

Li Guangtou scruta la table un moment, sans y voir la moindre bonne dent. Il frappa dessus et interpella à voix haute Yu l'Arracheur de dents allongé sur sa chaise, les yeux clos :

— Et les bonnes dents, où sont-elles passées ?

— Quelles bonnes dents ?

Yu l'Arracheur de dents avait ouvert les yeux, mécontent.

— Les bonnes dents que tu arrachais, poursuivit Li Guangtou en montrant la table. Autrefois, tu les posais dessus.

— Ne raconte pas de conneries, lança Yu l'Arracheur de dents, en se redressant furieux. Moi qui te parle, je n'ai jamais arraché une seule bonne dent, je n'arrache que les mauvaises.

Li Guangtou fut surpris par la violence de la réaction de Yu l'Arracheur de dents. Il s'empressa de sourire pour l'amadouer et, en phase avec son époque lui aussi, il se frappa le front :

— Mais oui, bien sûr, où avais-je la tête, tu n'as jamais arraché de bonnes dents.

Tout en parlant, il approcha le banc de la chaise de Yu l'Arracheur de dents, s'assit et commença à lui passer de la pommade comme il l'avait fait avec Tong le Forgeron :

— Tu es le meilleur praticien à cent kilomètres à la ronde. Même les yeux fermés, tu ne te trompes jamais de dent.

La colère de Yu l'Arracheur de dents tomba instantanément, et c'est sur un ton joyeux qu'il dit, en hochant la tête :

— Tu n'as pas tort.

Li Guangtou sentit que le moment était venu de ferrer sa proie :

— Depuis dix ou vingt ans que tu es là, tu as dû voir défiler toutes les jeunes filles du bourg des Liu.

— Pas seulement les jeunes, rectifia fièrement Yu l'Arracheur de dents. J'ai vu défiler aussi toutes les autres. Dès qu'une jeune se marie ou qu'une vieille meurt, j'en suis informé le jour même.

— Dis-moi (Li Guangtou continuait d'attirer sa proie), de toutes les filles du bourg des Liu, quelle est la plus belle ?

— Lin Hong, répondit Yu l'Arracheur de dents sans hésiter. Lin Hong, évidemment.

— Et dis-moi encore (Li Guangtou ricana), de tous les hommes du bourg, quel est celui qui a vu le derrière nu de Lin Hong ?

— C'est toi, s'esclaffa Yu l'Arracheur de dents en pointant le doigt sur Li Guangtou. C'est toi, petit salopard.

Li Guangtou hocha la tête, en prenant l'air de celui qui assume ses responsabilités. Puis, se penchant vers Yu l'Arracheur de dents, il lui glissa à l'oreille :

— Ça te dirait que je t'en parle ?

Le visage hilare de Yu l'Arracheur de dents redevint sérieux sur-le-champ. Il se redressa sur sa chaise, jeta un coup d'œil aux deux bouts de la ruelle et, après s'être assuré qu'il n'y avait personne dans les parages, il chuchota :

— Parle !

Yu l'Arracheur de dents avait les yeux brillants et la bouche ouverte, comme s'il attendait qu'une galette farcie lui tombe du ciel. Li Guangtou gardait un silence calculé. Quelques-uns des hommes de notre bourg des Liu l'avaient bien compris : ce petit salopard de quinze ans était plus retors qu'un vieux salopard de cinquante. Yu l'Arracheur de dents, devant la bouche hermétiquement close de Li Guangtou, s'énerva :

— Eh bien, parle !

Li Guangtou, sans se presser, caressa le siège en rotin de Yu l'Arracheur de dents :

— Prête-moi ta chaise pour la journée, dit-il en souriant du bout des lèvres, et je te décrirai chaque millimètre du derrière de Lin Hong.

A cette proposition, Yu l'Arracheur de dents secoua aussitôt la tête :

— Pas question. Sans chaise, comment ferai-je pour arracher les dents à mes clients ?

Li Guangtou continua patiemment d'essayer de le convaincre :

— Il te restera toujours le banc. Et quand bien même tes clients devraient rester debout, ce ne serait pas un problème pour un arracheur de dents de ta classe, qui n'a pas de concurrent à cent kilomètres à la ronde.

Yu l'Arracheur de dents eut un petit rire. Il soupesa les avantages et les inconvénients. Après tout, le secret du derrière de Lin Hong valait bien qu'il prêtât sa chaise pendant une journée. Il hocha la tête en signe d'assentiment :

— Une journée, juste une, déclara-t-il en levant un doigt.

Li Guangtou approcha sa bouche de l'oreille de Yu l'Arracheur de dents et il commença à parler en mettant bien le ton. Rompu à l'exercice grâce aux cinquante-six bols de nouilles aux trois fraîcheurs qu'il avait ingurgités, et formé à la langue littéraire par Zhao le Poète et Liu l'Ecrivain, Li Guangtou donnait maintenant du derrière de Lin Hong une description parfaite, plus envoûtante que s'il avait décrit le derrière d'une Immortelle[6]. En l'écoutant parler, Yu l'Arracheur de dents avait l'air transporté. Quand apparut sur son visage l'expression de quelqu'un à qui on raconte une histoire de fantôme, autrement dit au moment le plus captivant, les lèvres de Li Guangtou cessèrent soudain de bouger. Ses yeux s'étaient posés sur le parapluie en toile huilée de Yu l'Arracheur de dents, et une nouvelle idée avait germé dans son esprit. Yu l'Arracheur de dents s'impatienta :

— Et ensuite ?

Li Guangtou s'essuya la bouche et montra le parapluie :

— Prête-le moi aussi pour la journée.

— Tu en veux toujours plus, s'emporta Yu l'Arracheur de dents. D'abord, tu m'empruntes ma chaise, maintenant mon parapluie. Il ne va plus me rester que la table. Ma boutique avait de la gueule, et maintenant elle va ressembler à un moineau déplumé.

Li Guangtou branla du chef :

— C'est seulement pour demain, après-demain tu te remplumeras.

Yu l'Arracheur de dents qui, tel un lecteur de romans-feuilletons arrivant à la formule "La suite au prochain numéro", brûlait de connaître la fin de l'histoire, dut se résigner à prêter aussi son parapluie à Li Guangtou. Li Guangtou ajouta encore quelques détails sur le derrière de Lin Hong, puis, subitement, il fut question de la main de Zhao le Poète. Yu l'Arracheur de dents en resta comme deux ronds de flan, et il fut un bon moment sans réagir. Enfin, l'air dubitatif, il déclara :

— Qu'est-ce qui se passe ? Comment diable a-t-on sauté du derrière de Lin Hong à la main de Zhao le Poète ?

— Je n'y peux rien, s'excusa Li Guangtou, l'air désolé. C'est ce salopard de Zhao le Poète qui a tout fichu par terre, pour toi comme pour moi.

Yu l'Arracheur de dents bouillait de rage et sa colère se retourna contre Zhao le Poète :

— Ce salopard de Zhao, dit-il en serrant les dents, je m'en vais lui arracher une de ses bonnes dents.

Li Guangtou, tirant la charrette de Tong le Forgeron sur laquelle il avait posé la chaise et le parapluie en toile huilée de Yu l'Arracheur de dents, se rendit ensuite au dépôt du grand magasin de notre bourg des Liu. Là, à force de paroles mielleuses, il réussit une fois de plus à troquer le secret du derrière de Lin Hong contre un paquet de cordes. Sa mission accomplie, Li Guangtou rentra triomphalement à la maison en tirant dans la rue sa charrette qui grinçait et en sifflotant des airs révolutionnaires.

Il faisait déjà nuit et Li Lan dormait. Comme elle avait une longue route à faire le lendemain, elle s'était couchée aussitôt après le dîner. Depuis le scandale des toilettes, Li Lan n'avait plus d'autorité sur son fils. Souvent, ce dernier ne réapparaissait qu'en pleine nuit, et Li Lan se contentait de soupirer.

Li Guangtou, trouvant la maison plongée dans le noir, comprit que sa mère dormait. Il posa sans bruit les brancards de la charrette, ouvrit tout doucement la porte, chercha le cordon de la lampe à tâtons et tira dessus, puis il s'attabla et dévora le dîner que sa mère avait préparé pour lui. Après quoi il se mit au travail. A la lumière de l'ampoule électrique et de la lune, il installa d'abord la chaise longue sur la voiture et l'arrima solidement avec des cordes. Sur l'un des accoudoirs, il y avait un trou destiné à recevoir un verre. Li Guangtou ouvrit le parapluie en toile huilée et fit glisser son manche dans le trou, de façon à ce qu'il recouvre la chaise. Ensuite, il fixa le parapluie à la chaise et à la charrette avec des cordes.

Il était déjà plus d'une heure du matin. Li Guangtou vérifia soigneusement son dispositif et consolida à nouveau les endroits sensibles. Son travail achevé, il fit deux fois le tour de la charrette, les mains dans le dos. Il était aux anges : la charrette, la chaise et le parapluie lui paraissaient unis aussi solidement que les bras, les jambes et le tronc. Il bâilla, satisfait, et rentra se coucher. Mais, une fois au lit, il fut incapable de trouver le sommeil : il craignait qu'on ne lui vole son chef-d'œuvre. Il sortit donc carrément, sa couverture dans les bras, grimpa sur la charrette de Tong le Forgeron et s'étendit dans la chaise de Yu l'Arracheur de dents. Désormais rassuré, il ferma les yeux et se mit à ronfler.

A l'aube, Li Lan, en se levant, trouva le lit de Li Guangtou vide. La couverture avait disparu. Li Lan était perplexe. Elle ouvrit la porte en secouant la tête, et laissa échapper un cri de surprise : elle avait devant elle la charrette la plus incroyable qui se puisse imaginer, et son fils dormait dans la chaise posée sur cette charrette, enveloppé dans sa couverture, un large parapluie de toile huilé ouvert au-dessus de sa tête.

Le cri de Li Lan arracha Li Guangtou à son sommeil. Devant l'expression stupéfaite de sa mère, il descendit de la voiture en se frottant les yeux et expliqua fièrement à Li

Lan que la voiture à bras appartenait à Tong le Forgeron, et la chaise et le parapluie à Yu l'Arracheur de dents. Quant aux cordes qui avaient servi à fixer le tout, elles avaient été empruntées au dépôt du grand magasin.

— Comme ça, conclut-il, tu seras bien installée !

Li Lan regardait son démon de fils en se demandant comment un garçon de quinze ans pouvait être aussi débrouillard. Elle eut l'impression qu'elle ne reconnaissait pas Li Guangtou et se dit que décidément il étonnerait toujours son monde.

Quand ils eurent achevé leur petit déjeuner, Li Guangtou prit le thermos et versa avec précaution de l'eau dans le flacon de perfusion :

— Là-dedans, expliqua-t-il à Li Lan, il y a entre un demi-*liang* et un *liang* de glucose reconstituant.

Puis Li Guangtou étala avec prévenance sa couverture sur la chaise. Il expliqua à Li Lan que comme la route était accidentée, avec cette couverture elle ne sentirait pas les cahots. Tout en maintenant avec son pied gauche le bras de la charrette, il aida Li Lan à se hisser sur la voiture puis, toujours aussi attentionné, il l'aida à s'étendre sur la chaise. Li Lan, allongée sur la chaise, le panier contenant des lingots et des sapèques de papier dans les bras, regarda le parapluie de toile huilée au-dessus de sa tête et comprit qu'il l'avait mis là pour la protéger de la pluie et du soleil. Li Guangtou tendit à Li Lan le flacon de perfusion rempli d'eau qui contenait du glucose reconstituant afin qu'elle se désaltère en chemin. En prenant le flacon, Li Lan fondit en larmes.

— Qu'est-ce qui t'arrive, maman ? s'étonna Li Guangtou.

— Rien.

Li Lan sécha ses larmes et sourit :

— On y va, mon chéri.

Ce matin-là, Li Lan, juchée sur la voiture à bras la plus fastueuse qu'on ait jamais vue ici, et tirée par Li Guangtou, parada dans les rues de notre bourg des Liu. Les masses en restèrent bouche bée, elles n'osaient en croire leurs yeux. Personne, même dans ses rêves les plus fous, n'aurait conçu pareil assemblage. D'aucuns apostrophèrent Li Guangtou et voulurent savoir où il avait déniché ce machin.

— Ça ? dit fièrement Li Guangtou, c'est la voiture spéciale de ma mère.

— C'est quoi, une voiture spéciale ? interrogèrent les masses déconcertées.

— Comment, vous ne savez pas ça ? répondit Li Guangtou, dédaigneux. L'avion du président Mao, c'est un avion spécial ; le train du président Mao, c'est un train spécial ; l'automobile du président Mao, c'est une automobile spéciale. Pourquoi ? Parce que personne d'autre n'a le droit de les prendre. La voiture de ma mère, c'est une voiture spéciale. Pourquoi ? Parce que personne d'autre n'a le droit de la prendre.

Les masses, dont les yeux étaient maintenant dessillés, éclatèrent de rire, et Li Lan ne fut pas en reste. Elle regardait son fils qui tirait la voiture spéciale où elle était assise et avançait dans les rues en bombant le torse. Des sentiments contradictoires l'assaillaient. Ce fils qui naguère l'avait couverte de honte comme le dénommé Liu Shanfeng la rendait fière aujourd'hui comme Song Fanping.

Les femmes de notre bourg des Liu trouvaient que la voiture spéciale de Li Lan ressemblait plutôt à un palanquin. Elles étaient mortes de rire :

— Tu te maries aujourd'hui, hein ? demandaient-elles à Li Lan.

— Non, répondait Li Lan en rougissant. Je vais à la campagne, balayer la tombe de mon mari.

Li Guangtou, tirant la voiture spéciale de Li Lan, franchit la porte du Sud et s'engagea sur le chemin de terre. Au tintamarre que faisaient à présent les roues, Li Lan comprit qu'on avait franchi le pont de bois et que la voiture brinquebalait sur les petits chemins. Li Lan respirait l'air de la campagne, une brise fraîche lui caressait le visage. Elle se redressa sous le parapluie et vit les fleurs de colza jaune d'or se déployer dans les champs, étincelantes sous le soleil. Les levées de terre serpentaient entre les champs, et les herbes tendres, des deux côtés, formaient deux liserés verts. Elle apercevait les maisons et les arbres dispersés dans le lointain, elle apercevait les canards nageant dans l'étang tout près et distinguait même leur ombre dans l'eau, elle voyait les moineaux voltiger au bord du chemin… C'était la dernière fois que Li Lan empruntait ce chemin de terre. Le printemps qu'elle découvrait au milieu des cahots de la voiture était tellement vaste et tellement beau.

Puis Li Lan posa les yeux devant elle, sur son fils qui tirait la voiture sans ménager sa peine. Il avait le dos courbé et levait sans arrêt sa main pour s'éponger. Li Lan, attendrie, l'appela et lui proposa de s'arrêter un moment. Li Guangtou secoua la tête, affirmant qu'il n'était pas fatigué. Li Lan prit le flacon de perfusion et proposa à Li Guangtou de faire une halte le temps de boire quelques gorgées. Mais Li Guangtou prétendit qu'il n'avait pas soif :

— Le glucose, c'est pour toi.

Li Lan, qui découvrait enfin les qualités de son fils, était partagée entre le rire et les larmes. Depuis la voiture, elle le supplia :

— Je t'en prie, mon chéri. Arrête-toi, et bois un coup.

C'est alors que Li Guangtou aperçut dans le lointain, à l'entrée du village, Song Gang. Le grand-père était là lui aussi, assis par terre, le dos contre un arbre. Chaque année, à la fête de la Pure Clarté, Song Gang et son grand-père attendaient leur venue à l'entrée du village. Song Gang, sa main en visière, regarda cette drôle de voiture s'approcher, il ne se doutait pas que c'était Li Guangtou qui arrivait tirant Li Lan. Quand il eut aperçu Song Gang, Li Guangtou se redressa un peu, il commença à courir. Li Lan était violemment secouée par les cahots de la route. Li Guangtou s'écria :

— Song Gang, Song Gang…

En entendant les cris de Li Guangtou, Song Gang se mit à courir en agitant la main. Il criait lui aussi :

— Li Guangtou, Li Guangtou…

XXVI

Quand Li Lan revint, après avoir balayé la tombe de Song Fanping, elle réfléchit, allongée sur son lit, et se dit que tout ce qui devait être fait avait été fait. Le lendemain, rassurée, elle entra à l'hôpital. Ainsi qu'elle l'avait pressenti, après son admission à l'hôpital son état empira progressivement, et il se confirma qu'elle n'en réchapperait pas. Deux mois plus tard, Li Lan ne pouvait plus uriner qu'avec l'aide d'une sonde et sa fièvre ne tombait pas. Elle avait de longues périodes d'inconscience et ses moments de lucidité étaient de plus en plus rares.

Dès que le mal de Li Lan s'aggrava, Li Guangtou cessa d'aller à l'école. Il passait toutes ses journées au chevet de sa mère. Quand Li Lan sortait de son sommeil comateux au milieu de la nuit, il n'était pas rare qu'elle trouve son fils endormi, appuyé contre son lit. En larmes, elle prononçait avec effort son nom, Li Guangtou, et le suppliait de rentrer à la maison.

Li Lan sentant sa fin approcher se languissait de plus en plus de son deuxième fils. Elle fit signe à Li Guangtou d'approcher son oreille de sa bouche et, d'une voix pas plus forte que le bourdonnement d'un moustique, elle le pria instamment de ramener Song Gang de la campagne.

La route était trop longue. Pour aller à la campagne et en revenir, il aurait fallu une demi-journée. Li Guangtou se dit que sa mère avait besoin de lui à l'hôpital, aussi ne se rendit-il pas jusque là-bas. Arrivé au pont de bois de l'autre côté de la porte du Sud, il s'arrêta. Il resta assis pendant deux heures sur la rambarde et, chaque fois qu'il avisait un paysan sortant du bourg, il lui demandait de quel village il était. Il posa ainsi la question à plus de dix paysans, mais aucun ne venait du village de Song Gang. Il ne nourrissait déjà plus aucun espoir et il songeait qu'il allait devoir courir jusqu'au village comme un marathonien, quand un vieillard s'approcha, un porcelet dans les bras, qui se révéla être du même village que Song Gang. Li Guangtou sauta d'un bond de la rambarde et se retint pour ne pas prendre le vieillard dans ses bras. Il parlait en criant et confia à l'homme un message pour Song Gang : il fallait qu'il accoure au bourg au plus vite.

— C'est une affaire d'une extrême urgence. Il doit venir trouver quelqu'un qui s'appelle Li Guangtou.

Song Gang vint. De bon matin, il frappa à la porte de Li Guangtou. Celui-ci avait veillé à l'hôpital jusqu'à l'aube et il venait juste de s'endormir. Il lui ouvrit, encore tout ensommeillé. Song Gang mesurait déjà une tête de plus que lui :

— Qu'est-ce qu'il y a ? demanda-t-il anxieusement à Li Guangtou.

— Maman n'en a plus pour longtemps, répondit Li Guangtou en se frottant les yeux. Elle veut te voir, va vite à l'hôpital.

Song Gang fondit aussitôt en larmes.

— Ne pleure pas, dit Li Guangtou. Dépêche-toi. Moi, je vais dormir un peu, et je te rejoindrai.

Song Gang fila à l'hôpital pendant que Li Guangtou fermait la porte et retournait se coucher. Il comptait se reposer quelques instants seulement, mais, écrasé par la fatigue accumulée au cours des jours précédents, il dormit jusqu'à midi. Quand il arriva dans la chambre de Li Lan, à l'hôpital, une scène surprenante l'attendait : Li Lan était assise sur son lit et parlait d'une voix beaucoup plus sonore que la veille. Song Gang, installé sur un tabouret à côté du lit, lui racontait ce qui se passait à la campagne. Li Guangtou pensa que le fait de revoir Song Gang l'avait à moitié guérie. Il ne se doutait pas qu'il s'agissait là de l'ultime sursaut de vie de Li Lan. A la veille de ses adieux définitifs, Li Lan avait retrouvé subitement un peu d'énergie. Elle sourit en voyant entrer Li Guangtou et lui dit tendrement :

— Tu as beaucoup maigri.

Li Lan déclara que la maison lui manquait terriblement, elle expliqua au médecin qu'elle se sentait bien mieux et, comme ses deux fils étaient avec elle, elle sollicita l'autorisation de rentrer un moment à la maison. Le médecin la sachant perdue n'estima pas nécessaire de l'en dissuader, mais il prévint Li Guangtou et Song Gang que la sortie ne devait pas excéder deux heures.

Comme Song Gang était plus grand que Li Guangtou, c'est lui qui porta Li Lan sur son dos. Dans la rue, les yeux de Li Lan étaient comme ceux d'un nourrisson, ils observaient avec curiosité les passants et les maisons. Des personnes de sa connaissance l'interpellèrent et s'inquiétèrent de sa santé. Li Lan, qui paraissait très heureuse, déclara qu'elle allait mieux. Quand ils longèrent le terrain éclairé, Li Lan pensa à nouveau à Song Fanping. Elle étreignit les épaules de Song Gang et dit, le visage radieux :

— Song Gang, tu ressembles de plus en plus à ton papa.

Quand ils furent arrivés à la maison, Li Lan contempla avec une émotion infinie la table, les bancs et l'armoire, les murs et les fenêtres, les toiles d'araignées au plafond et la poussière sur la table. Ses yeux qui allaient et venaient étaient comme une éponge qui absorbe l'eau. Elle s'assit sur un tabouret, Song Gang la soutenant par derrière, demanda à Li Guangtou de lui apporter le torchon et elle essuya soigneusement la table en disant :

— Qu'est-ce qu'on est bien chez soi !

Puis elle se sentit fatiguée. Li Guangtou et Song Gang l'aidèrent à s'étendre sur son lit. Elle ferma les yeux comme si elle dormait. Au bout de quelques instants elle les rouvrit, fit asseoir Li Guangtou et Song Gang l'un à côté de l'autre devant le lit, comme deux écoliers, et leur annonça d'une voix faible :

— Je vais mourir…

Song Gang se mit à pleurer et Li Guangtou lui aussi, tête basse, essuya ses larmes.

— Ne pleurez pas, ne pleurez pas, mes chéris…

Song Gang hocha la tête docilement, et cessa de pleurer. Li Guangtou releva également la tête. Li Lan poursuivit :

— Mon cercueil est déjà commandé. Vous m'enterrerez à côté de votre père. J'avais promis d'attendre que vous soyez grands pour le rejoindre, alors pardon de ne pas avoir attendu jusque-là…

Song Gang éclata en sanglots et Li Guangtou, en l'entendant, baissa la tête à nouveau et écrasa une larme. Li Lan répéta :

— Ne pleurez pas, ne pleurez pas.

Song Gang sécha ses larmes et arrêta de pleurer. Li Guangtou gardait la tête baissée sur sa poitrine. Li Lan sourit :

— Je suis propre, après ma mort vous n'aurez pas besoin de me laver. Pour les vêtements, il suffit que ce soient des vêtements propres. Simplement, ne m'habillez pas avec des vêtements de laine, toutes ces mailles, cela m'empêcherait d'avancer dans l'au-delà. Mettez-moi des vêtements de coton…

Fatiguée d'avoir parlé, elle ferma les yeux et s'assoupit. Une dizaine de minutes plus tard, elle rouvrit les yeux :

— A l'instant, je viens d'entendre votre père qui m'appelait.

Li Lan avait un doux sourire aux lèvres. Elle pria Song Gang de tirer une malle de dessous le lit et de prendre les affaires qui étaient dedans. Quand Li Guangtou et Song Gang l'ouvrirent, ils y trouvèrent un paquet contenant la terre souillée du sang de Song Fanping, un mouchoir dans lequel étaient enveloppées les trois paires de baguettes des anciens, ainsi que trois exemplaires de leur photo de famille. Elle expliqua qu'il y en avait une pour chacun d'eux et qu'elle souhaitait qu'ils la conservent précieusement : ils se marieraient et fonderaient une famille plus tard, et c'est pourquoi elle la leur offrait. Elle emporterait la troisième dans l'au-delà pour la montrer à Song Fanping :

— Il n'a pas eu le temps de la voir.

Elle voulait emporter aussi les baguettes des anciens, ainsi que la terre souillée du sang de Song Fanping :

— Quand je serai couchée dans mon cercueil, dit-elle, vous répandrez cette terre sur mon corps…

Sur ce, elle demanda à ses deux fils de l'aider à plonger sa main dans la terre. Sept ans avaient passé et la terre souillée de sang avait entièrement noirci. Elle remua la terre.

— C'est chaud à l'intérieur, constata-t-elle.

Li Lan avait un doux sourire aux lèvres :

— Je vais bientôt retrouver votre père, je suis heureuse. Sept ans, voilà sept ans qu'il m'attend. Je vais avoir tellement de choses à lui raconter, sur toi Song Gang, et sur toi Li Guangtou. Il me faudra plusieurs jours et plusieurs nuits, et encore ça ne suffira pas pour tout dire.

Li Lan regarda Li Guangtou et Song Gang et se remit à pleurer :

— Mais vous, qu'est-ce que vous allez devenir ? Vous n'avez que quinze et seize ans. Je ne suis pas tranquille. Il faut que vous preniez bien soin de vous, mes petits. Vous êtes frères, il faut que vous veilliez bien l'un sur l'autre…

Là-dessus, Li Lan ferma les yeux. Elle resta un moment apparemment endormie, puis ses yeux se rouvrirent, et elle envoya Li Guangtou acheter des petits pains farcis. Quand elle eut éloigné Li Guangtou, Li Lan prit Song Gang par la main et lui fit ses ultimes recommandations :

— Song Gang, Li Guangtou est ton frère cadet, tu devras veiller sur lui toute ta vie… Song Gang, ce n'est pas pour toi que je m'inquiète, c'est pour Li Guangtou. S'il s'engage dans le droit chemin, il aura un brillant avenir, mais s'il devait mal tourner, j'ai peur qu'il ne finisse en prison… Song Gang, tu t'occuperas de lui à ma place, pour qu'il ne s'engage pas dans le mauvais chemin. Song Gang, il faut que tu me promettes que quoi que fasse Li Guangtou, tu veilleras sur lui.

Song Gang hocha la tête en pleurant :

— Sois tranquille, maman, je veillerai sur Li Guangtou toute ma vie. S'il ne me reste qu'un bol de riz, il sera pour lui, et s'il ne me reste qu'une chemise, elle sera pour lui aussi.

Li Lan, en larmes, secoua la tête :

— S'il ne reste qu'un bol de riz, vous le partagerez, et s'il ne reste qu'une chemise, vous la porterez à tour de rôle…

Ce fut le dernier jour de la vie de Li Lan. Elle dormit à la maison jusqu'au crépuscule, et quand elle se réveilla, elle entendit Li Guangtou et Song Gang parler tout doucement. Les rayons du couchant entraient dans la maison et la pièce était toute rouge. Les voix de Li Guangtou et de Song Gang donnèrent à Li Lan le sentiment qu'ils étaient très proches l'un de l'autre, et elle sourit. Puis elle déclara d'une faible voix qu'il fallait retourner à l'hôpital.

Song Gang sortit, Li Lan sur son dos. Au moment où Li Guangtou fermait la porte à clef, Li Lan répéta :

— Qu'est-ce qu'on est bien chez soi.

A l'hôpital, Li Guangtou et Song Gang ne quittèrent pas Li Lan. Son moral était nettement meilleur, elle se réveillait par intermittence, et chaque fois qu'en se réveillant elle voyait ses deux fils assis à ses côtés en train de bavarder à voix basse, elle les pressait de rentrer dormir à la maison.

Li Guangtou et Song Gang ne quittèrent l'hôpital qu'à une heure du matin. Les deux frères marchaient dans les rues silencieuses. Li Guangtou, qui connaissait l'amour de Song Gang pour les livres, lui révéla que tout ce qui avait été confisqué chez des gens lors des perquisitions, au début de la Révolution culturelle, était entassé dans une grande maison de la ruelle du Drapeau rouge. On trouvait de tout : des livres, des peintures, des jouets, un tas de belles choses incroyables. Zhao Shengli et Liu Chenggong, ajouta-t-il, étaient allés en voler à maintes reprises, et chaque fois ils avaient rapporté beaucoup de bons livres :

— Pourquoi Zhao Shengli est-il devenu Zhao le Poète, et Liu Chenggong, Liu l'Ecrivain ? C'est dans ces livres volés qu'ils ont appris à écrire.

Li Guangtou et Song Gang se rendirent discrètement dans la maison en question. Ils comptaient casser un carreau et passer par la fenêtre, mais il n'y avait déjà plus de vitres. Quand ils eurent pénétré à l'intérieur, ils constatèrent que tout avait été raflé, et qu'il ne restait plus que quelques grandes armoires vides. Ils fouillèrent les lieux de fond en comble, explorèrent les recoins des armoires, et ne trouvèrent qu'un soulier rouge à talon haut[1]. Croyant avoir déniché un trésor, ils repartirent par la fenêtre et s'enfuirent en courant, l'objet caché sous leurs vêtements. Arrivés sous un lampadaire, dans un endroit désert, ils le sortirent de sa cachette et l'examinèrent longuement à la lumière. Ils n'avaient jamais vu de soulier à talon haut ni de chaussure rouge.

— Qu'est-ce que c'est que ça ? s'interrogèrent-ils mutuellement.

Etait-ce une chaussure, n'en était-ce pas une ? Les deux frères balançaient entre les deux hypothèses, et ils en vinrent à se demander s'il ne s'agissait pas d'un bateau, d'un jouet en forme de bateau. Ils conclurent que ce devait être à coup sûr un jouet, et que si ce n'était pas un jouet en forme de bateau, c'était un jouet en forme de chaussure. Ils rapportèrent la chaussure rouge, tout joyeux, à la maison, l'examinèrent à nouveau assis sur le lit, conclurent derechef qu'il s'agissait bien d'un jouet, qui plus est d'un jouet d'un genre inédit, puis ils la cachèrent sous le lit.

Quand ils se réveillèrent le lendemain, le soleil brillait sur leurs derrières. Ils se précipitèrent à l'hôpital et découvrirent que le lit de Li Lan était vide. Alors qu'ils étaient là, désemparés, à jeter des regards de tous côtés, cherchant une explication, une infirmière arriva et leur annonça la nouvelle : Li Lan était morte, elle reposait déjà dans la morgue de l'hôpital.

Song Gang éclata sur-le-champ en sanglots et, sans cesser de pleurer, il remonta le couloir de l'hôpital en direction de la morgue. Li Guangtou, dans un premier temps, ne pleura pas, il suivit Song Gang sans savoir pourquoi. Mais quand ils entrèrent dans la morgue et qu'il aperçut sa mère étendue, raide, sur un lit de ciment, il éclata aussitôt en sanglots, et ses sanglots étaient plus sonores que ceux de Song Gang.

Li Lan, morte, avait toujours les yeux ouverts. Jusqu'au bout elle avait souhaité voir encore ses deux enfants, mais son regard s'était éteint complètement avant qu'elle ne puisse le faire encore, elle qui se tourmentait tant pour eux.

Agenouillé devant le lit, Song Gang, secoué de sanglots, tremblait de tout son corps, et Li Guangtou, debout, était comme un jeune arbre secoué par le vent. Li Guangtou et Song Gang pleuraient ensemble, et ensemble ils appelaient leur mère. C'est à cet instant que Li Guangtou sentit vraiment qu'il était un orphelin en ce monde. Il ne lui restait que Song Gang, et Song Gang n'avait plus que lui.

Puis Song Gang prit sur son dos la dépouille de Li Lan et, suivi par Li Guangtou, la ramena à la maison. Tandis qu'il marchait dans les rues, Li Lan sur son dos, les larmes de Song Gang ne cessaient de couler, et Li Guangtou lui aussi n'arrêtait pas de s'essuyer les yeux. Ils ne criaient plus, ils pleuraient en silence. Quand ils arrivèrent au terrain éclairé, Song Gang recommença à sangloter et dit à Li Guangtou :

— Hier, quand nous sommes passés ici, maman parlait encore…

Ses sanglots l'empêchaient d'avancer. Li Guangtou lui proposa en pleurant de prendre le relais, mais Song Gang refusa :

— Tu es mon petit frère, c'est à moi de veiller sur toi.

Les deux adolescents, portant la dépouille de leur mère, passèrent dans les rues de notre bourg des Liu en pleurant bruyamment. Le corps de Li Lan ne cessait de glisser du dos de Song Gang, et Li Guangtou le soutenait par derrière. Song Gang s'arrêtait à chaque pas, courbant le dos comme un arc pour que Li Guangtou remonte doucement le corps de Li Lan. Puis il resta carrément dans cette position, et Li Guangtou trottinait à ses côtés soutenant des deux mains la dépouille de Li Lan. Les deux adolescents veillaient soigneusement sur elle comme si Li Lan n'était pas morte, mais seulement endormie et qu'ils craignaient de lui faire mal. La scène attendrit plus d'un passant, dont la mère Su et sa fille, Su Mei. La mère Su laissa aussitôt couler ses larmes :

— Li Lan était quelqu'un de bien, confia-t-elle à sa fille. C'est bien malheureux de partir en laissant deux braves garçons comme ça.

Deux jours plus tard, les deux adolescents réapparurent dans la rue avec la charrette de Tong le Forgeron. Le cercueil posé dessus était celui que Li Lan avait choisi. Elle reposait déjà dedans, avec la photo de famille, les trois paires de baguettes des anciens et la terre souillée du sang de Song Fanping. Song Gang marchait devant, tirant la charrette, et Li Guangtou suivait derrière, surveillant le cercueil. Les deux adolescents, craignant que le cercueil ne glisse de la charrette, avançaient en se penchant très bas de façon à ce que la charrette roule bien parallèlement à la surface du sol. Song Gang avait toujours le corps plié comme un arc et celui de Li Guangtou lui aussi était plié comme un arc. Ils ne pleuraient plus mais marchaient silencieusement, le dos courbé, et les roues de la charrette grinçaient en passant sur la voie dallée.

Sept ans auparavant, une autre voiture à bras chargée d'un cercueil avait traversé les rues de la même façon. A l'époque, c'était Song Fanping qui était étendu dans le cercueil. Le vieux propriétaire foncier tirait devant, et Li Lan et les deux enfants poussaient derrière. Les sanglots enflaient dans leurs poitrines mais ils n'osaient pas pleurer tout fort. A présent, les deux enfants étaient devenus des adolescents, et c'était Li Lan qui était couchée dans le cercueil. Les deux adolescents pouvaient pleurer aussi fort qu'ils le voulaient en la conduisant à sa dernière demeure, mais leurs sanglots ne parvenaient plus à sortir.

Ils franchirent la porte du Sud et s'engagèrent sur le chemin de terre. Sept ans auparavant, c'était là que Li Lan leur avait dit : “Allez-y, pleurez”, et ils avaient sangloté tout leur soûl, effrayant les moineaux dans les arbres. A présent, c'était le même tableau : une charrette à bras, un cercueil de planches fines, la campagne immense, le ciel profond. La seule différence, c'est qu'ils n'étaient plus que deux, et que ces deux-là n'avaient plus de larmes. Ils pliaient l'échine, l'un devant et l'autre derrière, l'un tirant et l'autre poussant. Leur dos voûté était encore plus bas que le cercueil sur la voiture. De loin, on n'aurait pas cru voir une voiture et deux personnes, mais une voiture pourvue d'une tête et d'une queue.

Les deux adolescents conduisirent leur mère jusqu'au village où Song Fanping était né et avait grandi. Song Fanping attendait dans sa tombe, à l'entrée du village, depuis déjà sept ans, et à présent son épouse venait enfin le rejoindre. Le vieux propriétaire foncier, appuyé sur une branche d'arbre, était debout à côté de la tombe de son fils, si faible qu'il semblait prêt à rendre le dernier soupir et que sans sa branche d'arbre il se serait écroulé. Il était trop pauvre pour s'acheter une canne, et Song Gang avait taillé pour lui ce bâton. Une fosse avait été creusée à côté du tertre de Song Fanping, et c'était comme la fois précédente les parents de la campagne qui s'en étaient chargés. Ils étaient aussi dépenaillés que sept ans auparavant et, comme sept ans auparavant, ils se tenaient debout, appuyés sur leurs bêches.

Quand le cercueil de Li Lan fut descendu dans la fosse, le vieux propriétaire foncier, appuyé sur sa branche, le visage inondé de larmes, commença à vaciller, il ne pouvait plus tenir droit. Song Gang le soutint et le fit asseoir par terre. Adossé contre un arbre, il regardait les hommes jeter des pelletées de terre dans le trou et disait en pleurant :

— Mon fils a eu de la chance d'épouser une femme comme ça ; mon fils a eu de la chance d'épouser une femme comme ça ; mon fils a eu de la chance…

Lorsque le tertre de Li Lan atteignit la même hauteur que celui de Song Fanping, le vieux propriétaire foncier continua à pleurer et à chanter les louanges de sa bru : chaque année, Li Lan venait balayer la tombe à la fête de la Pure Clarté, chaque année elle venait lui présenter ses vœux à la fête du Printemps[2], chaque année elle venait lui rendre visite plusieurs fois… Pendant qu'il égrenait ainsi ses souvenirs, Song Gang demanda à Li Guangtou d'aider son grand-père à se relever et de le ramener à la maison. Li Guangtou partit, le vieux propriétaire foncier sur son dos, et derrière eux les parents de la campagne, leurs bêches à la main. Song Gang les suivit des yeux tandis qu'ils entraient dans le village. Le calme était revenu alentour. Il s'agenouilla devant la tombe de Li Lan et prononça ce serment :

— Sois tranquille, maman : s'il ne me reste qu'un bol de riz, il sera pour Li Guangtou, et s'il ne me reste qu'une chemise, elle sera pour lui aussi.

LIVRE SECOND

I

Certains s'en étaient allés, mais la vie continuait malgré tout. Li Lan avait lâché prise, et elle était retournée à l'ouest[1]. Elle s'était engagée sur le long chemin de l'au-delà, cherchant parmi la foule des fantômes l'âme perdue de Song Fanping. Elle ne savait plus rien désormais de l'errance de ses deux fils en ce monde.

Le grand-père de Song Gang était arrivé au déclin de sa vie, le vieux propriétaire foncier, devenu grabataire, ne mangeait plus, et encore rarement, que quelques bouchées de riz et ne buvait que quelques gorgées d'eau. Il ne lui restait que la peau sur les os. Sachant son départ proche, il fit venir à son chevet Song Gang et garda sa main dans la sienne, les yeux fixés sur la porte. Song Gang comprit ce qu'il voulait lui dire. Et les soirs où il ne ventait ni ne pleuvait, il prenait son grand-père sur son dos et traversait lentement le village, passant devant chaque foyer. Le vieux propriétaire foncier regardait les visages familiers un par un comme pour leur faire ses adieux. Une fois parvenu à l'entrée du village, Song Gang s'arrêtait sous l'orme, à côté des tombes de Song Fanping et de Li Lan, son grand-père toujours sur le dos, et tous les deux, sans un mot, contemplaient le soleil qui plongeait à l'ouest et les couleurs du crépuscule qui s'effaçaient.

Sur le dos de Song Gang, le grand-père ne pesait guère plus qu'un fagot de bois sec. Quand ils revenaient de l'entrée du village, et que Song Gang déposait son grand-père, celui-ci était aussi silencieux qu'un mort. Et cependant, le lendemain, avec l'aurore, ses yeux se rouvraient petit à petit, et la flamme de la vie y brillait encore. Les jours défilaient, et le vieux propriétaire foncier qu'on croyait moribond était toujours vivant. Il n'avait plus la force de parler ni de sourire. Au soir du jour fixé par le destin, à l'entrée du village, sous l'orme, à côté des tombes de Song Fanping et de Li Lan, il dressa soudain la tête et sourit, ce que Song Gang, qui le portait sur son dos, ne vit pas. Il l'entendit seulement susurrer à son oreille :

— J'ai fini de souffrir.

Sa tête retomba sur l'épaule de Song Gang. Il était immobile comme s'il dormait. Song Gang se tenait là, son grand-père sur le dos, regardant le petit chemin qui menait au bourg des Liu se fondre peu à peu dans l'obscurité qui tombait. Il rebroussa chemin et pénétra dans le village à la lueur de la lune. Il sentait la tête de son grand-père ballotter sur son épaule au rythme de ses pas. De retour à la maison, il le déposa avec précaution sur le lit comme d'habitude, et étendit une couverture sur lui. Cette nuit-là, le vieux propriétaire foncier ouvrit par deux fois les yeux en souriant à la recherche de son petit-fils, mais il ne rencontra que les ténèbres silencieuses. Puis ses yeux se fermèrent définitivement et ne se rouvrirent plus jamais avec les lueurs de l'aube.

Quand il se leva le lendemain matin, Song Gang ignorait que son grand-père avait déjà quitté ce monde, et il resta dans cette ignorance toute la journée. Ce n'était pas la première fois que le vieux propriétaire foncier demeurait allongé sur son lit sans dire un mot, sans manger et sans boire, et Song Gang ne s'en inquiéta pas. Le soir venu, quand il le hissa sur son dos comme à l'accoutumée, il trouva que son corps était raide, et quand il franchit la porte, la tête de son grand-père glissa de son épaule. Song Gang la remit en place et reprit sa marche dans le village, tandis que la tête de son grand-père se balançait au rythme de ses pas. Elle était dure, et Song Gang avait l'impression que c'était une pierre qui se balançait sur son épaule. En arrivant à l'entrée du village, il fut pris d'un pressentiment : la tête de son grand-père avait glissé à plusieurs reprises, et Song Gang, en la redressant, avait senti ses joues glacées. Il s'arrêta sous l'orme, passa sa main par-dessus son épaule, et colla ses doigts sous le nez de son grand-père. Il les garda un long moment, mais au lieu de sentir le souffle du vieillard, il eut la sensation que ses doigts se refroidissaient. Il comprit alors que son grand-père était mort pour de bon.

Le lendemain matin, les villageois virent arriver Song Gang, le dos courbé, portant son grand-père et le soutenant de sa main gauche, une natte de paille coincée sous le bras droit et une bêche dans la main droite. Il passait de maison en maison et répétait, d'un air lugubre :

— Grand-père est mort.

Des parents et des voisins suivirent Song Gang jusqu'à l'entrée du village et l'aidèrent à étendre la natte par terre, et Song Gang déposa dessus le grand-père avec précaution, comme s'il le couchait sur un lit. Les parents roulèrent la natte, l'attachèrent avec trois cordes, et ce fut là le cercueil du vieux propriétaire foncier. Des hommes du village aidèrent à creuser la fosse. Song Gang, portant dans ses bras le grand-père enroulé dans la natte, s'approcha de la fosse, posa un genou sur le sol, puis l'autre, et fit glisser le grand-père dans le trou. Après quoi il se releva, essuya ses yeux humides et commença à jeter de la terre dans la fosse pour la combler. Des femmes du village ne purent retenir leurs larmes devant ce garçon désormais seul au monde.

Le vieux propriétaire foncier avait été enterré à côté de Song Fanping et de Li Lan. Song Gang garda le deuil de son grand-père pendant quatorze jours. Passé cette période, il prépara ses bagages, et fit don aux parents de la maison délabrée et des quelques meubles en mauvais état qu'elle contenait. Quelqu'un du village devait justement se rendre en ville, Song Gang le chargea d'un message pour Li Guangtou : il devait lui annoncer le retour de Song Gang.

Au jour dit, Song Gang se réveilla à quatre heures du matin, il ouvrit sa porte et regarda le ciel plein d'étoiles, en songeant qu'il allait bientôt revoir Li Guangtou. Il se hâta de refermer la porte et se dirigea vers l'entrée du village en traînant les pieds. Il s'arrêta un moment sous le clair de lune et se retourna pour embrasser du regard ce village où il venait de passer dix ans de sa vie. Puis il baissa les yeux, regarda les tombes déjà anciennes de Song Fanping et de Li Lan, et la tombe toute fraîche du vieux propriétaire foncier, et s'engagea sur le petit chemin désert éclairé par la lune en direction du bourg des Liu encore plongé dans le sommeil. Il avait dit adieu à son grand-père, qui avait été son seul appui pendant dix ans, et rejoignait Li Guangtou, qui serait désormais son seul appui.

Un sac de voyage à la main, Song Gang franchit à l'aube la porte du Sud et pénétra dans notre bourg des Liu. Après ce long trajet, il arriva à son ancienne maison. C'était ce même sac que Li Lan avait emporté à Shanghai lorsqu'elle était partie s'y faire soigner, et c'est dans ce sac qu'elle avait mis la terre souillée du sang de Song Fanping quand, en revenant de là-bas, elle avait appris la mort de celui-ci et qu'elle s'était agenouillée devant la gare. C'est encore dans ce sac qu'elle avait rangé les vêtements de Song Gang et le sachet de caramels Lapin Blanc lorsque Song Gang était parti vivre à la campagne avec son grand-père. A présent, Song Gang revenait avec ce sac. Il contenait quelques vieux habits, toute sa fortune.

L'adolescent de naguère, devenu maintenant un beau jeune homme, était de retour. Quand il arriva, Li Guangtou n'était pas à la maison. Li Guangtou savait que Song Gang allait revenir, et lui aussi s'était réveillé à quatre heures du matin, attendant, tout heureux, ce retour. Le jour était à peine levé, quand Li Guangtou était sorti pour faire faire un double de la clef de la maison chez le serrurier. Il ne se doutait pas que Song Gang se mettrait en route alors que les étoiles brillaient encore et qu'il arriverait à la maison au point du jour. Song Gang, son sac de voyage à la main, attendit plus de deux heures à la porte. Pendant ce temps, Li Guangtou, lui, attendait dans la rue que le serrurier ouvre sa boutique. Song Gang était maintenant aussi grand que son père, simplement il était moins carré. Il était mince et avait le teint clair. Sa veste trop courte lui couvrait à peine le nombril, et les manches, ainsi que les jambières de son pantalon, avaient été rallongées avec des pièces de tissu d'une autre couleur. Song Gang, debout devant la porte de son ancienne maison, attendait patiemment le retour de Li Guangtou en faisant passer son sac d'une main dans l'autre : il ne voulait pas le poser par terre, de crainte de le salir.

En rentrant à la maison, Li Guangtou reconnut de loin la haute silhouette de son frère, qui se tenait immobile devant la porte, son sac de voyage à la main. Il courut en silence jusqu'à lui, et quand il fut dans son dos, il lui flanqua un grand coup de pied dans le derrière. Song Gang, qui faillit perdre l'équilibre, entendit le rire sonore de Li Guangtou. Après quoi les deux frères jouèrent à se poursuivre pendant une bonne demi-heure, faisant voler la poussière devant la porte de la maison. Tantôt Li Guangtou décochait un coup avec son pied gauche, tantôt il lançait sa jambe droite, tantôt il adoptait la position de la mante religieuse[2], tantôt il faisait un balayage. Et Song Gang, son sac de voyage dans les bras, sautait à droite et à gauche pour l'éviter. Li Guangtou était la lance qui attaque, et Song Gang, le bouclier qui se défend. Les deux frères riaient aux larmes, et ils en avaient le nez qui coulait. Ils finirent pliés en deux, pris d'une interminable quinte de toux. Li Guangtou, essoufflé, sortit enfin de sa poche la clef qu'il venait de faire reproduire et la tendit à Song Gang :

— A toi d'ouvrir, lui dit-il.

Li Guangtou et Song Gang avaient été piétinés et écrasés comme du chiendent, mais cela ne les avait pas empêchés de pousser vigoureusement. A cause de la sale réputation qu'il traînait derrière lui, aucune usine n'avait voulu embaucher Li Guangtou après ses études secondaires. La Révolution culturelle était terminée, c'étaient les débuts de la période de réforme et d'ouverture[3]. Tao Qing, qui avait été promu directeur adjoint du bureau des Affaires civiles du district, n'avait pas oublié la mort tragique de Song Fanping devant la gare ni la blessure que Li Lan s'était faite au front en se prosternant devant lui. Il réussit à caser Li Guangtou comme ouvrier à l'usine d'assistés sociaux dépendant du bureau des Affaires civiles. Le personnel de cette usine se composait de quinze personnes : hormis Li Guangtou, il y avait deux boiteux, trois idiots, quatre aveugles et cinq sourds. Comme Song Gang était officiellement résident au bourg des Liu[4], il fut affecté à son retour, comme ouvrier également, à l'usine de quincaillerie du lieu, l'usine où Liu Chenggong, autrement dit Liu l'Ecrivain, occupait les fonctions de chef du service des approvisionnements et des ventes.

Ils reçurent tous deux, le même jour, leur première paie. L'usine où travaillait Song Gang était plus proche de la maison que celle où travaillait Li Guangtou, il rentra donc avant lui, et attendit à la porte le retour de son frère. Sa main droite enfoncée dans sa poche était devenue moite à force de palper les 18 yuans de ce premier salaire. En voyant Li Guangtou arriver, la mine réjouie, sa main droite enfoncée pareillement dans la poche de son pantalon, il comprit que lui aussi avait touché sa paie, et qu'il devait avoir la main moite à force de palper l'argent. Quand Li Guangtou fut près de lui, Song Gang lui lança, tout joyeux :

— Alors, ça y est ?

Li Guangtou hocha la tête, et avisant le visage radieux de Song Gang, il lui retourna la question :

— Et toi ?

Song Gang hocha la tête à son tour. Ils entrèrent dans la maison, verrouillèrent la porte comme s'ils craignaient les voleurs, et tirèrent même les rideaux. Tout en riant, chacun sortit sa paie et la posa sur le lit. Cela faisait 36 yuans au total. Les billets étaient humides de sueur. Assis sur le lit, ils les comptèrent et les recomptèrent. Li Guangtou avait les yeux brillants, et ceux de Song Gang n'étaient plus que deux fentes. Song Gang, qui était myope, levait les billets pour les regarder, et il avait presque le nez collé dessus. Li Guangtou proposa de faire caisse commune, et d'en confier la gestion à Song Gang, ce que Song Gang accepta, estimant qu'en sa qualité d'aîné cette charge lui incombait de droit. Song Gang ramassa les billets un par un, il les rongea soigneusement en liasses et suggéra à Li Guangtou de les recompter une dernière fois, rien que pour le plaisir, avant de faire de même :

— Je n'avais jamais vu autant d'argent, conclut-il ravi.

Sur ce, Song Gang se mit debout sur le lit. Son crâne touchait le plafond et il baissa la tête pour défaire son pantalon rapiécé, laissant apparaître un caleçon en patchwork lui aussi. A l'intérieur, il y avait une petite poche. Song Gang y glissa soigneusement leur paie à tous les deux. Li Guangtou, surpris par l'ingéniosité de cette cachette, voulut savoir qui l'avait cousue. Song Gang répondit que c'était lui, et c'était lui également qui avait taillé et assemblé le caleçon. Li Guangtou poussa un "Ouah" d'admiration :

— Dis donc, tu ne serais pas une fille ?

— Et je sais aussi tricoter, confia Song Gang, en riant.

Leur première dépense après avoir touché leur première paie fut un bol de nouilles nature fumantes, pris au Restaurant du Peuple. Li Guangtou aurait préféré des nouilles aux trois fraîcheurs, mais Song Gang s'y opposa : mieux valait attendre des jours meilleurs. Li Guangtou se rangea à son argument, et accepta de s'en tenir aux nouilles nature : cette fois-ci, il mangeait à ses frais, et non pas sur le compte de ceux qui souhaitaient entendre parler du derrière de Lin Hong. Quand il se rendit au comptoir pour payer, Song Gang défit son pantalon et, sans quitter la caissière des yeux, il fouilla dans son caleçon, pour le plus grand amusement de Li Guangtou qui se tenait debout à côté de lui. La caissière, âgée d'une quarantaine d'années, attendit que Song Gang sorte l'argent de sa cachette : son visage ne trahissait pas la moindre émotion, comme si tout cela était banal. Song Gang extirpa de son caleçon le billet qu'il lui fallait, une coupure de 1 yuan, et le tendit à la caissière ; puis il attendit que celle-ci lui rende la monnaie en tirant sur son pantalon pour l'empêcher de tomber. Les deux bols de nouilles coûtaient 1 *mao* et 8 *fen*. Quand elle lui eut rendu 8 *mao* et 2 *fen*, Song Gang rangea les billets du plus grand au plus petit, et les glissa en tâtonnant dans la poche de son caleçon, avec la pièce de

2 *fen*. Après quoi il attacha son pantalon et alla s'installer à une table libre avec Li Guangtou.

Leur repas achevé, ils sortirent ensemble du restaurant en s'épongeant le front. Puis ils passèrent au magasin de tissus Drapeau rouge où ils choisirent une serge bleu foncé. Ici, c'était une jeune femme d'une vingtaine d'années qui tenait la caisse. Song Gang défit à nouveau son pantalon sur-le-champ et farfouilla dans son caleçon. Devant cette scène, et devant le rire malveillant de Li Guangtou, la jeune caissière s'empourpra. Pour se donner une contenance, elle se tourna vers ses collègues et leur dit la première chose qui lui passa par l'esprit. Cette fois, Song Gang fouilla un bon moment, tout en comptant à haute voix, et quand il sortit l'argent il y avait exactement la somme exigée, au *fen* près. Au moment où la caissière, rouge jusqu'aux oreilles, prenait l'argent qu'il lui tendait, Li Guangtou, intrigué, demanda à Song Gang :

— Où est-ce que tu as appris à compter l'argent comme les aveugles ?

Song Gang, les yeux plissés, regardait la jeune fille toute confuse, mais il était trop myope pour se rendre compte qu'elle avait rougi. Il rattacha son pantalon en souriant :

— Je range les billets par taille, et comme ça je sais à quelle place les retrouver.

Puis les deux frères, leur coupon de serge dans les bras, pénétrèrent ensemble dans la boutique de Zhang le Tailleur, et commandèrent un costume Sun Yat-sen[5] pour chacun. Song Gang défit pour la troisième fois son pantalon, et y fourragea pour la troisième fois. Zhang le Tailleur, son mètre ruban autour du cou, le regarda faire en souriant :

— Voilà une sacrée cachette…

Song Gang sortit l'argent et le tendit à Zhang le Tailleur, qui le porta à son nez :

— Ça sent la bite…

Song Gang le myope n'était pas sûr d'avoir vu Zhang le Tailleur poser son nez sur son argent. Aussi en sortant de la boutique chercha-t-il à s'en assurer auprès de Li Guangtou :

— Il n'aurait pas reniflé notre argent des fois ? demanda-t-il en plissant les yeux.

Li Guangtou comprit que la myopie de Song Gang était maintenant devenue pour lui un handicap sévère, et il lui proposa d'aller chez l'opticien pour s'y faire faire une paire de lunettes. Song Gang ne voulut rien savoir : mieux valait attendre des jours meilleurs. Mais autant Li Guangtou avait accepté l'idée de renoncer aux nouilles aux trois fraîcheurs, autant il fut intraitable sur les lunettes. Il apostropha Song Gang en pleine rue :

— Quand les jours meilleurs seront là, toi ça fera belle lurette que tu seras aveugle !

La colère subite de Li Guangtou fit sursauter Song Gang. Avec ses yeux plissés, il avait vu que beaucoup de gens s'étaient arrêtés pour les observer. Il invita Li Guangtou à se montrer plus discret, et Li Guangtou, plus bas mais d'un ton ferme, menaça Song Gang : s'il ne se faisait pas faire des lunettes le jour même, tout serait fini entre eux. Puis il lui lança, tout fort :

— Allez, on y va.

Sur ces mots, Li Guangtou se dirigea en se dandinant vers le magasin d'optique. Song Gang le suivit, hésitant. Ils ne marchaient plus côte à côte comme tout à l'heure, mais l'un derrière l'autre. On aurait dit deux soldats au lendemain d'une bataille : Li Guangtou marchait fièrement devant en vainqueur, et Song Gang suivait, l'air abattu, comme s'il venait d'essuyer une défaite.

Un mois plus tard, Li Guangtou et Song Gang avaient revêtu leur costume Sun Yat-sen en serge bleu foncé, et Song Gang portait une paire de lunettes à bordure noire. Li

Guangtou avait choisi chez l'opticien la monture la plus chère, et Song Gang en avait eu les larmes aux yeux : d'abord parce qu'il rechignait à la dépense ; ensuite parce que le geste de son frère l'avait touché profondément. A peine sorti du magasin d'optique, ses lunettes sur le nez, Song Gang s'était écrié, épaté :

— Ouah, je vois vachement bien.

Song Gang confia à son frère que depuis qu'il portait ses lunettes, c'était comme si le monde entier avait été nettoyé. Li Guangtou s'esclaffa et pria Song Gang, puisqu'il avait quatre yeux maintenant, de repérer pour lui les jolies filles et de le prévenir en le tirant par son vêtement. Song Gang acquiesça de bonne grâce et entreprit avec le plus grand sérieux son travail de prospection. Les deux frères, dans leurs costumes Sun Yat-sen en serge tout neufs, promenaient leurs silhouettes bleu foncé par les rues de notre bourg des Liu, au grand étonnement de quelques vieillards qui jouaient aux échecs assis au bord de la rue : hier, ces deux-là étaient vêtus comme des mendiants, et aujourd'hui on aurait cru deux dirigeants du district.

— Il n'y a pas à dire, soupiraient-ils, l'habit, ça y fait beaucoup.

Song Gang avait la taille élancée et un visage distingué, et il avait des lunettes bordées de noir comme les intellectuels. Li Guangtou, lui, était trapu et, en dépit de son costume Sun Yat-sen, il avait une allure de bandit de grands chemins. Les deux frères ne se promenaient jamais l'un sans l'autre dans notre bourg des Liu, et les vieux se les montraient du doigt en appelant le premier le mandarin civil, et le deuxième, le mandarin militaire. Les jeunes filles, elles, n'avaient pas autant d'égards et, quand elles parlaient d'eux entre elles, elles donnaient à l'un le nom de Tripitaka, et à l'autre, celui de Porcet[6].

II

Song Gang s'était pris secrètement de passion pour les lettres. Il éprouvait un immense respect pour Liu l'Ecrivain, le chef du service des approvisionnements et des ventes de l'usine de quincaillerie où il travaillait. Liu l'Ecrivain avait sur son bureau une pile de revues littéraires, et il se gargarisait de propos fumeux. Il aimait disserter à perte de vue sur la littérature, et quand il coinçait quelqu'un à l'usine, il ne le lâchait plus. Hélas pour lui, les ouvriers d'ici n'entendaient rien à ce qu'il disait et se contentaient de le regarder avec des yeux de merlan frit. Quand ils étaient entre eux, les discussions allaient bon train : ils se demandaient si, lorsqu'il parlait littérature, Liu l'Ecrivain s'exprimait en chinois ou dans un idiome étranger pour qu'on n'y comprenne goutte à ce point. Leurs commentaires parvinrent aux oreilles de Liu l'Ecrivain, qui les accueillit avec dédain :

— Les rustres !

L'arrivée de cet amateur des belles lettres qu'était Song Gang fut pour lui un cadeau de la providence : non seulement celui-ci comprenait ses idées sur la littérature, mais il les écoutait avec une ferveur évidente, hochant la tête au bon moment et riant quand il fallait. Liu l'Ecrivain était enchanté et ne se lassait pas de sa compagnie. Dès qu'il tombait sur lui, il lui tenait des discours interminables. Un jour, alors qu'ils venaient tous les deux de soulager leur vessie aux toilettes, Liu l'Ecrivain harponna Song Gang et l'entretint pendant plus de deux heures debout à côté des urinoirs, sans prêter la moindre attention aux miasmes du lieu et aux ahans qui s'échappaient des latrines. Maintenant qu'il s'était trouvé un disciple, Liu l'Ecrivain se considérait comme un maître en littérature, un sentiment que son commerce avec les rustres qui l'entouraient ne lui avait jamais procuré auparavant. Il aurait pu s'user les lèvres à leur parler, ils ne se départaient pas de leur sourire bête et n'étaient même pas fichus de varier leurs expressions. Liu l'Ecrivain commença à prêter à Song Gang les revues littéraires qui trônaient sur son bureau. Il choisit un exemplaire de *Moisson*[1], essuya délicatement de sa manche la poussière qui s'était déposée sur la couverture, puis, devant Song Gang, en contrôla les pages une par une pour lui faire remarquer qu'il n'y avait pas une tache et pas une déchirure. Il avertit Song Gang qu'il procéderait à un examen semblable lorsque celui-ci lui restituerait son bien :

— Si elle est abîmée, tu seras à l'amende.

Song Gang rapporta la revue à la maison et se jeta dessus avidement. Puis il se mit lui-même, en cachette, à composer une nouvelle. Il y travailla pendant six mois. Au cours des trois premiers mois, il écrivit sur du papier brouillon, puis il corrigea son texte pendant les trois mois suivants, et au bout de ce temps il le recopia en s'appliquant, sur du papier quadrillé. Son premier lecteur, évidemment, fut Li Guangtou. Le manuscrit de Song Gang en main, celui-ci s'exclama :

— C'est vachement épais !

Li Guangtou compta les feuillets. Après quoi il regarda Song Gang avec admiration :

— Tu es vraiment un crack, tu en as écrit treize pages !

Puis, jetant un coup d'œil sur le début, il s'exclama de nouveau :

— Tu as une écriture drôlement belle !

Li Guangtou lut attentivement la nouvelle de Song Gang et, quand il eut fini, il cessa de s'exclamer et s'abîma dans une méditation profonde. Song Gang l'observait, anxieux. Il n'était pas sûr que sa première nouvelle tienne la route, il craignait que l'essai ne soit complètement raté :

— Comment tu trouves ça ? demanda-t-il inquiet à Li Guangtou.

Li Guangtou ne disait rien, il restait plongé dans ses pensées :

— C'est mal écrit, hein ? ajouta-t-il, subitement démoralisé.

Li Guangtou était toujours perdu dans ses pensées, et Song Gang était désespéré. Il était persuadé que ce qu'il avait écrit n'avait ni queue ni tête, et que pour cette raison Li Guangtou n'y comprenait rien. Quand tout à coup Li Guangtou lâcha ces mots :

— Bien !

Et il précisa :

— C'est drôlement bien écrit.

Il lui certifia que sa nouvelle était excellente, peut-être pas encore du niveau de celles de Lu Xun ou de Pa Kin, mais meilleure en tout cas que ce qu'écrivaient Liu l'Ecrivain et Zhao le Poète :

— Désormais, Liu l'Ecrivain et Zhao le Poète n'ont qu'à bien se tenir ! s'exclama Li Guangtou en agitant la main, ravi.

Song Gang était à la fois surpris et heureux. Il était si excité qu'il n'en dormit pas de la nuit. Au milieu des ronflements de Li Guangtou, il relut cinq fois sa nouvelle, qu'il aurait pu réciter déjà par cœur, et plus il la lisait, plus il se disait qu'elle ne méritait pas autant de compliments : si

Li Guangtou avait été aussi élogieux, c'est parce qu'il était son frère. Cependant, les louanges de Li Guangtou n'étaient pas gratuites, et Song Gang, en relisant son texte, trouvait que les passages que son frère avait relevés étaient effectivement plutôt réussis. Prenant son courage à deux mains, il décida de soumettre sa nouvelle à Liu l'Ecrivain. Si celui-ci l'appréciait également, alors c'était sans doute la preuve qu'elle n'était pas trop mauvaise.

Le lendemain, Song Gang apporta en tremblant sa nouvelle à Liu l'Ecrivain. Celui-ci resta pétrifié un moment : jamais il n'aurait soupçonné que son disciple s'était mis à écrire. Il tenait à la main des feuilles de papier hygiénique car il s'apprêtait à se rendre aux toilettes. Il posa les treize pages du manuscrit au-dessus des feuilles de papier hygiénique et se dirigea vers les toilettes tout en commençant sa lecture. Tandis qu'il défaisait son pantalon d'une main, il continua à lire en tenant la nouvelle de l'autre. Enfin, il poursuivit sa lecture tout en ahanant. Quand il eut terminé ce qu'il avait à faire, il était arrivé au bout de la nouvelle. Il sortit des toilettes, posa sur le manuscrit une moitié de feuille de papier hygiénique qu'il n'avait pas utilisée, et regagna son bureau, les sourcils froncés. Il passa toute la matinée assis à sa place à corriger la nouvelle, avec un stylo rouge. Il barbouilla tout le manuscrit et rédigea, dans l'espace blanc qui suivait la fin du texte à la dernière page, un long commentaire de plus de trois cents caractères. A l'heure de la sortie du travail, Song Gang se présenta tremblant à la porte du bureau du service des approvisionnements et des ventes. Liu l'Ecrivain, la mine sévère, lui fit signe d'entrer. Song Gang s'avança dans la pièce, Liu l'Ecrivain lui rendit ses treize feuillets et, la mine toujours sévère, lui lança :

— J'ai porté mes remarques dessus.

Song Gang était quelque peu refroidi en reprenant sa nouvelle. Son manuscrit barbouillé de rouge par Liu l'Ecrivain était méconnaissable, et Song Gang pensa qu'il devait y avoir beaucoup de problèmes dans son texte. C'est alors que Liu l'Ecrivain sortit fièrement de son tiroir une de ses propres nouvelles et la tendit à Song Gang en lui recommandant de la lire de très près à la maison :

— Tu verras comment j'écris, expliqua-t-il de l'air de celui qui livre un chef-d'œuvre immortel.

Le soir même, Song Gang lut plusieurs fois avec soin les corrections et le commentaire de Liu l'Ecrivain. Mais plus il les parcourait, plus il était perplexe, il ne comprenait rien aux explications de Liu l'Ecrivain. Il lut plusieurs fois aussi, et avec autant de soin, la dernière œuvre de Liu l'Ecrivain, et là encore il était de plus en plus perplexe, se demandant ce qu'elle pouvait bien avoir de remarquable. Comme Song Gang en perdait le boire et le manger, Li Guangtou s'approcha de lui, poussé par la curiosité. Il commença par lire le commentaire de Liu l'Ecrivain sur la nouvelle de Song Gang, avant de s'exclamer :

— Il raconte n'importe quoi !

Puis il s'empara de la dernière œuvre de Liu l'Ecrivain, dont il compta les pages : il n'y en avait que six, six feuillets du même papier quadrillé que celui qu'utilisait Song Gang. Il secoua dédaigneusement le manuscrit : l'auteur ne s'était pas foulé ! Ensuite, il entreprit de lire le texte et, avant même de l'avoir terminé, il le jeta dans un coin :

— C'est nul, ça n'a aucun intérêt.

Sur ce, il partit se coucher en bâillant, et il ne tarda pas à ronfler. Song Gang relut encore sa nouvelle et les corrections de Liu l'Ecrivain, ainsi que la nouvelle de celui-ci. Certes, il ne savait que penser des corrections et du commentaire de Liu l'Ecrivain, et il était déçu, en particulier par le commentaire qui démolissait quasiment son texte, à l'exception des deux phrases d'encouragement placées en conclusion. Toutefois, il se consolait en se disant que l'autre avait agi pour son bien. Il avait tout de même passé du temps sur ses corrections et son commentaire. Aussi décida-t-il de le payer de sa peine en écrivant à son tour un commentaire en dernière page sur l'œuvre qu'il venait de lui prêter. Il s'attela à la tâche avec zèle, il débuta par des éloges et, pour finir, releva les faiblesses. A la différence de Liu l'Ecrivain, qui avait écrit son commentaire directement en le raturant à de nombreuses reprises, il rédigea d'abord le sien sur du papier brouillon et le retoucha plusieurs fois avant de le recopier avec application sur la dernière page de la nouvelle de Liu l'Ecrivain.

Le lendemain, en arrivant au travail, Song Gang restitua sa nouvelle à Liu l'Ecrivain. Celui-ci, assis dans son fauteuil, les jambes croisées, attendait avec le sourire le concert d'éloges de Song Gang. Or, à sa grande surprise, Song Gang annonça :

— J'ai porté mes remarques sur la dernière page.

Liu l'Ecrivain changea instantanément de couleur. Il se reporta immédiatement à la page indiquée où il trouva un commentaire de Song Gang, critique de surcroît. Il laissa éclater sa colère et bondit de son siège en tapant sur la table, l'index pointé sur le nez de Song Gang.

— Qui… qui… qui es-tu pour oser t'attaquer à moi ? hurla-t-il.

Liu l'Ecrivain en bégayait de rage. Song Gang restait là, tétanisé, ne comprenant pas la raison d'un tel emportement. Il tenta maladroitement de s'expliquer :

— Mais je n'ai rien fait !

Liu l'Ecrivain reprit son texte, chercha la dernière page et la montra à Song Gang :

— Et ça, qu'est-ce que c'est ?

— Ce sont mes remarques… répondit Song Gang mal à l'aise.

Dans sa fureur, Liu l'Ecrivain jeta violemment son texte par terre, puis, aussitôt saisi d'un remords, ramassa son cher manuscrit et, tout en le caressant, continua à invectiver Song Gang :

— Co… comment as-tu osé gribouiller sur mon manuscrit ?

Song Gang, comprenant enfin ce qui motivait le courroux de Liu l'Ecrivain, riposta, mécontent à son tour :

— Tu as bien gribouillé sur le mien.

Le premier instant de stupéfaction passé, la colère de Liu l'Ecrivain redoubla. Il frappa plusieurs coups sur la table :

— Tu t'es regardé, et moi tu m'as regardé ? Ton manuscrit, même si je chiais et si je pissais dessus, ce serait encore trop d'honneur que je te ferais. Fils de pute…

Song Gang explosa. Il avança de deux pas et, le doigt pointé sur Liu l'Ecrivain, s'écria :

— Tu n'as pas le droit d'insulter ma mère. Si tu recommences, je…

— Tu quoi ?

Liu l'Ecrivain avait levé le poing mais, considérant que Song Gang avait une demi-tête de plus que lui, il le baissa aussitôt. Après une hésitation, Song Gang compléta sa phrase :

— Je te casse la gueule.

— Tu divagues, rugit Liu l'Ecrivain.

Furieux d'avoir été ainsi menacé par Song Gang, d'habitude si déférent envers lui, Liu l'Ecrivain prit une bouteille d'encre rouge sur le bureau et lui en lança le contenu à la figure. L'encre rouge aspergea les lunettes de Song Gang, son visage et ses vêtements. Il retira ses lunettes tachées et les rangea dans la poche de sa veste, puis, les deux mains en avant, se rua sur Liu l'Ecrivain comme pour l'étrangler. Les autres employés du service des approvisionnements et des ventes s'empressèrent de le ceinturer et le poussèrent vers la porte. Liu l'Ecrivain en profita pour se réfugier dans un angle de la pièce :

— Conduisez-le au bureau de police ! ordonna-t-il à ses subordonnés.

Les employés refoulèrent Song Gang jusqu'à son atelier. Song Gang, couvert d'encre rouge et le visage cramoisi, s'assit sur un banc. L'encre lui dégoulinait encore sur la figure. Quelques employés, debout à ses côtés, s'efforcèrent de le réconforter et ses camarades d'atelier se massèrent autour de lui pour s'informer de ce qui s'était passé. Les employés du service des approvisionnements et des ventes leur expliquèrent comment la dispute avait éclaté, comment les choses s'étaient envenimées et comment elles avaient fini. Mais quant à l'origine du conflit, ils avouèrent leur ignorance :

— Les querelles de lettrés, ça n'est pas notre rayon.

Song Gang restait assis sans rien dire. Il ne comprenait pas comment Liu l'Ecrivain, lui qui était si policé, avait pu subitement l'insulter comme une harengère, et en des termes encore plus orduriers qu'un paysan dans sa rizière. Ces mots qui auraient choqué même dans la bouche d'un paysan devenaient parfaitement odieux dans celle de Liu l'Ecrivain. Les gens qui l'entouraient s'étaient éloignés. Song Gang alla au lavabo laver ses lunettes à bordure noire et l'encre rouge qui lui tachait le visage. Une fois l'encre partie, son visage était blême. Il retourna à son atelier avec cette mine blafarde, et la garda jusqu'à son retour à la maison, pour la pause de midi.

Quand Li Guangtou rentra à la maison, il trouva Song Gang assis à la table, rongeant son frein. L'encre rouge dessinait sur ses vêtements une carte de géographie. Li

Guangtou s'étonna, et Song Gang lui raconta tout, sans rien omettre. Li Guangtou s'abstint de tout commentaire, mais il tourna sur-le-champ les talons et sortit. Il connaissait l'adresse de Liu l'Ecrivain, et il voulait donner une leçon à cet individu incapable d'apprécier la faveur qu'on lui avait faite. Sa silhouette trapue avançait d'un pas chaloupé.

Dans la grande rue, Li Guangtou aperçut Liu l'Ecrivain : il venait de tourner à l'angle de la ruelle où il habitait. Une bouteille à la main, il allait acheter de la sauce de soja à la demande de sa femme. Li Guangtou s'arrêta et lui cria :

— Hé, petit gars, approche un peu par ici.

Ces paroles sonnèrent familièrement aux oreilles de Liu l'Ecrivain. Il se retourna et vit Li Guangtou campé de l'autre côté de la rue, l'air menaçant, et qui lui faisait signe de la main. Et il se souvint que, enfant, quand il était accompagné de Zhao Chenggong et de Sun Wei, il interpellait souvent Li Guangtou de cette manière pour lui faire subir un balayage. Mais aujourd'hui, c'était Li Guangtou qui l'apostrophait. Il comprit que c'était l'affaire de Song Gang qui l'amenait. Après une hésitation, il traversa la chaussée, sa bouteille à la main, et se présenta devant lui.

Li Guangtou pointa son doigt sur le nez de Liu l'Ecrivain et l'engueula copieusement :

— Espèce de salopard, tu as osé asperger d'encre mon frère Song Gang. Tu es pressé de mourir ou quoi ?

Liu l'Ecrivain tremblait de rage. Si face à Song Gang il avait laissé retomber son poing, c'est parce que l'autre avait une demi-tête de plus que lui. Mais Li Guangtou faisait une demi-tête de moins, et il se sentait en sécurité. Il aurait aimé répondre sur le même ton à Li Guangtou, mais comme un attroupement s'était déjà formé autour d'eux il pensa qu'il devait soigner son image. Aussi répondit-il calmement :

— Je te prierai d'utiliser des termes moins sales.

Li Guangtou sourit tout aussi calmement, et de sa main gauche il agrippa Liu l'Ecrivain par le devant de son vêtement. Il leva son poing droit en s'écriant d'un ton féroce :

— J'ai la bouche sale, que veux-tu. Et je vais salir à coups de poing ta figure toute propre.

La violence de Li Guangtou impressionna Liu l'Ecrivain : le type qui lui faisait face avait certes une demi-tête de moins que lui, mais c'était une force de la nature. Liu l'Ecrivain s'efforça de se soustraire à la poigne de Li Guangtou, mais, toujours soucieux de sauvegarder son image d'écrivain devant les masses qui les entouraient, il lui tapota doucement la main avec l'espoir de lui faire lâcher prise, tout en s'adressant à lui avec élégance :

— Je suis un intellectuel, je ne m'abaisserai pas à me quereller avec toi…

— Justement, ce sont les intellectuels que je tabasse, moi.

Liu l'Ecrivain n'avait pas fini sa phrase que le poing droit de Li Guangtou s'écrasait sur son visage à quatre reprises, si bien que sa tête vacilla de gauche et de droite. Sur sa lancée, Li Guangtou lui porta quatre autres coups violents qui le firent vaciller tout entier et tomber à genoux, puis il le releva de la main gauche et le frappa encore par quatre fois au visage. La bouteille que tenait Liu l'Ecrivain tomba à terre et se fracassa. Il avait l'air d'une chiffe molle et paraissait évanoui. Li Guangtou le maintenait fermement de sa main gauche pour l'empêcher de s'écrouler, en continuant de le frapper de la droite, comme s'il boxait un sac de sable. Les yeux de Liu l'Ecrivain étaient si enflés qu'ils ne laissaient plus voir qu'une fente, et son nez et sa bouche pissaient le sang. Après les vingt-huit coups de poing que Li Guangtou lui avait administrés, il ressemblait à un accidenté de la route. A la fin, Li Guangtou n'eut plus la force de le tenir et le laissa choir comme un sac de sable. Il s'empressa de le rattraper par l'arrière de son vêtement. Liu l'Ecrivain était agenouillé et Li Guangtou le retenait de la main gauche par le col pour l'empêcher de s'étaler :

— C'est ça les intellectuels… dit-il en ricanant aux badauds.

Sur ce, il commença à marteler violemment le dos de Liu l'Ecrivain de la main droite. Il lui flanqua onze coups d'affilée, si bien que Liu l'Ecrivain poussait des "Oh ! la !" Li Guangtou s'aperçut que la voix de Liu l'Ecrivain avait changé, ce n'étaient plus des sons aigus mais une série de sons graves. Etonné, il prit à témoin les masses qui les entouraient :

— Vous avez entendu ? Notre intellectuel chante le chant des haleurs…

Puis Li Guangtou, comme s'il se livrait à une expérience scientifique, asséna un violent coup de poing dans le dos de Liu l'Ecrivain et l'écouta proférer son "Oh ! la !". Il tapa sur lui cinq fois de suite et Liu l'Ecrivain, comme si tous deux s'étaient donné le mot, poussa encore par cinq fois son cri de haleur, "Oh ! la !" Li Guangtou, excité, s'adressa à l'assistance :

— J'ai fait ressortir sa nature de peuple travailleur[2] !

Li Guangtou lui-même était en nage, il lâcha Liu l'Ecrivain, qui s'effondra pour de bon, avachi comme un cochon mort. Li Guangtou s'épongea le front et dit, très content de lui :

— Ce sera tout pour aujourd'hui.

Li Guangtou se souvint opportunément que Liu l'Ecrivain avait un acolyte, Zhao le Poète, et il ajouta en direction de l'assistance :

— Zhao le Poète est un intellectuel lui aussi. Prévenez-le qu'avant six mois je lui aurai flanqué une raclée pour lui faire ressortir tout pareil sa nature de peuple travailleur.

Li Guangtou s'en alla la tête haute. Liu l'Ecrivain, le visage ensanglanté, était étalé à côté d'un platane. Les passants attroupés le regardèrent un moment et échangèrent des commentaires en le montrant du doigt. Après les vingt-huit coups de poing qu'il avait encaissés en pleine figure, Liu l'Ecrivain gisait presque sans connaissance. Des ouvriers de l'usine de quincaillerie qui passaient par là en retournant au travail aperçurent le chef de service Liu, la tête en sang, les yeux roulant dans tous les sens, la bouche ouverte dans un sourire béat. Ils s'empressèrent de le conduire à l'hôpital.

Couché sur son lit, au service des urgences, Liu l'Ecrivain soutenait mordicus que ce n'était pas Li Guangtou qui l'avait cogné mais Li Kui[3]. Les ouvriers de l'usine de quincaillerie, interloqués, s'enquirent :

— Qui c'est ça, Li Kui ?

— Le Li Kui d'*Au bord de l'eau*, pardi, répondit Liu l'Ecrivain en toussant et en crachant du sang.

Les ouvriers estomaqués lui firent observer que ce Li Kui-là n'habitait pas au bourg des Liu, mais que c'était un personnage de roman. Liu l'Ecrivain leur assura qu'il s'était échappé de son livre pour lui administrer une rossée. Les autres ne purent s'empêcher de rire, curieux de savoir ce qui aurait pu l'inciter à sortir de son livre. Liu l'Ecrivain en profita pour dénigrer ce Li Kui qui n'était qu'un gros bras sans finesse, avec des muscles en guise de cerveau. Cette brute avait dû être mal informée pour s'être attaquée ainsi à la mauvaise personne, au mauvais endroit.

— Li Guangtou n'aurait jamais réussi à me battre, conclut-il d'une voix faible, en continuant à tousser et à cracher du sang.

Les ouvriers de l'usine de quincaillerie s'alarmèrent et firent venir un médecin. Ils l'interrogèrent : la correction qu'il avait subie n'aurait-elle pas rendu idiot le chef de service Liu ? Celui-ci les rassura en leur expliquant que le choc lui avait simplement brouillé les idées :

— Après une bonne nuit, il n'y paraîtra plus, affirma-t-il.

Li Guangtou s'était vanté de ce que sa prochaine victime serait Zhao le Poète. Ses propos revinrent aux oreilles de l'intéressé, qui en blêmit de colère. Il fit entendre cinq ou six "peuh", et lui qui ne prononçait jamais de mots grossiers ne put retenir ce juron :

— Espèce de petit salopard.

Zhao le Poète expliqua aux masses de notre bourg des Liu qu'à l'époque, c'est-à-dire il y a onze ou douze ans, il avait infligé au dénommé Li Guangtou un nombre incalculable de balayages : il l'avait fait pleurer et crier en l'envoyant valdinguer à l'autre bout de la rue. Il soutint que Li Guangtou était un moins que rien qui le haïssait depuis qu'il l'avait surpris, à quatorze ans, en train de mater le cul des filles aux toilettes, et ne cherchait qu'une occasion de se venger. Tandis qu'il évoquait l'épisode glorieux au cours duquel il avait promené Li Guangtou dans les rues, son visage livide reprenait des couleurs et sa voix se faisait plus sonore. Mais quand les masses lui apprirent que Li Guangtou avait l'intention de faire ressortir sous les coups sa nature de peuple travailleur, il blêmit à nouveau et dit d'une voix tremblante de colère :

— C'est moi qui vais le corriger, vous allez voir. Je vais transformer ce travailleur en intellectuel. Je vais si bien le rosser qu'il ne proférera plus de gros mots. Je vais lui apprendre à être poli, à respecter les aînés et à chérir les plus jeunes, à se montrer aimable et courtois…

— Est-ce que tu ne risques pas d'en faire un Li le poète ? lui fit-on remarquer en riant.

Zhao le Poète resta un moment sans voix, puis il marmonna :

— Et pourquoi pas ?

Après avoir divagué en pleine rue, Zhao le Poète, rentré chez lui, revint à plus de modestie. Le doute le gagna : il calcula que s'il devait un jour affronter Liu l'Ecrivain, il lui faudrait au moins cent rounds pour le battre, et encore l'issue n'était-elle pas certaine. Or, face à Li Guangtou, Liu l'Ecrivain n'avait rien pu faire, il avait été si copieusement rossé qu'il en avait l'esprit à l'envers et qu'il prenait Li Guangtou pour Li Kui, ce qui lui valait d'être la cible des plaisanteries d'après boire parmi les masses du bourg des Liu. Il songea qu'il pourrait bien terminer de la même façon, voire plus piteusement encore. Li Guangtou était une tête brûlée et un écervelé qui, lorsqu'il se mettait à cogner, ne connaissait pas sa force. En vingt-huit coups sur la tête, il avait brouillé les idées de Liu l'Ecrivain comme jamais auparavant, alors pour peu qu'il lui en assène à lui quatre-vingt-deux, il en resterait idiot pour la vie, et la cervelle tourneboulée à jamais. En conséquence de quoi, Zhao le Poète se terra chez lui et, quand il était malgré tout contraint de sortir dans la rue, il était constamment à l'affût comme un espion, l'œil aux aguets et l'oreille en éveil, et dès qu'il détectait la présence de l'ennemi, il courait se réfugier dans la première ruelle venue.

Après sa raclée, Liu l'Ecrivain passa deux jours à l'hôpital puis resta alité un mois chez lui. Li Guangtou fut convoqué au bureau des Affaires civiles par Tao Qing, qui lui passa un savon magistral, et l'affaire n'alla pas plus loin. Désormais, quand quelqu'un lui demandait pourquoi il avait voulu faire de l'intellectuel Liu l'Ecrivain le travailleur Liu Chenggong, Li Guangtou niait tout d'un bloc :

— Ce n'est pas moi qui l'ai tabassé, c'est Li Kui, se défendait-il, rigolard.

Depuis que Li Guangtou avait expédié Liu l'Ecrivain à l'hôpital et l'avait cloué au lit, Song Gang était désolé. Même si le comportement de Liu l'Ecrivain ce jour-là l'avait mis hors de lui, il n'approuvait pas la correction que Li Guangtou lui avait administrée. La visite qu'il aurait volontiers rendue à Liu l'Ecrivain, il la repoussait sans cesse au lendemain, craignant de déplaire à Li Guangtou. Mais bientôt Liu l'Ecrivain serait rétabli et reprendrait son travail au service des approvisionnements et des ventes, et Song Gang estima qu'il ne pouvait différer davantage :

— Il faudrait aller rendre visite à Liu l'Ecrivain, suggéra-t-il à Li Guangtou, en avançant ses pions avec précaution.

— Tu iras tout seul, pas question que j'y aille, répondit Li Guangtou, en accompagnant ces mots d'un geste de la main.

Song Gang continuait à marcher sur des œufs. Il argua que comme Liu l'Ecrivain avait été blessé, on ne pouvait pas se présenter les mains vides. Li Guangtou, ne comprenant pas où Song Gang voulait en venir, s'impatienta :

— Arrête de tourner autour du pot.

Song Gang dut donc annoncer à Li Guangtou qu'il comptait acheter des pommes pour Liu l'Ecrivain. A ces mots, Li Guangtou avala sa salive et fit remarquer que lui-même n'avait encore jamais mangé de pommes de sa vie :

— Est-ce que tu n'en fais pas trop avec ce travailleur ?

Song Gang se tut et s'assit devant la table, la tête basse. Li Guangtou, comprenant qu'il était chagriné, lui donna une tape sur l'épaule :

— C'est bon, achète donc des pommes et va voir ce travailleur.

Song Gang sourit, reconnaissant, et Li Guangtou ajouta en secouant la tête :

— Les pommes, je m'en fiche. Mais je me suis donné beaucoup de peine pour faire ressortir sa nature de peuple travailleur, et j'ai peur que s'il mange des pommes son visage d'intellectuel ne réapparaisse.

Song Gang acheta cinq pommes dans un magasin de fruits. Il rentra à la maison, choisit la plus grosse et la plus rouge pour Li Guangtou, et mit les quatre autres dans sa vieille sacoche. Puis, son sac sur le dos, il se rendit chez Liu l'Ecrivain. Celui-ci était déjà rétabli et il bavardait avec des voisins, assis dans sa cour. Dès qu'il entendit Song Gang demander après lui à la porte, il se leva, se précipita dans sa maison et se coucha.

Song Gang entra avec précaution dans la demeure. Liu l'Ecrivain était allongé, les yeux clos. Song Gang s'approcha du lit, Liu l'Ecrivain ouvrit les yeux, regarda Song Gang et referma les yeux. Song Gang attendit un moment debout devant le lit, puis il dit doucement :

— Pardon.

Les yeux de Liu l'Ecrivain s'ouvrirent, ils regardèrent Song Gang, puis se refermèrent. Au bout de quelques instants, Song Gang sortit les quatre pommes de son sac et les déposa sur la table devant le lit :

— Je pose les pommes là-dessus, murmura-t-il.

A ces mots, Liu l'Ecrivain ne se contenta pas d'ouvrir tout grands les yeux, il s'assit comme si son corps tout entier se déployait. Il aperçut les fruits sur la table et aussitôt un large sourire éclaira son visage :

— C'est vraiment très gentil à toi.

Sur ce, il s'empara d'une pomme, l'essuya avec le drap et, sans plus attendre, mordit dedans. Il avait les yeux plissés de bonheur. Il mordait encore et encore, la pomme était croquante sous ses dents, et elle continuait de croquer en passant dans sa gorge. Comme Li Guangtou l'avait prévu, à peine eut-il mangé une pomme que son visage d'intellectuel reparut. Il se mit à discuter de littérature avec Song Gang, il parlait avec animation, comme s'il ne s'était jamais rien passé entre eux.

III

Six mois s'étaient écoulés sans que Li Guangtou ait eu l'occasion de faire ressortir sa nature de peuple travailleur à Zhao le Poète. Il avait d'ailleurs oublié le serment prêté devant les masses du bourg des Liu. Il était de plus en plus occupé car il dirigeait maintenant l'usine d'assistés sociaux. A son arrivée, c'étaient les deux boiteux qui occupaient respectivement les fonctions de directeur et de directeur adjoint, mais il n'avait pas fallu six mois pour qu'ils se soumettent de leur plein gré aux ordres de Li Guangtou.

A tout juste vingt ans, Li Guangtou était désormais M. le directeur Li. Au temps où l'usine ne comptait pour tout personnel que deux boiteux, trois idiots, quatre aveugles et cinq sourds, elle était en déficit chronique, et chaque année il fallait solliciter une subvention auprès de Tao Qing. Les crédits des Affaires civiles dont disposait celui-ci n'étant déjà pas bien lourds, il devait continuellement déshabiller l'un pour habiller l'autre. La création de cette usine était une initiative à lui. Il espérait procurer ainsi un moyen de subsistance aux quatorze infirmes. Or non seulement l'usine ne gagnait pas d'argent, mais il devait perpétuellement y injecter des fonds pour compenser ses pertes. S'il avait recueilli Li Guangtou, c'était parce que Li Lan s'était blessé le front en se prosternant devant lui, et il ne s'attendait pas à ce que dès la première année Li Guangtou inverse la tendance : il avait dégagé des salaires pour les quatorze infirmes, et il avait de surcroît remis à l'échelon supérieur un profit s'élevant à 57 224 yuans. La deuxième année fut encore plus faste : le bénéfice remis à Tao Qing atteignit les 150 000 yuans, soit un bénéfice moyen par employé de 10 000 yuans. Le chef du district, quand il rencontra Tao Qing, avait le sourire jusqu'aux oreilles, il déclara que Tao Qing était le chef de bureau des Affaires civiles le plus riche de Chine, puis il le pria en catimini de lui céder une part du profit réalisé par l'usine afin qu'il s'en serve pour combler les déficits dans les finances du district.

C'est ainsi que Tao Qing fut brillamment promu chef de bureau. Voilà plusieurs années qu'il n'était pas allé voir ce qui se passait à l'usine d'assistés sociaux. Ce jour-là, à la fin d'une réunion, il poussa jusque là-bas en se promenant. Il savait depuis longtemps que les deux boiteux qui faisaient office de directeurs n'étaient bons à rien, et qu'ils servaient uniquement de potiches, laissant la direction effective à Li Guangtou. Il savait aussi que moins de six mois après son embauche, celui-ci avait emmené les deux boiteux, les trois idiots, les quatre aveugles et les cinq sourds chez le photographe pour prendre une photo de famille, puis s'était rendu en autocar à Shanghai avec cette photo. Avant de monter dans l'autocar, il avait acheté dix petits pains à la vapeur dans la boutique de *dim sum* de la mère Su comme provisions de bouche. Sur place, il s'était démené pendant deux jours : il avait démarché sept magasins et huit sociétés. Il exhibait la photo de famille du personnel de l'usine, en expliquant aux responsables de ces magasins et de ces sociétés, le doigt posé sur la tête de ses collègues, qui étaient les boiteux, qui étaient les idiots, qui étaient les aveugles et qui étaient les sourds, et pour finir il posait son doigt sur son propre visage et disait :

— Il n'y a que celui-là qui ne soit ni boiteux, ni idiot, ni aveugle, ni sourd.

Partout où il était allé, Li Guangtou avait attiré sur lui la sympathie. C'est après avoir avalé le dernier des dix petits pains à la vapeur qu'il avait décroché enfin auprès d'une grande société un contrat à long terme pour le façonnage de boîtes en carton, lequel était à l'origine de la prospérité actuelle de l'établissement.

Quand Tao Qing pénétra dans l'usine, le directeur adjoint boiteux sortait des toilettes. Tao Qing demanda à voir le directeur, le directeur adjoint répondit que celui-ci travaillait à l'atelier. Tao Qing le fit chercher, tandis que lui-même entrait dans le bureau du directeur. Il remarqua au mur la photo de famille. Il se souvenait que la fois précédente il y avait deux tables dans le bureau, et que les deux directeurs boiteux jouaient aux échecs, en rejouant sans arrêt leurs coups et en s'engueulant. A présent, il n'y avait plus qu'une table, et Tao Qing, surpris, se demanda si le chef boiteux n'avait pas chassé du bureau le chef adjoint boiteux. A peine Tao Qing s'était-il installé dans le fauteuil, derrière la table, que Li Guangtou entra en courant :

— Directeur Tao, directeur Tao, vous voilà ! s'écria-t-il avant même d'avoir franchi la porte.

Tao Qing était très heureux lui aussi de revoir Li Guangtou :

— Tu te débrouilles pas mal, lui dit-il en souriant.

Li Guangtou secoua la tête modestement :

— Je débute à peine, j'ai encore beaucoup de choses à apprendre.

Tao Qing eut un mouvement de la tête approbateur, et il demanda à Li Guangtou s'il était satisfait de son travail actuel. Li Guangtou s'empressa de hocher la tête. Tout en bavardant avec Li Guangtou, Tao Qing jetait des coups d'œil à l'extérieur en s'étonnant de ne pas voir arriver le directeur boiteux. L'atelier était juste à côté et même s'il marchait lentement il aurait déjà dû être là. Tao Qing s'en inquiéta auprès de Li Guangtou :

— Comment se fait-il que le directeur ne soit pas encore là ?

Li Guangtou resta d'abord interdit, puis il pointa le doigt sur son propre nez :

— Mais je suis là ! C'est moi, le directeur.

— Toi, le directeur ! dit Tao Qing, stupéfait. Comment se fait-il que je ne sois pas au courant ?

Li Guangtou sourit :

— Vous êtes tellement occupé, je n'ai pas osé vous déranger. C'est pourquoi je ne vous ai rien dit.

Tao Qing prit une mine grave :

— Et que sont devenus les deux directeurs ?

Li Guangtou secoua la tête :

— Ils ne sont plus directeurs.

Tao Qing comprenait maintenant pourquoi il n'y avait plus qu'une seule table dans le bureau :

— C'est ta place ? demanda-t-il en montrant la table.

— Oui.

— Les changements de direction doivent être soumis à l'organisation, dit Tao Qing, dont le visage s'était rembruni. Il faut que les responsables du bureau des Affaires civiles en discutent et les approuvent, puis qu'ils en réfèrent au gouvernement du district avant que celui-ci les entérine…

Li Guangtou secoua la tête et dit à Tao Qing, tout émoustillé :

— Mais oui, mais oui, vous avez raison. Il faut que vous révoquiez officiellement l'ancien directeur, et que vous me nommiez officiellement.

— Ça ne dépend pas de moi, répliqua Tao Qing, le visage toujours sévère.

— Monsieur le directeur Tao, vous êtes trop modeste, ajouta Li Guangtou en riant. N'est-ce pas à vous qu'il revient en dernier lieu de décider qui doit diriger l'usine ?

Tao Qing ne savait plus s'il devait rire ou bien pleurer :

— Et les règlements, qu'est-ce que tu en fais ?

Tao Qing n'était pas au bout de ses surprises : le directeur autoproclamé Li Guangtou l'emmena dans l'atelier où l'on collait les boîtes de carton, et les quatorze infirmes l'accueillirent par des "monsieur le directeur Li" à tire-larigot. Même les deux anciens directeurs boiteux lui donnaient avec déférence du "monsieur le directeur Li". Le directeur d'usine Li Guangtou, debout à côté du directeur de bureau Tao Qing, applaudit avec force, et les quatorze infirmes applaudirent après lui. Li Guangtou, qui trouvait ces applaudissements encore trop timides, cria à ses fidèles subordonnés :

— M. le directeur Tao est venu nous voir ! Je veux que ça pétarade !

Les quatorze fidèles applaudirent si frénétiquement que tout leur corps se mit en branle. Mais Li Guangtou n'était toujours pas satisfait :

— Criez bien fort : "Bienvenue à M. le directeur de bureau Tao", leur ordonna-t-il en les encourageant de la main.

Les deux boiteux et les quatre aveugles s'époumonèrent :

— Bienvenue à M. le directeur de bureau Tao.

Les cinq sourds riaient, la bouche ouverte, ne comprenant pas ce que les deux boiteux et les quatre aveugles étaient en train de crier. Li Guangtou courut vers eux et leur fit signe d'imiter le mouvement de ses lèvres : sa bouche s'ouvrait et se refermait comme celle d'un poisson hors de l'eau, jusqu'à ce que les cinq trouvent la bonne position pour leurs lèvres. Parmi les cinq sourds, trois étaient aussi muets. Seuls les deux qui ne l'étaient pas produisirent des sons, et le "Bienvenue à M. le directeur de bureau Tao" sortit de leur bouche avec un fracas assourdissant. Li Guangtou, pour marquer sa satisfaction, leva ses deux pouces vers eux. Puis un nouveau problème se présenta : les trois idiots ne savaient pas crier "monsieur le directeur Tao", ils criaient "Bienvenue à M. le directeur Li". Li Guangtou, très embarrassé, fila vers eux et, comme s'il leur apprenait à chanter, les entraîna à crier : "Bienvenue à M. le directeur de bureau Tao." Ses deux bras s'agitaient de haut en bas et il en avait la voix presque éraillée, mais les trois idiots s'obstinaient à crier : "Bienvenue à M. le directeur de bureau Li." Tao Qing ne put s'empêcher d'éclater de rire, et Li Guangtou, confus, déclara :

— Laissez-moi un peu de temps, monsieur le directeur Tao, je vous garantis que la prochaine fois que vous viendrez ils sauront crier "monsieur le directeur Tao".

— Ce n'est pas la peine, dit Tao Qing, avec un geste de la main : ils savent très bien crier "monsieur le directeur Li".

En sortant de l'atelier, il se retourna vers les deux directeurs boiteux :

— Je croyais que ces deux-là étaient des potiches, dit-il à Li Guangtou. Mais à ce que je vois, ils sont même moins que ça.

Deux mois plus tard, Li Guangtou fut nommé officiellement directeur de l'usine d'assistés sociaux. Il fut convoqué dans le bureau de Tao Qing, qui lui lut l'arrêté de nomination visé par le gouvernement du district. Li Guangtou était rouge d'émotion, et il annonça à Tao Qing que les trois idiots de l'usine savaient maintenant dire parfaitement "monsieur le directeur Tao". Tao Qing s'esclaffa, puis il expliqua gravement à Li Guangtou qu'il n'avait pas été facile d'arracher cette nomination, en raison de sa faute d'autrefois. Il ajouta à voix basse, sur le ton de la confidence, que Li Guangtou devait dorénavant soigner son image et corriger ses manières de voyou, car aux yeux de tous il était son protégé. Puis il fixa à Li Guangtou des objectifs à atteindre en termes de profits :

— Pour cette année, tu devras remettre 200 000 yuans à l'échelon supérieur, dit-il en montrant deux doigts.

Li Guangtou tendit trois doigts :

— J'en remettrai 300 000. Et si je n'atteins pas ce chiffre, alors je démissionnerai.

Tao Qing hocha la tête, satisfait. Li Guangtou roula son arrêté de nomination et il s'apprêtait à le fourrer dans sa poche quand Tao Qing, montrant le document, déclara :

— Qu'est-ce que tu fais ?

— Je l'emporte chez moi.

Tao Qing secoua la tête :

— Les règlements et toi, décidément, ça fait deux. Ce document doit être présenté au département de l'organisation[1] pour enregistrement : maintenant, tu es un cadre d'Etat.

— Un cadre d'Etat ! s'exclama Li Guangtou, émerveillé : alors raison de plus pour l'emporter à la maison et le montrer à Song Gang.

Tao Qing se souvint du Song Gang rencontré douze ans auparavant, un gosse malheureux et attachant. Après une courte hésitation, il autorisa Li Guangtou à montrer l'arrêté de nomination à son frère, à condition qu'il le rapporte dans l'après-midi. En sortant, Li Guangtou s'inclina devant Tao Qing, et lui dit, avec un accent de sincérité :

— Je vous remercie, monsieur le directeur Tao, de m'avoir fait nommer à ce poste.

Tao Qing lui donna une tape sur l'épaule :

— Il n'y a pas de quoi. Tu m'as placé devant le fait accompli.

Li Guangtou s'esclaffa : l'expression n'était pas tombée dans l'oreille d'un sourd. Cependant, quand il l'utilisa à son tour, en quittant la cour du bureau des Affaires civiles, elle était nettement plus imagée.

En chemin, Li Guangtou ne cessa de dérouler son arrêté de nomination sous le nez des passants qu'il connaissait, en leur expliquant fièrement qu'il était désormais le directeur Li. Sur le pont, il croisa Tong le Forgeron. Il le fit carrément asseoir sur la rambarde et lui apprit, en prenant de grands airs, de quelle façon il était devenu le directeur de l'usine d'assistés sociaux qu'il dirigeait de fait depuis longtemps :

— Ce papier ne me donne que le titre, dit-il en secouant l'arrêté de nomination.

— Oui, c'est comme le certificat de mariage ! s'exclama Tong le Forgeron. Qui est-ce qui se retient jusqu'au jour des noces ? On commence par coucher ensemble, et le certificat de mariage vous donne le titre. C'est ce qui s'appelle régulariser.

— Régulariser, oui c'est ça ! répéta Li Guangtou. Pour reprendre l'expression du directeur Tao, c'est ce qu'on appelle le fait accompli : j'ai d'abord engrossé la fille, et elle n'a pas pu faire autrement que de se marier avec moi.

Quand Li Guangtou rentra à la maison, Song Gang avait déjà préparé le déjeuner. Il avait mis le couvert et attendait à table. Li Guangtou s'installa devant lui, tout imbu de sa nouvelle position, et jeta un regard dédaigneux sur les plats en grommelant :

— M. le directeur Li en a assez de manger tous les jours ces mêmes plats de merde…

Song Gang ignorait que Li Guangtou était maintenant le directeur officiel de l'usine, il se figurait qu'il n'en était encore que le directeur autoproclamé. Il pouffa de rire, prit son bol et commença à manger. C'est alors que Li Guangtou déroula devant lui l'arrêté de nomination. Song Gang le lut tout en mastiquant et fut tellement saisi qu'il en fit un bond sur son siège. La bouche pleine, il n'arrivait pas à parler distinctement. Il recracha tout dans sa paume, poussa un profond soupir, puis s'écria :

— Li Guangtou, alors comme ça tu es…

Li Guangtou, imperturbable, termina la phrase à sa place :

— … le directeur Li.

— Le directeur Li, ça alors, le directeur Li.

Song Gang, excité, courait dans la pièce en hurlant. Il n'arrêtait pas de crier "directeur Li", et son poing, serrant la nourriture, frappa Li Guangtou à trois reprises en pleine poitrine. La nourriture, à moitié mâchée, vola de toutes parts, jusque sur le visage de Li Guangtou. Li Guangtou s'essuya en riant aux éclats. Song Gang voulut à nouveau lui donner un coup de poing sur la poitrine, mais Li Guangtou l'esquiva en sautant de côté. Comme le jour où Song Gang était revenu de la campagne avec son sac de voyage, ils chahutèrent dans toute la maison. Cette fois, c'était Song Gang qui pourchassait Li Guangtou, et Li Guangtou courait dans tous les sens pour tenter de lui échapper. Les sièges avaient été renversés, la table était de guingois, et le contenu des bols était répandu sur la table. C'est alors seulement que Song Gang s'arrêta : il s'était souvenu de la nourriture recrachée dans sa main. Il s'empara du torchon et s'essuya les mains, remit dans les bols leur contenu renversé et redressa les sièges. Puis, en accompagnant son invitation d'un geste, il s'adressa en ces termes à Li Guangtou, qui était hors d'haleine :

— Si M. le directeur Li veut bien prendre place à table.

Li Guangtou, à bout de souffle, secoua la tête :

— M. le directeur Li souhaite manger des nouilles aux trois fraîcheurs.

Les yeux de Song Gang brillèrent :

— C'est ça, allons manger des nouilles aux trois fraîcheurs pour fêter ça.

Song Gang jeta un regard dédaigneux sur la table et sortit de la maison en tapant sur l'épaule de Li Guangtou. Il verrouilla la porte et fit quelques pas avant de s'arrêter : il demanda à Li Guangtou combien coûtait un bol de nouilles aux trois fraîcheurs. "3 *mao* et 5 *fen*", répondit Li Guangtou. Song Gang hocha la tête et retourna devant la maison. Là, collé contre la porte, il défit son pantalon, fouilla un moment dans son caleçon et en sortit 7 *mao*, qu'il mit dans la poche de sa veste. Après quoi il reprit sa marche altière, et tout en avançant il expliqua à Li Guangtou :

— A présent, tu es directeur d'usine, et je suis le frère aîné du directeur : je ne peux plus farfouiller dans mon pantalon en public, ça serait la honte pour mon petit frère.

Les deux frères se pavanaient dans les rues de notre bourg des Liu comme deux héros célébrant leur triomphe. Li Guangtou tenait toujours à la main son arrêté de nomination, et Song Gang s'arrêta à deux reprises pour que son frère le lui montre à nouveau. Il le lut à voix haute en pleine rue, comme s'il déclamait, puis il dit à Li Guangtou, avec des mots qui lui sortaient du cœur :

— Je suis tellement content.

Les deux frères pénétrèrent dans le Restaurant du Peuple. A peine en eut-il franchi la porte que Song Gang cria à la caissière derrière son comptoir :

— Deux bols de nouilles aux trois fraîcheurs !

Song Gang s'approcha du comptoir et sortit de la poche de sa veste les 7 *mao* qu'il avait préparés. Il les posa en frappant sa main sur le comptoir, ce qui fit sursauter la caissière :

— Ça ne coûte que 7 *mao*, grogna celle-ci. Et quand bien même ça coûterait 10 yuans, ce n'est pas la peine d'être aussi brutal.

Après avoir mangé leurs nouilles, les deux frères rentrèrent en nage à la maison. En chemin, Li Guangtou déroula par trois fois son arrêté de nomination pour le montrer à des gens, et Song Gang s'arrêta encore par deux fois pour le réciter. De retour à la maison, Song Gang pria Li Guangtou de lui confier le document, car il craignait que son frère ne le perde. Aussitôt, Li Guangtou prit l'expression et le ton du directeur Tao :

— Les règlements et toi, décidément, ça fait deux. Ce document doit être présenté au département de l'organisation pour enregistrement : maintenant, je suis un cadre d'Etat.

Ces paroles ne firent que ravir davantage Song Gang. Il était épaté par son petit frère. Il prit le document entre ses mains et en relut une dernière fois chaque mot, comme pour s'en imprégner. Puis il songea qu'il ne reverrait plus l'arrêté de nomination et cette perspective le navra. Mais aussitôt il eut une idée de génie : il alla chercher une feuille de papier et, à l'encre noire, recopia l'arrêté de sa plus belle écriture, avant de dessiner soigneusement à l'encre rouge le sceau officiel apposé dessus. Li Guangtou s'extasia : il trouva que le sceau dessiné par Song Gang était plus vrai que nature. Son dessin achevé, Song Gang sourit, apparemment soulagé. Il rendit son document à Li Guangtou, ramassa la copie, et déclara fièrement :

— Dorénavant, on regardera celui-là.

Les salaires des deux frères étaient confiés à la garde de Song Gang. Celui-ci n'engageait jamais de dépenses sans consulter Li Guangtou et sans avoir obtenu son accord.

Mais quand Li Guangtou devint officiellement directeur d'usine, Song Gang lui acheta de son propre chef une paire de chaussures en cuir noires : dans ses nouvelles fonctions, il ne pouvait plus porter ses baskets usées, il lui fallait des souliers bien cirés. Li Guangtou fut ravi de cet achat : en comptant sur ses doigts, il calcula que tous les gens importants du bourg des Liu, depuis le secrétaire et le chef du district jusqu'aux chefs de bureau du district, et des chefs de bureau du district jusqu'aux directeurs des grandes usines, portaient des chaussures en cuir noires.

— Je suis devenu quelqu'un d'important, conclut-il.

Le pull de Li Guangtou était en piteux état lui aussi, et comme Li Lan l'avait tricoté avec de la laine récupérée sur d'autres pulls, il était de toutes les couleurs. Song Gang acheta une livre et demie de laine neuve couleur crème, et en rentrant du travail il entreprit de tricoter un pull à Li Guangtou. Au fur et à mesure que son ouvrage avançait, il collait le pull sur le dos de Li Guangtou en l'ajustant bien pour juger de son effet. Au bout d'un mois, le pull était achevé, et il allait parfaitement à Li Guangtou. Des vagues étaient dessinées sur le devant, et un bateau appareillait toutes voiles dehors. Song Gang expliqua que ce vaisseau long-courrier symbolisait l'avenir brillant de Li Guangtou. Li Guangtou s'extasiait :

— Ouah, Song Gang, tu es vraiment un crack. Tu sais tout faire, même les trucs de femmes.

Avec ses souliers noirs, Li Guangtou, chaque fois qu'il sortait, mettait son costume Sun Yat-sen en serge bleu foncé, qu'il boutonnait jusqu'en haut, sans omettre l'agrafe serrant le col. Mais à partir du moment où il porta le nouveau pull crème tricoté par Song Gang, il cessa de fermer la vareuse. Il paradait dans les rues, la vareuse ouverte, pour qu'on voie bien les vagues et le bateau à voiles sur son pull tout neuf. Les mains enfoncées dans les poches, les pans de sa veste coincés sous ses bras, bombant son torse puissant, il souriait à tous les passants qu'il croisait.

Les femmes de notre bourg des Liu n'avaient jamais vu de bateau à voiles tricoté sur un pull. Quand elles aperçurent Li Guangtou avec le sien, elles firent cercle autour de lui et cinq ou six mains tirèrent en même temps sur son pull pour voir de plus près comment le bateau était tricoté. Elles s'exclamèrent, admiratives :

— Il y a même des voiles !

Li Guangtou, la tête en arrière, les laissa faire en riant et les écouta s'extasier sur son pull. Elles voulurent savoir quelle main adroite l'avait tricoté. Li Guangtou se rengorgea :

— C'est Song Gang. Song Gang sait tout faire, à part mettre au monde des enfants.

Après avoir admiré le motif du bateau et de ses voiles, les femmes commencèrent à s'intéresser au type de bateau dont il s'agissait :

— C'est un bateau de pêche ? demandèrent-elles à Li Guangtou.

— Un bateau de pêche ! s'offusqua Li Guangtou. Non, ça s'appelle un long-courrier.

Leurs questions primaires avaient mis Li Guangtou hors de lui. Il écarta leurs mains, estimant que soumettre à leur jugement son pull et son long-courrier, c'était comme jouer du luth pour une vache. Il s'en alla, excédé, et se retourna pour leur lancer cette phrase assassine :

— Pfft ! Vous autres, à part mettre au monde des enfants, qu'est-ce que vous savez faire ?

IV

Une fois devenu le directeur Li, Li Guangtou participait régulièrement à des réunions avec ses homologues. Tous portaient des costumes Sun Yat-sen et des souliers de cuir noirs, et ils allaient les uns vers les autres avec de larges sourires pour se saluer en se serrant la main. Au bout de quelques mois, ils étaient à tu et à toi. Dès lors, Li Guangtou accéda à la haute société de notre bourg des Liu. Il affichait désormais un air supérieur, et le prenait de haut pour s'adresser à ses interlocuteurs.

Un jour, en franchissant le pont, il tomba par hasard sur Lin Hong. Le Li Guangtou si sûr de lui se sentit brusquement tout bête. Lin Hong avait alors vingt-trois ans. Celle que Li Guangtou avait matée plus de six ans auparavant, une belle jeune fille de dix-sept ans, était maintenant d'une grâce divine. Elle descendit du pont en regardant droit devant elle, et juste au moment où elle passait à côté de Li Guangtou, quelqu'un l'appela par son nom. Elle se retourna et sa longue natte s'envola, balayant presque le nez de Li Guangtou. Li Guangtou, fasciné, la suivit des yeux tandis qu'elle s'éloignait le long de l'avenue, en répétant comme une complainte :

— Qu'elle est belle, qu'elle est belle…

Deux filets de sang coulèrent de ses narines jusqu'à sa bouche. Voilà une éternité qu'il n'avait pas vu Lin Hong et, depuis qu'il était devenu directeur d'usine, il avait quasiment oublié cette beauté du bourg des Liu. En la croisant ce jour-là, il en avait saigné du nez d'émotion, et cet incident faillit lui redonner sa notoriété d'antan. Les masses de notre bourg des Liu en firent leurs choux gras : elles comptèrent sur leurs doigts les années écoulées et déclarèrent que depuis que Li Guangtou avait maté les fesses des filles aux toilettes il ne s'était plus rien passé de palpitant au bourg. On s'y ennuyait de plus en plus, et les masses étaient de plus en plus éteintes. Mais maintenant, tout promettait de changer : Li Guangtou reprenait du service, et il allait de nouveau les faire rire grâce à Lin Hong.

Li Guangtou se souciait comme d'une guigne des plaisanteries des masses. Il déclara que son saignement était un “don de sang”, et il ajouta en se frappant la poitrine que des gens capables sur terre de donner leur sang par amour “il n'y en avait pas deux”.

Les vieux de notre bourg des Liu s'exprimaient avec plus de ménagement :

— Quand on est célèbre, rien de ce qu'on fait ne passe inaperçu.

Ces propos revinrent aux oreilles de Li Guangtou, pour son plus grand plaisir, et il précisa en hochant la tête :

— Quand on est connu, tout ce qu'on fait prête à commentaire, beaucoup plus que quand on ne l'est pas.

Li Guangtou avait brouillé les idées de Liu l'Ecrivain en lui tapant dessus, et à présent c'était lui qui était atteint de mythomanie. Il n'arrêtait pas de se demander pourquoi Lin Hong s'était approchée si près de lui, au point que sa natte, en voltigeant, lui avait presque touché le nez. Le délire amoureux venant conforter sa mégalomanie, il décréta que Lin Hong était amoureuse de lui, ou que, quand bien même elle ne le serait pas encore, cela ne saurait tarder. Il se dit que ce jour-là il y avait bien trop de monde sur le pont et dans les rues, mais que si la rencontre avait eu lieu en pleine nuit, à l'heure où le pont et les rues sont déserts, Lin Hong se serait certainement arrêtée et lui aurait probablement jeté un regard langoureux, scrutant la moindre veine et le moindre nerf sous sa peau pour les graver dans son esprit. Li Guangtou annonça donc à Song Gang, avec un sourire béat :

— Lin Hong a le béguin pour moi.

Song Gang connaissait Lin Hong, il savait que la beauté du bourg des Liu hantait les rêves nocturnes de tous les hommes. Elle lui paraissait aussi inaccessible que la lune et les étoiles dans le ciel. Or voilà que Li Guangtou proclamait tout à trac que Lin Hong avait le béguin pour lui. Song Gang en tombait des nues. Comment Lin Hong pouvait-elle éprouver le moindre intérêt pour ce Li Guangtou qui lui avait maté les fesses aux toilettes six ans auparavant ? Il ne cacha pas son scepticisme :

— Et pourquoi aurait-elle le béguin pour toi ?

— Je suis le directeur Li ! répondit Li Guangtou, en se frappant la poitrine. Réfléchis un peu : par ici, nous sommes une vingtaine de directeurs d'usine, et dans le lot il n'y a que moi, le directeur Li, qui sois jeune et célibataire.

— Je comprends ! approuva Song Gang, qui ajouta : Un jeune homme talentueux et une belle jeune fille, c'était la recette des anciens ; et toi et Lin Hong, c'est exactement pareil.

— Tout juste !

Li Guangtou donna une bourrade enthousiaste à Song Gang. Ses yeux étincelaient :

— C'est exactement ce que je voulais dire.

Grâce à Song Gang, Li Guangtou avait trouvé une justification théorique à son entreprise amoureuse, et il commença à courtiser officiellement Lin Hong. Dans notre bourg des Liu, nombreux étaient les jeunes gens qui avaient tenté leur chance auprès d'elle par le passé ou qui la tentaient encore. Tous ces propres-à-rien finissaient par reculer devant la difficulté de la tâche, seul le valeureux Li Guangtou n'était pas homme à renoncer.

Li Guangtou employa les grands moyens et fit de Song Gang son âme damnée. Celui-ci avait lu dans un vieux bouquin qu'avant de livrer bataille les anciens envoyaient un messager remettre une déclaration de guerre :

— Je me demande si pour déclarer son amour il ne faudrait pas envoyer également un messager.

— Evidemment, approuva Li Guangtou. Il faut préparer psychologiquement Lin Hong. Si elle apprenait la nouvelle trop brutalement et si elle tombait dans les pommes sous le coup de l'émotion, on serait dans de beaux draps.

En guise de messagers, Li Guangtou dépêcha cinq gamins de six ans de notre bourg des Liu qu'il avait rencontrés dans la rue en se rendant à son usine. Les gamins discutaient bruyamment, et se disputaient en montrant du doigt Li Guangtou. L'un d'eux soutenait que ce type au crâne rasé était celui qui, selon la légende, avait maté le derrière de Lin Hong, et qui, toujours selon la légende, avait saigné du nez en la revoyant. Un autre prétendait que non, et que le gars de la légende s'appelait Li Guangtou. Surprenant leur conversation, Li Guangtou découvrit que même ces petits salopards connaissaient toutes les fables qui couraient sur son compte, et qu'il était déjà devenu un personnage mythique dans le bourg des Liu. Il s'arrêta et leur fit signe de s'approcher, en prenant un air important. Les gamins vinrent à sa rencontre, la morve au nez, et levèrent la tête vers le célèbre Li Guangtou de notre bourg des Liu. Li Guangtou, en se montrant du pouce, dit :

— Li Guangtou, c'est moi.

Les gamins reniflèrent et regardèrent Li Guangtou, ravis. Li Guangtou leur enjoignit de faire disparaître leur morve au plus vite, puis leur demanda :

— Vous connaissez Lin Hong aussi ?

Les gamins hochèrent la tête et répondirent d'une seule voix :

— Lin Hong, de la manufacture de tricots ?

Li Guangtou ricana, et annonça qu'il voulait leur confier une mission glorieuse : ils devraient monter la garde devant la porte de la manufacture de tricots comme des chats qui guettent une souris la nuit, et quand Lin Hong sortirait du travail il faudrait qu'ils crient très fort (Li Guangtou, prit une intonation d'enfant) :

— Li Guangtou est amoureux de toi !

Les gamins gloussèrent et répétèrent d'une seule voix :

— Li Guangtou est amoureux de toi !

— Oui, comme ça, dit Li Guangtou, et pour exprimer son approbation il donna une petite tape sur la tête de chacun d'eux, avant de poursuivre : Mais ce n'est pas fini. Vous demanderez ensuite : "Qu'est-ce que tu en dis ?"

Et les gamins de crier :

— Qu'est-ce que tu en dis ?

Li Guangtou était très satisfait et il complimenta les gamins pour leur vivacité. Il les compta : ils étaient cinq. Il sortit de sa poche deux pièces de 5 *fen* et acheta dix bonbons dans une petite boutique. Il en offrit un à chacun des enfants, et fourra le reste dans sa poche : ils n'en auraient qu'un pour l'instant, et ils pourraient venir chercher l'autre à l'usine d'assistés sociaux une fois leur mission accomplie. Puis Li Guangtou, tel un général qui donne le signal de l'assaut sur un champ de bataille, tendit le bras en direction de la manufacture de tricots :

— Partez !

Les cinq gamins développèrent les bonbons à toute vitesse et les portèrent à leur bouche. Ils restaient là, immobiles, savourant leur bonbon. Li Guangtou tendit le bras à nouveau, mais ils ne bougèrent pas davantage :

— Putain, foncez ! ordonna-t-il.

Les gamins se regardèrent, avant de se tourner vers Li Guangtou :

— Etre amoureux, ça veut dire quoi ?

— Etre amoureux ?

Li Guangtou se creusa la cervelle :

— Etre amoureux, c'est se marier. C'est dormir ensemble la nuit.

Les cinq gamins pouffèrent. Li Guangtou tendit une nouvelle fois son bras courtaud en direction de la manufacture de tricots, et les cinq enfants s'ébranlèrent en file indienne tout en criant :

— Li Guangtou est amoureux de toi ! Il veut se marier ! Il veut dormir ! Qu'est-ce que tu en dis ?

— Putain, revenez ici !

Li Guangtou, qui s'était empressé de les rappeler, leur expliqua :

— Interdit de parler de mariage, interdit de parler de dormir. Il faut dire simplement "amoureux".

Cet après-midi-là, les cinq messagers d'amour de Li Guangtou se dirigèrent vers la manufacture de tricots en criant tout le long du chemin. Le spectacle de ces cinq envoyés spéciaux s'égosillant ouvrit des horizons aux masses de notre bourg des Liu. Jamais elles n'auraient imaginé, même en rêve, que Li Guangtou aurait l'idée de se faire représenter par des gamins en culotte fendue[1], la morve au nez, pour déclarer sa flamme à Lin Hong. Tout en riant, les gens secouaient la tête et disaient que Li Guangtou ne devait pas avoir grand-chose entre les deux oreilles pour se comporter de façon aussi stupide : à force de passer ses journées en compagnie de deux boiteux, de trois idiots, de quatre aveugles et de cinq sourds, il était devenu infirme du cerveau.

Zhao le Poète, qui se trouvait là, abonda dans le sens des masses. Il affirma connaître Li Guangtou depuis longtemps et tout savoir de lui. Autrefois, déclara-t-il, si Li Guangtou n'était pas très malin, il n'en était pas pour autant un idiot. Mais depuis qu'il était entré à l'usine d'assistés sociaux, et surtout depuis qu'il avait pris la direction de cette bande de boiteux, d'idiots, d'aveugles et de sourds, il en était devenu un. Et Zhao le Poète résuma son discours par une citation élégante : "Dis-moi qui tu hantes, et je te dirai qui tu es."

Les cinq gamins criaient en reniflant, comme s'ils chantaient. Ils remontèrent une rue en criant "Amoureux", puis une deuxième en criant "Se marier". Et quand ils arrivèrent à la troisième, ils criaient déjà "Dormir". C'est alors qu'ils se souvinrent que Li Guangtou leur avait interdit de crier "Dormir". Ils revinrent alors au mot d'avant, et se remirent à crier "Se marier", pour se rendre compte immédiatement qu'il ne fallait pas non plus crier celui-là. Mais comme ils s'apprêtaient à revenir au premier mot de la liste, ils furent incapables, malgré tous leurs efforts, de se le rappeler. Ils étaient debout tous les cinq, jetant des regards de tous côtés dans la rue, mouchant leur nez et s'essuyant les doigts sur leurs fesses, si bien qu'à cet endroit leur pantalon brillait comme si un mille-pattes était passé dessus. Hélas ! le mot en question ne leur revenait toujours pas.

Zhao le Poète, qui se trouvait à passer dans cette troisième rue, les entendit discuter entre eux. Il se souvint que Li Guangtou s'était targué de faire ressortir en le tabassant sa nature de peuple travailleur, et aussitôt, un sourire malveillant se dessina sur son visage. Il fit signe aux cinq gamins. Ceux-ci s'approchèrent, et il leur souffla à voix basse :

— Faire l'amour.

Les enfants se regardèrent. Ils avaient l'impression que c'était le mot qu'ils cherchaient, sans en être tout à fait certains. Zhao le Poète répéta, sur un ton péremptoire :

— Faire l'amour, c'est sûrement ça.

Les cinq gamins hochèrent la tête et se dirigèrent en fanfare vers la manufacture de tricots. A l'entrée, face au portail clos, ils braillèrent en fixant le vieux gardien dans sa loge :

— Li Guangtou veut faire l'amour avec toi !

Le vieillard, dans sa loge, tendit une oreille curieuse, mais ce n'est qu'à la troisième fois qu'il comprit ce que criaient les enfants. Son sang ne fit qu'un tour, il empoigna le balai posé derrière la porte et se rua dehors. Les cinq gamins effrayés s'égaillèrent comme une volée de moineaux. Le vieillard, agitant son balai, déversa sur eux une bordée d'injures :

— Fils de putes, petit-fils de putes…

Les cinq gamins se rassemblèrent à nouveau en tremblant et, s'adressant au portier qui les avait injustement pris à partie, expliquèrent :

— C'est Li Guangtou qui nous envoie…

— Ce fils de pute ! s'exclama le vieillard, en tapant par terre avec son balai. Qu'il vienne lui-même, s'il a le courage, je lui mettrai le trou du cul en compote.

Les têtes des cinq gamins s'agitèrent comme cinq tambourins :

— On ne parlait pas de toi, s'écrièrent-ils, on parlait de Lin Hong…

— Peu importe, répliqua le vieillard, animé d'une juste colère, il n'a pas intérêt à essayer, que ce soit avec moi ou avec sa mère.

Les cinq gamins n'osaient plus s'aventurer jusqu'au portail. Ils se cachèrent derrière un arbre non loin de là, les yeux fixés sur le gardien dans sa loge. Dès que celui-ci sortait, ils tournaient les talons et s'enfuyaient, et quand il avait regagné sa loge, ils revenaient avec précaution se mettre à l'affût derrière leur arbre. Suivant les instructions de Li Guangtou, ils attendirent, tels des chats qui guettent une souris la nuit, jusqu'à ce que la sonnerie annonçant la fin du travail retentisse. Puis ils virent Lin Hong sortir avec un groupe d'ouvrières. Deux des cinq gamins savaient laquelle était Lin Hong, ils lui firent des signes énergiques, tandis que les trois autres jouaient les sentinelles et surveillaient le vieillard dans sa loge :

— Lin Hong, Lin Hong… lancèrent les deux gamins, d'une voix étouffée.

Lin Hong, qui était en train de bavarder avec ses compagnes, s'arrêta surprise en entendant ces appels mystérieux. Elle vit les cinq gamins cachés derrière leur arbre. Les autres ouvrières s'arrêtèrent elles aussi, et elles firent remarquer en riant que la renommée de Lin Hong devait porter loin pour que même les gamins en culotte fendue la reconnaissent. C'est alors que ces derniers apostrophèrent Lin Hong en chœur :

— Li Guangtou veut faire l'amour avec toi !

Et l'un d'eux ajouta ce commentaire :

— C'est le Li Guangtou qui t'a maté les fesses aux toilettes.

Aussitôt Lin Hong devint livide. Les autres ouvrières, d'abord pétrifiées, pouffèrent en se couvrant la bouche. Les cinq gamins continuaient de crier :

— Li Guangtou veut faire l'amour avec toi !

Lin Hong pleurait de colère. Elle se mordit les lèvres et partit droit devant elle à grandes enjambées, tandis que derrière elle les ouvrières riaient maintenant à gorge déployée. Les cinq gamins se souvinrent qu'il leur restait encore une phrase à dire, et se lancèrent à la poursuite de Lin Hong comme une bande de lapins, en criant dans son dos :

— Qu'est-ce que tu en dis ?

Après s'être enfin acquittés de la glorieuse mission que leur avait confiée Li Guangtou, les cinq gamins étaient rouges de contentement, et ils se joignirent au groupe des ouvrières sorties du travail. Les jeunes filles s'empressaient autour d'eux, leur caressant la tête et le visage, pour chercher à leur tirer les vers du nez. Ils leur racontèrent tout par le menu, et les jeunes filles se tordaient de rire.

Là-dessus, les cinq gamins foncèrent à l'usine d'assistés sociaux. Elle venait de fermer elle aussi. Ils coururent alors jusque chez Li Guangtou, en demandant leur chemin à plusieurs reprises. Arrivés devant sa porte, ils se mirent à brailler. Li Guangtou et Song Gang sortirent de la maison, et cinq mains droites se tendirent immédiatement vers Li Guangtou. Li Guangtou comprit que les gamins réclamaient leur récompense, et tira de sa poche les cinq bonbons. Il en déposa un dans chacune des mains tendues. Les cinq enfants les développèrent prestement, et les cinq bonbons disparurent dans les cinq bouches.

— Est-ce qu'elle a souri ? interrogea Li Guangtou, impatient.

Il esquissa un sourire timide, pour montrer aux enfants :

— Est-ce qu'elle a souri comme ça ?

Les cinq gamins secouèrent la tête :

— Elle a pleuré.

Li Guangtou, étonné, se tourna vers Song Gang :

— Elle était émue à ce point-là !

Et il poursuivit, toujours suspendu à leurs lèvres :

— Elle devait être toute rouge ?

Les cinq gamins continuèrent à secouer la tête :

— Non, elle était toute pâle.

Li Guangtou, pris d'un doute, regarda Song Gang :

— Il y a quelque chose qui cloche, elle aurait dû rougir.

— Non, elle était toute pâle, insistèrent les enfants.

Li Guangtou regarda les cinq gamins d'un œil soupçonneux :

— Est-ce que vous n'auriez pas crié quelque chose qu'il ne fallait pas ?

— Non, dirent les enfants. On a juste crié "Li Guangtou veut faire l'amour avec toi", et on n'a pas oublié de crier "Qu'est-ce que tu en dis ?"

Li Guangtou fulminait, il rugit comme une bête sauvage :

— Qui vous a dit de crier "faire l'amour" ? Putain, qui vous a dit ça ?

Les cinq gamins tremblaient de tous leurs membres, et ils se mirent à bégayer. Ils ne connaissaient pas Zhao le Poète, et ils furent incapables de donner le nom de la personne en question. Ils reculaient tout en parlant et finirent par prendre leurs jambes à leur cou. Li Guangtou était si furieux que de blanc il était devenu livide, encore plus livide que Lin Hong. Il rugissait en brandissant le poing :

— Ce salopard, cet ennemi de classe, il faut absolument que je le débusque. Il faut que j'exerce sur lui la dictature révolutionnaire du prolétariat[2]...

Il était si furieux que ses poumons faisaient le bruit d'un soufflet de forge. Song Gang lui tapa sur l'épaule et lui expliqua qu'il ne servait à rien de se mettre en colère, et que mieux valait présenter au plus vite ses excuses à Lin Hong. Le lendemain après-midi, à la sortie du travail, Li Guangtou et Song Gang se postèrent à l'entrée de la manufacture de tricots. Quand la sonnerie retentit et que les ouvrières commencèrent à quitter l'usine par petits groupes, Li Guangtou était quelque peu tendu. Il déclara que l'heure était venue de passer à l'action, et il pria Song Gang de rester en observation sur le côté et de le tirer en vitesse par son vêtement au cas où les choses se gâteraient.

De loin, Lin Hong aperçut Li Guangtou debout devant le portail. Elle entendit les jeunes filles qui l'entouraient pousser des exclamations de surprise. Quand elle fut arrivée au portail, le visage livide, et qu'elle vit Song Gang à côté de Li Guangtou, son regard s'attarda machinalement sur lui. C'était la première fois qu'elle prêtait attention à ce garçon élancé aux traits distingués.

Au moment où Lin Hong franchissait le portail, Li Guangtou lui lança d'une voix éplorée :

— Lin Hong, c'est un malentendu ! Hier, ces petits salopards se sont trompés. Ce n'est pas moi qui leur ai demandé de crier que je voulais faire l'amour avec toi. Moi, je leur avais demandé de crier que j'étais amoureux de toi. C'est vrai, je suis amoureux de toi !

Les ouvrières présentes, en entendant les lamentations de Li Guangtou et en voyant sa mine déconfite, riaient tellement qu'elles en tombaient dans les bras les unes des autres. Lin Hong, furieuse, passa froidement devant Li Guangtou, raide comme un piquet. Li Guangtou lui emboîta le pas en se frappant la poitrine. On aurait juré qu'un roulement de tambour accompagnait ses cris :

— Sur ma vie !

Li Guangtou, sans se soucier des gloussements des ouvrières de la manufacture, continua à s'expliquer tristement :

— C'est vrai, ces petits salopards ont dit des choses qu'ils n'auraient pas dû dire. Il s'agit d'un acte de sabotage perpétré par un ennemi de classe…

Là-dessus, Li Guangtou laissa éclater son indignation. Ses poings ne frappaient plus sa poitrine mais commençaient à virevolter au-dessus de sa tête :

— L'ennemi de classe en question a voulu saboter nos sentiments révolutionnaires prolétariens[3]. C'est lui qui a incité ces petits salopards à crier que je voulais faire l'amour avec toi. Sois tranquille, Lin Hong, où qu'il se cache cet ennemi de classe, putain je saurai bien le débusquer, et j'exercerai sur lui la dictature révolutionnaire du prolétariat...

Puis Li Guangtou ajouta gravement :

— Lin Hong, n'oublions jamais la lutte des classes[4] !

A cet instant, Lin Hong, à bout, se retourna et fixa Li Guangtou qui braillait. Les dents serrées, elle prononça les mots les plus vilains jamais sortis de sa bouche :

— Tu peux crever !

Ces mots arrêtèrent Li Guangtou net dans son élan. Il ne comprit pas ce qui lui arrivait, et c'est seulement quand les ouvrières de la manufacture se furent éloignées et que leurs rires peu charitables se furent envolés, que Li Guangtou recouvra ses esprits. Il voulut se lancer à leur poursuite, mais Song Gang le retint par ses vêtements et lui conseilla de ne pas bouger. Li Guangtou resta planté là, fâché, et regarda, avec des yeux énamourés, la silhouette de Lin Hong disparaître au loin.

Les deux frères rentrèrent chez eux. Li Guangtou, qui n'était nullement affecté par ce revers, marchait toujours d'un pas gaillard. Song Gang, au contraire, avançait à ses côtés l'air abattu, comme un amoureux éconduit :

— Je crains bien que Lin Hong n'ait pas le béguin pour toi, dit-il à Li Guangtou, le cœur lourd.

— Ne raconte pas n'importe quoi, répliqua Li Guangtou, qui ajouta, sûr de lui : C'est impossible.

Song Gang secoua la tête :

— Si c'était le cas, elle ne t'aurait pas parlé comme elle t'a parlé.

— Qu'est-ce que tu en sais ?

Et Li Guangtou, en vieux routier, entreprit de faire l'éducation de Song Gang :

— Les femmes sont comme ça, plus tu leur plais et plus elles font semblant de te détester. Et quand elles te veulent, elles font comme si elles ne te voulaient pas.

Ce raisonnement impressionna Song Gang. Il regarda Li Guangtou, surpris :

— Comment sais-tu tout ça ?

— C'est l'expérience, dit Li Guangtou, fièrement. Comme tu le sais, j'ai souvent des réunions avec des directeurs d'usine. Or ce sont des gens qui ont roulé leur bosse, des gens intelligents, et ils disent tous ce que je viens de te dire.

Song Gang hocha la tête, admiratif : Li Guangtou fréquentait un autre monde, et son horizon n'était plus le même. C'est alors que Li Guangtou s'exclama :

— Il y a même une expression pour dire ça !

Il se frappa le front :

— Putain, se désola-t-il, ça ne me revient pas.

Tout le long du chemin, Li Guangtou chercha fébrilement à se souvenir de l'expression, pourtant, malgré les dix-sept "Putain" qu'il égrena, ses efforts restèrent vains. Song Gang, de son côté, se torturait la cervelle pour l'aider, mais quand ils arrivèrent chez eux, lui non plus n'avait rien trouvé. Aussitôt dans la maison, Song Gang s'empressa d'aller chercher le dictionnaire d'expressions qu'il utilisait au collège et s'assit sur le lit pour le feuilleter. Au bout d'un long moment, il se risqua à faire une suggestion :

— Ne serait-ce pas : "Feindre de lâcher sa proie pour mieux la rattraper" ?

— Tout juste ! exulta Li Guangtou. C'est exactement à ça que je pensais.

Ce soir-là, Li Guangtou entraîna Song Gang dans une veillée studieuse où ils discutèrent de la manière de déjouer la stratégie mise en œuvre par Lin Hong et consistant à feindre de lâcher sa proie pour mieux la rattraper. Dans ces exercices de stratèges en chambre, Song Gang donna aussitôt toute la mesure de son talent : il avait lu un exemplaire dépenaillé de *L'Art de la guerre*[5] auquel il manquait la moitié. Il ferma les yeux pour tenter de se souvenir de ce qu'il y avait dans cette moitié du livre qu'il avait lue, puis les rouvrit et analysa la situation de l'ennemi. Il loua la stratégie de Lin Hong, qu'il jugea d'une grande subtilité :

— C'est une stratégie épatante : elle permet d'attaquer et en même temps de ménager ses arrières.

Puis Song Gang compulsa à nouveau son dictionnaire. Il dénicha cinq autres expressions et annonça fièrement à Li Guangtou, en écartant les cinq doigts de sa main :

— Pour déjouer la stratégie de Lin Hong, il faut utiliser cinq stratagèmes.

— Lesquels ? demanda Li Guangtou, heureux d'avance.

Song Gang replia ses doigts l'un après l'autre :

— Attaquer de côté ; foncer tout droit armé de son seul sabre ; se poster sous les murs de la ville ; pénétrer à l'arrière des lignes ennemies ; harceler sans relâche.

Song Gang expliqua à Li Guangtou qu'il avait déjà utilisé les deux premiers stratagèmes : la veille, quand il avait envoyé les gamins crier, c'était comme s'il avait attaqué de côté ; et aujourd'hui, en entrant personnellement en action, c'était comme s'il avait foncé tout droit armé de son seul sabre. “Se poster sous les murs de la ville”, qu'est-ce que cela voulait dire ? Cela voulait dire qu'il ne fallait plus monter à l'assaut tout seul et que Li Guangtou devait emmener avec lui tous les employés de l'usine d'assistés sociaux afin que Lin Hong le voie paré de tout son prestige de directeur. Quant au quatrième, “pénétrer à l'arrière des lignes ennemies”, c'était, à ce qu'affirma Song Gang, l'opération-clé, celle dont l'issue de la guerre dépendait.

Li Guangtou avait les yeux qui brillaient :

— Comment fait-on pour “pénétrer à l'arrière des lignes ennemies” ?

— Il faut aller chez Lin Hong, répondit Song Gang. Pénétrer à l'arrière des lignes ennemies, cela veut dire s'infiltrer chez elle, pour conquérir ses parents. C'est ce qu'on appelle "capturer d'abord le chef pour s'emparer ensuite de la bande".

Li Guangtou hocha la tête à plusieurs reprises :

— Et "harceler sans relâche" ?

— Il faut la courtiser jour après jour, sans se décourager, jusqu'à ce qu'elle capitule.

Li Guangtou frappa un grand coup sur la table et s'écria :

— Song Gang, tu es vraiment mon âme damnée !

Li Guangtou passa à l'offensive illico et, dès l'après-midi du lendemain, ses troupes étaient sous les murs de la ville. Flanqué de ses quatorze fidèles boiteux, idiots, aveugles et sourds, il arpenta les rues de notre bourg des Liu, et les nombreux spectateurs qui assistèrent à cette joyeuse parade s'en firent mal au ventre et s'en éraillèrent la voix de rire. Li Guangtou, craignant que les deux boiteux, qui se déplaçaient trop lentement, ne se laissent distancer, les avait placés en tête du cortège. Si bien que toute la troupe des soupirants était sans arrêt gênée dans sa progression, et qu'elle avançait en ordre dispersé. Les deux boiteux qui ouvraient la marche penchaient l'un à gauche, l'autre à droite, et au bout d'un moment le premier se retrouva à l'extrême gauche de la rue, et le second à l'extrême droite. De sorte que les trois idiots qui venaient derrière ne savaient pas qui suivre, effectuant quelques pas vers la gauche pour se rabattre immédiatement vers la droite. Bras dessus bras dessous, ils faisaient bloc, et comme ils oscillaient continuellement de gauche à droite et de droite à gauche, les quatre aveugles qui les suivaient en se guidant avec leur perche de bambou se cognèrent violemment contre eux et tombèrent par terre. Quand ils se furent relevés, un seul continua à avancer, deux autres partirent en sens inverse, et le dernier se dirigea vers le côté de la rue où il fut arrêté par un platane. Sa perche tâtonnait contre le tronc :

— Monsieur le directeur Li, monsieur le directeur Li, où sommes-nous ? ne cessait-il de répéter.

Li Guangtou ne savait où donner de la tête. A peine avait-il ramené les deux aveugles repartis en arrière que celui qui marchait dans la bonne direction fut une nouvelle fois renversé par les trois boiteux tandis que le quatrième, à côté de son platane, continuait à appeler au secours. Par bonheur, il y avait les cinq sourds. Li Guangtou, qui les manœuvrait avec force gesticulations, leur enjoignit de quitter la file et de se partager le travail : l'un d'eux ramena l'aveugle coincé devant son platane, deux autres allèrent s'occuper des trois idiots de devant, tandis que les deux derniers aidaient les aveugles à se relever. Li Guangtou guidait les cinq sourds en se démenant comme un danseur de *street dance*, tout en expliquant aux passants, geste à l'appui :

— Ils sont sourds.

Pendant qu'il s'affairait à remettre de l'ordre dans la troupe des soupirants, il se rendit compte que le nœud du problème se situait à l'avant, chez les deux boiteux. Il courut vers eux, et intervertit leurs positions, faisant marcher à droite celui qui boitait à gauche, et à gauche celui qui boitait à droite. Les trajectoires des deux boiteux ne divergeaient plus, désormais elles convergeaient : au bout de quelques pas, ils se rentraient dedans, et à peine s'étaient-ils écartés l'un de l'autre, qu'une nouvelle collision se produisait. Li Guangtou, poursuivant sa *street dance*, guida les cinq sourds en gesticulant. Ceux-ci avaient compris leur mission : deux d'entre eux allèrent se placer sur le côté gauche de la troupe, et les trois autres sur le côté droit, et ils veillaient sur le bon alignement de la formation comme un peloton de gendarmerie.

Le cortège des soupirants reprit enfin sa progression sans anicroche. Li Guangtou s'épongea et, tel un dirigeant en tournée d'inspection, salua d'un signe de la main les spectateurs massés le long de la rue et qui riaient à gorge déployée. Les gens parlaient tous ensemble, et voulaient savoir où se rendait cette file insolite. Li Guangtou expliqua solennellement pourquoi il avait amené avec lui tous les ouvriers de l'usine d'assistés sociaux : il voulait conduire ses troupes sous les murs de la manufacture de tricots, pour déclarer à Lin Hong son amour, plus haut que les vagues de la mer montant à l'assaut du ciel et plus grand que la cime des montagnes.

— Je veux que Lin Hong sache que mon amour pour elle est plus haut que les montagnes et plus profond que la mer.

Ce fut notre spectacle curieux d'aujourd'hui et d'autrefois[6]. Les gens couraient pour se faire part de la nouvelle, et les flâneurs de tout sexe et de tous âges avaient pris la direction de la manufacture de tricots. Dans les magasins, de nombreux vendeurs avaient sollicité une autorisation de sortie, et dans les usines un nombre encore plus grand d'ouvriers s'étaient éclipsés. La foule grossissait dans la rue. Les masses de notre bourg des Liu jouaient des coudes, et telles les ondes qui se forment autour des tourbillons ils entouraient la troupe de soupirants de Li Guangtou et déferlèrent avec elle sur la manufacture.

Le vieux gardien de la manufacture était en émoi. Cerné par cette marée humaine, il n'arrêtait pas de s'exclamer, expliquant que depuis la fin de la Révolution culturelle il n'avait jamais vu pareille foule. Il conclut par un mot d'esprit :

— J'ai cru que c'était le président Mao qui revenait.

Dans la foule, quelqu'un, qui n'avait pas le sens de l'humour, rétorqua :

— Ça fait un bail que le président Mao est mort.

— Je sais, dit le vieillard, bougon. Tout le monde sait que notre président Mao est mort.

La troupe des soupirants de Li Guangtou prit position devant le portail de la manufacture de tricots. Li Guangtou disposa ses quatorze fidèles sur deux rangs : les deux boiteux, les quatre aveugles et les deux sourds qui savaient crier, devant ; les trois idiots et les sourds-muets, derrière. Toute la matinée, dans l'atelier de l'usine d'assistés sociaux, il avait fait répéter ses hommes : les huit de devant, les boiteux, les aveugles et les sourds, devaient crier à l'unisson ; et les trois sourds-muets devaient applaudir frénétiquement. Quant aux trois idiots, Li Guangtou avait retenu la leçon de la dernière visite de Tao Qing : il savait que trois pieds de glace ne prennent pas en une journée et qu'au moment de crier "Lin Hong" ils ne manqueraient pas de crier à nouveau "monsieur le directeur Li". Il avait passé toute la matinée à leur apprendre à se couvrir la bouche des deux mains. Ses craintes les plus vives concernaient ces trois-là, et alors qu'ils se trouvaient déjà devant le portail, Li Guangtou leur fit encore répéter le geste à trois reprises. Il leva ses deux mains vers sa bouche, et aussitôt les six mains des idiots se posèrent dans un ordre parfait sur leurs bouches. Li Guangtou passa en revue les idiots et se montra fort satisfait :

— C'est bien, une goutte d'eau ne passerait pas entre vos doigts.

Il y avait un véritable brouhaha autour d'eux. Li Guangtou se tourna vers la foule compacte, souleva les deux bras puis les laissa retomber brutalement. Tel l'illustre chef d'orchestre Karajan, Li Guangtou répéta le mouvement sept fois de suite, et enfin la rumeur s'apaisa. Seules des voix isolées surnageaient dans le silence. Il porta un index à ses lèvres et pivota sur ses talons en disant “chut”, effectuant une rotation de 180 degrés à droite puis à gauche à plusieurs reprises au point d’en avoir presque le tournis, et quand il eut obtenu le silence complet il cria à la foule :

— Tout le monde est prêt, hein ?

— Oui !

Li Guangtou hocha la tête, satisfait. A nouveau des voix isolées s’élevèrent, et Li Guangtou s’empressa de porter son index à ses lèvres et de dire “chut” en recommençant à virer sur lui-même.

La sonnerie annonçant la fin du travail n’avait pas encore retenti quand Liu, le directeur de la manufacture de tricots, qui était connu pour être un des plus gros fumeurs de notre bourg des Liu, se présenta au portail, la cigarette au bec, accompagné de quelques personnes. On l’avait prévenu que Li Guangtou était là avec ses troupes, sous les murs de la manufacture, et qu’il avait entraîné avec lui presque toute la population du bourg. Ce trentenaire, qui fumait ses trois paquets de cigarettes par jour et qui ne lâchait pas sa clope du matin au soir, s’avança en tirant sur son mégot. Quand il aperçut les abords de l’usine noirs de monde, il eut un choc, et pensa que ce Li Guangtou était vraiment un salopard de première. Les deux hommes, qui participaient souvent à des réunions communes, se connaissaient bien, et Liu le Fumeur adressa de loin un signe de la main à Li Guangtou, en l’interpellant d’une voix chaleureuse :

— Monsieur le directeur Li, monsieur le directeur Li…

Arrivé devant Li Guangtou, Liu le Fumeur, oubliant que sa cigarette était sur le point de lui brûler les doigts, grommela entre ses dents :

— Qu’est-ce que ça signifie, monsieur le directeur Li ? Vous obstruez complètement l’entrée, comment les ouvrières vont-elles quitter la manufacture ?

Li Guangtou partit d'un petit rire :

— Monsieur le directeur Liu, vous n'avez qu'à demander à Lin Hong de sortir, quand nous lui aurons dit ce que nous avons à lui dire, je retirerai immédiatement mes hommes et je rentrerai triomphalement à la cour.

Liu le Fumeur comprit qu'il n'avait pas le choix. Il secoua brusquement sa main droite pour se débarrasser du mégot qui lui brûlait les doigts. Il hocha la tête, sortit une nouvelle cigarette de son paquet, l'alluma, tira une bouffée énergique et se retourna vers les hommes qui l'accompagnaient pour ordonner à l'un d'entre eux de faire venir Lin Hong.

Dix minutes plus tard, Lin Hong apparut. Elle s'approcha, la tête basse, les poings serrés. Elle marchait d'un pas raide, qui lui donnait l'air de boiter. Son apparition provoqua des clameurs dans l'assistance. Li Guangtou se retourna, inquiet, et face à la foule recommença à lever et à baisser les bras comme Karajan. Les exclamations s'atténuèrent peu à peu. Li Guangtou regarda derrière lui : Lin Hong était déjà là, et il s'empressa de donner le signal à ses quatorze fidèles, la main gauche posée sur sa bouche, et la droite décrivant dans le ciel des gestes amples. Curieusement, ce furent les trois idiots au dernier rang qui réagirent le plus vite. Ils se couvrirent immédiatement la bouche, puis les trois sourds-muets applaudirent à tout rompre, enfin les huit du premier rang, les boiteux, les aveugles et les sourds, commencèrent à crier en chœur :

— Lin Hong ! Lin Hong ! Lin Hong !

Et la foule compacte de reprendre avec eux :

— Lin Hong ! Lin Hong ! Lin Hong !

Les huit du premier rang — les boiteux, les aveugles et les sourds — enchaînèrent :

— S'il te plaît, accepte de devenir la première dame de l'usine d'assistés sociaux. S'il te plaît, accepte de devenir la première dame de l'usine d'assistés sociaux…

Les spectateurs bavardaient, et c'est à la quatrième fois seulement qu'ils comprirent ce que disaient les huit du premier rang. Une clameur s'éleva, le slogan, réduit à sa plus simple expression, fut entonné par des dizaines de voix :

— La première dame ! La première dame ! La première dame !

Li Guangtou avait les yeux brillants :

— La voix des masses s'est fait entendre[7], dit-il, ému. La voix des masses s'est fait entendre…

A cet instant, Lin Hong, qui avait gardé la tête baissée, la releva. Elle s'arrêta, épouvantée, regarda la foule compacte et rebroussa chemin. C'est alors qu'un incident se produisit. L'un des idiots, qui jusqu'alors se tenait sagement les mains sur la bouche, avait eu une révélation en voyant apparaître le beau visage de Lin Hong. Aussitôt, perdant tout contrôle de lui-même, il écarta brutalement les aveugles placés devant lui et se lança les bras ouverts à la poursuite de Lin Hong en criant, la bave aux lèvres :

— Dans mes bras, petite sœur[8] ; dans mes bras, petite sœur…

Au sein de la foule, on commença par entendre des chuchotements étonnés, puis des rires qui éclatèrent comme une bombe lancée d'un avion. Li Guangtou ne s'attendait pas à ce que cet érotomane d'idiot fasse tout capoter. Il se précipita pour le harponner en égrenant des "Putain", et l'engueula à voix basse :

— Putain, tu vas me faire le plaisir de revenir, espèce d'obsédé.

L'idiot se dégagea et se remit à courir derrière Lin Hong :

— Dans mes bras, petite sœur…

Li Guangtou se précipita derechef, et cette fois-ci il réussit à le ceinturer. Il entreprit de le raisonner tout bas :

— Lin Hong ne peut pas venir dans tes bras, c'est dans les miens qu'elle va venir : si elle vient dans mes bras, elle sera la première dame ; si elle vient dans les tiens, elle sera la dame d'un idiot…

Ceinturé par Li Guangtou, l'idiot ne pouvait plus bouger. Furieux, il lui asséna un coup de poing sur l'œil gauche, qui arracha à Li Guangtou des cris de douleur. Li Guangtou tenait de la main droite l'idiot par l'arrière de ses vêtements, tout en faisant des signes de la main gauche à ses treize autres fidèles qui étaient restés plantés là :

— Débarrassez-moi vite de ça.

L'idiot, immobilisé par Li Guangtou, ne comprenait pas ce qui l'empêchait d'avancer, et ses deux bras battaient dans les airs comme ceux d'un noyé. Les treize fidèles accoururent en ordre dispersé, les cinq sourds en tête, les deux autres idiots sur leurs talons, jetant des regards autour d'eux. Les deux boiteux arrivèrent en claudiquant, le premier de la jambe droite, le second de la jambe gauche, et les quatre aveugles, conscients qu'il s'était passé quelque chose, rejoignirent le groupe sans se presser, en frappant le sol de leur perche de bambou. Les cinq fidèles sourds et les deux fidèles boiteux unirent leurs forces pour plaquer l'idiot érotomane au sol. Les deux idiots non érotomanes, debout à côté, ricanaient bêtement, et les quatre aveugles, disposés en file comme un cordon de sécurité, frappaient le sol régulièrement avec leur perche. L'idiot plaqué au sol poussait des cris de cochon qu'on égorge :

— Dans mes bras, petite sœur…

Le siège amoureux conduit par Li Guangtou tourna au désastre. Sa main couvrant son œil gauche, il ordonna à ses treize fidèles de ramener l'idiot érotomane à l'usine. Les deux boiteux ouvrirent à nouveau la voie, tandis que les cinq sourds et les deux autres idiots traînaient l'idiot érotomane, suivis de près par les quatre aveugles. L'idiot érotomane, tout en avançant, continuait à crier "Petite sœur" et "Dans mes bras". Il postillonnait tant et plus, si bien que les cinq sourds ne cessaient de s'essuyer le visage et que les deux autres idiots, touchés eux aussi par cette pluie de postillons dont ils ignoraient la provenance, levaient la tête pour scruter avec étonnement le ciel sans nuage en se demandant pourquoi ils avaient le visage mouillé.

L'épisode défraya la chronique de notre bourg des Liu, et de l'avis général, le clou du spectacle cet après-midi-là, ce ne fut pas le couple formé par Li Guangtou et Lin Hong, mais le tandem de Li Guangtou et de l'érotomane, notamment à cause du coup de poing que celui-ci avait flanqué à Li Guangtou, un coup de poing qui lui avait valu un magnifique coquard et l'avait obligé à marcher en grimaçant de douleur. Les masses riaient à ventre déboutonné, et chacun y allait de son petit couplet : qui eût cru que l'idiot placé sous les ordres de Li Guangtou se retournerait contre lui et le transformerait en dragon borgne ? Comme dit le proverbe : "Pour un ami, soi-même on sacrifie ; pour une femme, on sacrifie l'ami." Cette vérité irréfutable revêtait en l'occurrence toute sa force. Puis les masses se prirent à rêver : si Li Guangtou avait placé un bandeau sur son œil tuméfié, "il aurait ressemblé à un pirate occidental".

Le surlendemain de son équipée, Li Guangtou avait encore l'œil au beurre noir. Il décida alors de pénétrer à l'arrière des lignes ennemies et se rendit chez Lin Hong. Cette fois, il se fit accompagner par Song Gang en personne au prétexte qu'il pourrait avoir besoin de son âme damnée à tout moment. Au cas où quelque incident inopiné se produirait à nouveau, il voulait que Song Gang lui prête immédiatement son concours : Song Gang devrait alors lui suggérer au moins trois solutions entre lesquelles choisir. Les deux frères, le grand et le petit, le mandarin civil et le mandarin militaire, s'en allèrent donc la tête haute dans les rues de notre bourg des Liu.

Tout le long du chemin, Li Guangtou riait dans sa barbe, il trouvait que l'idée de Song Gang de pénétrer à l'arrière des lignes ennemies pour conquérir les parents de Lin Hong était tout simplement géniale. Aussi n'arrêtait-il pas de le complimenter :

— Ta stratégie qui consiste à capturer d'abord le chef pour s'emparer ensuite de la bande est une stratégie d'enfer, dit-il en levant le pouce.

Song Gang, une revue littéraire coincée sous le bras, marchait, inquiet, aux côtés de Li Guangtou. L'air confiant qu'affichait ce dernier le laissait dubitatif : sur les cinq stratagèmes qu'il avait suggérés à Li Guangtou, les trois premiers avaient échoué, et le quatrième, pénétrer à l'arrière des lignes ennemies, ne se présentait pas sous les meilleurs auspices. Arrivé devant chez Lin Hong, Song Gang, pris de peur, s'arrêta et annonça à Li Guangtou qu'il préférait l'attendre dehors. Li Guangtou n'était pas d'accord : puisqu'il était venu jusque-là, pourquoi n'entrait-il pas ? Et il chercha à entraîner Song Gang. Song Gang résista et déclara qu'il se sentait gêné.

— Qu'est-ce qui te gêne ? s'écria Li Guangtou, devant la porte. Ce n'est pas toi qui lui fais la cour, tu n'auras qu'à rester à côté de moi et regarder.

Song Gang rougit et dit à voix basse :

— Parle moins fort. Même si je ne fais que regarder, ça me gêne.

— Décidément, tu n'as rien dans le ventre. (Li Guangtou secoua la tête d'un air désespéré.) Tu es tout juste capable de servir d'âme damnée.

Là-dessus Li Guangtou pénétra, sûr de lui, dans la cour sur laquelle donnait la maison de Lin Hong, et où plusieurs familles vivaient. Au moment où il s'y engagea, en roulant des mécaniques, la cour était déserte. Trois portes étaient ouvertes. Li Guangtou s'écria d'un ton enjoué :

— Bonjour mon oncle, bonjour ma tante !

Il franchit le seuil de la première porte qui se trouvait devant lui et tomba sur un jeune couple attablé qui le dévisageait avec stupeur. Il s'empressa de secouer la main et de s'excuser, sans se départir de sa bonne humeur :

— J'ai dû me tromper !

Et Li Guangtou, jovial, franchit le seuil de la deuxième porte. Cette fois, ce fut la bonne : les parents de Lin Hong étaient là. Ils ne connaissaient pas Li Guangtou et, quand ils virent débarquer ce jeune homme râblé qui leur donnait du "Mon oncle" et du "Ma tante" à tout-va, ils s'interrogèrent du regard : qui est-ce ? Li Guangtou, debout au milieu de la pièce, inspecta des yeux l'endroit :

— Lin Hong n'est pas à la maison ? demanda-t-il en riant.

Les parents de Lin Hong secouèrent la tête de conserve, et la mère répondit :

— Elle est en ville.

Li Guangtou opina du bonnet, enfonça ses mains dans ses poches et alla jeter un coup d'œil dans la cuisine. Les parents, ne sachant toujours pas à qui ils avaient affaire, le suivirent tout en continuant à échanger des regards interrogateurs. Li Guangtou s'approcha du poêle, il se courba et ouvrit le carton posé sur le sol dans lequel était entreposé le charbon. Constatant qu'il était plein, il dit au père de Lin Hong, en se relevant :

— Vous avez acheté des boulets hier, mon oncle ?

Le père de Lin Hong, sur la réserve, hocha d'abord la tête puis la secoua :

— Non, avant-hier.

Li Guangtou approuva d'un signe de tête. Il s'approcha de la cuve à riz, souleva le couvercle de bois et constata qu'elle était pleine aussi. Il se retourna :

— Vous avez acheté du riz hier, mon oncle ?

Cette fois, le père de Lin Hong commença d'abord par secouer la tête avant de la hocher :

— Oui, c'est ça.

Li Guangtou sortit sa main droite de sa poche, caressa son crâne lisse et, dans un grand élan de zèle, déclara au père de Lin Hong :

— Désormais, qu'il s'agisse du charbon ou du riz, toutes les commissions lourdes, c'est moi qui m'en chargerai. Vous n'aurez plus à vous occuper de rien.

La mère de Lin Hong ne put retenir plus longtemps la question qui lui brûlait les lèvres :

— Mais enfin, qui êtes-vous ?

— Comment ! vous ne me connaissez pas ? s'écria Li Guangtou, comme s'il avait eu devant lui un Chinois qui n'aurait jamais entendu parler de Pékin. Et il ajouta en se frappant la poitrine : Je suis le directeur Li, de l'usine d'assistés sociaux. Mon nom est Li Guang, mais on m'appelle Li Guangtou…

Avant même qu'il ait terminé sa phrase, les parents de Lin Hong avaient blêmi. Ils avaient donc devant eux l'homme qui avait maté les fesses de leur fille aux toilettes et qui depuis peu n'arrêtait pas de la faire pleurer. Ce voyou de sinistre réputation osait se présenter chez eux. Les parents de Lin Hong laissèrent éclater leur colère :

— Allez ouste, fiche le camp.

Le père de Lin Hong attrapa le balai derrière la porte tandis que la mère se saisissait du plumeau posé sur la table, et ils visèrent le crâne de Li Guangtou. Celui-ci, en se protégeant la tête des mains, sortit en deux enjambées et se retrouva dans la cour où tous les occupants des autres maisons, alertés par le bruit, s'étaient rassemblés pour profiter du spectacle. Les parents de Lin Hong tremblaient de fureur, et Li Guangtou, l'air ahuri, levant les deux mains comme s'il se rendait, tenta de se disculper dans un flot de paroles :

— C'est un malentendu, c'est un malentendu complet. Je n'ai jamais demandé aux gamins de parler de "faire l'amour". Il y a un ennemi de classe qui s'est livré à du sabotage…

— Fiche le camp… Fiche le camp… criaient les parents de Lin Hong d'une seule voix.

— Je vous assure, c'est un malentendu, insista Li Guangtou. C'est cet obsédé d'idiot qui a mis les pieds dans le plat, ce n'est pas de ma faute…

Sur ce, il se tourna vers les voisins de la famille de Lin Hong et expliqua :

— On dit bien que les héros ne résistent pas aux belles femmes. Pour les idiots, c'est pareil.

Les parents de Lin Hong continuaient à s'égosiller :

— Fiche le camp…

Le balai du père de Lin Hong avait atterri sur son épaule et le plumeau de la mère lui frôlait le nez. Li Guangtou commença à s'énerver et, tout en cherchant à s'échapper, il interpella les parents de Lin Hong :

— Vous avez tort d'agir comme ça, nous appartiendrons un jour à la même famille, vous serez mon beau-père et ma belle-mère, et moi je serai votre gendre. Si vous continuez, nous aurons du mal à nous entendre plus tard.

— La ferme ! rugit le père de Lin Hong, dont le balai s'abattit sur l'épaule de Li Guangtou.

— Ta gueule ! renchérit la mère en frappant le crâne de Li Guangtou avec son plumeau.

Li Guangtou gagna la rue en vitesse et s'éloigna d'une dizaine de mètres. Quand il vit que les parents de Lin Hong s'étaient arrêtés à la porte au lieu de le poursuivre, il s'immobilisa à son tour, et voulut encore s'expliquer. C'est alors que le père de Lin Hong, en présence de la foule qui s'était massée, pointa son balai en direction de Li Guangtou :

— Tu n'es qu'un crapaud qui voudrait se repaître de la chair d'un cygne !

— Ecoute-moi bien, cria la mère de Lin Hong en levant son plumeau. Une fleur comme ma fille ne finira pas sur un tas de fumier comme toi.

Li Guangtou regarda les masses qui se délectaient de ses déboires, puis les parents de Lin Hong, fous de rage, et enfin Song Gang, qui était planté là, mal à l'aise. Li Guangtou lui fit un signe de la main, et Song Gang lui emboîta le pas. Les deux frères repartirent par les rues de notre bourg des Liu. Li Guangtou, qui s'était toujours pris pour quelqu'un d'important, voire d'exceptionnel, ne s'attendait pas à se voir métamorphosé chez les parents de Lin Hong en crapaud et en fumier. Tout en s'éloignant, il ruminait sa déconvenue :

— Putain, jura-t-il, même les héros ont leurs moments de faiblesse.

Le camouflet que lui avaient infligé les parents de Lin Hong lui resta sur le cœur pendant une semaine mais, passé ce temps, sa passion renaquit de ses cendres et il se lança avec une ardeur renouvelée à la conquête de Lin Hong. Il mit en œuvre le dernier des stratagèmes enseignés par Song Gang, lequel consistait à harceler sans relâche. Il commença à pourchasser Lin Hong dans la rue : il se faisait accompagner de Song Gang, et dès que Lin Hong apparaissait, il se dépêchait de prendre place à côté d'elle, tel un galant qui se serait doublé d'un garde du corps, et il l'escortait ainsi jusqu'à son domicile. Tandis que Lin Hong, humiliée, ravalait ses larmes en se mordant les lèvres de colère, Li Guangtou, très en forme, jacassait à n'en plus finir. Il présenta même Song Gang à Lin Hong comme si elle était déjà sa fiancée :

— Voici mon frère, Song Gang. Quand on se mariera, ce sera mon garçon d'honneur.

Et le galant et garde du corps Li Guangtou, dès qu'il surprenait dans la rue le regard d'un homme sur Lin Hong, levait un poing menaçant :

— Qu'est-ce que tu regardes comme ça ? Continue, et je te flanque une beigne !

V

Dès qu'elle rentrait chez elle, Lin Hong se jetait sur son lit et, son oreiller dans les bras, versait toutes les larmes de son corps. Quand la même scène se fut répétée dix fois, elle sécha ses larmes et décida de ne plus pleurer. Elle savait qu'il ne lui servait à rien de s'enfermer ainsi et qu'il lui fallait trouver un moyen pour venir à bout de cet individu sans vergogne. Le harcèlement qu'elle subissait de la part de Li Guangtou la poussa à se chercher au plus vite un fiancé. C'était le réflexe habituel des jeunes filles de l'époque, et Lin Hong ne faisait pas exception : elle escomptait que du jour où elle aurait un petit ami elle serait débarrassée de Li Guangtou. Elle passa en revue dans sa tête tous les jeunes célibataires du bourg, fixa vaguement son choix sur quelques-uns, puis elle s'apprêta, enroula autour de son cou une écharpe en soie de couleur crème et s'engagea dans les rues de notre bourg des Liu.

Lin Hong, qui jusque-là ne sortait que très peu, devint l'ange du boulevard[1] de notre bourg des Liu, fournissant ainsi aux hommes une belle occasion de se rincer l'œil. Parfois, elle était accompagnée de sa mère, ou bien alors de ses collègues de l'usine, et presque chaque soir elle partait aux lueurs du crépuscule pour ne rentrer qu'au clair de lune. Elle savait que sa beauté était célèbre et que beaucoup d'hommes du bourg étaient amoureux d'elle, mais elle ignorait où se trouvait celui qu'elle aimerait. Elle avait espéré que ses parents décideraient pour elle, mais ceux-ci se satisfaisaient de peu : qu'un candidat acceptable envoie un messager avec une proposition de mariage, et ils étaient comblés, car le premier venu leur semblait préférable à ce Li Guangtou. Mais aucun de ces prétendants n'était parvenu à retenir son attention et encore moins à toucher son cœur. Elle en était donc réduite à prendre les choses en main et à chercher par ses propres moyens le fiancé idéal. Elle allait et venait, son beau sourire accroché à son beau visage, et quand d'aventure elle apercevait un jeune homme au physique avenant, elle lui lançait un regard appuyé avant de détourner la tête. Au bout de cinq pas, elle se retournait à nouveau vers lui, et c'est un visage subjugué qu'elle avait alors devant elle.

Les garçons que Lin Hong regarda plus de deux fois furent au nombre de vingt. L'esprit des dix-neuf premiers commença à battre la campagne, et seul le vingtième, Song Gang, resta sans réaction. Ils étaient persuadés que Lin Hong leur avait parlé avec ses yeux : le deuxième regard, surtout, quand elle s'était retournée, leur avait paru rempli d'amoureuses promesses. De sorte que, emportés par leurs rêveries délicieuses, ils en perdaient le sommeil.

Dans le lot, huit étaient déjà mariés. Ils ne cessaient de soupirer et de se morfondre, en regrettant d'avoir pris trop vite un engagement définitif qui les empêchait à présent de profiter de cette bonne fortune. Deux d'entre eux avaient des épouses au physique disgracieux, et ces deux-là en concevaient d'autant plus d'amertume. Il leur arrivait de se réveiller en pleine nuit, furibonds, et de pincer sauvagement leur épouse, laquelle, arrachée à son sommeil par la douleur, poussait un cri effrayant. Ils s'empressaient alors de donner le change à celle-ci en ronflant ostensiblement. L'un des deux s'en prenait tout spécialement aux cuisses de sa femme, et l'autre à ses fesses, et les épouses martyres, ignorant les pensées vagabondes de leur mari, contemplaient leur chair meurtrie en se demandant si leur compagnon n'était pas un sadique refoulé. Aussi, après avoir ressassé leurs griefs toute la journée, renâclaient-elles le soir venu à partager le lit conjugal, cette seule perspective les faisant frémir.

Neuf autres étaient fiancés, et ceux-là aussi soupiraient et se morfondaient : ils se disaient que rien ne sert de courir, et que le tout est d'arriver au bon moment. Ils commencèrent à envisager de plaquer leur petite amie en titre et de repartir en campagne pour conquérir Lin Hong. Huit d'entre eux, craignant de perdre sur les deux tableaux, songèrent que si leur petite amie actuelle n'était pas aussi séduisante que Lin Hong, ils avaient dû consentir des efforts inouïs pour mettre la main dessus, puis dépenser des trésors d'éloquence pour qu'elle se laisse toucher, et enfin déployer des ruses infinies pour qu'elle consente à coucher avec eux. Malgré toutes ses qualités, Lin Hong, après tout, n'avait fait que leur lancer quelques regards, et ils redoutaient de lâcher la proie pour l'ombre. Pas question de laisser le canard s'envoler maintenant qu'il était presque cuit. C'est pourquoi ils se contentèrent de fantasmer un peu sur Lin Hong mais sans rien tenter. Ces huit garçons étaient des soupirants du genre pondéré. Le neuvième, en revanche, était du genre risque-tout, et celui-là entreprit de courir les deux lièvres à la fois. Après avoir dormi tendrement dans les bras de sa petite amie, le lendemain il achetait en catimini deux billets de cinéma, en cachait un dans la poche de sa veste et faisait porter le second à Lin Hong.

Lin Hong était devenue le Sherlock Holmes en jupons de notre bourg des Liu, et elle avait réussi à connaître les moindres détails de la vie de ces vingt beaux jeunes gens. Elle savait que le risque-tout qui lui offrait une place de cinéma vivait avec sa petite amie. Elle prit le billet sans sourciller, tout en conspuant à l'intérieur d'elle-même cet individu qui, à la veille de se marier, osait encore avoir des vues sur elle. La morale de l'époque était rigide et conservatrice : quand un garçon et une fille avaient couché ensemble, ils perdaient instantanément de leur valeur et n'étaient plus négociables que sur le marché de l'occasion. Lin Hong savait que la fiancée du garçon était vendeuse au magasin de tissus Drapeau rouge. Elle s'y rendit et, tout en regardant les étoffes de toutes les couleurs, elle engagea la conversation avec la jeune fille, puis elle sortit le billet et le lui tendit. Devant la mine surprise de celle-ci, elle expliqua que c'était un cadeau de son fiancé. Elle lui raconta tout par le menu, la laissant perplexe et abattue, et la mit en garde :

— Ton petit copain, c'est le Chen Shimei[2] du bourg des Liu.

Le risque-tout en question n'était autre que Zhao le Poète, lequel, après avoir été la gloire du bourg, se terrait maintenant chez lui de peur. Ignorant ce qui se tramait, le soir venu il se dirigea vers le cinéma, la mine rayonnante et même, selon d'aucuns, en sifflotant. Il rôda pendant une demi-heure aux abords de la salle et, quand la séance fut commencée, il se glissa à l'intérieur comme un voleur. Passant de la lumière à l'obscurité, il chercha sa place en tâtonnant. Il ne voyait pas le visage de la personne assise à côté de lui et crut qu'il s'agissait de Lin Hong. Il l'appela tout bas et lui dit, d'un ton suffisant, qu'il était sûr qu'elle viendrait.

Puis Zhao le Poète confia à sa voisine les sentiments qu'il éprouvait pour Lin Hong, à grand renfort de métaphores poétiques. A peine avait-il fini de parler qu'il entendit un cri fuser comme le sifflet d'une locomotive et qu'une pluie de gifles s'abattit sur son visage. Surpris par cette attaque subite, il en oublia de se protéger et resta muet, le cou tendu, offrant sa face aux mains de son agresseur. La colère avait rendu même les cris de sa petite amie méconnaissables, si bien qu'il ne savait pas à qui il avait affaire et crut que c'était Lin Hong qui le frappait. Il était furieux lui aussi, étonné par cette étrange façon d'exprimer ses sentiments :

— Lin Hong, Lin Hong, murmura-t-il, si tu continues...

La petite amie de Zhao le Poète retrouva alors la parole pour hurler d'une voix aiguë :

— Je vais te tuer, espèce de Chen Shimei.

Zhao le Poète avait enfin reconnu sa petite amie. Affolé, il se protégea le crâne des deux mains, tandis qu'elle continuait à faire pleuvoir les coups. On projetait sur l'écran *Le Temple de Shaolin*[3], et les spectateurs déclarèrent par la suite qu'ils avaient assisté en même temps à deux séances : d'un côté, le film avec Li Lianjie[4], de l'autre celui avec Zhao le Poète, et de l'avis de tous c'est le second qui était le plus réussi. A voir la façon dont elle criait et dont elle tapait, on aurait juré que la petite amie de Zhao le Poète était un grand maître en arts martiaux, qui en aurait remontré à Li Lianjie en personne. C'en fut fait de la réputation de Zhao le Poète, lequel sombra dans un discrédit plus profond encore que celui dont souffrait Li Guangtou. Sa petite amie, cela va sans dire, le laissa tomber sans ménagement et épousa un autre homme à qui elle fit un beau petit garçon. Zhao le Poète s'en mordit les doigts, mais il était trop tard. Il ne fut plus question pour lui ni de petite amie ni de mariage. Tirant la leçon de son expérience douloureuse, il se confia à Liu l'Ecrivain :

— Tu connais l'arroseur arrosé ? Eh bien, tu l'as devant toi.

Liu l'Ecrivain riait en pensant que lui aussi avait fantasmé sur Lin Hong et qu'il avait failli plaquer son épouse pour se retrouver dans la même situation que Zhao le Poète. Il donna une tape sur l'épaule de son ami comme pour le féliciter, mais aussi pour le consoler :

— La noblesse de l'homme, c'est sa lucidité.

Parmi les dix-neuf garçons qui fantasmaient sur Lin Hong, il n'y avait que deux célibataires authentiques. Et ces deux veinards du bourg des Liu entreprirent de courtiser la demoiselle dans les règles de l'art, arguant de ce qu'ils n'étaient engagés dans aucun projet de mariage ni dans aucune histoire sentimentale. L'un d'eux alla jusqu'à présenter aux parents de Lin Hong son dossier médical qui attestait qu'il ne souffrait d'aucune maladie mentale ou chronique. Et l'autre, dès qu'il en eut vent, apporta les dossiers médicaux de son père et de sa mère et les posa fièrement devant les parents de Lin Hong, avant d'en tourner les pages sous leurs yeux, comme s'il leur montrait deux rouleaux de peintures célèbres, afin qu'ils se rendent compte par eux-mêmes que dans sa famille à lui personne n'avait jamais été atteint non plus des maladies en question. Quant à lui, affirma-t-il en se frappant la poitrine, on n'avait même pas eu besoin de lui ouvrir un dossier médical. A ce jour, et depuis sa naissance, il ignorait encore ce que c'était que d'être malade. Sa santé était tellement bonne, que jamais il n'éternuait et que, étant petit, quand il voyait des gens éternuer, il s'étonnait que le nez puisse produire ces bruits incongrus. Là-dessus, le nez commença à le picoter, et sa bouche s'ouvrit malgré lui, prête à laisser échapper un éternuement qu'il ravala avec force grimaces comme s'il absorbait du poison, en s'empressant de le camoufler derrière un simulacre de bâillement et en expliquant, gêné, qu'il n'avait pas dormi la veille.

Les deux célibataires ne s'étaient rendus que quelques fois chez Lin Hong, et comme celle-ci semblait indifférente à leurs visites, ils avaient essayé de parler à ses parents. Le sourire poli de ces derniers leur avait fait perdre le sens des réalités et, se voyant déjà dans la peau de leur gendre, ils les appelaient "père" ou "mère" au grand dam des intéressés à qui ces termes d'adresse donnaient la chair de poule :

— Pas si vite, pas si vite, se récriaient-ils.

L'un d'eux, voulant faire preuve de tact, opta pour "oncle" et "tante", mais l'autre, qui avait encore moins de scrupules que Li Guangtou, persista à dire "père" et "mère", expliquant que comme tôt ou tard il devrait les appeler ainsi, mieux valait commencer tout de suite. Les parents de Lin Hong se renfrognèrent :

— Vous ne manquez pas d'air !

Lin Hong vouait le plus parfait mépris à ces deux garçons aussi avenants qu'ils étaient radins. Ils débarquaient toujours les mains vides et s'attardaient à la maison jusqu'au moment où la famille allait passer à table, avec l'espoir d'être conviés. L'un d'eux, cependant, offrit à Lin Hong une poignée de graines de pastèque. Il garda la main droite dans sa poche tandis qu'il parlait avec les parents de Lin Hong, et il attendit que ceux-ci se rendent dans la cuisine pour sortir les graines de pastèque et les remettre à Lin Hong avec l'air de celui qui offre un diamant d'Afrique du Sud. Quand elle aperçut les graines humides de sueur mélangées à des bouts de fil, elle en eut un haut-le-cœur. Elle se détourna en feignant de n'avoir rien vu et se dit que ce propre-à-rien était pire que Li Guangtou.

Au début, quand l'heure du dîner arrivait et que le prétendant venu en visite n'avait visiblement pas l'intention de lever le camp, les parents de Lin Hong, par politesse, l'invitaient à partager leur repas. Dès lors, chacun des deux célibataires authentiques annonça à son de trompe qu'il était engagé auprès de Lin Hong. L'un et l'autre en parlaient à qui voulait les entendre, et ils ne se privaient pas d'enjoliver leurs récits. Le premier se vantait des attentions dont l'entourait la mère de Lin Hong – celle-ci ne le servait-elle pas avec ses propres baguettes ? –, et le second, quand il sut ce que racontait son rival, soutint que Lin Hong lui remplissait son bol avec des yeux débordants de tendresse. Ils confièrent à leurs entourages respectifs le soin de répandre aux quatre vents l'histoire de leurs amours imaginaires avec Lin Hong. Cette idylle n'avait pas l'ombre du début d'un commencement, et leurs amis, qui n'étaient pas dupes, les mettaient en garde : si d'aventure Lin Hong les désavouait ils se couvriraient de honte. Les deux célibataires n'étaient pas de cet avis. Quand l'un d'eux voyait l'autre ouvrir la bouche et débiter n'importe quoi, la peur d'être distancé le poussait à en rajouter pour écraser son adversaire. La perspective d'un éventuel échec ne les troublait aucunement, convaincus qu'ils étaient que cet épisode amoureux avec Lin Hong resterait une page glorieuse dans leur existence, qu'il ferait grimper leur cote et leur procurerait un avantage certain quand ils courtiseraient plus tard une autre jeune fille.

Ces deux bonimenteurs amoureux finirent par se retrouver nez à nez. Le premier était en train de relater en pleine rue son histoire d'amour avec Lin Hong quand le second, arrivant d'une artère voisine, s'arrêta et hurla, à bout de nerfs :

— Quelles salades !

Les deux hommes commencèrent à s'insulter copieusement dans la grande rue de notre bourg des Liu. Au début, les masses crurent qu'ils en arriveraient aux mains car, tout en s'injuriant, ils avaient relevé leurs manches : après avoir fini de retrousser la manche gauche, ils s'étaient attaqués à celle de droite. Les masses reculèrent pour leur laisser le champ libre, persuadées qu'un grand combat de boxe allait incessamment débuter. Cependant les deux hommes s'étaient accroupis et retroussaient les jambières de leurs pantalons, et la fièvre monta dans la foule : le combat promettait d'être sanglant, homérique, digne du championnat du monde des poids légers. Les quatre jambières étaient maintenant au-dessus des quatre genoux, et il n'y avait plus rien maintenant à retrousser. Pourtant, les deux adversaires ne s'étaient toujours pas porté de coups, ils continuaient à s'insulter, et rien n'avait changé si ce n'est qu'ils s'essuyaient la bouche.

Au moment où l'excitation était à son comble dans les masses du bourg des Liu, Li Guangtou fit son apparition. Il sortait du bureau des Affaires civiles, où il venait de présenter son rapport d'activités à Tao Qing, et retournait à son usine quand il aperçut l'attroupement. Il harponna un quidam et s'enquit de ce qui se passait. L'autre lui expliqua, en exagérant un brin :

— La troisième guerre mondiale est sur le point d'éclater !

Li Guangtou, les yeux brillants, se faufila vers le centre de l'attroupement, et quand la foule le reconnut l'excitation monta encore d'un cran. Tout le monde en était persuadé, un spectacle grandiose s'annonçait : à deux, on aurait eu *Les Retrouvailles des deux héros*[5] ; à trois, on allait avoir *Les Trois Royaumes*[6]. Li Guangtou entendit les deux hommes, qui se traitaient de tous les noms en se montrant mutuellement du doigt et s'essuyaient les coins des lèvres du revers de la main, se targuer chacun d'avoir Lin Hong pour petite amie. La moutarde lui monta au nez et en une enjambée il s'interposa. Tendant les bras, il les empoigna tous les deux et rugit :

— Lin Hong, c'est la petite amie de bibi !

Les deux hommes, qui ne s'attendaient pas à voir surgir Li Guangtou, restèrent médusés. Li Guangtou relâcha sa prise sur l'homme de droite et, levant son poing droit sur l'homme de gauche, lui asséna deux gnons qui lui firent aussitôt des yeux au beurre noir. Et dans la foulée, il appliqua le même traitement à l'homme de droite. Cet après-midi-là, Li Guangtou frappant alternativement à gauche et à droite corrigea les deux hommes si rudement que ceux-ci en oublièrent de lui rendre ses coups. Les masses, qui faisaient cercle autour d'eux, trépignaient d'impatience, comme si elles avaient eu devant elles Cao Cao[7], de l'époque des Trois Royaumes, corrigeant Liu Bei puis Sun Quan sans que ces deux derniers songent à s'allier pour riposter. D'aucuns, dans le feu de l'action, se prenaient pour Zhuge Liang[8] et encourageaient en braillant les deux victimes à se coaliser contre Li Guangtou. Quelqu'un, confondant l'homme de droite avec Liu Bei, s'égosillait, le doigt pointé sur lui :

— Vite, il faut que tu fasses alliance avec Wu, si tu veux résister à Wei[9] !

Les deux hommes, sonnés par Li Guangtou, voyaient trente-six chandelles et depuis un bon moment ils n'entendaient plus rien de ce que criaient les masses. En revanche, ils entendaient parfaitement ce que leur criait Li Guangtou. Celui-ci, tout en continuant à les frapper, les interrogeait sur le ton du policier qui veut arracher des aveux :

— Dites-le, et vite : qui est le petit ami de Lin Hong ?

Et les deux autres répondaient d'une voix expirante :

— C'est toi, c'est toi…

Les masses de notre bourg des Liu, désappointées, secouaient la tête :

— Quelles lavettes, pas un pour racheter l'autre !

Li Guangtou lâcha les deux hommes et promena sur la foule un regard farouche. Les Zhuge Liang de tout à l'heure, effrayés, rentrèrent le cou dans les épaules et reculèrent d'un pas, sans plus risquer un mot. Li Guangtou leva la main droite et balaya l'assistance d'un large geste :

— Désormais, annonça-t-il, menaçant, le premier qui osera prétendre qu'il est le petit ami de Lin Hong, je lui flanquerai une rouste dont il ne se relèvera pas.

Sur ce, il s'en alla, la tête haute, et beaucoup de ceux qui étaient là l'entendirent prononcer ces mots, l'air satisfait :

— Le président Mao avait bien raison, le pouvoir est au bout du fusil[10].

Après cette correction mémorable, les deux bonimenteurs amoureux ne s'avisèrent plus jamais de courtiser Lin Hong. Ayant perdu la face publiquement, quand ils rencontraient Lin Hong dans la rue, ils passaient leur chemin la tête basse et l'air penaud, et Lin Hong ne pouvait s'empêcher de sourire, songeant en elle-même que ce brigand, cette terreur de Li Guangtou, avait au moins accompli une bonne action.

Lin Hong avait beau regarder partout, les célibataires du bourg des Liu lui faisaient l'effet d'un tapis d'herbes folles au-dessus duquel pas un seul arbre ne s'élevait. Elle était démoralisée, sans personne à qui se raccrocher dans ce désert, quand, tranchant sur tout le reste, un garçon à lunettes, au teint clair et aux traits distingués, attira son attention et sa sympathie. Ce n'était certes pas un grand arbre, mais pour Lin Hong cet arbuste valait mieux que toutes les herbes folles, car il finirait bien par grimper jusqu'au ciel, tandis que les herbes ramperaient éternellement sur le sol. Ce garçon, c'était Song Gang.

VI

Song Gang donnait l'image du bon jeune homme de l'époque : élégant et distingué, toujours un livre ou une revue à la main, et rougissant dès qu'une jeune fille posait les yeux sur lui. Il ne quittait pas Li Guangtou d'une semelle quand celui-ci poursuivait Lin Hong de ses assiduités. Il était le compagnon de sa quête amoureuse et, de ce fait, son taux d'exposition aux regards de Lin Hong fut d'emblée plus élevé que celui de n'importe quel autre garçon de notre bourg des Liu. Tandis qu'il s'échinait à courtiser Lin Hong, Li Guangtou ignorait que celle-ci s'était éprise en secret de Song Gang, ce garçon qui n'ouvrait jamais la bouche.

Li Guangtou s'amusait stupidement à jouer les gardes du corps pour Lin Hong, veillant jalousement à ce qu'aucun autre homme ne la reluque, et Song Gang marchait à côté de lui la tête basse, en silence. Lin Hong avait fini par s'habituer aux assauts de Li Guangtou, et ne s'en inquiétait plus. Elle avait appris à avancer sans rien voir autour d'elle, le visage inexpressif. Quand elle tournait au coin d'une rue, elle en profitait pour jeter un coup d'œil sur Song Gang. A plusieurs reprises, leurs regards s'étaient croisés, et Song Gang avait détourné aussitôt le sien, affolé, tandis qu'un sourire involontaire se dessinait sur les lèvres de Lin Hong. Lorsque Li Guangtou l'importunait avec ses propos déplacés, elle jetait machinalement un regard furtif en direction de Song Gang, et à chaque fois elle lisait de la tristesse dans ses yeux. C'était pour elle un signal, l'assurance que Song Gang, à cet instant, était de tout cœur avec elle, et subitement elle se sentait heureuse. Comme Li Guangtou la harcelait presque quotidiennement, Lin Hong voyait aussi tous les jours Song Gang, et devant son expression tantôt troublée tantôt mélancolique, une voix joyeuse, pareille à une source jaillissante, s'élevait en elle. Elle en arrivait même à ne plus détester Li Guangtou car c'étaient ses assauts qui lui donnaient l'occasion de rencontrer tous les jours Song Gang. Le soir, avant de s'endormir, l'image inoubliable de Song Gang baissant la tête frôlait ses rêves en silence.

Lin Hong espérait qu'un après-midi ou un soir la silhouette élancée de Song Gang surgirait devant sa porte et qu'il pénétrerait chez elle comme ses autres soupirants. Il n'agirait certainement pas comme ces effrontés, il resterait un long moment sur le seuil, timidement, et, une fois entré, il parlerait en bredouillant. C'était précisément ce genre d'hommes que Lin Hong aimait, et quand elle imaginait le visage rouge de confusion de Song Gang elle ne pouvait s'empêcher de toucher son propre visage brûlant.

Or, un soir, Song Gang se présenta pour de bon. Il était là debout, hésitant, devant chez Lin Hong et s'adressa d'une voix tremblante à sa mère :

— Tante, est-ce que Lin Hong est à la maison ?

Lin Hong était dans sa chambre, et sa mère vint lui annoncer que le jeune homme toujours fourré avec Li Guangtou était là. Lin Hong perdit tous ses moyens. Elle voulut sortir, puis se ravisa :

— Fais-le entrer, murmura-t-elle.

La mère de Lin Hong lança à sa fille un sourire complice et quitta la chambre. Elle informa gentiment Song Gang que Lin Hong était dans la pièce du fond, et l'invita à s'y rendre. Song Gang, mal à l'aise, se dirigea vers la chambre de Lin Hong. Il ne venait pas pour lui-même, c'était Li Guangtou qui l'y avait forcé : voilà cinq mois que Li Guangtou assiégeait Lin Hong en pure perte, il estimait que le cinquième stratagème n'avait pas non plus produit le résultat escompté et qu'il valait mieux tenter à nouveau de pénétrer à l'arrière des lignes ennemies. Mais après s'être entendu traiter chez Lin Hong de crapaud et de fumier, il avait jugé inopportun de se présenter lui-même, et il avait chargé son âme damnée Song Gang de s'entremettre pour lui. Song Gang avait résisté autant qu'il avait pu, mais Li Guangtou avait piqué une violente colère, et il avait dû se soumettre à contrecœur.

Quand Song Gang entra dans la chambre de Lin Hong, celle-ci, dos tourné, se tenait devant la fenêtre rougie par les lueurs du soir, et nattait ses cheveux. Les lueurs du couchant filtraient dans la pièce et Lin Hong était debout dans ce halo de lumière venu du ciel. Sa silhouette émouvante scintillait, et la brise vespérale qui s'engouffrait par la fenêtre soulevait légèrement sa robe blanche. Un souffle de mystère assaillit Song Gang, et il frissonna. A cet instant, il lui parut soudain que Lin Hong était une Immortelle dans les nuages : la moitié de ses longs cheveux couvrait son épaule droite et l'autre moitié, nouée en trois mèches, était passée par-dessus l'épaule gauche et tremblait légèrement dans sa main. La lumière était pareille à une brume rouge, et le cou de Lin Hong, fin et blanc, apparaissait confusément sous le regard de Song Gang. A cette minute, Song Gang était fasciné comme l'idiot érotomane de l'équipe de Li Guangtou.

Lin Hong écoutait la respiration précipitée de Song Gang derrière elle et tressait tranquillement ses nattes. Quand elle eut achevé la natte gauche, elle fit un petit mouvement de tête et releva légèrement la main droite : les cheveux étalés sur son épaule droite voltigèrent par devant et vinrent se poser sagement sur sa poitrine. Lin Hong commença à nouer sa deuxième natte. Son cou, fin et blanc, était maintenant parfaitement distinct. La respiration de Song Gang semblait bloquée, on aurait dit qu'il peinait à recouvrer son souffle. Lin Hong sourit, et lança sans se retourner :

— Je t'écoute.

Song Gang sursauta et il se rappela brusquement sa mission :

— Li Guangtou m'envoie… dit-il en bégayant.

Il était si tendu qu'il en avait oublié son message. Apprenant qu'il était envoyé par Li Guangtou, Lin Hong se rembrunit. Elle se mordit les lèvres et, après un moment d'hésitation, déclara sans ambages :

— Si tu viens de la part de Li Guangtou, va-t'en… mais si tu es venu pour toi-même, alors assieds-toi.

Sur ce, Lin Hong rougit malgré elle et, entendant dans son dos Song Gang heurter une chaise, elle crut qu'il allait s'asseoir. Mais elle l'entendit ensuite sortir de la chambre en claudiquant. Song Gang avait compris la première partie de la phrase, mais pas la seconde, et quand Lin Hong se retourna, il s'était déjà éclipsé.

Ce soir-là, après le départ de Song Gang, Lin Hong versa des larmes de rage et se jura, en serrant les dents, qu'elle n'accorderait plus la moindre chance à ce bêta. Mais la nuit venue, au moment de se coucher, sa colère tomba quand elle compara le comportement effronté de tous ses prétendants à celui de Song Gang. Elle se dit que Song Gang était vraiment un garçon à qui l'on pouvait se fier et, ce qui ne gâtait rien, il était le plus séduisant de tous.

Lin Hong continuait à espérer que Song Gang s'enhardirait à lui déclarer sa flamme. Mais plusieurs mois s'écoulèrent encore, et Song Gang ne donna pas signe de vie. Lin

Hong ne l'en aimait que davantage. Chaque soir ou presque il occupait ses pensées, elle le revoyait, tête baissée, avec son air mélancolique et les sourires qui éclairaient de loin en loin son visage.

Le temps passant, Lin Hong perdit peu à peu l'espoir que Song Gang lui avoue son amour. Elle songea à prendre l'initiative. Malheureusement, chaque fois qu'elle voyait Song Gang, il était flanqué de ce brigand, de cette terreur de Li Guangtou. Elle finit tout de même par le rencontrer seul à seul à deux reprises ; hélas, quand elle le regarda tendrement, il détourna les yeux, paniqué, et prit la poudre d'escampette comme un criminel en fuite. Lin Hong en fut blessée : ce Song Gang lui inspirait une haine aussi violente que l'amour qu'elle éprouvait pour lui. Quand elle le rencontra pour la troisième fois en tête à tête, elle savait qu'une telle occasion ne se représenterait pas de sitôt. Ils étaient sur le pont, Lin Hong s'arrêta et, le visage cramoisi, elle l'apostropha :

— Song Gang.

Song Gang, qui s'apprêtait à prendre ses jambes à son cou, trembla de tous ses membres en s'entendant appeler. Il regarda dans toutes les directions, à croire qu'il s'attendait à voir sur le pont un deuxième Song Gang. Il y avait d'autres gens sur le pont, chacun avait entendu Lin Hong et tous les yeux étaient braqués sur elle. Malgré sa gêne, Lin Hong dit à Song Gang devant tout le monde :

— Approche.

Song Gang avança vers Lin Hong comme un enfant pris en faute, et Lin Hong, levant la voix à dessein, poursuivit :

— Tu diras au dénommé Li de ne plus m'importuner.

Song Gang acquiesça et fit mine de s'éloigner. Lin Hong, baissant la voix, ajouta :

— Ne pars pas.

Song Gang, craignant d'avoir mal compris, regarda Lin Hong sans savoir que faire. A cet instant, il n'y avait plus personne sur le pont, et une tendresse inhabituelle se peignit sur le visage de Lin Hong :

— Est-ce que je te plais ? demanda-t-elle furtivement à Song Gang.

Song Gang, terrorisé, devint blême.

— Toi, tu me plais, lui confia Lin Hong, honteuse.

Song Gang resta bouche bée. Voyant des passants s'engager sur le pont, Lin Hong lui glissa une dernière phrase :

— Attends-moi à 8 heures demain soir, dans le bosquet derrière le cinéma.

Cette fois, Song Gang avait parfaitement saisi les paroles de Lin Hong, et il eut toute la journée la tête dans les nuages. Assis dans un coin de l'atelier, il réfléchissait à ce qui était arrivé sur le pont : tout cela avait-il bien eu lieu ? Il se repassait constamment la scène dans la tête, et son visage était tantôt rouge, tantôt livide, et tantôt il se tourmentait, tantôt il riait nerveusement. Ses camarades d'atelier se gaussaient à le voir ainsi, mais lui ne s'en rendait même pas compte et, quand ils l'interpellaient, il les regardait avec des yeux ronds, comme s'il se réveillait. L'expression de Song Gang mettait ses camarades en joie :

— Song Gang, à quoi rêves-tu ? lui demandaient-ils.

Song Gang levait la tête, et répondait par un "Hmm", avant de s'abîmer de nouveau dans ses réflexions. Un de ses camarades lui lança, pour se moquer :

— Song Gang, il faut que tu ailles faire pipi !

Song Gang répondit par un "Hmm" et, contre toute attente, s'exécuta et se dirigea vers les toilettes. Tandis que ses camarades se tordaient de rire, il s'immobilisa devant la porte de l'atelier comme si quelque chose lui était revenu, et il retourna s'asseoir dans son coin.

— Déjà de retour ? lui lancèrent ses camarades, en toussant à force de rire.

— Je n'ai pas envie, répondit Song Gang, songeur.

Le soir venu, la scène du pont se fit encore plus réelle dans les souvenirs de Song Gang. Ses pensées se concentraient sur le visage cramoisi de Lin Hong et sur sa voix tremblante, ainsi que sur son regard anxieux et fuyant. Cette phrase, surtout, qu'elle avait prononcée furtivement, "Toi, tu me plais", faisait bondir son cœur dans sa poitrine chaque fois qu'il se la remémorait. Ses yeux brillaient et le rouge affluait et refluait sur son visage au gré de ses émotions.

Song Gang était à la maison et il avait fini de dîner. Li Guangtou, assis devant la table, l'observait intrigué : quelque chose, visiblement, ne tournait pas rond, Song Gang n'arrêtait pas de ricaner comme un demeuré. Li Guangtou l'appela doucement :

— Song Gang, Song Gang…

Comme il ne réagissait pas, Li Guangtou frappa violemment sur la table, et cria :

— Alors Song Gang, qu'est-ce qui t'arrive ?

Song Gang recouvra enfin ses esprits, et demanda à Li Guangtou, comme l'aurait fait le Song Gang habituel :

— Qu'est-ce que tu dis ?

Li Guangtou le fixa avec insistance :

— Qu'est-ce que tu as à rire comme ça ? On dirait l'idiot obsédé de mon équipe.

Devant le visage perplexe de Li Guangtou, Song Gang se sentit soudain mal à l'aise. Il chercha à éviter le regard de son frère et demeura un moment la tête baissée, hésitant, avant de la relever et de déclarer en bégayant :

— Qu'est-ce que tu ferais si Lin Hong aimait un autre type ?

— Je lui ferais la peau, répondit Li Guangtou tout de go.

Song Gang, troublé, poursuivit :

— Tu ferais la peau au type ou à Lin Hong ?

— Au type, bien sûr. (Li Guangtou secoua sa main puis se la passa sur les lèvres.) Je n'aurais pas le cœur de faire la peau à Lin Hong, je la garderais comme épouse.

Song Gang était aux cent coups. Il continua à sonder Li Guangtou :

— Et si c'était de moi dont Lin Hong était amoureuse ?

Li Guangtou éclata de rire et lança, d'un ton tranchant et en frappant des deux mains sur la table :

— C'est impossible.

Voir Li Guangtou si sûr de lui, acheva de démoraliser Song Gang. Il se dit qu'il ne pouvait pas dissimuler la vérité plus longtemps à ce frère dont le destin était si étroitement lié au sien. Il prit une profonde inspiration et raconta à Li Guangtou toute la scène de la rencontre avec Lin Hong sur le pont, en s'interrompant de temps à autre, comme s'il cherchait laborieusement à reconstituer un souvenir très ancien. Les yeux de Li Guangtou s'arrondissaient au fur et à mesure que Song Gang avançait dans ses explications, et ses mains cessèrent peu à peu de s'agiter sur la table. Quand Song Gang fut enfin parvenu à la fin de son pénible récit, il poussa un long soupir et dévisagea Li Guangtou avec inquiétude. Il s'attendait à ce que Li Guangtou rugisse ou que, à défaut, il bondisse de son siège, hors de lui.

A sa grande surprise, Li Guangtou l'observait calmement. Ses yeux arrondis clignèrent plusieurs fois puis reprirent leur forme habituelle. Li Guangtou regarda Song Gang d'un air soupçonneux :

— Qu'est-ce que Lin Hong t'a dit ?

— Elle a dit que je lui plaisais, bégaya Song Gang.

— C'est impossible, lança Li Guangtou en se levant. C'est impossible que tu lui plaises.

— Et pourquoi donc ? demanda Song Gang en rougissant.

— Réfléchis un peu. (Li Guangtou s'assit lourdement sur la table et entreprit de faire, de haut, la leçon à Song Gang.) Combien y a-t-il de gens au bourg qui courtisent Lin Hong et qui ont mieux à offrir que toi ? Pourquoi voudrais-tu que Lin Hong te préfère à eux ? Et en plus, tu es orphelin…

— Toi aussi, tu es orphelin, plaida Song Gang.

— C'est vrai, je suis orphelin, admit Li Guangtou. Mais moi, je suis directeur d'usine, ajouta-t-il en se frappant la poitrine.

Song Gang insista :

— Peut-être que Lin Hong n'attache aucune importance à ça.

— Comment pourrait-elle ne pas y attacher d'importance ? dit Li Guangtou en secouant la tête. Lin Hong est comme une Immortelle dans le ciel, et toi tu es un pauvre hère sur la terre. Vous deux… ça ne peut pas coller.

— N'empêche que la Septième Immortelle est bien tombée amoureuse de Dong Yong[1], plaida Song Gang, appelant la légende à la rescousse…

— C'est du mythe, tout ça, ça n'est pas vrai.

Pris d'un doute, Li Guangtou fixa Song Gang et, pointant le doigt sur son nez, il dit :

— Est-ce que par hasard tu ne serais pas amoureux de Lin Hong ?

Song Gang s'empourpra à nouveau. Li Guangtou sauta de la table et se planta devant lui :

— Je te préviens, tu n'as pas le droit d'être amoureux d'elle.

Song Gang, quelque peu vexé, répliqua :

— Et pourquoi ça ?

— Putain, s'écria Li Guangtou, dont les yeux s'étaient arrondis derechef. Lin Hong est à moi. De quel droit serais-tu amoureux d'elle ? Tu es mon frère, que les autres me disputent Lin Hong, passe encore, mais toi, pas question.

Song Gang ne savait plus que dire. Il regardait Li Guangtou, indécis. C'est alors que celui-ci déclara, faisant vibrer la corde lyrique :

— Song Gang, nous sommes frères et nos vies sont liées. Tu sais pertinemment que j'aime Lin Hong. Qu'est-ce qui t'a pris de tomber amoureux d'elle toi aussi ? C'est de l'inceste !

Song Gang, la tête basse, se taisait. Li Guangtou pensa qu'il avait mauvaise conscience et, pour le consoler, il lui donna une tape sur l'épaule :

— Song Gang, je sais que je peux te faire confiance. Jamais tu ne me trahiras.

Là-dessus, Li Guangtou, tout en regardant Song Gang, se mit à rêver à voix haute :

— Pourquoi Lin Hong n'a-t-elle pas dit ce qu'elle t'a dit à quelqu'un d'autre ? Pourquoi est-ce précisément à toi qu'elle l'a dit ? Est-ce que ce ne serait pas une manière indirecte de s'adresser à moi ?

Cette nuit-là, Song Gang ne put fermer l'œil. Il entendait Li Guangtou ronfler comme un bienheureux et pouffer dans son sommeil. Lui n'arrêtait pas de se retourner dans son lit, il lui semblait voir Lin Hong dans l'obscurité, avec sa jolie silhouette et son allure gracieuse. Et cette vision l'entraînait dans des rêveries délicieuses. Oubliant un moment Li Guangtou, il savoura son bonheur. Son imagination tournoyait dans le noir : Lin Hong et lui marchaient dans les rues de notre bourg des Liu, serrés l'un contre l'autre comme deux amoureux ; dans la scène suivante, ils avaient une maison à eux et vivaient comme deux époux qui s'aiment tendrement. Mais ce bonheur éphémère fut brisé par l'irruption des souvenirs : il pensa à la mort tragique de son père, Song Fanping, devant la gare routière ; il se revit pleurant à chaudes larmes avec Li Guangtou ; il revit le grand-père tirant la charrette qui ramenait au pays la dépouille de son père, la famille sanglotant sur le chemin de terre à travers les champs, les moineaux perchés sur les arbres au bord du chemin qui s'envolaient effrayés ; il se revit ramenant au village le cadavre de Li Lan avec Li Guangtou, qui serait désormais son seul appui ; et, pour finir, il revit la scène où Li Lan, avant de mourir, lui avait tenu la main et l'avait adjuré de prendre soin de Li Guangtou. Song Gang pleurait à chaudes larmes, mouillant son oreiller. Non, jamais, se jura-t-il, il ne trahirait Li Guangtou. Aux premières lueurs de l'aube, il s'endormit enfin.

Peu avant la pause de midi, Song Gang quitta son usine en catimini et fonça jusqu'au portail de la manufacture de tricots pour y attendre la sortie de Lin Hong. Il voulait la prévenir qu'il ne la rejoindrait pas ce soir-là dans le bosquet derrière le cinéma. Il avait l'intention de se contenter d'une seule phrase, cela lui semblait suffisant pour exprimer sa résolution.

Song Gang se tenait au pied de l'arbre sous lequel les cinq messagers d'amour envoyés par son frère avaient crié à Lin Hong que Li Guangtou voulait faire l'amour avec elle. Quand la sonnerie annonçant la fin du travail retentit, Song Gang ressentit subitement la pire douleur qu'il eût jamais éprouvée, et il eut le sentiment que sa dernière heure était arrivée. Il s'apprêtait à dire la phrase la plus terrible qu'il aurait à dire de toute sa vie, mais cette phrase, à l'instant même où il la prononcerait, le délivrerait.

Lin Hong sortit comme d'habitude entourée par un essaim d'ouvrières. Elle aperçut Song Gang, debout sous l'arbre, qui cherchait à se cacher. En son for intérieur, elle le traita d'imbécile : elle lui avait donné rendez-vous pour

8 heures, et il était là à faire le pied de grue dès midi. La présence de Song Gang suscita des commentaires étonnés chez les ouvrières : elles savaient qu'il était le frère de Li Guangtou, et elles faisaient des messes basses en riant sous cape, se demandant quel nouveau tour pendable Li Guangtou avait encore imaginé. Lin Hong marchait avec ses camarades et, lorsque le groupe passa devant Song Gang, elle ne lui jeta pas un regard, elle se contenta de balayer sa silhouette du coin de l'œil, sa silhouette qui, dans son immobilité, lui fit l'effet d'un petit arbre planté près d'un grand. Elle le gronda à nouveau tendrement dans son for intérieur : "Imbécile, va."

Song Gang, sous son arbre, avait effectivement l'air d'un imbécile. Quand Lin Hong était passée à côté de lui, ses lèvres avaient remué sans qu'aucun son sorte de sa bouche, et quand elle s'était éloignée, avec ses collègues de la manufacture, il s'était rendu compte enfin qu'elle l'avait carrément ignoré. Il eut tout à coup la certitude que Li Guangtou avait raison : il avait affirmé que Lin Hong ne pouvait pas l'aimer, et l'expression glaciale qu'elle avait eue à l'instant en apportait la confirmation. Song Gang fut instantanément débarrassé d'un grand poids. Il abandonna son arbre et, tandis qu'il rentrait chez lui en longeant la grande rue, il se sentait aussi léger qu'une hirondelle. Tout ce qui avait eu lieu précédemment n'avait été qu'un beau rêve. La bouche en coin, Song Gang riait tout seul et, comme un dormeur qui vient de se réveiller, il se mit à revivre son rêve. Il se dit que le faux valait mieux que le vrai, ce faux bonheur lui procurait un tel sentiment de liberté.

Le soir venu, Song Gang était toujours d'excellente humeur, et c'est en chantonnant qu'il prépara sur le réchaud le repas pour Li Guangtou et qu'il dîna avec lui. Li Guangtou ne le quittait pas des yeux, l'air soupçonneux. Il était bientôt 8 heures, et Song Gang ne paraissait pas disposé à sortir. Li Guangtou, en revanche, pensait sans arrêt au bosquet derrière le cinéma. Assis à la table, il jeta un coup d'œil sur la lune dehors et, tambourinant des doigts, il demanda à Song Gang, sur un ton plein de sous-entendus :

— Tu ne sors pas ?

Song Gang, comprenant où il voulait en venir, répondit en secouant la tête d'un air gêné :

— Tu avais raison, il est impossible que Lin Hong soit amoureuse de moi.

Le sens de ces paroles échappant à Li Guangtou, Song Gang lui raconta ce qui s'était passé devant la manufacture : quand elle l'avait vu, Lin Hong avait feint de ne pas le connaître. Li Guangtou hocha la tête, pensif, puis s'écria, en tapant un grand coup sur la table :

— Mais oui, c'est ça.

Song Gang sursauta. Li Guangtou se leva :

— Ce que t'a dit Lin Hong s'adressait sûrement à moi.

Li Guangtou franchit la porte, sûr de lui, et fonça vers le bosquet. Quand il eut dépassé le cinéma, il se souvint qu'il était directeur d'usine et qu'à ce titre il ne pouvait pas se permettre de courir comme un dératé. Il adopta incontinent une démarche plus posée, mais en approchant du petit bois, ce n'était plus qu'un amoureux volant à son rendez-vous. Il s'enfonça à pas de loup sous les arbres où dansaient les ombres de la lune.

Lin Hong était déjà là. Elle était arrivée exprès avec un quart d'heure de retard, persuadée d'y trouver Song Gang. Mais il n'y avait pas âme qui vive dans le bosquet. Lin Hong commençait à se laisser gagner par le dépit quand elle entendit derrière elle un bruit de pas discret, aussi ténu que celui d'un voleur de poules. Elle ne put s'empêcher de sourire en imaginant l'élégant Song Gang dans la peau d'un maraudeur. C'est alors qu'elle entendit un gros rire :

— Ha, ha, ha.

Lin Hong sursauta et se retourna : ce n'était pas Song Gang mais Li Guangtou. Li Guangtou, la mine épanouie sous le clair de lune, lui déclara, avec un bel aplomb :

— Je savais que tu m'attendais, j'étais sûr que quand tu as parlé à Song Gang, c'était une façon détournée de t'adresser à moi…

Lin Hong regardait Li Guangtou bouche bée et, sur le coup, elle ne réagit pas. Li Guangtou lui fit de tendres reproches :

— Lin Hong, je sais bien que tu m'aimes. Pourquoi ne pas l'avouer franchement…

Sur ce, il voulut lui prendre la main. Lin Hong poussa des cris de frayeur :

— Ecarte-toi, fais-moi le plaisir de t'écarter…

Et tout en criant, Lin Hong s'enfuit du bosquet, suivie par Li Guangtou, qui l'appelait par son nom. Quand elle fut hors du bosquet, Lin Hong s'arrêta, se retourna et pointa le doigt sur Li Guangtou :

— Arrête-toi.

Li Guangtou obtempéra de mauvaise grâce :

— Qu'est-ce que ça veut dire, Lin Hong ? Tu as vraiment une drôle de façon de manifester tes sentiments…

— Qui parle de sentiments ? (Lin Hong tremblait de colère.) Espèce de crapaud.

Lin Hong s'éloigna à grands pas, plantant là un Li Guangtou mortifié. Elle avait déjà disparu quand il se remit en mouvement. Tout en marchant, il se remémora les insultes dont l'avaient abreuvé les parents de Lin Hong, et la moutarde lui monta au nez :

— C'est ton père, le crapaud, grommela-t-il ; et le fumier, ta mère…

Li Guangtou rentra au logis comme un coq vaincu au combat. Il s'installa à table, les sourcils froncés, tantôt frappant dessus avec colère, tantôt s'épongeant le front l'air déprimé. Song Gang était assis sur le lit, un livre à la main, et il observait Li Guangtou avec inquiétude. Devinant ce qui s'était passé, il s'enquit prudemment :

— Lin Hong était là ?

— Oui, répondit Li Guangtou, avec dépit. Putain, elle m'a traité de crapaud…

Song Gang regarda Li Guangtou, l'air absent, et toutes les scènes où il se voyait avec Lin Hong refirent surface dans son esprit : sur le pont, quand elle lui avait parlé ; dans sa chambre, quand elle lui avait donné le choix de partir ou de rester tout en attachant ses nattes. Il avait l'impression de tout revivre. Il eut une révélation : il avait enfin la certitude que Lin Hong l'aimait. C'est alors que Li Guangtou fixa Song Gang perdu dans ses pensées et, comme s'il découvrait l'Amérique, il dit :

— Putain, et si Lin Hong t'aimait vraiment…

Song Gang secoua tristement la tête. Li Guangtou le fixait toujours, méfiant. Il lança une amorce :

— Et toi, est-ce que tu l'aimes ?

Song Gang fit oui de la tête. Li Guangtou, tapant sur la table, s'écria, d'un ton comminatoire :

— Song Gang, Lin Hong est à moi. Putain, tu n'as pas le droit de l'aimer… Si tu l'aimes, alors on n'est plus des frères, on est des rivaux, des ennemis de classe…

Song Gang écoutait les cris de Li Guangtou, la tête basse, et quand Li Guangtou eut fini d'égrener toutes les méchancetés qui lui venaient à l'esprit, Song Gang releva enfin la tête et sourit, mélancolique :

— Sois tranquille, il ne se passera rien entre Lin Hong et moi. Tu es mon frère et je ne veux pas te perdre…

— C'est vrai ? demanda Li Guangtou en riant.

Song Gang hocha la tête, très sérieux. Puis il se mit à pleurer. Après avoir essuyé ses larmes, il montra le lit sur lequel il était assis et dit à Li Guangtou :

— Tu te souviens ? Avant de mourir, maman m'avait demandé de la ramener à la maison sur mon dos, et elle était allongée là…

— Oui je me souviens.

— Après, rappelle-toi, tu es sorti pour aller acheter des petits pains farcis.

Li Guangtou fit encore oui de la tête, et Song Gang poursuivit :

— Après que tu es parti, maman m'a pris par la main et m'a fait promettre de toujours bien m'occuper de toi. Pour la rassurer, je lui ai dit que si un jour il ne me restait qu'une chemise, elle serait pour toi, et que s'il ne me restait qu'un bol de riz, il serait pour toi aussi.

Quand il eut fini de parler, Song Gang sourit, le visage trempé de larmes, et Li Guangtou avait les yeux embués d'émotion :

— C'est vrai, tu as dit ça ?

Song Gang hocha la tête. Li Guangtou essuya ses larmes à son tour :

— Song Gang, tu es un sacré frangin.

VII

Li Guangtou persista dans sa politique amoureuse de harcèlement. Il ne se faisait plus assister par Song Gang car, affirmait-il, cela le rendait nerveux de voir Song Gang et Lin Hong en présence l'un de l'autre. Il le pria donc d'éviter Lin Hong et de s'enfuir à son approche comme si elle était atteinte de la lèpre. Li Guangtou commença à prendre modèle sur Song Gang, persuadé que si celui-ci plaisait à Lin Hong, c'était parce qu'il avait de bonnes manières et ne disait jamais de gros mots, et aussi parce qu'il avait toujours un livre à la main, signe manifeste de son goût pour l'étude. Dès lors, il entama sa métamorphose : on ne vit plus jamais ce galant doublé d'un garde du corps accompagner Lin Hong sans avoir un livre à la main ; et il ne montrait plus les dents aux mâles de notre bourg des Liu. Tel un politicien en campagne, il affichait un sourire aimable, saluait les gens qu'il connaissait et leur serrait la pince, et il ne lâchait jamais son bouquin, qu'il lisait tout en marchant. Parlant du nouveau Li Guangtou, les masses du bourg déclarèrent que désormais le soleil se levait à l'ouest. En voyant Li Guangtou feuilleter son livre aux côtés de Lin Hong en marmonnant comme s'il récitait un soutra, les gens riaient sous cape et se répétaient les uns aux autres que Lin Hong avait troqué un brigand érotomane contre un moine érotomane. Li Guangtou avait remarqué l'effet que sa soif de connaissances produisait sur les masses, il les apostropha :

— La lecture, c'est bien[1]. Rester un seul jour sans lire, c'est pire que de rester tout un mois sans chier[2].

Cette réflexion s'adressait à Lin Hong, mais à peine l'eut-il formulée que déjà il le regrettait, car il se rendit compte qu'il avait de nouveau proféré une grossièreté. Une fois rentré à la maison, il demanda conseil à Song Gang et corrigea ensuite la maxime comme ceci :

— La lecture, c'est bien. On peut se passer de manger pendant un mois, mais on ne saurait un seul jour se passer de lire.

Les masses du bourg n'étaient pas de cet avis. Elles firent observer à Li Guangtou que ne pas lire pendant toute une journée n'empêchait pas de demeurer en vie, tandis qu'en jeûnant un mois entier on était sûr de mourir. Li Guangtou, mécontent, balaya l'assistance du doigt et, face à ces pourceaux d'Epicure, il lança, avec la mine de celui qui considère froidement la Camarde :

— Si on se passe de manger pendant un mois, on risque tout au plus de mourir de faim, alors que si on se passe un seul jour de lire, la vie qu'on mène vaut encore moins que la mort.

Lin Hong poursuivait son chemin, imperturbable. Elle écoutait Li Guangtou et la foule dialoguer avec animation – les badauds qui riaient à gorge déployée, Li Guangtou devant eux tout à fait remonté –, et elle demeurait de glace.

En un tournemain, Li Guangtou était devenu un parfait confucéen. Désormais, il avait le langage d'un lettré, se dépensant en mots d'esprit, même s'il lâchait de temps à autre une grossièreté. Dans ces moments-là, Lin Hong se disait à elle-même :

— On n'empêchera jamais un chien de manger de la crotte.

Lin Hong savait de quelle étoffe était fait Li Guangtou, et pour elle le soleil continuait à se lever à l'est. Quand bien même Li Guangtou aurait eu le don de transformation de Sun Wukong[3], il était condamné à rester un composé de crapaud et de fumier, à l'instar de Sun Wukong qui, au bout de ses soixante-douze métamorphoses, s'était retrouvé singe comme devant.

L'autre soir, Song Gang ne l'avait pas rejointe dans le petit bosquet, à sa place c'était un Li Guangtou hilare qui s'était présenté. Lin Hong était folle de rage et, en rentrant chez elle, elle avait rayé Song Gang de son esprit. Quelques jours après, en apercevant de loin Song Gang dans la rue, elle ricana : ce garçon était un authentique nigaud, et elle ne lui accorderait pas une deuxième chance. Elle avança à sa rencontre, bien décidée à passer sans lui jeter un regard. Or, à sa grande surprise, dès que Song Gang la vit, il tourna les talons et s'enfuit. Pendant les jours qui suivirent, le même manège se répéta. Song Gang appliquait à la lettre les instructions de Li Guangtou et, dès que Lin Hong approchait, il prenait la poudre d'escampette comme si elle avait eu la lèpre. Face à ces dérobades successives, Lin Hong perdit de sa superbe, et son ressentiment se mua finalement en déception : la silhouette de Song Gang s'éloignant la laissait désemparée.

Song Gang avait fait retour dans le cœur de Lin Hong, et cette fois-ci il s'y était enraciné. Lin Hong constata en elle-même un changement bizarre : plus Song Gang l'évitait, et plus elle l'aimait. Par les soirées de clair de lune ou de bruine, Lin Hong, avant de s'endormir, ne pouvait s'empêcher de songer au beau visage de Song Gang, au sourire de Song Gang, à Song Gang rêveur la tête penchée, au regard mélancolique de Song Gang quand il l'apercevait, et tous ces Song Gang lui faisaient chaud au cœur. A la longue, ces images de Song Gang prirent un tour nostalgique, c'était comme si Song Gang était déjà son amant, un amant qui aurait été retenu au loin, et ce sentiment de nostalgie faisait lentement son chemin.

Lin Hong avait la conviction que Song Gang l'aimait en secret et que s'il s'esquivait à son approche, c'était à cause de Li Guangtou. Dès qu'elle pensait à Li Guangtou, Lin Hong en blêmissait de colère : c'était son physique de brute qui dissuadait les jeunes gens du bourg des Liu de lui faire la cour, et tous ces garçons, aux yeux de Lin Hong, n'étaient que des incapables. Song Gang, lui, n'était pas un incapable, pensait-elle. A de nombreuses reprises, elle avait imaginé Song Gang venant de sa propre initiative lui faire sa cour : il arrivait chez elle, tout timide, et il commençait timidement à parler en tournant autour du pot. Il était comme cela, un garçon embarrassé de sa personne. A chaque fois qu'elle sortait de ses rêveries, Lin Hong secouait la tête en soupirant : elle savait que Song Gang ne viendrait jamais de lui-même chez elle. Il était temps pour elle de reprendre les choses en main. Elle écrivit un billet à Song Gang, quatre-vingt-trois caractères et treize signes de ponctuation répartis sur sept lignes, dont cinquante et un caractères qui étaient autant de propos incendiaires à l'encontre de Li Guangtou, et trente-deux autres par lesquels elle fixait rendez-vous à Song Gang le soir même à 8 heures. Le lieu de la rencontre avait changé, ils devaient se retrouver maintenant au pied d'un pont, celui précisément où Song Fanping avait agité le drapeau rouge pendant la Révolution culturelle. Lin Hong plia le billet en forme de papillon, le cacha dans un mouchoir tout neuf et guetta au bord de la rue la sortie du travail de Song Gang. A la fin du billet, Lin Hong priait Song Gang de lui rapporter le mouchoir. Pour elle, c'était l'assurance qu'il viendrait au rendez-vous.

On était à la fin de l'automne, une pluie fine balayait le ciel. Lin Hong se tenait au pied d'un platane, s'abritant sous un parapluie que les gouttes qui passaient à travers les feuilles martelaient. Les yeux de Lin Hong scrutaient la chaussée grise, des parapluies allaient et venaient, et des jeunes gens sans parapluie couraient droit devant eux, tête baissée. Lin Hong aperçut Song Gang, il arrivait de l'autre côté de la rue, à toute allure. Il n'avait pas enfilé sa veste, il la tenait à bout de bras, grande ouverte pour se protéger de la pluie, et tandis qu'il avançait sa veste flottait dans les airs comme un étendard. Lin Hong s'empressa de le rejoindre de l'autre côté de la rue et lui barra la route avec son parapluie. Song Gang s'immobilisa devant elle en glissant comme une voiture qui freine, et faillit rentrer dans le parapluie. Lin Hong écarta le parapluie et elle découvrit l'expression étonnée de Song Gang. Elle lui fourra le mouchoir dans la main et tourna les talons aussitôt. Au bout d'une dizaine de mètres, elle se retourna vers lui et aperçut un Song Gang bouche bée, un Song Gang qui tenait le mouchoir des deux mains sans savoir quoi faire : sa veste était tombée à terre et des passants l'avaient piétinée. Lin Hong poursuivit son chemin en souriant, son parapluie ouvert au-dessus d'elle, ignorant la suite.

En cette journée pluvieuse, Song Gang était déboussolé. Il n'aurait pas su dire comment il était rentré chez lui. Le cœur battant, il ouvrit le mouchoir et trouva le billet en forme de papillon. Il le déplia les mains tremblantes : comme le pliage était compliqué, il lui semblait sans cesse qu'il s'y prenait mal. Il mit un temps infini avant de parvenir à son but. Le souffle court, il lut plusieurs fois les quatre-vingt-trois caractères écrits par Lin Hong, et plusieurs fois il fourra précipitamment le billet dans sa poche en entendant les pas des voisins qui rentraient du travail, et qu'il avait pris pour ceux de Li Guangtou. Et c'est seulement quand il entendait le bruit d'une porte à côté que, rassuré, il ressortait le billet et reprenait sa lecture le cœur palpitant. Enfin il releva la tête et, troublé, regarda les gouttes de pluie qui zigzaguaient sur les carreaux : à cause de ce billet, la flamme de l'amour déjà éteinte dans son cœur s'était ravivée.

Song Gang mourait d'envie de rencontrer Lin Hong. Il marcha à plusieurs reprises vers la porte, mais au moment où il l'ouvrait il pensait à Li Guangtou, et ses jambes étaient incapables de franchir le seuil. Il regardait désemparé la bruine qui tombait et refermait la porte. Finalement, c'est la dernière phrase du billet, celle dans laquelle Lin Hong le priait de lui rendre son mouchoir, qui fournit à Song Gang un argument pour se convaincre lui-même, et il quitta la maison d'un pas résolu.

A cette heure, Li Guangtou aurait déjà dû être rentré du travail, mais par chance il fut retenu à l'usine et Song Gang en profita. Pendant qu'il lisait le billet de Lin Hong, il n'avait pas cessé de craindre le retour de Li Guangtou, et c'est pourquoi, aussitôt dehors, il courut à fond de train jusqu'au pont. Il savait que s'il rencontrait Li Guangtou il suffirait que celui-ci l'interpelle pour qu'il n'ait plus le courage de se rendre là-bas. Song Gang descendit les marches au bord de la rivière. A 6 heures, il était sous le pont, et il lui restait deux heures à attendre avant que Lin Hong n'arrive.

Song Gang était là, debout, tremblant de tous ses membres. Des bruits de pas résonnaient sur le pont, au-dessus de sa tête, et il avait l'impression que des gens s'agitaient sur le toit de sa maison. Il regardait l'eau de la rivière : il la voyait dans l'obscurité grandissante piquetée par les gouttes d'eau comme si elle tremblait aussi. Sous le pont, Song Gang était en proie à des sentiments mêlés, alternant entre l'excitation et l'abattement, entre l'attente et le désespoir. Il se rongea les sangs pendant plus d'une heure, puis, au fur et à mesure que le noir complet se faisait, il retrouva peu à peu son calme. L'expression douloureuse de Li Lan sur le point de mourir lui apparut, et une fois de plus Song Gang refusa le bonheur, se jurant intérieurement qu'il ne trahirait pas Li Guangtou et que s'il était venu ici ce n'était pas pour rencontrer Lin Hong mais pour lui restituer son mouchoir. Dans le noir, il leva le mouchoir devant ses yeux, le regarda comme pour lui faire ses adieux et le fourra résolument dans sa poche. Puis il poussa un long soupir et se sentit beaucoup mieux.

Lin Hong fit son apparition à 8 h 30. Elle descendit les marches, un parapluie ouvert au-dessus de sa tête, et jeta un regard circulaire sous le pont. Elle aperçut une haute silhouette qui se tenait là sans faire de bruit : à n'en pas douter, c'était Song Gang, et non pas Li Guangtou, qui était, lui, plus râblé. Elle sourit et s'avança, rassurée.

Une fois arrivée sous le pont, elle rejoignit Song Gang, replia son parapluie et le secoua un moment, puis elle leva la tête vers Song Gang. Dans le noir, elle ne parvenait pas à distinguer l'expression de son visage, mais elle entendait sa respiration anxieuse. Sentant qu'il levait sa main droite, elle baissa les yeux et, en regardant bien, elle vit son mouchoir. Son cœur fit un bond. Elle ne prit pas le mouchoir que Song Gang lui tendait, sachant d'avance que si elle le prenait leur rencontre était terminée. Elle se détourna et fixa les rayons de lumière qui chatoyaient à la surface de la rivière, et qui provenaient des réverbères plantés sur la chaussée, en haut. Elle entendait le souffle de plus en plus rapide de Song Gang. Elle eut un imperceptible sourire :

— Vas-y, parle, lui lança-t-elle, je ne suis pas venue ici pour t'écouter respirer.

Song Gang agita sa main droite :

— Voilà ton mouchoir, dit-il d'une voix tremblante.

Lin Hong était vexée :

— Tu es venu pour ça ?

Song Gang hocha la tête et dit, toujours d'une voix tremblante :

— Oui.

Lin Hong secoua la tête et elle se força à sourire dans l'obscurité. Puis elle leva la tête vers lui :

— Tu ne m'aimes pas, Song Gang ? lui demanda-t-elle tristement.

Song Gang n'osait toujours pas la regarder en face. Le visage tourné sur le côté il répondit sur un ton lugubre :

— Li Guangtou est mon frère…

— Ne me parle pas de ce type, l'interrompit Lin Hong, cassante. Même si je ne t'aimais pas, je ne voudrais pas de lui.

A ces mots, Song Gang baissa la tête, il ne savait pas quoi ajouter. Devant son air coupable, Lin Hong eut un peu pitié de lui. Elle se mordit les lèvres et lui dit tendrement :

— Song Gang, c'est la dernière fois. Réfléchis bien, ensuite l'occasion ne se représentera plus… (Pendant qu'elle parlait, sa voix se fit plus triste.) Après, je serai la petite amie de quelqu'un d'autre.

Sur ce, Lin Hong, dans l'ombre, regarda Song Gang, pleine d'espoir. Mais elle n'entendit que cette même phrase, prononcée dans un murmure :

— Li Guangtou est mon frère…

Lin Hong avait le cœur brisé. Elle se tourna et fixa à nouveau les lumières à la surface de l'eau. Elle sentait que la main droite de Song Gang qui tenait le mouchoir était toujours levée, elle se taisait et Song Gang aussi. Au bout d'un moment, elle reprit, navrée :

— Song Gang, sais-tu nager ?

— Oui, répondit Song Gang, intrigué.

— Pas moi, dit Lin Hong, en se parlant à elle-même et en se tournant vers Song Gang. Si je sautais dans la rivière, est-ce que je me noierais ?

Song Gang, qui ne comprenait pas où elle voulait en venir, la regardait en silence. Lin Hong avança sa main et toucha dans l'obscurité le visage de Song Gang, ce qui fit à celui-ci l'effet d'une décharge électrique. Lin Hong montra la rivière du doigt et s'adressa à Song Gang comme si elle prêtait un serment :

— Song Gang, je te le demande pour la dernière fois, est-ce que tu m'aimes ?

La bouche de Song Gang s'ouvrit mais il n'en sortit pas un son. Lin Hong montrait toujours la rivière du doigt :

— Si tu dis que tu ne m'aimes pas, je saute immédiatement.

Song Gang était tétanisé par les paroles de Lin Hong. Celle-ci l'exhorta doucement :

— Mais parle donc !

Song Gang redit d'une voix suppliante :

— Li Guangtou est mon frère.

Lin Hong était désespérée, elle ne s'attendait pas à ce que Song Gang répète sa phrase.

— Je te déteste, dit-elle en serrant les dents.

Elle prit son élan et sauta dans la rivière, brisant les lumières à la surface de l'eau. Dans l'obscurité, Song Gang la vit s'enfoncer dans les flots, tandis qu'une gerbe d'écume lui frappait le visage comme une pluie de grêlons. Il la vit disparaître puis se débattre en revenant à la surface de l'eau. Alors il sauta à son tour, il plongea dans les flots glacés. Il sentit son corps écraser celui de Lin Hong, qui se débattait toujours. Lin Hong s'agrippa des deux mains aux vêtements de Song Gang. Song Gang battait des pieds et il s'efforçait de maintenir Lin Hong hors de l'eau. Lin Hong recrachait l'eau qu'elle avait dans la bouche sur le visage de Song Gang. Il la prit dans ses bras et nagea vers le rivage, il sentit les bras de Lin Hong se nouer autour de son cou.

Song Gang hissa le corps de Lin Hong sur les marches, il s'agenouilla et l'appela tout bas par son nom. Il la vit ouvrir les yeux et se rendit compte alors qu'il la tenait dans ses bras. Aussitôt il la lâcha, effrayé, et se releva. Lin Hong était allongée sur le côté, en travers des marches. Elle toussa un moment en recrachant de l'eau, puis elle s'assit, recroquevillée sur elle-même, la tête baissée, enlaçant ses genoux. Comme elle était trempée, elle tremblait dans le vent froid. Assise là, elle attendait que Song Gang s'approche d'elle et la prenne dans ses bras, qu'il la serre comme il l'avait fait dans la rivière l'instant d'avant. Mais Song Gang, trempé lui aussi, et secoué par des tremblements, gardait ses distances. Lin Hong se leva tristement et entreprit lentement de monter les marches. Elle chancelait, mais Song Gang n'eut pas l'idée d'aller la soutenir. Les bras croisés, les mains sur ses épaules, elle gravit les marches en frissonnant de partout. Elle sentait que Song Gang la suivait, mais elle ne se retourna pas. Quand elle eut atteint la rue et qu'elle n'entendit plus les pas de Song Gang, elle ne se retourna pas davantage. Sur son visage les larmes se confondaient avec la pluie. Elle s'éloigna en s'enfonçant dans la bruine.

Arrivé à la rue, Song Gang s'était arrêté. La mort dans l'âme, il regarda Lin Hong s'éloigner la tête basse, les mains enserrant ses épaules. Elle marchait sur l'avenue, la pluie fine tourbillonnait dans la lumière des réverbères comme des flocons de neige, la chaussée déserte semblait plongée dans un profond sommeil. Il suivit Lin Hong des yeux jusqu'à ce qu'elle eût disparu, il essuya de sa main gauche les larmes et la pluie qui lui brouillaient la vue, puis s'en alla dans la direction opposée.

Li Guangtou était déjà couché. En entendant la porte s'ouvrir, il ralluma la lumière et sortit la tête de sous la couverture :

— Où étais-tu ? cria-t-il. Ça fait un bail que je t'attends…

Li Guangtou, enveloppé dans sa couverture, se mit sur son séant, et regarda Song Gang, ruisselant, s'asseoir sur le banc, sans remarquer son air hagard. Il poursuivit :

— Le dîner n'était pas prêt et, après une journée de boulot, je n'ai rien trouvé à me mettre sous la dent en rentrant, pas même des restes. Je suis tout de même directeur d'usine ! J'ai attendu, attendu, et pour finir j'ai dû aller m'acheter des petits pains farcis dehors.

Après avoir apostrophé ainsi Song Gang, Li Guangtou lui demanda :

— Et toi, tu as dîné ?

Song Gang regardait Li Guangtou d'un œil vague, comme s'il ne le reconnaissait pas. Li Guangtou explosa :

— Putain, tu as mangé ou pas ?

Song Gang sursauta violemment, il avait enfin compris la question :

— Non, dit-il, en secouant la tête.

— Je l'aurais parié.

Et Li Guangtou exhiba fièrement de dessous sa couverture un bol qui contenait deux petits pains. Il le tendit à Song Gang :

— Mange vite, tant que c'est chaud.

Song Gang soupira, il prit le bol et le posa sur la table, et il continua à regarder Li Guangtou d'un œil vague. Li Guangtou s'écria à nouveau, en montrant les petits pains :

— Mais mange donc.

— Je n'ai pas faim, dit Song Gang en soupirant.

— Mais ce sont des petits pains à la viande !

Li Guangtou remarqua qu'une grosse flaque d'eau s'était formée sous le banc où Song Gang était assis. L'eau se répandait dans toutes les directions, et quelques filets avaient déjà coulé sous le lit. De l'eau continuait à dégouliner des vêtements de Song Gang. Li Guangtou réalisa alors que si Song Gang était trempé, ce n'était pas seulement à cause de la pluie. On aurait dit qu'on venait de le repêcher dans la rivière.

— Tu as l'air d'un chien tombé à l'eau, comment ça se fait ? s'étonna Li Guangtou.

Puis il remarqua le mouchoir que Song Gang serrait dans sa main droite. Il dégoulinait d'eau lui aussi.

— Qu'est-ce que c'est que ça ? demanda Li Guangtou, en montrant le mouchoir.

Song Gang baissa la tête et fut étonné de voir le mouchoir dans sa main. Il se rappela qu'il l'avait encore en plongeant dans la rivière et en ramenant Lin Hong sur la berge, mais il ne s'était pas aperçu qu'il l'avait gardé dans sa main. Li Guangtou s'extirpa de sa couverture. Saisi d'un pressentiment, il regarda Song Gang, soupçonneux :

— A qui appartient-il ?

Song Gang posa le mouchoir sur la table, s'essuya le visage et dit d'un air sombre :

— Je suis allé voir Lin Hong.

— Putain !

Après que Li Guangtou eut laissé échapper ce juron, Song Gang éternua à trois reprises. Li Guangtou cessa tout net de jurer et enjoignit à Song Gang de se déshabiller en vitesse et de se glisser sous sa couverture. Sur ce, lui aussi éternua et retourna au fond de son lit. Song Gang obtempéra, il se leva et ôta ses vêtements trempés mais, au moment de se glisser sous la couverture, quelque chose lui revint : il remit le pied à terre et chercha dans la poche de sa veste le billet de Lin Hong, qui n'était plus qu'un chiffon de papier. Il le tendit à Li Guangtou, qui le prit :

— Qu'est-ce que c'est que ça ? demanda-t-il, perplexe.

— C'est une lettre de Lin Hong, dit Song Gang, en toussant.

Li Guangtou sortit à moitié de sous sa couverture et défroissa soigneusement le billet. L'encre s'était diluée, et le message brouillé ressemblait à une peinture de paysage. Li Guangtou sauta carrément du lit, monta sur la table et colla le billet sur l'ampoule aveuglante. Mais même quand le papier eut séché, il n'arrivait toujours pas à lire ce qui était écrit dessus. De guerre lasse, il s'adressa à Song Gang :

— Qu'est-ce qu'elle a écrit ?

Song Gang était déjà couché. Les yeux fermés, il dit :

— Eteins la lumière.

Li Guangtou s'empressa d'éteindre et se glissa sous sa couverture. Les deux frères étaient couchés, chacun dans son lit. Song Gang, entre deux quintes de toux et deux éternuements, raconta à Li Guangtou tout ce qui s'était passé ce soir-là. Li Guangtou écoutait sans dire un mot. Quand Song Gang eut fini, il l'appela doucement :

— Song Gang.

— Hmm, fit Song Gang.

Li Guangtou poursuivit prudemment :

— Tu ne l'as pas raccompagnée chez elle ?

— Non, répondit Song Gang, en parlant comme s'il était enrhumé.

Dans l'obscurité, Li Guangtou souriait en silence. Une nouvelle fois, il l'appela doucement, "Song Gang". Song Gang répondit encore par un "Hmm".

— Tu es un sacré frangin, lança Li Guangtou avec flamme.

Song Gang ne réagit pas. Li Guangtou dut l'appeler plusieurs fois avant d'obtenir une réponse. Il aurait voulu continuer à discuter avec lui, mais Song Gang déclara, d'une voix épuisée :

— J'ai sommeil.

Song Gang passa cette nuit pluvieuse à tousser. Parfois, il lui semblait dormir, et d'autres fois il avait conscience d'être éveillé. Dans les phases de sommeil, il avait l'impression confuse d'être ballotté tel un ludion, et quand il était éveillé, il se sentait oppressé, comme si une grosse pierre pesait sur sa poitrine. C'est seulement quand les rayons du soleil matinal percèrent à travers la fenêtre et le forcèrent à ouvrir les yeux, qu'il comprit qu'il avait dormi pour de bon. C'était une de ces matinées radieuses qui succèdent à la pluie. Des gouttes tombaient encore du rebord du toit et des perles d'eau miroitaient sur les vitres, mais la pièce était tout illuminée. Les moineaux piaillaient dans les branches, les voisins parlaient fort. Song Gang poussa un long soupir, il avait réussi à franchir le cap de cette nuit pénible et oppressante, et le beau temps lui mettait du baume au cœur. Il s'assit sur son lit et, constatant que Li Guangtou était encore plongé dans le sommeil, il l'appela comme à l'accoutumée :

— Li Guangtou, Li Guangtou, il est l'heure de se lever !

La tête de Li Guangtou émergea brutalement de sous la couverture. Song Gang s'esclaffa, et Li Guangtou, qui se frottait les yeux, voulut savoir pourquoi. Song Gang lui expliqua qu'à l'instant il avait eu l'air d'une tortue sortant de sa carapace. Et il entreprit de faire une démonstration : il se couvrit la tête avec sa couverture et, courbé en arc de cercle, il demanda à Li Guangtou, d'une voix étouffée, s'il ne ressemblait pas à une tortue ; puis sa tête émergea brusquement et resta figée, le cou tendu. Li Guangtou, qui se frottait toujours les yeux, confirma en riant :

— Ça y ressemble sacrément.

Puis Li Guangtou se souvint de la scène de la veille, et il regarda Song Gang avec étonnement. Song Gang sauta de son lit comme si de rien n'était, sortit de l'armoire une veste et un pantalon propres et s'habilla. Il étala de la pâte dentifrice sur sa brosse à dents, prit sa cuvette et son gobelet, jeta sa serviette sur son épaule, ouvrit la porte et se dirigea vers le puits pour faire sa toilette. Li Guangtou l'entendit discuter près du puits avec des voisins, et rire à plusieurs reprises. Plongé dans un abîme de perplexité, il se gratta le crâne :

— Putain !

Pour Song Gang, la journée s'écoula tranquillement. Lui aussi songeait de loin en loin à ce qui s'était passé la veille sous le pont et dans la rivière. Il revoyait Lin Hong trempée, marchant sur la chaussée humide, et cette image le troublait, mais aussitôt il se ressaisissait et s'obligeait à penser à autre chose. L'expérience tumultueuse qu'il venait de vivre avait paradoxalement ramené en lui la sérénité. Ses adieux de la veille avec Lin Hong apparaissaient comme le dénouement d'une histoire, une histoire qui l'avait tourmenté et qui était enfin terminée. Il était temps maintenant d'en commencer une nouvelle. Comme le ciel après la pluie, son humeur était revenue au beau.

Ce jour-là, en rentrant de l'usine, Li Guangtou rapporta de grosses pommes rouges. Song Gang avait préparé le dîner. Li Guangtou posa les pommes sur une chaise avec son sourire des mauvais jours. Tout en mangeant, il observa Song Gang avec ce même sourire, un sourire qui mit Song Gang mal à l'aise. Il se demandait quel méchant tour Li Guangtou pouvait bien préparer encore. Quand il eut fini de manger, Li Guangtou prit la parole. Il annonça à Song Gang qu'il était allé mener son enquête à la manufacture de tricots : Lin Hong n'était pas venue au travail, elle était restée chez elle, clouée au lit par la fièvre. Il tambourina sur la table et ajouta :

— Tu vas aller tout de suite chez elle.

Song Gang sursauta et regarda avec méfiance le visage satisfait de Li Guangtou, puis il tourna les yeux vers les pommes posées sur la chaise. Il crut que Li Guangtou le priait d'aller les porter à Lin Hong :

— Ne compte pas sur moi pour me rendre là-bas, dit-il en secouant la tête. A plus forte raison avec des pommes.

— Qui t'a parlé d'apporter des pommes ? Les pommes, je les apporterai moi-même.

Li Guangtou se leva en frappant sur la table, et tendit à Song Gang le mouchoir séché et plié :

— C'est ça que tu vas lui rapporter.

Song Gang regardait toujours Li Guangtou du même air méfiant, ne sachant si c'était du lard ou du cochon. Li Guangtou, debout, expliqua son plan à Song Gang avec enthousiasme : Song Gang se présenterait le premier chez Lin Hong, avec le mouchoir, tandis que son frère attendrait à la porte avec les pommes ; Song Gang resterait à côté du lit sans rien dire et, dès que Lin Hong, toujours assoupie, ouvrirait les yeux et l'apercevrait, il lui assènerait froidement cette phrase "Cette fois, je suppose que tu as compris" ; puis il jetterait le mouchoir sur le lit et déguerpirait sans perdre une seconde ; quand il serait sorti, ce serait à Li Guangtou d'entrer en scène, il irait dans la chambre avec ses pommes et consolerait Lin Hong, plongée dans le désespoir. Quand il eut achevé d'expliquer son plan, il s'essuya la bouche et lança triomphalement :

— Comme ça, Lin Hong fera une croix sur toi, et elle commencera à éprouver quelque chose pour moi.

Song Gang baissa la tête. Li Guangtou, grisé par sa propre astuce, s'emballa :

— Ce n'est pas un plan d'enfer, ça ?

Song Gang resta muet, et Li Guangtou, faisant un geste de la main, ajouta :

— Allez, en route.

Song Gang secoua tristement la tête. Il refusait de bouger :

— Jamais je ne pourrai dire ça.

Li Guangtou se mit en colère, il ouvrit sa main gauche en grand et, de l'autre main, en replia l'un après l'autre les cinq doigts :

— Réfléchis un peu. Des cinq stratagèmes que tu m'as suggérés – attaquer de côté ; foncer tout droit armé de son seul sabre ; se poster sous les murs de la ville ; pénétrer à l'arrière des lignes ennemies ; harceler sans relâche –, aucun n'a réussi. C'étaient plutôt des pétards mouillés. Et toi, en fait d'âme damnée, tu ne m'as servi à rien. Le vrai plan d'enfer, pour finir, c'est moi qui ai dû le cogiter…

Arrivé à ce point de son discours, Li Guangtou leva son pouce pour se féliciter lui-même, puis, avec le même pouce, il indiqua à Song Gang la sortie :

— Allez, et au galop.

Song Gang secouait toujours la tête. Il se mordit les lèvres :

— Je t'assure, je ne pourrai jamais dire ça.

— Putain, pesta Li Guangtou, avant de se radoucir et de poursuivre sur un ton affectueux. On est frères, aide-moi encore pour cette fois. C'est juré, ce sera la dernière, et après, promis, je ne te demanderai plus rien.

Li Guangtou tira Song Gang de sa chaise et le poussa vers la porte. Il lui fourra le mouchoir dans la main et prit les pommes. Les deux frères se dirigèrent vers la maison de Lin Hong. C'était le crépuscule. Les rues exhalaient encore une vapeur humide. Li Guangtou, le panier dans la main droite, s'en allait le front haut ; et Song Gang, le mouchoir dans la main gauche, s'en allait le front bas. En chemin, Li Guangtou soûla Song Gang de paroles destinées à le galvaniser, tout en l'abreuvant de belles promesses : dès qu'il serait fiancé à Lin Hong, il s'empresserait de lui dégotter une petite amie encore plus belle que Lin Hong ; et si on n'en trouvait pas une au bourg des Liu, il irait en chercher une dans un autre bourg ; et s'il n'y en avait pas dans un autre bourg, il irait voir en ville ; et s'il n'y en avait pas en ville, il sillonnerait la province ; et s'il n'y en avait pas dans la province, il parcourrait toute la Chine ; et s'il n'y en avait pas en Chine, il prospecterait dans le monde entier.

— Qui sait ? dit-il en riant, je te dénicherai peut-être une petite amie étrangère, une blonde aux yeux bleus. Tu habiteras dans une maison occidentale, tu mangeras des plats occidentaux, tu coucheras dans un lit occidental, tu serreras dans tes bras une jeune Occidentale, tu embrasseras la bouche d'une Occidentale. Et elle te fera des jumeaux, un garçon et une fille, qui seront moitié chinois, moitié occidentaux…

Tandis que Li Guangtou lui décrivait avec brio son avenir occidental, Song Gang, la tête basse, avançait dans les rues de notre bourg de culs-terreux. Il n'entendait pas un mot de ce que lui racontait Li Guangtou, il le suivait machinalement : quand Li Guangtou s'arrêtait pour parler à quelqu'un dans la rue, il s'arrêtait aussi, et levant la tête il jetait un regard perdu vers le soleil qui se couchait ; puis quand Li Guangtou reprenait sa marche, il baissait la tête à nouveau et lui emboîtait le pas.

— Tu vas rendre visite à des parents ? demandaient les masses à Li Guangtou en avisant son sac.

— Mieux que ça, répondait Li Guangtou fièrement.

Quand ils arrivèrent devant la cour où habitait Lin Hong, Li Guangtou s'immobilisa et tapa sur l'épaule de Song Gang :

— A toi de jouer ! J'attends que tu reviennes et que tu m'annonces que c'est gagné.

Et il ajouta sur un ton lyrique son argument massue :

— Souviens-t'en, nous sommes frères.

Song Gang regarda le visage radieux de Li Guangtou rougi par le soleil couchant. Il secoua la tête et esquissa un sourire contraint. Puis il s'engagea dans la cour. Au moment où il débarquait sans crier gare à la porte des parents de Lin Hong, ceux-ci étaient en train de dîner. Ils le regardèrent un rien étonnés : visiblement ils étaient au courant des événements de la veille. Song Gang était conscient qu'il aurait dû dire quelque chose, mais son cerveau était vide, et rien ne lui vint. Et comme il était incapable d'articuler un mot, il avait l'impression que ses jambes ne pourraient pas franchir le seuil. Alors qu'il était ainsi paralysé, la mère de Lin Hong se leva et le salua :

— Entrez.

Ses jambes le portèrent enfin, mais quand il fut arrivé au milieu de la pièce, il ne sut pas ce qu'il devait faire ensuite, et il resta planté là comme un piquet. La mère de Lin Hong ouvrit en souriant la porte de la chambre de sa fille :

— Elle dort peut-être, murmura-t-elle.

Song Gang hocha la tête d'un air hébété, et il pénétra dans la pièce rougie par les lueurs du soir. Il vit Lin Hong couchée tranquillement dans son lit, comme un petit chat. Il fit quelques pas, mal à l'aise, et s'approcha d'elle. La couverture gonflée révélait les formes douces de son corps, ses cheveux cachaient son joli visage. Song Gang sentit le sang lui monter à la tête, son cœur battait de plus en plus vite. Peut-être Lin Hong avait-elle senti qu'une ombre bougeait devant son lit, elle ouvrit légèrement les yeux et eut d'abord un sursaut de frayeur. Puis quand elle eut reconnu Song Gang, un sourire de joie apparut sur ses lèvres. Elle resta un moment les yeux fermés, la bouche souriante, puis elle rouvrit les yeux et tendit sa main droite vers Song Gang.

Song Gang se rappela alors ce qu'il devait faire. Il prit une profonde inspiration et bégaya :

— Cette fois, je suppose que tu as compris.

Le corps de Lin Hong fut secoué comme si elle venait d'être touchée par une balle. Elle fixa Song Gang, les yeux écarquillés, et à cet instant Song Gang perçut la terreur dans son regard. Aussitôt, ses paupières se fermèrent douloureusement et les larmes coulèrent au coin de ses yeux. Song

Gang, tremblant de tous ses membres, posa tout doucement le mouchoir sur la couverture de Lin Hong, il tourna les talons et se rua hors de la pièce comme un fuyard. Arrivé à la porte d'entrée, il crut entendre la mère de Lin Hong lui parler. Il hésita un instant mais se précipita tout de même dehors.

Li Guangtou, qui attendait à l'extérieur, vit Song Gang arriver en courant, livide, comme s'il venait d'échapper à la mort. Il alla à sa rencontre, rayonnant :

— C'est gagné ?

Song Gang hocha la tête douloureusement et ses larmes jaillirent, puis il fila comme s'il ne devait jamais revenir. Li Guangtou, regardant sa silhouette, se dit en lui-même : "Qu'est-ce qui lui prend de pleurer tout d'un coup ?"

Puis Li Guangtou caressa son crâne luisant comme s'il se peignait et, soupesant les pommes, il entra chez Lin Hong du pas de celui qui vient cueillir les fruits de son succès.

Avant que les parents de Lin Hong aient eu le temps de comprendre ce qui arrivait, Li Guangtou était chez eux. Il les appela, en riant aux éclats, "oncle" et "tante", et, toujours hilare, pénétra dans la chambre de Lin Hong. Il se retourna pour fermer la porte, non sans adresser aux parents un clin d'œil mystérieux qui les laissa abasourdis. Ils se regardèrent, pétrifiés.

C'est donc un Li Guangtou hilare qui s'approcha du lit de Lin Hong :

— Lin Hong, j'ai entendu dire que tu étais malade. Je t'ai apporté des pommes.

Lin Hong ne s'était pas encore remise du choc qu'elle venait d'encaisser. Elle regarda Li Guangtou en silence, sans comprendre. Comme elle ne lui ordonnait pas de ficher le camp, Li Guangtou se réjouit dans son for intérieur. Il s'assit au bord du lit, sortit les pommes une par une et les posa à côté de l'oreiller, tout en faisant l'article :

— Ce sont les pommes les plus rouges et les plus grosses qu'on ait jamais vues au bourg des Liu. J'ai fait trois magasins avant de les trouver.

Lin Hong ne disait toujours rien, et Li Guangtou en inféra que l'affaire était dans le sac. Il saisit tendrement la main droite de Lin Hong et tout en la caressant il voulut la coller contre son visage. C'est alors que Lin Hong, brusquement, se ressaisit. Elle se dégagea brutalement et poussa un cri à vous glacer le sang.

En entendant ce cri, les parents firent irruption dans la pièce. Ils virent leur fille recroquevillée dans un coin du lit, effrayée. Le doigt pointé sur Li Guangtou, elle criait comme s'il en allait de sa vie :

— Dehors, fous le camp.

Sans avoir eu le temps de s'expliquer, Li Guangtou, derechef, dut décamper précipitamment. Pour l'occasion, les parents de Lin Hong ne se servirent pas du balai et du plumeau, c'est à mains nues qu'ils chassèrent Li Guangtou de chez eux, en le poursuivant jusque dans la rue. Ils déversèrent sur lui, devant les masses attroupées, un tombereau d'injures : au "crapaud" et au "fumier" de la fois précédente, ils ajoutèrent plus de dix noms d'oiseaux nouveaux, tels que "voyou", "bon à rien" ou "crapule".

Les parents de Lin Hong s'interrompirent soudain en pensant à leur fille, et ils regagnèrent à la hâte leur foyer. Li Guangtou demeura sur place, ulcéré : il avait plein d'insultes en réserve, mais aucune ne lui venait à l'esprit. Les masses le fixaient en souriant, et chacun voulait savoir quel nouveau coup de théâtre s'était produit.

— Rien de spécial, affirma Li Guangtou, en dédramatisant l'affaire d'un geste de la main, et sans entrer dans les détails il ajouta : une petite dispute d'amoureux.

Li Guangtou s'apprêtait à partir quand les parents de Lin Hong ressortirent de chez eux, les pommes à la main. Ils l'interpellèrent et le bombardèrent avec les fruits. Li Guangtou esquiva, en faisant des bonds à droite et à gauche, et quand les parents eurent épuisé toutes leurs munitions, il tourna vers les masses un visage innocent, s'accroupit par terre et ramassa une à une les pommes brisées, tout en expliquant :

— Elles sont à moi.

Là-dessus, Li Guangtou, ses pommes abîmées dans les bras, s'en alla en prenant un air dégagé. Les masses de notre bourg des Liu le virent essuyer une pomme sur sa veste, la porter à sa bouche et y croquer à belles dents en marmonnant : "C'est bon." Tandis qu'il s'éloignait en mastiquant sa pomme, elles l'entendirent réciter un vers du président Mao :

— "Dès ce jour, à grands pas nous le passerons par ses crêtes, Nous le passerons par ses crêtes[4]..."

VIII

Song Gang avait fondu en larmes en sortant de chez Lin Hong. Tandis que les lueurs du soir s'effaçaient, il s'en alla, accablé, le long des rues du bourg des Liu. A cet instant, il était désespéré, hanté par le souvenir des yeux de Lin Hong agrandis par l'épouvante, puis de ses paupières fermées laissant couler ses larmes. Ces images le torturaient. Les dents serrées, il marchait dans la nuit qui commençait à descendre, plein de haine envers lui-même. En franchissant le pont, il eut envie de se précipiter dans la rivière. Arrivant à la hauteur d'un poteau électrique, il eut la tentation de se fracasser la tête dessus. Quelqu'un passa, poussant une voiture à bras qui grinçait. Il transportait deux paniers superposés, avec dessus une corde enroulée qui pendait. Song Gang s'approcha de la charrette et attrapa prestement la corde, avant de s'enfuir à toutes jambes. L'homme posa les bras de sa charrette et se lança à la poursuite de Song Gang, qu'il harponna par son vêtement :

— Eh, eh, qu'est-ce que tu fais ?

Song Gang s'arrêta et fixa l'homme d'un air mauvais :

— Je vais me suicider, tu comprends ?

L'homme sursauta. Song Gang se fit un nœud coulant autour du cou et souleva la corde, en tirant la langue. Il eut un rire sardonique :

— Je vais me pendre, tu comprends ?

L'homme sursauta à nouveau, puis regarda, bouche bée, Song Gang s'éloigner. Il reprit sa charrette en pestant contre sa putain de poisse : il ne faisait pas encore nuit noire qu'il était tombé sur un fou qui lui avait filé la frousse, et qui par-dessus le marché lui avait fauché une corde. Il ne cessait de jurer en poussant sa charrette et remonta ainsi la plus longue rue de notre bourg des Liu jusque devant la maison de Lin Hong. Li Guangtou, qui venait de ramasser ses pommes, arriva à sa rencontre en mâchonnant. L'homme se plaignit auprès de lui de sa mésaventure :

— Putain, c'est bien ma veine de tomber sur un cinglé…

— Cinglé toi-même, dit Li Guangtou, sans lui prêter plus d'attention, et en continuant son chemin.

Song Gang ne retira pas la corde qu'il s'était passée autour du cou, on aurait dit qu'il portait une écharpe en paille. Il avançait à toute allure, comme s'il sprintait vers la mort. Il entendait le vent siffler dans ses vêtements, et il avait par moments l'impression de marcher sur le vide et que son corps tanguait légèrement comme un bateau dans les vagues. Il sentit qu'il remontait la longue avenue à la vitesse de l'éclair, puis que, à la vitesse de l'éclair, il tournait dans la ruelle et arrivait devant chez lui.

Song Gang sortit la clef de sa poche et ouvrit la porte. C'est seulement quand il se retrouva dans l'obscurité qu'il songea à allumer la lumière. Quand la pièce fut éclairée, il leva la tête vers la poutre du toit, et décida que ce serait là. Il tira le banc sous la poutre, monta dessus, saisit la poutre et s'aperçut alors qu'il n'avait plus la corde. Il regarda autour de lui avec perplexité, en se demandant où il avait bien pu l'oublier. Peut-être l'avait-il perdue en chemin. Il sauta du banc et se dirigea vers la porte. Le vent lui souffla au visage, faisant entendre autour de son cou un bruit duveteux. Il sourit : il avait oublié qu'il l'avait enroulée là.

Song Gang remonta sur le banc, retira la corde de son cou et l'attacha solidement à la poutre. Il tira dessus de toutes ses forces, puis il glissa sa tête dans le nœud coulant, serra, expira longuement et ferma les yeux. Un souffle de vent entra dans la maison, lui rappelant qu'il n'avait pas fermé la porte. Il ouvrit les yeux et vit que la porte claquait. Sa tête sortit du nœud coulant, il sauta du banc et alla fermer la porte. Il remonta sur le banc et repassa sa tête dans le nœud coulant. Il ferma les yeux, prit sa respiration une dernière fois et expira une dernière fois, et il renversa le banc d'un coup de pied. Il sentit son corps s'étirer brutalement, tandis que sa respiration se bloquait. C'est alors qu'il eut le sentiment vague que Li Guangtou entrait.

Quand Li Guangtou poussa la porte, il aperçut le corps de Song Gang qui se débattait en l'air. Il se précipita en hurlant sur Song Gang, et l'attrapa par les jambes. Il essaya du mieux qu'il put de soulever le corps mais, se rendant compte que cela ne servait à rien, il se mit à courir dans tous les sens en jetant des cris comme un animal en cage. Il avisa un couteau et une idée lui vint. Il saisit le couteau, redressa le banc, monta dessus et, d'un bond, trancha la corde. Song Gang et lui tombèrent ensemble par terre. Il se releva en hâte et s'agenouilla à côté du corps de Song Gang, qu'il prit par les épaules et secoua comme un prunier :

— Song Gang, Song Gang… criait-il en pleurant.

Le visage de Li Guangtou était barbouillé de larmes. C'est alors que Song Gang commença à remuer et à tousser. En voyant Song Gang revenir à la vie, Li Guangtou se mit à rire en essuyant ses larmes, et aussitôt après à pleurer :

— Song Gang, qu'est-ce qui t'a pris ?

Song Gang s'assit, le dos contre le mur, en toussant. Il regardait sans réagir Li Guangtou qui sanglotait, et l'entendait l'appeler par son nom. Il ouvrit la bouche douloureusement, mais pas un son n'en sortit. Quand il la rouvrit pour la deuxième fois, il réussit à prononcer ces mots, dans un murmure :

— Je ne veux plus vivre.

Li Guangtou toucha de la main le cou meurtri de Song Gang. Il l'apostropha sur un ton où les larmes le disputaient à la colère :

— Putain, si tu meurs, putain qu'est-ce que je vais faire ? Putain, je n'ai que toi. Putain si tu meurs, putain je vais rester orphelin.

Song Gang écarta la main de Li Guangtou, et dit tristement en secouant la tête :

— Je suis amoureux de Lin Hong, plus amoureux que tu ne l'es toi-même. Or non seulement tu ne veux pas qu'on soit ensemble, mais tu me demandes sans arrêt de lui faire du mal…

Li Guangtou, qui avait séché toutes ses larmes, se fâcha :

— Tu crois que ça vaut le coup de se suicider pour une femme ?

Cette fois, Song Gang cria :

— A ma place, qu'est-ce que tu aurais fait ?

— A ta place, s'écria Li Guangtou, je t'aurais tué !

Song Gang fixa Li Guangtou avec étonnement et, en pointant son index sur lui-même, il dit :

— Mais je suis ton frère !

— C'est égal, répondit sèchement Li Guangtou.

Song Gang resta stupéfait, puis, au bout d'un moment, il se mit à rire. Il observa attentivement Li Guangtou, ce frère dont le destin était inséparable du sien. La phrase qu'il venait de prononcer l'affranchissait brusquement. Il se sentait libre, libre de se jeter corps et âme dans les bras de Lin Hong sans que rien puisse l'en empêcher :

— Tu as cent fois raison, déclara-t-il à Li Guangtou, du fond du cœur.

Song Gang qui, l'instant d'avant, proclamait en pleurant "Je ne veux plus vivre", riait maintenant aux éclats. Ce revirement subit donna la chair de poule à Li Guangtou. Il vit Song Gang se lever d'un bond comme un champion de saut en hauteur et se diriger vers la porte, requinqué. Il se remit debout, en se demandant ce que Song Gang allait faire, et le rappela :

— Où vas-tu ?

Song Gang se retourna et déclara posément :

— Je vais retrouver Lin Hong, je vais lui dire que je l'aime.

— Pas question ! hurla Li Guangtou. Putain, je te l'interdis. Lin Hong est à moi…

— Non, répliqua fermement Song Gang. Lin Hong n'est pas amoureuse de toi, c'est moi qu'elle aime.

Li Guangtou ressortit alors sa botte secrète :

— Song Gang, on est frères… dit-il, lyrique.

— C'est égal, rétorqua joyeusement Song Gang.

Là-dessus, il franchit la porte et s'en alla d'un pas assuré. Li Guangtou furieux frappa du poing contre le mur, puis il grimaça de douleur : il frotta son poing meurtri et souffla dessus, et le bruit de son souffle remplaça les cris de souffrance. Quand la douleur s'apaisa, il scruta le vide de la nuit à l'extérieur et lança à l'adresse de Song Gang, qui avait disparu depuis longtemps :

— Fous-moi le camp ! Espèce de salopard, qui sacrifie ses amis à une femme, qui sacrifie son frère à une femme !

Song Gang marchait dans la rue éclairée par la lune. Les feuilles mortes de cette fin d'automne bruissaient en glissant sur la chaussée. Song Gang était radieux : il pouvait enfin s'abandonner à son bonheur refoulé depuis si longtemps. Il marchait à grands pas vers la maison de Lin Hong en aspirant à pleins poumons le vent frais de cette nuit d'automne. Comme la nuit lui semblait belle, dans ce bourg des Liu, tandis qu'il avançait ! Le ciel était rempli d'étoiles, un vent léger soufflait, les silhouettes des arbres se balançaient, les rayons des lampadaires se mêlaient à ceux de la lune, tressés comme les beaux cheveux de Lin Hong. Des piétons surgissaient de loin en loin dans la rue calme et, quand ils passaient sous les réverbères, on aurait dit qu'ils étaient recouverts d'une chape de lumière, pour le plus grand émerveillement de Song Gang. Quand il franchit le pont, il découvrit un spectacle encore plus merveilleux : les rides de la rivière étaient chargées d'étoiles et de rayons de lune.

IX

Ce jour-là, les parents de Lin Hong avaient été mis à rude épreuve : il y avait eu d'abord Song Gang le timide, qui était entré chez Lin Hong et lui avait brisé le cœur ; puis Li Guangtou l'impavide, qui l'avait glacée d'horreur. Ils passèrent toute la soirée à se lamenter, et à peine s'étaient-ils déshabillés et allongés sur le lit qu'ils entendirent à nouveau frapper. Ils s'interrogèrent du regard : qui cela pouvait-il bien être ? Ils se rhabillèrent et se dirigèrent vers la porte. Les coups avaient cessé. Ils s'apprêtaient à rebrousser chemin, croyant avoir été victimes d'une hallucination, quand les coups reprirent.

— Qui est là ? demanda la mère à travers la porte.

— Moi, répondit Song Gang, depuis l'autre côté.

— Qui ça, moi ? demanda le père.

— Song Gang.

A ces mots, les parents se fâchèrent. Ils se regardèrent et ouvrirent la porte, prêts à dire à Song Gang ses quatre vérités, mais celui-ci, radieux, déclara :

— Me voilà.

— Comment ça, vous voilà ? dit la mère, mais vous n'habitez pas ici.

— C'est à n'y rien comprendre, ajouta le père, la mine sombre.

Aussitôt, la joie qui rayonnait sur le visage de Song Gang s'effaça. Il regarda les parents de Lin Hong, mal à l'aise, en se disant qu'ils avaient raison. La mère de Lin Hong fut sur le point de l'engueuler, mais au dernier moment elle se ravisa :

— Nous étions déjà couchés, lança-t-elle froidement.

Là-dessus, elle ferma la porte. Quand ils furent retournés dans leur lit, le père de Lin Hong pensa à la déconvenue de sa fille et instantanément il se mit à fulminer contre Song Gang, resté dehors :

— Il se conduit comme un crétin.

— C'est parce que c'en est un, trancha la mère, durement.

La mère avait remarqué la marque sanglante sur le cou de Song Gang. Elle demanda à son mari s'il l'avait aperçue aussi. Le père réfléchit, hocha la tête, puis ils éteignirent la lumière et s'endormirent.

Song Gang, debout à la porte, était comme assommé. Il attendit là longtemps. La nuit était tellement silencieuse qu'on aurait entendu tomber une aiguille par terre. Deux chats sautèrent sur le toit et se poursuivirent avec des miaulements sinistres qui lui donnèrent la chair de poule. C'est alors qu'il se rendit compte que la nuit était très avancée, et il commença à regretter d'être venu frapper chez Lin Hong à une heure pareille. Il sortit de la cour et regagna la grande rue.

Tout en marchant, il reprit confiance. Comme un marcheur de compétition qui s'entraîne, il avançait en posant d'abord les talons. Après avoir arpenté la rue dans un sens puis dans l'autre cinq fois de suite, il se sentait toujours plein d'énergie. L'aube s'annonçait déjà, et quand, pour la septième fois, il arriva devant la cour où habitait Lin Hong, il décida d'interrompre ses va-et-vient et de dresser le camp devant la porte en attendant que le jour se lève.

Song Gang s'accroupit, le dos collé contre un poteau électrique qui grésillait. De temps en temps, il riait tout seul, sans se rendre compte que son rire résonnait dans la nuit. Un voisin de Lin Hong, qui rentrait chez lui après son travail, sursauta en entendant rire le poteau électrique : "Si même les poteaux rigolent maintenant, pensa-t-il, est-ce que cela n'annoncerait pas un tremblement de terre ?" Scrutant l'obscurité, il aperçut une forme au pied du poteau, et c'est de là que s'échappait le rire. Il ignorait de quel animal il pouvait bien s'agir et il eut si peur qu'il poussa la porte de la cour et se précipita dedans sans demander son reste. Il s'enferma chez lui à double tour et se glissa sous sa couverture, mais il n'était toujours pas rassuré, et ne parvint à trouver le sommeil qu'après s'être recouvert la tête de sa couverture. Quand il se réveilla, à midi, il raconta à tout le monde qu'il avait rencontré au petit jour une créature effrayante, dont il ne savait pas ce que c'était : elle était trop ronde pour que ce soit un être humain, pas assez grasse pour que ce soit un cochon ni assez grosse pour que ce soit une vache. Et il conclut, catégorique :

— J'ai eu affaire à un animal de la société primitive.

La mère de Lin Hong était debout depuis l'aube. En allant vider son seau hygiénique dehors, elle tomba sur Song Gang, planté là, la tête et le corps mouillés. Elle sursauta, leva la tête vers le soleil qui pointait à peine et, songeant que la veille il n'avait pas plu, elle comprit que Song Gang avait passé la nuit sur place et que c'est de rosée qu'il était couvert. Song Gang, qui ressemblait à un chien tombé à l'eau, la regarda avec un sourire radieux. Déconcertée par ce sourire un peu étrange, elle déposa son seau et rentra chez elle. Elle annonça à son mari que le dénommé Song Gang avait apparemment passé la nuit dehors :

— Est-ce qu'il n'aurait pas le cerveau dérangé ? s'interrogea-t-elle.

Le père de Lin Hong ouvrit la bouche d'étonnement et sortit de la maison avec le même air de curiosité que s'il était allé voir un panda. Song Gang était toujours au même endroit, un sourire jusqu'aux oreilles, et il lui demanda, intrigué :

— Vous êtes resté là toute la nuit ?

Song Gang, tout content, fit oui de la tête, et le père de Lin Hong trouva curieux qu'il paraisse si guilleret après une nuit blanche. Il rentra chez lui et dit à sa femme :

— Tu as raison, il n'est pas tout à fait dans son état normal.

Quand Lin Hong se réveilla, tôt dans la matinée, sa fièvre était tombée. Se sentant un peu mieux, elle se dressa sur son séant, mais elle manquait de forces et dut se rallonger. C'est alors qu'elle apprit que Song Gang avait passé la nuit dehors. Elle fut d'abord stupéfaite, puis elle repensa à la scène qui avait eu lieu la veille : elle se mordit les lèvres et, au souvenir de l'humiliation subie, elle se mit à pleurer. Elle se couvrit la tête de sa couverture et sanglota. Au bout d'un moment, elle s'essuya les yeux avec le mouchoir que Song Gang lui avait rendu et déclara à son père :

— Dis-lui de s'en aller, je ne veux pas le voir.

Le père de Lin Hong sortit pour prévenir Song Gang, toujours au même endroit, souriant jusqu'aux oreilles :

— Allez-vous-en, vous ne verrez pas ma fille.

Song Gang ravala son sourire et regarda, indécis, le père de Lin Hong. Comme il ne bougeait pas, le père de Lin Hong avança vers lui en agitant les mains comme s'il avait voulu chasser un canard. Song Gang s'éloigna d'une dizaine de mètres. Le père de Lin Hong s'arrêta et lança, le doigt pointé sur lui :

— Partez plus loin, que je ne vous revoie plus.

De retour chez lui, le père de Lin Hong annonça qu'il s'était débarrassé de ce crétin, que pour faire déguerpir ce crétin il lui en avait coûté bien davantage que pour faire redescendre un canard dans la rivière, que ce crétin se retournait à chaque pas, que ce crétin restait immobile comme de la poussière… Le président Mao avait bien raison : "Là où le balai ne passe pas, la poussière ne s'en va pas d'elle-même[1]." Le père de Lin Hong prononça sept fois d'affilée le mot de crétin, mais la septième fois, Lin Hong, peinée, se détourna et marmonna :

— Ce n'est pas un crétin, c'est un brave garçon.

Le père de Lin Hong fit un clin d'œil à sa femme et quitta la pièce en riant sous cape. Alors qu'il sortait dans la cour, un voisin, qui était allé acheter des beignets[2], le prévint :

— Le type que tu as chassé est revenu.

— Vraiment ?

Le père de Lin Hong regagna sa maison, il se posta discrètement derrière la fenêtre, souleva le rideau et observa ce qui se passait à l'extérieur. Effectivement, Song Gang était là à nouveau. Il sourit et appela sa femme pour qu'elle vienne jeter un coup d'œil. Celle-ci s'approcha et, voyant Song Gang debout, la tête basse, l'air accablé, elle ne put s'empêcher de rire à son tour :

— Le dénommé Song Gang est revenu, annonça-t-elle à sa fille.

Aux sourires bizarres qui flottaient sur le visage de ses parents, Lin Hong comprit ce qu'ils avaient en tête. Elle se tourna face au mur pour leur dissimuler sa figure. C'est alors qu'elle repensa une nouvelle fois à ce qui s'était passé la veille, et sa colère la reprit :

— Ne vous occupez pas de lui.

— Si on ne s'occupe pas de lui, il risque de prendre racine ici.

— Chassez-le, s'écria Lin Hong.

Cette fois-ci, ce fut la mère de Lin Hong qui sortit. Elle alla trouver Song Gang, qui ne savait où se fourrer, et lui dit tout doucement :

— Rentrez chez vous, et revenez dans quelques jours.

Song Gang regarda la mère de Lin Hong sans comprendre. Celle-ci distinguait parfaitement maintenant la marque sur le cou de Song Gang qu'elle avait entrevue la veille :

— Qu'est-ce que vous vous êtes fait au cou ? demanda-t-elle avec sollicitude.

— J'ai essayé de me suicider, répondit-il, mal à l'aise.

La mère de Lin Hong sursauta :

— De vous suicider ?

— Je me suis pendu avec une corde, expliqua Song Gang, qui précisa immédiatement, confus : Mais je me suis raté.

La mère de Lin Hong, la mine effarée, rentra à la maison, s'approcha du lit de sa fille et lui révéla ce qu'elle venait d'apprendre. Hier, ajouta-t-elle, elle avait bien remarqué une trace sanglante sur son cou, et à l'instant elle s'était rendu compte que la trace était encore plus profonde et plus épaisse qu'il ne lui avait semblé. La mère de Lin Hong soupirait en parlant :

— Sors donc le voir, dit-elle à sa fille, qui était couchée le visage contre le mur, en la poussant de la main.

— Non, pas question, fit Lin Hong en se tortillant. Qu'il crève !

Quand elle eut prononcé ces mots, Lin Hong ressentit une douleur aiguë qui la vrillait. Elle était de plus en plus nerveuse. Allongée sur son lit, elle songeait à Song Gang debout dehors, à la marque sanglante sur son cou. La tristesse la submergeait peu à peu, ainsi que le désir de le voir. Elle se redressa, jeta un coup d'œil vers ses parents, qui, aussitôt, par délicatesse, s'éclipsèrent. Le visage fermé, elle quitta son lit et se dirigea à son tour vers la pièce de devant. Comme à son habitude, elle se brossa les dents et se débarbouilla tranquillement, s'assit devant le miroir pour peigner soigneusement ses longs cheveux avant de les tresser. Puis elle se leva et annonça à ses parents :

— Je vais acheter des beignets.

Quand Song Gang aperçut Lin Hong, il faillit pleurer d'émotion. Il serra ses épaules dans ses mains comme s'il avait froid. Sa bouche s'ouvrit à plusieurs reprises sans laisser échapper aucun son. Lin Hong lui lança un regard et, le visage impassible, marcha vers la boutique où l'on vendait les beignets. Song Gang, le corps trempé, la suivit. Il retrouva enfin la parole pour lui déclarer, d'une voix enrouée :

— Ce soir à 8 heures, je t'attendrai sous le pont.

— Je ne viendrai pas, répondit tout bas Lin Hong.

Lin Hong pénétra dans la boutique et Song Gang resta à la porte, l'air catastrophé. En sortant avec ses beignets, Lin Hong vit la trace que Song Gang portait au cou, et elle frissonna. Song Gang suggéra un autre lieu de rendez-vous :

— Alors, dans le bosquet ? proposa-t-il prudemment.

Lin Hong hésita un instant avant de faire oui de la tête.

Song Gang laissa éclater sa joie, et comme il ne savait pas quoi faire, il suivit Lin Hong jusqu'à l'entrée de la cour où elle habitait. Avant de franchir la porte, Lin Hong se retourna et lui lança un clin d'œil furtif pour lui faire comprendre qu'il devait déguerpir en vitesse. Song Gang savait maintenant quoi faire. Il hocha la tête énergiquement et attendit que Lin Hong ait disparu pour tourner les talons et s'éloigner.

Song Gang passa cette journée d'attente insupportable dans un état second. Il s'assoupit à treize reprises pendant son travail à l'usine : cinq fois dans un coin de l'atelier, deux fois au cours du déjeuner, trois fois tandis qu'il jouait au poker avec ses collègues, deux fois contre sa machine-outil, et une fois appuyé sur le mur des toilettes. Le soir venu, il se rendit tout excité dans le bosquet derrière le cinéma. Le soleil venait de se coucher. Song Gang faisait les cent pas sur le sentier menant au bosquet, avec la mine louche d'un évadé en cavale. Des gens qui l'avaient reconnu en passant l'interpellèrent et voulurent savoir ce qu'il faisait là. Il resta très évasif. Ils lui demandèrent en riant s'il avait perdu son porte-monnaie, et il fit oui de la tête. Et quand ils lui demandèrent s'il avait perdu l'esprit, il acquiesça pareillement, ce qui déclencha leur hilarité.

Ce soir-là, Lin Hong arriva avec une heure de retard. Sa jolie silhouette se déplaçait doucement sur le sentier éclairé par la lune. Dès qu'il l'aperçut, Song Gang vint à sa rencontre en agitant fébrilement la main. Il y avait du monde non loin de là, et Lin Hong lui souffla :

— N'agite pas ta main comme ça, et suis-moi.

Lin Hong se dirigea vers le bosquet, Song Gang la collait de près et Lin Hong lui dit encore, à voix basse :

— Eloigne-toi de moi.

Aussitôt, Song Gang s'arrêta, et ne sachant pas à quelle distance de Lin Hong il devait se tenir, il s'immobilisa complètement. Au bout d'un moment, Lin Hong s'aperçut que Song Gang était toujours au même endroit :

— Viens, murmura-t-elle.

Alors Song Gang s'avança à pas rapides. Lin Hong s'engagea dans le bosquet, et Song Gang après elle. Arrivée au milieu des arbres, Lin Hong jeta un regard circulaire et, quand elle fut sûre qu'il n'y avait personne, elle s'arrêta, écoutant les pas de Song Gang qui se rapprochaient. Ensuite les bruits de pas cessèrent, et il ne resta plus que le bruit d'une respiration haletante. Lin Hong savait que

Song Gang était dans son dos, elle ne bougeait pas et lui non plus, et Lin Hong ne comprenait pas pourquoi ce crétin ne venait pas se placer devant elle. Elle attendit un moment. Song Gang était toujours debout derrière elle, elle entendait son souffle haletant. Lin Hong dut se résoudre à se tourner vers lui. Elle le vit qui tremblait sous la lumière de la lune, elle examina attentivement son cou où la trace sanglante apparaissait faiblement. Elle se décida à parler :

— Qu'est-ce que tu as au cou ?

Song Gang commença un long récit. Il parlait en bégayant et son discours était décousu. Il raconta comment Li Guangtou l'avait forcé à prononcer la fameuse phrase, et comment de retour à la maison il s'était pendu, et comment il avait été sauvé par l'arrivée providentielle de son frère. Tout le temps que Song Gang parla, les larmes de Lin Hong ne cessèrent de couler et, quand il eut fini, Song Gang, toujours bégayant, reprit au début, mais Lin Hong l'interrompit en lui posant sa main sur la bouche. Quand ses lèvres entrèrent en contact avec la main de Lin Hong, Song Gang frissonna. Lin Hong retira sa main, sécha ses larmes en baissant la tête, puis la releva et ordonna à Song Gang :

— Retire tes lunettes.

Song Gang ôta ses lunettes en vitesse et les garda à la main, ne sachant quoi faire ensuite. Lin Hong poursuivit :

— Mets-les dans ta poche.

Song Gang rangea ses lunettes dans sa poche et à nouveau il ne sut que faire. Lin Hong sourit tendrement et se jeta à son cou. Les lèvres collées sur la marque sanglante, elle lui murmura avec ferveur :

— Je t'aime, Song Gang, je t'aime…

Song Gang, tout tremblant, la prit dans ses bras et, sous le coup de l'émotion, il se mit à pleurer et fut bientôt suffoqué par les larmes.

X

Song Gang se sépara de Li Guangtou. Craignant de tomber sur lui, il s'échappa de son travail pour rentrer à la maison, fourra tous ses vêtements dans le vieux sac de voyage et partagea en deux leur cagnotte commune. Il en prit la moitié et laissa l'autre sur la table, en abandonnant à Li Guangtou toute la menue monnaie. Et par-dessus les billets, il posa la clef que Li Guangtou avait fait reproduire à son intention. Puis il ferma la porte et, son sac de voyage à la main, il quitta le toit sous lequel Li Guangtou et lui avaient vécu ensemble pour s'installer dans le dortoir de l'usine de quincaillerie[1].

Après avoir gardé leur amour secret pendant plus d'un mois, Song Gang et Lin Hong décidèrent de le rendre public. Bien entendu, ce fut Lin Hong qui en prit l'initiative. Elle choisit pour cela le cinéma : ce soir-là, les masses de notre bourg des Liu eurent la surprise de voir Lin Hong et Song Gang entrer dans la salle épaule contre épaule. Lin Hong bavardait joyeusement avec Song Gang tout en croquant des graines de pastèque. Quand ils eurent trouvé leurs sièges, ils s'assirent côte à côte, et Lin Hong continua à croquer ses graines de pastèque et à discuter tendrement avec Song Gang sans s'occuper de leurs voisins. Song Gang, au contraire, saluait aimablement tous les gens qui le connaissaient. Les hommes du bourg ne savaient trop quoi en penser, et quand la projection commença, les spectateurs qui n'étaient pas encore mariés et les spectateurs qui l'étaient déjà passèrent presque autant de temps à lorgner le couple qu'à regarder l'écran : ceux qui étaient placés sur les ailes tournaient la tête de côté, ceux qui étaient devant se retournaient, et ceux qui étaient derrière tendaient le cou. Ce soir-là, après le film, qui sait combien d'hommes sensibles se tournèrent et se retournèrent dans leur lit sans parvenir à trouver le sommeil, crevant de jalousie par la faute de Song Gang.

Dès lors Lin Hong et Song Gang se montrèrent souvent ensemble dans la rue. Lin Hong paraissait plus belle que jamais, et elle avait perpétuellement le sourire : les vieux de la ville se la montraient du doigt en disant que cette jeune fille avait été élevée dans du coton. Song Gang, à ses côtés, était ivre de bonheur, et plusieurs mois après il n'avait toujours pas l'air d'être revenu de sa chance : de l'avis des vieux de la ville, il n'avait rien d'un galant et il ne valait même pas cette brute de Li Guangtou, car Li Guangtou au moins avait l'allure d'un garde du corps, tandis que Song Gang avait plutôt celle d'un valet de pied.

Dans son euphorie, Song Gang acheta une bicyclette rutilante de la marque Forever[2], qui engloutit la quasi-totalité de ses économies. Une bicyclette Forever, qu'est-ce que c'était ? A l'époque, l'équivalent d'une Mercedes ou d'une BMW, et notre district n'en touchait que trois par an. En ce temps-là, même quand on en avait les moyens financiers, on ne pouvait pas s'en procurer une neuve. Mais l'oncle de Lin Hong était le directeur de la compagnie de quincaillerie, et c'était à lui qu'il incombait de choisir ceux qui auraient le droit d'acheter les trois vélos en question[3]. C'était un personnage puissant, devant qui ils étaient nombreux à ramper. Soucieuse que Song Gang fasse bonne figure dans notre bourg des Liu, Lin Hong harcelait son oncle à longueur de journée et pleurait presque pour que celui-ci attribue l'une des trois Forever à son cher Song Gang. Le père de Lin Hong lui aussi faisait continuellement pression sur son frère ; quant à sa mère, c'est tout juste si elle ne le prenait pas violemment à partie. L'oncle de Lin Hong, assiégé de tous côtés, dut se résoudre malgré lui à céder au chéri de Lin Hong la Forever qu'il destinait au chef du département des Forces armées populaires du district.

A compter de ce jour, Song Gang fendit l'air triomphalement sur sa Forever, et on le vit partout au détour des rues et des ruelles. Sa Forever rutilante donnait le tournis aux masses de notre bourg des Liu, et le son cristallin de la sonnette qu'il actionnait à tout bout de champ les faisait baver d'envie. Quand il en descendait, il prenait la pelote de coton à mécher coincée sous sa selle et frottait soigneusement le cadre de son engin, si bien que sa Forever était rutilante *forever*. Qu'il vente ou qu'il neige, elle était impeccable, plus propre encore que son propriétaire, car il ne prenait que quatre bains par mois tandis que sa Forever était briquée tous les jours.

Lin Hong avait l'impression d'être une princesse. Chaque matin, quand elle entendait la sonnette cristalline, elle savait que sa voiture privée, la rutilante Forever, était avancée. Elle sortait, le sourire aux lèvres, et s'asseyait en amazone sur le porte-bagages. Elle se rendait à la manufacture en savourant, tout le long du chemin, le regard envieux des passants. Et le soir, quand elle quittait son travail, le beau Song Gang et la rutilante Forever l'attendaient déjà. Elle grimpait sur la Forever du bonheur, derrière le dos de l'homme qui la rendait heureuse. A peine installée, elle lançait à Song Gang :

— Sonne, dépêche-toi, sonne.

Aussitôt Song Gang actionnait le timbre plusieurs fois de suite, et Lin Hong, assise de côté, regardait ses collègues de l'usine, qui restaient en arrière, et un sentiment de supériorité l'envahissait alors. Après une journée harassante, celles-ci devaient encore rentrer chez elles sur leurs deux jambes, tandis qu'elle regagnait son domicile sur son véhicule privé.

Quand Lin Hong était sur la bicyclette, la sonnette de la Forever n'arrêtait pas de tintinnabuler. Dès qu'elle apercevait une de ses connaissances, elle pressait Song Gang de sonner. Alors Song Gang, tout le long de l'avenue, s'escrimait sur sa sonnette, tandis que Lin Hong saluait avec des sourires débordants de fierté.

A présent, les vieux trouvaient que Song Gang avait bien l'air d'un galant : sur sa bicyclette, il ressemblait à ces généraux d'antan juchés sur leur monture, et il faisait tinter sa sonnette comme eux faisaient claquer leur cravache.

Quand Song Gang transportait la belle Lin Hong sur sa Forever rutilante, il gratifiait tous ceux qu'il croisait d'un chapelet de coups de sonnette. Tous, sauf Li Guangtou. Celui-ci arborait toujours le même air arrogant, il marchait à leur rencontre, la tête haute, regardant droit devant lui. Song Gang, au contraire, était troublé et nerveux. Il se détournait comme un enfant qui se sait en faute, et continuait à pédaler la tête penchée de biais, comme s'il avait les yeux à la place des oreilles. Lin Hong réagissait tout différemment : elle s'empressait de demander à Song Gang de sonner, mais le son de sa sonnette s'effilochait et, malgré tous ses efforts, Song Gang n'arrivait pas à aligner la série de sons éclatants qu'il en tirait le reste du temps. Lin Hong comprenait ce qu'il éprouvait, aussitôt elle lui enlaçait la taille et collait son visage sur son dos en fixant

Li Guangtou avec une expression de bonheur et de fierté, et, comme ce dernier ne bronchait pas, elle ricanait et lançait perfidement :

— Tu as vu ce chien battu, Song Gang ? A qui est-il ?

A ces mots, Li Guangtou marmonnait entre ses lèvres tout un chapelet de "Putain" qui durait encore plus longtemps que les coups de sonnette de Song Gang. Puis il prenait une mine défaite, en pensant que sa dulcinée était partie avec son frère, que son frère était parti avec sa dulcinée, et qu'il ne lui restait rien : putain ! il se retrouvait Gros-Jean comme devant et n'avait plus que ses yeux pour pleurer. Mais en regardant la Forever de Song Gang et de Lin Hong s'éloigner, il reprenait du poil de la bête et se disait à lui-même : "Laissons faire le temps, on verra bien qui est le chien battu…"

Là-dessus, il s'encourageait en se parlant, la bouche écumante :

— Plus tard, je me paierai une maxi-Forever. A l'avant j'installerai Xi Shi, et à l'arrière Diaochan ; je prendrai Wang Zhaojun dans mes bras, et Yang Guifei[4] sur mon dos, et je promènerai ces quatre beautés de l'Antiquité pendant sept fois sept quarante-neuf jours[5]. Je remonterai de l'époque moderne vers l'Antiquité, puis je redescendrai de l'Antiquité à l'époque moderne, et si ça me chante j'irai même dans le futur…

Avec la révélation de l'idylle entre Lin Hong et Song Gang, le plus grand suspense amoureux de notre bourg des Liu prit fin. Tels des dominos qui s'écroulent, les jeunes célibataires firent une croix sur Lin Hong l'un après l'autre. Ils se mirent en quête d'une autre jeune femme libre, et c'est ainsi que dans notre bourg des Liu les couples d'amoureux sortirent de terre comme les pousses de bambou après la pluie, faisant souffler dans les rues un vent de douceur. Les vieux ne savaient plus où donner de la tête. Le doigt levé, ils déclaraient :

— Apparemment, chacun a désormais sa chacune… Chacun, sauf Li Guangtou.

Li Guangtou, les masses du bourg des Liu ne le voyaient plus guère. Il avait énormément maigri, à croire qu'il avait attrapé une sale maladie.

L'autre soir, après sa tentative de suicide avortée, lorsque Song Gang s'était rué hors de la maison en bondissant de joie, Li Guangtou avait rugi comme le tonnerre pendant une heure avant de s'en aller ronfler comme le tonnerre pendant huit heures. A son réveil, constatant que le lit de Song Gang était vide, il l'avait cherché partout, dans la maison et aux alentours, en s'étonnant de ne pas le trouver. Ignorant que Song Gang avait passé la nuit dehors, devant la porte de Lin Hong, il avait supposé que celui-ci l'évitait :

— Tu pourras toujours m'éviter un temps, mais pas tout le temps, avait-il grogné.

Le lendemain, Song Gang n'était toujours pas là. Le soir venu, Li Guangtou, assis à table, passa en revue toutes sortes de stratégies pour l'embobiner, mais aucune ne le satisfaisant, il les repoussa toutes. Il finit par imaginer un stratagème pour l'attendrir : il prendrait Song Gang par le bras et évoquerait en pleurant leurs années d'enfance, ces années sanglantes et pathétiques, leur solitude totale et la solidarité qui les unirait jusqu'à la mort. Li Guangtou était persuadé que Song Gang baisserait la tête de honte et qu'il lui rendrait Lin Hong, fût-ce à contrecœur. Li Guangtou était très fier de son stratagème, il le trouvait génial. Il attendit jusque tard dans la nuit, bâillant à s'en décrocher la mâchoire et papillotant des paupières. Et Song Gang qui n'arrivait toujours pas ! De guerre lasse, Li Guangtou, jurant comme un charretier, se coucha, non sans s'être dit auparavant, en jetant un regard circulaire autour de lui, que le bonze pouvait toujours s'enfuir, le temple ne changerait pas de place : Song Gang, si malin soit-il, finirait bien tôt ou tard par rentrer au bercail, et alors il userait de son stratagème pour l'apitoyer.

Quand le surlendemain, en rentrant du travail, Li Guangtou trouva l'argent et la clef sur la table, il comprit que l'affaire était mal engagée et que le bonze qui s'était enfui n'avait pas l'intention de réintégrer le temple. Furibond, il commença à tourner en rond dans la pièce. Il débita tous les gros mots qui existent dans la langue chinoise, et en ajouta quelques-uns en japonais qu'il avait appris en regardant des films sur la guerre de résistance[6]. Il aurait bien aimé aussi en sortir d'autres en américain, mais il ne savait pas un traître mot de cette langue et il dut se résigner à s'asseoir sur le lit et à rester là immobile, sans rien dire. Il songeait qu'il avait sous-estimé Song Gang. Celui-ci avait lu cette moitié d'exemplaire dépenaillée de *L'Art de la guerre*, et avant que Li Guangtou ait pu le circonvenir avec son stratagème, Song Gang lui avait brûlé la politesse en appliquant la maxime qui veut que, des *Trente-six stratagèmes*[7], le meilleur est la fuite.

Cette nuit-là, pour la première fois de sa vie, Li Guangtou ne parvint pas à fermer l'œil, et pendant le mois qui suivit il perdit l'appétit et le sommeil. Il avait maigri, était moins bavard. Cependant, il marchait toujours dans la rue du même pas martial. Il lui arriva de croiser Song Gang, et celui-ci, à chaque fois, se déroba. Il croisa aussi Lin Hong, elle était toujours en compagnie de Song Gang et le tenait tendrement par la main. Et leur bonheur lui crevait le cœur. Par la suite, quand Song Gang, sur sa Forever, et la belle Lin Hong assise à l'arrière, le frôlaient dans leur brillant équipage, ce n'était plus lui qui souffrait mais son amour-propre.

Les masses de notre bourg des Liu, qui avaient bonne mémoire, se souvenaient des menaces que Li Guangtou avait proférées le jour où il avait rossé les deux bonimenteurs amoureux : le premier qui oserait prétendre qu'il était le petit ami de Lin Hong, il lui flanquerait une rouste dont il ne se relèverait pas. Aussi quelques individus malveillants, quand ils rencontraient Li Guangtou, lui glissaient-ils perfidement :

— Dis donc, Lin Hong, ce n'était pas ta petite amie ? Alors comment se fait-il que du jour au lendemain elle se retrouve avec Song Gang ?

Et Li Guangtou s'écriait, amer :

— Si ça avait été n'importe qui d'autre que Song Gang, voilà longtemps que je l'aurais liquidé, et que j'aurais exhibé sa tête en souriant dans le vent[8] ! Seulement voilà, Song Gang qui est-ce ? C'est mon frère, et nos destins sont liés. Il faut bien que je me résigne et que j'accepte de boire la coupe jusqu'à la lie.

La marque que Song Gang portait au cou depuis sa tentative de suicide mit un mois à disparaître, et Lin Hong avait les larmes aux yeux en y repensant. Elle avait raconté l'épisode en détail à ses parents et n'avait pu s'empêcher de le raconter également à celles de ses collègues de la manufacture dont elle se sentait le plus proche. Ses parents et ses collègues l'avaient rapporté ensuite autour d'eux, si bien que l'histoire du suicide de Song Gang s'était propagée dans notre bourg des Liu au même rythme que la division cellulaire, et qu'en quelques jours tout le monde était au courant. Les masses féminines de notre bourg des Liu enviaient Lin Hong, doutant que leur mari ou leur futur mari ait le courage d'en faire autant :

— Est-ce que tu serais capable de te suicider pour moi ?

Les masses masculines du bourg des Liu étaient au supplice. Oui, oui, oui, répondaient les intéressés, en affichant l'air bravache de celui qui ne craint pas la mort, mais sans croire l'ombre d'un instant à ce qu'ils disaient. Les masses féminines répétaient inlassablement leur question et la même réponse était réitérée cinq ou six fois, quand ce n'était pas cent. Des masses masculines poussées à bout se passèrent une corde autour du cou ou se posèrent une lame de couteau sur le poignet en déclarant solennellement :

— Tu n'as qu'un mot à dire, et je me tue sur-le-champ.

Zhao le Poète était alors libre comme l'air. Son ex-petite amie était partie avec un autre, et la future n'avait pas encore plaqué l'homme avait lequel elle vivait. Zhao le Poète se trouvant dans une phase de vide amoureux, il éprouvait un malin plaisir à voir souffrir ses congénères : c'était bien fait pour ces bons à rien ! Il proclama qu'il ne s'embarrasserait jamais d'une petite amie qui lui demanderait de se suicider pour elle, et qu'à tout prendre il préférerait en choisir une qui accepterait de se suicider pour lui :

— Vous n'avez qu'à voir Meng Jiangnü[9] et autres Zhu Yingtai[10], expliquait-il doctement : dans les vraies histoires d'amour, c'est toujours la femme qui se tue pour l'homme.

Dans le malheur, Zhao le Poète se sentait solidaire de Li Guangtou : la cause de leurs déboires à tous les deux, c'était Lin Hong. Depuis que Liu l'Ecrivain s'était fait rosser, Zhao le Poète évitait soigneusement Li Guangtou. Or, les dernières fois où ils s'étaient croisés dans la rue, Li Guangtou l'avait salué d'un signe de tête avant de passer son chemin, et Zhao le Poète en avait inféré qu'il n'avait désormais plus rien à craindre de lui. Aussi commença-t-il à entamer des manœuvres d'approche. Avisant Li Guangtou qui arrivait dans sa direction, Zhao le Poète marcha à sa rencontre et le salua amicalement :

— Directeur Li, comment ça va depuis la dernière fois ?

— Comment veux-tu que ça aille ? répondit Li Guangtou de mauvaise grâce.

Zhao le Poète donna une tape sur l'épaule de Li Guangtou avec un petit rire, et devant les passants il commença à lui tenir un long discours. Il déclara que Li Guangtou avait eu tort de décrocher Song Gang, car celui-ci à peine tiré d'affaire n'avait rien trouvé de mieux que de lui piquer Lin Hong, alors que s'il n'avait pas survécu…

— Est-ce que la balance de l'amour ne pencherait pas de plus en plus vers toi ? demanda-t-il.

Li Guangtou réagit très mal aux propos de Zhao le Poète, il était outré que ce salopard ose souhaiter la mort de Song Gang. Mais Zhao le Poète, ne prêtant pas attention à l'air contrarié de Li Guangtou et pensant la jouer fine, poursuivit :

— C'est comme l'histoire du paysan et du serpent. Un paysan trouve un serpent gelé sur le chemin, et le colle contre son sein pour le réchauffer. Et le serpent, dès qu'il se sent mieux, le pique et le tue…

Pour finir, Zhao le Poète pointa son doigt sur Li Guangtou et, se laissant emporter, il ajouta :

— Le paysan, c'est toi ; et le serpent, c'est Song Gang.

Li Guangtou éclata. Il saisit Zhao le Poète au collet et hurla :

— Putain, va te faire foutre avec ton histoire de paysan et de serpent !

Zhao le Poète blêmit de terreur. En voyant se lever le poing de Li Guangtou, ce poing qui faisait trembler tout le bourg des Liu, il s'empressa de le prendre entre ses deux mains pour lui faire barrage :

— Du calme, directeur Li, par pitié. Ce que j'en disais, c'était pour ton bien, je ne pensais pas à mal…

Li Guangtou hésita un instant. Sensible aux attentions de Zhao le Poète, il laissa retomber son poing, relâcha son étreinte et lança cet avertissement :

— Putain, écoute-moi bien : Song Gang est mon frère, et même si le Ciel est culbuté et la Terre chavirée[11], il restera mon frère. Putain, dis encore un mot contre lui, et je…

Li Guangtou marqua un temps d'arrêt. Il hésitait entre deux mots : tabasser ou tuer. Il opta finalement pour le second :

— Je te tue.

Zhao le Poète hocha la tête comme s'il approuvait, et il tourna les talons avec l'intention de s'éloigner au plus tôt de ce rustre. Il fit rapidement une dizaine de pas, puis, comprenant que le sourire narquois des masses s'adressait à lui, il ralentit illico l'allure et, feignant le flegme, il soupira à la cantonade :

— La vie n'est pas facile.

Tandis qu'il regardait s'éloigner Zhao le Poète, Li Guangtou repensa subitement au serment qu'il avait prêté le jour où il avait rossé Liu l'Ecrivain. Vite, il fit un signe à Zhao le Poète :

— Reviens, putain, fais-moi le plaisir de revenir.

Zhao le Poète se mit à trembler, mais il n'osa pas détaler en public. Il s'arrêta et, pour prouver à quel point il était calme, il se retourna lentement. Li Guangtou continuait à lui faire des signes, et il avait la mine avenante :

— Reviens, dépêche-toi, je n'ai pas encore fait ressortir ta nature de peuple travailleur.

Zhao le Poète vit la foule s'animer et comprit qu'il allait passer un mauvais quart d'heure. Son cœur battait la chamade, mais il eut la présence d'esprit de répondre :

— Une autre fois.

Pointant son doigt sur son propre crâne, il expliqua à Li Guangtou :

— Je viens d'avoir une inspiration : il faut que je rentre vite chez moi pour la noter. Si je la laisse passer, elle sera perdue.

Li Guangtou fit encore signe de la main à Zhao le Poète, mais pour lui signifier qu'il pouvait partir tranquillement. Les badauds ne cachaient pas leur déception :

— Pourquoi le laisses-tu filer ?

Li Guangtou regarda disparaître au loin la silhouette de Zhao le Poète et dit à l'assistance, d'un ton compréhensif :

— Notre Zhao le Poète n'a pas la tâche facile, il accoucherait plus facilement d'un bébé que d'une idée.

Sur ce, il s'en alla, la tête haute, l'air magnanime. Tandis qu'il passait devant le magasin de tissu, Lin Hong, qui nageait en plein bonheur, était en train de discuter avec le vendeur. Elle choisissait des étoffes pour elle-même et pour Song Gang. Li Guangtou ne la remarqua pas, il ne savait pas que Lin Hong et Song Gang étaient sur le point de se marier.

XI

Lin Hong voulut organiser pour le jour de son mariage un banquet de plusieurs tablées au Restaurant du Peuple auquel seraient conviés les proches et les amis des mariés. Elle inscrivit sur une feuille de papier blanc les noms des siens et donna une autre feuille à Song Gang pour qu'il fasse de même. Entre ses doigts, le stylo paraissait à Song Gang aussi lourd qu'une haltère et, pendant un long moment, il fut incapable d'écrire le moindre nom. Il bredouilla qu'il n'avait qu'un seul être cher au monde, Li Guangtou. Cette remarque vexa Lin Hong :

— Et moi, alors ?

Song Gang secoua la tête, il expliqua qu'il s'était mal exprimé, et il se reprit avec une infinie tendresse :

— Toi, tu es pour moi le plus cher d'entre les êtres chers.

Lin Hong sourit, heureuse :

— Toi aussi, tu es pour moi le plus cher d'entre les êtres chers.

Song Gang, son stylo à la main, n'arrivait toujours pas à écrire. Marchant sur des œufs, il demanda à Lin Hong si Li Guangtou serait de la fête lui aussi. Il expliqua que bien qu'ils aient rompu tout contact, ils étaient tout de même frères. Et en disant cela, il répéta avec insistance que si

Lin Hong n'était pas d'accord, il n'était pas question de l'inviter. Finalement, Lin Hong déclara tout de go :

— Invite-le.

Face à la mine perplexe de Song Gang, Lin Hong pouffa de rire :

— Allez, écris.

Après avoir inscrit le nom de Li Guangtou, Song Gang nota à toute vitesse les noms de tous ses camarades d'atelier, puis, non sans hésitation, il ajouta celui de Liu l'Ecrivain. Après quoi, en se fondant sur les deux listes établies, il remplit les cartons d'invitation rouges[1]. Lin Hong, la tête contre l'épaule de Song Gang, s'émerveillait en regardant les caractères élégants couler un à un de son stylo :

— Qu'est-ce que c'est beau, qu'est-ce que tu écris bien !

Cet après-midi-là, Song Gang, un carton d'invitation à la main, enfourcha sa Forever rutilante et se posta au coin de la grande rue pour guetter le passage de Li Guangtou rentrant du travail. Il était assis sur la selle de sa bicyclette, un pied appuyé contre le tronc d'un platane pour ne pas tomber. Quand Li Guangtou approcha, Song Gang ne chercha pas à l'éviter comme à son habitude, il le héla de loin en lui faisant de grands signes. Intrigué par ce changement d'attitude, Li Guangtou regarda derrière lui, persuadé que le salut s'adressait à quelqu'un d'autre. Quand il fut plus près, il entendit Song Gang l'appeler par son nom :

— Li Guangtou.

Il pointa son doigt sur son propre nez :

— C'est à moi que tu parles ?

Song Gang hocha la tête avec enthousiasme. Li Guangtou leva les yeux vers le soleil et lança d'un air bizarre :

— Pourtant, le soleil ne s'est pas levé à l'ouest.

Song Gang rit, gêné. Li Guangtou regarda Song Gang juché sur sa Forever, le pied droit contre le platane, et lui trouva fière allure. De plus en plus admiratif, il dit :

— Putain, comme ça tu as tout d'un Immortel.

Song Gang sauta aussitôt de sa bicyclette, saisit le guidon et invita Li Guangtou à se mettre en selle pour jouer à son tour les Immortels. Li Guangtou n'était jamais monté sur une bicyclette, et il n'avait même jamais posé les fesses sur le porte-bagages d'un vélo. Cela ne l'empêcha pas d'enjamber la barre comme l'eût fait un vieux routier. Mais une fois en selle, ce fut une autre affaire. Son corps penchait tantôt à droite et tantôt à gauche, et ses mains, aussi raides que des bâtons, s'agrippaient au guidon comme à une planche de salut. Song Gang tenait la roue arrière entre ses jambes et criait à Li Guangtou de se décontracter et de tenir le guidon droit. Puis Song Gang donna une poussée par derrière. Au début, le corps de Li Guangtou n'arrêtait pas de vaciller et, tout en continuant à le pousser, Song Gang le soutenait de la main pour l'empêcher de tomber. Peu à peu, Li Guangtou trouva son équilibre. Il était assis bien d'aplomb sur la selle. Song Gang, derrière, poussait de plus en plus fort. Li Guangtou ne pédalait pas, c'est Song Gang, tout seul, qui le faisait avancer. Il s'était mis à courir et Li Guangtou éprouva la sensation de la vitesse, il avait l'impression de voler à travers le bourg et poussait des cris de joie :

— Ça souffle ! ça souffle !

A force de courir, Song Gang était en nage, hors d'haleine, le regard fixe, l'écume aux lèvres. Li Guangtou entendait le vent siffler et ses habits claquer, et ce qui le ravissait surtout c'était la caresse de l'air sur son crâne nu. Il encouragea Song Gang :

— Plus vite, plus vite, encore plus vite.

Après avoir remonté toute la rue en poussant la bicyclette, Song Gang n'avait vraiment plus la force de courir. Il ralentit tout doucement, coinça à nouveau la bicyclette entre ses jambes, aida Li Guangtou à descendre de l'engin puis il s'accroupit et reprit son souffle pendant près d'une demi-heure. Une fois le pied à terre, Li Guangtou restait sur sa faim, il caressait la Forever rutilante de Song Gang en savourant encore l'incroyable sensation de vitesse qu'il avait éprouvée. Puis il regarda Song Gang qui avait peine à récupérer, et prit conscience du chemin qu'il avait parcouru en le poussant. Il s'accroupit et lui donna des petites tapes sur le dos comme pour le soulager :

— Song Gang, tu es vraiment épatant. On dirait un moteur.

Aussitôt, un regret l'envahit :

— Dommage que tu sois un faux moteur : avec un vrai, je serais allé jusqu'à Shanghai.

Song Gang, encore hors d'haleine, éclata de rire. Il se leva en se tenant le ventre :

— Plus tard, toi aussi tu auras un vélo. Et alors, nous irons ensemble à Shanghai.

Les yeux de Li Guangtou étaient aussi brillants que la Forever. Il se frappa le crâne :

— Tu as raison. Plus tard, j'aurai un vélo et nous irons ensemble à Shanghai.

Song Gang avait repris sa respiration normale. Après un instant d'hésitation, il déclara d'un ton où perçait l'inquiétude :

— Li Guangtou, je vais me marier avec Lin Hong.

Et sur ce, il tendit le carton d'invitation à Li Guangtou. Le visage rayonnant de Li Guangtou s'assombrit immédiatement, il ne prit pas le carton, se retourna très lentement et planta là Song Gang, en déclarant tristement :

— Tout est cuit maintenant, à quoi bon venir aux noces ?

Song Gang, immobile, regarda Li Guangtou s'éloigner, et avec lui le lien fraternel qui venait tout juste de se renouer. Il longea l'avenue, le cœur lourd, en poussant sa Forever sans penser à monter dessus. Arrivé à la maison, il sortit le carton et le posa sur la table. Voyant qu'il avait rapporté le carton, Lin Hong demanda à Song Gang :

— Li Guangtou ne viendra pas ?

Song Gang hocha la tête et répondit, mal à l'aise :

— On dirait qu'il n'a pas encore tiré un trait sur le passé.

— Pfft, fit Lin Hong. Maintenant que tout est cuit, ça n'a plus de sens.

Song Gang fut surpris par les paroles de Lin Hong. Il s'étonna que Lin Hong ait pu tenir des propos si proches de ceux de Li Guangtou.

Lin Hong et Song Gang organisèrent au Restaurant du Peuple un banquet de sept tables. Les parents et amis de Lin Hong en occupaient six ; et ceux de Song Gang, une seulement. Li Guangtou ne vint pas, pas plus que Liu l'Ecrivain. Quand on est convié à un banquet de mariage, la coutume veut qu'on offre une enveloppe rouge[2], et si Liu l'Ecrivain prétendit qu'il n'avait pas daigné participer au banquet de mariage de Song Gang, à la vérité c'est qu'il n'avait pas voulu mettre la main à la poche. Levant son petit doigt, il avait expliqué que Song Gang était un pauvre type, et qu'il n'était pas dans ses habitudes d'accepter les invitations de ces gens-là. Toutefois, ajouta-t-il, comme s'il faisait l'aumône, il rendrait visite à Song Gang dans sa nouvelle maison, et à l'occasion du chahut nuptial il le féliciterait personnellement. En revanche, tous les camarades d'atelier de Song Gang étaient là, juste assez pour remplir une table. Le banquet de noces commença à 6 heures, on servit à chaque table dix plats et une soupe. Rien ne manquait : poulet, canard, poisson, viande de porc.

On vida quatorze bouteilles d'alcool blanc et vingt-huit bouteilles de vin jaune. Il y eut onze convives éméchés, sept à moitié ivres et trois complètement soûls. Ces trois-là, allongés chacun sous une table, rendirent tripes et boyaux, et par effet de contagion les sept convives à moitié ivres vomirent à leur tour. Quant aux onze convives éméchés, inspirés par ce spectacle, ils ouvrirent leurs onze bouches et lâchèrent onze séries de rots à toutes les saveurs. Si bien que le Restaurant du Peuple, à l'époque le restaurant le plus sélect de notre bourg des Liu, ne fut bientôt plus qu'un champ de bataille : on aurait dit l'atelier d'une usine d'engrais chimique, et au parfum des aliments s'étaient substituées des odeurs de réactions chimiques.

Ce soir-là, Li Guangtou se soûla lui aussi. Seul chez lui, il but de l'alcool blanc, il en but un bon demi-litre. C'était la première fois qu'il s'enivrait, et une fois soûl il se mit à pleurer. Il se coucha en pleurant, et il pleurait encore en se réveillant à l'aube. Ses voisins, témoins de son désespoir, racontèrent que Li Guangtou avait exprimé par ses pleurs toute la palette des sentiments amoureux : par moments, on aurait cru les miaulements d'un chat en rut ; à d'autres moments, les cris d'un cochon qu'on égorge ; à d'autres moments encore, des meuglements de vache ; et à d'autres enfin, le chant du coq annonçant l'aurore. Les voisins étaient très mécontents car à cause de lui ils n'avaient pas fermé l'œil de la nuit, et ceux qui avaient quand même réussi à s'endormir avaient enfilé cauchemar sur cauchemar.

Après avoir hurlé son désespoir toute la nuit, Li Guangtou, dès le lendemain, se rendait à l'hôpital pour qu'on pratique sur lui une vasectomie. Il fit d'abord un crochet par son usine pour s'y faire délivrer un certificat de son unité[3] : le certificat était établi au nom de Li Guangtou, et il était signé par ce même Li Guangtou qui accordait son autorisation en tant que directeur de l'unité. Et pour rendre la chose encore plus solennelle, il avait apposé dessus un sceau officiel. Son certificat à la main, Li Guangtou pénétra, avec une mine funèbre, dans le service de chirurgie de l'hôpital et posa sèchement le document sur la table du médecin :

— Je suis ici pour répondre à l'appel de l'Etat en faveur du planning familial, annonça-t-il d'une voix forte.

Le médecin connaissait évidemment le célèbre Li Guangtou. Or voici que celui-ci débarquait chez lui de but en blanc pour exiger une vasectomie. Le médecin regarda Li Guangtou faire sur son ventre un geste de la main comme s'il tenait un scalpel, et il se dit qu'il n'avait jamais vu un homme pareil. Puis il jeta un coup d'œil sur le certificat où le nom du bénéficiaire et celui de l'autorité qui l'avait délivré étaient le même, et il se dit qu'il n'avait jamais vu un certificat pareil. Et il ne put s'empêcher de rire :

— Vous n'êtes pas marié et vous n'avez jamais eu d'enfant. Pourquoi voulez-vous vous faire vasectomiser ?

— Se faire vasectomiser alors qu'on n'est pas marié, n'est-ce pas une façon encore plus radicale d'appliquer le planning familial ? déclara Li Guangtou avec emphase.

Le médecin n'avait jamais entendu un raisonnement pareil. La tête baissée, il n'arrêtait pas de rire. Li Guangtou, excédé, l'extirpa de sa chaise et comme s'il voulait pratiquer sur lui une vasectomie il l'entraîna de force dans la salle d'opération. Il défit sa propre ceinture, baissa son pantalon, releva sa veste, s'étendit sur la table d'opération puis ordonna au médecin :

— Allez-y, opérez.

Moins d'une heure plus tard, Li Guangtou était redescendu de la table d'opération. Après avoir accompli cet acte glorieux, il franchit la porte de l'hôpital le sourire aux lèvres. Le dossier de son intervention chirurgicale dans la main gauche, la main droite posée sur sa cicatrice toute fraîche, il s'arrêtait tous les quelques pas pour se reposer et c'est ainsi qu'il se rendit au nouveau domicile de Lin Hong et Song Gang.

Une vingtaine d'ouvrières de la manufacture de tricots étaient chez Lin Hong et menaient grand tapage. Liu l'Ecrivain était là lui aussi. Il était assis au milieu des jeunes filles, la mine radieuse comme s'il était le héros de *Never Flowers in Never Dreams*[4]. Les jeunes filles avaient suspendu une ficelle au plafond avec une pomme accrochée au bout, et elles encourageaient en braillant les jeunes mariés à mordre dedans. Quand Li Guangtou surgit, elles poussèrent des cris de surprise : elles savaient qu'il existait une relation difficile à définir entre Li Guangtou, Song Gang et Lin Hong, une sorte de relation triangulaire sans en être une. Elles crurent que Li Guangtou était venu faire un scandale, et Lin Hong, elle aussi, était inquiète : il avait un air mauvais, qui lui fit craindre le pire. Seul Song Gang ne songea pas à mal, l'arrivée de Li Guangtou le ravit. Pensant que son frère s'était finalement décidé à les rejoindre, il alla vers lui tout joyeux, en sortant une cigarette de son paquet pour la lui offrir :

— Te voilà enfin, Li Guangtou.

Li Guangtou, tout juste sorti du bloc opératoire, écarta sèchement Song Gang de la main droite :

— Je ne fume pas, lança-t-il d'un ton farouche.

Les jeunes filles avaient si peur qu'elles n'osaient piper mot. Li Guangtou tendit tranquillement le dossier de son intervention chirurgicale à Lin Hong. Lin Hong, ignorant de quoi il s'agissait, n'en voulut pas et se tourna vers son mari. Song Gang tendit la main pour prendre le document, mais Li Guangtou la repoussa et passa le dossier à une des jeunes filles qui se tenait à côté de lui pour qu'elle le remette à Lin Hong. Lin Hong, qui avait maintenant le dossier entre les mains, ne comprenait pas où Li Guangtou voulait en venir.

— Ouvre-le, lui ordonna-t-il, et regarde ce qu'il y a d'écrit dedans.

Lin Hong ouvrit le dossier, et lu le mot "vasectomie". Elle ne comprenait toujours pas et interrogea à voix basse la jeune fille la plus proche d'elle :

— "Vasectomie", qu'est-ce que ça veut dire ?

Plusieurs jeunes filles s'approchèrent pour regarder dans le dossier. Li Guangtou expliqua alors à Lin Hong :

— Tu veux savoir ce que ça veut dire ? Ça veut dire castration. Tout à l'heure, je suis allé me faire castrer à l'hôpital…

Les jeunes filles poussèrent des cris d'orfraie, et la mariée blêmit. A cette époque, on avait coutume, dans notre bourg des Liu, de castrer les coqs qu'on achetait pour qu'ils engraissent, avant de les abattre et de les faire cuire. Leur chair était tendre, elle n'avait pas le goût fort de la viande de coq. Et c'est pourquoi les masses du bourg des Liu donnaient à ces coqs castrés le nom de "poulets tendres". Une des jeunes filles, en apprenant que Li Guangtou était allé se faire castrer à l'hôpital, laissa échapper un cri d'effroi :

— Alors maintenant, tu es un homme tendre.

Liu l'Ecrivain trouva là une occasion pour se mettre en valeur. Il se leva lentement, prit le dossier des mains de Lin Hong, le parcourut, puis rectifia, en expert, les paroles de la jeune fille :

— Non, la castration et la vasectomie sont deux choses différentes. Celui qu'on castre devient un eunuque, tandis que celui qui a subi une vasectomie peut encore…

Liu l'Ecrivain balaya du regard toutes ces jeunes filles en fleur et s'arrêta dans son élan. La jeune fille insista :

— Il peut encore quoi ?

Li Guangtou, excédé, lui répondit :

— Il peut encore coucher avec toi.

La jeune fille, vexée, s'empourpra et glissa entre ses dents :

— Pas de danger que quelqu'un veuille coucher avec toi.

Liu l'Ecrivain opina du chef et compléta :

— Simplement, il ne peut plus avoir d'enfant.

Li Guangtou, ravi de l'intervention de Liu l'Ecrivain, hocha la tête et reprit le dossier :

— Puisque je ne peux pas avoir d'enfant avec toi, dit-il à Lin Hong, je n'en aurai avec aucune autre femme.

Sur ce, Li Guangtou l'inflexible tourna les talons et quitta les lieux. Quand il eut franchi le seuil, il s'arrêta et se tourna vers Lin Hong :

— Ecoute-moi bien, moi Li Guangtou, où que je tombe, je me relèverai.

Puis, faisant volte-face à nouveau, il s'en alla à la manière d'un torero espagnol. Un, deux, trois, quatre, cinq, six, sept, il fit sept pas. Derrière lui, chez les jeunes mariés, le silence était total. Alors qu'il faisait le huitième pas, une tempête de rires se leva. La démarche de Li Guangtou devint hésitante et il secoua la tête, dépité. Song Gang sortit à sa poursuite et rattrapa Li Guangtou qui avançait maintenant comme un boiteux. Il le retint par le bras et voulut lui parler :

— Li Guangtou…

Li Guangtou ne lui prêta pas attention et, se tenant le ventre de la main gauche, il s'engagea tristement dans la grande rue, en claudiquant. Song Gang le suivit, ce dont Li Guangtou s'aperçut au bout d'un moment :

— Rentre vite, murmura-t-il en se retournant.

Song Gang secoua la tête, sa bouche s'ouvrit mais rien d'autre ne s'en échappa que ces mots :

— Li Guangtou…

Comme Song Gang restait là, immobile, Li Guangtou lui lança à voix basse :

— Putain, c'est le jour de tes noces, rentre chez toi.

Song Gang retrouva enfin la parole :

— Pourquoi as-tu fait ça ? Tu n'auras jamais d'enfants.

— Pourquoi ? dit Li Guangtou, d'un air abattu : parce que je ne me fais plus aucune illusion sur ce monde.

Song Gang secoua tristement la tête et regarda Li Guangtou s'éloigner lentement sur le côté de la rue. Au bout d'une dizaine de pas, Li Guangtou se retourna encore et lâcha avec un accent de sincérité :

— Prends bien soin de toi, Song Gang !

Song Gang eut un pincement au cœur. Il savait que désormais leurs routes à tous les deux bifurquaient pour de bon. Tandis qu'il suivait des yeux Li Guangtou qui partait en boitant, des images de leur première séparation lui revinrent en mémoire : son grand-père, debout à l'entrée du village, le tenait par la main, et Li Lan, tenant Li Guangtou par la main, s'éloignait de plus en plus sur le petit chemin de campagne.

Le torero espagnol de notre bourg des Liu s'en alla sans plus se retourner. Plus loin, il tomba sur Guan les Ciseaux le Jeune, lequel, surpris de le voir marcher comme un boiteux et se tenir le ventre de la main gauche, voulut savoir s'il avait mal à cet endroit-là. Il l'interpella donc, mais avant que Li Guangtou ait répondu, il avait déjà posé son diagnostic :

— Ce sont des ascaris qui s'attaquent à tes intestins, c'est sûr.

Li Guangtou, toujours obsédé par son acte héroïque, retint Guan les Ciseaux le Jeune avec une mine tragique et, brandissant le dossier, répliqua avec mépris :

— Des ascaris ? Ah si ce n'était que ça…

Il ouvrit le dossier pour le montrer à Guan les Ciseaux le Jeune, et attira son attention sur le mot "vasectomie". Guan les Ciseaux le Jeune entreprit de lire attentivement les indications portées sur le dossier tout en pestant contre l'écriture relâchée des médecins. Mais quand il fut parvenu au bout, il n'était toujours pas plus avancé :

— Qu'est-ce que c'est que ça, une vasectomie ?

Li Guangtou se rengorgea et expliqua fièrement :

— Une vasectomie ? C'est une castration.

Guan les Ciseaux le Jeune sursauta et laissa échapper une exclamation horrifiée :

— Tu t'es fait couper la bite !

— Comment ça, couper ! lâcha Li Guangtou, exaspéré, et il rectifia : Il ne s'agit pas de couper mais de ligaturer.

— Alors si je comprends bien, poursuivit Guan les Ciseaux le Jeune, tu l'as toujours.

— Evidemment, dit Li Guangtou, en palpant son entrejambe de la main droite. Elle est intacte.

Là-dessus, Li Guangtou déclara, impérial :

— Au début, j'avais bien l'intention de la couper, mais j'ai réfléchi qu'ensuite il faudrait que je pisse accroupi comme les femmes et que ça ne serait pas joli à voir. Alors j'ai opté pour la vasectomie.

Li Guangtou donna une tape sur l'épaule de Guan les Ciseaux le Jeune et prit le large en claudiquant, une main sur le ventre et l'autre agitant son dossier. Guan les Ciseaux le Jeune resta planté là, hilare, et en montrant la silhouette de Li Guangtou qui s'éloignait il expliquait aux masses que Li Guangtou s'était fait faire une vasectomie, autrement dit qu'il s'était fait castrer, mais que… Et il ajouta, pragmatique, que Li Guangtou l'avait toujours. Tandis que Li Guangtou était de plus en plus loin, la foule qui entourait Guan les Ciseaux le Jeune ne cessait de grossir. Les commentaires allaient bon train à propos de Li Guangtou, et les gens se réjouissaient de la bonne journée qu'ils avaient passée grâce à lui. Personne ne se doutait qu'une dizaine d'années plus tard Li Guangtou serait devenu le PIB de tout le district.

XII

La carrière de PIB de Li Guangtou débuta à l'usine d'assistés sociaux de notre bourg des Liu. "Le vieillard de la frontière a perdu son cheval, mais qui sait si ce ne sera pas sa chance ?" Après sa déconvenue amoureuse avec Lin Hong, Li Guangtou se remit sur pied et réalisa pendant plusieurs années de suite des profits miraculeux à l'usine. La réforme et l'ouverture avaient fait place à la période dite du grand rush national vers les affaires[1]. Li Guangtou réfléchit longuement, et plus il y pensait, plus il était persuadé d'avoir la bosse du business : si en ayant sous ses ordres deux boiteux, trois idiots, quatre aveugles et cinq sourds, il était capable de dégager des bénéfices, avec cinquante licenciés, quarante titulaires d'un master, trente docteurs et vingt post-doctorants, il se ferait assez de carburant pour affréter un pétrolier de 10 000 tonnes.

Tout excité par cette perspective, Li Guangtou ordonna sur-le-champ à ses quatorze fidèles, les boiteux, les idiots, les aveugles et les sourds, d'interrompre le travail en cours et, comme si un tremblement de terre ou un incendie venait de se produire, il convoqua l'assemblée la plus extraordinaire de toute l'histoire de l'usine. Alors que l'instant d'avant il était pendu au téléphone pour traiter une affaire, à peine le combiné raccroché, il décida de démissionner. Il prononça un discours enflammé qui dura une heure, dont cinquante-neuf minutes consacrées à faire son propre éloge. Au cours de la dernière minute, il commença par nommer les deux boiteux respectivement directeur et directeur adjoint de l'usine, puis il proclama d'un ton plein d'affliction et de regret que l'ensemble des ouvriers et employés de l'usine avaient accepté à l'unanimité la démission que leur présentait le directeur Li Guangtou.

— Merci, conclut-il, les larmes aux yeux.

Après avoir remercié, il tourna les talons et s'en alla d'un pas pressé, plantant là ses quatorze fidèles, les boiteux, les idiots, les aveugles et les sourds. Les trois idiots, qui n'avaient rien compris au discours de Li Guangtou, montraient toujours une mine hilare. Les cinq sourds, qui avaient vu seulement remuer ses deux grosses lèvres, crurent, en voyant Li Guangtou cesser brusquement de les remuer et quitter la pièce, qu'il avait été pris d'une envie pressante, et ils attendaient bien sagement qu'il revienne et que ses lèvres se remettent en mouvement. Les deux boiteux échangeaient des regards intrigués : il y avait de cela environ cinq ans, Li Guangtou avait déjà convoqué une assemblée générale du personnel et, sans crier gare, il les avait démis de leurs fonctions respectives de directeur et directeur adjoint pour s'attribuer à lui-même d'autorité le titre de directeur ; or voilà qu'à présent, tout aussi brutalement, il mettait fin à ses propres fonctions et leur rendait leurs titres primitifs. Les quatre aveugles écarquillaient leurs pupilles sans lumière. Ils avaient les idées beaucoup plus claires que les boiteux, les idiots et les sourds, et ce furent eux les premiers qui réalisèrent que Li Guangtou ne reviendrait pas. L'un des aveugles se mit à rigoler, bientôt imité par les trois autres. Quand les trois idiots, déjà hilares, virent les quatre aveugles tout joyeux, ils ne voulurent pas être en reste et ils éclatèrent carrément de rire. Les cinq sourds, qui n'entendaient pas les rires mais les voyaient, s'imaginèrent que Li Guangtou, en descendant de la tribune, avait raconté une blague, et ils ouvrirent alors leurs cinq bouches : deux d'entre elles émirent un son tandis que les trois autres se contentaient d'un rictus. Les deux boiteux, rétablis à l'instant dans leurs fonctions, réagirent enfin. Ils avaient compris que Li Guangtou avait démissionné, pour autant ils s'étonnaient de la gaieté ambiante. Le boiteux directeur déclara que le directeur Li s'était toujours montré gentil avec tout le monde, et qu'il n'y avait donc aucune raison de se réjouir de son départ. Le boiteux directeur adjoint opina du bonnet et déclara à son tour qu'il abondait dans le sens du boiteux directeur et que lui-même n'aurait pas mieux dit. Les quatre aveugles, eux, déclarèrent en riant que si le directeur Li abandonnait un poste si intéressant, c'était sans doute qu'il allait être promu au bureau des Affaires civiles. Les aveugles, aveuglés, ajoutèrent :

— Le directeur d'usine Li va devenir le directeur de bureau Li.

— Mais oui, c'est bien sûr ! renchérirent les deux boiteux, comme sous l'effet d'une révélation.

Tao Qing, le directeur du bureau des Affaires civiles, n'apprit qu'un mois plus tard la démission de Li Guangtou. Les quatorze boiteux, idiots, aveugles et sourds honorèrent les dernières commandes décrochées par Li Guangtou et n'en obtinrent pas de nouvelles. Les deux boiteux avaient réintégré le bureau de la direction et, renouant avec leurs bonnes vieilles habitudes, ils avaient ressorti leur échiquier. Assis de part et d'autre de la table, ils rejouaient sans arrêt leurs coups en s'engueulant. Les douze autres se tournaient les pouces dans l'atelier : les trois idiots continuaient à ricaner bêtement, tandis que les quatre aveugles et les cinq sourds s'affrontaient dans un concours de bâillements.

A force de désœuvrement, les quatorze fidèles commencèrent à se languir du directeur Li et, à l'instigation des quatre aveugles, avec l'aval des deux boiteux, les quatorze fidèles de l'usine d'assistés sociaux, formant un cortège hétéroclite, se rendirent dans la cour du bureau des Affaires civiles où ils arrivèrent en ordre dispersé et où ils s'écrièrent en ordre dispersé :

— Monsieur le directeur de bureau Li, monsieur le directeur de bureau Li, nous sommes venus vous rendre visite !

Tao Qing, qui présidait une réunion du bureau des Affaires civiles, aperçut par la fenêtre les quatorze boiteux, idiots, aveugles et sourds qui s'époumonaient au milieu de la cour. Il était en train de donner lecture d'un document à en-tête rouge[2] du Comité central[3] et ces braillements l'exaspérèrent. Claquant le document sur la table, il s'écria, furieux :

— Ce Li Guangtou se croit décidément tout permis : il débarque ici avec toute son usine.

Il fit un signe au chef de service, assis à ses côtés, pour qu'il sorte disperser le cortège. Le chef de service était encore plus agacé que le chef de bureau, il engueula tout le monde en roulant des yeux furibonds :

— Qu'est-ce que c'est que ce bazar ? Qu'est-ce que c'est que ce bazar ? Nous sommes en train d'étudier un document du Comité central.

Pour avoir assumé des fonctions de direction, les deux boiteux connaissaient l'importance que revêtait l'étude des documents du Comité central. Intimidés, ils n'osèrent pas répliquer. Les quatre aveugles, parce qu'ils ne voyaient rien, n'accordaient naturellement pas la moindre importance aux écrits du Comité central, et en entendant la mercuriale du chef de service ils se rebiffèrent :

— Qui êtes-vous pour nous parler comme ça ? Même M. le directeur de bureau Li ne s'adresserait pas à nous de cette façon.

Quand le chef de service vit les quatre aveugles appuyés sur leurs quatre perches le prendre de si haut, il explosa :

— Sortez, faites-moi le plaisir de sortir.

— Rentrez, faites-nous le plaisir de rentrer, ripostèrent les aveugles, sur le même ton. Allez dire à M. le directeur de bureau Li que tout le personnel de l'usine d'assistés sociaux se languit de lui et qu'il aimerait le voir.

— De quel directeur de bureau Li me parlez-vous ? demanda le chef de service, déboussolé. Ici, nous n'avons aucun directeur de bureau de ce nom, il n'y en a qu'un, et il s'appelle Tao.

— Quelque chose doit vous aveugler, dirent les aveugles.

Le chef de service ne savait plus sur quel pied danser. Il songea que ces aveugles n'étaient pas aveugles pour rien. C'est alors que Tao Qing sortit. Il avait l'air hors de lui. Sans même s'être assuré de la présence de Li Guangtou, il lança à l'adresse des quatorze boiteux, idiots, aveugles et sourds :

— Li Guangtou, amène-toi ici.

Les quatre aveugles, ignorant qui était le nouvel arrivant, étaient toujours dressés sur leurs ergots :

— Qui êtes-vous pour oser interpeller de la sorte M. le chef de bureau Li ?

— Qui ça ?

Tao Qing lui aussi était déboussolé.

— Pfft ! Vous ne connaissez même pas M. le directeur de bureau Li ! ironisèrent les aveugles. C'était le directeur de notre usine, et maintenant il dirige le bureau des Affaires civiles.

Tao Qing jeta un coup d'œil vers le chef de service qui se tenait à ses côtés. Il n'avait rien compris aux paroles des aveugles. Le chef de service s'en prit aussitôt à ces derniers :

— Vous divaguez ! Si Li Guangtou est devenu le directeur du bureau, M. le directeur Tao, alors, qu'est-ce qu'il est ?

Les quatre aveugles restèrent cois. Ils venaient tout juste de se rappeler qu'il y avait effectivement au bureau des Affaires civiles un directeur du nom de Tao. L'un des quatre se hasarda :

— Peut-être que M. le directeur de bureau Tao a été promu chef de district ?

— Mais oui, s'écrièrent les trois autres, ravis.

Tao Qing, d'abord très vexé, pouffa de rire en s'entendant ainsi élever au rang de chef de district. Il affichait à présent une mine aussi hilare que celles des trois idiots. C'est alors qu'il se rendit compte que Li Guangtou n'était pas là. Avisant les deux boiteux cachés derrière les cinq sourds, il pointa le doigt sur eux :

— Vous deux, approchez.

Les deux boiteux sentirent que le temps se gâtait et que la promotion du directeur Li au rang de directeur de bureau n'était rien d'autre qu'une élucubration aveugle d'aveugle. Ils n'en menaient pas large quand ils s'avancèrent en boitant de derrière les cinq sourds. Comme ils s'écartaient l'un de l'autre en marchant, ils se retournèrent afin de pouvoir se rapprocher, et ils s'arrêtèrent devant Tao Qing.

Tao Qing finit par comprendre que Li Guangtou avait donné sa démission, c'était chose faite depuis un mois et il n'avait pas jugé utile de l'en informer. Sans même en discuter avec le personnel de l'usine, il avait prétendu que tous les ouvriers et employés avaient accepté sa démission à l'unanimité. Tao Qing était blanc de colère et ses lèvres tremblaient :

— Ce Li Guangtou méprise l'organisation, il méprise la discipline, il méprise les dirigeants, il méprise les masses…

Et lui qui n'avait pas proféré le moindre gros mot depuis plus de dix ans ne put se contenir :

— Le salopard, le fils de pute !

Quand il fut de retour dans la salle de réunion, après avoir ordonné aux deux boiteux d'emmener le cortège, Tao Qing ne se replongea pas dans l'étude du document à en-tête rouge du Comité central. Il inscrivit à l'ordre du jour de la réunion la faute grave commise par Li Guangtou. Il proposa d'exclure définitivement Li Guangtou du réseau des Affaires civiles, et sa motion fut adoptée à l'unanimité par l'assemblée. Elle fut ensuite tapée sous forme d'un document à en-tête rouge du bureau des Affaires civiles pour être soumise à la ratification du gouvernement du district. Une fois le document prêt, Tao Qing le relut une dernière fois :

— S'agissant d'un homme sans foi ni loi comme Li Guangtou, on ne saurait parler de démission, le seul mot approprié est celui d'exclusion.

XIII

A l'instant même où il était exclu par Tao Qing, Li Guangtou était assis dans la boutique de *dim sum* de la mère Su, à côté de la gare routière. Un billet pour Shanghai dans une main, un petit pain farci à la viande dans l'autre, il avait l'air en pleine forme. Il mordait dans le petit pain fumant et mâchait avec délectation, les paupières mi-closes, tout en expliquant fièrement à la mère Su qu'il avait l'intention de s'installer à son compte. Il regarda son billet : dans une heure environ, il sauterait dans le car pour Shanghai. L'œil rivé à l'horloge suspendue au mur de la boutique, et aussi sérieux que s'il faisait le compte à rebours pour le lancement d'une fusée, il marmonna les chiffres de 10 à 1, puis, avec un geste de la main, il annonça à la mère Su :

— Dans une heure, moi, Li Guangtou, je prendrai mon envol.

Après avoir démissionné impromptu, Li Guangtou était rentré à la maison et s'était enfermé chez lui, où il avait passé la moitié de la journée et la moitié de la soirée à mettre sur pied son plan d'envol. Fort de ses exploits à l'usine d'assistés sociaux, il estimait qu'il devait s'attaquer en priorité à l'industrie de transformation, avant de créer sa propre marque quand il aurait accumulé un capital suffisant. Mais pour transformer quoi ? Il avait bien pensé à se lancer sur le même créneau que l'usine d'assistés sociaux, celui des boîtes en carton, car c'était un secteur qu'il connaissait sur le bout des doigts, mais à la réflexion, et bien qu'à contrecœur, il avait renoncé à cette idée par égard pour ses quatorze chers fidèles de l'usine à qui il aurait ôté le riz de la bouche. Finalement, il avait décidé d'opter pour la confection. Il suffirait qu'il décroche des commandes de maisons de prêt-à-porter shanghaïennes et, tel le soleil montant au zénith, il amorcerait une ascension irrésistible.

Le Li Guangtou promis à une ascension irrésistible se rendit donc chez Tong le Forgeron avec une carte du monde. Tong le Forgeron était devenu le président de l'Association des travailleurs individuels[1] de notre bourg des Liu. Pour mener à bien son entreprise, Li Guangtou avait besoin de lever des fonds, or comme il savait qu'il n'obtiendrait pas un centime de l'Etat, il avait spontanément songé à Tong le Forgeron. Avec la réforme et l'ouverture, les premiers à s'être enrichis avaient été les entrepreneurs privés comme lui, et leur compte en banque était de plus en plus garni. Sourire aux lèvres, Li Guangtou entra dans la boutique de Tong le Forgeron en lui donnant du "monsieur le président Tong", de sorte que l'intéressé, flatté, posa son marteau :

— Directeur Li, pas de "président Tong" entre nous, dit-il, en s'épongeant le front, appelle-moi plutôt "Tong le Forgeron". Ça sonne mieux.

Li Guangtou s'esclaffa :

— Alors pas de "directeur Li" non plus, appelle-moi "Li Guangtou", ça sonne mieux aussi.

Puis Li Guangtou expliqua à Tong le Forgeron qu'ayant résigné ses fonctions il n'était plus directeur. Debout devant la forge, il lui décrivit en postillonnant son plan grandiose. Il lui fit observer avec insistance que rien qu'avec ses quatorze boiteux, idiots, aveugles et sourds il avait gagné plusieurs centaines de milliers de yuans par an ; avec derrière lui cent quarante, voire mille quatre cents, employés normaux, et pour peu qu'on saupoudre par-dessus quelques licenciés, titulaires d'un master, docteurs et post-doctorants de la même façon qu'on ajoute une pincée de glutamate sur les légumes sautés, Dieu sait combien il pourrait gagner. Li Guangtou se mit à compter sur ses doigts en marmonnant, mais au bout d'une demi-heure il en était toujours au même point. Tong le Forgeron en transpirait d'impatience :

— Alors, ça ferait combien ?

— Je n'arrive vraiment pas à faire le calcul, avoua Li Guangtou en secouant la tête et, les yeux écarquillés, il précisa dans un élan romantique : Ce ne sont déjà plus des billets que j'ai devant les yeux, mais un océan à perte de vue.

Cet accès de romantisme passé, Li Guangtou redevint aussitôt plus prosaïque :

— En tout cas, finis les soucis : bien vêtu, bien nourri, et la bourse bien garnie.

Là-dessus, Li Guangtou tendit la main en direction de Tong le Forgeron comme l'aurait fait un bandit de grand chemin :

— Le fric, et vite : 100 yuans l'action, plus ta prise de participation est importante et plus tu toucheras de bénéfices.

Tong le Forgeron était aussi rouge que le feu de sa forge : la proposition de Li Guangtou l'avait littéralement enflammé. Il essuya sa grosse main droite sur le devant de son vêtement et montra trois doigts :

— J'en prends trente.

— Trente parts, ça fait 3 000 yuans ! s'exclama Li Guangtou, admiratif. Tu es drôlement riche.

Tong le Forgeron minimisa en riant sa participation :
— 3 000 yuans, je peux encore les sortir.

Li Guangtou déplia alors sa carte du monde. Il expliqua à Tong le Forgeron qu'au début il travaillerait pour des maisons de prêt-à-porter shanghaïennes mais que dès que possible il créerait sa propre marque de vêtements, la marque Guangtou, Crâne rasé. Il avait pour ambition d'en faire la première marque au monde. Montrant la carte, il dit à Tong le Forgeron :

— Partout où il y a des points là-dessus, il y aura des boutiques spécialisées où l'on vendra des vêtements de la marque Guangtou.

Tong le Forgeron tiqua :

— On ne vendra que des habits Guangtou, rien d'autre ?

— Rien d'autre, répliqua Li Guangtou, catégorique. A quoi ça servirait de vendre d'autres marques ?

Tong le Forgeron ne l'entendait plus de cette oreille :

— Si je sors 3 000 yuans, j'estime avoir droit moi aussi à ma marque.

— C'est juste, reconnut Li Guangtou en hochant la tête. Tu auras aussi ta marque, ce sera la marque Forgeron.

Tout en parlant, Li Guangtou tira sur sa veste Sun Yat-sen en serge :

— Les vestes seront de la marque Guangtou. Il est hors de question que j'abandonne le produit à qui que ce soit. Je ferai même broder le nom sur la poitrine. Mais il y a encore le pantalon, la chemise, le tricot de corps et le slip, à toi de voir ce que tu préfères.

Tong le Forgeron trouva les exigences de Li Guangtou légitimes et il se résigna à choisir parmi ce qui restait. Snobant le tricot de corps et le slip, il balança entre le pantalon et la chemise. L'avantage de la chemise, c'est qu'on pouvait aussi broder le nom sur la poitrine. Il se serait bien laissé tenter par elle si par-dessus il n'y avait pas eu la veste, qui n'en laissait apparaître que le col. Découragé par ce faible taux d'exposition, il décida de réserver sa marque "Forgeron" au pantalon.

— Est-ce qu'on trouvera la marque Forgeron partout où il y a des points ? s'inquiéta-t-il, le doigt sur la carte.

— Evidemment, assura Li Guangtou en se frappant sur le thorax. Partout où il y aura ma marque Guangtou, il y aura ta marque Forgeron.

Tong le Forgeron, ravi, souleva son index :

— Pour ma marque Forgeron, j'ajoute dix actions, soit 1 000 yuans.

Li Guangtou ne s'attendait pas à récolter 4 000 yuans d'un seul coup, et en sortant de la boutique de Tong le Forgeron il avait un sourire jusqu'aux oreilles. Tong le Forgeron était le plus influent des entrepreneurs privés de notre bourg des Liu et, la force de l'exemple aidant, quand ses confrères apprirent qu'il avait pris quarante actions, chacun étant par ailleurs au courant du bilan flatteur de Li Guangtou à l'usine d'assistés sociaux, pas un ne refusa d'être de l'affaire lorsqu'on lui déplia lentement la carte du monde sous le nez.

En quittant la boutique de Tong le Forgeron, Li Guangtou fila directement chez le tailleur. Il ne lui fallut que dix minutes pour convaincre Zhang le Tailleur, à qui il accorda la marque pour les chemises. Zhang le Tailleur fut ébloui par tous ces petits points sur la carte. En s'aidant d'une aiguille, il essaya de les compter, en commençant par l'Europe. Mais même pour un pays minuscule, il ne parvenait pas à tous les comptabiliser. A l'idée que les chemises de la marque Tailleur seraient connues dans le monde entier, il leva un doigt avec enthousiasme :

— Je prends dix actions.

Li Guangtou offrit généreusement dix actions en sus à Zhang le Tailleur. Autrement dit, pour le prix de dix actions, celui-ci en reçut vingt. Li Guangtou expliqua que ces dix actions gratuites étaient destinées à rémunérer les services de Zhang le Tailleur, considérant qu'à titre d'inspecteur technique de la future maison de prêt-à-porter il aurait à former le personnel et à assurer le contrôle qualité.

Maintenant que son fonds de lancement s'élevait à 5 000 yuans, Li Guangtou, poursuivant son effort, se tourna vers Guan les Ciseaux le Jeune, dans sa boutique de rémouleur, et vers Yu l'Arracheur de dents, qui officiait sous son parapluie de toile huilée. Guan les Ciseaux l'Ancien, qui était tombé gravement malade quelques années auparavant, n'était plus en état de travailler et restait chez lui à longueur d'année. Guan les Ciseaux le Jeune avait pris la boutique en main et il était devenu, selon ses propres termes, le général sans armée de la boutique de rémouleur. Li Guangtou lui accorda les tricots de corps. Guan les Ciseaux le Jeune fut ravi de ses tricots de corps de la marque Ciseaux, d'autant que la forme des bretelles, selon lui, évoquait celle des ciseaux. Sa participation s'éleva à dix actions, soit 1 000 yuans.

En quittant Guan les Ciseaux le Jeune, Li Guangtou se rendit sur le territoire de Yu l'Arracheur de dents. Celui-ci ouvrait comme toujours son grand parapluie en toile huilée au bout de la rue, avec en dessous une table sur le côté gauche de laquelle était disposée une rangée de daviers, et sur le côté droit plusieurs dizaines de mauvaises dents. Quand les clients se présentaient, Yu l'Arracheur de dents s'asseyait sur le banc, et quand il n'y avait personne il s'allongeait sur la chaise longue en rotin. Celle-ci avait été rafistolée une dizaine de fois, et avec ses lanières remplacées ici ou là elle ressemblait à un plan du bourg des Liu. En voyant le torrent impétueux de la révolution se transformer en un petit ruisseau insignifiant dont nul aujourd'hui ne savait où il était passé, il avait compris que la révolution, elle aussi, avait pris un coup de vieux, qu'elle était désormais à la retraite et qu'il ne la reverrait pas de son vivant. Convaincu que la dizaine de bonnes dents arrachées à tort avaient cessé d'être des trésors révolutionnaires et risquaient de devenir par la suite autant de taches dans sa carrière d'arracheur de dents, par une nuit de vent sans lune, il s'était glissé hors de sa maison comme un voleur pour aller les jeter en catimini dans l'égout.

Yu l'Arracheur de dents avait alors la cinquantaine. Devant l'avenir brillant que lui dessinait Li Guangtou, il se releva tout excité de sa chaise longue qui ressemblait à un plan du bourg des Liu, prit la carte du monde des mains de Li Guangtou et l'examina avidement en poussant des soupirs à fendre l'âme :

— Moi qui te parle, de ma vie je n'ai mis les pieds en dehors des limites de notre district. Je ne suis allé nulle part, et tout ce que j'ai vu, ce sont des bouches ouvertes. Je compte sur toi. Quand je serai devenu riche grâce à toi, putain ! je n'arracherai plus de dents, je ne verrai plus toutes ces bouches ouvertes. Je veux voir du pays, je veux voyager partout dans le monde, partout où il y a ces petits points.

Li Guangtou le félicita :

— Quel programme magnifique ! dit-il, en levant le pouce.

Sur sa lancée, Yu l'Arracheur de dents jeta un regard de mépris sur ses daviers :

— Je vais mettre tout ça à la poubelle.

— Non, fit Li Guangtou en secouant la main. Tu n'auras qu'à les emporter avec toi quand tu visiteras les petits points, et si la main te démange tu en profiteras pour arracher des dents à des Blancs ou à des Noirs. Après avoir arraché tant de dents à des Chinois, une fois riche tu arracheras les leurs aux étrangers.

— Bonne idée, déclara Yu l'Arracheur de dents, les yeux brillants. Moi, Yu l'Arracheur de dents, j'ai arraché les dents pendant plus de trente ans, et je n'ai arraché des dents qu'aux gens du district. Même aux Shanghaïens je n'en ai pas arraché une seule. Je veux en arracher une dans chacun des petits points de la carte.

— Bravo ! s'exclama Li Guangtou. D'habitude, on dit "Qui lit, voyage", mais dans ton cas ce sera : "Qui voyage, arrache des dents."

Puis la question des marques roula sur le tapis. Yu l'Arracheur de dents était très mécontent qu'il ne lui reste que les slips. Il s'emporta contre Li Guangtou :

— Putain, tu as distribué les pantalons, les chemises et les tricots de corps aux autres, et à moi tu m'as laissé les slips. Tu n'as aucune considération pour moi.

— Je te le jure, déclara Li Guangtou avec flamme, moi Li Guangtou j'ai une considération infinie pour toi. J'ai commencé par le haut de la rue, et ce n'est tout de même pas ma faute si tu te trouves à la fin. Si tu avais été au début, c'est à toi que j'aurais donné à choisir entre les pantalons, les chemises et les tricots de corps.

Yu l'Arracheur de dents ne voulut rien savoir :

— J'ai passé plus d'années au bout de cette rue que toi sur terre. Quand tu n'étais encore qu'un petit salopard tu débarquais ici plusieurs fois par jour, et maintenant que tu voles de tes propres ailes, tu ne te montres plus. Pourquoi n'est-ce pas moi que tu es venu trouvé le premier ? Putain, on voit bien que tu n'as pas mal aux dents…

— Tu as raison, admit Li Guangtou. C'est le cas de le dire : Quand on boit de l'eau, on pense à celui qui a creusé le puits ; quand on a mal aux dents, on pense à Yu l'Arracheur de dents. Si j'avais eu mal aux dents, c'est sûr que c'est toi que je serais venu trouver le premier.

Après avoir manifesté sa contrariété de se voir attribuer les slips, Yu l'Arracheur de dents se plaignit aussi du nom de la marque, la marque Arracheur de dents, qui à son avis sonnait mal.

— Et si on les appelait les slips Denture ? suggéra Li Guangtou.

— Ça n'est pas mieux.

— Et les slips Dent, qu'est-ce que tu en dis ?

Yu l'Arracheur de dents, après un moment de réflexion, accepta la proposition :

— Va pour la marque Dent. Je prends dix actions, soit 1 000 yuans. Si tu m'avais donné les maillots de corps, j'en aurais pris vingt.

Li Guangtou avait remporté une victoire éclair. En un après-midi, par le seul pouvoir de la parole, il avait récolté 7 000 yuans. Alors qu'il rentrait triomphalement chez lui, notre Wang les Esquimaux lui courut derrière. Wang les Esquimaux qui, pendant la Révolution culturelle, avait prétendu devenir un bâton de glace révolutionnaire qui ne fond jamais, avait lui aussi à présent la cinquantaine. Au moment où Li Guangtou avait déplié sa carte du monde dans la boutique du forgeron, Wang les Esquimaux, qui passait par là, avait capté le discours qu'il lui tenait. Et quand Tong le Forgeron avait promis de débourser d'un seul coup 4 000 yuans, Wang les Esquimaux en était resté baba. Après, il avait suivi Li Guangtou, et depuis qu'il avait vu Zhang le Tailleur, Guan les Ciseaux le Jeune et Yu l'Arracheur de dents en débourser 3 000 de plus à eux trois, il ne tenait plus en place, il était comme une fourmi sur une marmite brûlante. Il se disait qu'il fallait profiter de l'aubaine, que l'occasion ne se représenterait pas. Pas question de manquer le coche. Lorsque Li Guangtou sortit de la rue en roulant des mécaniques, Wang les Esquimaux l'attrapa par l'arrière de ses vêtements et exhiba cinq doigts :

— Je prends cinq actions.

Li Guangtou ne s'attendait pas à ce qu'un Wang les Esquimaux surgisse impromptu en offrant 500 yuans quand lui, le célèbre directeur Li, n'aurait jamais pu rassembler une telle somme, même en raclant les fonds de tiroir. Li Guangtou regarda les vêtements râpés de Wang les Esquimaux, et il le prit à partie en grinçant des dents :

— Putain, tout le fric c'est vers vous qu'il va, les entrepreneurs privés. Nous, les cadres d'Etat, on a les poches vides.

Wang les Esquimaux chercha à le flatter :

— Toi aussi tu es un entrepreneur privé maintenant, et sous peu tu seras plein aux as et tu pourras t'acheter une pétrolette.

— Une pétrolette ? tu rigoles, rectifia Li Guangtou. Un pétrolier, oui.

— Tu as raison, tu as raison, dit Wang les Esquimaux, obséquieux. Et c'est bien pour ça que je n'ai pas hésité à faire équipe avec toi.

Li Guangtou regarda les cinq doigts que tendait Wang les Esquimaux et secoua la tête d'un air embarrassé :

— Ce n'est pas possible, je n'ai plus de marque à distribuer. Il ne me restait plus que les slips, et je les ai donnés à Yu l'Arracheur de dents.

— Je ne veux pas de marque, dit Wang les Esquimaux, en agitant sa main. Je veux simplement partager les bénéfices.

— C'est exclu, répliqua Li Guangtou, d'un ton catégorique. Moi qui te parle, j'ai toujours été réglo en affaires. Tong le Forgeron, Zhang le Tailleur, Guan les Ciseaux et Yu l'Arracheur de dents auraient chacun leur marque, alors que toi tu n'en aurais pas ? Ça ne peut pas coller.

Sur ce, Li Guangtou s'éloigna, la tête haute. Maintenant qu'il était en possession d'un capital de 7 000 yuans il n'avait que faire des 500 yuans de Wang les Esquimaux.

Celui-ci marchait derrière lui, pitoyable, en continuant à tendre ses cinq doigts comme si c'eût été une fausse main. Tout le long du chemin il ne cessa de supplier Li Guangtou pour que plus tard, dans son tanker de 10 000 tonnes, il y ait un peu de carburant à lui. Il déballa tous ses malheurs, expliquant qu'avec ses esquimaux il ne gagnait de l'argent que l'été et que pendant les trois autres saisons il vivait de petits boulots. Or il se faisait de plus en plus vieux, et il avait maintenant du mal à trouver des travaux d'appoint. Quand il eut fini de parler, il avait les larmes aux yeux : les 500 yuans représentaient les économies d'une vie, et il aurait voulu les investir dans le projet grandiose de Li Guangtou pour s'assurer une vieillesse heureuse.

C'est alors qu'une idée germa subitement dans l'esprit de Li Guangtou. Il s'arrêta et s'écria en se frappant le crâne :

— Il reste les chaussettes.

Sur le coup, Wang les Esquimaux ne réagit pas. Comme il tendait toujours ses cinq doigts, Li Guangtou lui dit :

— Allez, allez, tu peux fermer ta main maintenant. J'accepte tes 500 yuans, et je te donne la marque des chaussettes, ce seront les chaussettes Esquimaux.

Wang les Esquimaux ne se sentait plus de joie, il ne cessait de se frotter les doigts sur la poitrine :

— Merci, merci…

— Ce n'est pas moi qu'il faut remercier, dit Li Guangtou, mais notre ancêtre.

— De qui veux-tu parler ?

Wang les Esquimaux n'avait pas compris l'allusion.

— C'est pourtant simple, il ne faut pas être malin pour poser la question, poursuivit Li Guangtou en lui donnant une tape sur le bras avec sa carte roulée. Cet ancêtre, c'est l'inventeur des chaussettes. Réfléchis trente secondes : si cet homme-là n'avait pas inventé les chaussettes, on ne trouverait pas sur terre les chaussettes Esquimaux, je n'aurais donc pas accepté ton argent et dans mon tanker de 10 000 tonnes il n'y aurait pas une goutte de carburant à toi.

— C'est bien vrai, admit Wang les Esquimaux, subitement éclairé. Et, serrant un de ses poings avec l'autre main, il ajouta : Grâces soient rendues à notre ancêtre.

Après avoir rassemblé 7 500 yuans comme capital de départ, Li Guangtou, sans s'accorder le moindre moment de repos, visita tous les locaux libres de notre bourg des Liu, et il jeta son dévolu sur l'ancien entrepôt où avait été détenu Song Fanping et où le père du collégien aux longs cheveux s'était enfoncé un clou dans le crâne. L'endroit était désaffecté depuis plusieurs années. Li Guangtou le loua, il acheta d'un seul coup trente machines à coudre, et il embaucha d'un seul coup trente jeunes paysannes de la région, à charge pour Zhang le Tailleur de les former. Zhang le Tailleur trouvait l'entrepôt trop grand, on aurait pu selon lui y installer deux cents machines à coudre. Li Guangtou expliqua, en tendant trois doigts :

— D'ici trois mois, j'aurai rapporté tellement de commandes de Shanghai que même deux cents machines fonctionnant vingt-quatre heures sur vingt-quatre n'y suffiront pas.

Au bout d'un mois, Li Guangtou avait tout organisé et il décida de partir pour Shanghai. Il déclara que tout était prêt et qu'on n'attendait plus qu'un vent favorable[2]. Il remit à Zhang le Tailleur l'argent qui restait après l'achat des machines et lui donna pour instruction de payer en temps voulu le loyer de l'usine ainsi que les salaires des trente paysannes. Plus important encore, Zhang le Tailleur devait avoir formé ces dernières dans un délai d'une semaine, car d'ici une semaine les premiers lots de tissu arriveraient de Shanghai au bourg des Liu. Li Guangtou ajouta que lui-même ne rentrerait pas de sitôt, il allait courir tout Shanghai comme un chien enragé pour rafler les commandes de là-bas. Il exhorta Zhang le Tailleur à rester sur le qui-vive, en lui expliquant que dès qu'il aurait décroché un marché, il enverrait un télégramme. Pour finir, Li Guangtou essuya sa salive, pressa la main de Zhang le Tailleur et lui déclara avec emphase :

— Je te confie la maison, je vais chercher le vent favorable à Shanghai.

Et maintenant Li Guangtou était assis dans la boutique de *dim sum* de la mère Su, ignorant qu'au même moment Tao Qing prononçait son exclusion du réseau des Affaires civiles. Il emportait dans la poche intérieure de son veston la totalité de ses économies, soit 400 yuans environ. C'est avec cette somme qu'il allait devoir faire face à ses dépenses courantes tandis qu'il chercherait le vent favorable à Shanghai. Il était persuadé qu'avant que ses 400 yuans soient épuisés, tout le bourg des Liu résonnerait du bruit de ses machines à coudre. La première fois qu'il s'était rendu à Shanghai pour conclure des marchés au bénéfice de l'usine d'assistés sociaux, c'était également dans la boutique de la mère Su qu'il avait pris son repas en attendant l'autocar. Il avait alors sur lui la photo de famille de l'usine. Mais aujourd'hui, il emportait dans ses bagages la carte du monde. Tout en mangeant son petit pain farci, il la déplia devant la mère Su : après Tong le Forgeron et les autres, qui en avaient été presque tourneboulés, ce fut au tour de la mère Su de chavirer devant les petits points.

Voilà quelques jours déjà que les projets ambitieux de Li Guangtou étaient remontés jusqu'aux oreilles de la mère Su. Elle s'était laissé dire que Tong le Forgeron, Zhang le Tailleur, Guan les Ciseaux, Yu l'Arracheur de dents et Wang les Esquimaux avaient été mis dans le coup. Toutefois la mère Su ne croyait que ce qu'elle voyait, et donc quand elle entendit Li Guangtou tirer des plans sur la comète en mangeant son petit pain, elle montra encore plus d'impatience que Wang les Esquimaux, brûlant comme lui d'entrer dans la combine. Mais Li Guangtou ne voulait rien savoir :

— Il n'y a plus de marques. Pour la veste, c'est la mienne, la marque Guangtou ; pour le pantalon, c'est la marque Forgeron ; pour la chemise, la marque Tailleur ; pour le tricot de corps, la marque Ciseaux ; pour le slip, la marque Dent. Et après s'être creusé la tête, on a aussi pensé aux chaussettes, avec la marque Esquimaux…

La mère Su fit observer qu'elle ne souhaitait pas avoir de marque à elle, mais pour Li Guangtou c'était là une condition *sine qua non*. Ils échangèrent encore une dizaine de répliques jusqu'à ce que les yeux de Li Guangtou, qui mangeait toujours son petit pain, tombent sur la poitrine saillante de la mère Su. Son œil s'éclaira :

— Comment ai-je pu oublier que tu étais une femme ! Il y a encore les soutiens-gorge.

Li Guangtou regarda son petit pain à moitié entamé :

— Ta marque s'appellera les soutiens-gorge Pains farcis. Prends donc quinze actions, avec les dix actions que j'ai offertes à Zhang le Tailleur, ça en fera cent tout rond.

Des soutiens-gorge Pains farcis, ce n'était pas du meilleur effet, mais la mère Su était tellement ravie qu'elle ne prêta pas attention à ce détail.

— Il y a deux jours, je suis allée brûler de l'encens au temple, raconta-t-elle, radieuse, et j'ai bien fait car grâce à ça je suis tombée sur toi aujourd'hui…

La mère Su voulut courir chez elle pour y prendre son livret d'épargne et retirer de l'argent de la banque. Li Guangtou lui expliqua que c'était trop tard, car il devait prendre l'autocar incessamment, mais qu'il avait bien noté dans sa tête ses quinze actions. La mère Su n'était pas rassurée, elle craignait qu'il ne reconnaisse pas qu'elle lui avait pris quinze actions une fois qu'il aurait décroché de grosses commandes à Shanghai :

— Les paroles s'envolent, les écrits restent.

La mère Su sortit donc en priant Li Guangtou de patienter le temps qu'elle revienne avec l'argent. Li Guangtou la rappela à grands cris :

— Moi, je peux t'attendre ; mais le car, lui, ne m'attendra pas.

L'heure approchait, Li Guangtou ramassa son sac, roula la carte du monde, et quitta la boutique de *dim sum* de la mère Su. Celle-ci l'accompagna jusqu'à la porte de la salle d'attente de la gare, et tandis qu'il s'installait dans la file pour le contrôle des billets, elle lui cria :

— Li Guangtou, quand tu reviendras, tâche de tenir parole. Je t'ai vu grandir.

Li Guangtou revit alors des scènes de son enfance : quand Song Fanping avait été battu à mort sur l'esplanade et que Song Gang et lui pleuraient toutes les larmes de leur corps, c'était la mère Su qui leur avait prêté sa voiture à bras et qui avait demandé à Tao Qing de transporter le corps de Song Fanping chez lui… Li Guangtou se retourna vers la mère Su et lui lança, ému :

— Je n'ai pas oublié que quand j'étais petit et que j'attendais ici avec Song Gang le retour de maman de Shanghai, personne ne s'est occupé de nous, sauf toi qui nous as donné des pains farcis et qui nous as conseillé de rentrer à la maison.

Li Guangtou avait les larmes au bord des paupières, il s'essuya les yeux en se dirigeant vers le portillon :

— Je tiendrai parole, ne crains rien, dit-il en se retournant vers la mère Su.

XIV

Depuis que Li Guangtou avait pris son envol pour Shanghai, Tong le Forgeron, Zhang le Tailleur, Guan les Ciseaux, Yu l'Arracheur de dents et Wang les Esquimaux vivaient dans l'attente de son retour. La nuit, étendus sur leur lit, quand ils fermaient les paupières, les petits points de la carte du monde brillaient devant leurs yeux comme autant d'étoiles. En dehors de ces petits points serrés, Wang les Esquimaux voyait également un pétrolier de 10 000 tonnes qui fendait le vent en brisant les vagues. La mère Su, elle aussi, était en ébullition, et chaque soir, avant de se coucher, elle révisait les petits points sur la carte du monde. Cependant, elle n'avait pas encore tout à fait l'esprit tranquille, car ses quinze actions n'avaient pas été comptabilisées. Après le départ de Li Guangtou, elle alla rendre visite à ses cinq associés avec un panier rempli de petits pains farcis à la viande tout juste sortis de l'étuve, et devant eux elle répéta cinq fois le récit détaillé de sa prise de participation. Comme dit le proverbe “Main qui a reçu ne frappera pas ; bouche qui reçoit ne contredit pas” : quand Tong, Zhang, Guan, Yu et Wang eurent avalé les vingt petits pains de la mère Su, ils admirent en hochant leurs cinq têtes que la mère Su était de l'affaire. Celle-ci était rassurée : même si Li Guangtou niait sa participation, ces cinq-là, qui s'étaient régalés avec ses petits pains, témoigneraient en sa faveur.

Après le départ de Li Guangtou, la boutique de Tong le Forgeron était devenue le lieu de réunion des associés. A la tombée du jour, Zhang le Tailleur, Guan les Ciseaux le Jeune, Yu l'Arracheur de dents et Wang les Esquimaux y pénétraient en file indienne. Comme la boutique de *dim sum* de la mère Su était plus loin, à côté de la gare routière, elle arrivait la dernière, à l'heure où le croissant de lune était haut dans le ciel. Tous les six, assis ensemble, riaient tout fort. Ils ne tarissaient pas d'éloges sur Li Guangtou, vantant inlassablement son bilan à l'usine d'assistés sociaux. De fil en aiguille, ses exploits prenaient un tour mythique, si bien que l'entreprise dans laquelle ils s'étaient engagés avec lui acquérait d'emblée une dimension exceptionnelle. Tong le Forgeron déclara qu'actuellement le business était entre les mains des Cantonais, de sorte que, Cantonais ou pas, tout homme d'affaires se devait de parler quelques mots de leur langue :

— Quand il reviendra, Li Guangtou aura certainement pris l'accent de Canton, comme les commerçants de Hong Kong.

Ensuite, on écouta le rapport d'activité présenté par Zhang le Tailleur. Il avait fermé provisoirement sa boutique, le temps de former les trente paysannes. Il raconta qu'elles étaient venues avec leur propre literie. Heureusement, on était en avril et l'entrepôt était grand. Elles dormaient par terre, sur trois rangées, comme trente femmes soldats. Il ajouta que parmi elles il y en avait d'intelligentes et d'autres qui l'étaient moins : les plus dégourdies avaient maîtrisé en trois jours la technique de la machine à coudre ; pour les plus maladroites, il faudrait sans doute compter dix à quinze jours. Tong le Forgeron fit observer que c'était trop long : avant la fin de la semaine, Li Guangtou aurait décroché un bon paquet de commandes ; quelle excuse pourrait-il alors invoquer s'il ne parvenait pas à satisfaire à la demande ?

Une semaine avait déjà passé en discussions, et la suivante allait s'achever, mais Li Guangtou, parti à Shanghai, n'avait toujours pas donné signe de vie. Ses six associés se firent moins bavards, et chacun fit fonctionner dans son coin le boulier qu'il avait dans la tête. C'est Wang les Esquimaux qui craqua le premier :

— Est-ce que Li Guangtou n'aurait pas pris la poudre d'escampette ? s'interrogea-t-il à voix haute.

— Ne raconte pas de conneries, objecta aussitôt Zhang le Tailleur. En partant, il m'a confié tout l'argent. A quoi ça lui servirait de prendre la poudre d'escampette ?

Tong le Forgeron acquiesça aux propos de Zhang le Tailleur :

— En affaires, il y a beaucoup d'impondérables.

Yu l'Arracheur de dents abonda dans son sens :

— Ça, c'est bien vrai. Moi, il m'arrive parfois d'arracher une dizaine de dents dans la journée, alors que d'autres fois il faut que j'attende des jours et des jours avant d'en arracher une.

— C'est pareil pour moi, ajouta Guan les Ciseaux le Jeune. Soit je suis écrasé de travail, soit je me tourne les pouces.

Deux semaines s'écoulèrent encore, mais Li Guangtou ne donnait toujours pas signe de vie. Ses six associés continuaient à se réunir chaque soir chez le forgeron, toutefois le dernier arrivé n'était plus la mère Su mais Zhang le Tailleur. Tous les après-midi, il se rendait plein d'espoir au bureau de poste pour voir si Li Guangtou n'avait pas envoyé un télégramme de Shanghai. La préposée aux télégrammes le voyait entrer l'œil aux aguets et un sourire avenant aux lèvres une demi-heure avant la fermeture du bureau. Elle lui faisait non de la main, et aussitôt, sans qu'elle ait besoin de parler, Zhang le Tailleur se renfrognait car il avait compris que le télégramme de Li Guangtou n'était pas là. Le temps que la préposée ouvre la bouche pour le lui confirmer, Zhang le Tailleur avait déjà tourné les talons et quitté le bureau. Il restait à la porte, l'air abattu, jusqu'à ce que le bureau ferme et que tous les employés soient sortis un par un. Au moment où l'on verrouillait l'entrée principale, il s'adressait à l'employé chargé de la fermeture : si un télégramme arrivait pour lui dans la soirée, il fallait le porter chez Tong le Forgeron. Là-dessus, le moral à plat, Zhang le Tailleur rentrait chez lui, et après avoir dîné machinalement il se rendait sans entrain jusqu'à la forge.

Les six associés ne tenaient pas en place, attendant, fébriles, un télégramme de Li Guangtou. Ils attendirent ainsi un mois et cinq jours, mais dans la purée de pois qui les enveloppait, Li Guangtou ne leur envoyait pas une étoile, pas un rayon de lune, si bien que les six associés étaient dans le noir complet et se demandaient ce qu'ils devaient faire. Tong, Zhang, Guan, Yu, Wang et Su, assis dans la forge, se regardaient dans le blanc des yeux. Eux qui naguère étaient tout feu tout flammes, voilà qu'ils étaient maintenant silencieux, perdus dans leurs pensées. Guan les Ciseaux le Jeune ne put s'empêcher d'exprimer ses doléances :

— Li Guangtou s'est volatilisé à Shanghai, et nous, on se retrouve Gros-Jean comme devant.

Quand Wang les Esquimaux s'était demandé si Li Guangtou n'avait pas pris la poudre d'escampette, tout le monde s'était insurgé. Mais cette fois-ci, les récriminations de Guan les Ciseaux le Jeune rencontrèrent un écho unanime. Le premier à faire chorus fut Yu l'Arracheur de dents :

— Ça, c'est bien vrai. Lorsqu'on arrache une dent, qu'elle soit bonne ou mauvaise, il y a du sang. Que Li

Guangtou ait réussi ou non à faire des affaires à Shanghai, il aurait dû donner des nouvelles.

— Je vous l'avais bien dit, intervint Wang les Esquimaux. Tout porte à croire qu'il a pris la poudre d'escampette.

— Non, ce n'est pas possible, répliqua Zhang le Tailleur en secouant la tête, avant de soupirer. En revanche, qu'il ne se manifeste pas, c'est franchement inadmissible.

La mère Su venait d'avoir une autre idée, elle s'agita subitement :

— Et s'il avait eu un accident ?

— Quel accident ? interrogea Guan les Ciseaux le Jeune.

La mère Su dévisagea ses cinq associés l'un après l'autre, et poursuivit d'un ton hésitant :

— Je ne sais pas si je dois le dire.

— Mais parle ! s'emporta Yu l'Arracheur de dents. Qu'est-ce qui t'empêche de parler ?

— Shanghai est une grande ville, expliqua la mère Su en balbutiant. Il y a beaucoup de voitures. Li Guangtou s'est peut-être fait renverser. Et s'il est à l'hôpital, il n'est peut-être pas en état de sortir.

Ses cinq associés ne répondirent rien, les craintes de la mère Su avaient déteint sur eux. L'hypothèse selon laquelle Li Guangtou aurait eu un accident de la circulation leur semblait plausible. Ils priaient tous intérieurement pour que le dieu du ciel protège Li Guangtou : pourvu que Li Guangtou ne se soit pas fait renverser par une voiture, ou, au pire, qu'il s'en soit tiré avec de simples égratignures ; pourvu que le choc n'ait pas été violent, et surtout que Li Guangtou n'ait pas été atteint au point de se transformer en un composé de boiteux, d'idiot, d'aveugle et de sourd.

Au bout d'un moment, Zhang le Tailleur prit la parole. Il annonça à l'assemblée qu'après le paiement du loyer du mois en cours, le règlement des salaires des trente paysannes, et compte tenu du prix des trente machines à coudre achetées par Li Guangtou, il restait tout juste 4 000 yuans en caisse. Et il termina sur ce constat angoissé :

— Tout cet argent, nous l'avions gagné à la sueur de notre front.

A ces mots, toute la compagnie frissonna, y compris la mère Su, qui se rassura toutefois quand elle se rappela qu'elle n'avait pas engagé un centime. Tous les regards convergèrent vers Tong le Forgeron. En sa double qualité de président de l'Association des travailleurs individuels et d'actionnaire principal de leur affaire, c'était à lui qu'il revenait de prendre une décision. Tong le Forgeron n'avait pas desserré les dents de la soirée mais, comme tous les yeux étaient braqués sur lui, il ne pouvait pas continuer à se taire :

— Attendons encore quelques jours, dit-il, dans un long soupir.

Le télégramme de Li Guangtou tomba enfin. Il arriva au bourg des Liu le lendemain soir. Il n'était pas adressé à Zhang le Tailleur, mais à la mère Su. Le texte était très court, Li Guangtou y indiquait qu'il avait dû abandonner le nom de la marque de soutiens-gorge Pains farcis, qui sonnait trop mal, et qu'on dirait désormais les soutiens-gorge *Dim sum*.

Le télégramme à la main, la mère Su courut jusqu'à la forge. La boutique, plongée depuis longtemps dans le silence, s'anima d'un coup. Tong, Zhang, Guan, Yu et Wang retournaient le télégramme dans tous les sens : les angoisses qui étreignaient les cinq cœurs s'envolèrent, et les cinq visages devinrent cramoisis. Les cinq associés et la mère Su avaient repris du poil de la bête, les rires fusaient et les commentaires allaient bon train : si Li Guangtou avait tant tardé à expédier un télégramme, c'est qu'il avait dû conclure une masse d'affaires. Bientôt, aux éloges succédèrent les imprécations : ce Li Guangtou était un fieffé salopard, un salopard qui avait fait exprès de leur flanquer la frousse et par la faute de qui ils avaient tremblé pendant des jours et des nuits.

C'est alors que Wang les Esquimaux s'avisa de ce que quelque chose clochait dans le télégramme, et aussitôt son visage cramoisi devint livide :

— Il ne parle pas de nos affaires, dit-il en agitant le télégramme.

— C'est vrai, ça, remarqua Guan les Ciseaux le Jeune, qui se mit à pâlir lui aussi : Il ne parle pas de nos affaires.

Les quatre autres se jetèrent sur le télégramme et le relurent attentivement, après quoi ils se regardèrent. Zhang le Tailleur fut le premier à prendre la défense de Li Guangtou :

— S'il a pensé à changer le nom de la marque de la mère Su, c'est qu'il a forcément déjà conclu quelques affaires.

— Zhang le Tailleur a raison, intervint Tong le Forgeron en montrant le banc sur lequel étaient assis les associés. Je connais bien Li Guangtou, quand il n'était encore qu'un petit salopard, il venait tous les jours ici se frotter sur ce banc. Ce petit salopard n'est pas comme tout le monde : quoi qu'il fasse, il ne faut pas lui en promettre…

Yu l'Arracheur de dents le coupa :

— Tong le Forgeron a raison. Ce salopard n'en a jamais assez. Je me rappelle que quand il est venu m'emprunter ma chaise, il a voulu ensuite que je lui prête mon parapluie, et il a failli prendre aussi ma table. Ma boutique, qui avait de la gueule, elle a eu l'air toute la journée d'un moineau déplumé.

— Yu l'Arracheur de dents a raison, poursuivit Guan les Ciseaux le Jeune, qui lui aussi avait replongé dans ses souvenirs. Déjà tout petit, ce salopard avait la bosse du commerce. Il m'avait soutiré un bol de nouilles aux trois fraîcheurs avec le derrière de Lin Hong, et il s'est empiffré devant moi tandis que je salivais…

— Vous avez tous raison, conclut Wang les Esquimaux, maintenant rallié au point de vue général. Ce salopard a une ambition démesurée : là où un autre se contenterait de faire simplement du profit, lui rêve d'un pétrolier de 10 000 tonnes…

En voyant ses cinq associés si sûrs d'eux, la mère Su se remit à craindre pour ses quinze actions :

— Si Li Guangtou revient avec plein de commandes et qu'il ne reconnaît pas mes quinze actions, qu'est-ce que je vais faire ? Il faut absolument que vous me serviez de témoins !

— Ne t'inquiète pas, dit Tong le Forgeron en montrant le télégramme que Zhang le Tailleur tenait dans la main. Ce télégramme te fournira une preuve plus fiable que nos cinq témoignages réunis.

Là-dessus, la mère Su s'empressa d'arracher le télégramme des mains de Zhang le Tailleur et, le serrant contre sa poitrine comme si c'eût été un trésor, elle s'exclama, toute heureuse :

— J'ai bien fait d'aller brûler de l'encens au temple. Sans ça, Li Guangtou n'aurait pas envoyé de télégramme. Avec ce télégramme, il ne pourra pas nier que je lui ai pris quinze actions. L'encens, il n'y a pas à dire, ça marche !

Le télégramme énigmatique envoyé par Li Guangtou, tel le soleil qui se lève à l'Orient rouge[1], libéra Tong, Zhang, Guan, Yu, Wang et Su de l'obscurité. Les six associés connurent quinze jours d'allégresse, puis le silence de Li Guangtou étant retombé, ils se remirent à attendre jour et nuit, heure après heure, minute après minute, et finalement seconde après seconde, sans qu'ils reçoivent l'ombre d'une nouvelle de Li Guangtou. Celui-ci avait disparu dans Shanghai comme une pierre dans l'océan, et à compter de ce jour plus aucun télégramme de lui n'arriva dans notre bourg des Liu.

Tong, Zhang, Guan, Yu, Wang et Su perdirent courage les uns après les autres et ils recommencèrent à vivre dans l'angoisse. Deux mois s'étaient écoulés, et Zhang le Tailleur s'était acquitté pour la deuxième fois du loyer de l'entrepôt et des salaires des trente paysannes :

— Il reste moins de 2 000 yuans sur l'argent que nous avions gagné à la sueur de notre front, annonça-t-il d'une voix mal assurée.

Tous se remirent à frissonner, et la mère Su, après avoir frissonné en chœur avec tout le groupe, se rassura une nouvelle fois en pensant qu'elle n'avait pas engagé son argent. Une crise de confiance s'était ouverte entre Li Guangtou et ses six associés. Yu l'Arracheur de dents fut le premier à exprimer son mécontentement :

— Personne ne croirait que ce salopard fait des affaires avec nous. On a plutôt l'impression qu'il joue à cache-cache.

— Ça, c'est bien vrai, dit Zhang le Tailleur, d'accord avec lui pour une fois. Même une aiguille, quand elle tombe par terre, ça s'entend, alors qu'on n'entend plus du tout parler de lui, ce n'est pas normal.

Guan les Ciseaux le Jeune était furieux :

— Dis plutôt que même un pet ça s'entend.

Wang les Esquimaux enchaîna :

— Ce salopard ne vaut pas un pet.

Tong le Forgeron, la mine livide, se taisait toujours. Les autres lui lançaient des regards lourds de reproches, et Tong le Forgeron savait ce qu'ils avaient en tête : si lui, Tong le Forgeron, ne s'était pas le premier porté acquéreur de quarante actions, pour un total de 4 000 yuans, ils ne l'auraient pas suivi. "On a bien raison de parler de la force de l'exemple, songeait Tong le Forgeron, mais putain, être un exemple, ce n'est pas humain." Les six associés gardèrent le silence un moment, puis Zhang le Tailleur reprit, de sa voix mal assurée :

— Dans un mois, il ne nous restera plus assez d'argent pour payer le loyer et les salaires.

Zhang le Tailleur avait parlé d'un ton lugubre, et le regard qu'il fixa ensuite sur Tong le Forgeron était tout aussi lugubre. Tong le Forgeron sentit que les autres fixaient ses yeux avec le même air lugubre, sauf Yu l'Arracheur de dents qui, lui, fixait sa bouche comme s'il avait des vues sur ses bonnes dents. Tong le Forgeron poussa un profond soupir :

— Voici ce que je vous propose : on va commencer par renvoyer les trente paysannes chez elles, quitte à les faire revenir quand on aura besoin d'elles.

Ses associés se taisaient et l'observaient toujours avec la même expression. Tong le Forgeron savait qu'ils pensaient au loyer de l'entrepôt et qu'aucun d'eux n'était prêt à y engouffrer l'argent qui restait en caisse. Il commença par secouer la tête, puis il la hocha :

— Voici ce que je vous propose : on va rendre l'entrepôt, il sera toujours temps de le louer à nouveau au cas où Li Guangtou aurait effectivement décroché des commandes.

Ses associés opinèrent du bonnet, mais Zhang le Tailleur posa une question :

— Qu'est-ce qu'on va faire des trente machines à coudre ?

Tong le Forgeron réfléchit et répondit :

— On va se les répartir au prorata de ce que chacun a mis dans l'affaire, et chacun emportera chez lui les machines qui lui reviennent.

Zhang le Tailleur se chargea de renvoyer les trente paysannes chez elles et de restituer l'entrepôt, puis il procéda au partage des machines. Comme la mère Su n'avait rien versé, elle ne fut évidemment pas incluse dans l'opération. Quand tout fut liquidé, les six associés continuèrent à se rassembler tous les soirs dans la forge. A cette différence près qu'ils n'avaient plus l'air d'être en vie : ils étaient assis, mornes, comme six fantômes, et le soir venu un silence de mort régnait dans la forge.

Un mois s'écoula encore sans que Li Guangtou donne la moindre nouvelle. La mère Su fut la première à cesser de venir aux réunions, bientôt imitée par Zhang le Tailleur, par Guan les Ciseaux le Jeune, et par Yu l'Arracheur de dents. Seul Wang les Esquimaux, dont la contribution était la plus faible, persévérait encore et répondait présent tous les soirs. Tong le Forgeron ne se déridait pas, et Wang les Esquimaux s'asseyait en face de lui tantôt soupirant, tantôt pleurnichant :

— Alors comme ça, on va devoir faire une croix sur nos sous ? demanda-t-il d'un ton geignard.

— Que veux-tu, dit Tong le Forgeron, le regard vide. Il y a des moments où il faut savoir faire des sacrifices.

XV

Li Guangtou rentra alors qu'on ne l'attendait plus, éreinté. Voilà déjà trois mois et onze jours qu'il avait quitté le bourg des Liu. Le soir tombait quand il sortit de la gare routière, vêtu des habits qu'il portait à l'aller, tenant toujours un sac dans une main et la carte du monde roulée dans l'autre. Une fois à la boutique de *dim sum* de la mère Su, il s'assit à une table, mais la mère Su ne le reconnut pas. Quand il était parti, il avait le crâne rasé, et il revenait avec les cheveux longs et une barbe qui lui mangeait le visage. Il frappa sur la table en s'écriant :

— Me revoilà, mère Su.

La mère Su sursauta. Elle pointa son doigt sur les cheveux de Li Guangtou :

— Mais… mais… qu'est-ce qui t'est arrivé ?

— J'ai été débordé, répondit Li Guangtou, en agitant la tête. Je n'ai même pas eu le temps de passer chez le coiffeur.

Les mains serrées sur son vêtement, la mère Su jeta un regard à sa fille Su Mei, qui se tenait à l'écart, stupéfaite elle aussi :

— Tu as conclu des marchés ? demanda-t-elle prudemment à Li Guangtou.

— J'ai une faim de loup. Prépare-moi vite cinq pains farcis à la viande.

La mère Su s'empressa de le faire servir par Su Mei. Li Guangtou saisit un des petits pains qu'on lui avait apportés et l'enfourna dans sa bouche. Puis il déclara tout en mâchant :

— Cours prévenir Tong le Forgeron et les autres, on va tous se réunir à l'entrepôt. Je finis de manger et je vous rejoins.

A l'air qu'il avait pris, la mère Su pensa qu'il avait dû conclure des marchés juteux. Elle acquiesça, tourna les talons et fila. Elle avait parcouru une vingtaine de mètres quand elle se rappela soudain que l'entrepôt avait été rendu. Elle rappliqua dare-dare et, debout sur le seuil de sa boutique, elle suggéra, anxieuse :

— Ne pourrait-on pas plutôt se réunir chez Tong le Forgeron ?

Li Guangtou, qui avait la bouche pleine, ne répondit pas, il se contenta de faire oui de la tête plusieurs fois. Comme si elle avait été investie d'une mission par l'empereur, la mère Su courut jusqu'à la ruelle de l'Ouest des Remparts. Parvenue devant la porte de Zhang le Tailleur, elle lui cria :

— Li Guangtou est de retour…

La mère Su cria ces mots quatre fois de suite, attirant dans la rue Zhang le Tailleur, Guan les Ciseaux le Jeune, et Yu l'Arracheur de dents. Tong le Forgeron, en entendant ses cris, se précipita dehors lui aussi. Tong, Zhang, Guan et Yu étaient maintenant tous les quatre devant la porte de la forge, et ils écoutaient la mère Su, essoufflée, raconter comment Li Guangtou avait fait une entrée fracassante dans sa boutique et comment il avait frappé sur la table en parlant fort. Quand il eut entendu la relation hachée de la mère Su, Tong le Forgeron, après avoir bredouillé un moment, afficha un sourire :

— C'est dans la poche. Réfléchissez, poursuivit-il, si ce n'était pas dans la poche, est-ce que Li Guangtou aurait osé parader ainsi ? Est-ce qu'il nous aurait convoqués ? Il serait plutôt allé se cacher.

Zhang le Tailleur, Guan les Ciseaux le Jeune et Yu l'Arracheur de dents hochèrent énergiquement la tête, puis ils se mirent à brailler joyeusement :

— Le salopard, le salopard, le salopard…

Tong le Forgeron, toujours souriant, interrogea la mère Su :

— Ce salopard doit parler avec l'accent cantonais, hein, comme les commerçants de Hong Kong ?

La mère Su se concentra, puis elle secoua la tête :

— Non, il parle toujours avec l'accent du bourg.

Tong le Forgeron poursuivit, incrédule :

— En tout cas, il doit bien parler un peu le shanghaïen.

— Non, il n'a pas dit un seul mot de shanghaïen.

— Ce salopard n'a pas oublié ses racines, conclut Tong le Forgeron, impressionné.

La mère Su hocha la tête :

— Il a les cheveux longs comme les chanteurs.

— Je comprends, fit Tong le Forgeron, qui se croyait plus malin que les autres. Décidément ce salopard est dévoré par l'ambition. Les commerçants de Hong Kong ne l'intéressent pas, il préfère imiter les commerçants étrangers. La preuve, Marx et Engels, qui étaient des étrangers, avaient tous les deux les cheveux longs et de la barbe.

— C'est vrai ! s'exclama la mère Su, il a laissé pousser sa barbe.

La mère Su s'était métamorphosée en activiste[1], elle s'épongea le front et déclara qu'il fallait prévenir aussi Wang les Esquimaux. Guan les Ciseaux le Jeune affirma l'avoir vu à l'instant, qui quittait la ruelle, une bouteille de sauce de soja à la main. La mère Su courut aussitôt jusqu'au magasin de sauce de soja de notre bourg des Liu.

Tong le Forgeron, Zhang le Tailleur, Guan les Ciseaux le Jeune, et Yu l'Arracheur de dents s'installèrent dans la forge. Ils étaient rouges d'excitation et ricanaient la bouche ouverte comme quatre malades mentaux, et ils marchaient dans tous les sens en se cognant les uns contre les autres. Tong le Forgeron fut le premier à se calmer. Faisant signe aux trois autres de se rasseoir sur le banc, il leur expliqua que Li Guangtou, ignorant qu'ils avaient rendu l'entrepôt, qu'ils s'étaient réparti les trente machines à coudre et qu'ils avaient renvoyé les trente paysannes dans leurs foyers, risquait, quand il apprendrait tout cela, d'entrer dans une rage folle et de les traiter de tous les noms. Il donna ses instructions à Zhang, Guan, et Yu :

— Quand ce type-là se met à vous engueuler, il parle comme une mitraillette. Surtout, ne vous mettez pas en colère, gardez votre calme, et laissez-le dégoiser. Lorsqu'il en aura assez, vous lui expliquerez quelles ont été nos difficultés.

— Tong le Forgeron a raison, dit Zhang le Tailleur en se tournant vers les deux autres. Vous devez absolument garder votre calme.

— Soyez tranquilles, dit Guan les Ciseaux le Jeune. Quand bien même il raconterait pis que pendre de mon père, Guan les Ciseaux l'Ancien, je ne broncherais pas.

— Ça, c'est bien vrai ! dit Yu l'Arracheur de dents, du moment que Li Guangtou nous rapporte un bon paquet de marchés, il peut bien insulter dix-huit fois mes ancêtres sur dix-huit générations, je continuerai à lui faire bon visage.

Tong le Forgeron était rassuré. Il jeta un regard circulaire sur sa boutique et se plaignit de n'avoir même pas une chaise convenable à offrir. Li Guangtou rentrait en grande pompe, il fallait lui trouver un siège correct. Il avait à peine achevé sa remarque, que Yu l'Arracheur de dents se levait et allait chercher sa chaise longue en rotin. Devant cette chaise rafistolée qui ressemblait à un plan du bourg des Liu, Zhang le Tailleur et Guan les Ciseaux le Jeune agitèrent la tête de dépit : ils la trouvèrent par trop minable, et Tong le Forgeron abonda dans leur sens. Yu l'Arracheur de dents en prit ombrage :

— Elle a peut-être l'air minable, mais elle est très confortable, objecta-t-il en montrant sa précieuse chaise.

C'est alors que la mère Su et Wang les Esquimaux firent irruption dans la forge. La mère Su annonça qu'elle avait vu Li Guangtou arriver de son pas chaloupé. Tong le Forgeron s'empressa de s'allonger sur la chaise longue en rotin de Yu l'Arracheur de dents pour la tester, puis, satisfait de l'essai, conclut :

— C'est vrai qu'elle est assez confortable.

Quand Li Guangtou, avec ses cheveux longs et sa barbe qui lui donnaient l'air d'un commerçant étranger, pénétra dans la forge, il vit ses six associés qui se tenaient debout devant lui, au garde-à-vous, le visage rayonnant de bonheur. Il éclata de rire :

— Ça fait un bail qu'on ne s'est pas vus !

Tong le Forgeron, pour saluer le retour du voyageur, l'invita respectueusement à prendre place dans la chaise longue :

— Te voilà enfin, tu dois être fatigué.

Les cinq autres associés firent chorus :

— Tu dois être fatigué.

— Non, je ne suis pas fatigué, déclara Li Guangtou avec un geste de la main. Si on veut faire des affaires, on ne se plaint pas.

Tong le Forgeron et les autres n'arrêtaient pas de rire et de hocher la tête. Li Guangtou ne prit pas place dans la chaise longue, il se laissa tomber lourdement sur le banc où il posa également son sac et la carte du monde. Tong le Forgeron et les autres insistèrent pour qu'il s'installe dans la chaise longue de Yu l'Arracheur de dents, mais Li

Guangtou refusa d'un geste tout en adressant un clin d'œil à Tong le Forgeron :

— Je préfère m'asseoir sur ce banc. Lui et moi, on est des vieux copains.

Tong le Forgeron éclata de rire, et se tournant vers Zhang, Guan, Yu, Wang et Su, il lança :

— Je vous l'avais dit, pas de danger que Li Guangtou oublie ses racines.

Comme ses six associés restaient plantés là, Li Guangtou leur fit signe de s'asseoir également. Tous les six branlèrent du chef en assurant qu'ils étaient mieux debout. Li Guangtou n'insista pas et, après avoir cherché une position confortable, jambes croisées et dos appuyé contre le mur, il leur demanda, de l'air du supérieur qui s'apprête à écouter un rapport d'activité :

— J'ai été absent plus de trois mois. Comment les choses ont-elle évolué de votre côté ?

Tong, Zhang, Guan, Yu, Wang et Su se regardèrent sans un mot, puis les regards de Zhang, Guan, Yu, Wang et Su convergèrent vers Tong. Après un moment d'hésitation, Tong le Forgeron, comme s'il s'apprêtait à escalader une montagne de couteaux, fit un pas en avant, toussa plusieurs fois pour s'éclaircir la voix et commença lentement à parler. Il raconta dans le détail ce qui s'était passé après le départ de Li Guangtou et conclut :

— Nous avons été contraints et forcés, j'espère que tu nous comprendras.

A la fin du discours de Tong le Forgeron, Li Guangtou baissa la tête. Les six associés l'observaient, mal à l'aise. C'était sûr, quand cette tête de salopard se redresserait, ils allaient certainement avoir droit à une sale engueulade. Or, à leur grande surprise, quand Li Guangtou releva la tête, ce fut pour leur dire, avec magnanimité :

— Tant que la montagne sera là, il y aura toujours du bois à brûler.

Les six associés poussèrent six longs soupirs. Les six cœurs angoissés furent soulagés, les six visages anxieux se détendirent dans un sourire.

— En vingt-quatre heures, promit Tong le Forgeron, nous pouvons récupérer l'entrepôt et y réinstaller les trente machines à coudre. Et si on nous accorde quarante-huit heures de plus, on fera revenir les trente paysannes.

Li Guangtou, hochant la tête, ajouta :

— Rien ne presse.

Qu'entendait-il par là ? Ses six associés le fixaient bouche bée. Li Guangtou, assis sur le banc, les jambes croisées, avait l'air parfaitement à son aise. On était arrivé au moment crucial, et les dix prunelles de Zhang, Guan, Yu, Wang et Su se tournèrent aussitôt, par habitude, vers Tong le Forgeron, attendant qu'il prenne la parole. Tong le Forgeron fit encore un pas en avant et demanda avec précaution :

— Tu as été absent plus de trois mois. Comment les choses ont-elle évolué du côté de Shanghai ?

A ce mot de Shanghai, Li Guangtou s'échauffa :

— Shanghai ? une grande ville. Il y a autant d'occasions d'y faire fortune que de poils sur le dos d'un cochon. Même avec sa salive, on pourrait y faire de l'or…

Zhang le Tailleur se hasarda à corriger le propos :

— Tu ne veux pas plutôt dire autant que sur le dos d'une vache[2] ?

— Un peu moins que sur le dos d'une vache, confirma Li Guangtou, pragmatique. Mais à peu de chose près, autant que sur le dos d'un cochon.

Devant l'enthousiasme soudain de Li Guangtou, ses six associés échangèrent des sourires de soulagement. Li Guangtou poursuivit, lyrique :

— Shanghai ? une grande ville. On ne peut pas faire deux pas sans tomber sur une banque. Dedans, il y a des files interminables de gens qui attendent pour déposer leur argent ou pour en retirer. Le ronron des machines à compter les billets n'arrête jamais. Les grands magasins ont plein d'étages, on monte et on descend comme si on escaladait une montagne, il y a tellement de monde qu'on se croirait au cinéma. Et je ne vous parle même pas des rues : on s'y bouscule du matin au soir, si bien qu'on ne se croirait plus chez les humains mais, putain ! au milieu des fourmis qui déménagent…

Li Guangtou était lancé, plus rien ne pouvait l'interrompre. Tandis qu'il pérorait sur la grande ville de Shanghai, il postillonnait sur notre petit bourg des Liu et jusque sur le visage de Tong le Forgeron. Celui-ci, tout en s'essuyant, jeta un coup d'œil sur ses cinq associés, qui souriaient béatement, sans même se rendre compte que Li Guangtou était à mille lieues du sujet. Tong le Forgeron se résolut à couper Li Guangtou et à risquer une nouvelle question :

— Et tes négociations avec les maisons de prêt-à-porter shanghaïennes…

— J'en ai eu.

Et sans laisser à Tong le Forgeron le temps de finir sa phrase, Li Guangtou commença à compter fièrement sur ses doigts :

— J'ai négocié avec pas moins de vingt maisons de prêt-à-porter, dont trois étrangères…

— Et c'est pour ça que maintenant tu ressembles à Marx et Engels ! s'exclama Guan les Ciseaux le Jeune.

— Qu'est-ce que tu racontes ? dit Li Guangou, qui ne voyait pas le rapport.

Zhang le Tailleur se chargea d'éclairer sa lanterne :

— Comme tu as les cheveux longs et la barbe, nous avons supposé que tu avais négocié avec des commerçants étrangers, et que tu avais adopté leur mode.

— Mais de quelle mode me parles-tu ? demanda Li Guangtou, qui ne voyait toujours pas le rapport.

Tong le Forgeron, craignant qu'on ne s'écarte derechef du sujet, reprit aussitôt la parole :

— Parlons plutôt affaires. Comment se sont déroulées les négociations ?

— Comme sur des roulettes, dit Li Guangtou. Non seulement ça, mais j'ai aussi avancé sur la question des marques…

— Et c'est pour ça que tu m'as envoyé un télégramme pour m'annoncer qu'on changeait le nom de la marque de soutiens-gorge Pains farcis en *Dim sum* ! intervint la mère Su.

Li Guangtou se concentra, puis lâcha, les yeux brillants :

— C'est ça, c'est ça…

La mère Su lança un regard satisfait vers ses cinq associés. Zhang, Guan, Yu et Wang lui adressèrent un signe de tête, mais Tong le Forgeron, qui se disait que – Merde alors ! – on était encore en train de s'égarer, s'empressa d'interroger Li Guangtou :

— Sur les vingt maisons de prêt-à-porter avec lesquelles tu as négocié, avec combien as-tu fait affaire ?

Li Guangtou poussa alors une longue plainte qui, en tombant dans les oreilles des six associés, fit l'effet de six bassines d'eau froide s'abattant sur six cerveaux en ébullition. Les six visages, si gaillards l'instant d'avant, se rembrunirent en même temps. Li Guangtou les dévisagea un par un et, montrant ses cinq doigts, il expliqua :

— Il y a cinq ans, quand j'étais allé à Shanghai conclure des marchés pour l'usine d'assistés sociaux, il avait suffi que je montre la photo de famille des infirmes et que j'assaisonne le tout d'un peu de sincérité et d'enthousiasme pour que j'émeuve, l'un après l'autre, tous les employés de toutes les compagnies, et que j'engrange un tas de marchés. Cinq ans après, quand je suis arrivé à Shanghai avec ma carte du monde, en quête de marchés pour nous-mêmes, j'étais encore plus sincère, encore plus enthousiaste qu'il y a cinq ans, j'étais aussi plus mûr, et pourtant…

Les cinq doigts tendus de Li Guangtou se recroquevillèrent et mimèrent le geste de palper les billets :

— Aujourd'hui, les temps ont changé, la société a changé : on ne décroche des marchés qu'à coups de pots-de-vin. Je n'aurais jamais imaginé que ces tendances malsaines[3] se répandraient si vite et si brutalement…

Les cinq doigts de Li Guangtou cessèrent de palper les billets, ils se tendirent à nouveau et s'agitèrent :

— En l'espace de cinq ans, elles ont envahi le sol national…

Ses six associés avaient le regard fixe. Tong le Forgeron demanda, inquiet :

— Et est-ce que tu as versé des pots-de-vin ?

— Non, répondit Li Guangtou. Quand je me suis rendu compte enfin qu'il fallait en passer par là, il ne me restait en poche que de quoi acheter mon billet de retour.

— Si je comprends bien, résuma Tong le Forgeron d'une voix tremblante, tu n'as conclu aucune affaire.

— Aucune, confirma crûment Li Guangtou.

Ce mot fut comme un coup de tonnerre dans un ciel serein. Les six associés en restèrent estourbis. Ils se regardèrent sans rien dire. Zhang le Tailleur fut le premier à réagir :

— Alors comme ça, il va falloir que nous fassions le deuil de cet argent gagné à la sueur de notre front ? dit-il en tremblant de tous ses membres, les yeux rivés sur Tong le Forgeron.

Tong le Forgeron, lui aussi, était aux cent coups. Il regardait Zhang le Tailleur sans savoir s'il devait faire oui ou non de la tête. Wang les Esquimaux s'était mis à pleurnicher :

— Cet argent était vital pour moi !

La mère Su s'était mise à pleurnicher à son tour, mais elle s'arrêta tout net quand elle se rappela que son argent n'était pas concerné. Guan les Ciseaux le Jeune et Yu l'Arracheur de dents en avaient des sueurs froides. Regardant Li Guangtou d'un air affolé, ils bredouillèrent :

— Com... Comment as-tu fait pour perdre tout cet argent ?

— Perdre, c'est un bien grand mot, répondit Li Guangtou d'un ton ferme en fixant les six visages aux abois. L'échec est la mère du succès. Il suffit que vous repreniez encore cent actions, et je retournerai illico presto à Shanghai, où je graisserai la patte à tout le monde, où je distribuerai des pots-de-vin à tout le monde, et je vous garantis que des marchés je vous en rapporterai à la pelle.

Wang les Esquimaux continuait à pleurnicher :

— Je n'ai plus un sou, dit-il en essuyant ses larmes.

Tong le Forgeron regarda les visages affolés de Yu l'Arracheur de dents et de Guan les Ciseaux le Jeune, puis il se tourna vers Zhang le Tailleur, qui tremblait comme une feuille, et il secoua la tête en soupirant :

— Où trouverions-nous cet argent ?

— Vous n'avez plus rien ? (Li Guangtou fit un geste de la main, désespéré.) Dans ce cas, je ne peux rien faire, moi non plus. Il va falloir faire une croix sur notre argent. Pour ce qui me concerne, j'ai perdu plus de 400 yuans.

Sur ce, Li Guangtou fixa ses six associés atterrés, et il ne put s'empêcher de rire.

— Et il rigole, par-dessus le marché ! dit Wang les Esquimaux à Tong le Forgeron, en pointant le doigt sur Li Guangtou.

— La victoire comme la défaite sont le lot quotidien du stratège. Un homme digne de ce nom sait aussi bien perdre que gagner, déclara Li Guangtou, avant d'ajouter, en désignant du doigt ses associés : Vous êtes là tous les six à faire des têtes d'enterrement. Au premier avis de tempête, il n'y a plus personne. Vous avez l'air de six prisonniers de guerre…

— Merde, alors, cria Tong le Forgeron hors de lui, parle pour toi !

Tong le Forgeron brandit sa main droite, celle qui tenait habituellement son marteau, et il l'abattit sur le visage de Li Guangtou comme sur un morceau de fer. Sous l'effet de la claque, Li Guangtou tomba du banc.

Tong le Forgeron rugit :

— J'ai déboursé 4 000 yuans !

Li Guangtou se releva d'un bond, les mains sur le visage, et il protesta :

— De quoi ? De quoi ?

Aussitôt, il se rassit sur le banc et reprit sa position, jambes croisées, comme s'il n'avait pas dit son dernier mot. Les bouches de Zhang le Tailleur, de Guan les Ciseaux le Jeune, et de Yu l'Arracheur s'ouvrirent en même temps pour rugir :

— Et nous, 1 000 yuans.

Puis les trois hommes bourrèrent Li Guangtou de coups de pied. Celui-ci, pour se protéger, sauta sur le banc avant de s'accroupir dessus sans cesser de crier : “De quoi ?” Dans la mêlée, Zhang, Guan et Yu se flanquaient mutuellement des coups et poussaient eux aussi des cris de douleur. Wang les Esquimaux se montra le plus pathétique : il se précipita en avant comme s'il avait cherché à boucher de son corps la meurtrière d'un blockhaus, et, en se lamentant sur ses “500 yuans”, il attrapa Li Guangtou par l'épaule et y mordit à pleines dents, à croire qu'il voulait prélever sur son corps l'équivalent de 500 yuans de viande. Li Guangtou sauta du banc en poussant des cris de cochon qu'on égorge et parvint non sans peine à faire lâcher prise à Wang les Esquimaux. Sentant que les choses se gâtaient, il ramassa son sac et sa carte du monde et bondit hors de la forge. Quand il eut franchi la porte et quitté la gueule du loup, il laissa éclater sa colère contre ceux qui étaient restés à l'intérieur :

— De quoi ? De quoi ? Bon, les affaires ne marchent pas, mais ce n'est pas une raison pour se conduire comme des sauvages. On pourrait s'asseoir et discuter tranquillement.

Li Guangtou était disposé à continuer la discussion avec eux, mais quand il vit Tong le Forgeron se précipiter dehors avec son marteau levé, il s'empressa d'ajouter :

— On va s'en tenir là pour aujourd'hui !

Li Guangtou, en homme avisé qui sait s'arrêter à temps, détala plus vite qu'un lièvre et prit le large. Tong le Forgeron le poursuivit jusqu'au bout de la ruelle en brandissant son marteau :

— Putain, écoute-moi, hurla-t-il à l'adresse de Li Guangtou, qui s'éloignait sans demander son reste. Dorénavant, chaque fois que je te rencontrerai, tu auras droit à une raclée, et après moi mes descendants prendront le relais.

Après ce discours héroïque, Tong le Forgeron fit demi-tour. En chemin, ses 4 000 yuans partis à vau-l'eau lui revinrent en mémoire, et aussitôt il se fana comme un plant de riz qui a pris la gelée. Il regagna sa forge la tête basse. Zhang, Guan, Yu et Wang avaient tous les quatre les larmes aux yeux en songeant à leur argent envolé. Quand Tong le Forgeron pénétra dans sa forge en laissant pendre son marteau au bout de son bras, Wang les Esquimaux fut le premier à éclater en sanglots, et Zhang le Tailleur dit d'une voix larmoyante :

— Alors comme ça, on va devoir faire une croix sur notre argent, un argent qu'on avait gagné à la sueur de notre front ?

Guan les Ciseaux le Jeune et Yu l'Arracheur de dents éclatèrent en sanglots à leur tour. Tong le Forgeron jeta son marteau à côté de son fourneau, il s'assit sur la chaise longue de Yu l'Arracheur de dents et commença à se marteler la tête du poing comme si c'eût été la tête de Li Guangtou. Il frappait si fort que les coups résonnaient :

— Quel foutu fils de chienne je fais pour avoir fait confiance à ce foutu fils de chienne de Li Guangtou !

Guan les Ciseaux le Jeune et Yu l'Arracheur de dents, entraînés par son exemple, se mirent aussi à se frapper le crâne et à pester contre eux-mêmes :

— Quels fils de chienne on fait…

La mère Su était la seule à n'avoir pas perdu d'argent. En voyant ses ex-associés se frapper et s'insulter eux-mêmes, elle se mit à pleurer et, tout en s'essuyant les yeux, elle marmonna :

— J'ai bien fait d'aller brûler de l'encens au temple…

Quand Tong le Forgeron se fut presque assommé de coups, il jura en serrant les dents :

— Ce salopard de Li Guangtou, il va finir boiteux, idiot, aveugle et sourd, ou je ne suis pas un homme.

En entendant Tong le Forgeron, Wang les Esquimaux, qui pleurait jusque-là toutes les larmes de son corps, s'essuya les yeux à son tour, et, prenant la mine de Jing Ke partant assassiner le roi de Qin[4] – Le vent gémit, froide est la Yi[5] –, il jura en brandissant le poing :

— Je vais en faire un estropié, pour sûr…

Guan les Ciseaux le Jeune et Yu l'Arracheur de dents prêtèrent serment eux aussi : Guan les Ciseaux le Jeune promit qu'il lui couperait la queue, le nez et les oreilles, les doigts et les orteils ; et Yu l'Arracheur de dents qu'il lui arracherait toutes les dents de la bouche et tous les os du corps par la même occasion. Et comme si cela ne suffisait pas encore à apaiser leur colère, ils continuèrent à jurer qu'ils couperaient et arracheraient tout ce qu'ils pourraient jusqu'à ce que Li Guangtou soit un infirme complet.

Zhang le Tailleur avait oublié ses bonnes manières pour adopter le langage d'un combattant de l'armée des volontaires[6]. Il affirma qu'il brûlait d'envie de couper la tête à Li Guangtou, et pour prouver qu'il ne plaisantait pas il assura avoir un sabre japonais caché sous son lit. L'arme était certes rouillée, mais il suffirait de la porter chez Guan les Ciseaux le Jeune et de l'affûter pendant deux heures pour qu'elle retrouve tout son tranchant et qu'elle puisse décapiter Li Guangtou.

La mère Su, effrayée par les horreurs que ses cinq ex-associés avaient proférées, était livide. Quand Zhang le Tailleur parla de couper la tête de Li Guangtou, elle le prit au mot et s'inquiéta malgré elle en examinant ses frêles bras de lettré :

— Li Guangtou a le cou aussi épais que la cuisse, tu es sûr que tu parviendras à le lui couper ?

Zhang le Tailleur resta coi, puis, se rendant compte qu'il avait présumé de ses forces, il rectifia la formule :

— Ce ne sera pas forcément la tête que je vais lui couper.

— A défaut de la tête, s'exclama Guan les Ciseaux le Jeune, on lui coupera les roubignoles !

Zhang le Tailleur marqua sa réprobation en secouant la tête :

— Jamais je ne ferai quelque chose d'aussi vulgaire.

XVI

Tong, Zhang, Guan, Yu et Wang tinrent parole : dorénavant, dès qu'ils croisaient Li Guangtou dans la rue, ils lui flanquaient une raclée. Si en matière d'écriture le style c'est l'homme, c'est vrai aussi en matière de tabassage, et chacun des cinq tabassait Li Guangtou à sa façon. Quand Tong le Forgeron tombait sur Li Guangtou, il levait aussitôt sa main droite, celle avec laquelle il battait le fer, et sa paume s'écrasait sur sa victime, laquelle n'avait pas encore repris son équilibre que déjà Tong le Forgeron s'en allait, tête haute, regardant droit devant. Il ne frappait jamais deux fois, et son style, c'était le style "coup de gong". Zhang le Tailleur, quant à lui, s'écriait "Toi, toi, toi", sur le ton sévère de l'instituteur, et visait Li Guangtou avec son poing, mais avant que celui-ci n'atterrisse sur son visage, il ouvrait la main et se contentait de lui marteler la figure avec un seul doigt, comme une aiguille de machine à coudre qui pique des points serrés sur le tissu. Le style de Zhang le Tailleur, c'était le style "de la méditation sur un doigt"[1].

Yu l'Arracheur de dents avait le "style pro". Il prenait invariablement pour cible la bouche de Li Guangtou avec sa main droite, celle qui arrachait les dents, et lui mettait les lèvres en sang. La marque des dents de Li Guangtou s'imprimait sur son poing, et il poussait des cris de douleur en secouant sa main devant ses yeux comme s'il s'était brûlé. Il était convaincu chaque fois d'avoir fait cracher toutes ses dents à Li Guangtou, or quand il le rencontrait de nouveau il constatait que celui-ci avait toujours une denture impeccable. Yu l'Arracheur de dents, étonné, faisait ouvrir sa bouche à Li Guangtou et lui comptait les dents, et aussi étonnant que cela paraisse il n'en manquait pas une. Tant et si bien qu'avant de le frapper encore, il ne manquait jamais de le complimenter :

— Tu as de bonnes dents !

Guan les Ciseaux le Jeune avait le style "coup bas". Il avait jeté son dévolu sur l'entrejambe de Li Guangtou. Il avait d'abord fait diversion en lui assénant une rafale de coups sur les jambes qui avait contraint Li Guangtou à les écarter en courbant le dos. Après quoi, l'entrejambe de Li Guangtou à découvert, Guan les Ciseaux le Jeune lui avait envoyé son pied dans les roustons. Li Guangtou, qui en avait vu trente-six chandelles, s'était roulé par terre en se tenant le bas-ventre. Par la suite, dès qu'il rencontrait Guan les Ciseaux le Jeune, Li Guangtou serrait immédiatement les jambes, une main posée sur son entrejambe et une main posée derrière, et l'autre avait beau taper comme un sourd, Li Guangtou défendait mordicus ses roustons. Guan les Ciseaux le Jeune visait l'intérieur des mollets, puis le gras des cuisses, il se mettait en nage sans parvenir à lui faire desserrer les jambes. A bout de nerfs, et sans arrêter de frapper, il criait :

— Ecarte tes jambes, écarte tes jambes…

Li Guangtou secouait la tête, et désignant de sa main gauche ses bijoux de famille, il disait :

— Ils ont été vasectomisés, aie pitié d'eux. Ils ont eu la vie dure, laisse-leur une chance.

Wang les Esquimaux avait le style "Je m'y reprends à plusieurs fois". Quand il apercevait Li Guangtou, il éclatait en sanglots comme s'il venait de perdre père et mère. Il saisissait Li Guangtou par le collet et le bourrait de coups de poing. Li Guangtou s'accroupissait en se protégeant la tête de ses mains, et Wang les Esquimaux, en s'appuyant de la main gauche sur l'épaule de Li Guangtou pour maintenir son équilibre, continuait de le frapper de sa main droite. La séance ne durait jamais moins d'une heure, une heure sur laquelle Wang les Esquimaux prenait vingt minutes pour souffler. Pendant la pause, Wang les Esquimaux s'adressait en pleurant à la foule :

— 500 yuans !

Les cinq créanciers s'acharnèrent sur Li Guangtou des premiers bourgeons du printemps à la canicule de l'été. Tel un soldat blessé qui revient du champ de bataille, on ne le voyait jamais dans les rues de notre bourg des Liu autrement qu'avec le visage et le nez couvert d'ecchymoses, ou bien encore traînant la patte et le bras démantibulé. Il était dépenaillé, avait les cheveux plus longs que Marx et la barbe plus fournie que Engels. Le "crâne rasé" si craint naguère s'était évanoui, laissant place à un clochard mendiant sa pitance. Depuis qu'il avait les cheveux sur les épaules, les deux lettrés distingués de notre bourg des Liu l'avaient affublé chacun d'un nom de pop star occidentale : Liu l'Ecrivain l'appelait "Li le Beatles" ; et Zhao le Poète, "Li Michael Jackson". Les masses du bourg ne comprenaient pas de quoi il retournait : ils connaissaient bien l'existence d'une Teresa Teng[2], mais pas celle des Beatles ou de Michael Jackson. Ils voulurent se renseigner auprès de Liu l'Ecrivain et de Zhao le Poète, mais ceux-ci, l'air pénétré, tournèrent le dos à ces rustres qui n'avaient même pas entendu parler de ces stars chevelues. Indignés par l'ignorance des masses du bourg des Liu, ils s'éloignèrent comme deux lotus immaculés sortant de la vase. En désespoir de cause, les masses s'adressèrent à Li

Guangtou, qui ne savait pas davantage de qui il s'agissait, ce qui ne l'empêcha pas de répondre aimablement à la question :

— Ce sont des étrangers, assura-t-il en branlant du chef.

Des cinq styles si différents de ses créanciers, celui que Li Guangtou redoutait le plus était le style “coup bas” de Guan les Ciseaux le Jeune. Tong le Forgeron frappait certes avec fermeté, avec précision, avec énergie[3], mais avec lui l'affaire ne traînait pas. Quant à Yu l'Arracheur de dents, depuis qu'il avait éprouvé la solidité des dents de Li Guangtou, ses coups étaient devenus de plus en plus légers. Le style qui lui posait le moins de problèmes était le style piqué et policé de Zhang le Tailleur, et ensuite celui de Wang les Esquimaux : car même si ce dernier frappait sans arrêt, il n'avait pas beaucoup de force, et Li Guangtou avait le cuir épais. Nonobstant, avec l'arrivée de l'été, c'est Wang les Esquimaux qui devint la terreur de Li Guangtou. A cette saison, Wang les Esquimaux avait sur son dos sa glacière et il tenait dans la main droite un bâton avec lequel il tapait dessus tout le long du chemin. C'était maintenant avec ce bâton qu'il frappait Li Guangtou quand il le rencontrait. Cette arme traditionnelle en fit voir à Li Guangtou de toutes les couleurs. Le bâton s'abattait durement sur son crâne aux longs cheveux et l'étourdissait. Li Guangtou s'accroupissait, mains sur la tête, et Wang les Esquimaux, assis carrément sur sa glacière, continuait de le bastonner tout en soupirant sur ses 500 yuans perdus, sans pour autant interrompre son commerce. Li Guangtou était contraint de sacrifier ses mains pour protéger sa tête. Elles étaient rouges et enflées, et ressemblaient à des pieds de cochon préparés à la sauce de soja. Pour autant, il n'en persistait pas moins dans sa stratégie, convaincu que rien n'était plus important que sa tête puisqu'il aurait encore à l'avenir à s'en servir pour faire des affaires.

La mère Su, ne supportant plus de voir Wang les Esquimaux taper sur Li Guangtou avec son bâton, s'approcha et retint son bras :

— Tu seras puni pour ta mauvaise action.

Wang les Esquimaux ramena son bras vers lui et dit à la mère Su d'un ton pleurnichard :

— 500 yuans !

— Peu importe la somme, ce n'est pas en le malmenant que tu récupéreras tes sous.

Quand Wang les Esquimaux se fut éloigné tristement, sa glacière sur le dos, la mère Su ne put se retenir de réprimander Li Guangtou, toujours accroupi par terre les mains sur la tête :

— Tu passes ton temps à te balader dans les rues alors que tu sais pertinemment qu'ils veulent te casser la figure. Tu ne pourrais pas t'enfermer chez toi ?

Li Guangtou leva les yeux et, constatant que Wang les Esquimaux était loin, il laissa glisser ses mains de sa tête et se redressa :

— Chez moi, je m'ennuie à mourir.

Là-dessus, Li Guangtou s'éloigna d'un air dégagé en balançant sa chevelure. La mère Su secoua la tête en soupirant :

— Tu as de la chance que je sois allée brûler de l'encens au temple et que je n'aie pas perdu d'argent, sinon je t'aurais bien flanqué quelques coups moi aussi.

Et fixant la silhouette qui s'éloignait toujours, elle s'exclama à nouveau :

— L'encens, il n'y a pas à dire, ça marche !

Notre Zhao le Poète avait vu Li Guangtou se faire tabasser à maintes reprises sans rendre les coups. Passé l'effet de surprise, et constatant, à l'été, que ses cinq créanciers s'acharnaient maintenant sur Li Guangtou depuis le printemps et l'avaient réduit à l'état de lavette, y compris Wang les Esquimaux qui était capable de harponner sa victime et de la frapper à son rythme pendant une heure alors qu'il était loin d'être un Hercule, il reprit de l'assurance. Il se souvenait que ce salopard avait ruiné son prestige dans le bourg en proclamant qu'il allait faire ressortir sa nature de peuple travailleur. Mais quel homme serait-il donc, s'il ne vengeait pas cet affront ? Zhao le Poète décida de récupérer son honneur perdu devant les masses du bourg des Liu.

Ce jour-là, Wang les Esquimaux venait de partir, sa glacière sur le dos, après en avoir fini avec Li Guangtou, quand Zhao le Poète arriva sur les lieux. Il donna quelques légers coups de pied à Li Guangtou, toujours accroupi, la tête entre les mains, et, d'une voix forte, pour que les masses qui passaient par là l'entendent, il lança :

— Ma parole, tu es tombé bien bas ! Depuis que Li Guangtou est devenu Li Michael Jackson, il n'ose même plus rendre les coups quand on le frappe.

Li Guangtou leva la tête et jeta un coup d'œil indolent sur Zhao le Poète, lequel, croyant qu'il avait peur, lui flanqua un autre coup de pied en claironnant :

— Ce n'est pas toi qui voulais faire ressortir ma nature de peuple travailleur ? Alors, qu'est-ce que tu attends ?

Li Guangtou se releva lentement. Zhao le Poète, redoublant d'audace, le poussa et, après un regard à l'assistance, ajouta fièrement :

— Allez, vas-y !

A peine la tête de Zhao le Poète s'était-elle détournée des spectateurs pour revenir fièrement vers Li Guangtou qu'une pluie de coups de poing enchaînés s'abattit sur elle. La main gauche enflée de Li Guangtou avait saisi Zhao le Poète par l'avant de son vêtement, tandis que sa main droite, tout aussi enflée, prenait pour cible son visage et lui infligeait une sévère correction. Avant que Zhao le Poète ait eu le temps de réagir, il avait déjà la figure en sang : le sang de son nez coulait sur ses lèvres, le sang de ses lèvres coulait dans son cou, et il hurlait de douleur. Il venait d'apprendre à ses dépens que Li Guangtou n'avait rien perdu de sa vigueur. Ses jambes fléchirent et il s'effondra à genoux sur le sol, mais Li Guangtou, qui ne l'avait pas lâché, continuait de le frapper sauvagement en récitant ces mots :

— S'ils frappent mézigue et que mézigue ne riposte pas, c'est que mézigue leur a fait perdre de l'argent. A toi, petit merdeux que tu es, mézigue ne t'a pas fait perdre d'argent, et c'est pourquoi mézigue va te bousiller.

Zhao le Poète, bien qu'à demi assommé, entendit clairement les paroles que Li Guangtou avait martelées comme les vers d'une poésie. Il comprenait enfin pourquoi Li Guangtou s'abstenait de se rebiffer contre les autres, et il comprit en même temps qu'il était fichu. Aussitôt, il commença à entonner le chant des haleurs. Mais comme Li Guangtou persistait à le bourrer de coups de poing, Zhao le Poète, tout en continuant à pousser ses “Oh ! la !”, n'eut d'autre ressource que de lui faire remarquer :

— Ça y est, ça y est.

— Ça y est quoi ?

Profitant de ce que Li Guangtou avait cessé de le frapper, Zhao le Poète s'empressa de pousser encore quelques “Oh ! la !” puis, prenant entre les siennes la main de Li Guangtou agrippée à son vêtement, il ajouta :

— Tu as entendu ? C'est la voix du peuple travailleur. Elle est sortie grâce à toi.

Li Guangtou avait compris maintenant :

— J'ai entendu, déclara-t-il en riant, mais ça ne suffit pas encore.

Et il leva derechef son poing droit. Zhao le Poète, terrorisé, reprit le chant des haleurs et poussa une série de "Oh ! là !" avant de dire à Li Guangtou d'une voix implorante :

— Félicitations, félicitations…

— C'est moi que tu félicites ? s'étonna Li Guangtou.

— Oui, oui, oui, acquiesça Zhao le Poète en ponctuant ses "oui" de hochements de tête. Je te félicite car tu as réussi à faire ressortir ma nature de peuple travailleur.

Après cette déclaration, le poing de Li Guangtou cessa de frapper. Li Guangtou baissa son bras, lâcha le vêtement de Zhao le Poète et lui donna une tape sur le dos en riant :

— Tout le plaisir a été pour moi.

Après avoir été battu et réduit à l'état de lavette pendant trois mois par Tong, Zhang, Guan, Yu et Wang, Li Guangtou avait enfin reconquis son prestige dans les rues de notre bourg des Liu. Tandis qu'elles regardaient en rigolant Zhao le Poète s'éloigner la queue entre les pattes, les masses découvrirent que Liu l'Ecrivain s'était glissé parmi elles : leurs yeux allaient sans arrêt de Liu l'Ecrivain à Li Guangtou, qui s'était assis par terre pour reprendre son souffle. Tout le monde se souvenait de la sévère correction que Li Guangtou lui avait infligée naguère. Rêvant de revivre les bons moments du passé, elles espéraient que Li Guangtou se relèverait d'un bond pour faire ressortir une fois de plus sa nature de peuple travailleur à Liu l'Ecrivain. Elles se mirent à faire des commentaires sur Li Guangtou tout en surveillant Liu l'Ecrivain du coin de l'œil : Li Guangtou, à force de sauter un repas sur deux, était bien maigre et en plus il avait été salement amoché par ses cinq créanciers ; qui aurait cru qu'il battrait ce Zhao le Poète bien nourri et pétant la santé avec la facilité d'un aigle fondant sur un poussin ou d'un adulte corrigeant un enfant ? Et les masses de conclure, les yeux toujours rivés sur Liu l'Ecrivain :

— Il n'y a pas à dire, un chameau, même avec la peau sur les os, sera toujours plus grand qu'un cheval.

Liu l'Ecrivain saisit l'allusion : il comprit que les masses, friandes de bagarres, ne souhaitaient qu'une chose, qu'il marche aussitôt sur les traces de Zhao le Poète. Rouge jusqu'aux oreilles, il aurait bien voulu partir mais, craignant, s'il quittait maintenant les lieux, de devenir la risée du bourg des Liu, et étant attaché à sa réputation, il prit sur lui et ne bougea pas. Les masses décidèrent donc de provoquer Li Guangtou. Mais celui-ci, l'estomac vide, était assis par terre contre le tronc d'un platane et avalait sa salive pour calmer sa faim, et il fit la sourde oreille aux propos de la foule. Alors, les masses se mirent à asticoter Liu l'Ecrivain : les gens qui écrivaient, disaient-elles, étaient vraiment des pas grand-chose ; à l'instant, ce Zhao le Poète s'était montré plus veule qu'un traître, et non seulement il s'était déshonoré lui-même mais il avait déshonoré ses parents. Quelqu'un intervint :

— Pas seulement ses parents. Il a déshonoré Liu l'Ecrivain par la même occasion.

— C'est vrai, approuva la foule d'une seule voix.

Le visage de Liu l'Ecrivain passa par toutes les couleurs de l'arc-en-ciel. Il n'était pas dupe, ces salopards cherchaient à les monter l'un contre l'autre, mais pas question pour lui de prendre le moindre risque et d'aller se livrer pieds et poings liés à Li Guangtou. Toutefois, comme les masses dardaient leurs regards sur lui, il ne pouvait pas se permettre de rester muet. Saisissant la balle au bond, il avança d'un pas et exprima haut et fort son accord avec la foule :

— C'est vrai. Tous les gens qui écrivent dans le monde ont été déshonorés par ce Zhao le Poète !

Liu l'Ecrivain n'avait pas volé sa réputation de lettré distingué de notre bourg des Liu. En une seule phrase, il avait convoqué, pour lui servir de caution, tous les écrivains et poètes, passés et présents, chinois et étrangers. Devant le regard ébahi des masses, il comprit, pas peu fier, qu'il avait retourné d'un coup la situation, et il devint intarissable :

— Même Lu Xun a été déshonoré en même temps que lui. Et aussi Li Bai et Du Fu, et encore Qu Yuan[4]. Qu Yuan, ce grand patriote qui s'est suicidé en se jetant dans la rivière, lui aussi il a été déshonoré à cause de Zhao le Poète… Et aussi les étrangers, Tolstoï, Shakespeare, et avant eux Dante, Homère… Tous ces gens illustres ont été déshonorés à cause de Zhao le Poète !

Les masses se mirent à ricaner bêtement, et Li Guangtou éclata de rire à son tour. Il avait beaucoup apprécié le discours de Liu l'Ecrivain :

— J'étais loin de me douter que j'allais déshonorer autant de célébrités.

C'est alors que Song Gang arriva sur sa Forever rutilante. Pressé d'aller chercher Lin Hong à la manufacture de tricots il actionnait sans arrêt sa sonnette pour que les masses qui bloquaient la rue libèrent le passage. Li Guangtou reconnut immédiatement son coup de sonnette, il se remit sur ses jambes en se collant contre le platane et s'écria :

— Song Gang, Song Gang, je n'ai rien mangé de la journée…

XVII

Cela faisait plus d'un an que Song Gang et Lin Hong étaient mariés, et deux ans que leur bicyclette Forever étincelait dans les rues. Song Gang l'astiquait tous les jours, tous les jours elle était aussi propre qu'un petit matin après l'orage, et tous les jours Lin Hong s'asseyait sur le porte-bagages. Elle prenait Song Gang par la taille et collait son visage contre son dos, avec l'air serein du dormeur la tête enfouie dans son oreiller. Leur bicyclette Forever allait et venait dans les rues en faisant tinter le son clair de sa sonnette, sans se laisser arrêter ni par le vent ni par la pluie, et les vieux de notre bourg des Liu disaient en les voyant que ces deux-là, c'était le ciel qui les avait réunis.

Lin Hong se réjouissait de la déconfiture de Li Guangtou. Auparavant, dès qu'elle entendait prononcer son nom, elle avait la mine sombre. Mais à présent, elle ne pouvait s'empêcher d'en rire :

— J'étais sûre que ça finirait comme ça. Les gens comme lui…

Elle s'interrompit et finit sa phrase par une série de "pfft" : ce Li Guangtou en avait fait des vertes et des pas mûres, et à trop parler, elle risquait de s'aventurer en terrain miné car elle en arriverait inévitablement à l'épisode du derrière. Quand elle eut terminé, elle se tourna vers Song Gang :

— Je n'ai pas raison ?

Song Gang se taisait. Rongé d'inquiétude pour Li Guangtou, il en avait perdu l'appétit et le sommeil. Vexée par son silence, Lin Hong le poussa de la main :

— Mais dis quelque chose !

Song Gang se sentit obligé de hocher la tête, mais il marmonna :

— Ça se passait pourtant très bien quand il était directeur d'usine…

— Directeur d'usine ? dit Lin Hong, d'un ton dédaigneux. Quand on dirige une usine d'assistés sociaux, est-ce qu'on mérite bien le titre de directeur d'usine ?

Song Gang regarda sa jolie épouse, et l'idée du bonheur qui était le sien fit naître un sourire de reconnaissance sur son visage.

— Pourquoi souris-tu ? s'étonna-t-elle, intriguée.

— J'ai de la chance.

Song Gang nageait dans le bonheur, mais la pensée de Li Guangtou ne le quittait pas, elle le suivait comme son ombre et il n'arrivait pas à la chasser. C'était comme si une pierre pesait sur son cœur. Il en voulait secrètement à Li Guangtou d'avoir laissé tomber son travail peinard à l'usine pour se lancer dans on ne sait trop quelles affaires : à cause de cela il s'était retrouvé ruiné, un paquet de dettes sur le cul, et s'était fait battre comme plâtre.

Une nuit, Song Gang rêva de Li Lan. Il la vit d'abord qui marchait dans les rues du bourg des Liu, les tenant, Li Guangtou et lui, par la main. Puis il la revit telle qu'elle était à la veille de sa mort : Li Lan l'avait pris par la main et lui demandait de veiller sur Li Guangtou. Song Gang se mit à sangloter dans son rêve, ce qui réveilla Lin Hong. Elle le réveilla à son tour et, inquiète, voulut savoir ce qui lui arrivait. Song Gang secoua la tête et réfléchit un instant aux images de son rêve avant d'avouer à Lin Hong qu'il avait rêvé de Li Lan. Puis, après un moment d'hésitation, il poursuivit et raconta la scène qui l'avait fait pleurer, celle où Li Lan l'avait pris par la main pour le prier de veiller sur Li Guangtou, et où il avait juré que s'il ne lui restait qu'un seul bol de riz, il serait pour Li Guangtou, et la dernière chemise aussi… Lin Hong bâilla et elle coupa Song Gang :

— De toute façon, ce n'était pas ta vraie mère.

Song Gang resta interdit. Il aurait voulu répondre, mais entendant la respiration régulière de Lin Hong il comprit qu'elle s'était rendormie, et il ravala les mots qu'il avait préparés. Lin Hong connaissait mal ce que Song Gang et Li Guangtou avaient vécu dans leur enfance, et elle ignorait que ces souvenirs étaient gravés à jamais dans l'esprit de Song Gang. Tout ce qu'elle savait, c'était qu'il était son mari, et que chaque nuit elle s'endormait doucement dans ses bras.

Depuis leur mariage, c'était Lin Hong qui tenait les cordons de la bourse. Comme Song Gang était grand, Lin Hong était persuadée qu'il risquait d'avoir faim plus rapidement que les autres, et elle fourrait donc dans sa poche 2 *mao* et des tickets pour 2 *liang* de céréales, de quoi se sustenter, expliquait-elle, de quoi s'acheter à manger à la boutique de *dim sum* en cas de petit creux. Lin Hong vérifiait tous les jours consciencieusement la poche de Song Gang, pour la garnir à nouveau si elle était vide. Pendant très longtemps, Song Gang ne dépensa pas un sou, ni un ticket de rationnement. Chaque fois qu'elle plongeait la main dans sa poche, Lin Hong y retrouvait l'argent et les tickets intacts. Tant et si bien qu'un jour elle se fâcha et voulut savoir pourquoi il ne dépensait rien.

— Je n'ai pas faim, assura celui-ci en souriant. Je n'ai pas eu une seule fois une petite faim depuis notre mariage.

Sur le coup, Lin Hong sourit elle aussi. Le soir venu, quand ils furent couchés, caressant doucement la poitrine de Song Gang, elle lui demanda de lui avouer franchement pourquoi il ne dépensait rien. Song Gang la serra dans ses bras et lui parla longtemps avec émotion : Lin Hong était toujours très économe, et elle aurait volontiers fait deux sous d'un sou si elle avait pu, elle lui servait les meilleurs morceaux à table et, quand ils allaient dans les boutiques, elle ne pensait jamais à elle-même mais à ce qui lui manquait à lui. Finalement, Song Gang dut admettre qu'effectivement il avait souvent faim, mais qu'il n'avait pas le cœur de dépenser l'argent et les tickets qu'il avait dans la poche.

Lin Hong répondit que Song Gang lui appartenait, et que, pour elle, il devait veiller à sa santé. Elle lui fit promettre de s'acheter de quoi manger dès qu'il aurait faim. Song Gang l'écouta dans un état second, hochant la tête et faisant "Hmm" à chacune de ses phrases. Là-dessus, Lin Hong s'endormit, paisible comme un bébé, et Song Gang sentit son souffle sur son cou. Il mit longtemps à trouver le sommeil. Il enlaçait Lin Hong avec le bras gauche et caressait son corps de la main droite. Le corps de Lin Hong était brûlant et lisse, on aurait dit une douce flamme.

Au cours des jours qui suivirent, Lin Hong continua de trouver dans la poche de Song Gang ce qu'elle y avait déposé. Elle secouait doucement la tête et demandait à Song Gang sur un ton de reproche pourquoi il n'avait encore rien dépensé. Song Gang ne cherchait plus à faire croire qu'il n'avait pas faim, il le reconnaissait carrément :

— Ça me crève le cœur de dépenser de l'argent.

Par la suite, Lin Hong fit observer plusieurs fois à Song Gang :

— Tu m'avais promis.

Mais à chaque fois, Song Gang s'entêtait :

— Ça me crève le cœur de dépenser de l'argent.

Une fois, Song Gang était sur sa bicyclette quand il fit cette réponse. Il conduisait Lin Hong à la manufacture de tricots. Assise à l'arrière, le bras passé autour de sa taille et le visage collé contre son dos, celle-ci rétorqua :

— Dans ce cas, tu n'as qu'à te dire que tu le dépenses pour moi.

Mais Song Gang s'obstina :

— Ça me crève le cœur de dépenser de l'argent.

Puis il fit tinter longuement sa sonnette. Cette fois-là pourtant, l'argent disparut de la poche de Song Gang. Après avoir laissé Lin Hong à son travail, sur le chemin qui le conduisait à l'usine de quincaillerie, il rencontra Li Guangtou, le ventre vide. Celui-ci avait ramassé par terre un tronçon de canne à sucre et venait à sa rencontre en croquant dedans. Il était alors dans la dèche, ne sachant pas quand il ferait le prochain repas. Bien qu'un bras en écharpe et traînant la patte, il avait toujours l'air arrogant. Il croquait dans la canne à sucre jetée par d'autres en se délectant comme s'il dégustait le meilleur mets au monde. Quand il vit Song Gang arriver sur sa bicyclette, il feignit de ne pas le connaître et regarda dans la direction opposée. Song Gang fut bouleversé par son état de délabrement physique. Il freina et s'arrêta devant lui, puis, sortant de sa poche l'argent et les tickets de rationnement, il sauta de sa bicyclette et cria :

— Li Guangtou.

Li Guangtou, croquant toujours sa canne à sucre, tourna la tête et jeta des regards à droite et à gauche :

— Qui m'a appelé ? demanda-t-il.

— C'est moi, dit Song Gang, en lui tendant l'argent et les tickets. Va t'acheter des petits pains farcis.

Li Guangtou, qui était prêt à continuer son manège, se dérida instantanément à la vue de l'argent et des tickets. Il s'en saisit et déclara avec chaleur :

— Song Gang, j'étais sûr que tu ne pouvais pas être indifférent à mon sort. Et tu sais pourquoi ?

Répondant lui-même à sa propre question, il poursuivit :

— Parce que nous sommes frères, et même si le Ciel est culbuté et la Terre chavirée, nous resterons frères.

Dorénavant, dès que Li Guangtou apercevait Song Gang sur sa bicyclette, il lui faisait signe d'approcher puis il emportait l'argent et les tickets que Song Gang avait sur lui, comme si la chose allait de soi, comme si c'était son argent à lui et qu'il n'avait fait que transiter par la poche de Song Gang.

XVIII

Ce jour-là, après avoir administré une correction magistrale à Zhao le Poète et flanqué une belle frousse à Liu l'Ecrivain, Li Guangtou, accroupi au pied d'un platane, écoutait les masses discourir. Tandis qu'il avalait sa salive pour calmer sa faim, il entendit la sonnette de la Forever annonçant Song Gang. Il se leva aussitôt et l'interpella, confiant :

— Song Gang, Song Gang, je n'ai rien mangé de la journée…

Song Gang entendit les cris de Li Guangtou et sa sonnette se tut immédiatement. Il lâcha les pédales et s'approcha de Li Guangtou, la bicyclette entre les jambes, en zigzaguant à travers la foule. Quand il découvrit son allure de mendiant, il secoua la tête et voulut sauter de sa Forever, mais Li Guangtou l'en empêcha d'un signe de la main :

— Pas la peine de descendre, donne-moi vite l'argent.

Song Gang, toujours sur sa selle, en équilibre sur la pointe des pieds, sortit de sa poche deux billets de 1 *mao*, et Li Guangtou les prit avec un air suffisant, à croire que c'était de l'argent que Song Gang lui devait. Song Gang s'apprêtait à sortir aussi les tickets de céréales de sa poche, mais Li Guangtou, sachant qu'il était pressé d'aller chercher Lin Hong à la manufacture de tricots, agita la main, comme s'il chassait un moustique :

— Vas-y, vas-y.

Song Gang sortit quand même les tickets et les tendit à Li Guangtou. Li Guangtou secoua sa longue tignasse et jeta un coup d'œil sur les tickets :

— Je n'en ai pas besoin.

— Tu en as déjà ?

— Va vite, Lin Hong t'attend, répondit Li Guangtou, agacé.

Song Gang hocha la tête et remit les tickets dans sa poche, puis il se fraya un chemin hors de la foule, la bicyclette entre les jambes. Une fois sorti de là, il se retourna vers Li Guangtou :

— Li Guangtou, je m'en vais.

Li Guangtou hocha la tête, il écouta le bruit de la sonnette et regarda Song Gang filer sur son vélo. Après quoi, il s'adressa à la foule :

— Mon frère est trop fleur bleue.

Puis, serrant dans sa main les 2 *mao* donnés par Song Gang, il tourna les talons et partit, cheveux au vent. Les masses de notre bourg des Liu le suivirent des yeux et le virent se diriger vers le Restaurant du Peuple, persuadées qu'il se rendait là-bas pour y engloutir deux bols de nouilles nature d'affilée. Quel ne fut pas leur étonnement de le voir passer devant le restaurant sans y jeter un regard et entrer à côté, chez le coiffeur. Les visages étaient stupéfaits et les exclamations de surprise fusèrent. On se demandait si la faim ne lui avait pas brouillé l'esprit et s'il ne confondait pas les cheveux coupés avec des nouilles :

— C'est vrai que les cheveux, ça ressemble un peu à des nouilles, fit remarquer quelqu'un.

— Les cheveux des femmes, oui, ajouta un autre. Mais les cheveux des hommes sont trop courts. On dirait plutôt des poils de barbe.

Les masses rigolaient en imaginant Li Guangtou avalant des cheveux de femme comme si c'étaient des nouilles.

Liu l'Ecrivain, choqué par la stupidité des masses, corrigea leurs propos d'une voix sonore : même s'il mourait de faim, Li Guangtou n'irait pas manger des cheveux et, s'il allait là-bas, c'était tout simplement pour s'y faire raser le crâne. Il expliqua que Li Guangtou était aussi affamé qu'un personnage de Lu Xun, dont le nom sur le coup lui échappait, mais, au lieu d'utiliser son argent pour se remplir le ventre, il préférait s'en servir pour s'occuper de sa tête. Liu l'Ecrivain en oublia son langage châtié :

— Putain, ce Li Guangtou, ce crâne rasé, il ne changera jamais.

Ainsi que Liu l'Ecrivain l'avait prévu, quand Li Guangtou sortit de chez le coiffeur, il avait retrouvé son apparence traditionnelle. Le lendemain midi, les masses de notre bourg des Liu virent à nouveau déambuler dans les rues un Li Guangtou rasé de près. Il avait le crâne luisant et son visage, malgré les bleus, était resplendissant : on aurait dit qu'il venait d'engloutir une plâtrée de viande et un poisson. Bien qu'il eût le ventre vide et la dégaine d'un soldat blessé, il saluait d'une voix sonore les personnes de sa connaissance. Il remonta la rue en hoquetant de faim et en se frottant la panse tel un convive sortant d'un banquet plantureux. Les masses qui le croisaient s'étonnaient :

— Qu'est-ce que tu as mangé de si bon ? Tu n'arrêtes pas de roter.

— Rien du tout, répondait Li Guangtou en continuant de frotter son ventre vide. J'ai l'estomac plein d'air, c'est pour ça que je rote.

Li Guangtou poussa jusqu'à l'usine d'assistés sociaux. Voilà plus de sept mois qu'il n'y était pas allé. A peine avait-il pénétré dans la cour, qu'il entendit les deux directeurs boiteux s'injurier dans leur bureau. Il comprit qu'une fois de plus ils faisaient une partie d'échecs en rejouant sans arrêt leurs coups. Parvenu à l'entrée du bureau, il lança un rot retentissant et les deux boiteux postillonnants se retournèrent vers lui. Dès qu'ils le reconnurent, ils lâchèrent les pièces d'échec qu'ils tenaient en main et se précipitèrent en claudiquant :

— Monsieur le directeur Li, monsieur le directeur Li… s'exclamèrent-ils avec effusion.

Les deux directeurs boiteux, encadrant le soldat blessé Li Guangtou, l'entraînèrent dans l'atelier voisin où ils rejoignirent les trois idiots, les quatre aveugles et les cinq sourds qui somnolaient.

— M. le directeur Li est venu nous rendre visite, leur annoncèrent les deux boiteux en hurlant.

Après avoir été tabassé pendant plus de trois mois, chacun dans son style différent, par Tong, Zhang, Guan, Yu et Wang, Li Guangtou retrouvait aujourd'hui sa gloire d'antan à l'usine d'assistés sociaux. Ses quatorze fidèles l'entouraient et, intrigués par son visage contusionné et ses mains qui ressemblaient à des pieds de cochon préparés à la sauce de soja, lui demandèrent en glapissant ce qui lui était arrivé. Li Guangtou, un large sourire aux lèvres, s'essuya le crâne, que les trois idiots, qui se tenaient le plus près de lui, avaient arrosé de leurs postillons. Il éluda la question qu'on lui avait posée, et qui aurait appelé une réponse humiliante, tout au plaisir que lui procuraient l'affection et la sollicitude de ses quatorze fidèles. Quand les quatorze fidèles eurent crié des “monsieur le directeur Li” pendant plus de dix minutes, leurs clameurs s'espacèrent, et c'est alors que Li Guangtou se mit à roter. Il enchaîna trois rots de suite, sous l'œil envieux des deux directeurs boiteux :

— Vous avez mangé des bonnes choses au déjeuner, monsieur le directeur Li ?

— Des bonnes choses ?

Li Guangtou agita la main pour faire taire les quatorze fidèles, puis, levant la tête, il s'adressa aux deux directeurs boiteux :

— De tous, quel est celui qui a l'odorat le plus fin ?

Le directeur boiteux se tourna vers le sous-directeur boiteux, qui à son tour se tourna vers les quatre aveugles :

— Ce sont eux.

— Eux, c'est plutôt l'oreille qu'ils ont fine, dit Li Guangtou, incrédule, avant d'ajouter en regardant les cinq sourds : Et eux, c'est la vue qu'ils ont bonne.

Là-dessus, Li Guangtou dévisagea les deux directeurs boiteux :

— Et vous deux, ce sont les bras.

Puis Li Guangtou fit un signe de la main à l'idiot érotomane, qui était à côté de lui, pour qu'il approche son nez afin de humer le rot qu'il s'apprêtait à lâcher. L'idiot, avec un rire bête, colla son nez contre la bouche de Li Guangtou. Li Guangtou rota, puis il demanda :

— Alors, ça sentait la viande ou bien le poisson ?

Comme l'idiot continuait à rire bêtement, Li Guangtou, secouant la tête, se résigna à répondre lui-même :

— Non. Ça ne sentait ni la viande, ni le poisson.

Aussitôt, l'idiot se mit à secouer la tête avec lui, et Li Guangtou, satisfait, lui fit signe d'approcher une nouvelle fois son nez. Li Guangtou rota encore, puis il demanda à l'idiot s'il avait senti une odeur de riz. Celui-ci reprit son mouvement de tête machinal. Li Guangtou, tout content, éclata de rire et pria l'idiot de humer l'air. L'idiot leva la tête pour aspirer quelques grandes bouffées :

— Est-ce que c'est la même odeur que mes rots ?

L'idiot continuait de secouer la tête mécaniquement. Li Guangtou, agacé, fit un mouvement de tête inverse :

— Oui, c'est exactement la même odeur.

Comme Li Guangtou hochait la tête, l'idiot, aussitôt, en fit autant. Li Guangtou, qui avait retrouvé le sourire, s'adressa à l'ensemble de ses fidèles :

— J'ai l'estomac rempli d'air, et c'est ce qui me fait roter. Et vous savez pourquoi ? Je n'ai rien avalé de la journée, et pas seulement de la journée. Cela fait trois mois que je ne mange plus à ma faim, trois mois que je rote parce que j'ai l'estomac plein d'air.

Les deux directeurs boiteux furent les premiers à s'exclamer, bientôt suivis par les quatre aveugles. Les cinq sourds n'entendaient pas ce que disait Li Guangtou mais, quand ils aperçurent la mine effarée des deux boiteux et des quatre aveugles, ils prirent la même expression. Les trois idiots ne réagirent pas, ils continuèrent à rire bêtement. Battant le fer tant qu'il était chaud, Li Guangtou leur tendit les bras à tous :

— Allez, videz vos poches, aboulez vos sous et tous vos tickets de céréales, que votre directeur Li puisse s'en mettre plein la panse.

Les deux boiteux, prenant conscience de l'urgence, fouillèrent leurs poches. Les quatre aveugles fourragèrent eux aussi dans les leurs, à la recherche de monnaie et de tickets de céréales. Les cinq sourds, qui n'avaient rien entendu mais tout vu, avaient compris qu'il leur fallait verser leur écot : ils retournèrent complètement leurs poches, qu'ils laissèrent pendre dehors. Les trois idiots, qui riaient bêtement, ne firent pas un geste, et les deux boiteux, après s'être occupés de leurs propres poches, allèrent fouiller les leurs, qu'ils retournèrent sans y trouver le moindre sou ou le moindre ticket.

— Putain ! fulminèrent les deux boiteux.

La quête n'avait rapporté qu'un peu de menue monnaie et quelques tickets de céréales tout fripés. L'ensemble fut remis entre les mains de Li Guangtou, qui baissa la tête pour faire le compte : les tickets lui permettaient d'acheter tout juste une livre de céréales, et la somme d'argent se montait à 4 *mao* et 8 *fen*. Li Guangtou releva la tête et annonça sur un ton de regret, en avalant sa salive :

— Il me faudrait encore 2 *mao* et 6 *fen*, si je veux manger deux bols de nouilles aux trois fraîcheurs.

Les deux boiteux retournèrent leurs poches illico pour bien montrer qu'elles étaient totalement vides, et ils prièrent les quatre aveugles d'en faire autant, avant de jeter un coup d'œil sur les poches des trois idiots et des cinq sourds, qui pendaient à l'extérieur. Ils se résignèrent alors à ce triste constat :

— Il n'y a rien d'autre.

Li Guangtou fit un geste magnanime de la main :

— A défaut de deux bols de nouilles aux trois fraîcheurs, je me contenterai de cinq bols de nouilles nature.

Là-dessus, il quitta l'usine d'assistés sociaux, escorté par ses quatorze fidèles, et se dirigea vers le Restaurant du Peuple de notre bourg des Liu. Les vingt-huit poches des vestes et les vingt-huit poches des pantalons des quatorze fidèles pendaient à l'extérieur, comme si leurs propriétaires venaient d'être victimes d'un hold-up. En revanche, ils avaient la mine aussi réjouie que s'ils avaient reçu leur paie. Comme d'habitude, c'étaient les deux boiteux qui ouvraient le cortège, les trois idiots, bras dessus bras dessous, formaient le deuxième rang, et les quatre aveugles fermaient la marche en se guidant avec leur perche de bambou. Li Guangtou et les cinq sourds s'étaient divisés en deux équipes de trois, placées aux deux bouts du cortège, et veillaient à ce que personne ne sorte des rangs. Echaudés par l'expérience du siège de la manufacture de tricots où Li Guangtou, entouré de sa cour, était venu déclarer sa flamme à Lin Hong, et qui s'était soldé par une débandade, ils avançaient cette fois-ci en formation serrée, comme une garde d'honneur tirée au cordeau.

Ils firent une entrée remarquée au Restaurant du Peuple. Li Guangtou posa sa monnaie sur la table en la plaquant dessus d'un seul coup. Il venait d'en faire autant avec les tickets froissés quand le directeur boiteux, le devançant, cria :

— Cinq bols de nouilles nature !

— Pas si vite. Finalement, je prendrai un bol de nouilles aux trois fraîcheurs et un bol de nouilles nature.

— Est-ce que ça ne fait pas trois mois que vous rotez parce que vous avez l'estomac vide ? demanda le directeur boiteux, décontenancé.

— Putain, répliqua Li Guangtou, en agitant son crâne rasé, même si ça faisait trois ans, je serais incapable d'avaler cinq bols de nouilles d'affilée. Je peux au mieux en ingurgiter deux et, dans ce cas, je préfère qu'un des deux soit un bol de nouilles aux trois fraîcheurs.

Le directeur boiteux avait compris. Il héla derechef la personne qui prenait les commandes :

— Deux bols de nouilles : un aux trois fraîcheurs, et un nature.

— Bien causé ! approuva Li Guangtou, favorablement impressionné par l'esprit de synthèse du directeur boiteux.

Li Guangtou s'assit à une table ronde, et ses quatorze fidèles après lui. Les deux boiteux prirent place, qui à droite, qui à gauche de Li Guangtou, afin de bien marquer leur position sociale. Les trois idiots et les cinq sourds se répartirent sur les deux côtés, en lançant des regards curieux sur le décor du restaurant et sur les gens qui passaient dans la rue. Les quatre aveugles s'installèrent en face de Li Guangtou, c'étaient eux qui étaient les plus calmes : les mains appuyées sur leur perche, ils souriaient, le visage levé.

Quand le serveur apporta les deux bols de nouilles, trouvant quinze personnes attablées, il ne sut devant qui il devait les poser. Li Guangtou s'empressa de lui faire signe :

— C'est pour moi, c'est pour moi.

Dès qu'il eut devant lui les deux bols fumants, Li Guangtou s'empara des baguettes et, un sourire jusqu'aux oreilles, montrant les nouilles aux trois fraîcheurs et les nouilles nature, il se lança dans un discours :

— Par lesquelles vais-je commencer ? Si je mange en premier les nouilles aux trois fraîcheurs, l'avantage c'est que je commencerai par le meilleur ; mais l'inconvénient, c'est qu'après je ne sentirai pas le goût des nouilles nature. Ça, c'est une politique à courte vue. Si, au contraire, je mange en premier les nouilles nature, l'avantage c'est que j'aurai à la fois le goût des nouilles nature et celui des nouilles aux trois fraîcheurs. Sans compter que j'irai du moins bon vers le meilleur. C'est à ça qu'on reconnaît ceux qui voient loin…

Li Guangtou s'interrompit. Il avait entendu le bruit de quatorze bouches qui avalaient leur salive, et il vit de la bave couler aux six commissures des lèvres des idiots. Il comprit que s'il n'attaquait pas tout de suite, les trois idiots risquaient de se jeter sur les bols.

— Commençons par ces putains de nouilles aux trois fraîcheurs ! s'exclama-t-il.

Et tout en couvrant de sa main gauche le bol de nouilles nature, il prit les baguettes de la droite et plongea son visage tout entier dans les nouilles aux trois fraîcheurs. Il aspirait à grand bruit, il mastiquait, il avalait le bouillon. Il ne releva la tête qu'une fois le bol vide. Il essuya le gras qu'il avait sur les lèvres et s'épongea le crâne. Puis, entendant les déferlements de salive de ses quatorze fidèles, il leur fit ce serment :

— Plus tard, quand j'en aurai les moyens, je paierai tous les jours un bol de nouilles aux trois fraîcheurs à chacun de vous.

Les déferlements de salive des quatorze fidèles étaient maintenant aussi sonores que le ressac de la mer. Li Guangtou, conscient que les choses se gâtaient, se dépêcha de plonger son nez dans les nouilles nature, qu'il dévora elles aussi d'une seule traite. Quand il eut fini, les bruits de salive stoppèrent tout net. Li Guangtou, rassuré, s'essuya la bouche, et les deux boiteux, les quatre aveugles et les cinq sourds en firent autant ; seuls les trois idiots continuaient à saliver pour rien. Les quatorze fidèles avaient les yeux fixés sur les deux bols vidés par Li Guangtou et dans lesquels il ne restait même pas une goutte de bouillon. Après avoir essuyé le gras sur ses lèvres et épongé la sueur sur son visage, Li Guangtou se leva et, saisi d'une impulsion subite, déclara à ses quatorze fidèles :

— Le ciel en soit témoin, et la terre également, aussi vrai que je m'appelle Li Guangtou, j'ai décidé de revenir et d'être à nouveau votre directeur Li !

Les quatorze fidèles demeurèrent cloués sur place. Les quatre aveugles furent les premiers à réagir et à applaudir, suivis immédiatement par les deux boiteux. Les cinq sourds, qui ignoraient ce que Li Guangtou avait dit, comprirent, en voyant les deux directeurs boiteux, qu'eux aussi devaient battre des mains. Et pour finir, ce furent les trois idiots, qui continuaient à baver. Les applaudissements se prolongèrent pendant cinq bonnes minutes. Li Guangtou, tête haute et bombant le torse, accueillit en souriant l'hommage de ses quatorze fidèles. Puis, sous cette escorte, il quitta le Restaurant du Peuple et se dirigea vers le bureau des Affaires civiles de Tao Qing. Le groupe reprit sa formation antérieure et progressa bien en ordre dans les rues de notre bourg des Liu. Li Guangtou marchait, l'air satisfait, aux côtés du directeur boiteux, en se frottant le ventre et en poussant des rots, mais de satiété cette fois. Le directeur boiteux, l'entendant roter, lui glissa, tout sourire :

— Maintenant, si vous rotez, ce n'est plus parce que vous avez l'estomac plein d'air ?

— Non ! confirma Li Guangtou d'un ton assuré, en roulant sa langue dans sa bouche pour savourer les relents que ses rots ramenaient sous son palais.

Et il ajouta, radieux :

— Ce sont des rots aux trois fraîcheurs.

Li Guangtou poussa tout le long du chemin des rots aux trois fraîcheurs. Ils étaient presque arrivés au bureau des Affaires civiles, quand Li Guangtou sentit que ses rots n'avaient plus le même goût. Il tourna sa langue plusieurs fois dans sa bouche, puis il déclara, dépité, au directeur boiteux :

— Putain, j'ai fini de digérer les nouilles aux trois fraîcheurs, celles que j'ai mangées en premier.

— Si vite que ça ? s'étonna l'autre, avant de demander, en se tournant vers Li Guangtou : Mais vous rotez encore ?

— Maintenant, ce sont des rots nature, dit Li Guangtou, en s'essuyant la bouche. Maintenant, je commence à digérer les nouilles nature, celle que j'ai mangées en dernier.

Tao Qing présidait une réunion au bureau des Affaires civiles, et il était en train de donner lecture d'un document à en-tête rouge, comme un moine qui récite des soutras. Entendant un brouhaha de voix, il jeta un coup d'œil par la fenêtre et constata que la troupe des boiteux, idiots, aveugles et sourds de l'usine d'assistés sociaux avait envahi la cour. Lâchant le document qu'il tenait, il fronça les sourcils et quitta la salle de réunion, pour se retrouver nez à nez avec Li Guangtou, dont la mine rayonnait. Li Guangtou poussa un rot aux nouilles nature et, serrant chaleureusement la main de Tao Qing, lui déclara, non moins chaleureusement :

— Monsieur le directeur Tao, c'est le grand retour !

Tao Qing regarda le visage tuméfié de Li Guangtou et serra sans enthousiasme sa main rouge comme un pied de cochon préparé à la sauce de soja, avant de lui lancer, d'un air sévère :

— Le grand retour de quoi ?

— Le mien, répondit Li Guangtou, en pointant le doigt sur son nez. Je viens reprendre mes fonctions comme directeur de l'usine d'assistés sociaux !

Il avait à peine fini de parler quand les quatre aveugles, les premiers, se mirent à l'applaudir, suivis par les trois idiots. Les cinq sourds, après avoir jeté des regards à droite et à gauche, les imitèrent à leur tour. Seuls les deux directeurs boiteux s'abstinrent : ils s'apprêtaient à le faire mais la mine renfrognée de Tao Qing les en avait découragés.

— Arrêtez d'applaudir, ordonna Tao Qing, le teint blême.

Les quatre aveugles se tournèrent les uns vers les autres et leurs applaudissements se firent moins frénétiques. Les trois idiots, qui s'en donnaient à cœur joie, n'avaient pas prêté attention aux paroles de Tao Qing. Les cinq sourds n'avaient rien entendu mais, lorsqu'ils virent les aveugles hésiter et les idiots continuer à battre des mains de toutes leurs forces, deux choisirent d'interrompre leurs applaudissements tandis que les trois autres poursuivaient sur leur lancée. Cela sentait le roussi, aussi Li Guangtou s'empressa-t-il de se tourner vers sa troupe et, tel un chef d'orchestre, il leva les bras et les laissa retomber. Aussitôt, les applaudissements cessèrent, et Li Guangtou, tout content, le fit remarquer à Tao Qing :

— Ils n'applaudissent plus.

Tao Qing hocha gravement la tête et expliqua tout de go à Li Guangtou qu'en abandonnant son poste sans présenter sa démission il avait commis une faute très lourde, et que le bureau des Affaires civiles l'ayant exclu il était hors de question qu'il réintègre l'usine d'assistés sociaux. Il regarda en direction des quatorze boiteux, idiots, aveugles et sourds bien alignés dans la cour et déclara à Li Guangtou :

— Bien que l'usine d'assistés sociaux emploie des…

Tao Qing s'arrêta au milieu de sa phrase et ne prononça pas le mot "handicapés" qui lui brûlait les lèvres. Il se reprit :

— Malgré tout, l'usine d'assistés sociaux est une unité d'Etat, ce n'est pas ta maison, tu ne peux pas la quitter et y revenir à ta guise.

— Vous avez parfaitement raison, approuva Li Guangtou, qui poursuivit : L'usine d'assistés sociaux est une unité d'Etat, ce n'est pas ma maison ; pour autant, moi, Li Guangtou, je la considère comme ma maison, et c'est pourquoi j'y reviens !

— Impossible, répliqua Tao Qing, sans barguigner. Tu ne respecte ni l'organisation, ni la hiérarchie…

Avant que Tao Qing ait fini sa phrase, un des aveugles prit la parole, et déclara en souriant :

— En partant sans donner sa démission, le directeur Li n'a pas respecté la hiérarchie ; mais en ne prenant pas en considération nos aspirations, le directeur Tao ne respecte pas les masses.

A ces mots, Li Guangtou éclata de rire, mais il s'arrêta aussitôt, quand il vit que Tao Qing était prêt à sortir de ses gonds. Tao Qing était à deux doigts de lâcher une bordée d'injures, toutefois, devant cette troupe de boiteux, idiots, aveugles et sourds, il réfréna sa colère. Il aurait bien demandé aux deux boiteux d'emmener leurs camarades s'ils ne s'étaient cachés par derrière. Comprenant qu'il était vain d'espérer leur aide, il s'adressa à Li Guangtou :

— Emmène-les.

Li Guangtou donna immédiatement l'ordre de départ aux quatorze boiteux, idiots, aveugles et sourds :

— On y va !

Li Guangtou quitta la cour du bureau des Affaires civiles avec ses quatorze fidèles et les pria de regagner l'usine car la journée de travail n'était pas encore terminée. Comme ceux-ci s'en allaient à contrecœur et dans la pagaille la plus parfaite, Li Guangtou, soudain envahi par la tristesse, leur cria, pour les réconforter :

— Moi, Li Guangtou, je ne reviens jamais sur ma parole. Soyez tranquilles, on se retrouvera, et je serai de nouveau votre directeur Li.

Les quatre aveugles, qui se guidaient avec leur perche, s'arrêtèrent et, coinçant leur perche entre leurs cuisses, applaudirent à cette déclaration, bientôt imités par les deux boiteux, les trois idiots et les cinq sourds. Tout en applaudissant, les quatorze avaient fait demi-tour, comme s'ils s'apprêtaient à revenir vers Li Guangtou, et celui-ci songea qu'ils étaient encore plus fleur bleue que Song Gang. Il leur fit un signe rapide de la main et partit à toute vitesse, sans se retourner.

Pendant les jours qui suivirent, Li Guangtou alla trouver le secrétaire et le chef du district, ainsi que le chef du département de l'organisation du district. Il alla trouver en tout quinze fonctionnaires du district, de rang plus ou moins élevé, à qui il expliqua avec flamme qu'il souhaitait être réintégré à l'usine d'assistés sociaux. Mais le secrétaire, le chef du district et le chef du département de l'organisation le firent chasser de leur bureau avant qu'il ait fini d'exposer son cas. Changeant de tactique, il essaya de faire vibrer la corde de la compassion chez les douze autres, mais ceux-ci, après l'avoir écouté jusqu'au bout, lui infligèrent douze douches froides en opposant douze fins de non-recevoir catégoriques à sa requête : l'Etat avait des règles, et selon ces règles, qui partait ne pouvait pas revenir. Ces putains de règles, lui, Li Guangtou, s'en moquait éperdument, et puisque ces salopards du gouvernement du district n'entendaient que la manière forte, il se promit de leur montrer de quel bois il se chauffait, et il entreprit un sit-in. Tous les jours, à l'heure où les bureaux ouvraient, il se présentait au portail du gouvernement du district et s'installait au beau milieu du passage. Il restait là jusqu'à la fermeture des bureaux, et rentrait chez lui en même temps que les employés.

Li Guangtou, assis en tailleur à l'entrée du gouvernement du district, affichait la même détermination qu'un général tenant une position-clé face à une armée de dix mille hommes. Au début, les masses de notre bourg des Liu ne comprenaient pas ce qu'il attendait là :

— Je fais un sit-in, expliquait-il spontanément à chaque passant.

Les masses rigolaient, elles avaient du mal à le croire : assis comme cela, l'allure martiale, il ressemblait plutôt à un héros de film de kung-fu venu accomplir une vengeance. D'aucuns lui suggérèrent de prendre un air misérable, et même, si possible, de se casser une jambe ou un bras : s'il parvenait à s'attirer la pitié du Parti et du peuple, il pourrait réintégrer l'usine. Li Guangtou écouta ces avis mais il conclut, avec un brusque mouvement de la tête :

— Ça ne servirait à rien.

Li Guangtou se retourna vers le bâtiment gouvernemental, il expliqua qu'il avait déjà pris un air misérable pour s'adresser aux quinze salopards qui travaillaient là-dedans : quinze, une personne de plus que son groupe de quatorze boiteux, idiots, aveugles et sourds. Il les avait couverts de flatteries, il s'était humilié devant eux et résultat ? bernique ! Il affirma que ce sit-in était son dernier recours, et il assura qu'il irait jusqu'au bout, coûte que coûte et quoi qu'il arrive. Les masses, émerveillées par tant de panache, voulurent savoir à quelles conditions il cesserait son action. Li Guangtou tendit deux doigts :

— Soit on me laisse reprendre la direction de l'usine d'assistés sociaux ; soit je reste assis ici, jusqu'à ce que mort s'ensuive.

Li Guangtou, qui était en guenilles, n'avait rien à manger ni à boire. Quand il se rendait au gouvernement du district pour poursuivre son sit-in, il ramassait en chemin des ordures diverses – des canettes en aluminium, des bouteilles d'eau minérale, des journaux, des boîtes en carton –, qu'il entassait à l'entrée du bâtiment. Les employés du gouvernement, sachant que Li Guangtou s'était fait chiffonnier, lui apportaient des vieux journaux, des vieux cartons et autres objets dont ils n'avaient plus l'usage. C'est ainsi que Li Guangtou transforma en déchetterie l'espace qui jouxtait le gouvernement du district. Quand, durant ses heures de sit-in, il voyait passer quelqu'un avec un journal à la main, il lui demandait s'il avait fini de le lire, et si tel était le cas il le priait de le lui lancer. Si le quidam était en train de boire, il l'arrêtait, l'invitait à finir sa canette ou sa bouteille et à la lui laisser avant de partir. Et s'il avait une vieille veste sur le dos, il l'abordait de cette façon :

— Quand on a votre standing, on ne porte pas une veste comme ça. Enlevez-la et donnez-la moi.

Li Guangtou rêvait de réintégrer l'usine d'assistés sociaux, mais au lieu d'être rétabli dans ses fonctions de directeur, il devint chiffonnier, et les masses de notre bourg des Liu commencèrent à l'appeler "Li le Chiffonnier". Au début, c'était simplement pour survivre que Li

Guangtou récoltait les ordures en chemin, et il était loin de se douter que cette activité ferait de lui un homme célèbre et qu'il se transformerait en roi de la chiffe du bourg des Liu, tout comme au temps de sa jeunesse il avait été le roi du cul. Dès que les gens avaient quoi que ce soit à jeter, ils se rendaient à l'entrée du gouvernement du district pour que Li Guangtou vienne le récupérer à domicile. A l'époque, Li Guangtou poursuivait encore son sit-in avec zèle, et ne pouvant se déplacer tout de suite, il notait soigneusement l'adresse :

— Je passerai en sortant du travail, disait-il.

XIX

Lin Hong nageait en plein bonheur. Son élégant mari, juché sur sa rutilante Forever dernier cri, la conduisait tous les matins à la manufacture de tricots. Après avoir franchi la porte, elle ne cessait de jeter des regards derrière elle en direction de Song Gang, qui ne se décidait pas à partir et restait là, debout, appuyé sur sa bicyclette, à lui faire des signes. Au crépuscule, dès qu'elle sortait de la manufacture, elle apercevait le sourire rayonnant de bonheur de Song Gang. Lin Hong ignorait que Song Gang donnait de l'argent à Li Guangtou en catimini, et le manège durait depuis plus d'un mois quand elle l'apprit.

La première fois que Lin Hong trouva la poche de Song Gang vide, elle ne put s'empêcher de sourire, et, sans rien dire, elle remit dedans 2 *mao* et des tickets pour 2 *liang* de céréales. Song Gang l'observa en silence, mais son franc sourire le mit mal à l'aise.

Et tous les jours sans exception, Lin Hong, qui ne savait pas que Li Guangtou faisait main basse sur l'argent et les tickets de céréales de Song Gang, regarnissait la poche de son mari. Au début, elle se réjouissait que Song Gang fût devenu plus raisonnable et songeât à s'acheter à manger quand il avait faim. Mais peu à peu des questions commencèrent à la tarauder : lui qui auparavant hésitait à engager la moindre dépense, à présent il dépensait tout jusqu'au dernier centime ; or quoi qu'il achetât, il aurait dû fatalement rester de la monnaie. Lin Hong se mit à dévisager Song Gang d'un air soupçonneux, et comme celui-ci fuyait son regard, elle se décida à parler :

— Qu'est-ce que tu t'achètes à manger ?

La bouche de Song Gang s'ouvrit sans qu'aucun son n'en sorte. Lin Hong réitéra sa question, et Song Gang avoua qu'il ne s'achetait rien. Lin Hong était stupéfaite. Song Gang n'osait pas la regarder en face. Mal à l'aise, il lui expliqua où passaient l'argent et les tickets :

— Je donne tout à Li Guangtou.

Lin Hong, debout au milieu de la pièce, demeura sans voix. Elle se souvint soudain que Li Guangtou était devenu un clochard. Jusqu'ici, elle avait complètement oublié son existence : dans son monde il n'y avait que Song Gang, et personne d'autre. Et voilà que ce voyou refaisait irruption dans sa vie. Elle calcula que depuis un mois Li Guangtou leur avait pris pas loin de 6 yuans, et des larmes de tristesse lui échappèrent. "6 yuans, 6 yuans", marmonnait-elle : en faisant un tant soit peu attention, on aurait pu vivre dessus à deux pendant un mois.

Song Gang était assis au bord du lit, la tête basse. Il ne regardait pas Lin Hong, et c'est seulement quand celle-ci lui demanda en pleurant pourquoi il avait agi ainsi qu'il leva les yeux vers elle et répondit doucement :

— C'est mon frère.

— Ce n'est pas ton vrai frère, rétorqua Lin Hong. Et quand bien même, c'est à lui de se prendre en charge tout seul.

— C'est mon frère, protesta Song Gang. Plus tard, il se prendra en charge lui-même. Maman, avant de mourir, m'a demandé de veiller…

— Ne me parle pas de ta belle-mère, l'interrompit Lin Hong, en élevant la voix.

Blessé par les propos de Lin Hong, Song Gang haussa le ton à son tour :

— C'était ma mère.

Lin Hong fixa Song Gang, étonnée. C'était la première fois depuis leur mariage qu'il s'adressait à elle de la sorte. Elle secoua la tête sans parler. Le premier moment de surprise passé, elle se dit qu'elle avait peut-être eu tort, et comme elle se taisait la pièce s'enfonça dans le silence.

Song Gang, toujours assis, baissa de nouveau la tête. A cet instant, les souvenirs de jadis lui revinrent, tourbillonnant comme des flocons de neige. Les années passées avec Li Guangtou ressemblaient à une route enneigée qui s'étirait lentement jusqu'au moment présent, puis s'effaçait subitement. Les idées se bousculaient dans son cerveau, mais en même temps il était désemparé, c'était comme si la neige immaculée avait recouvert tous les chemins, dans toutes les directions. Il ne retrouva le fil de ses pensées qu'au moment où ses yeux se posèrent sur les pieds de Lin Hong, debout au milieu de la pièce. Il s'aperçut alors que ses chaussures étaient usées, que le pantalon au-dessus des chaussures était usé, et il savait que la veste au-dessus du pantalon était usée elle aussi. Il songea aux efforts quotidiens de Lin Hong pour économiser et son cœur se serra. Il n'aurait pas dû donner l'argent à Li Guangtou en cachette de Lin Hong. Maintenant, il se sentait coupable.

Au bout d'un long moment, comme Song Gang gardait toujours la tête basse et demeurait obstinément muet, Lin Hong s'énerva à nouveau :

— Mais parle.

Song Gang leva la tête :

— C'est de ma faute, déclara-t-il, avec un accent de profonde sincérité.

Lin Hong s'attendrit. Devant son regard sincère, elle poussa un soupir, puis elle entreprit de le réconforter : 6 yuans, après tout, ce n'était pas dramatique, ils n'avaient qu'à considérer qu'on les leur avait volés, et que plaie d'argent n'est pas mortelle ; il suffisait que Song Gang, dorénavant, cesse de voir Li Guangtou. Sur ce, elle sortit de son porte-monnaie 2 *mao* et des tickets de céréales qu'elle plaça dans la poche de Song Gang.

— Je n'ai pas besoin d'argent… dit Song Gang, très touché par ce geste.

— Si, tu en as besoin, répliqua Lin Hong en le regardant. Mais tu dois absolument le dépenser pour toi.

Ce soir-là, une fois couchés, ils retrouvèrent leurs gestes tendres habituels. Song Gang enlaçait amoureusement Lin Hong, et celle-ci savourait l'affection constante que Song Gang lui prodiguait. Un doux sourire flottait sur son visage et elle souriait encore dans son sommeil.

Le lendemain, à l'heure de la sortie du travail, Song Gang reprit sa bicyclette pour aller chercher Lin Hong à la manufacture de tricots. Quand Li Guangtou, qui faisait son sit-in devant l'entrée du gouvernement du district, l'aperçut, il se mit debout aussitôt et le héla. Song Gang eut un coup au cœur, il serra ses freins et s'immobilisa, puis, en se tenant sur la pointe des pieds pour empêcher son vélo de tomber, il attendit que Li Guangtou le rejoigne de son pas traînant. Subitement, il eut peur que Li Guangtou ne tende de nouveau la main vers lui et ne lui réclame de l'argent. Or c'est précisément ce qui se passa :

— Je n'ai rien bu ni rien mangé de toute la journée, Song Gang… expliqua Li Guangtou sans vergogne.

Song Gang sentit un bourdonnement dans sa tête. Sa main plongea machinalement dans sa poche, attrapa l'argent et les tickets, puis il rougit et secoua la tête :

— Aujourd'hui je n'ai rien…

Li Guangtou, cruellement déçu, ramena à lui la main qu'il tendait vers Song Gang. Il avala sa salive et déclara d'un ton abattu :

— J'ai passé la journée à avaler ma salive et, putain ! il va falloir que je continue encore toute la nuit...

Song Gang, comme poussé par une force impérieuse, sortit l'argent et les tickets de sa poche et les offrit à Li Guangtou, dont tout le visage exprimait le désarroi. Li Guangtou sursauta, puis il éclata de rire et prit l'argent en jurant :

— Putain, si toi aussi tu te mets à faire tourner les gens en bourrique !

Song Gang eut un sourire amer et s'en alla en pédalant sur sa bicyclette. Ce soir-là, le moment tant redouté arriva avant le dîner : Lin Hong plongea sa main dans la poche de Song Gang et s'aperçut que l'argent et les tickets avaient à nouveau disparu. Elle souhaitait maintenant les y trouver encore et quand elle se fut assuré qu'il n'y avait vraiment rien elle s'affola. Elle dévisagea Song Gang d'un air inquiet, avec l'espoir qu'il lui dirait les avoir dépensés pour lui-même. Pendant que la main de Lin Hong fouillait dans sa poche, Song Gang, plus mort que vif, avait fermé les yeux. Quand il les rouvrit, il rencontra le regard inquiet de Lin Hong. Il lui avoua d'une voix tremblante :

— C'est de ma faute.

Lin Hong comprit qu'une fois de plus Li Guangtou avait raflé l'argent et les tickets. Elle fixa Song Gang avec désespoir et laissa éclater sa colère :

— Pourquoi fais-tu ça ?

Song Gang se sentait terriblement coupable. Il aurait voulu s'expliquer de long en large mais les mots n'arrivèrent pas jusqu'à sa bouche, et il ne sut que répéter :

— C'est de ma faute.

Lin Hong pleurait de rage :

— Je t'ai donné de l'argent hier, dit-elle en se mordant les lèvres, et toi, dès aujourd'hui, tu en fais cadeau à Li Guangtou. Tu n'aurais pas pu attendre un peu, qu'au moins je sois heureuse pendant quelques jours ?

Song Gang était furieux contre lui-même. Il serrait les mâchoires et aurait voulu dire à quel point il se méprisait. Mais une fois de plus, rien d'autre ne sortit de sa bouche que cette phrase :

— C'est de ma faute.

— Tais-toi, s'écria Lin Hong, j'en ai assez de t'entendre. Tu ne sais dire que ça.

Song Gang ne broncha pas, il se tenait, la tête basse, dans un coin de la pièce, comme son père Song Fanping lors des séances de lutte-critique à l'époque de la Révolution culturelle. Lin Hong parlait en pleurant et Song Gang restait sans réaction. La colère et le chagrin se mêlaient dans le cœur de Lin Hong. Sans plus s'occuper de Song Gang, elle s'allongea sur le lit et se couvrit la tête avec la couverture. Après s'être tenu debout un moment, en silence, Song Gang commença à remuer. Lin Hong entendit des bruits de vaisselle et comprit qu'il préparait le dîner. La pièce s'assombrit. Song Gang, une fois que le repas fut prêt, apporta les plats sur la table ainsi que des bols et des baguettes. Lin Hong aurait aimé qu'il s'approche du lit pour lui parler, mais Song Gang s'était assis à la table, et un silence de mort retomba. Lin Hong se mordit les lèvres de colère, un long moment passa. La pièce était maintenant totalement noire et Song Gang, toujours à la même place, immobile, semblait attendre que Lin Hong se réveille et vienne le rejoindre pour commencer à manger.

Lin Hong savait que Song Gang ne bougerait pas : il était capable de ne pas bouger de sa chaise jusqu'à l'aube si elle-même ne sortait pas de son lit. Il ne faisait presque pas de bruit en respirant, comme s'il craignait de la réveiller. Lin Hong s'apitoya sur lui. Elle se remit à penser à toutes ses qualités, à l'amour qu'il lui portait, à sa gentillesse et à son honnêteté, mais aussi à sa beauté et à son élégance… Alors un sourire lui vint et elle murmura malgré elle :

— Song Gang.

Song Gang se leva d'un bond de son siège, mais comme Lin Hong n'ajouta rien d'autre, il hésita et voulut se rasseoir. Lin Hong avait vu la silhouette de Song Gang remuer dans l'obscurité, elle sourit à nouveau et dit doucement :

— Song Gang, approche-toi.

Song Gang vint jusqu'au lit, et sa haute silhouette se pencha.

— Song Gang, assieds-toi, poursuivit Lin Hong doucement.

Song Gang prit place avec précaution au bord du lit. Lin Hong le tira par la main :

— Plus près.

Song Gang se déplaça. Lin Hong tira sa main jusqu'à sa poitrine :

— Song Gang, tu es trop gentil. Dorénavant, je ne pourrai plus te donner d'argent.

Song Gang acquiesça dans l'obscurité. Lin Hong colla la main de Song Gang sur son visage :

— J'espère que tu n'es pas fâché.

Song Gang secoua la tête dans l'obscurité :

— Non.

Lin Hong se redressa, elle tira vers elle l'autre main de Song Gang, puis elle lui parla tendrement :

— Le problème, ce n'est pas que Li Guangtou soit un mauvais garçon : même si c'était quelqu'un de bien, nous ne pourrions pas l'entretenir. As-tu réfléchi à ce que nous gagnons par mois tous les deux ? Sans compter que plus tard nous aurons un enfant, et qu'il nous faudra l'élever. Nous ne pourrons pas nous permettre de l'avoir à notre charge. Il n'a plus de travail, et s'il ne veut pas crever de faim il va être forcé de te harceler sans arrêt… Song Gang, ce n'est pas pour maintenant que j'ai peur, c'est pour plus tard. Pense à notre enfant. Tu dois absolument couper les ponts avec Li Guangtou…

Song Gang hocha la tête dans l'obscurité. Lin Hong voulut s'assurer qu'elle ne se trompait pas :

— Tu as bien fait oui de la tête ?

— Oui, confirma Song Gang, en répétant le même geste.

Lin Hong marqua une pause, avant de poursuivre :

— N'ai-je pas raison ?

— Si.

Ce soir-là, après la tempête, le calme était revenu. Pendant les jours qui suivirent, Song Gang commença à éviter Li Guangtou. Comme, pour aller chercher Lin Hong en bicyclette à la manufacture de tricots, il devait passer devant le portail du gouvernement du district où Li Guangtou poursuivait son sit-in, il faisait désormais un détour pour l'éviter. Et Lin Hong devait parfois l'attendre longtemps à l'entrée de la manufacture. Alors qu'auparavant, il était déjà là quand elle franchissait la porte, à présent elle n'en finissait plus de le guetter, tendant le cou à droite et à gauche, et ses collègues avaient toutes disparu quand enfin Song Gang débarquait en catastrophe sur sa bicyclette. Un jour, elle ne cacha pas son mécontentement. Elle se hissa sans rien dire sur le porte-bagages, l'air renfrogné, et ne décrocha pas un mot à Song Gang de tout le trajet. Quand ils furent arrivés à la maison, elle vida son sac : il la laissait dans les transes à la porte de la manufacture, se plaignit-elle, et elle redoutait sans cesse qu'il ne lui soit arrivé quelque chose, voire même qu'il se soit brisé le crâne contre un poteau électrique. Song Gang expliqua en bredouillant la raison de ses retards : s'il s'obligeait à d'aussi grands détours, c'était afin d'éviter Li Guangtou.

— De quoi as-tu peur ? lança aussitôt Lin Hong d'une voix sonore.

Et elle poursuivit en disant que les gens comme Li Guangtou sont d'autant plus tyranniques qu'ils sentent qu'on les craint. Aussi conseilla-t-elle à Song Gang d'emprunter l'itinéraire habituel, celui qui longeait le gouvernement du district.

— Tu n'auras qu'à ne pas le regarder. Fais comme s'il n'existait pas.

— Et s'il m'appelle ?

— Tu n'as pas entendu ce que je viens de te dire ? Fais comme s'il n'existait pas.

XX

Le tas de détritus amoncelé par Li Guangtou à l'entrée du gouvernement du district avait atteint désormais la taille d'une colline. Et lui avait changé ses habitudes : il ne restait assis en tailleur, en travers de la porte, qu'aux heures d'ouverture et de sortie, et le reste du temps, comme il y avait peu de passage, il fouillait infatigablement dans son tas de détritus, penché en avant, les fesses plus haut que la tête, effectuant une rotation complète dans un sens puis dans l'autre, comme un chercheur d'or qui explore le sable. Dès qu'il entendait la sonnerie qui annonçait la fin du travail, il se précipitait aussitôt jusqu'au portail, se rasseyait en tailleur et reprenait l'air du général tenant une position-clé face à une armée de dix mille hommes. Les employés, en sortant, rigolaient : ce Li Guangtou, en plein sit-in, avait encore plus fière allure que le chef du district quand il donnait lecture de son rapport en assemblée générale ! Et tandis qu'ils s'éloignaient, Li Guangtou, ravi de cette comparaison, claironnait dans leur dos :

— A qui le dites-vous !

Voilà un mois que Li Guangtou n'avait pas vu Song Gang, et quand celui-ci reparut sur sa Forever, Li Guangtou, oubliant son sit-in, se leva de terre d'un bond et le héla en agitant les deux bras :

— Song Gang, Song Gang…

Song Gang feignit de ne rien avoir entendu, mais les cris de Li Guangtou étaient comme une main qui le retenait. Ses jambes étaient paralysées et, après un instant d'hésitation, il fit demi-tour avec sa bicyclette et s'approcha lentement de Li Guangtou. Il était mal à l'aise, se demandant s'il devait lui annoncer qu'il n'avait pas un sou sur lui. Li Guangtou vint à sa rencontre, tout excité. Il le fit descendre de son vélo et lui glissa d'un ton mystérieux :

— Song Gang, j'ai fait fortune !

Et de sa main droite il tira de sa poche une vieille montre, tandis que de la gauche il appuyait sur le crâne de Song Gang pour l'obliger à examiner l'objet de plus près.

— Tu vois les mots en langue étrangère écrits dessus ? déclara-t-il, tout ému. C'est une montre de marque étrangère. Elle n'indique pas l'heure de Pékin, mais l'heure de Greenwich. Je l'ai ramassée dans les ordures…

— Pourquoi est-ce qu'il n'y a pas d'aiguilles ? s'étonna Song Gang.

— Il suffit d'installer trois petits bouts de fil de fer à la place. La réparation ne coûtera quasiment rien, et hop ! elle indiquera l'heure de Greenwich !

Là-dessus, Li Guangtou glissa la montre étrangère dans la poche de Song Gang en lui annonçant, généreux :

— C'est pour toi.

Song Gang sursauta. Il ne s'attendait pas à ce que Li Guangtou lui fasse cadeau d'une chose à laquelle il tenait tant. Confus, il sortit la montre de sa poche et la rendit à Li Guangtou :

— Garde-la pour toi.

— Prends-la, insista Li Guangtou, sur un ton qui n'admettait pas la réplique. Ça fait dix jours que j'ai trouvé cette montre, et j'ai attendu tout ce temps-là pour te l'offrir. Où est-ce que tu étais parti depuis un mois ?

Song Gang, rouge jusqu'aux oreilles, ne savait quoi répondre. Li Guangtou, croyant qu'il avait toujours scrupule à prendre la montre, la lui remit d'autorité dans la poche :

— Tous les jours, tu conduis Lin Hong au travail et tu la ramènes, tu as besoin d'une montre. Pas moi. Moi, je sors quand le soleil se lève pour venir faire mon sit-in, et je rentre à la maison quand il se couche…

Tout en parlant, Li Guangtou leva la tête, cherchant le soleil qui descendait à l'ouest. Quand il le vit à travers les feuillages, il tendit le doigt vers lui :

— Ma montre à moi, la voilà, déclara-t-il fièrement.

Et comme Song Gang semblait perplexe, il expliqua :

— Je ne parle pas de l'arbre, je parle du soleil.

Song Gang éclata de rire.

— Arrête de rire, et pars vite : Lin Hong t'attend.

Song Gang enfourcha sa bicyclette, et prenant appui des deux pieds sur le sol il se retourna vers Li Guangtou :

— Tout s'est bien passé pour toi, le mois dernier ?

— Très bien ! répondit Li Guangtou, en faisant un geste de la main pour chasser Song Gang. Allez, va vite.

Song Gang insista :

— Qu'est-ce que tu as mangé tout ce mois-ci ?

— Ce que j'ai mangé ?

Li Guangtou plissa les yeux et réfléchit un moment, puis il secoua la tête :

— J'ai oublié. En tout cas, je ne suis pas mort de faim.

Song Gang voulut encore ajouter quelque chose, mais Li Guangtou s'impatienta ;

— Song Gang, tu es trop fleur bleue.

Li Guangtou poussa Song Gang dans le dos sur cinq ou six mètres, et Song Gang fut obligé de poser ses pieds sur les pédales. Li Guangtou le lâcha et le regarda s'éloigner sur sa bicyclette, avant de retourner au portail. Mais à peine était-il assis en tailleur qu'il se souvint que tous les employés du gouvernement du district étaient déjà partis. Il se releva, quelque peu désemparé :

— Putain, jura-t-il.

De retour à la maison après avoir ramené Lin Hong, Song Gang se demanda longtemps s'il devait montrer à sa femme le cadeau que Li Guangtou lui avait offert. Finalement, il décida qu'il lui en parlerait plus tard. Song Gang n'avait ni argent ni tickets de céréales dans sa poche, mais il avait son déjeuner. Désormais, chaque soir, Lin Hong et lui préparaient un peu plus que nécessaire pour le dîner, et répartissaient le surplus dans deux gamelles, de quoi servir de déjeuner à chacun d'eux le lendemain au travail. Durant les jours où il avait fait en sorte d'éviter Li Guangtou, Song Gang ne s'était inquiété que de loin en loin de son sort ; mais dès qu'il l'avait revu, son sentiment pour lui était revenu, aussi fort. Li Guangtou avait précieusement gardé pendant dix jours une montre étrangère sans aiguilles trouvée par hasard, rien que pour la lui offrir, et ce geste avait ému Song Gang. Le jour suivant, au déjeuner, il pensa à Li Guangtou, et il se rendit à vélo jusqu'au siège du gouvernement du district en emportant sa gamelle. Li Guangtou qui fouillait dans son tas de détritus, les fesses en l'air, ne se rendit pas compte de son arrivée. Song Gang fit retentir sa sonnette. Li Guangtou sursauta et, en se retournant, il aperçut la gamelle que Song Gang tenait dans ses mains :

— Song Gang, tu savais que j'avais faim, dit-il, le visage rayonnant.

Il prit la gamelle des mains de Song Gang et se dépêcha de l'ouvrir. Constatant que le contenu n'avait pas été entamé, il resta interdit :

— Tu n'as pas mangé ?

— Dépêche-toi de manger, moi je n'ai pas faim, déclara Song Gang en souriant.

— Pas question, répliqua Li Guangtou, avant de tendre la gamelle à Song Gang : On va partager.

Li Guangtou alla chercher dans le tas de détritus un paquet de vieux journaux et les étala par terre pour que Song Gang puisse s'asseoir, tandis que lui prenait place à même le sol. Les deux frères étaient installés côte à côte devant le tas de détritus. Li Guangtou reprit la gamelle des mains de Song Gang, touilla le contenu avec ses baguettes et creusa au milieu une tranchée pour séparer les deux parts :

— Ça, c'est le 38e parallèle, expliqua-t-il. D'un côté, c'est la Corée du nord ; de l'autre, la Corée du sud.

Et tout en parlant, il fourra la gamelle dans les mains de Song Gang :

— A toi l'honneur.

Song Gang repoussa la gamelle :

— Non, toi d'abord.

— Si je te demande de commencer, c'est que c'est toi qui dois commencer, lança Li Guangtou, irrité.

Song Gang ne repoussa plus la gamelle, il la prit dans sa main gauche et, empoignant ses baguettes de la main droite, il entreprit de manger. Li Guangtou tendit le cou au-dessus de la gamelle :

— C'est la Corée du sud que tu manges.

Song Gang se mit à rire. Il mangeait lentement et Li Guangtou, à côté de lui, salivait d'impatience. Song Gang s'en aperçut, il s'arrêta et tendit la gamelle à Li Guangtou :

— A toi.

— Termine d'abord, dit Li Guangtou en repoussant la gamelle. Mais essaie de manger un peu plus vite. Même pour manger, tu es trop fleur bleue.

Song Gang enfourna dans sa bouche le reste de ce qui lui revenait. Ses joues étaient gonflées comme un ballon. Li Guangtou prit la gamelle et engloutit sa part à grands bruits, comme un aspirateur. Li Guangtou avait terminé de manger que Song Gang n'avait pas encore avalé tout ce qu'il avait dans la bouche. Li Guangtou lui donna une tape affectueuse dans le dos pour l'aider à déglutir. Quand ce fut enfin fait, Song Gang s'essuya la bouche, puis les yeux : il venait subitement de se remémorer les paroles de Li Lan avant sa mort. Li Guangtou fut surpris par les larmes de Song Gang :

— Qu'est-ce qui t'arrive ?

— J'ai pensé à maman…

Li Guangtou demeura figé. Song Gang le regarda :

— Elle s'inquiétait pour toi. Elle voulait que je m'occupe de toi. Je lui ai promis que si un jour il ne me restait qu'un seul bol de riz, il serait pour toi ; mais elle, elle voulait qu'on le partage…

Song Gang montra la gamelle vide posée sur le sol :

— Et c'est ce qu'on vient de faire.

Les deux frères avaient replongé dans les tristes souvenirs du passé. Assis à la porte du gouvernement du district, devant la colline d'ordures, ils pleuraient en se remémorant le jour où, descendant main dans la main du pont situé devant la gare routière, ils avaient découvert le cadavre de Song Fanping étendu sous le brûlant soleil de l'été ; et le jour où, debout main dans la main à la sortie de la gare routière, ils avaient attendu jusqu'au coucher du soleil et à la tombée de la nuit le retour de Li Lan rentrant de Shanghai… Et la dernière scène était celle où les deux frères, tirant une charrette, avaient ramené Li Lan, morte, à la campagne et avaient rendu leur mère à leur père.

Li Guangtou sécha ses larmes :

— On en a vraiment bavé dans notre enfance.

Song Gang sécha ses larmes à son tour et hocha la tête :

— Oui, quand nous étions petits, tout le monde nous maltraitait.

— Maintenant, ça va mieux, dit Li Guangtou en souriant. Désormais, plus personne ne s'avise de nous maltraiter.

— Non, déclara Song Gang, ça ne va toujours pas bien.

— Comment peux-tu parler ainsi ? dit Li Guangtou en se tournant vers lui. Tu as épousé Lin Hong, et tu oses encore te plaindre. Tu ne connais pas ta chance.

— C'est pour toi que je parle.

— Pour moi ? demanda Li Guangtou en regardant les détritus amoncelés derrière lui. Je ne me débrouille pourtant pas si mal.

— Pas si mal ? Tu n'as même plus de travail.

— Qui a prétendu que je n'avais plus de travail ? protesta Li Guangtou. Mon travail, c'est mon sit-in.

Song Gang secoua la tête et ajouta, inquiet :

— Qu'est-ce que tu vas devenir après ça ?

— Ne te bile pas, répondit Li Guangtou : La voiture arrivée au pied du mont, il faudra bien qu'il y ait une route ; Et le bateau arrivant sous le pont, ira tout droit pour passer sous la voûte.

Song Gang continuait à secouer la tête :

— Je me fais un sang d'encre pour toi.

— Pourquoi donc ? Ce n'est pas à celui qui tient le pot de chambre de s'inquiéter pour celui qui pisse.

Song Gang soupira et se tut. Li Guangtou, très en forme, s'enquit de la montre étrangère. Il voulut savoir si Song Gang l'avait portée à réparer. Song Gang ramassa la gamelle par terre, se leva et déclara qu'il devait partir prendre son service à l'usine. Il enfourcha sa bicyclette et s'éloigna, tenant la gamelle dans sa main gauche et son guidon de la main droite. Li Guangtou, qui le voyait de derrière pédaler ainsi, ne put s'empêcher de s'exclamer :

— Ouah, Song Gang, tu sais faire du vélo d'une seule main ?

Song Gang rit et se retourna vers Li Guangtou :

— Tu plaisantes, je sais aussi en faire sans les mains.

Sur ce, Song Gang ouvrit ses bras et s'en alla comme s'il planait. Li Guangtou, médusé, courut derrière lui en criant :

— Song Gang, tu es vraiment un crack !

Au cours du mois qui suivit, tous les midis, en semaine, Song Gang rejoignait Li Guangtou, et les deux frères, assis devant le tas de détritus, se partageaient le contenu de la gamelle qu'il avait apportée, en parlant et en riant comme deux compères. Song Gang n'osait rien dire à Lin Hong. Le soir, il rentrait à la maison affamé, mais craignant d'éveiller les soupçons de sa femme en se jetant sur la nourriture, il mangeait encore moins que d'habitude. Lin Hong s'aperçut que Song Gang n'avait plus le même appétit qu'avant, elle l'observa, un rien anxieuse, et s'inquiéta de sa santé. Song Gang resta évasif et reconnut que son appétit avait diminué, mais il affirma qu'il avait toujours autant de force et qu'il se portait comme un charme.

Il n'y a pas de mur qui ne laisse filtrer le vent. Un mois plus tard environ, Lin Hong découvrit le pot aux roses. C'est une ouvrière de la manufacture de tricots qui lui apprit la vérité. La veille, elle avait sollicité un congé et à midi, en passant devant le gouvernement du district, elle avait aperçu Song Gang et Li Guangtou assis côte à côte par terre, piochant dans la même gamelle. Le lendemain, elle raconta en riant la scène à Lin Hong : les deux frères, mangeant ensemble, avaient l'air de s'entendre mieux que mari et femme. Lin Hong était en train de déjeuner, assise à la porte de l'atelier, sa gamelle entre les mains. Elle changea aussitôt de visage et, lâchant sa gamelle, elle s'échappa en trombe de l'usine.

Quand elle arriva à l'entrée du gouvernement du district, les deux frères avaient déjà fini de manger, et, toujours assis par terre, ils riaient comme des fous. Li Guangtou parlait d'une voix forte. Lin Hong s'approcha d'eux, la figure livide. Li Guangtou fut le premier à la voir, il se leva d'un bond et l'accueillit gentiment :

— Tiens, c'est toi Lin Hong…

Song Gang pâlit. Lin Hong lui jeta un regard froid et tourna les talons. Li Guangtou était allé chercher un paquet de journaux sur son tas de détritus pour que Lin Hong puisse prendre place à côté d'eux. Quand il se retourna, constatant qu'elle repartait, il lui cria, déçu :

— Puisque tu es là, pourquoi ne pas t'asseoir un moment ?

Song Gang s'était levé, désemparé. Il regardait Lin Hong s'éloigner. Il lui fallut un moment pour réaliser qu'il devait lui courir après. Il sauta en vitesse sur sa bicyclette et se lança à sa poursuite. Lin Hong marchait droit devant elle, l'air digne. Elle entendit la bicyclette de Song Gang la rattraper puis se placer à sa hauteur, elle entendit Song Gang lui parler tout bas et lui proposer de la prendre sur le porte-bagages. Elle fit comme si elle n'entendait rien, comme s'il n'y avait personne à côté d'elle. Elle marchait la tête haute, sans regarder ni à droite ni à gauche. Song Gang n'osait plus rien dire. Il sauta de sa bicyclette et suivit Lin Hong en silence, en poussant son vélo. Ils marchèrent sans échanger une parole dans les rues de notre bourg des Liu, comme s'ils étaient de parfaits étrangers l'un pour l'autre. Ils furent nombreux, au bourg des Liu, ceux qui les aperçurent : ils s'arrêtaient et les observaient avec curiosité, comprenant qu'il s'était passé quelque chose entre eux. Les masses du bourg des Liu adoraient s'occuper des affaires des autres. Il y en avait qui appelaient Lin Hong par son nom, mais celle-ci ne répondait pas, même pas par un signe de tête ou un sourire ; d'autres appelaient Song Gang par son nom, et il ne répondait pas non plus, mais lui, il faisait des signes de tête et il souriait. Son sourire était très bizarre. Zhao le Poète, présent dans la rue à ce moment-là, et qui était du genre à mettre les pieds dans le plat, désigna Song Gang aux passants :

— Ça ? dit-il, c'est ce qu'on appelle rire jaune.

Song Gang, poussant toujours sa bicyclette, suivit Lin Hong jusqu'à l'entrée de la manufacture de tricots. Tout le long du chemin, Lin Hong ne lui jeta pas un regard, et elle ne se retourna pas vers lui quand elle entra dans la manufacture. Elle sentit qu'il s'était arrêté et son propre pas se fit hésitant. Elle s'attendrit subitement et fut tentée de faire volte-face, mais elle tint bon et se dirigea tout droit vers son atelier.

Song Gang resta à la porte, totalement perdu. La silhouette de Lin Hong s'était évanouie, et il était toujours là. Quand la sonnerie annonçant la reprise du travail eut retenti, les abords de la porte se vidèrent et le vide se fit également dans le cœur de Song Gang. Il attendit encore un long moment avant de rebrousser chemin en poussant sa bicyclette. Il ne pensa pas à remonter sur sa Forever rutilante, et c'est à pied qu'il regagna l'usine de quincaillerie pour prendre son service.

Song Gang passa l'après-midi dans les affres. La plupart du temps, il fixait stupidement un angle du mur. Il alternait les phases d'hébétude et les phases d'intense réflexion, mais même quand il réfléchissait son cerveau tournait à vide, et il replongeait, faute de mieux, dans son hébétude. Il ne retrouva subitement ses esprits qu'au moment où la sonnerie annonçant la fin du travail retentit. Il se rua hors de l'atelier, sauta sur sa bicyclette et sortit comme une flèche de l'usine de quincaillerie. Il fila à travers les rues de notre bourg des Liu et arriva à la porte de la manufacture de tricots au moment où les ouvrières commençaient à se disperser. Il attendit debout, sa bicyclette à la main. Il vit arriver Lin Hong, qui discutait avec ses collègues. Il eut un éclair de joie, bientôt assombri, car il ignorait si Lin Hong allait accepter de monter sur sa bicyclette.

A sa grande surprise, Lin Hong vint vers lui comme à l'accoutumée. Elle prit congé de ses collègues en leur faisant un signe de la main, puis elle s'assit en amazone sur le porte-bagages comme si de rien n'était. Song Gang, d'abord stupéfait, soupira longuement et enfourcha sa bicyclette. Il était rouge jusqu'aux oreilles. Il donna quelques coups de sonnette et s'en alla en fendant le vent. Il était heureux de nouveau, et le bonheur lui donnait des ailes. Il pédalait avec force, si vite que Lin Hong, qui se tenait au porte-bagages, dut bientôt s'agripper à ses vêtements.

Le bonheur de Song Gang fut de courte durée. Quand ils furent à la maison et que Lin Hong eut refermé la porte derrière eux, elle reprit le même air glacé qu'à midi, lorsqu'elle marchait dans les rues. Elle se dirigea vers la fenêtre, tira les rideaux et resta plantée devant sans rien dire à les regarder, comme si elle contemplait le paysage dehors. Song Gang, debout au milieu de la pièce, murmura au bout d'un moment :

— C'est de ma faute, Lin Hong.

“Pfft”, fit Lin Hong. Elle conserva la même position pendant encore quelques instants, puis elle se tourna vers Song Gang :

— Qu'est-ce qui est de ta faute ?

Song Gang baissa la tête et raconta, sans rien dissimuler, comment depuis un mois il partageait sa gamelle avec Li Guangtou. Lin Hong l'écoutait en secouant la tête et en pleurant : ainsi, Song Gang préférait mourir de faim pour que ce voyou de Li Guangtou ait à manger. Face aux larmes de colère de Lin Hong, Song Gang s'interrompit immédiatement et se tourna de côté, mal à l'aise. Puis, quand il la vit sécher ses larmes, il se retourna vers elle et sortit la montre étrangère. Il lui expliqua en bégayant qu'en fait il avait coupé les ponts avec Li Guangtou jusqu'à ce jour où, alors qu'il passait à bicyclette devant le gouvernement du district, Li Guangtou l'avait appelé pour lui offrir cette montre, ce qui lui avait remis en mémoire leur affection d'autrefois. Tandis qu'il marmonnait, Lin Hong examina la montre qu'il tenait et s'écria tout à coup :

— Il n'y a même pas d'aiguilles. Tu appelles ça une montre ?

Et Lin Hong éclata, déversant dans un flot de cris et de larmes tous ses griefs contre Li Guangtou : depuis l'épisode des toilettes jusqu'à la manière éhontée dont Li Guangtou l'avait harcelée en public, sans oublier cette fois où il avait rameuté sa bande de boiteux, idiots, aveugles et sourds, et avait provoqué un tel scandale à la manufacture de tricots qu'elle en était morte de honte et n'osait plus regarder les gens en face. Elle énuméra tous les forfaits de Li Guangtou et pour finir, submergée par le chagrin, elle raconta en sanglotant comment elle avait tenté de se suicider et comment même après cela Li Guangtou n'avait pas relâché sa pression, n'hésitant pas à contraindre Song Gang à venir lui dire que tout était fini entre eux, si bien que Song Gang lui aussi avait failli se suicider.

Lin Hong était secouée par les sanglots. Après avoir accablé Li Guangtou, elle commença à se plaindre de Song Gang : depuis leur mariage, elle économisait pour mettre de l'argent de côté afin de lui offrir une montre Diamant[1] ; or il avait suffi à Li Guangtou d'une vieille montre jetée au rebut pour acheter Song Gang. Enfin, Lin Hong cessa subitement de pleurer, elle essuya ses larmes et dit avec un sourire contraint, se parlant à elle-même :

— En fait, il ne t'a pas acheté. Vous êtes de la même famille, c'est moi qui me suis immiscée entre vous et qui vous ai séparés.

Lin Hong avait vidé son sac. Quand elle eut séché ses larmes, elle se tut un long moment, puis elle poussa un profond soupir et déclara d'une voix posée, en regardant tristement Song Gang :

— J'ai tout compris, Song Gang. Il vaut mieux que tu vives avec Li Guangtou. Je propose que nous divorcions.

Song Gang secouait la tête, épouvanté. Sa bouche s'ouvrit à plusieurs reprises sans proférer un son. Malgré elle, Lin Hong se laissa attendrir par son désarroi. Ses larmes recommencèrent à couler :

— Song Gang, tu sais que je t'aime, mais je ne peux vraiment pas continuer à vivre comme ça avec toi.

Sur ce, elle se dirigea vers l'armoire, en tira quelques vêtements à elle et les plaça dans un sac. Quand elle fut devant la porte, elle se retourna, regarda Song Gang qui tremblait, terrorisé, elle hésita un instant puis se décida quand même à ouvrir la porte. Alors, tout à coup, Song Gang tomba à genoux et la supplia en pleurant :

— Ne t'en va pas, Lin Hong.

Lin Hong brûlait de prendre Song Gang dans ses bras, mais elle se retint et lui dit doucement :

— Je vais retourner chez mes parents quelques jours. Réfléchis bien : avec qui veux-tu vivre, avec moi ou avec Li Guangtou ?

— C'est tout réfléchi, répondit Song Gang, la figure inondée de larmes. Je veux rester avec toi.

Lin Hong enfouit son visage dans ses mains et sanglota :

— Et Li Guangtou ?

Song Gang se releva et lança d'un ton résolu :

— Je vais aller lui dire que je veux rompre définitivement avec lui. J'y vais de ce pas.

Lin Hong ne put se retenir plus longtemps, et elle se précipita pour étreindre Song Gang. Ils se tenaient tous les deux devant la porte, étroitement serrés, et Lin Hong murmura, en collant son visage contre celui de Song Gang :

— Veux-tu que je t'accompagne ?

— Oui, dit Song Gang, toujours aussi résolu.

Le cœur enflammé, ils essuyèrent chacun les larmes de l'autre. Lin Hong, par réflexe, se dirigea vers la bicyclette, mais Song Gang annonça qu'ils iraient à pied : il voulait prendre le temps de réfléchir en chemin à la façon dont il parlerait à Li Guangtou. Lin Hong le fixa, un peu étonnée. Song Gang lui fit un geste de la main et il se mit en route. Elle le suivit docilement. Ils quittèrent la petite ruelle et s'engagèrent dans la grande rue. Lin Hong marchait au bras de Song Gang et levait sans arrêt les yeux vers lui. Le visage de Song Gang affichait une détermination qu'elle ne lui connaissait pas. Soudain, son mari lui parut très fort, et c'était la première fois depuis leur mariage qu'elle éprouvait ce sentiment. Jusque-là, Song Gang lui avait toujours obéi au doigt et à l'œil, et elle songeait que désormais les rôles seraient inversés. Ils avancèrent dans les lueurs du soleil couchant vers la porte du gouvernement du district. Quand ils aperçurent Li Guangtou, qui continuait à remuer ses ordures, Lin Hong tira Song Gang par le bras :

— Tu sais maintenant ce que tu vas lui dire ?

— Oui. Je vais lui retourner sa phrase.

— Quelle phrase ? demanda Lin Hong, surprise.

Song Gang ne répondit pas. De sa main gauche, il écarta la main de Lin Hong posée sur son bras droit et avança sans hésiter vers Li Guangtou. Lin Hong ne bougea pas. Elle regarda la haute silhouette de Song Gang qui s'approchait fièrement de la silhouette râblée de Li Guangtou, et elle entendit Song Gang interpeller Li Guangtou d'une voix grave :

— Li Guangtou, j'ai à te parler.

Li Guangtou fut intrigué par le ton de Song Gang, et aussi par la présence de Lin Hong. Il jeta un regard soupçonneux sur son frère, puis sur Lin Hong, qui se tenait derrière lui. Song Gang tira de sa poche la montre étrangère sans aiguilles et la tendit à Li Guangtou. Li Guangtou comprit que cela ne présageait rien de bon. Il prit la montre, l'essuya soigneusement et l'attacha à son poignet :

— Qu'est-ce que tu as à me dire ?

Song Gang se radoucit un peu et se lança dans une déclaration solennelle :

— Li Guangtou, depuis que mon père et ta mère sont morts, nous ne sommes plus frères…

Li Guangtou l'interrompit :

— Tu as raison : ton père n'était pas mon vrai père, et ma mère n'était pas ta vraie mère. Nous ne sommes pas vraiment frères…

— En conséquence, reprit Song Gang, interrompant à son tour Li Guangtou, je m'engage à ne jamais faire appel à toi, quelles que soient les circonstances, et je te prierai d'en faire autant. A compter de ce jour, ce sera chacun pour soi…

Li Guangtou lui coupa la parole une seconde fois :

— Tu veux dire que désormais les ponts sont rompus entre nous ?

— Exactement, répliqua Song Gang en hochant la tête, d'un air résolu.

Après quoi, il prononça cette dernière phrase :

— Cette fois, je suppose que tu as compris.

Là-dessus, Song Gang fit volte-face et se dirigea vers Lin Hong :

— Je lui ai retourné sa phrase, dit-il à Lin Hong, avec une expression triomphante.

Lin Hong ouvrit les bras pour accueillir Song Gang et l'enlaça. Song Gang l'enlaça aussi puis, serrés l'un contre l'autre, ils s'en allèrent. Li Guangtou, la main sur son crâne, les regarda s'éloigner tendrement. Qu'avait voulu insinuer Song Gang avec sa dernière phrase ?

— Putain, marmonna Li Guangtou, qu'est-ce que je dois comprendre ?

Song Gang et Lin Hong, toujours serrés l'un contre l'autre, remontèrent les rues de notre bourg des Liu avant d'entrer dans la ruelle où ils habitaient. Quand ils furent de retour chez eux, Song Gang sombra dans un brusque mutisme : il s'assit sans un mot sur sa chaise. Lin Hong remarqua son air grave, et elle comprit qu'il était triste. Malgré tout, Li Guangtou et lui avaient beaucoup de souvenirs en commun, les liens qui les unissaient ne se briseraient pas de sitôt. Lin Hong ne lui adressa aucun reproche, persuadée que dans quelques jours tout irait mieux : avec le temps, leur vie à elle et lui effacerait ses souvenirs avec Li Guangtou.

Quand ils se couchèrent, Song Gang avait encore le cœur lourd, et il soupirait dans l'obscurité. Lin Hong lui donna une petite tape et se souleva légèrement. Song Gang, par habitude, glissa son bras sous sa nuque et le referma sur elle, et Lin Hong, lovée contre son corps, lui conseilla de dormir sans plus penser à rien. Mais ce fut elle qui s'endormit la première, et Song Gang mit longtemps à trouver le sommeil. Cette nuit-là, il rêva à nouveau. Dans son rêve, il ne cessait de pleurer, et ses larmes coulaient sur le visage de Lin Hong. Celle-ci se réveilla et alluma la lumière, réveillant en même temps Song Gang. En découvrant son visage mouillé de larmes, elle crut qu'il avait à nouveau rêvé de sa belle-mère. Elle éteignit et donna quelques petites tapes à Song Gang pour le réconforter :

— Tu as encore rêvé de ta maman, n'est-ce pas ?

Cette fois Lin Hong n'avait pas dit “belle-mère”. Song Gang secoua la tête dans le noir et se concentra pour retrouver les images de son rêve. Puis, effaçant dans l'obscurité les traces de larmes sur son visage, il dit à Lin Hong :

— J'ai rêvé que nous avions divorcé.

XXI

Li Guangtou continuait à se livrer à ses activités de manifestant professionnel à la porte du gouvernement du district. Chaque jour des détritus de toutes sortes s'entassaient jusqu'à former une petite montagne, et il n'avait plus de temps pour son sit-in. Il s'affairait sans arrêt, triant les détritus par catégories avant de les écouler dans tout le pays par le truchement de différents canaux. Il passa deux heures assis en tailleur par terre rien que pour s'occuper de la montre étrangère, suant à grosses gouttes pour y fixer trois bouts de fin fil de fer de longueurs différentes. Puis il l'attacha fièrement à son poignet. Auparavant, il avait l'habitude de montrer les choses de la main droite, mais depuis qu'il avait sa montre étrangère aux aiguilles immobiles, sa main gauche ne chômait pas : dès qu'un passant approchait, elle lui adressait des signes amicaux. Les gens de notre bourg des Liu ne furent pas longs à remarquer la montre étrangère que Li Guangtou arborait à son poignet gauche. Certains firent cercle autour de lui pour l'examiner de plus près :

— Les aiguilles, on dirait des bouts de fils de fer ! s'étonnèrent-ils.

— C'est toujours comme ça, répliqua Li Guangtou, vexé.

Mais d'aucuns découvrirent un deuxième défaut :

— Elle n'est pas à l'heure.

— Evidemment, dit Li Guangtou en se rengorgeant : moi, j'ai l'heure de Greenwich, et vous celle de Pékin. Ce n'est pas la même chose.

Et six mois durant, Li Guangtou exhiba sa montre étrangère qui indiquait l'heure de Greenwich. Un jour, la montre disparut, remplacée à son poignet par une Diamant de fabrication nationale flambant neuve. Les masses n'en revenaient pas :

— Tu as changé de montre ?

— Oui, je me suis mis à l'heure de Pékin, répondit Li Guangtou en agitant son poignet et sa nouvelle montre rutilante. C'est bien d'avoir l'heure de Greenwich, mais ça ne répond pas aux besoins du pays, et c'est pour ça que je me suis mis à l'heure de Pékin.

Les masses, envieuses, voulurent savoir où il avait ramassé cette Diamant toute neuve. Li Guangtou se fâcha et sortit une facture qu'il leur brandit sous le nez :

— Je l'ai achetée avec mon argent.

Les masses en restèrent baba : comment un chiffonnier avait-il pu se payer une Diamant ? Aussitôt, Li Guangtou ouvrit sa veste râpée et montra le portefeuille attaché à sa ceinture. Il tira sur la fermeture éclair : à l'intérieur, il y avait une grosse liasse de billets. Ce fut un concert d'exclamations.

— Vous avez vu ? s'écria Li Guangtou, très satisfait de lui-même. Vous avez vu tous ces billets bien rangés ?

Les masses étaient bouche bée, et les mâchoires pendantes n'arrivaient plus à se refermer. Au bout d'un moment, quelqu'un s'inquiéta de savoir ce qu'était devenue sa montre étrangère :

— Et ta montre qui marquait l'heure de Greenwich ? demanda-t-il aimablement.

— Je l'ai offerte. J'en ai fait cadeau à l'idiot érotomane qui travaillait sous mes ordres.

Li Guangtou, qui avait maintenant au poignet l'heure de Pékin, poursuivit son ascension : il se construisit carrément une cabane à la porte du gouvernement du district. Il se procura des perches de bambou et du chaume, et les grands travaux débutèrent. Treize de ses quatorze fidèles de l'usine d'assistés sociaux vinrent lui donner un coup de main. Seul l'idiot érotomane manqua à l'appel. Les quatre aveugles, rangés en colonne, passaient les bottes de chaume une par une ; les deux idiots étaient chargés de maintenir les perches en place, tandis que les deux boiteux, qui avaient de la force dans les bras, les attachaient solidement ; les cinq sourds constituaient le noyau dur, et pendant que trois d'entre eux, en bas, façonnaient les murs avec du chaume, les deux autres, en haut, étalaient le chaume pour en faire le toit. Li Guangtou dirigeait le chantier en gesticulant. Après trois jours passés à brailler et à transpirer, la cabane fut achevée. C'est alors seulement que Li Guangtou se souvint de l'idiot érotomane et qu'il s'enquit de lui auprès du directeur boiteux. Celui-ci lui confia que si naguère l'idiot érotomane était toujours d'une ponctualité parfaite, on ne l'avait pas revu à l'usine depuis qu'il portait sa montre à l'heure de Greenwich :

— Est-ce que cette montre ne l'aurait pas déphasé ? demanda-t-il.

— C'est bien possible, répondit Li Guangtou en riant. C'est ce qu'on appelle le décalage horaire.

Les treize fidèles apportèrent en fanfare un lit et une table de chez Li Guangtou, ainsi que des couvertures, des vêtements, une cuvette pour sa toilette, un poêle et de la vaisselle. Et Li Guangtou s'installa en grande pompe dans sa cabane, désormais son camp de base devant la porte du gouvernement du district. Peu de temps après, les masses du bourg des Liu virent les ouvriers du bureau des Télécommunications brancher le téléphone dans la cabane de

Li Guangtou. C'était le premier téléphone privé du bourg, et les masses estomaquées en firent des gorges chaudes. Chez Li Guangtou, le téléphone sonnait à toute heure du jour et de la nuit, et les employés du gouvernement du district prétendaient qu'il sonnait encore plus souvent que celui de leur chef.

Li Guangtou se lança sérieusement dans le commerce de récupération. Il ne collectait plus gratuitement les objets dont les masses se débarrassaient, mais commença à les leur racheter. Devant la porte du gouvernement du district, les détritus formaient maintenant une montagne énorme. Il y en avait jusque dans sa cabane : mais, selon ses propres termes, ceux-là étaient du haut de gamme. Les masses le trouvaient souvent assis au milieu de ses détritus haut de gamme, souriant comme s'il avait été environné de trésors. Les masses avaient remarqué aussi que chaque semaine des camions venus d'autres provinces emportaient les objets que Li Guangtou avait triés. Li Guangtou, debout devant sa cabane, regardait les camions s'éloigner et comptait ses billets après avoir humecté ses doigts avec sa salive.

Si Li Guangtou était toujours habillé de haillons, il n'avait plus le même portefeuille à la ceinture. Il en avait maintenant un très gros, contenant tellement de billets qu'on avait l'impression qu'il était gonflé d'air. Dans la poche du haut de sa veste, il y avait un calepin : d'un côté, il y prenait des notes sur ses affaires en cours ; et de l'autre, il tenait le compte des dettes qu'il avait contractées antérieurement.

Ses cinq créanciers, Tong, Zhang, Guan, Yu et Wang, avaient fait leur deuil depuis belle lurette de ce qu'il leur devait. Ils ne s'attendaient pas le moins du monde à être remboursés par un Li Guangtou enrichi dans la chiffe.

Cet après-midi-là, Wang les Esquimaux, sa glacière sur le dos, passa devant la cabane de Li Guangtou. Quand il l'aperçut, Li Guangtou, torse nu et vêtu d'un simple short, s'éjecta en vitesse du monceau de détritus qui s'entassait dans son logis, et le héla. Wang les Esquimaux se retourna lentement et vit Li Guangtou qui l'appelait en lui faisant des signes :

— Viens, viens.

Wang les Esquimaux ne bougea pas, il se demandait ce que Li Guangtou pouvait bien lui vouloir encore. Li Guangtou lui annonça qu'il souhaitait le rembourser. Wang les Esquimaux crut qu'il avait mal entendu et se retourna pour voir s'il n'y avait pas quelqu'un dans son dos. Li Guangtou s'énerva. Il pointa le doigt sur Wang les Esquimaux :

— C'est à toi que je parle. Moi, Li Guangtou, je te dois de l'argent.

Wang les Esquimaux s'approcha, incrédule. Il suivit Li Guangtou dans sa cabane et s'assit au milieu des détritus. Li Guangtou ouvrit son calepin et se plongea dedans pour calculer le capital et les intérêts. Wang les Esquimaux promenait des regards curieux à l'intérieur de la cabane : elle était bien équipée, il y avait de quoi manger et de quoi boire, et même un ventilateur électrique qui soufflait sur Li Guangtou.

— Tu t'es payé un ventilateur électrique ! observa-t-il avec envie.

Li Guangtou répondit par un "Hmm", et leva la main pour appuyer sur le bouton du ventilateur, lequel se mit à souffler en dodelinant de la tête.

— C'est agréable, c'est agréable ! s'exclama Wang les Esquimaux.

Quand Li Guangtou eut achevé ses comptes, il releva les yeux et prit un air gêné :

— Je suis un peu juste en ce moment, je vais être obligé de te rembourser en plusieurs fois. Je te rendrai un peu d'argent tous les mois, et je vais essayer d'avoir tout remboursé d'ici un an.

Li Guangtou ouvrit son gros portefeuille, en sortit tous les billets et les compta. Il en fourra quelques-uns dans la main de Wang les Esquimaux, et remit les autres à leur place. Wang les Esquimaux avait les mains et les lèvres qui tremblaient en recevant l'argent. Jamais, au grand jamais, répétait-il, il n'aurait imaginé que Li Guangtou avait tout noté dans son carnet, alors que lui ne se souvenait plus de rien depuis longtemps. Les yeux humides, il déclara que même dans ses rêves les plus fous il avait perdu l'espoir de récupérer les 500 yuans perdus :

— Et ils ont fait des petits par-dessus le marché, ajouta-t-il en montrant les intérêts.

Wang les Esquimaux rangea soigneusement les billets dans sa poche. Il se pencha et sortit un esquimau de sa glacière, en s'excusant de n'avoir rien d'autre à offrir à Li Guangtou. Celui-ci secoua la tête :

— Moi, Li Guangtou, je ne prends pas une aiguille ni un bout de fil aux masses[1].

Wang les Esquimaux se récria : cela n'avait rien à voir, c'était un cadeau. Raison de plus pour ne pas l'accepter, répliqua Li Guangtou, et il pria Wang les Esquimaux de remballer son cadeau glacé :

— Tiens, rends-moi plutôt un service : préviens Tong le Forgeron, Zhang le Tailleur, Guan les Ciseaux le Jeune et Yu l'Arracheur de dents que moi, Li Guangtou, je commence à rembourser mes dettes à tempérament.

Le soir même, Tong le Forgeron, Zhang le Tailleur, Guan les Ciseaux le Jeune et Yu l'Arracheur de dents, ainsi que Wang les Esquimaux, étaient devant la cabane de Li Guangtou. Debout à la porte, ils le hélèrent chaleureusement :

— Monsieur le directeur Li, monsieur le directeur Li…

Li Guangtou, torse nu, sortit et fit un geste de la main en signe de dénégation :

— Je ne suis plus le directeur Li, à présent je suis Li le Chiffonnier.

Les cinq hommes se mirent à rire. Tong le Forgeron jeta un coup d'œil vers les quatre autres et constata qu'ils le regardaient tous. Il comprit qu'une fois de plus ils attendaient qu'il prenne l'initiative.

— Il paraît que tu veux nous rembourser ? lança-t-il en arborant un sourire avenant.

— Je ne vous rembourse pas, je paie mes dettes, rectifia Li Guangtou.

— Payer ses dettes ou rembourser, c'est pareil, déclara Tong le Forgeron, en accompagnant ces mots de hochements de tête. Et il paraît aussi qu'il y a des intérêts.

— Evidemment qu'il y a des intérêts. C'est un peu comme si moi, Li Guangtou, j'étais la Banque de Chine, et vous les déposants.

Tong, Zhang, Guan, Yu et Wang approuvèrent de conserve. Li Guangtou se retourna vers sa cabane et déclara qu'elle était trop petite pour contenir six personnes, et qu'il procéderait donc aux comptes dehors. Là-dessus, il posa ses fesses par terre et, son calepin entre les mains, il commença ses calculs en marmonnant. Son short était plus sale qu'une serpillière, et quand il fut assis, ses cinq créanciers hésitèrent à l'imiter : ils avaient pris un bain et s'étaient habillés de propre tout spécialement pour venir ensemble à ce rendez-vous. Zhang, Guan, Yu et Wang avaient les yeux rivés sur Tong. Celui-ci se dit que pour de l'argent, on pouvait bien s'asseoir fût-ce sur de la merde. A son tour, il posa carrément son postérieur sur le sol, et les quatre autres en firent autant. Tous les six étaient installés en cercle, et Li Guangtou faisait, à tour de rôle, le compte de chacun et lui versait l'argent qui lui revenait.

Quand les créanciers eurent été payés, Tong le Forgeron prit la parole, et au nom de tous, il présenta ses excuses solennelles à Li Guangtou : ils n'auraient pas dû exiger leur dû à coups de pied et de poing, insister au point de lui faire une tête au carré. Li Guangtou écouta gravement ces paroles, puis, sourcilleux sur les mots, il précisa :

— C'était plus que de l'insistance, c'était du tabassage.

Tong, Zhang, Guan, Yu et Wang eurent un rire embarrassé, et Tong le Forgeron reprit la parole au nom de l'ensemble des créanciers :

— A compter d'aujourd'hui, tu pourras nous tabasser à tout moment, nous ne te rendrons pas les coups. Et ce, pour une durée d'un an.

Les quatre autres firent chorus :

— Pour une durée d'un an.

Li Guangtou, irrité, s'insurgea :

— Tout le monde n'est pas aussi mesquin que vous.

La nouvelle selon laquelle Li Guangtou avait entrepris de rembourser ses dettes se répandit comme une traînée de poudre dans notre bourg des Liu. Les foules impressionnées trouvaient Li Guangtou formidable : si rien qu'en ramassant des ordures, il s'était enrichi, en ramassant de l'or il serait devenu la première fortune du pays. Ces commentaires parvinrent jusqu'aux oreilles de Li Guangtou :

— Les masses me font trop d'honneur, protesta-t-il modestement. Je ne fais rien d'exceptionnel, juste un peu de commerce pour vivre.

Après cette humble déclaration, Li Guangtou ne put s'empêcher de retracer son itinéraire : au départ, il avait démissionné pour prendre son envol et ouvrir une usine de prêt-à-porter, or il avait perdu sa mise ; alors, saisi par le remords, il avait tenté de récupérer sa place à l'usine d'assistés sociaux, mais n'ayant pas obtenu gain de cause il avait entrepris un sit-in et, pour subsister, il s'était lancé dans la collecte et la revente d'objets usagés ; et voilà que sans l'avoir voulu il en avait fait une affaire prospère. Tirant les leçons de son expérience, il déclara aux masses du bourg des Liu :

— En affaires, c'est comme ça : on a planté des fleurs mais hélas rien ne sort ; et l'arbre non voulu devient, lui, haut et fort.

XXII

Le commerce de Li Guangtou avait pris rapidement de l'ampleur, et c'en fut bientôt plus que les dirigeants de notre district n'en pouvaient supporter : les ordures s'entassaient à la porte du gouvernement, aussi haut qu'une montagne. Ils avaient fait le calcul, le sit-in de Li Guangtou durait depuis bientôt quatre ans, et voilà plus de trois ans qu'il collectait les objets usagés. Il avait commencé par les accumuler d'un seul côté de la porte, et à présent il y avait quatre énormes tas, et des deux côtés de la porte. En outre, Li Guangtou avait recruté dix travailleurs intérimaires, dont les horaires de travail étaient réglés par la sonnerie du gouvernement du district. Au tout début, les camions que les masses voyaient venir étaient vides et servaient à emporter les ordures, mais par la suite c'étaient des camions chargés d'ordures qui arrivaient, des ordures que Li Guangtou dispatchait ensuite en gros aux quatre coins du pays. Les masses en restèrent bouche bée, et se demandèrent si Li Guangtou ne songeait pas à devenir le chef des mendiants de toute la Chine. Li Guangtou secoua la tête, et avec une morgue de possédant, il expliqua aux masses qu'il était un homme d'affaires, qu'il ne s'intéressait pas au pouvoir et qu'il avait d'ores et déjà fait du bourg des Liu un des principaux centres de distribution des objets de récupération pour la région est de la Chine :

— Et ce n'est que la première étape de la Longue Marche[1]. La deuxième, ce sera la Chine toute entière, et la troisième le monde entier. Ce jour-là n'est pas très éloigné. Quand le bourg des Liu sera devenu le centre de distribution des objets de récupération pour le monde entier, soyez-en convaincus, on dira du bourg des Liu, pour parler comme le président Mao : "Les paysages sur ce versant ont une beauté singulière[2]."

Les dirigeants de notre bourg étaient tous issus de familles pauvres. Ce n'était pas de la saleté qu'ils avaient peur, ni des odeurs de détritus qui s'infiltraient dans leurs bureaux. Ils ne s'effrayaient que d'une seule chose : que les dirigeants de l'échelon supérieur, lors de leur prochaine visite d'inspection, ne blêmissent à la vue des quatre montagnes de détritus dressées devant le portail, qu'ils ne se mettent en rogne et ne déclarent que les lieux ressemblaient plus à une déchetterie qu'à un organisme gouvernemental. Les dirigeants de notre bourg ne redoutaient rien ici-bas, sauf de rater une promotion, or si leurs chefs n'étaient pas contents, il y allait de leur carrière. Les principaux dirigeants du bourg convoquèrent donc une réunion extraordinaire pour étudier le problème et tenter de le régler avant que Li Guangtou n'ait transformé le bourg des Liu en centre de distribution des objets de récupération pour le monde entier. Faute de quoi la situation deviendrait ingérable. Ils tombèrent d'accord sur ce point : l'évacuation des détritus amoncelés à la porte du gouvernement était une tâche prioritaire pour l'image du district. Ils envisagèrent deux plans. Le premier consistait à demander l'intervention de la force publique – police militaire et police populaire – pour nettoyer les montagnes de déchets de Li Guangtou. Il fut très rapidement abandonné : Li Guangtou, dès qu'il s'était enrichi, n'avait rien eu de plus pressé que de rembourser ses dettes, en conséquence de quoi son prestige avait monté en flèche parmi les masses et dépassait déjà celui du chef du district. Et les dirigeants du district, sachant ce qu'il pourrait leur en cuire de se frotter à la colère des masses, décrétèrent qu'affronter Li Guangtou tout seul n'était rien, mais qu'il était à craindre que d'aucuns ne profitent de l'occasion pour provoquer des désordres et exprimer ainsi leurs frustrations. Ils adoptèrent alors un deuxième plan. Cette fois, il s'agissait de satisfaire la requête de Li Guangtou en l'autorisant à réintégrer l'usine d'assistés sociaux et en le réinstallant dans ses fonctions de directeur. On ferait ainsi d'une pierre deux coups : on sauverait un camarade et on se débarrasserait des montagnes de détritus qui s'élevaient devant la porte du gouvernement.

Tao Qing, le directeur du bureau des Affaires civiles, mandaté par le secrétaire et le chef du district, s'en fut trouver Li Guangtou. Quatre ans auparavant, c'était lui qui avait congédié Li Guangtou, et c'était lui qu'on chargeait maintenant de le rappeler. Il en avait gros sur la patate en quittant la cour du bureau des Affaires civiles. Tao Qing connaissait l'animal : il aurait grimpé même sans échelle, et si vous lui en tendiez une il voulait encore que vous le preniez sur votre dos. Tao Qing se dit qu'il allait commencer par intimider le lascar avant de l'autoriser à reprendre son titre de directeur.

Quand Tao Qing arriva au pied des quatre montagnes de détritus, Li Guangtou était à la manœuvre, s'activant avec ses dix ouvriers intérimaires. Tao Qing se tint debout un instant derrière Li Guangtou, et il dut tousser bien fort pour que celui-ci se rende compte de sa présence. Li Guangtou se retourna et interpella aussitôt chaleureusement son ancien supérieur :

— Monsieur le directeur Tao, c'est moi que vous êtes venu voir ?

Tao Qing, affichant la gravité qui sied à un directeur de bureau, secoua la main :

— Je faisais un tour et j'en ai profité pour venir jeter un coup d'œil.

— Ça revient au même, poursuivit Li Guangtou tout content, avant de crier aux dix ouvriers intérimaires qui travaillaient : Mon ancien chef, mon ancien supérieur, M. le directeur de bureau Tao, nous rend visite. Dépêchez-vous de l'applaudir pour saluer son arrivée.

Les dix ouvriers laissèrent tomber leur travail et se mirent à battre des mains en ordre dispersé. Tao Qing fronça les sourcils et leur adressa un simple signe de tête. Li Guangtou ne s'en satisfit pas et lui souffla :

— Monsieur le directeur Tao, vous devriez leur dire un mot, du genre : "Camarades, comment allez-vous ?"

— Non, répondit Tao Qing, en secouant la tête.

— Bon, conclut Li Guangtou, avant de lancer aux ouvriers : Remettez-vous au travail, je vais conduire M. le directeur Tao au bureau.

Li Guangtou, prévenant, fit entrer Tao Qing dans sa cabane et lui céda l'unique chaise, tandis que lui-même s'asseyait sur le lit. Tao Qing prit place au milieu des détritus en jetant des regards à droite et à gauche. La cabane était bien équipée, et comme dit le proverbe : le moineau n'est pas gros mais il a ce qu'il faut.

— Tu t'es même offert un ventilateur électrique ! remarqua-t-il.

— Ça fait déjà deux étés que je l'utilise, dit fièrement Li Guangtou. Mais l'an prochain je ne m'en servirai plus car j'ai l'intention d'installer l'air conditionné.

Tao Qing pensa que ce salopard cherchait à l'impressionner. Impassible, il montra la cabane du doigt :

— Dans un endroit comme ça, on ne peut pas installer l'air conditionné.

— Et pourquoi ça ?

— Cette cabane est ouverte à tous les vents. Ça coûterait trop cher en électricité.

— La note d'électricité sera un peu plus salée, et voilà tout, déclara Li Guangtou, étalant sa morgue de possédant. Avec l'air conditionné, cette cabane, en été, sera un hôtel de luxe.

Tao Qing, une fois encore, traita Li Guangtou de salopard en son for intérieur. Il se leva et quitta la cabane. Li Guangtou s'empressa de le suivre :

— Vous partez déjà, monsieur le directeur Tao ? lança-t-il sur un ton déférent.

— Oui, j'ai une autre réunion qui m'attend.

Aussitôt, Li Guangtou se tourna vers les dix ouvriers :

— M. le directeur Tao s'en va. Applaudissez-le pour saluer son départ.

Les applaudissements des ouvriers crépitèrent à nouveau en ordre dispersé, et Tao Qing y répondit encore par un simple signe de tête.

— Monsieur le directeur Tao, je ne vous raccompagne pas, s'excusa Li Guangtou, mielleux.

Tao Qing lui fit comprendre de la main que c'était sans importance. Il avança de quelques pas puis, feignant de se souvenir subitement de quelque chose, il s'arrêta et dit à Li Guangtou :

— Approche.

Li Guangtou accourut aussitôt. Tao Qing lui donna une tape sur l'épaule et ajouta tout bas :

— Tu devrais rédiger une autocritique.

— Une autocritique ? s'étonna Li Guangtou. Pourquoi ça ?

— A cause de ce qui s'est passé il y a quatre ans. Fais ton autocritique, reconnais tes torts, et tu pourras reprendre tes fonctions de directeur à l'usine d'assistés sociaux.

Li Guangtou, maintenant, avait compris. Il éclata de rire et déclara, méprisant :

— Ça fait belle lurette que je ne m'intéresse plus à ce poste de directeur.

Tao Qing le traita intérieurement de salopard, mais n'en continua pas moins à s'adresser à lui très sérieusement :

— Tu devrais réfléchir un peu, et saisir ta chance.

— Ma chance ?

Li Guangtou compta les quatre montagnes de détritus sur ses doigts :

— Ma chance, elle est ici, claironna-t-il.

— Je te conseille quand même de réfléchir un peu, insista Tao Qing, la mine sévère.

— Pas la peine, répliqua Li Guangtou d'un ton ferme. Si je laissais tomber une affaire de cette importance pour aller faire le directeur dans je ne sais quelle usine d'assistés sociaux, c'est un peu comme si je lâchais une pastèque pour ramasser un grain de sésame.

Tao Qing n'ayant pas réussi à convaincre Li Guangtou de revenir à l'usine, le chef du district était furieux. Il reprocha à Tao Qing d'avoir licencié Li Guangtou à l'époque :

— Vous avez lâché le tigre dans la montagne, et maintenant toute la population du district en souffre.

Tao Qing écouta humblement le savon qu'on lui passait. De retour à son bureau, il convoqua les deux chefs de section et les engueula à son tour. Les deux chefs de section, ahuris, se demandaient quelle faute ils avaient commise. Après avoir déchargé sa bile, Tao Qing ne se préoccupa plus des histoires de chiffonnier de Li Guangtou. Déjà un mois s'était écoulé, et non seulement Li Guangtou n'était pas parti, mais il mettait les bouchées doubles et avait commencé d'entasser sa cinquième montagne de détritus. Le chef du district, sachant désormais pertinemment qu'il était vain de compter sur Tao Qing pour régler le problème, dépêcha auprès de Li Guangtou un homme de confiance, le responsable du bureau du gouvernement du district.

Si Li Guangtou avait du respect pour Tao Qing, qui avait été son bienfaiteur, il n'en éprouvait guère pour le responsable du bureau du gouvernement du district. Quand celui-ci se présenta à la porte du bâtiment, Li Guangtou était en train de trier des détritus. Le responsable du bureau suivait Li Guangtou comme son ombre entre les montagnes de déchets, un sourire avenant sur le visage et des propos avenants sur les lèvres. Tout en vaquant à ses occupations, Li Guangtou lui répondait sèchement. Les minutes s'égrenant, le responsable du bureau comprit qu'il ne parviendrait pas à amadouer Li Guangtou, et il se résolut à jouer cartes sur table :

— Le chef de district vous convoque à son bureau.

— Je n'ai pas le temps en ce moment, dit Li Guangtou en balançant la tête.

Le responsable du bureau lui donna une tape sur l'épaule et lui confia à voix basse que le chef du district, le secrétaire du district, le chef adjoint du district et le secrétaire adjoint du district, après examen du dossier, avaient émis un avis favorable pour qu'il reprenne ses fonctions de directeur à l'usine d'assistés sociaux. Il le pressa de se rendre chez le chef du district :

— Il faut vous dépêcher, c'est une occasion à ne pas manquer.

Li Guangtou ne fut pas sensible le moins du monde à ces arguments :

— Vous ne voyez pas que je suis débordé ? lâcha-t-il, sans même relever la tête.

Le responsable du bureau s'en alla sans demander son reste, et rapporta les paroles de Li Guangtou au chef du district. Celui-ci, très mécontent, jeta par terre les documents qu'il tenait à la main :

— Débordé, lui ? Ce n'est rien à côté de moi…

Une fois sa colère vidée, le chef du district fut bien obligé d'aller trouver lui-même Li Guangtou. Dans quelques jours, un gouverneur adjoint de la province devait venir au district pour une visite d'inspection et il fallait se débarrasser avant son arrivée des cinq montagnes de détritus dressées devant le portail. Le chef du district, qui fulminait intérieurement, n'en aborda pas moins Li Guangtou avec un grand sourire :

— Alors Li Guangtou, toujours débordé ?

Li Guangtou, constatant que le chef du district en personne s'était déplacé, avait interrompu son travail et relevé la tête pour lui parler. Face à lui, il se fit beaucoup plus humble :

— Débordé, moi ? Ce n'est rien à côté de vous.

Le chef du district, de peur de se compromettre en demeurant trop longtemps au milieu des montagnes de détritus au vu et au su de tout le monde, entra d'emblée dans le vif du sujet. Il annonça à Li Guangtou que le district avait d'ores et déjà entériné sa demande de réintégration à l'usine d'assistés sociaux, sous réserve qu'il dégage dans les deux jours les cinq montagnes de détritus. Li Guangtou n'eut aucune réaction, il se replongea dans son tri, la tête baissée. Le chef du district, debout à côté de lui, attendait une réponse. Il bouillait intérieurement : ce Li Guangtou, quel ingrat ! Au bout d'un moment, Li Guangtou, qui remuait toujours les détritus, trouva une bouteille dans laquelle il restait un peu d'eau minérale. Il l'ouvrit et but son contenu jusqu'à la dernière goutte, puis il s'essuya la bouche et s'enquit auprès du chef du district du montant mensuel de son salaire s'il reprenait ses fonctions de directeur.

Le chef du district déclara qu'il l'ignorait, les salaires des cadres étant fixés par l'Etat. Alors, Li Guangtou voulut savoir combien lui gagnait par mois. Quelques centaines de yuans, répondit le chef du district, sans plus de précision, et Li Guangtou éclata de rire :

— Ceux-là gagnent plus que vous, lui confia-t-il en montrant ses dix employés en sueur.

Après quoi il fit au chef du district cette généreuse proposition :

— Venez donc travailler chez moi, je vous paierai 1 000 yuans par mois, et si les résultats sont bons je vous verserai même une prime.

Le chef du district rentra chez lui blême. Et de retour dans son bureau, il piqua une colère encore plus noire que la fois précédente. Il convoqua à nouveau le responsable du bureau du gouvernement du district pour lui notifier qu'il lui abandonnait l'affaire : il fallait coûte que coûte liquider les détritus amassés devant le portail avant l'arrivée du gouverneur adjoint de la province. Le responsable du bureau se rendit au portail la mine défaite et demanda tout de go à Li Guangtou :

— Allez, quelles sont vos conditions pour déguerpir ?

Li Guangtou comprit alors que son plan était mûr. Il fit un geste de la main et annonça qu'il refusait catégoriquement de remettre les pieds à l'usine d'assistés sociaux. Et lui qui était vêtu de hardes se lança dans de grands discours pour expliquer que ce misérable salaire de directeur d'usine ne suffirait pas à le nourrir :

— Sans compter, poursuivit-il avec arrogance, que je ne suis pas homme à revenir sur une décision.

Le responsable du bureau ne savait plus à quel saint se vouer, quand Li Guangtou changea de visage et adopta un ton humble. Il expliqua que la récupération des détritus relevait également des grandes causes, que c'était une façon de construire le socialisme, une manière de servir le peuple[3], et qu'il avait besoin pour cela du soutien du gouvernement du district. Il ajouta qu'il souhaitait depuis longtemps évacuer ces montagnes de détritus qui encombraient le portail, car son intention n'était certes pas de faire honte à la population et aux dirigeants du district. Il n'était demeuré là, en dépit de toutes les difficultés, que faute d'avoir trouvé une place ailleurs.

Li Guangtou parlait avec beaucoup de conviction et le responsable du bureau hochait la tête en l'écoutant. Battant le fer tant qu'il était chaud, Li Guangtou indiqua que le bureau du Parc immobilier du district possédait quelques locaux vides ayant pignon sur rue, et que l'entrepôt qu'il avait loué naguère pour y monter son usine de prêt-à-porter était toujours vacant lui aussi : il était situé à l'écart, il y avait beaucoup d'espace devant, c'était l'endroit idéal pour entasser des détritus, tandis que dans les locaux ayant pignon sur rue il pourrait installer des magasins pour la collecte. Ainsi, lesdits locaux et l'entrepôt ne resteraient pas inutilisés, et les montagnes de détritus qui encombraient la porte disparaîtraient.

— Tout le monde y trouvera son compte, conclut-il.

Le responsable du bureau hocha la tête et promit d'étudier la question. Environ une heure après, il était de retour avec le chef du bureau du Parc immobilier. Ils annoncèrent à Li Guangtou que le district était d'accord pour lui louer, à un prix modique, trois locaux ayant pignon sur rue, et pour l'autoriser à occuper l'entrepôt pendant trois ans à titre gracieux. Le district ne posait qu'une condition : que Li Guangtou évacue dans les deux jours ses cinq montagnes de détritus.

— Dans les deux jours ? répéta Li Guangtou, en secouant la tête. Deux jours, c'est trop. Ainsi que nous l'a appris le président Mao : “Le temps presse[4].” J’aurai tout nettoyé en une journée.

Aussitôt dit, aussitôt fait. Li Guangtou recruta cent quarante paysans qui se joignirent à lui et à ses dix employés intérimaires, et les cent cinquante et un hommes, au terme de vingt-quatre heures de labeur ininterrompu, firent disparaître comme par enchantement les cinq montagnes de détritus. Non contents de faire place nette, ils disposèrent devant le portail du gouvernement du district deux rangées de vingt pots de lys sacrés du Japon. Quand les chefs et les secrétaires du district vinrent au travail le lendemain matin, ils en restèrent bouche bée, et crurent qu’ils s’étaient trompés d’adresse. Le premier moment de stupéfaction passé, le chef et le chef adjoint du district, ainsi que le secrétaire et le secrétaire adjoint, s’attardèrent à l’entrée, et le chef se sentit obligé de rendre justice à Li Guangtou :

— Ce Li Guangtou, il a quand même des qualités.

Les masses de notre bourg des Liu s’étaient habituées aux montagnes de détritus de Li Guangtou, et quand celles-ci disparurent subitement, elles accoururent en se donnant le mot, comme si elles venaient de découvrir l’Amérique. Elles s’agglutinèrent à la porte du gouvernement du district, s’extasiant sur le pittoresque des lieux, qu’elles remarquaient seulement maintenant.

Une semaine plus tard, la compagnie de récupération de Li Guangtou, la Compagnie Li, ouvrit ses portes. Deux jours avant, Tong le Forgeron avait convoqué Zhang le Tailleur, Guan les Ciseaux le Jeune, Yu l’Arracheur de dents et Wang les Esquimaux, et ils avaient arrêté deux décisions, celle de se cotiser tous pour acheter des pétards, et celle de mobiliser les amis de chacun pour faire la claque. Le jour de l’inauguration, une centaine de personnes vinrent présenter leurs félicitations, et plus de deux cents badauds étaient rassemblés là et riaient. Les pétards explosèrent pendant plus d'une heure, et il y avait autant d'ambiance que pour une foire de nouvel an. Li Guangtou, la mine resplendissante, portait toujours ses vêtements râpés de mendiant, mais il avait épinglé une fleur rouge vif toute neuve sur sa poitrine. Juché sur une table, il commença son discours en bégayant :

— Merci… merci… merci… merci… merci…

Après cette suite de bégaiements, Li Guangtou réussit enfin à formuler des phrases cohérentes :

— Même pour un mariage, nous n'aurions pas été aussi nombreux. Même pour un enterrement, nous n'aurions pas été aussi nombreux…

A ses pieds, ce fut un tonnerre d'applaudissements, et aussitôt l'émotion l'empêcha à nouveau de continuer. Il s'essuyait les yeux tout en reniflant, et à peine avait-il séché ses larmes que, en ouvrant la bouche, il sentit qu'il avait la gorge prise par les glaires. Il les avala et put enfin s'exprimer :

— Autrefois il y avait une chanson, dit-il en sanglotant, et je suppose que tout le monde la connaît : *Le ciel est grand, la terre est grande ; mais la bonté du Parti est plus grande, / Notre père, notre mère nous sont chers, mais le président Mao nous est plus cher, / Mille choses sont bonnes à nos yeux, mais le socialisme vaut mieux, / La rivière et la mer sont profondes, mais l'amitié de classe est plus profonde*[5]…

Li Guangtou poursuivit, tout en s'essuyant encore les yeux et en reniflant :

— Je voudrais vous en chanter une version un peu différente…

Et il entonna, entre deux sanglots :

— *Le ciel est grand, la terre est grande ; mais la bonté du Parti et la vôtre sont plus grandes, / Notre père, notre mère nous sont chers, mais le président Mao et vous, m' êtes plus cher, / Mille choses sont bonnes à nos yeux, mais le socialisme et vous, vous valez mieux, / La rivière et la mer sont profondes, mais votre amitié de classe est plus profonde.*

XXIII

L'entreprise de Li Guangtou prospérait de jour en jour. Au bout d'un an, il se fit délivrer un passeport et un visa pour le Japon : il souhaitait se rendre là-bas pour monter un commerce international de fripe avec des Japonais. Avant de quitter le pays, il alla trouver Tong, Zhang, Guan, Yu et Wang, et leur proposa de prendre une participation dans ce nouveau projet. Désormais, il n'était plus à court d'argent, et il était en passe de devenir un pétrolier de 10 000 tonnes. Il avait alors repensé à ses cinq associés de naguère, et il s'était dit qu'il devait leur accorder une seconde chance et leur permettre de s'engager à sa suite sur le chemin de la prospérité.

Li Guangtou se présenta à la forge, vêtu de ses habits râpés. Cette fois-ci, il n'avait plus à la main une carte du monde, mais son passeport.

— Tu n'as jamais vu de passeport, hein ? lança-t-il à Tong le Forgeron, qui battait le fer et s'épongeait.

Tong le Forgeron en avait bien entendu parler, mais ne savait pas comment c'était fait. Il s'essuya les mains sur son tablier, et prit avec un air admiratif celui que lui tendait Li Guangtou. Il l'ouvrit, regarda à l'intérieur et s'exclama :

— Il y a un papier étranger collé dedans !

— C'est un visa japonais.

Li Guangtou reprit fièrement son passeport et le rangea précautionneusement dans la poche de sa veste râpée. Il s'assit sur le banc où il se frottait étant enfant, croisa ses jambes et, l'air impérial, commença à exposer ses ambitions à long terme. Il expliqua que la Chine ne suffisait plus à répondre aux besoins de son entreprise, et il n'était même pas sûr que le monde entier pût les satisfaire. Il irait d'abord faire des achats au Japon…

— Acheter quoi ?

— Acheter de la fripe. Je vais me lancer dans le commerce international de la fripe.

Là-dessus, Li Guangtou proposa à Tong le Forgeron de prendre une participation dans l'affaire. Toutefois, son commerce ayant changé d'échelle, ce n'était plus comme il y a quatre ans, et si Tong le Forgeron souhaitait prendre une participation, il lui en coûterait 1 000 yuans et plus seulement 100. La mise, évidemment était importante, mais les bénéfices seraient à l'avenant. Quand il eut fini de parler, Li Guangtou lança à Tong le Forgeron un regard qui voulait dire : "Alors, c'est oui ou non ?"

Tong le Forgeron se souvenait de l'expérience cuisante de la fois dernière. Il examinait les habits râpés de Li Guangtou sans parvenir à se décider. Il songeait qu'en restant bien tranquille au bourg des Liu, sans se rendre nulle part, ce salopard avait effectivement plutôt bien réussi. Mais s'il quittait le bourg, qui sait quelle nouvelle catastrophe il allait déclencher ? Tong le Forgeron secoua la tête et annonça qu'il ne fallait pas compter sur lui :

— Moi, je me contente de peu, je n'ai pas des rêves de fortune.

Li Guangtou se leva, souriant, avec l'air de celui qui a fait tout ce qui était en son pouvoir. Il marcha jusqu'à la porte et sortit à nouveau son passeport, qu'il agita en direction de Tong le Forgeron :

— Maintenant, je suis un combattant internationaliste[1].

Ensuite, Li Guangtou se rendit successivement chez Zhang le Tailleur et chez Guan les Ciseaux le Jeune. L'un et l'autre, après avoir écouté le discours de Li Guangtou sur son projet international, restèrent indécis et voulurent savoir si Tong le Forgeron avait pris une participation. Li Guangtou fit non de la tête : Tong le Forgeron, expliqua-t-il, se contentait de peu et n'avait pas de grandes ambitions. Aussitôt, ses deux interlocuteurs affirmèrent qu'il en allait pareillement pour eux. Li Guangtou jeta un regard de commisération sur ses deux ex-associés, et il murmura dans sa barbe :

— Il faut du courage pour être un combattant internationaliste.

A peine Li Guangtou était-il parti que Zhang le Tailleur et Guan les Ciseaux le Jeune se précipitèrent chez Tong le Forgeron, afin d'obtenir de lui d'autres détails. Tong le Forgeron fronça les sourcils :

— Dès que ce type-là quitte le bourg des Liu, je ne suis pas tranquille. En plus, la fripe, ce n'est pas un commerce digne de ce nom.

— Tu as raison, approuvèrent Zhang le Tailleur et Guan les Ciseaux le Jeune.

Tong le Forgeron cracha par terre et poursuivit :

— Il y a quatre ans, c'était 100 yuans l'action, et aujourd'hui 1 000 yuans. Et encore il prétend qu'il nous fait une fleur. Avec ce salopard, les prix montent en flèche.

— Tu as raison, approuvèrent Zhang le Tailleur et Guan les Ciseaux le Jeune.

— Même pendant la guerre de résistance contre le Japon les prix n'augmentaient pas aussi vite, dit Tong le Forgeron, agacé. Et maintenant que nous sommes en paix, ce salopard voudrait encore s'enrichir sur les malheurs du pays.

— Tu as raison, approuvèrent Zhang le Tailleur et Guan les Ciseaux le Jeune. Quel salopard !

Li Guangtou tomba dans la rue sur Wang les Esquimaux. Comme Tong le Forgeron, Zhang le Tailleur, et Guan les Ciseaux le Jeune lui avaient réservé un accueil mitigé, il lui exposa sans conviction, et pour la forme, son offre de participation. Quand il eut fini, Wang les Esquimaux s'absorba dans une profonde réflexion. Lui aussi avait en tête l'expérience douloureuse de la fois précédente, mais à la différence de Tong le Forgeron il ne s'arrêta pas à cette idée. Songeant à la façon dont Li Guangtou s'y était pris pour éponger ses dettes, il se dit qu'il avait l'étoffe pour se sortir des situations extrêmes. Puis Wang les Esquimaux commença à réfléchir à la situation pitoyable dans laquelle il se débattait lui-même. Les 1 000 yuans, il les avait sur son livret de dépôt, mais cette somme ne serait certainement pas suffisante pour assurer ses vieux jours. Mieux valait les mettre une fois de plus en jeu, et tant pis s'il les perdait, après tout il avait déjà la plus grande partie de sa vie derrière lui. Li Guangtou, debout, observait Wang les Esquimaux, qui réfléchissait, tête baissée. Et comme celui-ci gardait le silence, il finit par s'impatienter :

— Alors, c'est oui ou non ?

Wang les Esquimaux releva la tête :

— Pour 500 yuans, on a seulement une demi-action ?

— Avec une demi-action, je te fais déjà un cadeau.

— Alors, c'est oui, déclara Wang les Esquimaux, en serrant les dents. Je mets 1 000 yuans.

Li Guangtou le regarda, stupéfait :

— Jamais je ne me serais douté que toi, Wang les Esquimaux, tu avais d'aussi grandes ambitions. On a bien raison : ce n'est pas sur les apparences qu'il faut juger les gens.

Après quoi, Li Guangtou se rendit chez Yu l'Arracheur de dents. Celui-ci était en pleine crise professionnelle.

Conformément à un avis du Bureau de l'hygiène du district, les dentistes de rue comme lui étaient désormais tenus de satisfaire à un examen : une licence pour exercice de la médecine leur serait délivrée s'ils étaient reconnus aptes, et dans le cas contraire, interdiction leur était faite de continuer leur pratique. Quand Li Guangtou s'approcha, Yu l'Arracheur de dents tenait entre les mains un épais volume d'*Anatomie humaine* qu'il récitait en fermant les yeux. Le temps de réciter la première moitié de la phrase, il avait déjà oublié la deuxième. Il ouvrait les yeux pour la lire de nouveau, mais à peine les avait-il refermés que c'était la première moitié de la phrase qu'il avait oubliée. Yu l'Arracheur de dents n'arrêtait pas de fermer et d'ouvrir les yeux, comme s'il faisait des exercices de gymnastique oculaire.

Li Guangtou s'étendit sur la chaise longue en rotin, et Yu l'Arracheur de dents, qui avait les yeux fermés, crut qu'un client s'était présenté. En les ouvrant, il s'aperçut que c'était Li Guangtou. Il referma immédiatement son *Anatomie humaine* et s'adressa à lui furieux :

— Sais-tu quelle est la plus grande saloperie au monde ?

— La plus grande saloperie ?

— C'est le corps humain, dit Yu l'Arracheur de dents en tapant sur l'ouvrage qu'il tenait à la main. Pourquoi diable faut-il qu'en plus de tous les organes il y ait encore tous ces muscles, ces vaisseaux sanguins, ces nerfs ? A l'âge que j'ai, comment pourrais-je retenir tout ça ? Alors, ce n'est pas une saloperie ?

Li Guangtou acquiesça :

— C'est vrai, c'est une putain de saloperie.

Yu l'Arracheur de dents se répandit en lamentations : il exerçait son métier dans la rue depuis plus de trente ans, il avait arraché un nombre incalculable de dents, il était aimé de tout le monde et on le considérait comme le meilleur dans sa spécialité à cent *li* à la ronde. Or voilà que ce putain de Bureau de l'hygiène lui imposait tout à coup un examen, et ce n'était pas demain la veille qu'il franchirait la barre. Yu l'Arracheur de dents avait les larmes aux yeux : lui qui avait été si brillant, voilà qu'il allait finir comme une barque qui chavire dans un égout, en achoppant sur ce volume d'*Anatomïe humaine*. Yu l'Arracheur de dents regarda les masses qui allaient et venaient par les rues de notre bourg des Liu, et il déclara tristement :

— Le meilleur arracheur de dents à cent *li* à la ronde va disparaître, et tout le monde s'en fout.

Li Guangtou n'arrêtait pas de rire. Il donna une tape sur le dos de la main de Yu l'Arracheur de dents, et lui proposa de prendre une participation dans son affaire. A l'instar de ses ex-associés, Yu l'Arracheur de dents, les yeux mi-clos, se mit à faire des calculs. L'échec que Li Guangtou avait essuyé la fois dernière ne le rassurait pas, mais il jeta un coup d'œil sur *L'Anatomie humaine*, et se sentit encore moins rassuré. Après un moment de réflexion, il s'enquit de savoir si Tong, Zhang, Guan et Wang avaient accepté la proposition. Li Guangtou répondit que seul Wang les Esquimaux était partant. Yu l'Arracheur de dents eut l'air stupéfait : comment Wang les Esquimaux osait-il encore s'associer aux affaires de Li Guangtou après la déconfiture subie précédemment ?

— Ce Wang les Esquimaux d'où tire-t-il autant de culot ? marmonna Yu l'Arracheur de dents, comme s'il se parlait à lui-même.

— Il a de grandes ambitions, expliqua Li Guangtou, élogieux. Tu comprends, Wang les Esquimaux n'a pas de perspectives, alors évidemment il compte sur moi, Li Guangtou.

Yu l'Arracheur de dents regarda *L'Anatomie humaine* et songea qu'il n'avait pas de perspectives lui non plus. Aussitôt, il prit un air bravache et, tendant deux doigts, il lança :

— Moi, Yu l'Arracheur de dents, j'ai aussi de grandes ambitions. Je souscris pour 2 000 yuans, deux actions.

Sur ce, il jeta *L'Anatomie humaine* par terre et posa le pied dessus, puis prenant Li Guangtou par la main, il s'enflamma :

— Moi, Yu l'Arracheur de dents, je roule avec toi à 100 %. Tu as réussi dans un commerce de merde, alors dans un commerce qui ne soit pas un commerce de merde, qui sait jusqu'où tu monteras ? Tu serais capable de diriger un pays…

Li Guangtou l'interrompit d'un geste de la main :

— Le pouvoir ne m'intéresse pas.

Yu l'Arracheur de dents, emporté par son élan, continua de plus belle :

— Où est ta carte du monde ? Il y a toujours les petits points dessus ? Quand on aura fait fortune tous les deux, toi Li Guangtou et moi Yu l'Arracheur de dents, je te garantis que j'irai faire un tour partout où il y a des petits points.

Avant de quitter le bourg des Liu pour prendre son deuxième envol, Li Guangtou se rendit comme l'autre fois à la boutique de *dim sum* de la mère Su pour y manger des petits pains farcis à la viande. Tout en mastiquant, il sortit son passeport de sa veste râpée et le montra à la mère Su pour élargir son horizon. La mère Su prit le document avec curiosité, l'examina sous toutes les coutures et, comparant la photo du passeport avec l'individu qu'elle avait sous les yeux, elle remarqua :

— On dirait vraiment que le type sur la photo c'est toi.

— Comment ça, on dirait ? Mais c'est moi, répliqua Li Guangtou.

La mère Su n'arrivait pas à détacher ses yeux du passeport :

— Et avec ça, tu peux sortir de Chine et aller au Japon ? s'étonna-t-elle.

— Evidemment, répondit Li Guangtou, qui reprit son passeport des mains de la mère Su : Tu as les mains grasses.

La mère Su, confuse, s'essuya les mains sur son tablier, et Li Guangtou frotta le passeport avec sa manche râpée pour en effacer les taches de gras.

— Tu vas aller au Japon habillé comme ça ? demanda la mère Su en regardant les vêtements râpés de Li Guangtou.

— Rassure-toi, aussi vrai que je m'appelle Li Guangtou, je ne ferai pas honte à mes compatriotes, dit Li Guangtou en s'époussetant. En arrivant à Shanghai, je m'achèterai des habits chicos.

Au moment où, le ventre plein, il s'apprêtait à quitter la boutique de la mère Su, Li Guangtou se souvint que, quatre ans auparavant, celle-ci avait failli prendre une participation. Il fallait donc lui accorder une chance à elle aussi. Il s'arrêta et lui expliqua en quelques mots la teneur de son projet. La mère Su, d'abord tentée, ne tarda pas à se souvenir de la façon piteuse dont les choses s'étaient terminées la fois d'avant, elle se rappela que si elle-même n'avait pas perdu d'argent, c'est parce qu'elle était allée avant au temple faire brûler de l'encens. Ses affaires marchaient bien en ce moment, elle était trop occupée pour pouvoir quitter la boutique, et voilà trois semaines qu'elle n'était pas allée faire brûler de l'encens au temple. Dans ces conditions, elle jugea plus sage de renoncer, et elle annonça à Li Guangtou qu'elle préférait passer son tour. Li Guangtou hocha la tête à regret et tourna les talons. Il se dirigea vaillamment vers la gare routière de notre bourg des Liu, prêt à prendre une seconde fois son envol.

XXIV

L'envol de Li Guangtou le conduisit à Tokyo, Osaka, Kobe et autres villes japonaises. Il ne dédaigna pas non plus Hokkaido et Okinawa. Il arpenta le Japon pendant plus de deux mois et acheta 3 567 tonnes de complets-veston d'occasion. Tous ces costumes avaient l'air comme neuf, ils étaient de très bonne façon, aussi bien coupés que les costumes du tailleur italien Armani que Li Guangtou porterait plus tard. Les Japonais les lui vendirent au prix de la fripe, et Li Guangtou affréta un bateau de marchandises chinois pour les acheminer jusqu'à Shanghai. Il n'avait pas osé affréter un bateau japonais car le prix de la location lui avait semblé exorbitant : rien que la rémunération des porteurs japonais chargés de transférer la marchandise à bord du bateau lui aurait coûté plus cher que ces 3 567 tonnes de costumes. Li Guangtou se débarrassa des costumes à Shanghai : en quelques jours, tous les rois de la chiffe du pays affluèrent là-bas, et on raconte qu'ils remplirent un hôtel quatre étoiles de la rue de Nankin[1]. Ils arrivèrent avec des sacs en toile de jute pleins d'argent liquide, se firent enregistrer à la réception de l'hôtel avec leur sac à la main, se glissèrent dans l'ascenseur avec leur sac et rentrèrent chacun dans leur chambre avec leur sac. Et pour finir, l'argent contenu dans tous ces sacs convergea dans les poches de Li Guangtou. Les costumes d'occasion de Li Guangtou furent dispatchés aux quatre coins du pays par fer, par route et par eau, et les masses des quatre coins du pays échangèrent leurs vieux costumes Sun Yat-sen fripés contre les costumes d'occasion que Li Guangtou avait rapportés du Japon.

Naturellement, Li Guangtou n'oublia pas ses vieux compatriotes du bourg des Liu, et il mit spécialement de côté pour eux cinq mille costumes. A l'époque, les complets-veston étaient devenus très à la mode. Les jeunes hommes du bourg, à la veille de leur mariage, s'en faisaient tous confectionner un, et c'est à Zhang le Tailleur qu'ils passaient commande. Zhang le Tailleur avait fait des costumes Sun Yat-sen pendant plus de vingt ans, mais quand la mode changea, il se mit aux complets-veston. C'était on ne peut plus simple à l'en croire : les épaulettes étaient identiques, il suffisait de transformer le col, et le tour était joué. Hélas, au bout de deux mois, les complets de fabrication locale confectionnés par Zhang le Tailleur se déformaient, et pendouillaient sur le dos de leurs propriétaires. Quand Li Guangtou débarqua avec ses complets-veston d'occasion, le bourg fut en émoi. Les masses se ruèrent vers l'entrepôt et plongèrent dans les tas de costumes comme dans une rivière, les tripotant tous pour s'en dégotter un qui fût à leur taille. Les masses s'étonnaient : ces complets avaient l'air de ne jamais avoir été portés, or ils étaient meilleur marché que des vêtements usagés. En moins d'un mois, les cinq mille costumes rapportés par Li Guangtou s'étaient arrachés.

Pendant tous ces jours, la Compagnie Li, la compagnie de récupération de Li Guangtou, fut plus animée qu'une maison de thé. Sitôt rentré au bourg des Liu, Li Guangtou avait remis ses vêtements râpés. Il trônait là, rayonnant, et les masses faisaient cercle autour de lui à longueur de journée, jamais lasses de l'écouter parler du Japon. Chaque fois que Li Guangtou expliquait combien la vie était chère au Japon, il accompagnait son discours d'une grimace. A l'entendre, avec ce qu'on dépensait au Japon le matin pour prendre un bol de lait de soja et un beignet, on aurait presque pu s'offrir un cochon au bourg des Liu. Et encore, le lait de soja, on vous en servait une quantité ridicule, pas comme au bourg des Liu, où on avait droit à un grand bol plein à ras bord. Au Japon, les bols étaient plus petits que les tasses à thé du bourg des Liu. Quant aux beignets, inutile d'en parler, ils étaient aussi minces que des baguettes. Les masses, impressionnées, en concluaient que le Japon n'était pas un pays où aller et que là-bas, à ce régime-là, Zhu Bajie finirait comme le démon au squelette blanc[2].

— Non, ce n'est pas un pays où aller, confirma Li Guangtou, en secouant la main. Au Japon, il y a de l'argent, mais il n'y a pas de culture.

— Pas de culture ? s'étonnèrent les masses.

Li Guangtou sauta sur ses pieds, et les masses, aussitôt, s'écartèrent pour le laisser passer. Li Guangtou se dirigea vers le tableau noir fixé au mur où il faisait ses comptes, s'empara de la craie et écrivit au tableau le chiffre 9. Puis il se retourna vers les masses :

— Comment est-ce que ça se lit ?

— *Jiu*, répondirent les masses.

— Oui.

Et Li Guangtou, à la suite du 9, écrivit un 8 :

— Et ça ?

— *Ba*.

— Oui, dit Li Guangtou en hochant la tête, satisfait. Ce sont tous les deux des chiffres arabes.

Là-dessus, il lâcha sa craie, et retourna s'asseoir à sa place.

— Les Japonais ne connaissent même pas les chiffres arabes.

— C'est vrai ?

Les masses étaient bouche bée. Li Guangtou croisa les jambes et expliqua d'un air fat :

— Moi qui vous parle, j'ai gagné de l'argent au Japon, et j'ai voulu en dépenser un peu. Où ça, me direz-vous ? Evidemment, dans l'endroit le plus moderne possible. Et quels sont les endroits les plus modernes ? Les bars, évidemment. Seulement, je ne savais pas où en trouver un. Je ne savais pas dire "bar" en japonais, et si je l'avais dit en chinois on ne m'aurait pas compris. Alors, que faire ?

Li Guangtou fit durer le suspense. Tout en s'essuyant la bouche, il observait les masses du bourg des Liu, se délectant de leur impatience. Puis il expliqua, en prenant tout son temps :

— Moi qui vous parle, j'ai eu une inspiration subite, j'ai pensé aux chiffres arabes. Les Japonais ne comprennent pas le chinois, mais ils doivent bien reconnaître les chiffres arabes.

Les masses hochèrent la tête, et Li Guangtou poursuivit.

— Alors, j'ai écrit le chiffre 98 sur ma paume, ce qui se prononce "*jiuba*", comme "bar" en chinois, n'est-ce pas ?

— Oui, s'écrièrent les masses. C'est bien ça.

— Moi qui vous parle, jamais, au grand jamais, je n'aurais pensé que sur les dix-sept Japonais auxquels j'ai montré les chiffres, aucun ne comprendrait ce que je voulais lui dire. Alors, ce n'est pas vrai que les Japonais n'ont pas de culture ?

— C'est vrai, ils n'ont pas de culture, approuvèrent les masses d'une seule voix.

— Seulement, ils ont de l'argent, conclut Li Guangtou.

XXV

Tous les gens distingués de notre bourg des Liu s'étaient mis à porter les costumes d'occasion de Li Guangtou, et les autres aussi. Les hommes, quand ils avaient sur le dos un de ces complets bien coupés, ne parvenaient pas à cacher leur fierté : ils disaient qu'ils avaient l'impression d'être le chef d'Etat d'un pays étranger, ce qui amusait beaucoup Li Guangtou, qui répliquait que le bourg lui devait une fière chandelle, puisque grâce à lui il comptait maintenant plusieurs milliers de chefs d'Etat étrangers. Les femmes du bourg, quant à elles, avaient conservé leurs vêtements de péquenots, et les hommes se moquaient d'elles en les traitant de "produits du terroir". Après les avoir bien raillées, ils se plantaient devant la vitrine d'un magasin pour contempler leur image floue en complet-veston et souliers de cuir, et décrétaient que s'ils avaient su qu'ils auraient un jour l'allure d'un chef d'Etat étranger, jamais ils n'auraient épousé un produit du terroir. Li Guangtou était le seul homme du bourg à ne pas s'habiller ainsi. Il partait du principe que, quelle que soit leur qualité, cela restait des costumes d'occasion, tandis que le sien, si râpé soit-il, avait le mérite de n'avoir jamais été porté par quelqu'un d'autre que lui. Mais en public, il tenait un discours différent, et quand on s'étonnait qu'il conservât ses hardes, il répondait modestement :

— Je suis dans le commerce de la fripe, il est normal que je porte des vêtements fripés.

Ces costumes d'occasion importés du Japon étaient tous marqués du nom de leur propriétaire d'origine, brodé sur la poche intérieure du haut. Quand les masses du bourg des Liu commencèrent à les porter, elles manifestèrent une vive curiosité pour ces patronymes. Les gens s'arrêtaient continuellement dans la rue pour ouvrir leur veston et se montrer mutuellement le nom de celui qui l'avait eu sur ses épaules avant eux, ce qui les amusait beaucoup.

A cette époque, Zhao le Poète et Liu l'Ecrivain continuaient à rêver de gloire littéraire. Dès qu'ils apprirent que Li Guangtou avait fait venir du Japon un lot de costumes, ils coururent à l'entrepôt et fouillèrent dans la montagne de vêtements. Au bout de trois heures, Liu l'Ecrivain finit par dégotter un costume au nom de Mishima. Zhao le Poète, pour ne pas être en reste, s'activa pendant quatre heures avant de ramener à la surface un costume au nom de Kawabata. Nos deux sommités littéraires, fières comme des paons, ouvraient leur veste à tout bout de champ pour faire voir les noms de Mishima et de Kawabata inscrits à l'intérieur, révélant aux ignares du bourg des Liu que Mishima et Kawabata étaient deux noms de famille exceptionnels, ceux des deux plus grands écrivains nippons : Mishima Yukio et Kawabata Yasunari. Tandis qu'ils donnaient ces précisions, ils avaient une mine resplendissante, à croire qu'en revêtant les costumes d'un Mishima ou d'un Kawabata quelconques ils étaient devenu le Mishima Yukio et le Kawabata Yasunari de notre bourg des Liu. Quand ils se rencontraient tous les deux dans la rue, ils se saluaient d'abord par des courbettes, puis ils échangeaient quelques politesses d'usage.

— Ça va comme tu veux en ce moment ? demandait Liu l'Ecrivain, en hochant la tête et en souriant.

— Ça va, répondait Zhao le Poète, en faisant de même.

— Qu'as-tu écrit comme poésie ces derniers jours ?

— En ce moment, je n'écris pas de poésie, je travaille à un essai. J'ai déjà le titre. Cela s'appellera : *Le Joli Bourg et moi*.

— C'est un beau titre, approuvait bruyamment Liu l'Ecrivain. A un mot près, ça ressemble au titre de l'œuvre célèbre de Kawabata Yasunari, *Le Joli Japon et moi*[1].

Zhao le Poète hochait la tête d'un air pincé et demandait à Liu l'Ecrivain :

— Qu'as-tu écrit comme nouvelle récemment ?

— En ce moment, je n'écris pas de nouvelles, je travaille à un roman. J'ai le titre, moi aussi, ça s'appellera *Le Temple de la Tranquillité céleste*.

— C'est un bon titre, approuvait à son tour Zhao le Poète. A deux mots près, ça ressemble au titre de l'œuvre célèbre de Mishima Yukio, *Le Temple du pavillon d'Or*[2].

Les deux sommités littéraires du bourg des Liu se saluaient derechef par des courbettes, puis ils s'éloignaient lentement, chacun de son côté. Les masses du bourg des Liu observaient leur manège en riant : comment ces deux salopards pouvaient-ils se demander ce qu'ils avaient écrit ces derniers temps, alors qu'on les avait vus se parler une heure plus tôt, et pourquoi toutes ces courbettes ? Les anciens du bourg qui avaient vu des Japonais dans leur enfance expliquèrent aux masses que c'était la façon qu'avaient les Japonais de se saluer. Quelqu'un qui n'était pas convaincu désigna au loin les silhouettes de Liu l'Ecrivain et de Zhao le Poète :

— Ce sont pourtant bien deux salopards du bourg des Liu, et pas deux salopards japonais.

Yu l'Arracheur de dents et Wang les Esquimaux parcouraient les rues du bourg des Liu avec entrain. Après que Li Guangtou s'était enrichi avec ses costumes d'occasion rapportés du Japon, tous les deux s'étaient renfloués grâce à leur participation financière, et ils avaient les poches bien garnies à présent. Yu l'Arracheur de dents avait bazardé son gros volume d'*Anatomie humaine* et remisé son attirail professionnel. Il avait annoncé qu'il raccrochait et que désormais c'en était fini du meilleur dans sa spécialité à cent *li* à la ronde : ses compatriotes du bourg des Liu pouvaient bien se tordre de douleur par terre à côté de lui, il ne leur jetterait pas un regard. Wang les Esquimaux avait eu la même réaction. De son côté, il avait bazardé sa glacière et proclamé que l'été prochain on ne le verrait plus vendre des esquimaux : ses compatriotes du bourg des Liu pouvaient bien crever de soif à côté de lui, il ne leur jetterait pas un regard, à l'instar de Yu l'Arracheur de dents.

Le costume porté par Yu l'Arracheur de dents était au nom de Matsushita[3], et celui de Wang les Esquimaux au nom de Sanyo. Ils arpentaient, désœuvrés, les rues du bourg des Liu, et quand ils se croisaient ils ne pouvaient s'empêcher de rire aux éclats, plus heureux encore que deux crapauds qui auraient goûté à la chair d'un cygne. Quand ils avaient bien ri, Yu l'Arracheur de dents tapait sur ses poches et demandait à Wang les Esquimaux :

— Y en a là-dedans, n'est-ce pas ?

— Oui, répondait l'autre, en tapant à son tour sur ses poches.

Et Yu l'Arracheur de dents, transporté par l'ivresse du succès, concluait ainsi :

— C'est ce qui s'appelle brûler les étapes.

Yu l'Arracheur de dents, curieux, voulut savoir quel nom était inscrit à l'intérieur du veston de Wang les Esquimaux. Celui-ci ouvrit son veston d'un geste majestueux pour permettre à Yu l'Arracheur de dents de bien lire le mot "Sanyo" brodé sur la poche. Yu l'Arracheur de dents s'exclama :

— C'est la famille Sanyo, le roi de l'électroménager !

Wang les Esquimaux était aux anges. Yu l'Arracheur de dents, qui ne voulait pas être en reste, ouvrit sa veste à lui. Wang les Esquimaux regarda à l'intérieur et, en apercevant le mot "Matsushita", s'exclama à son tour :

— "Matsushita", lui aussi c'est un roi de l'électroménager.

— Deux rois de l'électroménager ! Toi et moi, on est dans la même branche, déclara Yu l'Arracheur de dents en agitant la main, avant de compléter : Mais puisqu'on est dans la même branche, on est concurrents également.

— C'est vrai, c'est vrai, dit Wang les Esquimaux, en hochant la tête.

C'est alors que Song Gang arriva, habillé lui aussi d'un costume d'occasion. Comme tous les hommes du village étaient vêtus désormais à l'occidentale, Lin Hong était allée à son tour à l'entrepôt, où elle avait fouillé pendant deux heures avant de choisir le complet que portait Song Gang. La taille bien prise dans son complet noir à la coupe impeccable, il promenait sa silhouette élégante à travers le bourg. Les masses s'extasiaient sur son passage, elles disaient que Song Gang, depuis qu'il suivait cette mode, était encore plus chic que Song Yu et Pan An[4] réunis, et qu'il était bâti pour les complets-veston. Yu l'Arracheur de dents et Wang les Esquimaux feignaient d'être de cet avis, mais n'en pensaient pas moins. Yu l'Arracheur de dents fit signe à Song Gang d'approcher et, quand celui-ci fut devant les deux hommes, il l'interrogea :

— Et toi, c'est quelle famille ?

Song Gang ouvrit sa veste :

— La famille Fukuda.

Yu l'Arracheur de dents jeta un coup d'œil vers Wang les Esquimaux, qui déclara :

— Je n'en ai jamais entendu parler.

— Moi non plus, dit Yu l'Arracheur de dents, en se rengorgeant. A côté de Matsushita et de Sanyo, ces Fukuda ne sont que de la piétaille.

— Toutefois, suggéra Yu l'Arracheur de dents, si tu changes un caractère, ça donne non plus "Fukuda" mais "Toyota", et là c'est un roi de l'automobile.

Song Gang sourit :

— Moi, ce Fukuda est parfaitement à ma taille.

Yu l'Arracheur de dents secoua la tête d'un air désolé à l'adresse de Wang les Esquimaux, qui en fit autant. Ils n'avaient sans doute pas aussi fière allure que Song Gang, mais leurs costumes à eux avaient un autre pedigree que le sien. Aussi Yu l'Arracheur de dents et Wang les Esquimaux continuèrent-ils à se promener d'un pas alerte. Ils pénétrèrent dans la ruelle où ils habitaient, et s'arrêtèrent devant la boutique de Zhang le Tailleur. Ce dernier, affublé lui aussi d'un costume d'occasion, était assis l'air absent sur le banc où prenaient place habituellement les clients. Yu l'Arracheur de dents et Wang les Esquimaux se tenaient sur le seuil, l'air rigolard, et Zhang le Tailleur les regardait d'un œil morne. Yu l'Arracheur de dents l'interpella en riant :

— Et toi, c'est quelle famille ?

Zhang le Tailleur retrouva ses esprits et reconnut ses deux visiteurs :

— Ce Li Guangtou est un malhonnête, lança-t-il avec un sourire forcé. Depuis qu'il a importé tous ces costumes, plus personne ne vient se faire habiller chez moi.

— Et toi, c'est quelle famille ? insista Yu l'Arracheur de dents, sans se soucier le moins du monde des malheurs de Zhang le Tailleur.

Zhang le Tailleur soupira et poursuivit, en faisant un geste de la main :

— Pour les années à venir, personne ne viendra plus me commander d'habits.

Yu l'Arracheur de dents s'énerva et commença à crier :

— Je t'ai demandé quelle famille c'était.

Zhang le Tailleur fit enfin attention à la question qu'on lui posait. Il ouvrit sa veste et baissa la tête pour regarder à l'intérieur :

— La famille Hatoyama.

Yu l'Arracheur de dents et Wang les Esquimaux échangèrent un regard.

— Quoi ! le Hatoyama de l'opéra modèle révolutionnaire *Le Fanal rouge*[5] ? demanda Wang les Esquimaux à Zhang le Tailleur.

— Oui, c'est bien celui-là, confirma Zhang le Tailleur, en hochant la tête.

Yu l'Arracheur de dents et Wang les Esquimaux furent un peu déçus de constater que Zhang le Tailleur ne portait pas le costume d'un obscur anonyme.

— Ce Hatoyama, c'est quand même une célébrité, fit observer Wang les Esquimaux à Yu l'Arracheur de dents.

— Peut-être, répondit Yu l'Arracheur de dents, mais c'est un personnage négatif.

Wang les Esquimaux acquiesça :

— Disons que c'est une célébrité négative.

Ragaillardis par leur visite chez Zhang le Tailleur, Yu l'Arracheur de dents et Wang les Esquimaux poursuivirent leur chemin, très contents d'eux. Ils arrivèrent devant la boutique de Guan les Ciseaux le Jeune. Celui-ci s'était offert deux costumes d'occasion, un noir et un gris, et depuis qu'il les avait il ne voulait plus rien aiguiser. Il se pavanait sur le pas de la porte de son magasin, alternant le costume noir le matin et le costume gris l'après-midi, et dès qu'il apercevait quelqu'un il se lançait dans des discours interminables, tout en brossant délicatement son épaule gauche de sa main droite, et son épaule droite de sa main gauche, pour en faire tomber ses pellicules. Quand les hommes du bourg avaient commencé à porter des complets-veston, et que c'était vite devenu un réflexe pour tout un chacun que d'ouvrir sa veste pour montrer à son voisin le nom qui y était inscrit, Guan les Ciseaux le Jeune s'était rendu compte qu'aucun des noms brodés sur les deux costumes n'était un nom connu. Il se morfondit et se rongea les sangs pendant plusieurs jours, puis il décida d'arracher les deux noms inconnus et de broder à leur place les noms "Sony" et "Hitachi". Il ignorait que ni Sony ni Hitachi n'étaient des noms de famille, tout ce qu'il savait, c'était que les appareils électroménagers Sony et Hitachi étaient très célèbres. Quand Yu l'Arracheur de dents et Wang les Esquimaux passèrent devant sa boutique de leur pas énergique, Guan les Ciseaux le Jeune, vêtu de son costume "Sony" noir, marcha fièrement à leur rencontre. Prenant les devants, il leur demanda :

— Et vous, c'est quelle famille ?

— Matsushita, annonça Yu l'Arracheur de dents en ouvrant sa veste pour que Guan les Ciseaux le Jeune puisse vérifier par lui-même, avant d'ajouter, en montrant la veste de Wang les Esquimaux : Et lui, c'est Sanyo.

— Pas mal, déclara Guan les Ciseaux le Jeune, avec un hochement de tête approbateur. Ce sont deux familles aisées.

Yu l'Arracheur de dents rigola :

— Et toi, ta famille comment elle est ?

— Pas mal non plus, répondit Guan les Ciseaux le Jeune, en ouvrant sa veste. C'est la famille Sony.

— Alors toi aussi, tu es un grand roi de l'électroménager ! s'exclama Yu l'Arracheur de dents.

Guan les Ciseaux le Jeune désigna du pouce la pièce qui se trouvait derrière lui :

— Dans ma penderie, claironna-t-il, j'ai aussi un costume de la famille Hitachi.

— Alors tu es le collègue de toi-même, s'écria Wang les Esquimaux.

— Et tu es aussi ton propre concurrent, compléta Yu l'Arracheur de dents.

— Tout juste, conclut Guan les Ciseaux le Jeune, enchanté par cette dernière remarque, et il donna une tape sur l'épaule de Yu l'Arracheur de dents : C'est ce qu'on appelle se lancer un défi à soi-même.

Yu l'Arracheur de dents et Wang les Esquimaux quittèrent la boutique de Guan les Ciseaux le Jeune hilares, et ils arrivèrent chez Tong le Forgeron. Celui-ci portait un costume bleu foncé, et par-dessus son tablier de forgeron, constellé de petits trous provoqués par les étincelles. Il travaillait en complet-veston, et ce spectacle laissa pantois Yu l'Arracheur de dents et Wang les Esquimaux.

— Un complet-veston, ça peut aussi servir de vêtement de travail ? demanda Wang les Esquimaux tout bas à Yu l'Arracheur de dents.

— Mais *c'est* un vêtement de travail, dit Tong le Forgeron, à qui ces mots n'avaient pas échappé, en posant son marteau. Tous les étrangers qu'on voit à la télé vont au travail en complet-veston.

— Mais bien sûr, ajouta doctement Yu l'Arracheur de dents à l'adresse de Wang les Esquimaux. Les complets-veston, ce sont les vêtements de travail des étrangers.

Wang les Esquimaux jeta un coup d'œil sur son propre costume, et déclara, un rien décontenancé :

— Alors comme ça, ce que nous avons sur nous, ce sont des vêtements de travail !

Yu l'Arracheur de dents, lui, ne se laissa pas démonter. Il questionna Tong le Forgeron avec entrain :

— Et toi, c'est quelle famille ?

Tong le Forgeron retira tranquillement son tablier et ouvrit sa veste :

— La famille Tong.

Yu l'Arracheur de dents sursauta :

— Il y a aussi des gens qui s'appellent Tong au Japon ?

— De quoi tu me parles ? repartit Tong le Forgeron. Tong, c'est mon nom de famille à moi.

Yu l'Arracheur de dents ne savait plus quoi penser :

— J'ai pourtant vu un caractère Tong brodé sur ton costume.

— C'est moi qui l'ai fait mettre, confia Tong le Forgeron en se rengorgeant. J'ai demandé à ma femme d'arracher le nom japonais qui s'y trouvait et de broder mon nom à moi à la place.

Yu l'Arracheur de dents et Wang les Esquimaux avaient compris. Yu l'Arracheur de dents hocha la tête :

— Ce n'est pas mal d'inscrire son propre nom, c'est certain, l'inconvénient c'est que ce n'est pas un nom célèbre.

Alors Tong le Forgeron fit "Pfft" en remettant son tablier, puis il dit, d'un ton méprisant :

— Vous autres, à peine vous êtes fringués comme des étrangers que vous oubliez déjà vos ancêtres. Ce n'est pas la dignité qui vous étouffe. Pas étonnant qu'il y ait eu autant de traîtres pendant la guerre de résistance ! Il suffit de voir vos têtes, et on comprend tout.

Là-dessus, Tong le Forgeron leva son marteau et commença de frapper le fer vigoureusement. Yu l'Arracheur de dents et Wang les Esquimaux, vexés, tournèrent les talons et quittèrent la forge. Yu l'Arracheur de dents était en colère :

— Putain, s'il a tant de dignité que ça, qu'est-ce qu'il fiche avec un costume japonais sur le dos !

— C'est vrai, ça, approuva Wang les Esquimaux. C'est comme une prostituée qui voudrait se faire élire rosière.

Le chef de notre district, lui aussi, avait endossé un costume d'occasion. Sur le sien était brodé le nom de Nakasone, le nom du Premier ministre japonais d'alors,

Nakasone Yasuhiro[6]. Quand il avait appris que Li Guangtou avait fait venir des costumes du Japon, et qu'il avait vu tous les employés du gouvernement du district parader dedans, il avait voulu avoir le sien comme tout le monde. Il pria Tao Qing de l'accompagner, et tous les deux se rendirent à l'entrepôt de Li Guangtou. Tandis qu'il se choisissait son costume Nakasone, Tao Qing, lui, jetait son dévolu sur un costume Takeshita. Quand il eut enfilé son costume Nakasone, le chef du district trouva qu'il lui seyait à merveille, comme du sur mesure. Il n'arrêtait pas de s'admirer dans la glace et en croyait à peine ses yeux : plus il se contemplait et plus il se découvrait des faux airs de Nakasone Yasuhiro. Evidemment, à la différence de Yu l'Arracheur de dents et de Wang les Esquimaux, le chef du district était un homme discret, et jamais de lui-même il n'aurait exhibé le *Nakasone* inscrit sur la poche intérieure de son costume. C'est seulement quand il ôta sa veste, et qu'il la suspendit sur le dossier de sa chaise, qu'on découvrit par hasard le nom de *Nakasone*, et que les exclamations fusèrent :

— Chef, vous avez le costume du Premier ministre japonais !

Le chef du district était ravi, mais il n'en laissa rien paraître :

— C'est une coïncidence, une pure coïncidence, se défendit-il, en agitant la main.

Tao Qing, qui était présent, l'avait saumâtre. C'était lui qui avait vu le premier le *Nakasone*, mais alors qu'il s'apprêtait à l'essayer, il s'était aperçu que le chef du district le surveillait : il n'avait pas osé le prendre, et le chef du district s'en était emparé aussi sec. Tao Qing s'était résigné à voir le costume Nakasone partir sur le dos de son chef. Il en avait été d'autant plus contrarié qu'il devait faire bonne figure et complimenter sans arrêt le chef du district, en lui disant à quel point le costume lui allait bien. Pour ne pas trahir ses ambitions politiques, Tao Qing avait pris le premier costume venu, un Takeshita. Et tous les matins, en enfilant son Takeshita, il pensait avec nostalgie au Nakasone. Or voilà que, six mois plus tard, Nakasone Yasuhiro était remplacé à son poste par un dénommé Takeshita Noboru[7]. Dans le même temps, le chef du district fut muté, et Tao Qing promu aux fonctions que celui-ci occupait précédemment. Devenu chef du district, Tao Qing, debout devant son miroir, pensif et ému, se contemplait dans son costume Takeshita : "Pas de doute, se disait-il à lui-même, c'est la Providence qui l'a voulu."

XXVI

Quand Li Guangtou se fut enrichi grâce à la vente de ses costumes d'occasion, la première personne à laquelle il pensa fut Song Gang. Il estimait que puisque ses efforts avaient été récompensés, il lui fallait à présent faire venir Song Gang pour que les deux frères travaillent main dans la main à une grande œuvre commune. En fouillant partout chez lui, il retrouva le pull que Song Gang lui avait tricoté pour sa nomination comme directeur d'usine, et le lendemain matin, vêtu de son pull, sa veste râpée non boutonnée pour qu'on voie le "long-courrier", il s'engagea de son pas chaloupé dans les rues de notre bourg des Liu. Il arriva en fanfare chez Song Gang. Il n'était plus jamais revenu depuis ce jour, il y avait plusieurs années, où il avait apporté le certificat de vasectomie. Li Guangtou, debout sur le seuil, vit les silhouettes de Song Gang et de Lin Hong passer devant la fenêtre et la porte s'ouvrir. Li Guangtou, tout excité, écarta les pans de sa veste et interpella Song Gang d'un ton chaleureux :

— Song Gang, tu te souviens de ce pull ? et du "long-courrier" ? Song Gang, tu as vu juste, j'ai fini par avoir une affaire à moi, une affaire qui a de l'avenir. Maintenant que je suis le patron de ce "long-courrier", tu ne voudrais pas être mon second ?

Song Gang fut stupéfait de trouver Li Guangtou devant chez lui de si bon matin. Voilà une éternité qu'il n'avait pas adressé la parole à Li Guangtou, et quand d'aventure il lui était arrivé de tomber sur lui dans la rue, moins d'une dizaine de fois, il s'était éclipsé en vitesse sur sa bicyclette. A l'évocation du "long-courrier", Song Gang se tourna, mal à l'aise, vers Lin Hong, laquelle en revanche avait l'air parfaitement naturelle. La tête basse, il sortit sa bicyclette, l'enfourcha et, la tête toujours baissée, il attendit que Lin Hong se hisse dessus. Lin Hong s'installa derrière, en amazone.

Li Guangtou continuait à parler avec fougue :

— Song Gang, je n'ai pas fermé l'œil de la nuit. J'ai bien réfléchi : tu es trop honnête et tu te laisses abuser trop facilement. Le travail idéal pour toi, ce serait de diriger un service financier. Si tu venais t'occuper du mien, je serais pleinement rassuré !

Tout en posant ses pieds sur les pédales, Song Gang lança froidement à Li Guangtou :

— Je croyais que tu avais compris.

A ces mots, Li Guangtou resta comme un idiot. Jamais il n'aurait soupçonné chez Song Gang une telle dureté. D'abord médusé, il éclata en invectives, tandis que Song Gang s'éloignait :

— Song Gang, espèce de salopard. Putain, tu m'entends ? La dernière fois, c'est toi qui as rompu avec moi, mais cette fois-ci c'est moi. A compter d'aujourd'hui, nous ne sommes plus frères.

Puis, envahi par la tristesse, il conclut en criant en direction de la bicyclette :

— Song Gang, espèce de salopard, tu as complètement oublié l'époque où nous étions petits !

Pendant qu'il prenait de la distance, Song Gang avait parfaitement entendu Li Guangtou et sa dernière phrase lui fit monter les larmes aux yeux. Il pédalait sans bruit et Lin Hong, assise derrière lui, se taisait elle aussi. S'il avait fait exprès de montrer une telle dureté envers Li Guangtou, c'était uniquement pour Lin Hong. Or celle-ci ne réagissait pas. Song Gang était inquiet. Une fois qu'il eut tourné au coin de la rue, il l'appela doucement :

— Lin Hong, Lin Hong…

Celle-ci répondit par un "Hmm", avant de déclarer à voix basse :

— D'un autre côté, Li Guangtou te proposait ça dans une bonne intention…

Song Gang était encore plus désemparé.

— Je n'aurais pas dû lui parler comme je l'ai fait ? s'inquiéta-t-il d'une voix brisée.

— Mais si.

Sur ce, Lin Hong enserra la taille de Song Gang et colla son visage contre son dos. Song Gang, rassuré, poussa un long soupir, et il entendit Lin Hong, derrière lui, qui ajoutait :

— Il a beau avoir de l'argent, ce n'est jamais qu'un chiffonnier. Il n'y a pas de quoi pavoiser ! Nous, quoi qu'on pense, nous travaillons dans une entreprise d'Etat, ce qui n'est pas son cas, et personne ne sait comment les choses vont tourner pour lui.

Après avoir été fraîchement reçu par Song Gang, Li Guangtou se tourna vers ses quatorze fidèles de l'usine d'assistés sociaux. Il alla trouver Tao Qing au bureau des Affaires civiles. Ce dernier était sur le point de devenir chef du district, mais il l'ignorait encore. Il se faisait un sang d'encre à cause des déficits annuels répétés de l'usine d'assistés sociaux. Li Guangtou annonça d'emblée à Tao Qing son intention de racheter l'usine, et Tao Qing, médusé, crut que Li Guangtou plaisantait. Li Guangtou expliqua, avec des accents émouvants, que même si ses quatorze boiteux, idiots, aveugles et sourds n'étaient pas de sa famille, ils lui étaient encore plus chers que des parents. Tao Qing éprouva une joie secrète : l'usine d'assistés sociaux était un vrai boulet pour le bureau des Affaires civiles, et alors qu'il n'était pas parvenu jusqu'ici à s'en débarrasser, voilà que Li Guangtou proposait de s'en porter acquéreur. Le marché fut conclu en deux coups de cuillère à pot. Quand Li Guangtou fut devenu propriétaire de l'usine, et une fois les travaux de rénovation achevés, il changea sa raison sociale, qui se transforma en "Centre de recherches en économie du bourg des Liu". La plaque apposée à l'entrée fut modifiée en conséquence. Mais au bout de quelques jours, Li Guangtou trouva que le mot "centre" était par trop ringard et, comme il était allé au Japon, il le remplaça par ceux de "*kabushiki-kaisha* [1]". De sorte que sur la plaque de l'entrée de l'ex-usine d'assistés sociaux on put lire : "*Kabushiki-kaisha* de recherches en économie du bourg des Liu." Li Guangtou signa un contrat d'embauche à chacun de ses quatorze employés : il engagea le directeur boiteux comme directeur de la société et le directeur adjoint boiteux comme directeur adjoint, et il donna aux douze autres le titre de "chercheur confirmé", et chacun fut gratifié d'un salaire de professeur d'université. Le directeur boiteux et le directeur adjoint boiteux étaient bouleversés quand ils reçurent leur contrat d'embauche : ils comprirent qu'à compter de maintenant, c'est Li Guangtou qui subviendrait à leurs besoins. Les yeux pleins de larmes, ils s'enquirent :

— Monsieur le directeur Li, sur quoi vont porter nos recherches ?

— Sur le jeu d'échecs, répondit Li Guangtou. Sur quoi d'autre pourriez-vous travailler ?

— Parfait, acquiescèrent les deux directeurs, avant de poursuivre : Et les douze chercheurs confirmés de la *kabushiki-kaisha*, sur quoi vont-ils travailler, eux ?

— Les douze chercheurs confirmés ?

Li Guangtou réfléchit un moment :

— Les quatre aveugles étudieront la lumière, les cinq sourds étudieront le son. Et les trois idiots, à quoi vont-ils s'occuper ? Putain, on n'a qu'à les faire plancher sur la théorie de l'évolution.

Après avoir casé ses quatorze fidèles, Li Guangtou fit venir de la capitale provinciale, à ses frais, deux chefs jardiniers, et il embaucha de la main-d'œuvre pour installer une pelouse, semer des fleurs et même dresser un jet d'eau devant la porte du gouvernement du district. L'endroit devint immédiatement un lieu de promenade pour les masses de notre bourg des Liu. Les soirs ou en fin de semaine, les familles venaient s'y balader, en s'extasiant devant la beauté du site. Quand les dirigeants de l'échelon supérieur venus en visite d'inspection virent les montagnes de détritus d'autrefois remplacées par du gazon, des fleurs et une fontaine, ils ne tarirent pas d'éloges sur le nouveau décor et eurent du mal à s'en arracher. Les dirigeants du district étaient aux anges. Le chef du district en costume "Nakasone" s'en fut trouver en personne Li Guangtou pour le remercier au nom du gouvernement et de la population de tout le district. Et non seulement Li Guangtou ne fit pas preuve d'arrogance, mais il serra la main du chef du district avec une mine contrite en lui adressant toutes ses excuses, ainsi qu'au gouvernement et à la population de tout le district, pour avoir entassé des montagnes de détritus devant le portail : la pelouse, les fleurs et le jet d'eau qu'il avait offerts étaient pour lui une manière de se racheter.

Li Guangtou était désormais un homme qui comptait aux yeux des dirigeants locaux, et il fut nommé représentant à l'Assemblée du district[2]. Au bout de six mois, quand Tao Qing, vêtu de son costume "Takeshita", devint chef du district, Li Guangtou gravit un échelon supplémentaire en accédant au comité permanent de l'Assemblée du district. Bien que riche, Li Guangtou n'avait pas abandonné ses guenilles, et même pour participer aux séances de l'Assemblée du district il ne faisait pas de frais de toilette. Lorsqu'il montait à la tribune pour s'exprimer, on aurait cru un mendiant. Le chef du district Tao Qing finit par en être excédé et le rappela à l'ordre en pleine réunion. Après que Tao Qing eut fini de parler, Li Guangtou remonta à la tribune qu'il venait de quitter. Chacun crut, à cet instant, qu'il allait prendre l'engagement de ne plus porter ses hardes, or, à la surprise générale, il commença par expliquer pourquoi il était vêtu ainsi : du temps qu'il était pauvre, il avait dû travailler dur, et à présent qu'il était riche il devait travailler plus dur encore. Et il conclut, en montrant du doigt ses vêtements râpés :

— J'ai deux sources d'inspiration, une lointaine et une plus proche : j'imite le roi de Yue, Goujian, à l'époque des Printemps et Automnes, qui couchait sur de la paille et goûtait du fiel[3] ; et j'imite les paysans pauvres et moyens pauvres, à l'époque de la Révolution culturelle, qui se remémoraient leurs souffrances passées pour mieux apprécier leur bonheur présent[4].

A la fin de l'année, Li Guangtou convoqua Yu l'Arracheur de dents et Wang les Esquimaux à son bureau de la compagnie de récupération pour leur annoncer que la collecte de l'année avait été bonne et les bénéfices à l'avenant. Yu l'Arracheur de dents, qui avait acheté deux actions pour un montant de 2 000 yuans, toucha un dividende de 20 000 yuans ; et Wang les Esquimaux qui n'en avait acheté qu'une, reçut 10 000 yuans. Les billets de 100 yuans n'existaient pas encore à l'époque[5], et les plus grosses coupures étaient de 10 yuans. Li Guangtou poussa devant Yu l'Arracheur de dents vingt liasses épaisses de billets, et il en poussa dix, tout aussi épaisses, devant Wang les Esquimaux. Les deux hommes se regardèrent, n'osant en croire leurs yeux. Li Guangtou, carré dans son fauteuil comme s'il était au cinéma, les observait en riant.

Yu l'Arracheur de dents et Wang les Esquimaux comptèrent et recomptèrent les billets en marmonnant : en moins d'un an, l'argent investi par eux avait été multiplié par dix. Yu l'Arracheur de dents et Wang les Esquimaux souriaient bêtement :

— Avec 2 000 yuans, j'en ai gagné 20 000, bredouilla Yu l'Arracheur de dents. Même en rêve, je ne l'aurais jamais cru.

— Ce n'est pas de l'argent gagné, ce sont des dividendes, rectifia Li Guangtou. Tous les deux, vous êtes mes actionnaires, et désormais, chaque année, je vous verserai des dividendes.

Wang les Esquimaux, tel un somnambule, demanda :

— Je vais toucher 10 000 yuans tous les ans ?

— Pas forcément, dit Li Guangtou. L'an prochain, ce sera peut-être 50 000 yuans.

Wang les Esquimaux ressentit une secousse, comme s'il avait été atteint par une balle, et il faillit tomber de sa chaise. Yu l'Arracheur de dents était médusé :

— Et pour moi, est-ce que ça sera 100 000 yuans ?

— Bien sûr, acquiesça Li Guangtou. Si Wang les Esquimaux touche 50 000 yuans, toi tu en toucheras le double.

Le doute se peignit à nouveau sur les visages de Yu l'Arracheur de dents et de Wang les Esquimaux. Ils se regardaient, ne parvenant pas à croire à un si grand bonheur.

— On ne rêve pas ? demanda prudemment Wang les Esquimaux à Yu l'Arracheur de dents.

Yu l'Arracheur de dents hocha la tête puis la secoua :

— Je n'en sais rien.

Li Guangtou s'esclaffa :

— Pincez-vous la main. Si ça fait mal, c'est que vous ne rêvez pas ; si ça ne fait pas mal, c'est que vous rêvez.

Les deux hommes s'exécutèrent aussitôt. Yu l'Arracheur de dents, tout en se pinçant la main, interrogea Wang les Esquimaux :

— Ça te fait mal ?

Wang les Esquimaux secoua la tête, inquiet :

— Pas encore.

Yu l'Arracheur de dents était tendu lui aussi :

— Moi non plus, ça ne me fait rien.

Li Guangtou se tordait de rire :

— Vous êtes trop drôles, j'en ai mal au ventre ! s'exclama-t-il. Si vous n'arrivez pas à sentir la douleur en vous pinçant, approchez vos mains, c'est moi qui vais vous pincer.

Yu l'Arracheur de dents et Wang les Esquimaux s'exécutèrent. Li Guangtou saisit la main de l'un et de l'autre et les pinça de toutes ses forces.

— Ouille, ça fait mal, s'écrièrent en même temps Yu l'Arracheur de dents et Wang les Esquimaux.

Et le premier, se tournant vers le deuxième, ajouta, radieux :

— Alors, c'est donc qu'on ne rêve pas.

Wang les Esquimaux était encore plus radieux. Il montra sa main à Yu l'Arracheur de dents :

— Il m'a pincé jusqu'au sang.

La bouche de Yu l'Arracheur de dents et celle de Wang les Esquimaux faisaient office de station de radio locale. Enchantés par leur moisson, les deux hommes diffusaient à qui voulait les entendre le récit de leur marche vers la fortune. Tout le monde les enviait. Quant à Tong le Forgeron, Zhang le Tailleur, et Guan les Ciseaux le Jeune, ils faisaient grise mine. Zhang le Tailleur et Guan les Ciseaux le Jeune se retrouvaient tous les jours pour se plaindre de Tong le Forgeron et regretter de ne pas être entrés dans la combine, et de fil en aiguille, ils en arrivèrent même à décréter que c'était ce dernier qui les en avait empêchés. Sans cela, prétendirent-ils, ils seraient aussi riches que Yu l'Arracheur de dents et Wang les Esquimaux, voire plus, qui sait. Jouant les stratèges d'après la bataille, ils assurèrent qu'au moment où Li Guangtou les avait sollicités ils auraient été prêts à vendre tous leurs biens pour investir l'argent récolté dans son affaire de fripes. Tong le Forgeron savait que ces deux salopards lui cassaient continuellement du sucre sur le dos, mais il feignait de l'ignorer. Assis dans sa forge, lui aussi s'accablait de reproches, ne se consolant pas d'avoir été assez aveugle pour prendre des actions la fois où il ne le fallait pas, et de n'en avoir point pris quand c'était rentable. Il se tordait les mains, passant toute sa colère sur ses dix doigts. La mère Su, elle aussi, se repentait. Li Guangtou lui avait fait une offre au moment de quitter le bourg des Liu pour son deuxième envol. Mais alors que l'argent était sur le point de couler à flots, elle avait refusé sa proposition, au motif qu'elle n'était pas allée depuis longtemps brûler de l'encens au temple. Dès qu'elle y repensait, elle soupirait, certaine que si elle s'était rendue là-bas, elle aurait acheté des actions :

— C'est parce que je ne suis pas allée brûler de l'encens au temple que ça n'a pas marché, répétait-elle à tout bout de champ.

Depuis son retour du Japon, Li Guangtou savait que son commerce de fripes avait atteint son pic et qu'il ne pourrait plus que décliner. Il diversifia donc ses activités. Il commença par monter une usine de prêt-à-porter et, fidèle à ses anciennes amitiés, il embaucha Zhang le Tailleur comme directeur adjoint, chargé des problèmes techniques. Zhang le Tailleur, ému aux larmes, son mètre ruban autour du cou, se démenait dans l'atelier, où il arrivait toujours le premier et dont il partait le dernier, et il contrôlait la qualité des produits avec un zèle farouche. Quand l'usine de prêt-à-porter parvint à voler de ses propres ailes, Li Guangtou, poursuivant sur sa lancée, ouvrit deux restaurants et un établissement de bains, et il s'attaqua à l'immobilier. Lorsqu'à la fin de l'année suivante on répartit à nouveau les bénéfices, Yu l'Arracheur de dents et Wang les Esquimaux, comme prévu, empochèrent respectivement 100 000 et 50 000 yuans, mais cette fois-ci ils ne tombèrent pas des nues et ne manifestèrent aucune surprise. Chacun avait apporté un sac de voyage et y fourra ses billets, avec autant de flegme que s'il avait rempli une jarre de riz.

Li Guangtou, assis sur une chaise, les regardait ranger placidement les liasses de billets dans leurs sacs. Leur expression faisait plaisir à voir, et il les complimenta :

— Vous avez mûri.

Yu l'Arracheur de dents et Wang les Esquimaux eurent un sourire pincé, et restèrent sur leur siège, sans bouger. Li Guangtou réfléchit un moment, puis il releva la tête :

— Vous connaissez l'expression "Marchand ambulant et commerçant établi" ? On ne devient un "commerçant" qu'une fois établi, et c'est alors que les affaires prennent vraiment de l'envergure. Tant qu'on court à droite et à gauche, on ne peut faire que des petites affaires, et on n'est qu'un vulgaire "marchand".

Li Guangtou expliqua à Yu l'Arracheur de dents et à Wang les Esquimaux que ses affaires avaient pris une autre dimension. Son commerce de fripes continuait, son usine de prêt-à-porter ne cessait d'embaucher, ses deux restaurants et son établissement de bains marchaient du feu de Dieu, sans compter ses multiples opérations immobilières. Il était toujours par monts et par vaux comme un forain, et il devait être partout à la fois. S'il était encore capable d'assurer pour l'instant, ce ne serait plus le cas lorsqu'il serait à la tête de quarante voire de quatre cents entreprises, même en se déplaçant en avion de combat F-16. Lui qui croyait être un grand homme d'affaires, il découvrait, à la réflexion, qu'il n'était encore qu'un "marchand ambulant". Il parlait en agitant les mains, et quand il se leva, il annonça solennellement sa décision à Yu l'Arracheur de dents et à Wang les Esquimaux : il avait l'ambition de devenir un "commerçant établi". Il allait s'inspirer de la méthode utilisée par Qin Shihuang pour unifier la Chine[6], et créer une holding qui engloberait toutes ses entreprises, et dorénavant, il serait un "commerçant établi" dans les locaux de sa holding, gérant ses affaires selon le principe du centralisme et se contentant de descendre occasionnellement à la base pour voir ce qui s'y passait. Comme Yu l'Arracheur de dents et Wang les Esquimaux n'arrêtaient pas de hocher la tête, Li Guangtou leur demanda :

— Savez-vous pourquoi Qin Shihuang a voulu unifier la Chine ?

— Non, avouèrent les deux hommes, après avoir échangé un regard.

— C'est précisément parce que ce salopard voulait faire du commerce à grande échelle, dit Li Guangtou fièrement. Il ne voulait plus être un "marchand ambulant", il voulait être un "commerçant établi".

Yu l'Arracheur de dents et Wang les Esquimaux étaient tout feu tout flamme :

— Et quand tu seras "établi", qu'est-ce qu'on sera, nous ?

— Vous serez actionnaires et administrateurs de la holding. Quant à moi, ajouta-t-il en se montrant du doigt, je serai le président du conseil d'administration, et le P-DG.

Yu l'Arracheur de dents et Wang les Esquimaux riaient à gorge déployée en se regardant :
— Est-ce que nous aurons des cartes de visite d'administrateurs ? s'enquit Wang les Esquimaux, avec un large sourire.
— Evidemment, dit Li Guangtou, qui s'emballa. Si vous voulez avoir d'autres titres, je peux envisager de vous nommer P-DG adjoints.
— D'accord ! s'exclama Yu l'Arracheur de dents, en se tournant vers Wang les Esquimaux : Il vaut mieux plus de titres que moins.
— C'est vrai, approuva Wang les Esquimaux, avant de s'adresser à Li Guangtou : Qu'est-ce que tu aurais encore comme titres à nous proposer ?
— Je n'en ai pas d'autres, répliqua Li Guangtou, qui commençait à s'énerver. D'où voulez-vous que je les sorte ?

Yu l'Arracheur de dents, voyant que Li Guangtou perdait patience, s'empressa de pousser Wang les Esquimaux et de lui faire la leçon :
— Il ne faut pas être trop gourmand.

Lorsque Yu l'Arracheur de dents et Wang les Esquimaux eurent été nommés administrateurs et P-DG adjoints, ils étaient encore plus prompts que Li Guangtou à exhiber leur carte de visite. Postés dans la grande rue de notre bourg des Liu, ils les distribuaient aux passants comme des prospectus.

Tong le Forgeron et Guan les Ciseaux le Jeune en avaient reçu une, eux aussi. Depuis que Zhang le Tailleur travaillait avec Li Guangtou, Guan les Ciseaux le Jeune n'avait plus d'ami et avait dû se résoudre à se rabibocher avec Tong le Forgeron. Les cartes de visite de Yu l'Arracheur de dents et de Wang les Esquimaux en main, il fit observer à Tong le Forgeron que ces deux salopards avaient pris la grosse tête et qu'ils donnaient leur carte de visite à tout le monde, y compris aux poulets, aux canards, aux chats et aux chiens du bourg des Liu.

Tong le Forgeron était un homme avisé, et il fut le premier, dans notre bourg des Liu, à suivre Li Guangtou sur le chemin de la fortune. En voyant le niveau de vie dans le bourg s'élever et les paysans des campagnes avoisinantes s'enrichir, il comprit qu'en continuant de battre le fer il n'avait pas d'avenir. Il cessa donc de fabriquer des couteaux pour les masses qui vivaient en ville, et des faucilles et des houes pour les paysans de la campagne, et un beau jour sa forge disparut pour être remplacée par une boutique de coutellerie.

Tong le Forgeron ne fumait ni ne buvait. Il était debout derrière son comptoir, tout fringant. Ses grosses mains qui battaient le fer avaient l'air épaisses et maladroites, et pourtant il comptait les billets avec plus de dextérité qu'un employé de banque. Il passait son doigt sur sa langue en vitesse et faisait défiler les billets à toute allure : il aurait pu rivaliser avec une machine à compter les billets.

Guan les Ciseaux le Jeune avait lui aussi de moins en moins de clients, et la situation se dégrada encore quand Tong le Forgeron eut ouvert sa boutique de coutellerie. Guan les Ciseaux le Jeune était furieux, il accusait Tong le Forgeron de lui avoir cassé son bol de riz, et cessa toute relation avec lui. De nouveau, les ponts étaient rompus entre eux.

Tandis que les affaires de Tong le Forgeron étaient de plus en plus prospères, Guan les Ciseaux le Jeune finit par n'avoir plus aucun chaland. Contraint de mettre la clef sous la porte, il errait à longueur de journée, désœuvré, dans le bourg. Il y rencontrait souvent Yu l'Arracheur de dents et Wang les Esquimaux, tout aussi désœuvrés que lui, et les trois hommes se réunissaient comme par le passé. Guan les Ciseaux le Jeune déblatérait sur le compte de Tong le Forgeron : à cause de lui, il n'avait pas pu souscrire au projet de Li Guangtou, à cause de lui aussi ses clients avaient déserté sa boutique et il avait dû interrompre définitivement un commerce de rémouleur qui faisait vivre sa famille depuis trois générations, pour se retrouver à la rue.

Yu l'Arracheur de dents et Wang les Esquimaux plaignaient Guan les Ciseaux le Jeune du fond du cœur.

— On devrait peut-être en parler au P-DG Li, suggéra Wang les Esquimaux à Yu l'Arracheur de dents, pour qu'il lui trouve un boulot.

— Pour quoi faire ? dit Yu l'Arracheur de dents. Nous sommes, toi et moi, P-DG adjoints. Pour un autre travail je ne dis pas, mais pour un emploi de portier on peut prendre sur nous d'embaucher Guan les Ciseaux le Jeune.

— Moi portier ? Et puis quoi encore ! répliqua Guan les Ciseaux le Jeune, furieux. Si je ne m'étais pas laissé aller à faire le mauvais choix dans un moment d'égarement, moi aussi, à l'heure qu'il est, je serais administrateur et P-DG adjoint, et je serais même un échelon plus haut que vous dans la hiérarchie.

Et Guan les Ciseaux le Jeune les planta là. Wang les Esquimaux regarda d'un air ahuri Yu l'Arracheur de dents, lequel secoua la main, la mine dégoûtée :

— En voilà un qui mordrait la main qui lui donne à manger.

Guan les Ciseaux le Jeune tira les conclusions qui s'imposaient : puisqu'il n'avait plus d'avenir au bourg des Liu, pourquoi n'irait-il pas courir sa chance ailleurs ? Il pensa à Li Guangtou : la première fois qu'il avait tenté l'aventure, il était rentré de Shanghai la queue basse ; la deuxième fois qu'il avait tenté l'aventure, il était rentré du Japon plein aux as. S'il voulait courir sa chance, il devait aller la courir le plus loin possible. Il boucla ses bagages et longea la grande rue de notre bourg des Liu jusqu'à la gare routière.

C'était le début du printemps. Guan les Ciseaux le Jeune partait, le cœur ivre d'espérances, un sac sur le dos, tirant derrière lui une valise. Son père, Guan les Ciseaux l'Ancien, le suivait péniblement en s'appuyant sur sa canne. Tout le long du chemin, Guan les Ciseaux le Jeune se soûlait de grands mots. Il était persuadé, en partant sillonner le monde, de faire mieux que Li Guangtou : il s'en irait plus loin et verrait plus de gens ; il reviendrait plus riche de savoir et d'argent. Guan les Ciseaux l'Ancien ne parvenait pas à suivre le rythme et se laissait distancer de plus en plus, et le vieillard souffreteux suppliait son fils de ne pas s'en aller, lui criant d'une voix cassée :

— Ton destin, ce n'est pas d'être riche. Ce n'est pas parce que d'autres ont fait fortune à l'étranger, qu'il en ira pareil pour toi.

Guan les Ciseaux le Jeune restait sourd aux cris de son père. Il saluait les masses de notre bourg des Liu avec des gestes enthousiastes, et les masses s'imaginaient qu'il se rendait en Europe ou aux Etats-Unis. On l'acclamait sur son passage et on lui demandait s'il comptait commencer par l'Europe ou par les Etats-Unis.

— Je vais d'abord à Hainan[7], répondit-il, pour la plus grande déception de tous.

— Hainan, c'est moins loin que le Japon, fit observer quelqu'un.

— Certes, c'est moins loin que le Japon, admit Guan les Ciseaux le Jeune, mais c'est quand même beaucoup plus loin que Shanghai, là où Li Guangtou est allé la première fois.

L'autocar qui emportait Guan les Ciseaux le Jeune avait déjà quitté la gare du bourg des Liu quand Guan les

Ciseaux l'Ancien arriva en clopinant. Les deux mains appuyées sur sa canne, les yeux rivés sur les volutes de poussière soulevées par le véhicule, il dit, le visage noyé de larmes :

— Mon fils, tu es né pour être pauvre, et où que tu ailles tu le resteras…

Au même moment, Li Guangtou quittait lui aussi le bourg des Liu. Il se rendait à Shanghai. Il était venu à la gare routière avec ses éternels habits râpés, accompagné d'un jeune homme qui portait ses paquets et qui avait l'air d'un serviteur. Quelqu'un l'aperçut et l'interrogea sur ce jeune homme. Li Guangtou répondit que c'était son chauffeur. Celui qui avait posé la question trouva la chose fort plaisante : Li Guangtou avait embauché un chauffeur alors qu'il n'avait pas de voiture, répétait-il à qui voulait l'entendre, et ils étaient partis tous les deux à Shanghai en autocar.

Li Guangtou revint quelques jours plus tard, mais pas par l'autocar : il s'était acheté à Shanghai une Santana[8] rouge. Il possédait maintenant une voiture personnelle. Le chauffeur s'engagea dans notre bourg des Liu au volant de la voiture de Li Guangtou et se gara à la porte du grand magasin. Li Guangtou sortit de sa Santana, vêtu d'un costume Armani noir : il avait jeté ses hardes dans une poubelle de Shanghai.

Quand Li Guangtou descendit de la Santana, les masses ne le reconnurent pas tout de suite. Elles étaient habituées à ses vêtements râpés et ne s'attendaient pas à le voir subitement dans un costume Armani. En outre, à l'époque, seuls les camarades dirigeants se déplaçaient dans des voitures individuelles. Les spéculations allaient bon train pour savoir qui était ce personnage important en complet-veston et en chaussures de cuir. Ce crâne lisse leur rappelait quelqu'un, mais qui ? Peut-être l'avaient-ils vu à la télévision : n'était-ce pas un dirigeant venu de la municipalité, ou bien un dirigeant venu de la capitale provinciale ? On en était à se demander s'il ne s'agissait pas d'un dirigeant venu de Pékin, quand, passant par là, l'idiot érotomane, qui portait toujours à son poignet la montre à l'heure de Greenwich, s'exclama d'une voix sonore :

— Monsieur le directeur Li !

Les masses furent stupéfaites par cette révélation :

— C'était donc Li Guangtou !

Quelqu'un ajouta :

— Ce type-là ressemble drôlement à Li Guangtou ! On pourrait les confondre !

XXVII

Notre bourg des Liu fut chamboulé de fond en comble. Li Guangtou, le gros bonnet, et Tao Qing, le chef du district, se mirent de mèche et proclamèrent qu'ils voulaient abattre le vieux bourg des Liu pour en créer un neuf. Aux yeux des masses, ces deux-là symbolisaient la collusion du monde de l'administration et du monde des affaires : Tao Qing fournissait les documents à en-tête rouge, Li Guangtou fournissait l'argent et le travail. Toutes les rues, d'est en ouest, furent rasées systématiquement, et notre vieux bourg des Liu en sortit méconnaissable. Pendant pas moins de cinq ans, la poussière volait du matin jusqu'au soir, et les masses se plaignaient. Elles disaient : "Dans les poumons moins d'air que de poussière ; autour du cou un foulard de poussière." Elles disaient aussi : "Li Guangtou est un bombardier B-52 qui déverse un tapis de bombes sur notre joli bourg des Liu." Les esprits éclairés se montraient encore plus amers. A les écouter, un épisode des *Trois Royaumes*, un épisode et demi du *Voyage en Occident* et deux épisodes de *Au bord de l'eau* se seraient déroulés au bourg des Liu, et maintenant tout cela avait disparu par la faute de Li Guangtou.

Li Guangtou avait démoli le vieux bourg des Liu et reconstruit un nouveau bourg des Liu. En l'espace de cinq ans, les grandes artères avaient été élargies, et les ruelles aussi. De nouveaux immeubles étaient sortis de terre l'un après l'autre, et les masses n'avaient plus de poussière autour du cou et elles respiraient mieux. Pourtant, elles continuaient à rouspéter : si les maisons d'hier n'étaient pas très commodes, c'est l'Etat et lui seul qui devait les bailler ; les maisons d'aujourd'hui étaient toutes à la mode, mais c'est à Li Guangtou qu'il fallait les payer. Le proverbe prétend que le lapin ne mange pas l'herbe autour de son terrier, mais les scrupules n'étouffaient pas Li Guangtou, et il avait mangé l'herbe autour de son terrier jusqu'au dernier brin. L'argent qu'il accumulait, il le gagnait sur le dos de ses compatriotes. Et les masses d'égrener leurs doléances : l'argent d'aujourd'hui n'était plus rien, 1 000 yuans d'aujourd'hui ne valaient pas 100 yuans d'autrefois. Les anciens du bourg se plaignaient que les rues du bourg aient été élargies : il n'y passait plus que des voitures et des bicyclettes, et c'étaient des concerts de klaxons du matin jusqu'au soir. Les rues d'autrefois étaient peut-être étroites, mais on pouvait s'y parler d'un bout à l'autre toute la journée sans qu'il soit besoin d'élever la voix : aujourd'hui où qu'on soit, il est vain d'essayer ; serrés l'un contre l'autre il faut s'égosiller. Jadis, il n'y avait qu'un seul grand magasin et qu'une seule boutique de tissu, et maintenant on comptait sept ou huit supermarchés ou centres commerciaux, et les magasins de confection avaient poussé comme des champignons. Aux devantures des boutiques qui bordaient les deux côtés des rues étaient suspendus des vêtements pour hommes et des vêtements pour dames, des vêtements de toutes les couleurs.

Les masses de notre bourg des Liu assistèrent à la métamorphose de Li Guangtou en pétrolier de 10 000 tonnes. Si vous alliez dîner au restaurant le plus huppé de notre bourg des Liu, c'était Li Guangtou qui en était le propriétaire ; si vous alliez à l'établissement de bains le plus chic, c'était aussi Li Guangtou qui en était le propriétaire ; si vous alliez faire vos achats dans le plus grand centre commercial, c'était encore Li Guangtou qui en était le propriétaire. Les cravates que les masses de notre bourg des Liu avaient autour du cou, les chaussettes qu'elles portaient aux pieds, caleçons et culottes, souliers de cuir et bottes, cardigans ou manteaux, complets occidentaux, tous munis de griffes étrangères, étaient fabriqués par Li Guangtou, car Li Guangtou avait passé un contrat d'assemblage avec une vingtaine de grandes marques mondiales de confection. Les masses de notre bourg des Liu habitaient dans des ensembles immobiliers exploités par Li Guangtou, les légumes et les fruits qu'elles mangeaient leur étaient fournis par Li Guangtou. Li Guangtou avait même acheté le crématorium et le cimetière, et les masses du bourg devaient en passer par lui même après leur mort. Li Guangtou fournissait aux masses du bourg une chaîne de services dont il avait le monopole : de l'alimentation aux vêtements, du logement aux biens de première nécessité, du berceau à la tombe. Nul n'aurait su dire combien d'affaires il dirigeait exactement, ni quel était le montant de ses revenus annuels. Il proclamait, en se frappant la poitrine, que ce putain de gouvernement du district vivait entièrement sur les putains de taxes qu'il lui versait. Des flatteurs lui dirent qu'il était le PIB de toute la population du district. La comparaison le ravit :

— C'est vrai que c'est moi le putain de PIB.

Yu l'Arracheur de dents et Wang les Esquimaux avaient prospéré en même temps que lui. Wang les Esquimaux se tournait les pouces, il passait ses journées à baguenauder, et affirmait en fronçant les sourcils qu'il n'arrivait pas à dépenser son argent. Il était né pour être pauvre, et maintenant qu'il était plein aux as il ne savait que faire de ses sous. Quant à Yu l'Arracheur de dents, depuis qu'il était riche, il avait disparu de la circulation. Du 1er janvier au 31 décembre, il était par monts et par vaux. En cinq ans, il avait bourlingué dans toute la Chine, et à présent il parcourait le globe en voyage organisé. Les quatorze boiteux, idiots, aveugles et sourds de l'usine d'assistés sociaux, depuis qu'ils étaient devenus comme par enchantement quatorze chercheurs confirmés, se la coulaient douce et vivaient comme des coqs en pâte. Au bourg, on les appelait les quatorze fils à papa.

L'usine de quincaillerie avait déposé son bilan et mis la clef sous la porte. Liu l'Ecrivain avait perdu son poste, et Song Gang également. Liu l'Ecrivain était déboussolé : jamais il n'aurait imaginé que le monde changerait aussi vite, que le chiffonnier Li Guangtou deviendrait le plus gros nabab du bourg, et que lui-même, malgré son bol de riz en fer[1], perdrait son emploi et se retrouverait sans perspectives d'avenir. Rencontrant dans la rue Song Gang, au chômage comme lui, il lui donna une tape sur l'épaule, en signe d'affectueuse solidarité, puis une idée lui vint soudain :

— Après tout, tu es quand même le frère de Li Guangtou…

Et Liu l'Ecrivain en profita pour se lancer dans une mercuriale contre ce dernier, vitupérant contre ces gens sans scrupules qui, une fois parvenus, se mêlent des affaires de tout le monde mais ne s'occupent plus de leur propre frère. Sans même parler de Yu l'Arracheur de dents et de Wang les Esquimaux, les quatorze boiteux, idiots, aveugles et sourds s'étaient mués grâce à Li Guangtou en aristocrates du bourg, mais il n'avait pas une pensée pour son frère qui crevait de faim, feignant de ne rien savoir et de ne rien voir. Et Liu l'Ecrivain crut le moment venu de placer une citation :

— Li Guangtou et toi, c'est comme dans le poème : Aux portes de pourpre pourrissent vin et viande ; Mais dans les rues gisent les os des morts de froid[2].

— Moi je ne suis pas mort de froid, répliqua sèchement Song Gang, et chez Li Guangtou il n'y a pas de vin ni de viande qui pourrissent.

Le jour où il fut licencié, Song Gang, comme à l'accoutumée, alla chercher Lin Hong à la manufacture de tricots sur sa bicyclette. Sa Forever l'accompagnait depuis plus de dix ans et, pendant ces dix ans, il avait fait le chemin qu'il vente ou qu'il pleuve. A présent, les ouvrières de la manufacture avaient depuis belle lurette leur propre bicyclette, et leurs bicyclettes étaient de marques étrangères. Beaucoup d'entre elles avaient un vélomoteur, et dans les centres commerciaux de notre bourg des Liu on ne vendait plus de Forever. Même si Lin Hong et Song Gang ne roulaient pas sur l'or, il ne leur manquait à la maison ni la télévision couleurs, ni le réfrigérateur, ni la machine à laver, et ils auraient pu facilement faire l'acquisition d'un vélo neuf. Si Lin Hong ne s'était pas acheté une bicyclette pour elle, c'était parce que depuis plus de dix ans Song Gang et sa Forever étaient chaque jour fidèles au rendez-vous. Elle voyait bien que la Forever était vieille et démodée. Tandis que les autres ouvrières s'en allaient sur des bicyclettes dernier cri ou des vélomoteurs, Lin Hong sautait comme d'habitude sur le siège arrière de la Forever, elle passait son bras comme d'habitude autour de la taille de l'homme qui pédalait, et comme d'habitude souriait aux anges. Son bonheur n'était plus, comme il y a dix ans, de posséder son propre véhicule : son bonheur tenait dans le dévouement sans faille au long de ces dix années de cet homme et de cette Forever.

Song Gang était debout à la porte de la manufacture, il s'appuyait sur sa vieille Forever. Cet homme qui venait de perdre son travail, enveloppé dans les lueurs du soleil couchant, regardait avec des yeux tristes les ouvrières qui se pressaient à la grille de l'usine. Quand la sonnerie eut retenti et que les grilles se furent ouvertes, des centaines de bicyclettes, de motocyclettes et de cyclomoteurs Qingqi[3] se ruèrent comme s'ils faisaient la course, dans un tintamarre de sonnettes et de klaxons. Lorsque cette vague énorme eut déferlé, Song Gang aperçut Lin Hong tel un corail abandonné par la marée sur le sable, qui avançait toute seule sur le chemin déserté de l'usine.

La nouvelle de la fermeture de l'usine de quincaillerie s'était répandue instantanément dans la ville, et Lin Hong l'avait apprise dans l'après-midi. Elle en avait eu un coup au cœur, et elle était encore sous le choc. Elle ne s'inquiétait pas parce que Song Gang était au chômage, elle s'inquiétait de savoir comment il allait supporter la chose. Lin Hong franchit la porte de l'usine et, arrivée près de Song Gang, elle leva les yeux vers son mari, qui souriait tristement. Song Gang remua les lèvres pour annoncer à Lin Hong qu'il était au chômage, mais Lin Hong ne le laissa pas parler, elle le devança :

— Je suis déjà au courant.

Lin Hong remarqua que Song Gang avait une petite feuille dans les cheveux, et elle songea qu'elle avait dû s'accrocher quand il était passé sous les arbres en venant la chercher. Elle retira la feuille et dit en souriant :

— Rentrons.

Song Gang hocha la tête, il se retourna pour grimper sur la bicyclette, et Lin Hong s'installa derrière lui en amazone. La vieille Forever grinçait en traversant les rues de notre bourg des Liu. Lin Hong tenait Song Gang par la taille, la joue appuyée contre son dos. Song Gang avait l'impression que les bras de Lin Hong se cramponnaient à lui avec encore plus de chaleur que d'habitude, et que son visage était serré contre son dos avec encore plus de tendresse. Il sourit.

Quand ils furent de retour à la maison, Lin Hong se rendit dans la cuisine pour préparer le dîner, tandis que Song Gang renversait sa bicyclette et la posait sur la selle devant la porte. Il sortit ses outils et commença par démonter les roues, puis les pédales et le cadre. Quand il eut entièrement démonté son engin, il posa les pièces par terre bien en ordre et, assis sur un tabouret, il entreprit de les essuyer soigneusement une à une avec un chiffon. Le soir tombait, les lampadaires s'allumèrent. Le repas était prêt et Lin Hong sortit pour appeler Song Gang. Celui-ci secoua la tête et déclara qu'il n'avait pas faim :

— Commence sans moi.

Lin Hong, son bol à la main, prit une chaise et vint s'asseoir dehors, devant la porte. Tout en mangeant, elle observait Song Gang s'affairant sous le lampadaire. Il briquait les pièces de sa bicyclette avec des gestes précis. La scène lui était familière, et elle avait souvent répété autrefois que Song Gang s'occupait de sa bicyclette comme d'un enfant. Ces mots-là, qu'elle avait prononcés on ne sait combien de fois, elle les prononça de nouveau. Song Gang se mit à rire, et quand il eut remonté la bicyclette toute propre, il annonça à Lin Hong son intention de chercher un emploi dès le lendemain. Il ne savait pas quel genre de travail il trouverait, ni quels seraient ses horaires. Il ajouta que dorénavant il ne pourrait plus la conduire à la manufacture de tricots ni aller la chercher… Sur ce, il se leva, redressa son dos un peu ankylosé :

— Dorénavant, c'est toi qui prendras le vélo pour aller au boulot.

— Hmm, fit Lin Hong.

Maintenant que la bicyclette était impeccable, Song Gang en graissa le plateau. Ensuite, il s'essuya les mains avec un torchon, monta sur l'engin et l'essaya. La bicyclette ne grinçait plus. Il posa le pied à terre, satisfait, puis baissa la selle. Après quoi il poussa la vieille Forever jusqu'à Lin Hong, et l'invita à l'essayer à son tour. Lin Hong avait fini de manger et tenait à la main le bol qu'elle avait préparé pour Song Gang. Song Gang prit le bol, et Lin Hong la bicyclette. Il s'assit sur la chaise que Lin Hong venait de quitter et, tout en mangeant, il la regarda enfourcher la bicyclette sous le lampadaire et se mettre à pédaler. Elle fit trois tours devant Song Gang et déclara qu'elle se sentait très à l'aise. La Forever avait dix ans, mais quand on était dessus on aurait juré qu'elle était neuve. Song Gang avait remarqué qu'un détail clochait. Il se leva, posa son bol et ses baguettes sur son siège, et quand Lin Hong fut descendue du vélo, Song Gang baissa la selle un peu plus, et invita Lin Hong à remonter sur l'engin. Lorsqu'il constata qu'une fois assise sur la selle elle avait les deux pointes de pied qui reposaient sur le sol, il hocha la tête, rassuré :

— Quand tu serres les freins, lui recommanda-t-il, il faut absolument que tu mettes les pointes de pied par terre. Autrement, tu risques de tomber.

XXVIII

La maison où vivaient Song Gang et Lin Hong ayant été démolie, ils emménagèrent au rez-de-chaussée d'un immeuble neuf situé en bordure de la rue, juste en face de la boutique de *dim sum* de la mère Su qui avait été déplacée, et ne se trouvait donc plus aux abords de la gare. Zhao le Poète avait dû lui aussi élire domicile ailleurs : il habitait maintenant dans le même immeuble que Lin Hong et Song Gang, au premier étage. Il avait installé son lit exprès au-dessus du leur et au milieu de la nuit, quand il n'y avait plus de bruit, il tendait l'oreille depuis sa couche pour surprendre les ébats des canards mandarins, mais en vain. Il s'allongeait alors sur le sol et collait son oreille contre le ciment, sans plus de résultat. Comment un couple pouvait-il être aussi discret ? s'interrogeait Zhao le Poète. Song Gang et Lin Hong étaient mariés depuis bien des années, et ils n'avaient toujours pas d'enfant. Zhao le Poète était persuadé que le problème venait de Song Gang, qu'il était probablement impuissant. Il s'en ouvrit secrètement à Liu l'Ecrivain, ajoutant :

— La nuit, au lit, ces deux-là, c'est comme deux pistolets munis d'un silencieux.

Après avoir perdu son emploi, Song Gang avait trouvé à s'embaucher comme docker, il chargeait et déchargeait de gros ballots sur les quais. Il transportait les marchandises des bateaux aux entrepôts, ou des entrepôts aux bateaux. Il était payé à la pièce : plus il manipulait de ballots, plus il gagnait d'argent. Il faisait des allers et retours à toute vitesse sur la chaussée de plus de cent mètres qui reliait le bord du quai aux entrepôts. Tandis que ses collègues charriaient un ballot, il lui arrivait souvent d'en trimballer deux d'une traite. Les vieux qui discutaient assis au bord de la rue le regardaient courir dans un sens puis dans l'autre, et ils l'entendaient souffler comme un phoque. Ses vêtements étaient mouillés de transpiration, et on aurait cru qu'il sortait de la rivière. La sueur coulait jusque dans ses baskets, et quand il courait avec ses ballots sur les épaules, on les entendait couiner.

— Ah, ce Song Gang, il finira par se tuer à la tâche, disaient les vieux de notre bourg des Liu, en secouant la tête.

Les collègues de Song Gang, au bout de trois ou quatre voyages, s'asseyaient sur les marches de pierre descendant à la rivière pour se détendre un moment. Ils se désaltéraient, fumaient une cigarette et discutaient une demiheure avant de se relever et de retourner au travail. Song Gang, lui, ne s'asseyait jamais au bord de la rivière. Il pouvait faire sept ou huit allers et retours de suite, jusqu'à ce que son visage devienne blême, que ses lèvres tremblent et qu'il ne tienne plus sur ses jambes. Comprenant alors qu'il était à deux doigts de défaillir, il déposait le ballot qu'il avait sur les épaules dans le bateau et empruntait la passerelle pour rejoindre la rive. Ses collègues, depuis les marches, lui faisaient signe de les rejoindre, mais lui ne se sentait pas la force de parcourir les dix mètres qui le séparaient d'eux. Sautant de la passerelle, il s'allongeait aussitôt de tout son long sur la pelouse humide, et c'est ainsi qu'il se reposait. L'herbe poussait entre son cou et son col, et l'eau de la rivière ondulait à côté de ses bras. Il fermait les yeux et sa poitrine se soulevait et s'abaissait au rythme précipité de sa respiration, tandis qu'à l'intérieur son cœur tapait contre sa poitrine comme un poing.

Couché à même le sol, Song Gang récupérait plus vite ses forces. Chaque fois qu'il s'étendait, ses collègues, assis sur les marches non loin de là, rigolaient en le traitant de casse-cou, mais Song Gang était trop fatigué pour les entendre. Il avait l'impression que tout tournait autour de lui. Ses yeux étaient fermés, c'était le noir complet, jusqu'à ce que la lumière du soleil filtre à nouveau à travers ses paupières et que sa respiration se calme. Son repos n'avait duré qu'une dizaine de minutes. On l'appelait par son nom, il se redressait lentement, apercevait des collègues là-bas qui n'avaient pas encore repris le travail et lui faisaient des signes, en tendant leur tasse dans sa direction, il en voyait même un lever une cigarette à bout de bras pour la lui jeter. Il faisait non de la main en souriant, se dirigeait vers le robinet au bout du quai, l'ouvrait et se remplissait l'estomac d'eau, puis il hissait deux gros ballots sur ses épaules et recommençait à courir.

Au bout de deux mois environ, Song Gang avait gagné le double de ce qu'avaient gagné ses collègues, et quatre fois plus que ce qu'il gagnait avec son bol de riz en fer à l'usine de quincaillerie. Quand il remit son premier salaire à Lin Hong, celle-ci fut stupéfaite. Jamais elle n'aurait pensé que ce travail de docker rapporterait autant :

— A présent, tu gagnes plus en un mois que naguère en quatre mois, remarqua-t-elle en comptant les billets.

Song Gang sourit :

— En fait, je n'ai pas à regretter d'avoir perdu mon emploi.

Lin Hong savait combien cet argent avait coûté d'efforts à Song Gang, et elle lui conseilla de se ménager :

— Qu'on ait un peu plus ou un peu moins d'argent, on en aura toujours bien assez pour vivre.

Chaque soir, en rentrant, Song Gang avait la tête basse et le teint blême. Il était si fatigué qu'il avait, semblait-il, à peine la force de parler, et dès qu'il avait fini de dîner il filait au lit et s'endormait immédiatement. Jusque-là, il avait eu un sommeil très calme et quand il dormait on n'entendait que le bruit de sa respiration régulière. Mais à présent, il ronflait comme un sapeur et, au milieu de ses ronflements, il poussait de profonds soupirs. A plusieurs reprises, ces bruits réveillèrent Lin Hong et l'empêchèrent de se rendormir. Elle écoutait les ronflements anarchiques de Song Gang, ponctués ici et là de cris. L'angoisse la gagnait, elle avait le sentiment que même dans ses rêves Song Gang était épuisé.

Le lendemain matin, au réveil, Song Gang était plein d'énergie, il avait repris des couleurs, et Lin Hong était rassurée. Song Gang avalait son petit déjeuner dans la bonne humeur. La gamelle contenant son repas de midi à la main, il s'en allait d'un pas décidé, en direction du soleil levant. Lin Hong marchait à ses côtés en poussant la vieille Forever. Ils parcouraient ensemble une cinquantaine de mètres, puis se séparaient au coin de la rue : Song Gang regardait Lin Hong grimper sur la bicyclette et lui recommandait la prudence, et Lin Hong, hochant la tête, pédalait vers l'ouest. Song Gang se détournait d'elle et avançait vers l'est, en direction des quais.

Song Gang travaillait comme docker depuis seulement deux mois quand il se donna un tour de reins. Il portait deux gros ballots, un de chaque côté, et il venait de descendre de la passerelle quand quelqu'un l'appela depuis le bateau. Il se retourna trop vite et entendit un craquement dans son corps. Il comprit qu'il s'était fait mal, il lâcha les deux ballots et essaya de faire quelques mouvements. Il sentit une douleur aiguë dans la région lombaire. Se tenant le dos avec les mains, il regarda avec un sourire forcé les deux collègues qui le suivaient sur la passerelle, chargés également de ballots. Ceux-ci, surpris par son air bizarre, lui demandèrent ce qui lui était arrivé :

— J'ai dû me casser quelque chose, expliqua Song Gang, avec ce même sourire forcé.

Les deux hommes laissèrent tomber en vitesse les ballots qu'ils portaient, et aidèrent Song Gang à s'asseoir sur les marches descendant vers le fleuve. Ils s'enquirent de l'endroit exact de la fracture. Song Gang montra ses reins et expliqua qu'en se retournant à l'instant il avait entendu un craquement. Un des deux ouvriers lui fit lever les mains et l'autre l'invita à secouer la tête. Song Gang s'exécuta sans difficulté, et ses deux collègues furent rassurés. Ils expliquèrent à Song Gang qu'au niveau des reins il n'y avait que la colonne vertébrale et que, si celle-ci était cassée, il aurait le haut du corps paralysé. Song Gang leva à nouveau les deux mains et secoua encore la tête, après quoi lui aussi fut rassuré :

— Quand j'ai entendu le craquement, j'ai cru que j'avais quelque chose de cassé, dit-il en soutenant ses reins de la main droite.

— C'est un tour de reins, lui assurèrent ses collègues. Quand on se fait un tour de reins, ça fait aussi du bruit.

Song Gang se mit à rire, ses collègues lui conseillèrent de rentrer chez lui, mais il ne voulut rien savoir, préférant demeurer assis un moment sur les marches. Il se reposa plus d'une heure au bord de la rivière. Depuis qu'il travaillait ici comme docker, c'était la première fois qu'il s'asseyait là où ses collègues se détendaient. Les marches étaient couvertes de mégots, et une dizaine de tasses de faïence blanche étaient alignées tout le long de l'escalier. Le nom de leur propriétaire était inscrit dessus à la peinture rouge. Song Gang sourit et se promit d'en apporter une pour lui, une blanche aussi, dès le lendemain. Il y avait justement un seau de peinture rouge dans l'entrepôt, il n'aurait qu'à tremper une brindille dedans pour s'en servir de pinceau et écrire son nom avec.

Après être resté assis plus d'une heure à côté de la rivière qui ondulait, à regarder ses collègues aller et venir sans arrêt avec leurs ballots sur les épaules, en ahanant pour rythmer leurs efforts, Song Gang ne put s'empêcher de se lever. Il se tortilla un peu et, ayant l'impression que la douleur n'était plus aussi vive, il en conclut que l'alerte était passée. Il grimpa sur la passerelle et descendit dans la cale. Mais, se rappelant l'accident qui venait de lui arriver, il hésita un instant et au lieu de prendre deux ballots, il se contenta d'un seul. Au moment où il faisait effort pour se redresser, après avoir hissé la charge sur son épaule, un cri de douleur lui échappa. Il tomba en piquant du nez, et le ballot lui écrasa la tête et les épaules.

Des collègues écartèrent le ballot et tentèrent de relever Song Gang. La douleur aiguë arrachait des cris à Song Gang, son corps était recourbé comme celui d'une crevette. Deux ouvriers le soulevèrent avec précaution et le couchèrent sur le dos d'un troisième. Ce dernier sortit de la cale et descendit la passerelle, Song Gang sur son dos. Song Gang continuait à pousser des hurlements. Les ouvriers comprirent que sa blessure était grave, ils allèrent chercher une voiture à bras et quand ils l'installèrent dessus, il se mit à hurler. Les ouvriers, tirant la charrette, s'engagèrent sur le chemin dallé. Song Gang était recroquevillé et n'arrêtait pas de geindre. A chaque cahot de la route, il poussait une longue plainte. Il avait compris que ses collègues l'emmenaient à l'hôpital, et quand la voiture roula sur la grande rue il gémit :

— Non, pas à l'hôpital. Je veux rentrer chez moi.

Les ouvriers se regardèrent et prirent la direction de la maison de Song Gang. Cet après-midi-là Song Gang, couché sur la voiture à bras, croisa dans les rues de notre bourg des Liu Li Guangtou, assis dans son automobile. Song Gang, qui souffrait le martyre, vit son frère d'autrefois. Li Guangtou, lui, ne vit pas Song Gang. Il était installé dans sa Santana rouge, enlaçant une ravissante créature, qui n'était pas du bourg, et il riait à gorge déployée. Quand la Santana passa à côté de la voiture à bras, Song Gang ouvrit la bouche, mais aucun son n'en sortit, et c'est en lui-même qu'il cria :

— Li Guangtou.

XXIX

L'heure de la sortie allait bientôt sonner quand Lin Hong, à son travail, apprit l'accident de Song Gang. Le visage livide, elle rentra à toute allure à la maison sur sa bicyclette. Elle ouvrit la porte d'un coup et vit Song Gang dans l'ombre, couché sur le lit en chien de fusil, et qui la regardait sans bruit, les yeux grands ouverts. Elle referma la porte et alla s'asseoir à côté du lit. Elle caressa tendrement le visage de Song Gang.

— Je me suis donné un tour de reins, expliqua celui-ci d'un air honteux.

Aussitôt Lin Hong fondit en larmes. Elle se pencha pour étreindre Song Gang et lui murmura :

— Qu'est-ce que le médecin a dit ?

Lin Hong avait touché le corps de Song Gang, et sous l'effet de la douleur Song Gang ferma les yeux. Cette fois, il ne cria pas, mais quand la douleur se fut atténuée il rouvrit les yeux et déclara :

— Je ne suis pas allé à l'hôpital.

— Pourquoi ? demanda Lin Hong, inquiète.

— Je me suis donné un tour de reins, répéta Song Gang. Je vais rester allongé quelques jours, et ça ira mieux ensuite.

Lin Hong secoua la tête :

— Pas question, il faut que tu ailles à l'hôpital.

Song Gang se força à sourire :

— En ce moment, je ne peux pas bouger. J'irai dans quelques jours.

Song Gang passa sur le lit quinze jours avant de pouvoir en descendre et marcher, mais il ne pouvait toujours pas se redresser. C'est le dos courbé qu'il se rendit à l'hôpital, accompagné de Lin Hong. On lui appliqua quatre ventouses, on lui prescrivit cinq cataplasmes. Rien que pour cela, il dépensa une dizaine de yuans, ce qui lui fendit le cœur : à ce rythme-là, l'argent qu'il avait péniblement gagné en un peu plus de deux mois en travaillant comme docker ne suffirait pas pour payer ses soins. Song Gang ne retourna pas à l'hôpital, persuadé qu'un tour de reins c'était comme une grippe, et qu'il suffisait de prendre son mal en patience.

Après s'être reposé deux mois à la maison, Song Gang put à nouveau se tenir droit, et il recommença à sortir, pour chercher du travail. Il sillonnait les rues et les ruelles de notre bourg des Liu à longueur de journée en avançant clopin-clopant, une main posée au bas de son dos. Il était prêt à s'embaucher n'importe où, mais qui aurait voulu d'un homme qui n'avait pas de force dans les reins ? Song Gang quittait la maison plein d'espoir en direction du soleil levant, et on le voyait reparaître à la porte au coucher du soleil, le visage dépité. Lin Hong, alors, comprenait que sa recherche avait été vaine. Elle tâchait d'être gaie et réconfortait Song Gang avec de belles paroles. Il suffisait de faire un peu attention, lui assurait-elle, et son salaire seul pouvait suffire à les nourrir tous les deux. Le soir, au lit, elle caressait les reins blessés de Song Gang. Tant qu'elle serait là, lui disait-elle, il n'avait pas à s'inquiéter de l'avenir. Song Gang était ému :

— Je suis désolé.

La bonne humeur de Lin Hong était forcée. Voilà plusieurs années de suite que la manufacture de tricots ne réalisait pas de bénéfices, et on commençait à réduire les effectifs. Le directeur Liu, le fumeur invétéré, qui avait des vues sur Lin Hong, la convoqua à plusieurs reprises dans son bureau pour lui révéler, en toute confidentialité, qu'elle aurait dû faire partie des deux charrettes d'employés déjà licenciés, mais qu'il avait rayé son nom des listes. Il fixait la poitrine avantageuse de Lin Hong d'un air salace. Il avait dépassé la cinquantaine et sa carrière de fumeur avait débuté il y avait de cela quarante ans. Ses dents, et même ses lèvres, étaient noires. Il regardait Lin Hong avec un sourire lubrique, et les poches qui pendaient sous ses yeux ressemblaient à deux tumeurs.

Face à lui, Lin Hong était comme sur des charbons ardents, elle avait compris où il voulait en venir. Cet homme lui inspirait de la répulsion, et, bien qu'une table les séparât, elle sentait l'odeur de tabac qui l'imprégnait. Mais elle pensait à Song Gang, blessé à la maison, qui était au chômage : il fallait coûte que coûte qu'elle conserve son emploi. Alors elle restait assise là, souriante, en espérant que quelqu'un allait soudain frapper et entrer dans la pièce.

Liu le Fumeur agitait entre ses doigts le stylo avec lequel, expliquait-il, il avait rayé le nom de Lin Hong des listes de licenciement. Comme Lin Hong se contentait de sourire en silence, il se pencha vers elle et lui glissa :

— Vous ne me dites pas merci ?

— Merci, dit Lin Hong, en souriant.

— Et comment allez-vous me remercier ? demanda Liu le Fumeur, poussant son avantage.

— Je vous remercie, dit Lin Hong, toujours souriante.

Liu le Fumeur frappa sur la table avec son stylo, et ne voulant pas se montrer trop direct, il cita les noms de plusieurs ouvrières qui, pour ne pas perdre leur emploi, s'étaient offertes à lui spontanément. Lin Hong continuait de sourire. Liu le Fumeur la lorgnait avec des yeux concupiscents. Il réitéra sa question :

— Comment avez-vous l'intention de me remercier ?

— Je vous remercie, répéta elle aussi Lin Hong.

— Bon, fit Liu le Fumeur. (Il posa son stylo, se leva et fit le tour de la table.) Et si je vous prenais dans mes bras comme si vous étiez ma petite sœur ?

En le voyant faire le tour de la table et s'approcher d'elle, Lin Hong se leva d'un bond et se dirigea vers la sortie. Elle ouvrit la porte, et déclara en souriant :

— Je ne suis pas votre petite sœur.

Elle quitta en souriant le bureau de Liu le Fumeur et l'entendit derrière elle pousser un juron. Elle regagna son atelier, toujours souriante. Mais le soir, quand elle quitta la manufacture et rentra chez elle sur sa vieille Forever, elle repensa au regard concupiscent de Liu et à ses sous-entendus, et un sentiment de honte l'envahit.

Lin Hong fut plusieurs fois sur le point d'en parler à Song Gang, mais elle y renonça devant sa mine exténuée et son triste sourire. Si elle lui révélait l'humiliation qu'elle avait subie, elle ne ferait que l'enfoncer davantage encore dans son malheur. Les jours défilaient, et Song Gang n'avait toujours pas de travail. Lin Hong pensa alors à Li Guangtou, il était de plus en plus riche, et il était à présent, pour toutes ses affaires, à la tête de plus d'un millier d'employés. Un soir, après un moment d'hésitation, elle se lança :

— Tu devrais aller trouver Li Guangtou.

Song Gang baissait la tête et se taisait. Il se rappela comment à l'époque il avait rompu sans pitié avec Li Guangtou. A présent que Li Guangtou avait réussi, il se sentait incapable d'aller le supplier. Comme Song Gang ne réagissait pas, Lin Hong ajouta :

— Il fera certainement quelque chose…

Song Gang releva la tête et déclara d'un ton résolu :

— J'ai coupé les ponts avec lui.

A cet instant, Lin Hong faillit lui raconter les avances humiliantes de Liu le Fumeur, mais elle se retint en se mordant les lèvres. Puis elle secoua la tête, résignée, et ne dit plus rien.

Song Gang savait que son état physique lui interdirait à l'avenir les travaux de force, et comme il ne trouvait pas de travail, il songea à prendre un petit commerce. Il expliqua à Lin Hong qu'en arpentant les rues à la recherche d'un emploi il avait souvent remarqué des petites filles de la campagne qui vendaient des magnolias blancs. Elles les enfilaient sur de fins fils de fer et les vendaient 5 *mao* la paire. Les jeunes femmes du bourg des Liu en achetaient pour les épingler sur leur poitrine ou pour les accrocher au bout de leurs nattes, et l'effet était des plus réussis. A cette évocation, Song Gang sourit, confus. Il ajouta qu'il s'était renseigné, que ces petites filles se procuraient les fleurs dans des pépinières et que chaque fleur ne revenait en moyenne qu'à 5 *fen*. Lin Hong fixait Song Gang avec stupéfaction, elle avait de la peine à imaginer un gaillard comme lui vendant des magnolias blancs dans la rue, un panier au bras.

— Laisse-moi au moins essayer, dit Song Gang, avec un accent de sincérité.

Lin Hong consentit à ce qu'il fasse une tentative. Le lendemain matin, Song Gang sortit, un panier au bras. Dans ce panier, il avait placé une bobine de fil de fer et une paire de petits ciseaux. Il marcha pendant plus d'une heure avant d'atteindre une pépinière, en pleine campagne, où il acheta des magnolias blancs en boutons. Après quoi il s'assit par terre, au beau milieu de la pépinière, sortit ses ciseaux pour couper le feuillage qui entourait les magnolias, et enfila soigneusement les fleurs deux par deux sur des morceaux de fil de fer. Enfin, il les rangea à plat dans son panier, mit le panier à son bras et s'engagea tout heureux sur le petit chemin de campagne.

Song Gang regardait l'horizon au loin, en plissant les yeux sous le soleil. Au bout d'une dizaine de minutes, sentant qu'il transpirait, il eut peur que les rayons du soleil ne grillent ses superbes magnolias blancs. Il pénétra dans un champ au bord du chemin, s'accroupit pour arracher quelques feuilles de citrouille et en recouvrit les fleurs. Mais comme il n'était pas encore tout à fait rassuré, il alla prendre un peu d'eau dans l'étang voisin et les en aspergea. Il reprit alors sa marche, soulagé. De temps à autre, il baissait la tête pour vérifier l'état de ses magnolias. A plusieurs reprises, il écarta doucement les larges feuilles de citrouille pour contempler ses fleurs avec le même sourire qu'un père admirant son nourrisson dans ses langes. Voilà bien longtemps que Song Gang ne s'était pas senti d'aussi bonne humeur. Il suivait les sentiers étroits qui serpentaient à travers la vaste campagne, et chaque fois qu'il longeait un étang, il aspergeait ses magnolias.

Il était déjà midi passé quand il rentra au bourg des Liu, et sans prendre le temps de déjeuner il se planta dans la rue pour commencer à vendre ses magnolias. Il tapissa le pourtour du panier avec les feuilles de citrouille, de sorte que les fleurs, couchées au fond, étaient environnées de vert. Son panier au bras, il s'installa sous un platane, observant les passants un sourire aux lèvres. Des badauds, attirés par les fleurs, jetaient un coup d'œil dans le panier avant de poursuivre leur chemin. Deux jeunes filles les contemplèrent longuement et s'extasièrent sur le contraste ravissant entre les fleurs blanches et les feuilles vertes. Au lieu de profiter de l'occasion, Song Gang continuait à sourire en regardant les deux jeunes filles. Quand elles se furent éloignées, il regretta de n'avoir rien dit, car les deux demoiselles n'avaient peut-être pas compris que les fleurs étaient à vendre.

Là-dessus, une jeune campagnarde, qui vendait elle aussi des magnolias blancs, s'approcha de lui. Elle tenait son panier au bras gauche et une paire de magnolias dans la main droite, et elle criait tout en marchant :

— Je vend des magnolias, des beaux magnolias blancs !

Song Gang, son panier au bras gauche, emboîta le pas à la fillette. Il avait pris à son tour une paire de magnolias dans la main droite, et chaque fois que la petite paysanne devant lui criait : "Je vends des magnolias, des beaux magnolias blancs", Song Gang, derrière elle, lançait timidement :

— Moi aussi.

Dès que la fillette voyait approcher une jeune femme, elle allait à sa rencontre en criant :

— Grande Sœur, achète-moi donc une paire de magnolias blancs.

Song Gang les rejoignait, et après un instant d'hésitation il ajoutait :

— A moi aussi.

Song Gang avait parcouru la moitié de la rue derrière la petite paysanne et répété après elle une dizaine de fois "moi aussi", quand cette dernière, agacée, se retourna et lui jeta d'un ton agressif :

— Arrête de me suivre.

Song Gang resta sur place et regarda la fillette s'éloigner, l'air désemparé. A cet instant, Wang les Esquimaux vint vers lui, hilare. Il avait passé sa journée à baguenauder dans les rues, et il avait remarqué Song Gang avec ses fleurs à la main, incapable de faire autre chose pour les vendre que de suivre la petite paysanne en disant "moi aussi". Il avait mal au ventre à force de rire. Il aborda Song Gang :

— Tu ne devrais pas coller comme ça au cul des gens…

— Et pourquoi ça ? demanda Song Gang.

— J'ai vendu des glaces autrefois, expliqua fièrement Wang les Esquimaux. Si tu marches derrière un autre vendeur, c'est à lui qu'on achètera, pas à toi. C'est comme pour la pêche à la ligne : il ne faut pas pêcher à deux au même endroit, il faut prendre ses distances.

Song Gang hocha la tête pour montrer qu'il avait compris, et ses magnolias dans la main droite et son panier dans la main gauche il s'en alla dans la direction opposée à celle de la fillette. Wang les Esquimaux, à qui il était venu une autre idée, rappela Song Gang :

— Quand la gamine voit une jeune femme, elle l'appelle "Grande Sœur". Mais toi, tu ne dois pas faire pareil, tu dois l'appeler "Petite Sœur".

Song Gang marqua un temps d'hésitation avant d'avouer :

— Je n'y arriverai pas.

— Alors dans ce cas, ne dis rien.

Wang les Esquimaux s'essuya la bouche et poursuivit :

— En tout cas, tu ne peux pas l'appeler "Grande Sœur", tu as déjà plus de trente ans.

Song Gang hocha la tête humblement et, alors qu'il s'apprêtait à tourner les talons, Wang les Esquimaux le rappela une dernière fois. Il sortit un yuan de sa poche et le lui tendit :

— Donne-m'en deux paires.

Song Gang prit l'argent de Wang les Esquimaux et lui remit en échange deux paires de magnolias blancs :

— Merci, merci…

— Tâche de t'en souvenir, déclara Wang les Esquimaux, en prenant des deux mains les magnolias et en les portant à ses narines pour en sentir le parfum : C'est moi, Wang les Esquimaux, qui ai été ton premier client. Plus tard, si tu te lances dans le commerce des fleurs fraîches, je tiens à prendre des parts dans le capital.

En prononçant ces paroles, Wang les Esquimaux avait l'air d'un banquier de placement.

— J'ai fait un bon investissement dans le commerce de la chiffe, fanfaronna-t-il, et je n'exclus pas d'investir plus tard dans la fleur fraîche.

Et Wang les Esquimaux s'éloigna, le nez planté dans ses magnolias. Il humait leur parfum à pleins poumons, avec une telle avidité qu'on n'aurait pas cru qu'il humait des fleurs mais plutôt qu'il dégustait deux crèmes glacées.

Song Gang savait maintenant comment vendre des fleurs. Bien que parlant d'une voix timide, il parvenait néanmoins à faire entendre ses boniments. De lui-même, il comprit qu'il devait se tenir à l'entrée des magasins de vêtements car c'était là qu'on trouvait le plus grand nombre de jeunes femmes. Il ne mettait pas les pieds à l'intérieur de la boutique pour ne pas déranger les clientes tandis qu'elles choisissaient des habits, il attendait patiemment qu'elles ressortent et leur tendait alors ses magnolias en lançant avec déférence et distinction :

— Achetez-moi, je vous prie, cette paire de magnolias blancs.

Sur le beau visage de Song Gang se dessinait un sourire touchant, qui plaisait aux jeunes filles de notre bourg des Liu, et toutes, l'une après l'autre, lui achetaient ses magnolias d'un blanc pur. Certaines d'entre elles le connaissaient et avaient entendu parler de son accident, et elles s'inquiétaient de sa santé. Song Gang répondait en souriant que sa blessure était guérie mais que désormais les travaux de force lui étaient interdits :

— C'est pour ça que je vends des fleurs maintenant, expliquait-il, confus.

Song Gang, son panier à la main, fit la tournée de tous les magasins de vêtements de notre bourg des Liu. Il se postait un long moment à la porte de chaque magasin, et dès qu'il vendait une paire de magnolias, son visage s'illuminait d'un sourire reconnaissant. Il n'avait rien mangé de la journée et ne sentait pas la faim. Quand un magasin fermait ses portes, il se rendait au suivant. Il n'avait plus conscience du temps et ignorait qu'il était très tard. Sa silhouette traînait dans la lumière de la lune et des réverbères. Son panier se vida peu à peu, et il ne resta plus qu'une paire de magnolias. Le dernier magasin de vêtements allait fermer et Song Gang s'apprêtait à partir, quand une jeune fille, qui avait fait beaucoup d'emplettes, s'approcha de lui, les bras chargés de paquets. Séduite par la dernière paire de magnolias, elle sortit son porte-monnaie et s'enquit de leur prix.

Song Gang baissa la tête vers son panier, et regarda les deux dernières fleurs :

— Ça m'ennuie de les vendre, déclara-t-il d'un air désolé.

La jeune femme jeta un regard perplexe sur Song Gang :

— Vous n'êtes pas marchand de fleurs ?

— Si, répondit Song Gang, gêné. Mais je gardais les deux dernières pour mon épouse.

La jeune femme fit un signe de tête pour montrer qu'elle avait compris. Elle rangea son porte-monnaie et s'éloigna. Song Gang la suivit et lui lança, comme pour s'excuser :

— Où habitez-vous ? Demain, je vous en apporterai gratuitement.

— Ce n'est pas la peine.

Et la jeune femme continua sa route sans se retourner.

Il était dix heures passées quand Song Gang rentra chez lui. Il trouva la porte de la maison grande ouverte, et Lin Hong debout sur le seuil, scrutant l'horizon à la lumière du réverbère. En voyant Song Gang qui arrivait, rayonnant, elle poussa un soupir de soulagement, avant de lui faire des reproches :

— Où étais-tu ? J'étais morte d'inquiétude.

Song Gang, radieux, prit Lin Hong par la main, et ils entrèrent ensemble dans la maison. Quand ils eurent refermé la porte, Song Gang, avant même de s'asseoir, commença à raconter avec volubilité sa journée. Cela faisait longtemps que Lin Hong ne l'avait pas vu aussi enthousiaste. Il portait encore son panier au bras gauche et, tout en parlant, il sortit de sa poche une poignée de monnaie, qu'il compta tout en continuant d'expliquer comment il avait vendu ses fleurs. Le compte achevé, il annonça triomphalement à Lin Hong qu'il avait gagné en une seule journée 24 yuans et 5 *mao* :

— En fait, j'aurais pu gagner 25 yuans, précisa-t-il en tendant l'argent à Lin Hong, mais j'ai préféré renoncer aux cinq derniers *mao*.

Là-dessus, il sortit du panier les deux magnolias blancs qui lui restaient et les mit dans la main de Lin Hong en lui racontant qu'il les avait refusés à une jeune femme qui voulait les acheter :

— Je les gardais pour toi, ça m'aurait embêté de les vendre.

— Tu as eu tort, répondit sans détours Lin Hong. Qu'est-ce que tu veux que j'en fasse de tes fleurs ?

Lin Hong vit la flamme qui brillait dans les yeux de Song Gang s'éteindre aussitôt, et elle ne poursuivit pas. Elle débarrassa Song Gang de son panier et l'invita à se mettre à table sans plus attendre. Song Gang s'aperçut alors qu'il avait faim, il prit son bol et commença à avaler goulûment. Lin Hong alla se mettre devant le miroir, elle accrocha la paire de magnolias à ses nattes, puis elle plaça ses nattes sur sa poitrine et vint s'asseoir auprès de Song Gang, en espérant qu'il remarquerait les fleurs piquées dans ses cheveux. Song Gang ne fit pas attention aux nattes de Lin Hong, mais il vit le sourire heureux qui éclairait son visage, et un sentiment de bonheur l'envahit de nouveau. Il se remit à parler avec volubilité, racontant une nouvelle fois ce qu'il avait déjà raconté, et pour finir il s'exclama : jamais il n'aurait imaginé qu'on pouvait gagner pour un travail aussi facile presque autant que ce qu'il gagnait quand il était docker. Lin Hong, feignant d'être en colère, le poussa :

— Tu as vu ?

Song Gang remarqua enfin les deux magnolias blancs qui ornaient les nattes de Lin Hong, et ses yeux brillèrent :

— Ça te plaît ? demanda-t-il à Lin Hong.

— Oh oui, répondit Lin Hong, en hochant la tête.

Cette nuit-là, Song Gang dormit comme un bienheureux. En entendant sa respiration régulière, Lin Hong se dit qu'il n'avait pas eu depuis longtemps un sommeil aussi paisible. Quant à elle, elle ne put fermer l'œil. Elle avait posé les magnolias sur l'oreiller et, tout en respirant leur parfum, elle songeait avec émotion à l'amour fidèle que lui vouait Song Gang. A côté de cela, que pesaient les avances humiliantes d'un patron lubrique ? Puis elle commença à s'inquiéter pour l'avenir de Song Gang : vendre des fleurs, ce n'était pas un métier qu'on pouvait exercer toute sa vie ; d'autant que pour un grand gaillard comme Song Gang, se promener du matin au soir dans la rue avec un panier au bras, cela n'avait rien de reluisant.

Les craintes de Lin Hong ne tardèrent pas à se vérifier. A la manufacture de tricots, les ragots allaient bon train, et les ouvrières commencèrent à se moquer sans arrêt de Song Gang : c'était bien la première fois qu'on voyait un homme vendre des fleurs, surtout un grand gaillard comme Song Gang. Elles s'amusaient de sa toute petite voix : quand il criait pour vendre ses fleurs, on n'aurait jamais cru un homme, mais plutôt une demoiselle délicate. Elles ne se contentaient pas de rire dans le dos de Lin Hong, elles faisaient des réflexions même en sa présence, et celle-ci alors piquait un fard. De retour à la maison, Lin Hong ne pouvait s'empêcher de prendre Song Gang à partie, elle voulait qu'il cesse de vendre des fleurs et de se donner en spectacle. Song Gang s'obstina, mais ses gains fondaient à vue d'œil. Beaucoup de jeunes femmes de notre bourg des Liu le connaissaient et, au lieu de sortir leur porte-monnaie pour lui acheter ses fleurs, elles tendaient la main pour qu'il les leur offre. Song Gang n'osait pas refuser, et ces magnolias qu'il était allé chercher très loin dans une pépinière à la campagne, qu'il avait pris soin de nouer par deux, partaient les uns après les autres sans rien lui rapporter. Même les ouvrières de la manufacture de tricots qui se moquaient de lui devant Lin Hong avaient l'impudence de lui en réclamer. Elles les accrochaient à leur corsage ou à leurs nattes, et quand elles croisaient Lin Hong elles lui lançaient en riant :

— C'est un cadeau de ton Song Gang.

Et Lin Hong tournait les talons. Un soir, elle éclata devant Song Gang. Elle ferma la porte et, baissant la voix, lui jeta d'un ton hargneux :

— Je t'interdis de continuer à vendre des fleurs.

La nuit parut longue à Song Gang. Lin Hong, fatiguée, avait à peine touché aux plats et était allée se coucher. Song Gang mangea très peu lui aussi, il resta longtemps assis à table et, après mûre réflexion, il conclut qu'il était vain de persister dans cette voie. Il était en plein désarroi : il venait à peine de trouver un travail, et voilà que déjà il n'en avait plus. La nuit était bien avancée quand Song Gang s'allongea sans bruit auprès de Lin Hong. Il écoutait la respiration légère de Lin Hong, et retrouva peu à peu sa sérénité. Il ignorait ce que Lin Hong subissait à la manufacture, il ignorait qu'elle devait se défendre contre les assauts de Liu le Fumeur. Quand il se réveilla le lendemain matin, Lin Hong était déjà debout et faisait sa toilette dans la salle de bains. Song Gang se leva en vitesse, s'habilla et sortit de la chambre. Au moment où il passait devant la salle de bains, Lin Hong lui lança un regard mais elle ne lui parla pas car elle avait la bouche pleine de dentifrice.

— J'arrête de vendre des fleurs, annonça Song Gang.

Puis, après une brève hésitation, il se dirigea vers la porte. Lin Hong quitta la salle de bains et le rappela pour lui demander où il allait. Il s'arrêta et se retourna vers elle :

— Je vais chercher du travail.

— Prends d'abord ton petit déjeuner, dit Lin Hong, sa serviette à la main.

Song Gang secoua la tête :

— Je n'ai pas faim.

Et il ouvrit la porte.

— Ne pars pas.

Tout en prononçant ces mots, Lin Hong prit de l'argent qu'elle fourra dans la poche de Song Gang, pour qu'il s'achète de quoi manger dans la rue. Quand elle leva la tête, elle se sentit mal à l'aise devant le sourire de Song Gang, et, instinctivement, elle la baissa derechef. Song Gang, toujours souriant, lui donna une tape dans le dos, puis il tourna les talons et sortit. Lin Hong le suivit jusque sur le pas de la porte et le regarda s'éloigner comme s'il partait pour un long voyage.

— Fais bien attention, lui recommanda-t-elle doucement.

Song Gang se retourna pour lui faire un signe de la tête, et il continua son chemin. Lin Hong le rappela à nouveau et lui dit, d'un ton devenu subitement pressant :

— Tu devrais quand même aller trouver Li Guangtou.

Song Gang resta interdit, puis il secoua la tête avec détermination :

— Non, pas question.

Lin Hong soupira et suivit son mari des yeux tandis qu'il s'engageait d'un pas décidé dans la grande rue, dans la lumière du soleil levant. Song Gang entama son long périple à la recherche d'un travail. Au cours de l'année qui suivit, il partait tôt le matin pour rentrer tard le soir, en quête perpétuelle d'une occasion de gagner de l'argent. Il avait la mine de plus en plus défaite et, quand il reparaissait à la fin de la journée, traînant son corps épuisé, et qu'il s'asseyait en silence à la table, Lin Hong n'osait pas croiser son regard car elle savait qu'une fois de plus il revenait bredouille. La honte se peignait sur le visage de Song Gang. Il dînait sans un mot, se couchait sans un mot également, et le lendemain matin, quand le soleil le réveillait, il quittait de nouveau la maison, plein d'espoir. Au cours de cette année, il lui arriva de trouver à s'employer quelquefois, brièvement. Par exemple, quand un concierge ou le gardien d'un entrepôt devait s'absenter pour la journée, il le remplaçait et touchait une journée de salaire. Même chose quand un vendeur dans un grand magasin, ou bien un guichetier dans une salle de cinéma, un receveur d'autobus ou un caissier sur un bac devait s'absenter. Song Gang était devenu le suppléant en chef de notre bourg des Liu. Il eut jusqu'à vingt possibilités de remplacement pour une seule journée. Mais au total, il travailla moins de deux mois dans l'année.

De jour en jour, Lin Hong avait l'air plus triste. Elle soupirait souvent, et parfois elle avait des paroles dures. Ses soupirs, ses paroles dures ne s'adressaient pas à Song Gang, ils s'adressaient à Liu le Fumeur dont la simple pensée lui donnait envie de vomir. Mais Song Gang les prenait pour lui. A la maison, il gardait en permanence la tête basse et parlait de moins en moins. Le peu d'argent qu'il gagnait, il le versait intégralement à Lin Hong, sans garder un centime par-devers lui. Le moment le plus douloureux, c'était celui où il le remettait à Lin Hong. Il sortait de sa poche les malheureux sous qu'il avait récoltés et les lui tendait. Ils représentaient la somme des efforts consentis. Mais Lin Hong secouait la tête et se détournait d'un air accablé :

— Garde cet argent pour toi, disait-elle doucement.

Et cela brisait le cœur de Song Gang. Deux ans après son accident, il finit par décrocher un emploi stable à la cimenterie du bourg des Liu. Il pouvait travailler douze mois sur douze, et même accomplir des heures supplémentaires le samedi et le dimanche si cela lui chantait. Le sourire réapparut sur son visage soucieux, de même que l'air confiant qu'il avait autrefois sur sa bicyclette Forever. Le jour où il fut embauché, il ne rentra pas à la maison, mais se présenta tout excité à la porte de la manufacture de tricots pour attendre la sortie de Lin Hong. Quand l'essaim des ouvrières juchées sur leurs bicyclettes dernier cri, sur leurs motocyclettes ou leurs cyclomoteurs Qingqi se fut dispersé, Lin Hong, restée à la traîne, s'avança en poussant leur vieille Forever. Au moment où elle franchit la porte, Song Gang marcha à sa rencontre, le visage cramoisi, et lui annonça tout bas :

— J'ai trouvé du boulot.

Lin Hong eut un pincement au cœur en voyant la mine enthousiaste de Song Gang. Elle lui demanda de monter sur la bicyclette et s'installa elle-même à l'arrière, comme autrefois, ses bras passés autour de la taille de Song Gang et son visage collé contre son dos. Ce soir-là, elle s'aperçut brusquement que Song Gang avait d'un seul coup beaucoup vieilli : les rides s'étaient accumulées sur son front et aux coins de ses yeux, et sa chevelure, naguère encore très drue, s'était clairsemée. Elle avait de la peine pour lui, et au moment de se coucher elle lui massa longuement les reins. Ils s'endormirent étroitement enlacés, tels deux jeunes mariés. Le bonheur d'antan était revenu.

Song Gang travaillait d'arrache-pied. Il craignait de se retrouver à nouveau au chômage. A la cimenterie, il acceptait la tâche que les autres refusaient : conditionner le ciment dans des sacs. Bien qu'il portât un masque, il inhalait quotidiennement de grosses quantités de poussière, et au bout de deux ans ses poumons étaient totalement ravagés, au grand désespoir de Lin Hong. Il se retrouva de nouveau au chômage. Il n'alla pas se faire soigner à l'hôpital, de peur de devoir payer trop cher.

Il reprit sa fonction de suppléant en chef. Depuis que ses poumons étaient abîmés, craignant de contaminer Lin Hong, il avait décidé de ne plus coucher dans le lit et de s'installer dans le canapé. Lin Hong protesta : si Song Gang ne voulait plus dormir avec elle, c'est elle qui s'installerait dans le canapé. Song Gang céda, et désormais ils dormirent ensemble tête-bêche. Les jours où d'aventure il devait effectuer un remplacement, Song Gang sortait avec un masque sur le visage pour ne pas infecter les autres. Il ne mettait jamais les pieds dehors sans son masque, même en période de canicule. Il était la seule personne dans notre bourg des Liu à avoir la bouche continuellement couverte, quelle que soit la saison. Dès qu'ils voyaient arriver un homme portant un masque et marchant d'un pas lent, les gamins de notre bourg des Liu savaient que c'était lui :

— Voilà le suppléant en chef, s'écriaient-ils.

XXX

Li Guangtou n'avait plus le temps de penser à Song Gang. Il disait, en tendant deux doigts de sa main, que pendant la journée il accumulait de l'argent et que le soir il accumulait les femmes. Il disait également qu'il ne savait plus où donner de la tête, et qu'à part l'argent et les femmes il n'avait pas d'autre centre d'intérêt dans la vie. Il n'était toujours pas marié et il avait couché avec un nombre incalculable de femmes, tellement de femmes qu'il ne s'en souvenait plus. Quand on lui demandait combien il en avait eues précisément, il réfléchissait longuement, comptait et recomptait, pour conclure, non sans une pointe de regret :

— Moins que d'ouvriers.

Li Guangtou ne s'était pas contenté de coucher avec les filles de notre bourg des Liu. Il en avait connues de tous les coins du pays, ainsi que des filles de Hong Kong, de Macao, de Taiwan et des Chinoises d'outre-mer, et même une dizaine d'étrangères. Parmi celles, au bourg des Liu, qui avaient eu des relations sexuelles avec lui en catimini ou bien au grand jour, il y en avait de toutes sortes : des grandes et des petites, des grosses et des maigres, des jolies et des laides, des jeunes et des plus très jeunes. Les masses prétendaient que Li Guangtou était large d'esprit et que, du moment que c'était une femme, il ne refusait jamais une bonne fortune : on aurait pu tout aussi bien mettre une truie dans son lit, il n'aurait pas dit non. Certaines de ces femmes avaient couché discrètement avec lui, et elles étaient parties tout aussi discrètement après s'être fait payer. D'autres, une fois l'argent empoché, éprouvaient le besoin de crier sur les toits ce qu'elles avaient fait avec Li Guangtou, ou plutôt elles vantaient les talents amoureux de Li Guangtou : à les entendre, celui-ci était une bête de sexe, armé comme un fusil à répétition, et les femmes quittaient sa couche avec des crampes aux jambes, et plus mortes que vives.

Il courait plus de rumeurs sur le compte de Li Guangtou qu'il n'y a de fumées sur un champ de bataille. Et certaines, parmi ces femmes qui avaient couché avec lui, tentèrent de faire main basse sur sa fortune. La première qui s'y essaya avait une vingtaine d'années, c'était une jeune campagnarde venue au bourg des Liu pour y trouver du travail. Elle déboula dans le bureau de Li Guangtou avec son nouveau-né dans les bras, et lui demanda, radieuse, quel nom on devait donner à l'enfant. Li Guangtou la dévisagea avec des yeux ronds, son visage ne lui disait rien.

— Qu'est-ce que ça peut me foutre ? lança-t-il, perplexe.

Aussitôt, la jeune fille éclata en sanglots, scandalisée par ce père indigne qui ne voulait pas reconnaître son enfant. Li Guangtou la dévisagea plus attentivement, mais malgré tous ses efforts il ne parvenait pas à se souvenir d'avoir eu une aventure avec elle :

— Etes-vous certaine que c'est avec moi que vous avez couché ?

— Cette question !

La jeune fille se précipita vers Li Guangtou, son bébé dans les bras, pour qu'il puisse l'examiner de plus près :

— Regardez, regardez, dit-elle en pleurant, il a vos sourcils, il a vos yeux, il a votre nez, il a votre bouche, il a votre front, il a votre menton…

Li Guangtou jeta un vague coup d'œil sur l'enfant. Il lui trouva une tête de bébé, et rien d'autre. La jeune fille ouvrit la couche du nourrisson :

— Il a exactement votre zizi.

Li Guangtou se fâcha tout rouge, indigné que la jeune fille ait osé comparer ce haricot de soja avec son membre. Le rugissement alerta ses assistants, lesquels traînèrent dehors la jeune fille, qui criait et pleurait.

La jeune fille entreprit de manifester en permanence à la porte de la compagnie de Li Guangtou. Tous les jours, elle s'asseyait là, son bébé dans les bras, dénonçant en pleurant devant les passants et les badauds qui s'agglutinaient autour d'elle le vil comportement de Li Guangtou : sa conscience avait été happée par un chien, dévorée par un loup, mâchée par un tigre et chiée par un lion. Quelques jours plus tard, une autre femme la rejoignit, elle aussi avec un nourrisson dans les bras, un bébé, affirmait-elle, qui était la fille de Li Guangtou. Elle aussi était en pleurs, et racontait par quel stratagème Li Guangtou l'avait attirée dans son lit et l'avait mise enceinte. Ses pleurs étaient encore plus déchirants que ceux de la précédente. Li Guangtou, selon elle, n'avait pas daigné se déplacer quand sa fille était née. Là-dessus arriva une troisième femme, tenant par la main un garçonnet de quatre ou cinq ans. Elle ne pleurait pas, elle avait beaucoup plus de sang-froid que les deux autres. Elle exposa avec beaucoup d'assurance ses griefs envers Li Guangtou, qui lui aurait promis monts et merveilles : ils devaient se marier et vivre ensemble jusqu'à la mort. Et voilà comment elle était montée dans le lit de ce scélérat, comment il l'avait engrossée. Compte tenu de son âge, déclara-t-elle en montrant son fils, c'était lui qui était l'héritier présomptif. Elle avait à peine fini de parler qu'une quatrième femme se présenta avec un garçon de sept ou huit ans, qui revendiqua aussitôt cette qualité pour son fils.

Le nombre des femmes qui prétendaient avoir eu les faveurs de Li Guangtou ne cessait d'enfler. En définitive, elles furent une trentaine, accompagnées d'autant d'enfants, à bloquer la rue devant l'entrée de la compagnie de Li Guangtou, à verser des larmes à longueur de journée et à dénoncer à longueur de journée leur suborneur. Elles étaient rassemblées en une masse jacassante et avaient transformé le lieu en un champ de foire. Mais très vite, pour une bonne place devant la porte de la compagnie ou à cause d'une vantardise lancée par telle ou telle, des bagarres éclatèrent : on se crêpait le chignon, on se crachait dessus, on se griffait le visage et on se déchirait les vêtements, si bien que du matin au soir on n'entendait plus rien que des insultes et des cris d'enfants.

Les employés de Li Guangtou ne pouvaient plus venir au travail, et le trafic devant la compagnie était totalement paralysé. Les responsables de la Fédération des femmes du district[1] intervinrent avec leurs troupes au grand complet pour tenter d'amadouer les manifestantes, et mirent tout leur zèle à essayer de les convaincre de rentrer chez elles, en les adjurant de faire confiance au gouvernement, lequel saurait à coup sûr régler le différend qui les opposait à Li Guangtou. Les manifestantes résistèrent avec la dernière énergie. Elles se plaignirent collectivement auprès des responsables de la Fédération des femmes du district, exigeant qu'on prenne la défense de leurs droits légitimes en forçant Li Guangtou à les épouser. Les responsables de la Fédération ne savaient s'il fallait en rire ou en pleurer : elles expliquèrent que la loi sur le mariage en vigueur imposait la monogamie et que Li Guangtou ne pourrait pas les épouser toutes les trente.

Le chef du Bureau de la circulation du district téléphona à Li Guangtou en lui faisant observer que la rue la plus importante du district était obstruée depuis un mois, et que l'asphyxie de cette artère particulièrement passante avait d'évidentes répercussions sur l'économie jusqu'ici florissante du district. Tao Qing, le chef du district, téléphona lui aussi à Li Guangtou. Il lui rappela qu'il était la personnalité la plus influente du district et que si cette affaire ne trouvait pas une issue rapide ce ne serait pas uniquement lui, Li Guangtou, qui en souffrirait, mais la réputation du district dans son entier. A l'autre bout du fil, Li Guangtou riait : "Qu'elles continuent à s'agiter", disait-il. Tao Qing rétorqua qu'elles étaient déjà une trentaine à faire du scandale, et que si on n'y mettait pas le holà, elles seraient de plus en plus nombreuses.

— Tant mieux, déclara Li Guangtou. Quand les poux pullulent, on ne les sent plus.

Parmi les manifestantes, certaines avaient réellement couché avec Li Guangtou, d'autres le connaissaient sans plus, et il y en avait même qui ne l'avaient jamais vu. Quelques-unes de celles qui avaient couché avec lui pouvaient croire en toute bonne foi que leur enfant était bien de Li Guangtou, et celles-là, naturellement, étaient autrement plus hardies et plus avisées que leurs consœurs. Après concertation, elles arrivèrent à la conclusion que mieux valait aller devant les tribunaux que de rester là à manifester toute la journée sans prendre de repos, sans manger et sans boire, et sans l'espoir d'un quelconque résultat.

Li Guangtou comparut devant la justice en qualité d'accusé. Le jour où le procès s'ouvrit, il y avait foule à l'intérieur et aux abords du tribunal. Li Guangtou était vêtu d'un complet-veston et chaussé de souliers de cuir, et il portait une petite fleur rouge à la boutonnière. Il revenait tout juste de participer à l'inauguration d'une nouvelle filiale de sa compagnie. Souriant comme un jeune marié, il pénétra dans la salle du tribunal et fendit l'assistance, puis il prit place sur le siège de l'accusé comme s'il s'apprêtait à faire un rapport. Il resta assis pendant deux heures, écoutant avec passion les récits de toutes ces femmes, aussi fasciné qu'un enfant à qui on raconte une histoire. Quand les plaignantes évoquaient en pleurant les bons moments qu'elles avaient passés avec lui, le visage de Li Guangtou s'illuminait, et de loin en loin il poussait une exclamation d'étonnement :

— Oh, c'est vrai ! Sérieusement ?

Les auditions duraient donc depuis deux heures quand Li Guangtou se sentit las. Les récits étaient de plus en plus répétitifs, et pourtant la moitié des femmes à peine s'étaient exprimées. Pour Li Guangtou, c'en était assez. Il réclama la parole d'un geste de la main, et quand le juge lui fit signe de parler, il sortit avec précaution de la poche supérieure de sa veste sa carte maîtresse : le certificat de vasectomie que lui avait délivré l'hôpital une dizaine d'années auparavant.

Le certificat arriva entre les mains du juge, qui, après l'avoir parcouru, se mit à rire à gorge déployée pendant deux bonnes minutes. Après quoi, il déclara à haute voix Li Guangtou innocent : attendu qu'il avait subi il y a plus de dix ans une vasectomie, il n'était par conséquent plus en état de procréer. La foule fut abasourdie. Après quelques minutes de silence, toute la salle fut secouée par une vague de rires. Les trente plaignantes, bouche bée, se regardaient avec la même expression de consternation. Le juge informa alors Li Guangtou qu'il avait le droit de porter plainte contre ces femmes pour diffamation et tentative d'escroquerie. Une dizaine d'entre elles étaient livides, deux autres s'évanouirent sur-le-champ, quatre éclatèrent en sanglots, et trois tentèrent de filer à l'anglaise mais furent interceptées par les spectateurs, qui les ramenèrent dans l'enceinte du tribunal. Quelques-unes, cependant, qui avaient réellement couché avec Li Guangtou, ne se démontèrent pas. Elles annoncèrent qu'elles ne se soumettraient pas au jugement du tribunal et firent savoir à grands cris qu'elles allaient se pourvoir en appel : même si leur enfant n'était pas de Li Guangtou, le simple fait que celui-ci ait couché avec elles et qu'il leur ait ravi leur virginité, leur bien le plus précieux, méritait réparation. Elles étaient décidées à le poursuivre jusqu'au bout, et si elles n'obtenaient pas justice devant le tribunal de moyenne instance, elles le traîneraient devant la cour supérieure provinciale et, si cela ne suffisait pas encore, elles iraient à Pékin devant la cour suprême, et au besoin devant le Tribunal international de La Haye.

Les masses donnèrent le coup de pied de l'âne :

— Vous accusez Li Guangtou d'avoir couché avec vous, mais Li Guangtou peut retourner l'accusation. Vous exigez qu'il vous indemnise pour votre virginité, mais c'est lui qui pourrait vous demander de lui restituer la sienne.

Le tribunal était aussi agité qu'un poulailler. Les masses s'étaient rangées du côté de Li Guangtou, elles s'en prenaient à ces escrocs et exigeaient que le juge applique la loi à leur encontre. Le juge tapait sur la table et criait, sans parvenir à se faire entendre. Finalement, Li Guangtou se leva de son siège. Il salua l'assistance à plusieurs reprises en joignant ses mains devant sa poitrine, s'inclina à plusieurs reprises devant elle, et le calme revint peu à peu. Il s'adressa au public :

— Chers compatriotes, merci, merci…

Li Guangtou, ému, s'essuya les yeux :

— Si je suis parvenu là où j'en suis aujourd'hui, c'est à votre soutien et à vos encouragements à tous que je le dois. Aujourd'hui, je voudrais vous faire une confidence. C'est vrai que j'ai eu beaucoup de femmes, et pourtant je suis bien à plaindre, car à l'âge qui est le mien je n'en ai jamais rencontré une seule qui fût vierge…

Ses compatriotes du bourg des Liu se tordaient de rire. Ils se tenaient le ventre en criant bravo. Li Guangtou leur fit signe de se calmer, et il continua son discours :

— Pourquoi me suis-je fait opérer ? Parce que la femme que j'aimais s'était mariée avec un autre… A partir de ce moment-là, je n'ai plus cru en rien, et je me suis laissé aller, multipliant les aventures. Et tout ça pour quoi ? Quand un homme peu scrupuleux couche à droite et à gauche, il ne tombe que sur des femmes comme lui. Aujourd'hui, j'ai compris une chose : pour le dire grossièrement, il n'y a que quand on couche avec une vierge qu'on peut appeler ça faire l'amour ; ou, pour le dire plus élégamment, il n'y a que quand on couche avec une femme qui vous aime qu'on peut appeler ça faire l'amour. Seulement voilà, moi, jamais aucune femme ne m'a aimé, et c'est pourquoi j'ai eu beau coucher avec un tas de femmes, c'est comme si je n'avais couché avec personne. J'aurais mieux fait de coucher avec moi-même…

Ses compatriotes du bourg des Liu s'étouffaient de rire, et le bruit qu'ils faisaient en riant et en s'étouffant déferlait par vagues dans la salle. Li Guangtou, exaspéré, cria en agitant la main :

— Je ne plaisante pas…

Quand l'assistance se fut calmée, Li Guangtou, le doigt pointé sur sa poitrine, lança, dans un élan de sincérité :

— Je vous parle avec le cœur…

Il essuya ses yeux humides et poursuivit sa confession véridique :

— Pour ne rien vous cacher, je ne suis plus capable d'éprouver d'amour pour qui que ce soit. Il m'est arrivé d'être épris de quelques jeunes filles bien, mais ça n'a pas marché. Et pourquoi ? Parce que désormais je suis un débauché…

Et Li Guangtou entreprit de s'expliquer :

— Vous comprenez, la demoiselle, tôt ou tard, avait forcément ses humeurs. Dans ces moments-là, moi, la moutarde me montait au nez, et je ne pouvais m'empêcher de l'insulter. Je l'engueulais : “Putain, pour qui tu te prends ?” Et au bout de deux ou trois scènes, la jeune fille prenait ses cliques et ses claques.

Il marqua une pause, puis ajouta, avec un triste sourire :

— Et pourquoi ça ? Parce que désormais je suis habitué à payer pour coucher avec des femmes. Et évidemment, celles qui se font payer me font bonne figure. C'est devenu comme un commerce, il n'y a pas une once d'amour là-dedans. Je suis incapable, désormais, de respecter une femme, et dans ces conditions je ne peux pas être amoureux. Je suis bien à plaindre !

Li Guangtou acheva son discours au milieu des rires tonitruants. Il s'essuya les yeux et les coins de la bouche, puis, le doigt pointé sur les plaignantes, il déclara, magnanime :

— Elles ont du mérite, elles aussi, elles ont manifesté pendant un mois à la porte de ma compagnie. Dans le fond, c'est comme si elles étaient venues travailler chez moi pendant tout ce temps…

Li Guangtou se retourna et interpella un de ses subordonnés :

— Allez dire au contrôleur du service financier de leur verser 1 000 yuans à chacune. Ce sera leur salaire pour ce mois.

Il y eut un tonnerre d'acclamations, et les plaignantes elles-mêmes se sentirent soulagées d'un grand poids. Certes, songeaient-elles, elles n'avaient pas réussi à plumer la volaille, mais elles n'avaient pas perdu la poignée de riz qu'elles avaient dépensée pour l'appâter, et finalement cela leur avait même rapporté de l'argent. Li Guangtou quitta le tribunal, radieux, au milieu des ovations des masses. Avant de se glisser dans sa Santana, il se retourna pour saluer encore la foule qui l'acclamait. Puis il s'engouffra dans sa voiture et baissa la vitre pour continuer à faire des signes tandis que le véhicule démarrait.

Après cet épisode, Li Guangtou se mit à chérir son certificat de vasectomie comme la prunelle de ses yeux : cette décision prise sur un coup de tête venait de lui ôter une énorme épine du pied, et il se dit que, décidément, le hasard faisait bien les choses. Il arracha soigneusement la page de son dossier médical et la fit entoiler par un spécialiste pour l'accrocher au mur entre deux peintures de sa collection, une de Qi Baishi et l'autre de Zhang Daqian[2].

Les masses de notre bourg des Liu s'accordèrent à penser que Li Guangtou avait été rudement avisé de se faire opérer à l'époque, car autrement Dieu sait combien de petits Li Guangtou auraient gambadé dans les rues du bourg, dont certains auraient eu les cheveux blonds, les yeux bleus et le nez pointu.

Par la suite, les imaginations s'enflammèrent, et les masses commencèrent à tisser la légende de la vasectomie de Li Guangtou. Le geste de Li Guangtou après sa déception amoureuse prit alors des couleurs fantastiques. On racontait qu'il s'était d'abord passé une corde autour du cou et qu'il s'était pendu à une branche d'arbre, mais que la corde avait cassé et la branche aussi, et que Li Guangtou s'était retrouvé le bec dans la boue. Puis il avait voulu se suicider en se jetant dans la rivière. Mais après avoir sauté dedans, il s'était souvenu qu'il savait nager et donc il s'était raté une deuxième fois. Il était ressorti de l'eau en s'exclamant : "Putain, finalement je n'ai pas envie de mourir !" Rentré chez lui, il avait baissé son pantalon, sorti son membre et l'avait posé sur la planche à découper. Mais au moment où il brandissait son hachoir pour le trancher, il avait été pris d'une soudaine envie de pisser, et quand il était revenu à sa place, le cœur n'y était plus. Alors, il était allé chercher un canif, avec l'intention de se couper les testicules, mais ceux-ci, sous l'effet de la peur, s'étaient rétractés, et Li Guangtou, les prenant en pitié, n'avait pas eu le courage d'exécuter son projet. Et c'est ainsi qu'il s'était rendu à l'hôpital pour y subir une vasectomie.

Du jour où l'histoire de la vasectomie pratiquée dix ans auparavant fut de notoriété publique, les masses du bourg des Liu s'intéressèrent de nouveau à Lin Hong. Les gens se la montraient, et si beaucoup la plaignaient et la regardaient en secouant la tête, il se trouva des femmes pour se réjouir de son malheur : au fond, Lin Hong était bien bête et, comme on dit, "Trop belle, destin cruel". Quelques hommes tentèrent de prendre la défense de Lin Hong en arguant que personne n'avait le don de double vue, et que même les devins étaient incapables de prédire leur propre avenir. D'ailleurs, si tout un chacun était capable de prévoir le futur, les empereurs autrefois n'auraient pas perdu le pays, et Lin Hong aujourd'hui n'aurait pas perdu Li Guangtou.

XXXI

Liu l'Ecrivain, une des deux sommités littéraires de notre bourg des Liu, était présent lui aussi à l'audience. Il avait vu de ses yeux la farce qui avait fait crouler toute la salle de rire, il avait entendu de ses oreilles le discours enflammé de Li Guangtou. Il en avait été si remué que cette nuit-là il n'avait pu trouver le sommeil. Il était convaincu que pareille histoire était un sujet en or. Il s'était levé, après avoir jeté un vêtement sur ses épaules, et dans la nuit il avait pondu un texte d'une longueur impressionnante intitulé *Un millionnaire en mal d'amour*. Dans son texte, Liu l'Ecrivain utilisait à fond les normes du héros modèle[1], il donnait de Li Guangtou une image flatteuse, transformant ses centaines de coucheries en autant de déceptions amoureuses : Li Guangtou s'était lancé à corps perdu dans des amours pures pour, finalement, ne jamais rencontrer une seule vierge, il n'avait connu que des femmes débauchées, qui menaient une vie déréglée. Dans son texte, Liu l'Ecrivain remontait dans le passé de Li Guangtou, jusqu'à l'épisode au cours duquel celui-ci, âgé alors de quatorze ans, avait maté les fesses des filles aux toilettes. Il expliquait que le jeune Li Guangtou, à peine accroupi sur la fosse d'aisance, et avant même d'avoir eu le temps de se soulager, avait, par inadvertance, laissé tomber dans le trou la clef qu'il gardait dans la poche de son pantalon. Or, comme il s'était retourné et se penchait à la recherche de sa clef, un Zhao Machin était entré et, sans lui laisser le loisir de s'expliquer, l'avait pris au collet en l'accusant d'avoir tenté de se rincer l'œil et l'avait exhibé à travers tout le bourg des Liu. Liu l'Ecrivain dépeignait Zhao le Poète, l'autre sommité littéraire de notre bourg des Liu, sous les traits de ce Zhao Machin, un imbécile incapable de discernement. Puis il concluait sur cette réflexion émouvante : voilà comment un jeune homme pur et animé d'un noble idéal avait été définitivement sali ; et pourtant, ce jeune homme ne s'était pas laissé aller ; malgré son jeune âge il avait passé outre l'humiliation pour mener à bien sa mission, et, devenu adulte, il s'était mis corps et âme au service du pays et avait réalisé au bout du compte une grande œuvre.

Le texte, paru initialement dans le journal du soir de notre municipalité, fut repris en moins de deux mois par plusieurs centaines de feuilles locales à travers la Chine. Li Guangtou le lut et s'en montra fort satisfait. Il apprécia tout particulièrement le passage qui racontait comment la clef avait glissé de la poche de son pantalon dans la fosse septique. Frappant la table de la main gauche et agitant le journal de la droite, il s'écria :

— Le salopard, il a vraiment du talent ! Rien qu'avec une clef, il réhabilite la victime de l'erreur judiciaire la plus grave jamais commise dans l'histoire du bourg des Liu.

Et il ajouta, avec un grand sourire :

— En définitive, l'histoire a tranché.

Li Guangtou n'était pas tout à fait d'accord avec le titre que Liu l'Ecrivain avait choisi. Ecartant les cinq doigts de sa main, il déclara que sa fortune personnelle se montait à pas moins de 50 millions, alors que Liu l'Ecrivain l'avait présenté comme un simple millionnaire. Mais il ne lui en tint pas rigueur, et confia à ses subordonnés :

— Pour quelqu'un qui n'a jamais vu d'argent, 1 million c'est déjà pas mal.

Tandis qu'il était repris sans arrêt de publication en publication, le texte subissait sans arrêt des modifications. Le titre devint *Un multimillionnaire en mal d'amour*, et Li Guangtou en fut davantage satisfait :

— Voilà qui est plus objectif, estima-t-il en brandissant un journal local venu de l'autre bout de la Chine.

Après avoir fait le tour du pays, le texte revint à son point de départ, et le journal de notre province le publia à son tour. Cette fois, il était intitulé *Un milliardaire en mal d'amour*. Après en avoir pris connaissance, Li Guangtou sourit modestement :

— N'exagérons rien, n'exagérons rien.

Liu l'Ecrivain ne s'attendait pas à ce que son texte soit repris par des centaines de journaux, presque autant que de femmes séduites par Li Guangtou. Il était enfin célèbre, et enfin délivré de la mélancolie qu'il avait éprouvée durant toutes ces années d'anonymat. Il se promenait, radieux, dans les rues du bourg des Liu, agitant un mandat et expliquant à tous ceux qu'il croisait :

— J'ai un mandat qui tombe tous les jours, et tous les jours il faut que j'aille à la poste.

Puis il s'exclamait :

— La célébrité, c'est drôlement fatigant !

Depuis que Liu l'Ecrivain avait accédé à la gloire grâce à un seul texte, Zhao le Poète était rongé de regrets. Il s'en voulait de ne pas avoir assisté à l'audience ce jour-là, et de n'avoir pas, le premier, écrit sur Li Guangtou. Et montrant dans le journal le passage concernant le jeune Li

Guangtou aux toilettes, il confiait avec amertume aux masses du bourg :

— C'était à moi qu'il revenait d'en parler ! Liu l'Ecrivain m'a volé mon sujet…

Le monde est petit, et les deux sommités littéraires de notre bourg des Liu ne pouvaient manquer de se croiser tôt ou tard : ils se rencontrèrent à l'inauguration du supermarché de Tong le Forgeron. Tong le Forgeron possédait déjà trois magasins. Quand il constata que les supermarchés, inconnus jusqu'ici, poussaient comme des champignons sur le sol national, il voulut se mettre au diapason et ouvrit dans notre bourg des Liu un supermarché de 3 000 mètres carrés. Pour l'inauguration, il fit les choses en grand. A défaut du chef du district, Tao Qing, il invita son secrétaire ; et à défaut des chefs de département, il invita les chefs de section. Li Guangtou, occupé ailleurs à négocier un contrat et qui devait accorder un entretien à un journal, ne vint pas, mais il fit livrer la plus grosse gerbe de fleurs. Yu l'Arracheur de dents, qui voyageait au même moment dans le TGV entre Milan et Paris, avait envoyé, en longeant la frontière suisse, un télégramme de félicitations qu'il pria Wang les Esquimaux de lire. Mais Wang les Esquimaux ne parvint pas à le déchiffrer : il y avait dessus deux lignes écrites dans une langue étrangère dont il ne savait pas si c'était de l'italien ou du français. Tong le Forgeron, ravi, lui prit le télégramme des mains et l'agita devant les masses qui l'entouraient :

— Même les amis étrangers m'envoient leurs félicitations.

Tong le Forgeron avait donc invité aussi nos deux célébrités locales, Liu l'Ecrivain et Zhao le Poète. Zhao le Poète fit la tête en apercevant Liu l'Ecrivain ; Liu l'Ecrivain exulta en apercevant Zhao le Poète. Ils se tenaient l'un à côté de l'autre sans parler. Ce fut Tong le Forgeron qui, en présentant ses deux hôtes de marque, déclencha les hostilités entre eux. Il désigna d'abord Liu l'Ecrivain :

— Et voici l'auteur du célèbre *Un millionnaire en mal d'amour*.

Les masses applaudirent frénétiquement et Liu l'Ecrivain arborait une mine resplendissante. Puis Tong le Forgeron se tourna vers Zhao le Poète :

— Et voici Zhao Machin, un des personnages principaux d'*Un millionnaire en mal d'amour*.

Les masses n'applaudirent pas, mais firent entendre des rires joyeux. Zhao le Poète, déjà vexé d'apparaître dans le texte de Liu l'Ecrivain sous les traits de Zhao Machin, ne put se contenir davantage après les propos que Tong le Forgeron avait tenus. Aussitôt, il pointa un doigt sur le nez de Liu l'Ecrivain et le prit à partie violemment :

— Si tu ne manquais pas de cran, tu aurais écrit directement "Zhao le Poète", plutôt que de tourner autour du pot avec ton "Zhao Machin".

Liu l'Ecrivain, sans se départir de son sourire, invita Zhao le Poète à se calmer :

— A ton âge, un coup de sang, c'est vite arrivé.

La remarque perfide de Liu l'Ecrivain fit virer le teint de Zhao le Poète du blanc au rouge. Il attaqua bille en tête :

— Tout le monde a bien compris que c'était mon sujet. De quel droit t'en es-tu emparé ?

— Quel sujet ? dit Liu l'Ecrivain, d'un ton faussement naïf.

— L'épisode où Li Guangtou essaie de mater les fesses des filles aux toilettes.

Et, prenant la foule à témoin, il ajouta :

— Toutes les personnes d'un certain âge, dans le bourg des Liu, se souviennent que c'est moi qui l'ai pris la main dans le sac et qui l'ai forcé à défiler dans les rues…

— Tu as raison, acquiesça Liu l'Ecrivain. Li Guangtou matant le derrière des filles, c'est vrai que c'est ton sujet. Mais ce n'est pas ça que j'ai écrit. J'ai dit que Li Guangtou avait cherché sa clef, et ça, c'est de moi.

Les masses éclatèrent de rire et approuvèrent le discours de Liu l'Ecrivain. Zhao le Poète resta sans voix, et la colère fit repasser son visage du rouge au blanc. Tong le Forgeron, comprenant que les deux hommes étaient prêts à en découdre, et craignant que sa cérémonie n'en soit gâchée, fit un signe de la main et ordonna en criant d'allumer les pétards. Les pétards explosèrent et, immédiatement, l'attention des masses fut attirée par les détonations, et elles en oublièrent Liu l'Ecrivain et Zhao le Poète.

Le texte de Liu l'Ecrivain avait rendu Li Guangtou célèbre dans tout le pays. Les journalistes de la presse écrite, de la radio et de la télévision envahirent notre bourg des Liu, et accablèrent Li Guangtou de demandes d'interviews. Les entrevues commençaient le matin au saut du lit, et le soir, alors qu'il était sur le point de se coucher, son téléphone portable sonnait et un journaliste l'appelait de l'autre bout de la Chine pour lui poser encore des questions. Au plus fort de sa médiatisation, quatre caméras le filmaient, vingt-trois appareils photos le mitraillaient et trente-quatre journalistes l'interrogeaient simultanément.

Li Guangtou était aussi excité qu'un jeune chien qui a découvert un tas d'os. Il savait que c'était une aubaine inespérée pour ses affaires, et, tout en répondant aux questions des journalistes sur ses amours, il s'arrangeait toujours habilement pour faire dévier la conversation vers son commerce. Après un prologue lyrique sur ses serments d'amour, il passait tout de suite à ses années d'enfance misérables, expliquant que s'il s'appelait Li Guangtou, c'était parce que sa famille était trop pauvre pour lui payer le coiffeur, et que sa mère lui faisait raser le crâne pour n'avoir pas à y retourner trop vite. Dès qu'il évoquait son enfance, Li Guangtou pleurait à chaudes larmes, puis il s'essuyait les yeux, remerciait bruyamment la politique de réforme et d'ouverture, le Parti et le gouvernement, la population du district, et quand il avait fini de remercier tout le monde il commençait à raconter de quelle façon il s'était lancé dans les affaires et comment il avait accompli sa grande œuvre. En disant cela, il secouait la main et faisait remarquer avec modestie que c'étaient les journaux qui parlaient de sa "grande œuvre" et que lui se contentait de reprendre l'expression, même si elle lui semblait exagérée.

Du coup, le Li Guangtou qui apparaissait dans les journaux, à la radio et à la télévision, cessa d'être un orphelin de l'amour pour se montrer sous les traits d'un entrepreneur qui avait réussi. Fidèle à sa légende, Li Guangtou était parvenu en l'espace de deux semaines à détourner tous les reportages effectués sur son compte dans le pays, pour qu'il n'y soit question que de ses affaires. Sa compagnie devint à son tour très célèbre, de sorte que les prêts bancaires affluèrent dans le sillage des journalistes, et que les offres de partenariat affluèrent dans le sillage des prêts bancaires. Les grosses fortunes du pays, les grosses fortunes de Hong Kong, Macao et Taiwan, et les grosses fortunes d'outre-mer voulurent toutes investir dans les affaires de Li Guangtou, voulurent toutes s'associer avec lui pour ouvrir des usines et créer des sociétés. Les gouvernements de tous les échelons lui apportaient un soutien sans réserve, et s'il devait naguère encore attendre au moins un ou deux ans avant qu'on l'autorise à lancer un nouveau projet, à présent les permis tombaient au bout d'un mois seulement.

Pendant toute cette période, Li Guangtou ne dormit que deux ou trois heures par nuit. Il accordait des interviews tout en discutant affaires. Tous les jours, il distribuait plusieurs dizaines de cartes de visite et en recevait autant. Il y avait bon nombre d'escrocs parmi ses interlocuteurs, mais Li Guangtou n'était pas homme à se laisser berner : au premier coup d'œil, il distinguait le partenaire sérieux de l'aigrefin qui n'en voulait qu'à son argent. Il discutait les yeux mi-clos, on croyait qu'il dormait mais il était plus vigilant que quiconque. Il était prêt à collaborer avec n'importe qui, à une seule condition : il fallait préalablement verser sa quote-part sur le compte en banque de sa compagnie. Bien naïf qui se serait imaginé pouvoir lui soutirer un sou. Nul n'aurait su décrire l'odeur de son argent, lui qui ne laissait même pas sentir celle de ses pets.

Li Guangtou n'était généreux qu'envers les journalistes. Il les invitait à manger, à boire, leur offrait des divertissements, et quand ils partaient, c'était les bras chargés de cadeaux. Mais avec les gens qui venaient pour parler affaires avec lui, il était d'une avarice sordide. Il menait les discussions dans la cafétéria de sa compagnie, et avec ses interlocuteurs il pratiquait le système du "A.A."[2] :

— Ce sont les règles internationales en vigueur : chacun paie sa part.

La cafétéria de Li Guangtou était le pire coupe-gorge de toute la Chine. Une tasse de Nescafé y coûtait 100 yuans, quand dans les hôtels cinq étoiles de Pékin et de Shanghai on payait une tasse de café d'importation moulu sur place 40 yuans. Les escrocs se lamentaient intérieurement : jadis, Zhou Yu[3], après avoir perdu son épouse, avait perdu ses soldats ; eux, aujourd'hui, n'avaient rien réussi à extorquer à Li Guangtou et de surcroît ils en étaient de leur poche.

L'hôtellerie, la restauration et le commerce de détail décollèrent d'un seul coup dans notre bourg des Liu. Des hordes de touristes s'abattirent sur le bourg comme une bourrasque de neige, ils y logeaient, ils y mangeaient, ils y faisaient leurs emplettes dans les magasins. Ils venaient des quatre coins de Chine, avec leurs patois locaux, mais une fois arrivés au bourg des Liu ils baragouinaient tous en mandarin[4]. Les masses de notre bourg des Liu qui jusqu'alors ne s'étaient jamais exprimées autrement que dans leur dialecte se mirent elles aussi à parler le mandarin comme des vrais titis pékinois. Elles s'adressaient aux touristes avec l'accent pékinois ; chez elles, elles conversaient sans y prendre garde avec l'accent pékinois ; à table, elles bavardaient avec l'accent pékinois ; et au lit, avec leur conjoint, elles causaient avec l'accent pékinois.

Les masses de notre bourg des Liu mangeaient du Li Guangtou quotidiennement. En ouvrant le journal elles découvraient son sourire, en écoutant la radio elles l'entendaient rire, et en regardant la télévision elles le voyaient rigoler. La célébrité de Li Guangtou avait déteint sur notre bourg des Liu. Cela faisait plus de mille ans que notre bourg s'appelait le bourg des Liu, mais plus personne ne se souvenait de son nom. Comme tout le monde avait pris l'habitude de parler de Li Guangtou pour un oui ou pour un non, dès qu'il était question du bourg des Liu on en était venu tout naturellement à dire “le bourg de Li Guangtou”. Quand des gens de l'extérieur le traversaient en voiture, ils baissaient leur vitre et demandaient au premier passant venu :

— C'est bien le bourg de Li Guangtou ?

XXXII

Tandis que Li Guangtou brillait au zénith, Song Gang, son masque sur le nez, cherchait toujours des travaux de remplacement à effectuer. Il arpentait comme une âme en peine les rues du bourg des Liu, à l'ombre des platanes et des cyprès. Liu le Fumeur avait convoqué plusieurs fois Lin Hong dans son bureau, et la porte fermée, il ne se montrait plus simplement entreprenant en paroles, mais aussi par le geste. Il avait approché sa chaise de celle de Lin Hong, et caressait sa main avec une tendresse feinte. Lin Hong fut tentée de se lever et de lui administrer une gifle, mais elle se retint en pensant à Song Gang qui était au chômage, et se contenta d'écarter la main baladeuse. S'enhardissant, Liu le Fumeur posa sa bouche aux dents noires sur le visage de Lin Hong. Celle-ci eut un haut-le-cœur, elle repoussa vivement Liu le Fumeur, abandonna son siège et alla jusqu'à la porte. Alors qu'elle s'apprêtait à l'ouvrir, Liu le Fumeur l'attrapa par derrière et la prit dans ses bras. Il lui pétrit les seins d'une main et plongea l'autre dans son pantalon, tout en cherchant à l'entraîner sur le canapé. Lin Hong s'agrippait des deux mains à la poignée, elle savait que pour son salut il lui fallait ouvrir cette porte. Elle cria. Liu le Fumeur s'affola, et Lin Hong en profita pour tirer sur la poignée. Dehors, quelqu'un arrivait. Liu le Fumeur la lâcha aussitôt, Lin Hong s'échappa de la pièce comme une flèche et entendit son patron pester dans son dos. Elle remit de l'ordre dans ses vêtements et dans ses cheveux, avant de s'éloigner au plus vite. Ce n'était pas encore l'heure de la fin du travail, mais déjà elle avait quitté la manufacture sur sa bicyclette et pédalait en larmes dans les rues de notre bourg des Liu.

Song Gang venait de rentrer et de s'asseoir sur le canapé. Il n'avait pas encore ôté son masque. Il vit Lin Hong pousser la porte en pleurant. Song Gang ignorait ce qui s'était passé, il se leva inquiet. Lin Hong, en l'apercevant, pleura de plus belle, et Song Gang, aux cent coups, la pressa de lui raconter ce qui la mettait dans cet état. La bouche de Lin Hong s'ouvrit mais, devant l'air pitoyable de Song Gang affublé de son masque, elle n'eut pas le courage de se plaindre du harcèlement que lui faisait subir Liu le Fumeur : Song Gang souffrait déjà assez comme cela. C'est parce que Song Gang était au chômage qu'elle s'était résignée à supporter les avances de son patron, et elle se dit que s'il obtenait une bonne place chez Li Guangtou elle n'aurait plus à endurer ce calvaire. Elle s'adressa à Song Gang, les yeux noyés de larmes :

— Tu devrais quand même aller trouver Li Guangtou…

Comme Song Gang hésitait, puis secouait à nouveau la tête obstinément, Lin Hong ne put se contenir davantage, et elle s'écria en pleurant :

— Quand Li Guangtou a commencé à gagner de l'argent, il a pensé à toi, son frère, et il s'est déplacé tout spécialement pour venir te voir. Et toi, tu l'as rembarré.

— Toi aussi, tu étais là, marmonna Song Gang.

— Est-ce que tu en avais discuté avec moi ? riposta Lin Hong en pleurs. C'était pourtant une affaire importante, mais tu l'as éconduit sans même m'en parler.

Song Gang baissa la tête, ce qui mit Lin Hong en rage :

— Tu baisses la tête, c'est tout ce que tu sais faire…

Lin Hong n'arrêtait pas de secouer la tête, elle ne comprenait pas l'entêtement de Song Gang. D'habitude, les gens obstinés cessent de l'être quand il y va de leur vie, mais Song Gang, lui, était capable de persister dans son idée jusqu'au bout. Lin Hong décida d'aller trouver elle-même Li Guangtou, et elle fit part de sa résolution à Song Gang : il était impensable que Li Guangtou ne procure pas un emploi à quelqu'un qui avait grandi avec lui, *a fortiori* un frère si proche. Elle essuya ses larmes :

— Je ne parlerai que de ta maladie et de rien d'autre, expliqua-t-elle, et je lui demanderai simplement s'il est prêt à te proposer du travail.

Tout en parlant, Lin Hong ouvrit l'armoire car elle ne voulait pas être habillée n'importe comment pour se présenter devant Li Guangtou. Elle sortit tous ses vêtements, les posa sur le lit et il lui fallut près d'une heure pour arrêter son choix. Tout en examinant ses habits, elle pleurait : les vêtements encore un tant soit peu portables dataient déjà de plusieurs années et ils étaient passés de mode depuis belle lurette, car cela faisait longtemps qu'elle n'en achetait plus. Sans arrêter de verser des larmes, elle enfila une robe qui, bien que démodée, avait encore de l'allure, mais qui, comme elle avait un peu forci, la boudinait.

Song Gang l'observait, avec un air navré. Il se sentait coupable envers elle. Il se leva du canapé et déclara, d'un ton ferme :

— C'est à moi d'y aller.

Song Gang s'engagea dans la grande rue, et se dirigea vers la compagnie de Li Guangtou. L'homme le plus pauvre de notre bourg des Liu se rendait chez l'homme le plus riche. Ils avaient été frères, et ils l'étaient encore. Song Gang pénétra dans les locaux de la compagnie. Debout dans le hall, il jeta des regards autour de lui et aperçut Li Guangtou assis dans la cafétéria, en grande conversation avec des journalistes. Il s'arrêta derrière lui et murmura :

— Li Guangtou.

Cela faisait déjà plusieurs années que plus personne n'avait appelé Li Guangtou par son nom. On ne lui donnait plus que du "monsieur le directeur Li". Li Guangtou se demanda donc qui pouvait bien l'interpeller ainsi. Il se retourna et vit Song Gang, son masque sur le nez. Au-dessus du masque, à travers les carreaux de ses lunettes, les yeux de Song Gang souriaient. Li Guangtou se leva d'un bond et prit congé des journalistes :

— Veuillez m'excuser.

Li Guangtou entraîna Song Gang dans l'ascenseur, puis dans son bureau, et la première chose qu'il lui dit, au moment où il fermait la porte, ce fut :

— Retire ton masque.

La bouche de Song Gang articula à travers le masque :

— Je suis malade des poumons.

— Tu m'emmerdes avec ta maladie, lança Li Guangtou, en arrachant son masque à Song Gang. Tu n'as pas besoin de ce machin-là quand tu parles à ton frère.

— J'ai peur de te contaminer.

— Eh bien moi, ça ne me fait pas peur.

Li Guangtou fit asseoir Song Gang sur le canapé et s'installa à ses côtés :

— Putain, tu en auras mis du temps à venir me trouver.

Song Gang promena ses regards dans ce bureau immense et luxueux, et il ne put cacher sa joie :

— Si maman était encore en vie, elle serait drôlement contente de voir ton bureau.

Emu par ces paroles, Li Guangtou s'appuya sur l'épaule de Song Gang :

— Song Gang, qu'est-ce qui t'est arrivé ? Toutes ces années, je n'ai pas eu une minute à moi, et je n'ai pas eu le temps de m'occuper de toi. J'avais entendu dire que tu t'étais blessé, que tu avais été malade, et j'aurais bien voulu te rendre visite, mais j'avais trop de choses à faire, et cela m'est sorti de la tête.

Song Gang sourit tristement. Il raconta comment il s'était donné un tour de reins en travaillant comme docker et comment il s'était abîmé les poumons à la cimenterie. Quand il eut achevé son récit, Li Guangtou se releva du canapé et se mit à l'engueuler copieusement :

— Espèce de salopard, tu vas chercher du travail partout, sauf chez Li Guangtou. Espèce de salopard, tu te rends compte dans quel état tu t'es mis ? Tes reins sont foutus, et tes poumons, pareil. Espèce de salopard, pourquoi n'es-tu pas venu me voir ?

Song Gang se réjouit d'entendre ces injures, il avait l'impression de retrouver son frère. Il sourit :

— Mais maintenant, je suis là.

— Maintenant, c'est trop tard, explosa Li Guangtou, fou de rage. Maintenant, tu n'es plus qu'une loque.

Song Gang hocha la tête pour montrer qu'il était d'accord, puis il demanda timidement :

— Tu n'aurais pas un emploi pour moi ?

Li Guangtou secoua la tête en soupirant et se rassit à côté de Song Gang. Il lui donna une tape sur l'épaule :

— Commence par te soigner. Je vais te faire conduire au meilleur hôpital de Shanghai, il faut d'abord que tu sois complètement guéri.

Song Gang secoua la tête :

— Je ne suis pas venu ici pour me faire soigner, mais pour te demander du travail.

— Putain ! s'exclama Li Guangtou, avant de poursuivre : D'accord, je t'engage comme P-DG adjoint de ma compagnie. Tu viendras quand ça te chantera, et si tu préfères tu resteras dormir chez toi. Le plus important, c'est avant tout que tu te soignes bien.

Song Gang continuait à secouer la tête :
— Je serais incapable de faire ce travail.
— Espèce de salopard ! s'exclama à nouveau Li Guangtou. Alors, qu'est-ce que tu sais faire ?
— Tout le monde m'appelle le "suppléant en chef", dit Song Gang, avec un sourire d'autodérision. Je suis tout juste bon à faire le ménage ou à distribuer le courrier et les journaux. Tout le reste, c'est au-dessus de mes capacités…
— Il n'y a vraiment rien à tirer d'un salopard comme toi. Je ne sais pas à quoi Lin Hong pensait quand elle t'a épousé. (Li Guangtou n'arrêtait pas d'agiter la tête de rage.) Comment moi, Li Guangtou, pourrais-je laisser Song Gang faire ce genre de travail…
Une fois qu'il eut vidé son sac, Li Guangtou comprit qu'il ne servait à rien d'engueuler Song Gang davantage :
— Rentre chez toi, il y a encore un groupe de journalistes qui m'attend. On reparlera plus tard de ton problème.
Song Gang remit son masque et sortit radieux des locaux de la compagnie. Li Guangtou l'avait traité de "salopard" un nombre incalculable de fois, mais plus Li Guangtou l'insultait et plus Song Gang était heureux, car il avait retrouvé le Li Guangtou d'avant, son frère.
Song Gang rentra chez lui d'excellente humeur. Il ôta son masque et s'assit sur le canapé, et il sourit à Lin Hong :
— Li Guangtou n'a pas changé d'un poil, il n'a pas cessé de me traiter de "salopard", il a dit qu'on ne pouvait rien tirer de moi et qu'il se demandait à quoi tu pouvais bien penser le jour où tu m'as épousé…
Lin Hong, toute joyeuse quand il avait commencé à parler, devenait de plus en plus perplexe à mesure que Song Gang avançait dans son récit :
— Il t'a proposé un travail ?

— Il a dit qu'il fallait d'abord que je me soigne.

Lin Hong était dubitative :

— Alors, il ne t'a rien proposé ?

— Il m'a proposé d'être P-DG adjoint, mais je n'ai pas accepté.

— Et pourquoi ?

— Je n'en suis pas capable.

Les larmes de Lin Hong recommencèrent à couler, et tout en s'essuyant les yeux elle ne put s'empêcher de lâcher :

— Tu es vraiment indécrottable.

Song Gang, mal à l'aise, murmura :

— Il a dit qu'il fallait d'abord que je me soigne.

— Où va-t-on trouver l'argent pour te faire soigner ? demanda tristement Lin Hong, entre deux pleurs.

A cet instant, on frappa à l'entrée. Lin Hong sécha ses larmes et entrouvrit la porte. Dans l'entrebâillement, elle aperçut, debout sur le seuil, le contrôleur du service financier de la compagnie de Li Guangtou. Celui-ci lui adressa un signe discret de la main, pour l'inviter à sortir. Lin Hong resta un moment interdite puis le rejoignit en s'essuyant les yeux. Ensemble, ils s'éloignèrent d'une trentaine de mètres de la maison, puis le contrôleur s'arrêta et fourra dans les mains de Lin Hong un livret de compte bancaire. Il lui expliqua qu'il y avait 100 000 yuans dessus, et que le compte était à son nom à elle. C'était la somme que Li Guangtou leur offrait, à elle et à Song Gang, pour subvenir à leurs dépenses quotidiennes et aux frais médicaux de Song Gang. Le contrôleur ajouta que s'il lui remettait le livret à elle, c'est parce que Li Guangtou craignait que Song Gang ne refuse cet argent. Il recommanda à Lin Hong de garder le secret et de n'en pas parler à Song Gang. Avant de prendre congé, il déclara enfin :

— D'après M. le directeur Li, l'état de santé de Song Gang est préoccupant. Il faudrait le conduire à l'hôpital sans tarder. M. le directeur Li vous fait aussi savoir qu'il ne faut pas hésiter à dépenser cet argent : il fera verser sur votre compte 100 000 yuans tous les six mois, et si cela n'était pas suffisant, vous n'aurez qu'un mot à dire. M. le directeur Li veut que vous sachiez qu'il s'occupera de vous jusqu'au bout.

Lin Hong resta plantée là, bouche bée, le livret de dépôt bancaire entre les mains. 100 000 yuans, qu'est-ce que cela représentait ? C'était une somme inimaginable pour elle. En voyant les passants lorgner le livret, elle sursauta et recouvra enfin ses esprits. Elle voulut se dépêcher de rentrer à la maison, mais arrivée à la porte, elle changea d'avis et se rappela que le contrôleur lui avait recommandé de ne rien révéler à Song Gang. Elle tourna les talons et fila à la banque, où elle retira 2 000 yuans, dans l'intention de conduire Song Gang à l'hôpital dès le lendemain. Après quoi, elle rentra chez elle lentement, la tête pleine d'images anciennes de Li Guangtou souriant jusqu'aux oreilles. Brusquement, il lui semblait que Li Guangtou était un type bien, et qu'elle avait eu décidément tort de le détester.

XXXIII

Après avoir goûté la célébrité pendant près de deux mois, Liu l'Ecrivain s'aperçut subitement que son heure de gloire avait passé. Il retomba dans l'anonymat et les mandats cessèrent d'affluer. Liu l'Ecrivain était indigné qu'on l'ait oublié aussi vite, lui grâce à qui désormais le légendaire Li Guangtou était connu de la Chine entière. Tous les journalistes se précipitaient sur Li Guangtou et il n'y en avait pas un dans la masse qui prêtât attention à lui ou qui lui accordât ne fût-ce qu'un regard. Il avait bien tenté d'intercepter l'un ou l'autre dans la rue, et de leur expliquer qu'il avait été l'auteur du premier texte consacré à Li Guangtou : "Ah bon", s'étaient contentés de dire les journalistes, pressés de rejoindre Li Guangtou à sa compagnie et de l'interviewer, car ceux qui arrivaient trop tard devaient céder leur tour et attendre le lendemain.

Liu l'Ecrivain portait un complet-veston tout fripé, il avait une barbe de trois jours et les cheveux en bataille. Ses souliers de cuir noir étaient gris de poussière. Comme les gens venus de l'extérieur ne s'intéressaient pas à lui, il se rabattit sur les masses de notre bourg des Liu. Dès qu'il pouvait coincer quelqu'un de chez nous, il le soûlait de ses discours, ne manquant pas de rappeler la contribution décisive qu'il avait apportée à la consécration de Li

Guangtou. Et toutes ses logorrhées s'achevaient immanquablement par cette phrase :

— C'est moi qui ai payé la noce.

De proche en proche, les bavardages de Liu l'Ecrivain revinrent aux oreilles de Li Guangtou, qui l'envoya chercher par deux de ses subordonnés :

— Je vais lui remettre les idées en place.

Quand les deux subordonnés mirent la main sur Liu l'Ecrivain, il était en train de croquer une pomme dans la rue. Ils s'approchèrent de lui et lui annoncèrent que Li Guangtou souhaitait le rencontrer. D'émotion, Liu l'Ecrivain avala de travers le morceau de pomme qu'il avait dans la bouche. Il se plia en deux, le visage congestionné, et suivit les deux employés de Li Guangtou, en toussant à répétition et en se tapant sur la poitrine. Il se démena ainsi tout le long du trajet, et c'est seulement à la porte de la compagnie qu'il parvint à recracher le morceau de pomme qui obstruait sa trachée. Il respira à pleins poumons, comme s'il venait d'échapper à la mort, essuya les larmes que sa gêne respiratoire lui avait arrachées, et confia aux deux employés de Li Guangtou :

— Je savais bien que M. le directeur Li me ferait appeler. J'attendais que M. le directeur Li vienne me trouver. Je sais bien quelle sorte d'homme est M. le directeur Li : je sais bien que M. le directeur Li est un homme qui, lorsqu'il boit, n'est pas du genre à oublier celui qui a creusé le puits.

Liu l'Ecrivain pénétra dans le bureau de 100 mètres carrés de Li Guangtou. Li Guangtou était au téléphone, il parlait affaires. Liu l'Ecrivain jetait autour de lui des regards admiratifs, et quand Li Guangtou eut raccroché, il s'adressa à lui, tout sourire :

— On m'avait raconté que vous aviez un bureau magnifique, et je constate qu'on ne m'avait pas menti. J'ai eu l'occasion de me rendre dans le bureau du chef du district, qui est déjà de taille respectable, mais comparé au vôtre on dirait des toilettes.

Le regard dur de Li Guangtou tempéra immédiatement l'enthousiasme de Liu l'Ecrivain.

— Il paraît que tu répands des bruits sur moi, lança Li Guangtou, l'œil mauvais.

Liu l'Ecrivain pâlit instantanément :

— Pas, pas, pas du tout, bégaya-t-il en secouant la tête.

— Putain ! s'exclama Li Guangtou en frappant sur la table. Putain ! répéta-t-il.

Liu l'Ecrivain trembla de tous ses membres à chacun des deux jurons de Li Guangtou. Il pensa que c'en était fait de lui. Dans la position qui était la sienne, si Li Guangtou voulait sa peau, il lui serait aussi facile de l'obtenir que de tuer une mouche avec une tapette.

— Alors comme ça, c'est toi qui as payé ma noce, repartit Li Guangtou, avec un rire froid.

Liu l'Ecrivain fit une courbette :

— Pardon, monsieur le directeur Li, pardon, je n'aurais pas dû prétendre ça…

— Et ce costume, est-ce qu'il faisait partie de mon trousseau ? demanda-t-il en tirant sur le devant de son veston.

Liu l'Ecrivain secoua la tête à plusieurs reprises :

— Non, non…

— Tu sais quelle est la marque de cette veste ? demanda fièrement Li Guangtou. C'est une veste Armani. Et sais-tu qui est Armani ? C'est un Italien, c'est le couturier le plus célèbre au monde. Sais-tu combien coûte cette veste ?

Liu l'Ecrivain commença à hocher la tête :

— Certainement très cher, certainement très cher…

Li Guangtou montra deux doigts :

— Deux millions de lires.

A ce chiffre, Liu l'Ecrivain fut tellement saisi que ses mollets en tremblèrent. Il était trop rustre pour savoir ce que valait une lire italienne. Il supposait simplement que l'argent étranger valait plus que l'argent chinois. Il ouvrit la bouche et s'exclama :

— Fichtre, deux millions !

Li Guangtou sourit devant l'air effaré de Liu l'Ecrivain :

— Je vais te donner un conseil d'ami : tiens ta langue.

Liu l'Ecrivain continuait à hocher la tête :

— Oui, oui, pour sûr que je vais la tenir. Comme dit le proverbe : "Malheur aux bavards." Dorénavant, je ferai attention.

Après ce coup de semonce, Li Guangtou changea de ton et s'adressa amicalement à Liu l'Ecrivain :

— Assieds-toi donc.

Comme Liu l'Ecrivain ne réagissait pas, Li Guangtou réitéra son invitation, et l'autre consentit enfin à s'asseoir, prudemment. Li Guangtou poursuivit sur un ton familier :

— J'ai lu ton texte, tu as du talent mon salopard. Comment t'est venue cette idée de clef ?

Liu l'Ecrivain, soulagé, répondit d'un ton enjoué :

— C'est ça l'inspiration.

— L'inspiration ? répéta Li Guangtou, qui ne comprenait pas ce terme. Merde alors, n'emploie pas des mots aussi difficiles, parle avec des mots simples.

Liu l'Ecrivain sourit d'un air entendu, il se pencha vers Li Guangtou et lui susurra à l'oreille :

— Autrefois, moi aussi je matais souvent le cul des filles aux toilettes. J'avais un truc…

— C'est vrai ? Toi aussi ? dit Li Guangtou, tout émoustillé. Et c'était quoi, ton truc ?

— Je me servais d'un miroir.

Liu l'Ecrivain se leva et commença à expliquer :

— Je glissais le miroir par en bas, et je voyais le cul des filles qui se reflétait dedans. Comme ça, pas de danger de tomber, ni de me faire pincer par les gens qui entraient.

— Putain ! s'exclama Li Guangtou en se frappant le front. Pourquoi n'y avais-je pas pensé ?

— D'un autre côté vous, vous avez vu le derrière de Lin Hong, poursuivit Liu l'Ecrivain pour le flatter. Alors que moi, je n'ai jamais réussi à voir que le cul de la femme de Tong le Forgeron.

— Putain ! s'exclama encore Li Guangtou, les yeux brillants. Pas de doute, tu as du talent mon salopard. Moi, Li Guangtou, j'ai trois passions dans la vie : l'argent, le talent et les femmes. Donc, mon salopard, tu relèves de ma deuxième passion. Ma compagnie, maintenant, a pris de l'importance, et dans toutes les grandes compagnies on a besoin d'un attaché de presse. Je suis sûr que tu es exactement la personne qu'il me faut, mon salopard…

Et c'est comme cela que Liu l'Ecrivain prit en main la communication de Li Guangtou. Quand les masses du bourg des Liu le revirent quelques jours plus tard, ce n'était déjà plus un péquenot : il portait un complet-veston impeccable, des souliers de cuir bien cirés, une cravate rouge sur une chemise blanche, et sa coiffure était parfaite. Lorsque Li Guangtou descendait de sa Santana, il descendait juste derrière lui. Son sobriquet à lui aussi avait changé, il était devenu Liu l'Attaché de presse. Il avait bien retenu la recommandation de Li Guangtou de mesurer ses paroles, et désormais il était plus difficile de lui arracher un mot de la bouche que de lui ôter une dent. En privé, il confiait à ses amis :

— Je ne peux plus parler librement comme avant. Maintenant, je suis le porte-parole de M. le directeur Li.

Li Guangtou avait vu juste : quand il fallait se taire, Liu l'Ecrivain se serait laissé tuer sur place plutôt que de desserrer les dents ; et quand c'était le moment de s'expliquer, il avait la langue bien pendue. Lorsque les masses du bourg des Liu faisaient des gorges chaudes des écarts de conduite de Li Guangtou, Liu l'Ecrivain intervenait pour mettre les choses au point :

— M. le directeur Li est célibataire. Quand un célibataire couche avec une femme, on ne peut pas parler d'écarts de conduite. Qu'est-ce qu'on appelle un écart de conduite ? C'est quand un mari couche avec la femme d'un autre, ou qu'une épouse couche avec le mari d'une autre.

Les masses du bourg des Liu s'étonnaient :

— Quand une femme mariée couche avec Li Guangtou, est-ce que ce n'est pas un écart de conduite ?

— Sans doute, admettait Liu l'Ecrivain. Mais l'écart de conduite est du côté de la femme, et M. le directeur, lui, n'a rien à se reprocher.

La théorie de Liu l'Ecrivain sur les écarts de conduite parvint jusqu'aux oreilles de Li Guangtou, qui applaudit des deux mains :

— Ce salopard parle d'or. Quand on est célibataire comme je le suis, on aurait beau coucher avec toutes les femmes de la création, on ne commettrait aucun écart de conduite.

La première tâche à laquelle s'attela Liu l'Ecrivain une fois devenu Liu l'Attaché de presse, ce fut de trier le courrier qui s'accumulait. Des quatre coins de la Chine, Li Guangtou recevait des lettres de femmes se prétendant vierges. Ce milliardaire qui n'avait encore jamais goûté à l'amour et qui n'avait jamais vu une vierge véritable faisait fantasmer la moitié des femmes du pays, et elles lui envoyaient des monceaux de lettres pour l'assurer de la pureté de leur amour. Parmi elles, il y avait des jeunes filles et des jeunes femmes, des femmes honnêtes et des prostituées, des citadines et des paysannes, des lycéennes, des étudiantes, des titulaires d'un master ou d'un doctorat. Dans leurs lettres, à commencer par celle d'un professeur d'université, elles affirmaient toutes qu'elles étaient vierges, et elles déclaraient, ou bien à mots couverts ou bien explicitement, qu'elles étaient disposées à offrir à notre Li Guangtou l'hymen qu'elles avaient conservé précieusement intact jusqu'ici.

La voiture de la poste livrait chaque jour à la loge de la compagnie un sac entier plein de courrier, qui était transporté par deux jeunes malabars de la compagnie dans le bureau de Liu l'Ecrivain, ou plutôt de Liu l'Attaché de presse. Celui-ci, qui venait d'être installé dans ses fonctions, faisait du zèle. Son bureau jouxtait celui de Li Guangtou et, tout comme lui, il était si occupé qu'il devait se contenter de deux ou trois heures de sommeil. Il dépouillait des paquets de lettres envoyées par les vierges, et sélectionnait parmi elles celles qui lui semblaient le plus intéressantes pour en donner lecture à Li Guangtou. Li Guangtou avait tant à faire qu'il avait à peine le loisir de respirer, et Liu l'Attaché de presse lui lisait les lettres par bribes en profitant du moindre temps mort : il lui en lisait des extraits quand il pissait ; il lui en lisait des extraits quand il chiait ; il lui en lisait des extraits quand il mangeait ; quand Li Guangtou partait quelque part, il lui courait derrière pour lui faire la lecture ; quand Li Guangtou montait dans sa Santana, il y montait lui aussi pour lui faire la lecture ; et, en pleine nuit, quand Li Guangtou rentrait chez lui et se couchait, Liu l'Attaché de presse lui faisait encore la lecture debout à côté de son lit jusqu'à ce qu'il s'endorme, et que lui-même puisse s'allonger à ses pieds et se reposer. Quand Li Guangtou se réveillait, Liu l'Attaché de presse se levait d'un bond et reprenait sa lecture, et il continuait à lire tandis que Li Guangtou se brossait les dents, se débarbouillait, avalait son petit déjeuner, et jusqu'à ce que Li Guangtou soit retourné à son bureau pour se plonger dans ses multiples occupations. Alors, il se hâtait à son tour de se brosser les dents, de se débarbouiller, d'avaler son petit déjeuner, puis il se dépêchait de se plonger dans les piles de courrier et de trier les lettres de vierges qui venaient d'arriver.

Durant cette période, Liu l'Attaché de presse et Li Guangtou ne se quittèrent pas d'une semelle. Les lettres des vierges agissaient comme un excitant sur Li Guangtou. Quand il pensait à cette armée d'hymens issus des quatre coins du pays qui l'attendaient alignés comme une grande muraille, ses mains étaient si fébriles qu'il s'en grattait les cuisses. Liu l'Attaché de presse choisissait toujours les passages les mieux écrits et les plus émouvants, et quand il les lisait à haute voix, Li Guangtou avait les yeux qui brillaient et il s'exclamait naïvement, émerveillé comme un enfant de maternelle :

— C'est vrai, c'est vrai ?

Li Guangtou finit par ne plus pouvoir se passer de ces lettres de vierges. Elles étaient devenues son soutien moral, et tel un drogué devenu dépendant, dans les moments de fatigue, il s'en faisait lire des extraits par Liu l'Attaché de presse avant de s'ensevelir dans son travail, instantanément requinqué. Au milieu d'une interview ou d'une négociation, il lui arrivait de ne plus pouvoir tenir et, tel un toxicomane en manque, il était obligé de s'éclipser pour se faire lire un passage. Après quoi, la mine resplendissante, il revenait prendre place en face des journalistes qui l'interrogeaient ou des partenaires avec lesquels il était en affaires. Dans ces moments-là, il en oubliait parfois le nom de son attaché de presse, qu'il appelait alors "Lettre de vierge". Si d'aventure Li Guangtou, ayant besoin de sa piqûre d'héroïne mentale, voulait qu'on lui lise sur-le-champ une lettre de vierge et qu'il ne trouvait pas Liu l'Attaché de presse – celui-ci, comme tout un chacun, avait des besoins naturels à satisfaire –, il était aux cent coups :

— Où est Lettre de vierge ? criait-il dans le couloir. Putain, où est-il allé se fourrer ?

Liu l'Attaché de presse sortait alors comme une flèche des toilettes en remontant son pantalon, et tout en empêchant d'une main celui-ci de tomber, déjà il commençait à lire la lettre qu'il tenait dans l'autre main.

XXXIV

Les journalistes avaient afflué comme la marée, puis la marée s'était retirée. Après avoir eu pendant trois mois l'agenda d'une mondaine, Li Guangtou s'aperçut brusquement que les journalistes s'étaient évanouis dans la nature. Certes, des gens venaient encore de loin en loin discuter affaires avec lui, mais de gens de presse point. Li Guangtou se retrouva du jour au lendemain désœuvré. Au tout début, il se sentit soulagé : il allait enfin pouvoir dormir comme tout un chacun. Il dormit dix-huit heures d'une seule traite, et au réveil il prétendit encore qu'il n'avait pas dormi tout son soûl. Liu, son attaché de presse, dormit pour sa part dix-sept heures d'affilée, et au réveil il déclara lui aussi qu'il n'avait pas assez dormi. Ils étaient couchés, chacun chez soi, chacun dans son lit, et Liu l'Attaché de presse lui lut pendant deux heures au téléphone des lettres de vierges. Liu l'Attaché de presse ne posa les lettres que quand il entendit à l'autre bout du fil les ronflements sonores de son patron et, à peine les yeux fermés, il se mit à ronfler à son tour. Tous les deux dormirent encore cinq heures supplémentaires avant de se retrouver à la compagnie, les yeux gonflés.

Au cours de la semaine qui suivit, Li Guangtou se prélassa sur le canapé de son bureau, à écouter Liu l'Attaché de presse parcourir à voix haute des lettres de vierges, jusqu'à en avoir la gorge sèche. Même si ces lettres continuaient à le stimuler, à agir sur lui comme une drogue mentale, il ne s'était pas entièrement remis de la disparition subite des journalistes, et tandis qu'il écoutait les déclarations venues du fond du cœur des vierges, il commençait à avoir des moments de distraction. Il lui arrivait ainsi d'interrompre la lecture et de s'interroger lui-même :

— Pourquoi donc ces salopards de journalistes se sont-ils carapatés ?

Liu l'Attaché de presse, debout devant le canapé, expliqua que c'était dans la nature de ces salopards de journalistes de la presse écrite, de la radio et de la télévision : ils se précipitaient sur le premier scoop comme des chiens sur un os.

Li Guangtou se redressa d'un coup :

— Est-ce que je dois en déduire que moi, Li Guangtou, je ne suis déjà plus un os ?

Liu l'Attaché de presse n'osa pas répondre directement :

— Monsieur le directeur Li, cette comparaison n'est pas digne de vous.

Li Guangtou s'allongea à nouveau sur le canapé et se remit à écouter, l'air morose, Liu l'Attaché de presse lui lire les lettres des vierges. Tandis qu'il tendait l'oreille, son cerveau travaillait, et brusquement il se redressa, la mine resplendissante :

— Rien à faire, il faut que je redevienne un os, s'écria-t-il.

Le flot ininterrompu de lettres de vierges l'avait subitement inspiré : il allait organiser les Olympiades nationales de l'hymen. Liu l'Attaché de presse avait les yeux brillants pendant qu'il lui exposait son projet. Puis Li Gangtou, marchant de long en large dans son bureau, se lança dans une tirade interminable, prononçant vingt fois de suite le mot de “salopard” : il fallait faire rappliquer comme des chiens enragés tous ces salopards de journalistes, il fallait que ces salopards de la télévision retransmettent en direct le concours, il fallait que ces salopards d’Internet le retransmettent en direct sur la toile, que ces salopards de sponsors se dépêchent de sortir de leur poche leur salopard de pognon, que les affiches de ces salopards de publicitaires tapissent les rues, que ces salopes de pucelles arpentent les rues dans leurs salopards de bikinis, il fallait que ces salopes de masses de notre bourg des Liu en prennent plein la vue. Il ajouta qu’il fallait mettre sur pied un salopard de comité organisateur, qu’il fallait trouver quelques salopards de dirigeants comme responsables et responsables adjoints, qu’il fallait choisir dix salopards pour constituer le jury. Arrivé à ce point de son discours, il insista sur le fait que les dix salopards de jurés devaient être des hommes et non des femmes. Et pour terminer, il se tourna vers Liu l’Attaché de presse :

— Et toi, tu seras le salopard d’attaché de presse.

Liu l’Attaché de presse, une feuille de papier et un stylo à la main, prenait en note à toute vitesse les salopes de consignes de Li Guangtou, et quand celui-ci eut achevé son discours épuisant et se fut assis sur le canapé afin de souffler, Liu l’Attaché de presse prit la parole pour célébrer cette idée géniale tout en proposant deux modifications mineures : d’abord, il lui semblait que le titre du concours, les Olympiades de l’hymen, n’était pas absolument approprié, et il conseillait de le transformer en Premier Grand Concours national des miss vierges. Li Guangtou acquiesça :

— C’est mieux, en effet.

Liu l’Attaché de presse soumit ensuite sa deuxième suggestion. Il doutait de l’intérêt d’un jury composé exclusivement d'hommes. A son avis, mieux valait qu'il y eût aussi des femmes. Mais Li Guangtou ne voulut pas en démordre, et il balaya la recommandation d'un geste de la main :

— Je ne suis pas d'accord. Pour déterminer qui sont les plus belles parmi les candidates, ce sont tout de même les hommes qui sont les mieux placés. Pourquoi faudrait-il demander leur avis à des femmes ?

Liu l'Attaché de presse resta silencieux un moment avant d'objecter qu'un jury purement masculin risquait de produire un effet négatif, d'entraîner des débats et des contestations dans les médias, et de devenir un sujet de polémique sans fin.

— Tant mieux ! s'exclama Li Guangtou. C'est justement ce que je souhaite : des débats, des contestations, des discussions sans fin. Comme ça, moi, Li Guangtou, je ne cesserai pas d'être un os.

Liu l'Attaché de presse fit diligence : dès le lendemain, il faisait annoncer le Grand Concours des miss vierges. Toute la journée, dans son bureau, il donna des coups de fil à droite et à gauche, dressa la liste des responsables et responsables adjoints du comité, et celle des dix membres du jury. De son côté, Li Guangtou passa également toute sa journée dans son bureau à téléphoner aux quatre coins du pays. Il contacta tous les présidents de conseil d'administration et tous les P-DG venus récemment conclure des affaires avec lui, et arrêta la liste des sponsors et des annonceurs. Et pour finir, Li Guangtou téléphona à Tao Qing, le chef du district, et lui exposa son projet grandiose, en le priant d'intervenir le moment venu et de mettre à la disposition de la manifestation la rue la plus large de la ville afin que le Premier Grand Concours national des miss vierges puisse s'y dérouler.

— Des milliers de belles femmes vont venir de tout le pays pour concourir, dit-il en avalant sa salive. Putain, il n'y aura que des vierges. L'endroit le plus spacieux du district, c'est le cinéma, mais il ne contient que 800 salopards de sièges. Rien que pour les candidates, ce n'est pas assez grand, et il n'y aurait pas de place pour vous ni pour moi, ni pour aucun autre responsable, et même pas pour le jury. Nous ne pouvons tout de même pas nous asseoir sur les genoux de ces demoiselles. En plus, il y a toutes ces salopes de masses qui voudront voir défiler les filles. C'est pourquoi les choses ne peuvent avoir lieu que dans cette salope de grande rue…

Tao Qing était enchanté. Il déclara que c'était un tournant capital dans l'histoire du développement du bourg des Liu, et que si l'opération réussissait, le PIB de tout le district augmenterait de 3 à 5 %.

— Sois tranquille, assura-t-il. Non seulement je mets à ta disposition toute la rue, mais je t'en offre deux, trois, et toutes si tu veux. Que toutes les belles vierges de Chine viennent chez nous, nous avons les capacités pour les recevoir.

La nouvelle du Premier Grand Concours national des miss vierges se répandit comme une traînée de poudre dans le pays, et les journalistes qui s'étaient retirés comme la marée affluèrent à nouveau. Notre Li Guangtou redevint un os de premier choix dans toute la Chine. Sa voix et son visage souriant recommencèrent à occuper régulièrement la presse, la radio et la télévision. Liu l'Attaché de presse en profita pour se pousser en avant. Il avait la reconnaissance du ventre et se souvenait que sans la confiance et le coup de pouce que lui avait accordés Li Guangtou il ne pourrait pas se pavaner comme il le faisait aujourd'hui. C'est pourquoi, lors des conférences de presse qu'il organisait, il n'omettait jamais de citer à chacune de ses réponses "M. le directeur Li".

Les journalistes demandèrent :

— Quelles raisons vous ont poussés à organiser ce Grand Concours national des miss vierges ?

Liu l'Attaché de presse répondit en soignant sa prononciation :

— Il s'agit de mettre en valeur notre culture nationale traditionnelle, de renforcer l'estime de soi des femmes d'aujourd'hui, préalable à une véritable confiance en soi. En même temps, il s'agit d'œuvrer pour la santé et pour l'hygiène des femmes actuelles. Voilà pourquoi M. le directeur Li a décidé d'organiser le Premier Grand Concours national des miss vierges…

Un journaliste l'interrompit :

— Quand vous parlez d'hygiène, que voulez-vous dire ?

Liu l'Attaché de presse répondit :

— L'hymen joue un rôle capital dans la prévention des infections, dans la protection du système reproducteur et des capacités de procréation. C'est en ce sens que M. le directeur Li parle d'hygiène.

Un autre journaliste intervint :

— Quelles qualités exigez-vous des candidates au concours ?

Liu l'Attaché de presse répondit comme s'il effectuait un exercice de diction :

— Des traits jolis et réguliers ; Un corps robuste et gracieux ; Un caractère hors du commun ; Du talent et de la réserve ; Du tact et puis de la finesse ; De la douceur et des égards ; Amour des jeunes, respect des vieux ; Un cœur loyal et vertueux ; Aucune expérience du sexe…

Le journaliste insista :

— Les femmes dont l'hymen a été déchiré au cours d'activités sportives ont-elles le droit de concourir ? Et celles qui ont perdu leur hymen à la suite d'un viol ?

Liu l'Attaché de presse répondit :

— M. le directeur Li éprouve le plus profond respect pour toutes ces femmes, il a passé moult nuits blanches à réfléchir à ce problème, et finalement, pour garder à ce Premier Grand Concours national des miss vierges toute sa dignité et toute sa crédibilité, il s'est résolu, la mort dans l'âme, à sacrifier cette catégorie de candidates. Il m'a chargé tout spécialement de profiter de cette conférence de presse pour rendre hommage à ces femmes, et par la même occasion il appelle tous nos compatriotes du sexe masculin à redoubler de sollicitude envers elles.

Une journaliste demanda :

— En réalité, votre prétendu concours de miss vierges n'est rien d'autre qu'une manifestation du machisme féodal. C'est de la discrimination sexiste.

Liu l'Attaché de presse secoua la tête :

— Nous sommes tous nés d'une mère, tous nous aimons et nous respectons notre mère. Or nos mères sont des femmes, donc nous aimons et nous respectons les femmes.

Un journaliste posa une dernière question :

— La gagnante du concours épousera-t-elle votre directeur ?

Liu l'Attaché de presse sourit :

— M. le directeur Li organise un concours de beauté, il n'organise pas un concours matrimonial. Evidemment, on ne saurait exclure totalement l'hypothèse qu'il tombe amoureux de telle ou telle candidate, à condition que ce sentiment soit partagé. L'amour est imprévisible.

La conférence de presse fut retransmise à la télévision et les masses de notre bourg des Liu purent voir Liu l'Attaché de presse maquillé et tiré à quatre épingles répondre sans esquiver et de façon pertinente à toutes les questions qu'on lui posait. Li Guangtou le vit lui aussi, et il se déclara pleinement satisfait de sa prestation :

— Pas de doute, ce salopard a du talent.

Après la conférence de presse, le Premier Grand Concours national des miss vierges fut déclaré ouvert. Il comporterait deux phases éliminatoires et une finale. Les candidates devraient assumer elles-mêmes leurs frais d'hébergement et leurs frais de bouche, à l'exception des cent candidates admises à prendre part à la finale dont tous les frais seraient pris en charge par le comité organisateur. A l'issue de la finale, on désignerait la première, la deuxième et la troisième, et elles recevraient respectivement 1 000 000, 500 000 et 200 000 yuans. Le comité organisateur du concours recommanderait les trois gagnantes pour leur permettre d'aller à Hollywood et de devenir ainsi trois stars internationales. Les lettres de candidature, venues des quatre coins de Chine, s'abattirent comme une bourrasque de neige, et les fourgons postaux déposèrent à nouveau chaque jour un sac de courrier à la loge de la compagnie de Li Guangtou. Face à cette mobilisation des vierges de tout le pays, les vierges du bourg et du district, tout comme celles des bourgs et des districts voisins, ne voulurent pas être en reste. Elles posèrent elles aussi leur candidature en bloc : l'engrais ne devait pas tomber dans le champ du voisin, et il ne fallait pas que les trois premiers prix du concours échappent aux filles du cru et soient raflés par des filles du dehors. Beaucoup parmi les candidates n'étaient plus vierges, certaines étaient mariées ou divorcées, ou bien étaient en ménage, et d'autres avaient déjà vécu avec de nombreux hommes. Elles s'étaient toutes précipitées à l'hôpital, au service de gynécologie, pour y subir une intervention de chirurgie réparatrice de l'hymen.

Les masses de notre bourg des Liu, qui n'étaient jamais sorties de leur trou, ignoraient que la chirurgie réparatrice de l'hymen s'était répandue dans tout le pays à la vitesse grand V. Jusqu'au jour où un charlatan, un certain Zhou You, débarqua chez eux et avertit ces pedzouilles de ce qui se passait dans le monde. Zhou You expliqua aux masses du bourg des Liu qu'on était entré dans l'ère de l'économie de l'hymen, il tenait cette information d'économistes de Pékin. C'est ainsi que les masses du bourg des Liu apprirent que les candidates au concours n'avaient pas été les seules à se faire réparer l'hymen, bien d'autres femmes encore, qui ne participaient pas au concours, avaient été emportées par cette vague de fond et, réalisant subitement qu'un hymen intact n'avait pas de prix, elles étaient allées se faire opérer elles aussi. De sorte que durant un temps, dans les grands hôpitaux des grandes villes du pays, tout comme dans les petits dispensaires des petits villages de campagne, on promut la chirurgie réparatrice de l'hymen. Les publicités pour cette opération étaient omniprésentes. On en voyait à la télévision, on en lisait dans les journaux, on en entendait à la radio, on tombait dessus dès qu'on ouvrait son ordinateur et qu'on cliquait sur Internet ; dans les aéroports, dans les gares, sur les quais, dans les rues, dans les ruelles, il suffisait de lever la tête pour avoir sous les yeux une publicité pour la chirurgie réparatrice de l'hymen. Zhou You affirma devant les masses du bourg des Liu que cette opération était devenue l'activité la plus lucrative de toute la Chine, et que cette économie de l'hymen dont parlaient les économistes "était partie du bourg des Liu" :

— C'est pour ça que je suis venu ici, conclut-il.

Les masses de notre bourg des Liu avaient maintenant conscience de ce que représentait cette économie de l'hymen. L'hôpital de notre district et les hôpitaux des cantons furent évidemment aux avant-postes. Leurs publicités s'étalaient partout : sur les rambardes des ponts, sur les poteaux électriques, sur les murs le long des rues, sur les murs des toilettes, dans tous les endroits visibles. Vous faisiez un somme et, à votre réveil, vous trouviez un prospectus placardé sur votre porte ; vous étiez à table, et on glissait un prospectus sous votre porte ; vous alliez acheter des chaussures dans un centre commercial, et on vous tendait un prospectus ; vous alliez acheter un billet de cinéma, et on vous remettait un prospectus ; vous étiez au restaurant, en train de parcourir le menu, et on vous refilait un prospectus, et tout à coup, au lieu de lire "Pieds de cochon préparés à la sauce de soja", le plat que vous veniez de commander, vous lisiez "Réparation de l'hymen" parce qu'on vous en avait balancé un sur la carte. Tout le monde au bourg des Liu savait maintenant en quoi consistait la chirurgie réparatrice de l'hymen :

— C'est aussi simple que de se faire débrider les yeux, disaient les gens.

Et les enfants de notre bourg des Liu récitaient mécaniquement :

— L'opération dure trente minutes, on pratique une anesthésie locale, l'acte ne nécessite pas de repos postopératoire, on peut reprendre immédiatement ses activités normales, l'opération est sans effet sur les règles.

La publicité pour l'hôpital de notre district barrait même la poitrine et le dos des conducteurs de cyclopousse. Le texte était composé en gros caractères jaunes sur des toiles de plastique rouge trouées au milieu que les conducteurs de cyclopousse enfilaient par la tête comme un poncho. Et l'on pouvait y lire : "Intégrité féminine retrouvée. – Succès de l'opération garanti à 100 %. – Taux de satisfaction : 99,8 %. – Assurance d'une défloration réussie comme la première fois à 99,8 %."

L'essor soudain de l'économie de l'hymen donna un coup de fouet au Grand Concours des miss vierges de Li Guangtou. Les sponsors et les annonceurs versèrent des flots d'argent sur le compte de la compagnie de Li Guangtou. Celui-ci, les yeux gonflés, était pendu continuellement au téléphone, cherchant à attirer de nouveaux sponsors et de nouveaux annonceurs. Il hurlait à longueur de journée dans le combiné et, même la voix cassée, il continuait encore à crier :

— C'est une occasion à ne pas manquer. Elle ne se représentera pas de si tôt. Dépêchez-vous, dépêchez-vous…

Liu l'Attaché de presse était encore plus débordé. Certes, il n'était en principe que le salopard d'attaché de presse de Li Guangtou, mais en fait il devait être à la fois au four et au moulin. Li Guangtou ne s'occupait de rien, à part brailler dans le téléphone comme un âne ou réclamer des sous partout comme un mendiant. Très vite, Liu l'Attaché de presse fut incapable de faire front tout seul, et il passait son temps à recruter des assistants. Son bureau étant devenu trop petit, il emprunta le bureau voisin avant de louer carrément d'autres locaux en ville. Sur la façade du bâtiment, il fit suspendre un panneau sur lequel on pouvait lire : "Comité organisateur du Premier Grand Concours national des miss vierges." Et dans un souci de confidentialité et d'impartialité, il pria Li Guangtou de téléphoner à l'escadron de police militaire du district pour obtenir qu'on lui affecte deux policiers en armes, qui resteraient en faction devant la porte. Les employés du comité organisateur portaient sur la poitrine un badge avec leur photo, et personne n'aurait pu entrer sans ce laissez-passer.

Quand Li Guangtou était devenu célèbre, notre bourg des Liu était devenu, pour les gens de l'extérieur, le bourg de Li Guangtou. Depuis qu'on ne parlait plus que du Grand Concours des miss vierges, il était devenu le bourg des Miss vierges. Le bourg des Miss vierges entreprit de grands travaux. Le gouvernement du district fit blanchir à la chaux les façades des maisons, et, par le canal de la radio et de la télévision du bourg, et aussi par le truchement des unités aux différents échelons, il donna un certain nombre d'instructions. Dans chaque foyer, on devait astiquer les vitres jusqu'à ce qu'elles deviennent invisibles, et, par ailleurs, il était interdit de jeter ses ordures dehors, à plus forte raison quand le concours aurait débuté : mieux valait les cacher sous le lit que les déposer dans la rue. Les contrevenants s'exposaient à de lourdes amendes, indexées sur le prix de la viande de porc : pour 20 livres d'ordures déversées, il en coûterait le prix du même poids de viande de porc. Le gouvernement du district exhorta les masses à se mobiliser pour que notre bourg des Miss vierges soit aussi pimpant que possible et qu'il accueille sous son meilleur jour le Premier Grand Concours national des miss vierges. Puis on commença à pavoiser le bourg : des calicots partout avaient été tendus ; dans les rues, sur les toits ils étaient suspendus. D'immenses panneaux publicitaires furent dressés dans la rue où devait se dérouler le concours, et des publicités géantes, obtenues en hurlant au téléphone par Li Guangtou, s'étalaient dessus.

Une semaine avant le début du concours, notre bourg des Miss vierges était déjà noir de monde. Les premiers à pied d'œuvre furent les journalistes et les reporters photographes. Ils arrivèrent par vagues, en même temps que les véhicules de transmission de la télévision. Puis ce furent les invités d'honneur : les sponsors et les annonceurs de Li Guangtou, ainsi que les camarades dirigeants et les camarades jurés. L'hôtel le plus luxueux de notre bourg des Liu appartenait à Li Guangtou, il y logea tous les amis journalistes et tous les invités d'honneur, et l'établissement afficha complet. Plus de vingt mille vierges s'étaient inscrites, mais il n'en vint finalement que trois mille dans la mesure où elles devaient financer elles-mêmes leur séjour. Elles accouraient de tout le pays et la totalité des hôtels et des pensions furent pleins instantanément. Même en transformant les chambres pour deux en chambres pour quatre, on ne put faire face à un tel afflux. Laisser ces filles dormir dans la rue aurait gravement nui à l'image du bourg : que serait-il arrivé si certains hommes, incapables de se maîtriser, avaient profité de l'obscurité pour abuser de quelques-unes d'entre elles, ou simplement pour se livrer à des attouchements ? C'est tout le bourg qui en aurait été déshonoré. Le gouvernement du district invita donc les masses à céder leurs lits aux candidates. Par bonheur, on était en été, et les masses répondirent en nombre à l'appel. Dans beaucoup de familles, les hommes, leur natte sous le bras, s'en allèrent dormir dans la rue, de façon à libérer leur lit. Zhao le Poète fut de ceux-là. Dans son appartement de deux pièces, il logea deux candidates. Chacune d'elles devait lui verser un loyer quotidien de 100 yuans, de sorte que cela lui rapporta 200 yuans par jour. Song Gang et Lin Hong habitaient eux aussi un logement de deux pièces, et quand Song Gang vit que Zhao le Poète allait empocher 200 yuans par jour, il prit sa natte et voulut lui aussi coucher à la belle étoile : Lin Hong restant à la maison, il ne pourrait loger qu'une personne, mais il toucherait quand même 100 yuans par jour. Lin Hong mit son veto : elle fit valoir à Song Gang qu'il était malade et qu'il n'était pas bon pour lui de dormir dans la rue. Song Gang insista, Lin Hong se fâcha : Song Gang allait tous les jours à l'hôpital pour y recevoir des soins, et il était en passe de se rétablir ; s'il faisait maintenant une rechute, cela lui coûterait assurément plus cher que le gain escompté. Song Gang ignorait tout de l'aide financière que Li Guangtou leur apportait. Lin Hong avait prétendu que son traitement médical était payé par ses parents et par des amis. Song Gang, qui avait déjà installé sa natte à côté de celle de Zhao le Poète et s'était allongé dessus, se résigna à se relever quand il vit Lin Hong pleurer de rage sur le pas de la porte. Il roula sa natte et rentra à la maison. Quand il ouvrait la porte, le matin, la première personne qu'il voyait était Zhao le Poète, qui s'étirait, allongé sous un poteau électrique. Et Zhao le Poète se redressait et lui tenait de longs discours. A l'en croire, il était bien plus agréable de dormir dehors que chez soi dans son lit, car il y faisait beaucoup plus frais. Sans compter qu'on pouvait ainsi gagner 200 yuans par jour. Song Gang l'enviait terriblement. Il pointa son doigt sur le visage de Zhao le Poète, qui était constellé de piqûres de moustiques :

— Qu'est-ce qui t'est arrivé ?

— C'est de l'acné, fanfaronna Zhao le Poète.

XXXV

C'est à cette époque que le charlatan Zhou You débarqua dans notre bourg des Liu. Ce Zhou You présentait très bien : de nos jours, les charlatans ont tous le physique avantageux des héros de cinéma. Il sortit de la gare routière en portant deux cartons de téléviseurs couleurs à écran 29 pouces. Il n'avait que 5 yuans sur lui. A part le suppléant en chef Song Gang, tous les hommes de notre bourg des Liu avaient plus que lui en poche, ce qui ne les empêchait pas de pleurer misère. Mais ce Zhou You, lui, avec ses 5 yuans, n'aurait pas été plus fier si son nom avait figuré dans le classement Forbes pour la Chine[1].

Le crépuscule tombait. La lune ne brillait pas encore, mais les lumières des lampadaires et des néons s'entrecroisaient déjà. Il faisait une telle chaleur que les masses du bourg se seraient volontiers promenées les fesses à l'air. Complet-veston et souliers de cuir, Zhou You se tenait debout dans l'avenue qui longeait la gare. Il avait posé ses deux gros cartons de part et d'autre de ses pieds. Il n'était pas plus incommodé par la chaleur qu'il ne l'aurait été dans une salle climatisée, et il abordait les passants avec ce sourire propre à ceux qui ont les honneurs du classement Forbes :

— Suis-je bien au bourg des Miss vierges ?

Le charlatan Zhou You posa cette question cinq fois de suite, mais les passants se contentaient de faire oui rapidement de la tête ou de répondre par un grognement. Aucun d'eux ne s'arrêta pour prendre le temps de le regarder, aucun d'eux ne s'approcha pour échanger quelques mots avec lui. Les masses ne mordaient pas à l'hameçon, et Zhou You ne savait pas comment les ferrer. En d'autres circonstances, les masses de notre bourg des Liu auraient fait cercle autour d'un personnage aussi insolite, planté au beau milieu de la rue, et elles l'auraient examiné sous toutes les coutures, comme si c'eût été un orang-outang. Mais elles n'en étaient plus là : à présent, plus de 2 800 des 3 000 candidates au concours des miss vierges étaient déjà arrivées, et aussi plus de 200 journalistes et autres animateurs qu'on ne voyait d'ordinaire qu'à la télévision, sans compter les dirigeants et les jurés. Avec tout ce remue-ménage, les masses de notre bourg des Liu avaient de quoi être blasées. Zhou You s'était imaginé qu'il suffirait de leur crier une ou deux fois dans les oreilles “bourg des Miss vierges” pour les épater. Il ignorait que les gens de l'extérieur le leur serinaient déjà depuis plus d'une semaine, et que les masses elles-mêmes avaient repris l'expression.

Zhou You attendit ainsi devant la gare jusqu'à ce que la nuit tombe. Comme personne n'avait engagé la conversation avec lui, il n'avait pas réussi à déployer ses talents d'aigrefin. Seuls quelques conducteurs de cyclopousse étaient venus lui proposer leurs services :

— Patron, à quel hôtel dois-je vous déposer ?

Zhou You n'avait que 5 yuans, et s'il avait pris un cyclopousse, il ne lui serait rien resté. Il savait que ces conducteurs de cyclopousse n'étaient pas du genre commode, et qu'ils auraient été prêts à en découdre plutôt que de lui faire grâce d'un yuan. Quand ils s'approchaient de lui, il les ignorait et tirait de la poche de son veston un téléphone portable factice. Ce faux téléphone avait tous les dehors d'un vrai, il contenait une pile R5 et si on appuyait discrètement sur une touche, il se mettait à sonner. Dès qu'un conducteur venait lui demander à quel hôtel il descendait, le téléphone sonnait. Il le sortait et criait dedans, furieux :

— Comment se fait-il que la voiture qui devait venir me chercher ne soit pas là ?

A la nuit noire, Zhou You comprit qu'il n'avait rien à espérer à rester planté là. Empoignant ses deux énormes cartons, il se résigna à quitter l'endroit. Cette fois-ci, malgré tous ses efforts pour adopter la démarche qui sied à ceux qui ont les honneurs du classement Forbes, il avançait comme un coolie. Les rues de notre bourg des Liu étaient noires de monde, et elles grouillaient de miss vierges. Zhou You cognait sans cesse ses deux gros cartons contre les cuisses des belles ou celles des masses de notre bourg des Liu. Dans le scintillement des réverbères et des néons, sous le flot des chansons étrangères et des chansons chinoises hurlées à pleine voix, à travers le tonnerre des airs de jazz et de rock, et aux accents lyriques de la musique classique occidentale et de la musique folklorique chinoise, Zhou You avançait, en faisant de loin en loin une pause. Alors il regardait autour de lui et admirait le nouveau bourg des Liu sorti de terre grâce à Li Guangtou : parmi les bâtiments classiques de style européen et les bâtiments modernes à l'américaine, se faufilait une rue des époques Ming et Qing[2], pavoisée de lanternes rouges. Il aperçut de grosses colonnes grecques, c'était le restaurant le plus luxueux de Li Guangtou ; il aperçut un magasin aux murs rouges de style romain, c'était la boutique de vêtements de marques de Li Guangtou ; une cour aux bâtiments recouverts de tuiles chinoises grises, c'était le restaurant chinois de Li Guangtou, et une cour à la japonaise, le restaurant de cuisine japonaise de Li Guangtou ; il aperçut des fenêtres gothiques et des toits baroques… Il songea que ce bourg des Liu était un bourg complètement métissé.

Personne ne sut où cet escroc était allé ce soir-là. Il avait traîné ses deux cartons encombrants, gros et lourds, vêtu d'un complet-veston et chaussé de souliers de cuir par ce temps de canicule, et il était affamé, assoiffé et fatigué. Ce gars-là avait la santé, il avait marché sans arrêt jusqu'à 11 heures du soir, sans attraper un coup de chaleur, sans tomber par terre évanoui. Pour sûr, ce filou devait aussi avoir filouté son corps. Après avoir fait le tour du bourg, et après avoir vu les hommes d'ici allongés plein les rues et entendu leurs commentaires, il comprit que tous les hôtels et toutes les pensions du bourg étaient complets, et que les maisons de ces gens qui dormaient dehors étaient occupées par les candidates au concours de beauté.

Zhou You s'arrêta devant la natte de Zhao le Poète. Celui-ci n'était pas encore endormi, il était étendu par terre et se donnait des claques sur le visage pour en chasser les moustiques. Zhou You regarda Zhao le Poète et lui adressa un signe de la tête. Zhao le Poète ne répondit pas, il se demandait ce que lui voulait cet individu. Les yeux de Zhou You se portèrent sur la boutique de *dim sum* de la mère Su, de l'autre côté de la rue. Il avait l'estomac dans les talons. Il savait que s'il ne mangeait pas un morceau, l'escroc qu'il était allait se transformer en spectre mort de faim. Il reprit ses deux cartons et traversa la chaussée. En dépit de son complet-veston et de ses souliers de cuir, il marchait à présent comme un réfugié. Quand il pénétra dans la boutique de *dim sum*, l'air conditionné lui procura une sensation agréable. Il s'assit à une table près de la porte.

Comme il était tard, il n'y avait plus que deux clients attablés dans la boutique. La mère Su était rentrée se coucher, et c'est sa fille, Su Mei, qui tenait la caisse. Elle était en grande discussion avec les deux serveuses. Su Mei avait dépassé la trentaine, et les masses de notre bourg des Liu ne savaient toujours pas qui était son petit ami, de même qu'ils ignoraient qui était son père.

Su Mei vit entrer Zhou You, il avait de l'allure. Elle le vit s'asseoir, il avait de l'allure. En revanche, ses deux gros cartons, eux, n'en avaient pas du tout. Zhou You comprit dès le premier coup d'œil que cette fille au physique quelconque, et même plutôt ingrat, était la patronne des lieux. Un beau sourire s'épanouit sur sa face avenante, tandis qu'il regardait Su Mei comme on admire un tableau célèbre. Jamais aucun homme ne l'avait contemplée comme cet escroc de Zhou You, et son cœur battit plus fort. C'est seulement quand une des serveuses tendit la carte à Zhou You, que celui-ci détacha ses yeux à regret du visage de Su Mei pour parcourir la liste des *dim sum*. Il repéra un panier de petits pains farcis à la vapeur qui coûtait juste 5 yuans, et le commanda. La serveuse, la carte des boissons en main, lui demanda ce qu'il désirait boire, et elle énuméra tout ce que la boutique proposait. Zhou You secoua la tête :

— J'ai le sang trop épais, je ne peux rien boire de tout ça. Donnez-moi plutôt un verre d'eau froide.

La serveuse répondit qu'il n'y en avait pas, qu'il n'y avait que de l'eau minérale. Zhou You continua à secouer la tête :

— Je ne veux pas d'eau minérale, c'est du vol : il n'y a pas de minéraux dedans. L'eau dans laquelle il y a le plus de minéraux, c'est celle du robinet.

Là-dessus, Zhou You se remit à contempler Su Mei. Celle-ci se troubla. Zhou You était certain qu'elle lui apporterait son verre d'eau. Sa main plongea dans sa poche et le portable factice sonna. Il le sortit, se tourna et fit semblant de téléphoner. Apparemment, c'était son secrétaire qu'il avait à l'autre bout du fil. Il se plaignait que ce dernier ne lui ait pas réservé de chambre, si bien que maintenant, au bourg des Liu, il n'avait aucun endroit où dormir. En présence de Su Mei, il ne se comporta pas comme devant les conducteurs de cyclopousse, il ne se mit pas en colère et resta mesuré, y compris dans ses récriminations. A la fin, même, il adressa quelques paroles réconfortantes à son interlocuteur. Quand, après avoir raccroché et rangé dans sa poche son portable, Zhou You se retourna, Su Mei était à côté de lui, un verre d'eau à la main. Il comprit que c'était de l'eau minérale. Il avait soif comme s'il avait traversé un désert. Il se leva poliment pour prendre le verre, et remercia poliment. Puis il se rassit, et tout en buvant à petites gorgées et en croquant à petites bouchées dans ses pains farcis, il commença à discuter avec Su Mei.

Il attaqua la conversation par les petits pains farcis, pas mauvais du tout à son goût, puis il vanta la propreté des lieux, si bien que Su Mei, qui avait déjà tourné les talons, s'arrêta net. Poussant son avantage, il suggéra à Su Mei de lancer une nouvelle variété de pains farcis, et Su Mei s'assit alors en face de lui. Il faudrait, expliqua-t-il, proposer des petits pains à paille. Dans les boutiques les plus huppées de Pékin et de Shanghai, poursuivit-il, on servait les petits pains à la vapeur avec une paille plantée dedans. Ces petits pains contenaient plus de farce que de pâte, et évidemment plus de jus que de farce. Les clients aspiraient d'abord lentement par la paille le délicieux liquide, et ils ne mangeaient le petit pain lui-même qu'après l'avoir vidé de celui-ci. Il déclara que c'était le petit pain le plus chic du moment, un symbole du nouveau standard de vie des masses. On ne mangeait plus les petits pains ni pour la pâte ni pour la farce, mais pour le jus :

— Il y a des gens qui boivent le jus et qui s'en vont, sans toucher ni à la pâte ni à la farce.

Su Mei l'écoutait parler, les yeux brillants. Elle déclara qu'elle essaierait dès le lendemain ces nouveaux pains farcis, et Zhou You offrit de venir les goûter le jour même. Il promit de la faire profiter sans réserve de sa précieuse expérience en matière d'aspiration de jus de petit pain, il l'aiderait à lancer la mode des petits pains à paille, si bien que non seulement elle attirerait les clients des environs, mais également des gens qui viendraient de Pékin en avion pour les goûter. Su Mei était tout sourire :

— Vous allez vraiment m'aider ? finit-elle par demander timidement.

— Evidemment, répondit Zhou You, avec un geste de grand seigneur.

Ce charlatan avait dépensé ses 5 yuans, mais il avait assuré tous ses repas des jours prochains sous couvert de tester les petits pains à paille. Il sortit de la boutique de Su Mei avec ses deux cartons, et son pas était beaucoup plus élégant que tout à l'heure, quand il avait faim. A présent, il devait chercher un endroit où loger gratuitement. Il se dirigea à nouveau vers Zhao le Poète : il avait des vues sur sa natte.

Sans les moustiques qui le tourmentaient, Zhao le Poète se serait endormi depuis longtemps. Les moustiques bourdonnants le piquaient sur tout le corps, les démangeaisons étaient insupportables. Il faisait danser ses mains, donnant des claques à droite et à gauche, si bien qu'elles étaient tachées de sang. Zhou You s'approcha de lui, posa ses deux cartons à côté de la natte, puis les empila l'un sur l'autre. Zhao le Poète ouvrit ses mains tachées de sang sous la lumière du réverbère et lança à Zhou You :

— Tout ça, c'est mon sang.

Zhou You inclina la tête poliment. Son téléphone factice sonna, comme chaque fois qu'il voulait gruger quelqu'un. Il prit le téléphone et commença par un *"hello"* suivi d'une cascade de mots étrangers que Zhao le Poète ne comprit pas. Zhao le Poète le regarda avec étonnement, et quand il eut fini de parler il lui demanda avec précaution :

— Tu parlais en américain à l'instant, n'est-ce pas ?

— Oui, dit Zhou You, en hochant la tête. Je discutais affaires avec le responsable de ma succursale aux Etats-Unis.

Zhao le Poète était tout fier d'avoir deviné juste :

— L'américain, je le comprends un peu.

Devant l'air fat de Zhao le Poète, Zhou You sentit que ce coup de téléphone ne l'avait pas encore bluffé. Il fallait que son téléphone sonne encore une fois. Il l'actionna et fit mine de décrocher :

— *Pronto*…

S'ensuivit à nouveau une cascade de mots étrangers que Zhao le Poète ne comprit pas davantage. Quand Zhou You eut fini de parler et qu'il eut remis le téléphone dans sa poche, Zhao le Poète lui demanda, toujours prudent :

— Ce n'était pas en américain que tu parlais à l'instant, n'est-ce pas ?

— C'était de l'italien. Je discutais affaires avec le responsable de ma succursale en Italie.

Zhao le Poète, à nouveau, était fier de lui :

— J'ai tout de suite vu que ce n'était pas de l'américain.

Ce charlatan était tombé sur un péquenot imbu de lui-même. Deux appels n'avaient pas suffi à le bluffer, un troisième était nécessaire. Zhou You décrocha :

— *Yeoboseyo*…

Cette fois, Zhao le Poète était bluffé. Il ne chercha plus à faire le malin et n'eut pas honte de demander humblement :

— En quoi parlais-tu à l'instant ?

Zhou You sourit :

— En coréen. Je discutais affaires avec le responsable de ma succursale en Corée.

Une expression admirative apparut sur le visage de Zhao le Poète :

— Tu sais parler combien de langues ?

Zhou You montra trois doigts :

— Trente.

Zhao le Poète fut stupéfait :

— Tant que ça !

Zhou You sourit modestement :

— En comptant le chinois.

Zhao le Poète n'en était pas moins admiratif :

— Ça fait quand même vingt-neuf.

— Tu es bon en calcul, dit Zhou You. (Et après ce compliment, il secoua la tête d'un air résigné.) Je n'ai pas le choix, j'ai des affaires dans le monde entier, du pôle nord au pôle sud, de l'Afrique à l'Amérique latine, et voilà pourquoi j'ai été obligé d'apprendre toutes ces langues.

Zhao le Poète était complètement bluffé, et il dévisageait Zhou You avec une quasi-vénération. Passant du tutoiement au vouvoiement, il demanda :

— Vous êtes dans quelle branche ?

— Les produits d'hygiène[3].

Sur ce, Zhou You retira son veston, et le posa sur ses cartons. Puis il défit sa cravate et la fourra dans la poche du veston. Tandis qu'il déboutonnait sa chemise, Zhao le Poète s'enquit avec circonspection :

— Qu'est-ce qu'il y a dans vos cartons ?

— Des hymens.

Zhao le Poète n'en revenait pas. Il regardait Zhou You, qui avait ôté sa chemise et la posait sur ses cartons. Il était maintenant torse nu, comme Zhao le Poète.

— Tu n'as jamais entendu parler d'hymens ? poursuivit Zhou You, auquel l'air ahuri de Zhao le Poète n'avait pas échappé.

— Bien sûr que si, répliqua Zhao le Poète, toujours perplexe. Mais les hymens, on trouve ça chez les femmes, comment se fait-il que vous en ayez dans vos cartons ?

Zhou You ricana :

— Ce sont des hymens artificiels.

— On fait même des hymens artificiels ?

Zhao le Poète tombait des nues.

— Bien sûr.

Zhou You s'assit sur la natte de Zhao le Poète, il retira ses souliers et ses chaussettes, puis son pantalon, qu'il posa au-dessus des cartons. Il était maintenant comme Zhao le Poète, vêtu d'un simple caleçon. Tout en finissant de se déshabiller, il expliqua :

— On fabrique bien des cœurs artificiels. Les hymens artificiels, ça ne pose aucun problème ! A l'usage, ils fonctionnent absolument comme les vrais : douleur et saignements de la première nuit garantis.

Sur ces entrefaites, Zhou You s'étendit sur la natte de Zhao le Poète, comme s'il s'installait sur son lit, chez lui. Il poussa même Zhao le Poète du pied pour qu'il lui fasse un peu de place. Zhao le Poète résista : c'était son lit, et voilà que cet individu voulait l'en chasser. La moutarde lui monta au nez. Abandonnant le vouvoiement, il dit à Zhou You, en lui assénant un coup de pied :

— Eh, eh, c'est mon lit. Qu'est-ce que tu viens faire là ?

Zhou You frappa sur la natte avec son doigt et jeta, dédaigneux :

— Tu appelles ça un lit ?

— Mon lit, c'est tout ce qui est dans le périmètre de cette natte.

Zhou You s'étala confortablement, il ferma les yeux en bâillant :

— D'accord, admettons que ce soit un lit, tu peux bien laisser un ami s'allonger dessus un moment.

Zhao le Poète s'assit sur la natte, prêt à éjecter cet individu qui était sur le point de s'endormir :

— Qu'est-ce que tu me chantes ? On vient tout juste de faire connaissance, on a à peine échangé quelques mots.

Zhou You, les yeux toujours fermés, continua :

— Il y a des gens qui deviennent amis instantanément, et d'autres qui ne le deviennent jamais, bien qu'ils se connaissent depuis toujours…

Zhao le Poète se mit debout, et levant la jambe menaça de frapper Zhou You :

— Putain, fous-moi le camp. Où as-tu été prendre que j'étais ton ami ?

Zhao le Poète flanqua un coup de pied entre les cuisses de Zhou You. Celui-ci se redressa en hurlant. Il se tenait le bas-ventre :

— Tu m'as tapé dans les couilles !

Zhao le Poète le frappa de nouveau :

— Justement, je veux te les bousiller. Puisqu'on peut poser des hymens artificiels, tu n'auras qu'à te faire poser une paire de couilles artificielles.

Zhou You sauta sur ses pieds :

— Je te préviens, menaça-t-il en criant, moi, le directeur Zhou, où que j'aille j'occupe la suite présidentielle dans les hôtels 5 étoiles…

C'est ainsi que Zhao le Poète apprit quel était le nom de l'autre. Sans se laisser impressionner par son discours, il répliqua :

— Tu peux bien t'appeler Zhou comme le Premier ministre Zhou[4], ou même Mao comme le président Mao, je ne te laisserai pas t'installer sur mon lit. Va donc dans ta suite présidentielle.

Zhou You s'écarta de la natte, et engagea la discussion :

— Chez vous, ce ne sont pas seulement les suites présidentielles qui manquent, il n'y a même plus de chambres ordinaires dans les hôtels ordinaires. Autrement, est-ce que moi, le directeur Zhou, je serais venu m'étendre sur ta natte ?

Zhao le Poète se rendit à l'argument : il n'y avait effectivement plus une chambre d'hôtel de libre au bourg des Liu. Il en savait quelque chose, lui qui hébergeait deux candidates au concours de beauté. Après un instant de réflexion, il consentit à partager sa natte avec Zhou You, mais moyennant finance :

— Pour ce lit, le prix est de 20 yuans la nuit, c'est le prix de base. Compte tenu du fait que tu n'es pas du bourg, et que tu sais parler vingt-neuf langues étrangères en plus du chinois, je n'exigerai pas de supplément. Ce sera donc 20 yuans seulement, mais vu qu'en tant que propriétaire, j'en occupe la moitié et que tu n'es qu'un hôte de passage, je ne te demanderai que la moitié du prix, soit 10 yuans.

— C'est bon, marché conclu, déclara Zhou You, avant de poursuivre, du tac au tac : Ce sera 20 yuans par jour, et la moitié du lit sur laquelle tu dors, c'est moi qui l'offre.

Zhao le Poète accueillit ces mots d'un large sourire : ce type-là, décidément, était un patron, ses manières n'étaient pas celles de n'importe qui. Il tendit la main vers Zhou You et lui dit, en reprenant le vouvoiement :

— Je vous prie de bien vouloir payer tout de suite.

Zhou You ne s'attendait pas à ce coup-là :

— A l'hôtel, fit-il remarquer, mécontent, on règle toujours la note en partant…

Sur ce, il ramassa son veston, posé sur les cartons, et plongea sa main dans une poche. Zhao le Poète crut qu'il allait en sortir de l'argent, mais dès que Zhou You mettait sa main dans cette poche, c'était pour déclencher la sonnerie du téléphone factice. Et, naturellement, ce n'est pas de l'argent qu'il en sortit, mais son téléphone. Il se mit à engueuler quelqu'un au bout du fil, reprochant à son interlocuteur de ne pas lui avoir réservé de chambre et de le contraindre à dormir à la belle étoile. Il rugissait :

— Quoi ? tu voudrais aller trouver les dirigeants de la province ? C'est trop tard. Quoi ? tu voudrais que les dirigeants de la province téléphonent aux dirigeants du district ? Non mais tu sais quelle heure il est ? Il est plus d'une heure du matin, c'est à cette heure-là que tu comptes passer tes coups de fil de merde…

Zhao le Poète l'écoutait, les yeux écarquillés. Zhou You glissa un regard vers lui, avant de changer de sujet au téléphone :

— D'accord, laissons tomber cette histoire d'hébergement. Mais où sont mes représentants ? Pourquoi ne sont-ils pas encore là ? Quoi ? ils ont eu un accident de voiture ? Putain, vous m'avez esquinté ma Mercedes-Benz… Ce n'est tout de même pas moi, le directeur Zhao, qui vais être obligé de vendre la marchandise… Ça suffit, ça suffit, garde tes excuses pour toi, et dépêche-toi plutôt d'aller à l'hôpital pour t'occuper des représentants. Je me débrouillerai tout seul ici.

Zhou You éteignit son téléphone et le remit dans sa poche. Puis il se tourna vers Zhao le Poète :

— Mes représentants ont été victimes d'un accident de voiture, ils ne peuvent pas venir. Est-ce que ça te dirait de travailler pour moi ?

Zhao le Poète ignorait que Zhou You n'avait pas un sou sur lui. Après avoir rangé son téléphone, Zhou You n'avait pas sorti d'argent, mais Zhao le Poète crut que c'était un oubli. Quand Zhou You lui proposa de travailler pour lui, il ne pensa plus aux 20 yuans pour le lit, il tâta le terrain :

— Quel genre de travail ?

Zhou You montra les deux cartons :

— Tu seras représentant pour mes produits.

— Pour les hymens ?

Zhou You hocha la tête :

— Tu seras payé 100 yuans par jour, sans compter les primes en fonction des résultats.

Un salaire quotidien de 100 yuans ! Zhao le Poète était émerveillé, et il s'enquit prudemment :

— Quand serai-je payé ?

— Quand tout aura été vendu, évidemment, répondit Zhou You, sans l'ombre d'une hésitation.

La chose semblait à prendre ou à laisser, de sorte que Zhao le Poète préféra ne pas insister sur la question du salaire. Il pria Zhou You de lui donner son numéro de portable, en arguant de ce qu'un employé devait pouvoir téléphoner à son patron. Le numéro indiqué par Zhou You le laissa sans voix : il commençait par trois zéros, se terminait par le chiffre 123, avec au milieu le chiffre 88. Ce n'était ni un numéro de China Mobile, ni un numéro de China Unicom[5].

— Qu'est-ce que c'est que ce numéro ? s'étonna Zhao le Poète.

— C'est un numéro des Îles vierges britanniques.

Zhao le Poète fut estomaqué. C'était un endroit dont il n'avait jamais entendu parler. Du coup, il en oublia encore les 20 yuans de location du lit. Il s'empressa de se recroqueviller dans un coin de la natte, de façon à laisser le plus de place possible à son patron temporaire :

— Je vous en prie, monsieur le directeur Zhou, reposez-vous.

Zhou You, très satisfait du geste de Zhao le Poète, hocha la tête et s'étendit, et il se mit à ronfler instantanément.

Zhao le Poète se souvint alors des 20 yuans que l'autre lui devait, mais il n'osa pas lui flanquer un nouveau coup de pied.

Le lendemain matin, quand Zhao le Poète ouvrit les yeux, son patron temporaire avait déjà enfilé son veston et il était en train de nouer sa cravate. Le charlatan Zhou You, constatant que Zhao le Poète s'était réveillé, lui demanda, comme s'il n'en était plus très sûr :

— Ne t'aurais-je pas embauché, hier ?

— Si, confirma Zhao le Poète, avant de préciser : Et pour un salaire de 100 yuans par jour.

Zhou You hocha la tête et dicta ses ordres en bon patron. En premier lieu, Zhao le Poète devait aller déposer les deux cartons pleins d'hymens artificiels à l'entrepôt. Zhao le Poète fixa Zhou You d'un air ahuri : il ignorait où diable pouvait se trouver son entrepôt. Comme il ne bougeait pas, Zhou You lui lança :

— Dépêche-toi.

— Monsieur le directeur Zhou, où se trouve votre entrepôt ?

— Où habites-tu ? répliqua Zhou You, et il ajouta : Mon entrepôt, c'est chez toi.

Zhao le Poète comprit, et il se dit : d'accord pour que ce type transforme ma maison en entrepôt, mais à condition qu'il paie pour cela. Il sourit :

— Monsieur le directeur Zhou, combien m'offrez-vous pour la location de l'entrepôt ?

— 20 yuans par jour, annonça Zhou You, en jetant un coup d'œil sur la natte.

Zhao le Poète accepta avec joie. Il souleva les deux cartons et s'apprêtait à les monter chez lui, quand Zhou You le rappela. Il sortit d'un des cartons deux paquets de prospectus publicitaires pour les hymens artificiels. Les prospectus du premier paquet vantaient les hymens de fabrication chinoise de la marque Meng Jiangnü, dont le prix était de 100 yuans l'unité ; ceux du deuxième paquet vantaient des hymens d'importation, de la marque Sainte Jeanne d'Arc, à 300 yuans pièce. Zhou You tenait dans ses mains les deux gros paquets de prospectus et jetait des regards à droite et à gauche :

— Vingt représentants auraient dû venir ici, mais ils ont eu un accident et sont tous à l'hôpital. A présent, je n'ai que toi, mais tu ne pourras pas tout faire tout seul…

A cet instant, Song Gang sortait de l'immeuble. Dès qu'il le vit, Zhao le Poète l'interpella :

— Song Gang, je t'embauche comme représentant : 80 yuans par jour, ça te va ?

Avant que Song Gang ait eu le temps de réagir, Zhou You, tout en époussetant son costume, interrogea Zhao le Poète :

— Moi, je t'ai embauché à 100 yuans par jour, et toi tu lui en proposes 80. Tu vas te contenter de 20 yuans ?

— Pas du tout, répliqua Zhao le Poète, en secouant la tête. C'est vous qui allez lui verser les 80 yuans, et à moi vous m'en donnerez 20, à titre de commission.

Zhou You continuait à épousseter son costume :

— Dans ce cas, c'est moi qui l'embauche, pas toi.

Zhou You s'étonna que Song Gang porte un masque alors que c'était déjà l'été :

— Tu t'es fait mal à la bouche ?

— Non, dit Song Gang, qui souriait derrière son masque, c'est aux poumons que j'ai mal.

Zhou You hocha la tête :

— Je t'embauche, à 100 yuans la journée.

Song Gang ignorait ce qu'on attendait de lui. Il fit observer, gêné, qu'il était malade des poumons.

— Pour ce travail, assura Zhou You, tu n'as pas besoin de tes poumons, tu n'as besoin que de ta bouche.

Sur ce, Zhou You donna un paquet de prospectus à Zhao le Poète et l'autre à Song Gang, et leur confia ses directives pour la journée. Ils devaient remettre un prospectus à toutes les femmes qu'ils croiseraient :

— A toutes les femmes, même les vieilles.

Zhou You envoya Zhao le Poète et Song Gang arpenter les rues sous un soleil de plomb pour y distribuer les prospectus, tandis que lui-même partait profiter de l'air conditionné de la boutique de *dim sum*. Ce charlatan se calfeutra au frais toute la journée. Il entreprit d'aider Su Mei à fabriquer ses petits pains à paille. Il avait investi la cuisine aux premières heures du jour et, aux côtés d'une Su Mei rayonnante, il expliquait la technique au cuisinier. La mère Su, assise derrière sa caisse, regardait sa fille entrer et sortir avec sur son visage une expression de bonheur qu'elle ne lui connaissait pas, et elle en eut le cœur serré, car ce Zhou You lui semblait trop poli pour être honnête. Elle-même avait été abusée dans sa jeunesse par un séducteur qui lui avait juré un amour éternel et l'avait mise enceinte de Su Mei avant de disparaître dans la nature et de ne plus jamais donner signe de vie.

Le charlatan Zhou You consacra sa journée à goûter des petits pains à paille. Tantôt il trouvait qu'il n'y avait pas assez de jus, tantôt que le jus n'était pas assez parfumé. Il s'empiffra toute la matinée, et encore l'après-midi, il en engloutit soixante-treize au total. Il était tellement gavé qu'il en rotait en parlant, et Su Mei le couvait des yeux. Elle lui proposa d'interrompre sa dégustation et de la reprendre le lendemain ; ce qu'il accepta en se frottant le ventre, trop content de l'aubaine. Puis il but le thé vert que Su Mei lui avait préparé et, assis à la place la plus proche du climatiseur, il se lança dans des rodomontades à n'en plus finir.

Song Gang et Zhao le Poète, en nage, errèrent toute la matinée dans les rues. Le masque de Song Gang était imprégné de sueur. Presque toutes les vierges qui venaient participer au concours étaient déjà là. Les rues étaient encombrées de jeunes filles extérieures au bourg, des belles et des moins belles, et on entendait résonner des accents de toute la Chine. Ni la chaleur ni la fatigue n'étaient venues à bout de l'enthousiasme de Song Gang et de Zhao le Poète. Ce qui ravissait Song Gang, c'était la perspective de gagner 100 yuans pour un travail aussi facile ; et ce qui ravissait Zhao le Poète, c'était qu'il n'avait jamais vu autant de jeunes filles se bousculer. Il confia à Song Gang qu'il avait l'impression d'être dans les douches pour dames et qu'il regrettait seulement qu'elles soient en corsage et en jupe. Les deux hommes distribuaient les prospectus de Zhou You à ces miss vierges, et celles-ci les prenaient en riant et les mettaient dans leur sac. Après quoi elles disaient, en redressant fièrement la tête :

— On n'a pas besoin de ça.

Quand les deux hommes rentrèrent chez eux à midi, Zhao le Poète jeta un regard furtif en direction de la boutique de *dim sum* : Zhou You dégustait ses petits pains à paille. Il fourra les prospectus qui lui restaient dans les mains de Song Gang en le chargeant de les distribuer à sa place car il était déjà occupé cet après-midi-là. Lin Hong était encore au travail, à la manufacture de tricots, et Song Gang déjeuna seul à la maison. Il changea son masque, mit un chapeau de paille, accrocha une serviette autour de son cou, se remplit une bouteille d'eau fraîche, et ressortit avec les prospectus. Il jeta un coup d'œil du côté de la boutique de *dim sum* et sourit quand il constata que Zhou You testait toujours ses petits pains à paille. Zhou You, en levant la tête, avait aperçu Song Gang au moment où celui-ci franchissait le seuil de sa maison. Comme il n'avait pas vu Zhao le Poète, il se demandait quel tour ce type-là était en train de lui jouer. Zhou You adressa un signe de la tête à Song Gang, qui le lui rendit avant de prendre la direction de l'est.

Zhao le Poète était retourné en catimini chez lui pour déjeuner et, profitant de ce que ses deux locataires étaient parties se promener, il s'était jeté sur son canapé pour piquer un roupillon. Il dormit d'un trait jusqu'au crépuscule, et fut réveillé par les cris des deux jeunes femmes qui, en rentrant, l'avaient trouvé étendu, en caleçon. Il sauta sur ses pieds et s'expulsa des lieux lui-même. Arrivé en bas de l'immeuble, il aperçut Zhou You, toujours installé en face, dans la boutique de *dim sum* : il gesticulait et semblait raconter quelque chose. Il était entouré de gens du bourg, les uns attablés autour de petits pains farcis, les autres debout l'écoutant pérorer.

Zhao le Poète se dirigea discrètement vers le logement de Song Gang, dont la porte était grande ouverte : Lin Hong était en train de manger, et Song Gang, assis sur le canapé, regardait la télévision.

— Tu as tout distribué ? demanda-t-il à Song Gang.

Song Gang hocha la tête. Zhao le Poète se retourna vers la boutique de *dim sum* et, après s'être assuré que Zhou You ne le voyait pas, il se mit à courir et parcourut ainsi 170 mètres dans la rue, à la manière d'un athlète qui s'entraîne, jusqu'à ce qu'il soit en nage. Puis il essuya avec ses deux mains la mie qu'il avait aux coins des yeux et il pénétra, épuisé, dans la boutique de *dim sum*, comme s'il s'était échiné toute la journée à faire la promotion des hymens. Quand il l'aperçut, Zhou You, qui était en plein discours, arrêta de se vanter, il lui fit signe de la main et le présenta à l'assistance :

— Voilà mon dircom, Zhao.

Les masses ignoraient ce qu'était un dircom, et Zhou You leur expliqua que c'était l'abréviation pour "directeur de la communication". Zhao le Poète, qui s'imaginait jusqu'ici n'être qu'un simple représentant, constata qu'il avait été promu de but en blanc à un poste de responsabilité. Son visage qui, l'instant d'avant, était ravagé par la fatigue, resplendit d'un seul coup. Ecartant la foule qui lui barrait le passage, il alla se placer derrière Zhou You pour lui annoncer, en s'inclinant, que tous les prospectus avaient été distribués. Après quoi, il resta au même endroit, comme il sied à un directeur de la communication. Zhou You leva la tête :

— Tu as dormi cet après-midi ?

Zhao le Poète secoua la tête :

— Non, cet après-midi j'ai parcouru tout le bourg et j'ai distribué tous les prospectus.

— Pourtant tu as mauvaise haleine, comme si tu venais de te réveiller.

L'assistance éclata de rire, Zhao le Poète rougit. Il répéta qu'il avait distribué des prospectus tout l'après-midi avec Song Gang. Zhou You sourit :

— Song Gang je l'ai vu, mais pas toi.

Zhao le Poète voulut s'expliquer, mais Zhou You l'arrêta d'un geste de la main. Puis il continua à raconter, dans un flot de paroles, son passé romanesque. Su Mei, assise en face de lui, était fascinée. Zhou You, remarquant que le visage et le cou de Zhao le Poète dégoulinaient de sueur, le remercia pour la peine qu'il s'était donnée. Après quoi, il tourna la tête et reprit le récit de ses aventures africaines :

— Les paysans africains sont ceux qui ont le plus grand rendement au travail dans le monde entier…

— Comment ça ? demandèrent les masses.

— Ils labourent les fesses à l'air, et ils font leurs besoins tout en labourant, si bien qu'ils répandent l'engrais en même temps qu'ils labourent.

Les masses s'émerveillèrent devant une méthode aussi ingénieuse : en effectuant les deux tâches simultanément, on économisait de la main-d'œuvre et on s'épargnait de la fatigue. De plus, il était inutile de se torcher les fesses : un coup de vent, et elles étaient propres.

Puis Zhou You, montrant les miss vierges qui passaient dans la rue, devant la boutique, lança à son auditoire :

— Toutes ces filles vous ont déjà tourné la tête, et pourtant elles ne sont que trois mille.

Et il raconta comment une fois il avait débarqué sur une île du Pacifique, une île affublée d'un nom qui parut inaudible à l'assistance mais qui à l'en croire voulait dire l'"Ile des femmes". Une fois à terre, il s'était rendu compte qu'il était dans le pays des femmes, un pays peuplé de plus de 45 800 créatures, toutes belles comme des Immortelles, où ne vivait pas un seul homme. Avant lui, aucun mâle n'avait abordé l'île depuis onze ans. Zhou You lança aux masses, les yeux écarquillés :

— Je vous laisse imaginer leur réaction à mon arrivée, elles qui n'avaient pas vu un homme depuis onze ans…

A ce point de son récit, Zhou You, pour entretenir le suspense, but une gorgée de thé vert et pria une des serveuses d'ajouter de l'eau dans sa tasse. Les hommes présents dans la salle étaient sur le grill et se désespéraient de la lenteur des gestes de la serveuse. Quand Zhou You eut absorbé une nouvelle gorgée de thé, ils lui demandèrent, les yeux exorbités :

— Alors, qu'est-ce qu'elles ont fait en vous voyant ?

Zhou You soupira d'aise et consentit enfin à poursuivre :

— Elles ont fait la queue pour coucher avec moi à tour de rôle. Mais évidemment, la reine se réservait ma première nuit…

Zhou You expliqua que la reine n'était pas une vieille dame : là-bas, on choisissait pour reine la femme considérée par toutes comme la plus belle. Et il décrivit avec force détails les charmes de cette jeune reine de dix-huit ans :

— Pour les Occidentaux, ce serait Vénus ; et pour nous autres les Chinois, Xi Shi.

Les hommes étaient impatients de savoir s'il avait couché avec la reine :

— Et vous lui avez accordé votre première nuit ?

— Non, répondit Zhou You, en secouant la tête.

— Et pourquoi ? demandèrent les masses, stupéfaites.

— C'est vrai, elle était très belle, mais moi, je n'étais pas amoureux d'elle.

Les hommes étaient dépités :

— Et après ?

— Après ? Après, résuma Zhou You, laconique, je me suis enfui.

— Et comment avez-vous fait pour vous enfuir ?

— C'est très simple, je me suis déguisé en femme.

Parmi les hommes, on entendit des exclamations désolées. L'un d'entre eux grogna :

— Mais pourquoi donc vous êtes-vous enfui ? Putain, à votre place, moi, même avec un fusil braqué sur le front, un canon pointé sur les fesses et un missile Tomahawk dirigé sur ma poitrine, rien ne m'aurait fait partir.

— Exactement ! approuvèrent en chœur tous les hommes.

— Pas d'accord, rétorqua Zhou You. Je tiens à me réserver pour une femme que j'aimerais profondément.

Et tout en prononçant ces paroles, Zhou You lança un regard furtif vers Su Mei, qui lui faisait face, ce qui plongea celle-ci dans la confusion. Après avoir entendu le récit des aventures de Zhou You au pays des femmes, une cliente lui posa cette question :

— Dans combien de pays êtes-vous allé ?

Zhou You fit semblant de se creuser la tête :

— Il m'est impossible de les compter tous, même avec un ordinateur je n'y arriverais pas.

Zhao le Poète en profita pour lui passer de la pommade :

— M. le directeur Zhou sait parler trente langues, dont la nôtre évidemment.

Les masses poussèrent un "Ah" de surprise, mais Zhou You secoua la main et se récusa modestement :

— C'est exagéré, c'est exagéré. Parmi ces trente langues, il y en a dix que je peux utiliser pour parler affaires, et dix autres dans lesquelles je me débrouille pour la vie quotidienne. Dans les dix qui restent, je suis tout juste capable de dire bonjour.

— C'est tout de même formidable ! s'exclamèrent les masses.

Zhao le Poète continua à passer sa pommade :

— M. le directeur Zhou, partout où il va, ne descend que dans les hôtels 5 étoiles, et il occupe toujours la suite présidentielle.

Les masses poussèrent à nouveau un "Ah", et Zhou You, derechef, secoua la main et se récusa modestement :

— Je n'occupe pas toujours la suite présidentielle. Quand le président d'un Etat étranger est déjà là, je me contente de la suite Affaires.

A cet instant, Zhou You se souvint qu'on l'avait vu la veille au soir couché en pleine rue, sur une natte, serré contre Zhao le Poète. Aussi crut-il bon d'ajouter qu'un homme de cœur devait savoir s'adapter aux circonstances, et que lui-même était capable aussi bien de dormir à la belle étoile que dans la suite présidentielle d'un hôtel cinq étoiles. Il raconta qu'une fois il avait dormi trois jours et trois nuits dans le désert d'Arabie et que le soleil tapait si dur qu'il avait failli être cuit et transformé en momie. Il avait également dormi une semaine dans la jungle d'Amérique latine, avec des bêtes sauvages qui rôdaient sans arrêt pendant son sommeil, et une fois une tigresse avait dormi à ses côtés : il avait posé sa tête sur un tronc d'arbre tombé à terre, la tigresse avait fait de même, et ils avaient ainsi passé la nuit face à face ; et c'est au matin, quand les moustaches de la tigresse l'avaient réveillé en le chatouillant, qu'il avait réalisé qu'ils avaient dormi ensemble comme deux époux.

Zhao le Poète repassa une couche de pommade :

— Le numéro de portable de M. le directeur Zhou n'est pas un numéro chinois. C'est un numéro de quelque part en Angleterre.

Zhou You le reprit :

— Des Iles vierges britanniques.

Quelqu'un, dans l'assistance, s'étonna :

— Vous êtes citoyen de là-bas ?

Zhou You secoua la tête :

— Ma société est enregistrée là-bas, ce qui me permet d'être coté au Nasdaq.

— Votre compagnie détient des actions américaines !

— Beaucoup de sociétés chinoises sont présentes sur le marché américain, tempéra Zhou You.

Dans l'assistance, des gens avaient déjà joué en bourse. Ils voulurent savoir quel était le code des actions de sa compagnie. Il leur indiqua les quatre premières lettres de l'alphabet anglais. Après quoi, il les encouragea, s'ils avaient l'occasion de se rendre aux Etats-Unis, à acheter des actions marquées de ces quatre lettres. Il leur assura que la valeur des actions ABCD n'avait cessé de se multiplier pendant trois années de suite. Dans le brouhaha des exclamations, les masses s'empressèrent de lui demander son numéro de portable, et elles enfouirent comme un trésor dans leur poche le fameux 00088123. Tout en communiquant son numéro, Zhou You avertit l'assistance que, sauf cas d'urgence, il fallait éviter de l'utiliser, parce que c'était un numéro de *roaming* international :

— Le temps de dire "Allô" trois fois, et votre paie du mois y passe.

Le charlatan Zhou You avait réussi à bluffer les masses de notre bourg des Liu. On se bousculait autour de lui en le regardant avec des yeux admiratifs, on dressait l'oreille pour l'écouter, et l'assistance ne se dispersa qu'à une heure du matin. Le directeur de la communication Zhao le Poète quitta la boutique climatisée en compagnie de son patron, et il installa sa natte dans la rue surchauffée. Su Mei, qui à trente ans passés, n'avait encore jamais eu d'histoire d'amour, était complètement sous le charme. Quand elle vit Zhou You et Zhao le Poète s'allonger, elle s'approcha d'eux, hésitante, avec un serpentin antimoustiques allumé. La veille au soir, Zhou You avait été piqué par les moustiques, et lui aussi avait sur le visage une dizaine de boutons d'acné. Su Mei posa le serpentin à côté de Zhou You et lui expliqua timidement :

— C'est un serpentin du magasin. Depuis qu'on a installé la climatisation, on ne s'en sert plus. Je vous le donne.

Zhou You se leva d'un bond, et la remercia avec effusion. Su Mei le dévisagea d'un air enamouré :

— En fait, vous feriez mieux de dormir dans la boutique, elle est climatisée : il n'y fait pas trop chaud, et il n'y a pas de moustiques.

Zhao le Poète allait accepter la proposition, mais Zhou You la déclina :

— Ça ira bien comme ça. Ici, on est beaucoup mieux que dans le désert d'Arabie ou que dans la jungle d'Amérique latine.

XXXVI

Après s'être gobergé gratuitement trois jours de suite de petits pains à paille dans la boutique de *dim sum* de Su Mei, le charlatan Zhou You, à la veille de l'ouverture officielle du Grand Concours des miss vierges, monta au front en personne. Profitant de ce que Lin Hong était au travail, il passa deux heures chez Song Gang à expliquer à celui-ci et à Zhao le Poète comment s'y prendre pour fourguer les hymens artificiels. Déçu d'apprendre que Zhao le Poète n'était pas marié, il lui demanda s'il n'avait pas une maîtresse. Zhao le Poète fit d'abord non, puis oui avec la tête :

— En vrai, je n'en ai pas ; mais en imagination, j'en ai beaucoup.

— En imagination ? dit Zhou You, en secouant la tête. Nous ne faisons pas la promotion des hymens imaginaires, mais des hymens réels. Nous avons absolument besoin de nous appuyer sur une femme en chair et en os.

Puis Zhou You se tourna vers Song Gang, d'un air réjoui. Il déclara que Lin Hong, son épouse, était très belle, c'était même, à ce qu'on racontait, une beauté fameuse, une vraie célébrité au bourg des Liu. Zhou You était enthousiaste : il fallait exploiter cet atout au maximum. Il proposa à Song Gang de servir de témoin, et de raconter en pleine rue comment sa femme et lui avaient été conquis, séduits, transportés au septième ciel par cet objet quand Lin Hong l'avait utilisé. C'était la première fois que Song Gang entendait parler en ces termes de Lin Hong, et il rougit jusqu'aux oreilles :

— Lin Hong n'a jamais utilisé d'hymen artificiel.

— L'essentiel, c'est que tu prétendes qu'elle en a utilisé un, intervint Zhao le Poète. C'est ta parole qui comptera.

Zhou You approuva, et lança à Song Gang :

— Le dircom Zhao a tout à fait raison.

Song Gang secoua la tête :

— Jamais je ne pourrai dire ça.

Zhao le Poète s'énerva :

— M. le directeur Zhao te paie 100 yuans par jour, et toi tu nous fais toute une histoire pour une malheureuse phrase…

Song Gang secouait toujours la tête :

— Je veux bien dire tout ce qu'on voudra, mais pas ça.

Zhao le Poète voulut ajouter quelque chose, mais Zhou You l'arrêta d'un signe de la main. Il réfléchit un moment, et s'adressa à Song Gang :

— Bon, on va faire comme ça : tu n'auras pas besoin de parler, tu laisseras le dircom Zhao parler à ta place. Il suffira que tu restes à côté de lui, tu n'auras même pas à hocher la tête, le principal c'est que tu ne la secoues pas.

Song Gang fut soulagé de n'avoir ni à parler ni à hocher la tête. Zhou You ordonna à Zhao le Poète et à Song Gang de prendre chacun un carton, et les deux hommes le suivirent comme deux domestiques, tandis que lui se pavanait, les mains dans les poches. Un tabouret avait été placé sur le carton que transportait Song Gang.

Les trois hommes s'installèrent au milieu de la rue où devait se tenir le concours. Zhou You monta sur le tabouret et, à son signal, Zhao le Poète et Song Gang ouvrirent les cartons et déballèrent les hymens importés et les hymens de fabrication locale. Puis il commença son boniment. Les miss vierges et les masses s'étaient regroupées autour d'eux et n'arrêtaient pas de bourdonner comme les moustiques qui harcelaient Zhou You et Zhao le Poète sur leur couche la nuit. Zhou You entreprit d'abord de vanter l'hymen d'importation Sainte Jeanne d'Arc. Il en brandit un bien haut, et proclama :

— Voici un hymen d'importation de la marque Sainte Jeanne d'Arc. Son prix de vente est de 300 yuans. Actuellement, les hôpitaux facturent 3 000 yuans la restauration d'un hymen, et pour 3 000 yuans on ne peut retrouver sa virginité qu'une fois. Alors qu'avec un hymen Sainte Jeanne d'Arc, pour 3 000 yuans, on peut rééditer l'opération dix fois.

Là-dessus, Zhou You entreprit d'expliquer le mode d'emploi, comme s'il exécutait une pantomime :

— Premièrement, se laver et s'essuyer les mains (il imita le geste de se laver les mains et de se les essuyer), puis retirer l'hymen de son emballage hermétique en aluminium, et le rouler en boule sans forcer. Deuxièmement, introduire cette boule au fond du vagin (il plongea sa main entre ses cuisses) : il faut que l'opération soit exécutée rapidement, pour éviter que l'hymen ne reste collé au doigt (il retira la main de son entrejambe, comme s'il s'était brûlé). Troisièmement, trois à cinq minutes après la mise en place de l'hymen, le rapport sexuel peut commencer (cette fois, il ne fit aucun geste). Quatrièmement, après le rapport, se rendre dans la salle de bains pour débarrasser le vagin des sécrétions sanguinolentes (sa main retourna vers son entrejambe et mima le geste de se laver). Cinquièmement, quand le rapport sexuel débute, la femme doit adopter une position appropriée (il se mit de côté), de façon à ce que l'homme éprouve des difficultés à la pénétrer, et feindre la douleur au moment où l'hymen se déchire (il fronça les sourcils, pour mimer la douleur). Si, dans le même temps, la femme pousse des gémissements de douleur et prend un air confus (il ne gémit pas, mais prit un air confus), l'effet sera encore meilleur.

Au milieu des exclamations et des rires des miss vierges et des masses, Zhou You entreprit ensuite de faire l'article pour les hymens de fabrication chinoise :

— Et voici l'hymen Meng Jiangnü, de fabrication chinoise, qui coûte 100 yuans. Si on se réfère au prix pratiqué à l'hôpital pour l'opération, pour la même somme on peut redevenir vierge trente fois…

Dans la foule, quelqu'un s'écria :

— Fais-nous une démonstration.

Zhou You sourit :

— Y a-t-il une camarade qui serait prête à faire un essai devant nous ?

Les miss vierges et les masses éclatèrent de rire. L'homme qui avait parlé continua :

— Tu n'as qu'à le tenir d'une main et à le percer avec un doigt de l'autre.

Les masses approuvèrent d'une seule voix. Zhou You sourit :

— Je veux bien, mais ça coûte 100 yuans. Vous êtes ici plus d'une centaine, et si chacun d'entre vous me verse 1 yuan, j'accepte de vous faire la démonstration.

Les masses s'empressèrent de mettre la main à la poche. Zhao le Poète et Song Gang, en nage, circulaient au milieu de la foule et finirent par récolter cent billets de 1 yuan. Zhou You attaqua l'opération : il ouvrit une boîte et en sortit un Meng Jiangnü enveloppé dans une feuille d'aluminium. Il déchira l'emballage et, tenant l'hymen dans la main gauche, il pressa dessus avec son index droit. La première tentative ayant été vaine, il refit le geste sans réussir davantage à percer l'hymen. Les miss vierges et les masses se gondolaient.

— La vierge est coriace ! constata un homme.

— C'est un hymen de la marque Meng Jiangnü, souligna fièrement Zhou You. Meng Jiangnü a réussi à faire écrouler la Grande Muraille par ses pleurs, alors évidemment elle avait un hymen résistant.

Sous les rires, Zhou You appuya une troisième fois sur l'hymen, et cette fois-ci il le perça. Des mucosités rouges lui coulèrent sur la main, qu'il agita triomphalement :

— Vous voyez ? vous voyez ? C'est ce qu'on appelle les saignements de la première nuit !

Quand les exclamations et les rires furent peu à peu retombés, Zhou You se lança dans sa harangue préparée à l'avance, et comme Zhao le Poète n'était pas marié, il interpella Song Gang :

— Song Gang, quelle marque d'hymen ta femme a-t-elle utilisée hier soir ?

— La marque d'importation Sainte Jeanne d'Arc, évidemment, répondit Zhao le Poète à la place de Song Gang, avant d'ajouter, aussi hautain que Zhou You : Est-ce que la femme de Song Gang irait utiliser un produit fabriqué en Chine ?

Zhou You continua à interroger Song Gang d'une voix forte :

— Quand vous avez eu un rapport hier soir, qu'est-ce que ta femme a ressenti ?

Zhao le Poète continua à répondre, d'une voix tout aussi forte :

— Elle a poussé un cri de douleur !

Zhou You hocha la tête, satisfait, avant de poursuivre son interrogatoire :

— Et toi, qu'as-tu éprouvé ?

Zhao le Poète reprit la parole :

— Ça lui a flanqué la frousse, et il a eu des sueurs froides.

Cette fois, Zhou You fut très mécontent de la réponse. Il fronça les sourcils :

— Tu veux dire, je suppose, qu'il a eu des sueurs chaudes, chaudes de plaisir.

Zhao le Poète rectifia instantanément :

— Il a d'abord eu des sueurs froides, et trois secondes après, il a eu des sueurs chaudes, chaudes de plaisir !

— Exactement ! s'exclama Zhou You. En l'espace de trois secondes, il est passé du froid polaire à la chaleur africaine.

Zhou You était enchanté de la rapidité avec laquelle Zhao le Poète avait rectifié le tir. Il lui adressa un hochement de tête approbateur, puis, sûr de lui, il regarda Song Gang :

— Song Gang, si tu fais le bilan, quel est l'avantage principal de l'hymen artificiel ?

Song Gang rougit. Le rouge déborda de son masque et gagna son front et son cou. Il ne s'attendait pas à se retrouver dans de pareilles transes, alors même qu'il ne parlait pas et qu'il ne bougeait pas la tête, et il aurait aimé disparaître dans un trou de souris. C'est Zhao le Poète qui tira la conclusion à sa place. Montrant Song Gang du doigt, il annonça d'une voix sonore :

— De toute sa vie, Song Gang n'a couché qu'avec une seule femme, mais depuis que celle-ci a utilisé un hymen artificiel… (Zhao le Poète montra deux doigts.) Song Gang a couché dans sa vie avec deux vierges.

— Bien parlé ! Zhou You avait les yeux brillants d'excitation, et il s'exclama, à l'intention de tous : C'est ça l'avantage de l'hymen artificiel. Non seulement il est capable de redonner confiance et estime de soi aux femmes qui ont perdu leur virginité, mais grâce à lui les hommes restent davantage fidèles à leur femme ! Mesdames, et surtout vous messieurs, dépêchez-vous d'en acheter un ! Pour le prix d'une opération à l'hôpital, grâce au Sainte Jeanne d'Arc, messieurs, vous pourrez éprouver dix fois le bonheur de la défloration avec votre femme. Et trente fois, grâce au Meng Jiangnü !

Les miss vierges venues de l'extérieur et les masses de notre bourg des Liu avaient suivi le numéro qu'on leur servait, hilares. Mais à la fin, elles étaient quelque peu perplexes. Un homme, montrant Song Gang, interpella Zhao le Poète :

— Comment se fait-il que ce soit toi qui répondes à la place de Song Gang ?

— Est-ce que tu aimerais expliquer de quelle façon tu couches avec ta femme ? répliqua Zhao le Poète, en pointant l'homme du doigt. Non, évidemment. Eh bien, pour Song Gang, c'est pareil. C'est pourquoi il a souhaité que je réponde à sa place.

Song Gang gardait la tête baissée, mais le mal était fait. Il ne pipait mot et ne bougeait pas. Mais, debout là, il souffrait le martyre, comme si on lui tailladait la chair avec un couteau émoussé. La campagne publicitaire de Zhou You et de ses associés fut un succès éclatant. Si sur le coup personne n'acheta rien, Zhou You et Zhao le Poète furent réveillés sans arrêt jusque tard dans la nuit par des clients désireux de rester discrets. Plusieurs soirs de suite, ils furent dérangés beaucoup plus souvent par ces visites que par les moustiques qui les piquaient. La clientèle se composait majoritairement de miss vierges venues participer au concours, mais il y avait aussi des jeunes femmes de notre bourg des Liu. Et évidemment aussi des hommes, influencés par le discours de Zhao le Poète, qui s'imaginaient qu'à défaut de coucher avec d'autres femmes ils pourraient vivre plusieurs fois avec la leur l'extase de la première nuit. Pour cette raison, Zhou You regarda Zhao le Poète d'un œil nouveau :

— Tu as un talent rare, il va falloir qu'on continue à travailler ensemble. Pour cette fois, ta prime va certainement dépasser ton salaire.

Zhao le Poète était rayonnant :

— Je vais toucher une prime de combien ?

— Tu le sauras le moment venu, répondit Zhou You.

Le jour même, Lin Hong eut vent du numéro qu'avaient exécuté les trois hommes dans la rue. Elle tremblait de colère et s'apprêtait à faire une scène épouvantable à Song Gang en rentrant à la maison, mais elle fut attendrie par l'air piteux et inquiet qu'il avait, assis là sur le canapé. C'était pour rapporter de l'argent à la maison que Song Gang avait fait tout cela. Elle se dirigea vers la porte en secouant la tête, et quand elle aperçut Zhao le Poète qui approchait, l'air supérieur, elle déchargea toute sa colère sur lui. Profitant de ce qu'il n'y avait personne autour d'eux, elle lui lança tout bas, d'une voix haineuse :

— Salaud !

XXXVII

Le Premier Grand Concours national des miss vierges, sur lequel les yeux du monde entier étaient braqués, fut enfin ouvert. Etant donné que la manifestation devait se tenir dans la rue, et compte tenu du soleil brûlant et de la peau fragile des belles, le comité organisateur avait décidé que les éliminatoires se dérouleraient en fin d'après-midi. Ce fut la soirée la plus grandiose de toute l'histoire de notre bourg des Liu. Trois mille miss vierges en bikini, des plus ou moins grandes, des plus ou moins minces, des plus ou moins belles, étaient rangées en une file de deux kilomètres de long. Et comme la rue la plus longue de notre bourg des Liu faisait moins de deux kilomètres, la file des miss vierges bifurquait pour enjamber un pont et se prolonger dans une rue adjacente.

Avant que le soleil ne se couche, toutes les autres rues du bourg étaient désertes, tous les magasins avaient fermé leurs portes, toutes les usines s'étaient arrêtées, tous les bureaux avaient donné congé à leurs employés, tous les habitants s'étaient agglutinés des deux côtés de la chaussée, tous les platanes avaient été pris d'assaut par une faune simiesque, et sur tous les poteaux électriques des hommes dansaient la *pole dance*, grimpant inlassablement pour se laisser glisser ensuite. De part et d'autre du parcours, il y avait des gens à toutes les fenêtres et sur tous les toits.

Même les médecins et les infirmiers de l'hôpital étaient accourus : ils disaient qu'ils fallait en profiter cette fois-ci ou jamais. Les malades étaient sortis eux aussi : ceux qui avaient la jambe cassée en s'appuyant sur leurs béquilles ; ceux qui avaient le bras cassé, le bras en écharpe ; ceux qu'on transfusait portant eux-mêmes leur bouteille ; et ceux qui sortaient du bloc opératoire, portés et soutenus par leurs parents et amis, qui les avaient installés sur une voiture à bras ou à l'arrière d'une bicyclette. Tout le bourg était dehors.

Les habitants des villes et des districts voisins étaient venus à bicyclette, ils avaient dû pédaler cinq ou six heures, et il leur en faudrait faire autant au retour, rien que pour apercevoir les miss vierges. Notre bourg de trente mille âmes en compta ce jour-là plus de cent mille. L'artère centrale avait été dégagée, les miss vierges étaient rangées sur une seule file, et les agents de la circulation, la police militaire et la police populaire des commissariats avaient été entièrement mobilisés. Ils étaient alignés en face, pour contenir la foule. Les yeux des policiers furent les mieux lotis, car ils voyaient les miss vierges de plus près que les yeux de quiconque. Mais d'autres yeux étaient encore plus heureux, ceux des journalistes, qui seuls avaient l'autorisation de circuler sur l'artère vide de tout spectateur. Dès qu'ils repéraient une jolie fille, les journalistes l'abordaient pour l'interviewer, le regard rivé sur les courbes de sa poitrine ou sur son nombril, comme s'ils voulaient que rien d'elle ne leur échappe.

Les hommes se pressaient derrière les candidates, et les fesses des trois mille miss vierges, toutes sans exception, furent pelotées. Certains hommes étaient torse nu, vêtus d'un simple short. Ils braillaient et pestaient contre ceux de derrière, qu'ils accusaient de les pousser, tandis qu'eux-mêmes se frottaient et se frictionnaient avec ardeur contre la peau des belles en bikini. Certaines, parmi ces dernières, pleuraient, d'autres lançaient des jurons, d'autres enfin criaient, et les coupables, arborant le masque de l'innocence, se retournaient pour engueuler ceux qui étaient dans leur dos en les priant derechef d'arrêter de pousser.

Li Guangtou avait dit et répété que si le défilé des miss vierges avait lieu dans la rue, c'était pour permettre aux masses d'assister au spectacle gratuitement. Mais dans l'intervalle, en sortant de ses toilettes, il avait eu une nouvelle idée géniale pour gagner de l'argent. Il avait chargé Liu l'Attaché de presse de constituer aussitôt une équipe pour annoncer et organiser la vente de billets. Liu l'Attaché de presse s'acquitta de sa tâche avec zèle, et il écoula d'une seule traite plus de cinq mille billets auprès de ceux qui voulaient voir le défilé. Comme même en louant tous les camions de la ville et du district, ainsi que ceux des villes et des districts voisins, on ne pouvait transporter les cinq mille et quelques possesseurs de billets, Liu l'Attaché de presse dut finalement louer également tous les tracteurs à cent *li* à la ronde. Les cinq mille et quelques possesseurs de billets prirent place dans les camions et les remorques des tracteurs, et passèrent en revue les miss vierges comme dans une parade militaire. Si la troupe des candidates s'étirait sur deux kilomètres, la file des camions et des tracteurs mesurait plus du double.

Vingt voitures décapotables ouvraient la marche, avec à l'intérieur Li Guangtou, Tao Qing et consorts, les camarades dirigeants du comité organisateur du concours et les camarades jurés, ainsi que les camarades hôtes d'honneur qui sponsorisaient la manifestation. Wang les Esquimaux et Yu l'Arracheur de dents étaient assis dans la dernière voiture. Yu l'Arracheur de dents aurait dû se rendre d'Europe en Afrique, mais quand, au téléphone, Wang les Esquimaux l'avait informé de la tenue du concours, il avait aussitôt modifié ses plans et rappliqué, conscient qu'en des circonstances aussi exceptionnelles il convenait d'être là à tout prix. Il se tenait debout dans la voiture décapotable, vêtu d'un complet-veston et chaussé de souliers de cuir. Son costume lui allait parfaitement, et les couleurs de sa chemise et de sa cravate étaient assorties à celle de son veston. Depuis qu'il sacrifiait à la mode occidentale, il avait une classe folle, à croire qu'il n'avait jamais rien porté d'autre de sa vie, et qu'il était né avec un complet-veston et des chaussures en cuir. Son voisin, Wang les Esquimaux, était lui aussi habillé à l'occidentale, mais les manches de son veston étaient tellement longues qu'elles couvraient ses ongles ; l'encolure de sa chemise était trop large, si bien que même boutonnée elle laissait voir les clavicules ; et la cravate qui pendait par-dessus tout ça était une cravate rouge bon marché du genre de celles qu'on voit autour du cou des vigiles. Yu l'Arracheur de dents, consterné par la mise de Wang les Esquimaux, lui glissa :

— Tu ne sais pas t'habiller.

Derrière les vingt voitures décapotables, suivait une file ininterrompue de camions. En tête venaient les camions transportant les possesseurs de billets pour invités d'honneur, ils étaient équipés de sièges et de tables, et on y offrait des boissons et des fruits. Ensuite venaient les camions transportant les possesseurs de billets de première classe, ils étaient équipés de sièges mais dépourvus de tables. Dans les camions réservés aux possesseurs de billets de deuxième classe, il n'y avait ni chaises ni tables, et les gens étaient debout sur deux files. Dans les camions réservés aux possesseurs de billets de troisième classe, les gens étaient disposés sur quatre rangées. Les camions réservés aux possesseurs de billets de quatrième classe étaient pleins à craquer. Derrière les camions, à perte de vue, venaient les tracteurs, qui transportaient les possesseurs de billets ordinaires, et dont les remorques étaient bourrées comme des bétaillères.

Liu l'Attaché de presse n'avait pas pris place dans les voitures décapotables de tête, mais, tel un arbitre aux Jeux olympiques, il se tenait à l'extrémité de la rue, brandissant le revolver avec lequel le départ devait être donné. Installé dans la première voiture décapotable, le camarade dirigeant que Liu l'Attaché de presse avait convié sur le conseil de Li Guangtou pour présider le comité organisateur se lança devant le micro dans une logorrhée bureaucratique. Il parla de la conjoncture favorable qui régnait partout dans le pays depuis la réforme et l'ouverture, passa de la croissance du PIB national à la croissance du PIB provincial, puis de la croissance du PIB de la municipalité à la croissance du PIB de notre bourg des Liu. A peine venait-il d'évoquer le bourg des Liu, que déjà il repartait dans des considérations générales, et après une longue digression, il reparla du bourg des Liu et du Grand Concours des miss vierges qui allait s'ouvrir incessamment : la tenue d'un tel concours témoignait de l'élévation continue du niveau de vie des masses populaires, et de l'élévation continue de la place de la Chine sur la scène internationale ; ce concours exaltait la culture traditionnelle nationale tout en mettant la Chine en phase[1] avec le courant de la mondialisation. Après avoir postillonné pendant une demi-heure, le camarade dirigeant s'écria pour finir :

— Je proclame officiellement ouvert le Premier Grand Concours national des miss vierges !

Liu l'Attaché de presse tira un coup de feu en l'air, et les voitures décapotables, les camions et les tracteurs firent leur entrée solennelle, en un défilé aussi impressionnant que pour une épreuve de marathon. Les véhicules se déplaçaient en grondant, mais très lentement, comme des hommes qui auraient rampé par terre, ils avançaient tout doucement le long de la grande rue, en direction du soleil couchant. Les trois mille miss vierges, ulcérées et blessées par le harcèlement sexuel incessant dont elles étaient l'objet, étaient sur le point de craquer, mais au coup de revolver elles se ressaisirent immédiatement, et ce furent trois mille séductrices qui s'avancèrent, bombant le torse et roulant des hanches, coulant des regards langoureux, un sourire accroché au coin des lèvres.

Elles regardèrent passer les voitures décapotables qui transportaient les dirigeants du comité organisateur et les membres du jury. A la suite, venait la cohorte interminable des camions et des tracteurs qui allaient les passer en revue. Les hommes qui se trouvaient derrière elles continuaient à les tripoter, et elles songeaient depuis un moment à tout plaquer pour rentrer se laver et nettoyer les parties de leur corps qui avaient été touchées. C'était sans compter avec la prévoyance de Li Guangtou. Il avait anticipé de longue date que les belles n'auraient d'yeux que pour le jury et ne s'occuperaient pas des spectateurs. Il savait que, sitôt les voitures des jurés passées, elles tourneraient les talons et s'en iraient. Si bien que les spectateurs massés dans les camions, et à plus forte raison dans les remorques des tracteurs, ne verraient rien, et en seraient réduits à tendre le cou pour contempler le coucher du soleil. Tous ces gens qui avaient payé leur billet se transformeraient illico en fauteurs de troubles, en émeutiers, et viendraient au bureau du comité organisateur afin de battre, briser et piller[2]. Pour garder le contrôle de la situation, et pour susciter encore plus l'intérêt chez les acheteurs de billets, Li Guangtou avait décidé que lors des éliminatoires, les notes ne seraient pas attribuées par les dix jurés, mais par les 5 000 et quelques acheteurs de billets.

Imaginez cent mille personnes se pressant par cette soirée d'été. Ces cent mille personnes étaient en sueur, et l'odeur de transpiration flottant dans la grande rue commençait à macérer, viciant l'air de tout le bourg des Liu. Ces cent mille personnes recrachaient du dioxyde de carbone, et parmi elles cinq mille dont les bouches exhalaient une haleine nauséabonde. Ces cent mille personnes avaient deux cent mille aisselles, dont six mille étaient affligées de bromidrose. Ces cent mille personnes avaient cent mille trous du cul, dont sept mille, au bas mot, laissaient échapper des gaz, et certains même beaucoup. Et les masses n'étaient pas seules à laisser échapper des gaz, les voitures et les tracteurs en lâchaient aussi, à cette différence près qu'eux ne pouvaient faire autrement. Plus les voitures avançaient lentement, plus leurs gaz d'échappement étaient importants. Encore étaient-ils supportables, ils étaient gris et quand ils se répandaient dans la rue on aurait dit les vapeurs d'eau dans un établissement de bains. Mais ceux des tracteurs étaient terribles, ils formaient des volutes de fumée noire, comme dans un incendie.

Baignant dans l'air pollué de notre bourg des Liu, les trois mille miss vierges bombèrent le torse pendant trois heures, roulèrent des hanches pendant trois heures, gardèrent leur sourire accroché au coin des lèvres pendant trois heures, et coulèrent des regards langoureux pendant trois heures. Et tout cela, pour que les cinq mille et quelques péquenots juchés sur des camions et sur des remorques de tracteurs votent pour elles. Ces cinq mille péquenots acheteurs de billets n'étaient pas peu fiers de servir de jurés pour ces éliminatoires : papier et crayon en main, ils s'égosillaient. Les péquenots des tracteurs, surtout, bien qu'ils fussent serrés comme des bestiaux, se révélèrent les jurés les plus scrupuleux qui soient. Ils ouvraient des yeux ronds, et à peine avaient-ils écarté la tête de celui qui leur bouchait la vue que la main de celui qui était derrière eux écartait la leur à son tour. Pas question de négliger un détail du physique des miss vierges. Leur papier et leur crayon levés à bout de bras, ils inscrivaient le numéro des plus jolies. Ils discutaient entre eux et se prodiguaient mutuellement des conseils, avec autant de sérieux que s'il s'était agi d'acheter des actions. Ceux qui étaient tout au fond des tracteurs étaient encore plus consciencieux : quand ils avaient repéré une miss vierge dont le visage ou la silhouette leur plaisait, et que leur tracteur l'avait dépassée sans qu'ils aient réussi à lire le numéro indiqué sur sa poitrine, ils la décrivaient anxieusement à ceux de devant en espérant que quelqu'un avait noté le numéro, comme s'ils craignaient d'avoir laissé échapper une action dont le cours grimperait en flèche le lendemain.

Les trois mille miss vierges avaient piétiné tout l'après-midi dans la rue. Elles étaient maquillées plus ou moins légèrement. Il leur avait fallu plus de deux heures pour se mettre en place le long des deux kilomètres, puis les camions et les tracteurs les avaient inspectées pendant trois heures. La sueur avait fait couler leur maquillage, et après le passage des voitures, des camions et des tracteurs dont la file s'étirait sur quatre kilomètres, les gaz d'échappement avaient noirci leurs visages déjà barbouillés. On aurait cru qu'elles sortaient d'une cheminée, et les masses disaient, avec un sourire jusqu'aux oreilles, que ces miss vierges venaient d'Afrique.

Ces éliminatoires aux allures de foire s'achevèrent enfin à la nuit tombée. Les cinq mille et quelques péquenots étaient toujours aussi excités. Leur feuille de notation chiffonnée de sueur à la main, ils firent la queue devant le petit immeuble où résidait le comité organisateur du concours, et déposèrent un par un leurs notes. La nuit était déjà bien avancée quand les dernières notes furent remises. Ce n'était pas un billet qu'ils avaient acheté, mais un titre de juré à un grand concours national, un honneur qui suffirait à les rendre heureux jusqu'à la fin de leurs jours. Liu l'Attaché de presse, face à leur enthousiasme stupide, en inféra qu'un péquenot restait un péquenot, et que même si on les lâchait à New York ou à Paris ils resteraient des péquenots pur sucre. Et c'est ce jury de péquenots qui élimina deux mille miss vierges, n'en gardant que mille pour le tour suivant.

Une des deux miss vierges qui logeaient chez Zhao le Poète fut éliminée, mais pas l'autre. Celle qui avait été éliminée fit ses paquets et s'en alla piteusement, tandis que celle qui avait été autorisée à poursuivre le concours rangeait ses affaires toute joyeuse : elle partait s'installer à l'hôtel où désormais des chambres étaient libres.

Zhou You dormait depuis sept jours sur sa natte en plein air, et il avait vendu quarante-trois hymens artificiels. Il avait à présent un peu d'argent en poche. Il versa 140 yuans à Zhao le Poète, à titre de frais de logement pour les sept nuits passées sur sa natte, en insistant sur le cadeau qu'il lui avait fait en le laissant partager sa couche pendant tout ce temps. Là-dessus, il se dirigea vers la boutique de *dim sum* d'en face, s'installa à une table et engagea la conversation avec sa grande amie Su Mei, tout en dégustant des petits pains à paille : les essais ayant été concluants, il ne pouvait plus se permettre de les tester gratuitement, aussi avait-il proposé qu'on les inscrive sur son compte, en expliquant que c'était trop de tracas de payer une si petite somme quotidiennement et qu'il réglerait son ardoise au moment de partir.

Quand Zhou You sortit de la boutique, Zhao le Poète crut qu'il allait lui aussi emménager à l'hôtel. Mais finalement, il choisit d'habiter chez Zhao le Poète. Après avoir visité le logis exigu où vivait ce dernier, il déclara, avec une moue dédaigneuse :

— C'est bon, je dormirai sur ton canapé pourri.

— Ce n'est pas assez bien pour vous, objecta Zhao le Poète. Il vaudrait mieux que vous alliez à l'hôtel.

Zhou You secoua la tête, il s'assit sur le canapé pourri et croisa les jambes comme s'il était chez lui :

— Je n'ai pas l'habitude de loger dans des chambres simples. Quand je descends à l'hôtel, j'occupe au minimum une suite. Mais ici, les suites sont encore toutes occupées par des dirigeants ou des membres du jury.

— Vous n'avez qu'à louer deux chambres, suggéra Zhao le Poète, et ça fera une suite.

— Tu divagues ou quoi ? Deux chambres ça n'a jamais fait une suite. Et comment est-ce que je pourrais dormir dans deux chambres à la fois ?

— Vous n'aurez qu'à dormir dans l'une la première moitié de la nuit, et dans l'autre la deuxième moitié.

Zhou You ricana :

— Je vais te dire la vérité : je n'ai pas davantage l'habitude des suites ordinaires. Je ne prends que les suites présidentielles.

— Dans ce cas, vous n'avez qu'à réserver un étage. Vous irez faire un somme dans chaque chambre. Est-ce que ce ne sera pas aussi bien qu'une suite présidentielle ?

Zhou You le fixa :

— Ne te fatigue pas, mon gars. Je viens de t'expliquer que j'avais envie de dormir sur ton canapé pourri. Je veux loger un peu à la dure, ça me changera du luxe.

Comme le charlatan était son patron temporaire et qu'il ne lui avait encore versé ni son salaire ni sa prime, Zhao le Poète dut supporter sa présence chez lui sans se plaindre. Il lui fallait même faire bon visage et feindre d'être enchanté. S'il l'avait mis dehors, il aurait pu dire adieu à ses gains.

XXXVIII

Les deuxièmes éliminatoires du Premier Grand Concours national des miss vierges se déroulèrent deux jours après, au crépuscule. L'événement eut lieu au même endroit. A nouveau toutes les maisons du bourg furent désertées, et à nouveau plusieurs dizaines de milliers de têtes s'agitèrent dans l'artère principale. En revanche, il n'y avait plus ni camions ni tracteurs, ni péquenots faisant office de jurés. On avait dressé au beau milieu de la chaussée une estrade, cernée par les réclames, et les deux côtés de la rue étaient couverts eux aussi d'annonces publicitaires : des publicités pour les portables aux publicités pour les agences de voyage, des publicités pour les cosmétiques aux publicités pour les laxatifs, des publicités pour les slips aux publicités pour les couvertures, des publicités pour les jouets aux publicités pour les équipements de fitness… Il y en avait pour tout : des publicités pour la nourriture, pour les loisirs, pour la vie quotidienne, pour les vivants et pour les morts, des publicités étrangères et des publicités chinoises, des publicités pour les hommes et des publicités pour les animaux. Même en se creusant la cervelle autant qu'un lycéen qui passe les épreuves du concours d'entrée à l'université, on n'aurait pas pu imaginer une publicité pour quoi que ce soit d'autre.

Li Guangtou était assis sur l'estrade avec les dirigeants du comité organisateur et les membres du jury. Yu l'Arracheur de dents et Wang les Esquimaux étaient sur l'estrade eux aussi. Wang les Esquimaux, dûment chapitré par Yu l'Arracheur de dents, avait désormais des souliers assortis à son complet-veston. La musique résonnait, c'étaient des chansons interprétées par des stars, et on entendait leurs braillements par les haut-parleurs aigus. Toutes les deux phrases, la chanson s'interrompait pour faire place à un spot publicitaire, si bien qu'une chanson était coupée au moins quatre fois. Les interruptions avaient, paraît-il, été décidées en haut lieu. Ces vedettes qui chantaient dans les haut-parleurs étaient toutes condamnées au bégaiement, et pendant les phases de suspension les haut-parleurs se mettaient à hurler des publicités. Les mille miss vierges s'alignèrent sur deux rangées, avec en fond sonore les chansons sans cesse interrompues et les publicités sans cesse crachées par les haut-parleurs, et elles accomplirent trois allers et retours devant l'estrade. Cette fois, la foule était tenue à distance par une corde, et les hommes ne pouvaient plus leur peloter les fesses. Ils devaient se contenter d'exercer un harcèlement sexuel télécommandé en les reluquant avec des yeux concupiscents et en leur débitant des obscénités. Quand les mille concurrentes eurent achevé leur défilé, le soleil se couchait et les deuxièmes éliminatoires prirent fin. Li Guangtou avait quitté les lieux avec les dirigeants et les jurés. Les mille miss vierges s'en étaient allées elles aussi, les dizaines de milliers de spectateurs s'étaient dispersés, mais les haut-parleurs continuèrent à diffuser des publicités à tout berzingue jusque tard dans la nuit.

A l'issue de la compétition, neuf cents miss vierges furent encore éliminées, et seules cent d'entre elles furent admises à participer à la finale. Celle-ci se tiendrait au cinéma, ce qui permettrait à Li Guangtou de vendre à nouveau des billets et d'empocher une somme rondelette.

Depuis quelques jours, Li Guangtou était devenu "M. le Triple Accompagnateur" : il accompagnait les dirigeants, les jurés et les sponsors, il les emmenait manger, se divertir et admirer les jolies femmes. Lui qui naguère encore intimidait tout le monde, il arborait maintenant à longueur de journée un sourire avenant, qui le faisait ressembler à Liu l'Attaché de presse. Le défilé des trois mille miss vierges lui avait tourné la tête et lui avait brouillé la vue. Quand il n'était plus resté en lice que mille d'entre elles, il n'avait plus la tête qui tournait mais il avait toujours la vue brouillée. Enfin, lorsqu'il n'y en eut plus que cent, il recouvra toute sa lucidité. Il convoqua Liu l'Attaché de presse et annonça que c'était l'occasion ou jamais de coucher avec quelques-unes de ces filles : une fois le concours terminé, elles s'envoleraient, et on ne pourrait plus les atteindre qu'en rêve. Les cent concurrentes encore en course étaient toutes jolies, et il aurait volontiers couché avec chacune d'elles, mais il n'avait que peu de jours devant lui et il devait faire un choix drastique. Il jeta son dévolu sur la numéro 1358. Elle mesurait près de 1,90 mètre, avait des mensurations exceptionnelles, et sa silhouette était top. La femme la plus grande avec laquelle il ait jamais couché ne mesurant que 1,85 mètre, il allait, d'un coup d'un seul, battre deux records de son *Guinness Book* personnel : coucher avec la femme la plus grande qu'il ait eue, et coucher enfin avec une vierge.

Aussitôt, Liu l'Attaché de presse se libéra pour rencontrer la numéro 1358. Il avait les yeux rouges et la voix cassée à force de trimer, et n'était plus en état d'admirer la beauté des filles, pourtant dès qu'il vit la silhouette élancée et le doux visage de la numéro 1358, son cœur fit un bond dans sa poitrine. Il avait eu beau passer beaucoup de temps avec les miss vierges, il ne l'avait pas remarquée. Il songea que décidément Li Guangtou avait le coup d'œil pour l'avoir repérée dans un groupe de filles aussi nombreuses que les poils sur la peau d'une vache. Il n'avait pas failli à sa réputation de tombeur hors pair.

Liu l'Attaché de presse donna rendez-vous à la numéro 1358 non pas dans l'immeuble de bureaux loué par le comité organisateur, mais à la cafétéria de la compagnie, le pire coupe-gorge de toute la Chine. Ce fut lui bien sûr qui l'invita, au nom de Li Guangtou. Il commença par la féliciter en souriant d'avoir été sélectionnée pour la finale, puis il parla de choses et d'autres. N'ayant jamais servi d'entremetteur à personne jusqu'ici, il manquait visiblement d'expérience, et il se demandait comment entrer dans le vif du sujet, de façon à se faire comprendre sans avoir à s'exprimer trop ouvertement.

Liu l'Attaché de presse ignorait que la numéro 1358 n'était plus vierge, et qu'elle était déjà mère. Elle s'était déplacée de très loin pour participer au concours, après avoir subi une opération de réfection de l'hymen qui lui avait coûté 3 000 yuans. Dès son arrivée dans notre bourg des Liu, elle avait su à quoi s'en tenir sur ce Premier Grand Concours national des miss vierges, et surtout sur les candidates admises à participer au deuxième tour, lesquelles se précipitaient sur les membres du jury pour s'offrir à eux. Le jury ne se composait que de dix hommes, alors qu'elles étaient des centaines à solliciter leurs faveurs, et ils avaient tellement payé de leur personne qu'ils avaient des mines de papier mâché. La numéro 1358 regrettait ses 3 000 yuans : elle avait l'impression d'avoir écrasé une mouche avec un marteau. Il aurait suffi, en effet, au moment où elle en avait besoin, qu'elle achète à Zhou You un hymen artificiel Meng Jiangnü ou Sainte Jeanne d'Arc. Quand elle voyait toutes ses rivales se doter d'une nouvelle virginité autant de fois que nécessaire grâce aux hymens artificiels avant de se jeter dans les bras d'un juré puis d'un autre, la numéro 1358 se tracassait : l'hymen qu'elle s'était fait refaire à prix d'or ne lui avait servi à rien jusqu'à présent, tandis que ces hymens artificiels bon marché faisaient fureur. Elle s'était résolue à passer à l'offensive sans attendre que les jurés viennent la chercher. Le commerce de la chair auquel s'étaient livrés les dix hommes les avait laissés exsangues, ils souffraient de vertiges et n'auraient même plus eu la force de trousser un poulet : ils étaient quasiment devenus des épaves sexuelles. Si elle attendait trop, ceux-ci n'auraient plus envie de lui accorder le moindre regard, fût-elle une Immortelle descendue sur terre.

C'est alors que Liu l'Attaché de presse était venu la trouver. Elle en fut secrètement ravie. Elle s'imagina d'abord que c'était lui qui avait des vues sur elle. Pour l'avoir observé durant toutes ces journées, elle avait acquis la conviction que cet homme-là n'était pas un simple attaché de presse, mais une personnalité de taille à influer sur les résultats du concours. Aussi, dès qu'elle fut assise dans la cafétéria, elle ne cessa de le fixer avec un sourire enjôleur. Elle ne prenait jamais la parole la première, et se contentait de répondre à ses questions, tout en disséquant en son for intérieur chacune des phrases qu'il prononçait. En écoutant les propos tantôt explicites tantôt allusifs de Liu l'Attaché de presse, elle se rendit compte peu à peu que ce n'était pas l'homme assis en face d'elle qui s'intéressait à elle, mais son patron, Li Guangtou. Liu l'Attaché de presse ne cessait de lui répéter qu'elle avait produit une vive impression sur M. le directeur Li, et qu'à ce titre elle avait toutes les chances de figurer parmi les trois lauréates du concours. Evidemment, il lui fallait redoubler d'efforts. Qu'entendait-il par là ? Liu l'Attaché de presse sourit et n'en dit pas davantage, pour son plus grand désarroi. C'est donc elle qui dut ramener la conversation sur ce sujet.

Alors, comme Liu l'Attaché de presse achevait de lui confier qu'elle avait plu à M. le directeur Li, elle saisit la balle au bond et demanda, d'un air faussement timide :

— Comment ai-je pu plaire à M. le directeur Li ?

Liu l'Attaché de presse sourit :

— Vous lui plaisez énormément.

Elle affecta de ne pas le croire :

— Il n'a même pas parlé avec moi.

Liu l'Attaché de presse se pencha par-dessus la table :

— M. le directeur Li voudrait avoir un entretien avec vous ce soir.

— Ce soir ? s'écria-t-elle, toute heureuse. Où ça ?

Liu l'Attaché de presse, la voyant émue, ajouta lentement :

— Chez M. le directeur Li.

Elle parut encore plus heureuse. Elle déclara qu'elle brûlait de visiter la résidence luxueuse de M. le directeur Li. Puis elle voulut savoir si M. le directeur Li avait l'intention d'organiser une grande réception chez lui. Liu l'Attaché de presse secoua la tête et eut un sourire mystérieux :

— Ce ne sera pas une grande réception, mais une conversation en tête-à-tête : il n'y aura que vous et M. le directeur Li.

Le sourire de la jeune femme s'effaça aussitôt, et elle resta assise là sans plus parler. Liu l'Attaché de presse attendait patiemment sa décision en tapotant les accoudoirs de son fauteuil. Elle se leva alors, son mobile à la main, en expliquant qu'elle voulait téléphoner à sa mère, et elle s'éloigna tout en composant un numéro sur l'appareil. Liu l'Attaché de presse la vit faire les cent pas tout en parlant avec sa mère. Quand elle revint après avoir raccroché, un sourire joyeux était réapparu sur son visage :

— Maman m'autorise à aller chez M. le directeur Li, annonça-t-elle, pour la plus grande satisfaction de Liu l'Attaché de presse.

Cet après-midi-là, Li Guangtou ne joua pas les “M. le Triple Accompagnateur”, il dormit chez lui à poings fermés tout l’après-midi afin de récupérer dans la perspective du corps-à-corps qu’il allait livrer le soir même avec la numéro 1358. Quand il se réveilla, Liu l’Attaché de presse poireautait depuis un bon moment dans le salon. Il avait un sac à la main, qui intrigua Li Guangtou. Liu l’Attaché de presse l’ouvrit sans hâte et en tira une loupe, une paire de jumelles et un microscope :

— J’ai acheté la loupe et les jumelles, expliqua Liu l’Attaché de presse. Le microscope, je l’ai emprunté à l’hôpital.

Li Guangtou ne comprenait toujours pas :

— Pourquoi m’apportes-tu tout ça ?

— Pour que vous puissiez examiner de près son hymen.

Li Guangtou éclata de rire, il était très satisfait de son attaché de presse et lui donna une tape sur l’épaule :

— Tu as vraiment du talent, mon salopard.

Emoustillé par le compliment, Liu l’Attaché de presse loua Li Guangtou pour son exceptionnelle perspicacité, car la numéro 1358, qu’il avait choisie, n’était pas seulement une beauté remarquable, c’était de plus une beauté chaste. Il raconta à Li Guangtou comment, avant d’accepter de venir chez lui, elle avait sollicité par téléphone la permission de sa mère. Li Guangtou hocha la tête, et fit l’éloge de la mère :

— Sa maman est une femme sensée.

Le soir, à 20 heures tapantes, Liu l’Attaché de presse conduisit en personne la numéro 1358 jusqu’à la somptueuse résidence de Li Guangtou. Il l’introduisit dans la chambre à coucher de ce dernier, puis se retira. Li Guangtou avait déjà pris son bain, et il était nu sous son pyjama. Assis dans un fauteuil, il regardait la télévision. Quand il vit entrer la numéro 1358, songeant qu'elle était vierge, il se promit de se conduire en gentleman. Il éteignit la télévision et se leva, puis il s'inclina devant la numéro 1358. Il aurait voulu prononcer devant elle quelques propos galants, mais les mots lui manquèrent. Il frappa rageusement son crâne rasé :

— Putain, je suis incapable de parler d'amour.

Comme la numéro 1358 restait plantée comme un piquet, l'air intimidé, Li Guangtou pensa qu'il n'y avait pas de temps à perdre, et qu'il valait mieux, finalement, foncer droit au but. Il lui indiqua la salle de bains, et lui ordonna d'une voix douce :

— Va dans la salle de bains.

La numéro 1358 ne bougea pas, gênée, comme si elle n'avait pas compris ce qu'avait dit Li Guangtou. Li Guangtou, s'avisant de ce qu'il avait oublié la formule de politesse, s'empressa de rectifier :

— Va dans la salle de bains, s'il te plaît.

— Pour quoi faire ? demanda la numéro 1358, l'air effaré.

— Pour prendre une douche.

La numéro 1358 était toujours aussi effarée :

— Et pourquoi dois-je prendre une douche ?

— Pourquoi ? Parce que je veux voir ton…

Li Guangtou ne prononça pas le mot "hymen", il le ravala vivement comme on avale une gorgée d'eau. La numéro 1358, toujours aussi peu rassurée, continua :

— Pour voir quoi ?

Li Guangtou se gratta la tête un instant, et se résolut à exprimer les choses clairement :

— Pour voir ton hymen.

La numéro 1358 laissa échapper un cri de frayeur, et aussitôt elle fondit en larmes :

— Comment osez-vous me parler ainsi ?

— Putain, jura Li Guangtou, en se frappant de nouveau le crâne. Je ne sais pas parler autrement.

La numéro 1358, effrayée et bouleversée, regarda Li Guangtou d'un air implorant :

— Vous ne pouvez pas parler comme ça à une femme.

Li Guangtou, prenant conscience de sa muflerie, s'excusa en se courbant en avant :

— Pardon.

La numéro 1358 n'avait pas bougé et elle le regardait toujours avec des yeux suppliants et pleins de larmes. Li Guangtou continua à s'excuser :

— Pardon, je n'ai jamais connu de vierges, et je ne sais pas comment leur parler.

La numéro 1358 essuya ses pleurs, et sortit son mobile. A nouveau, elle déclara qu'elle devait contacter sa mère. Sur ce, elle partit s'enfermer dans la salle de bains. Li Guangtou l'entendait parler à voix basse, et peu après il entendit le bruit de la douche. Il s'esclaffa : en autorisant sa fille à lui montrer son hymen, la mère lui avait épargné de la salive.

— Sa maman, décidément, est quelqu'un de sensé.

Quand la numéro 1358 sortit de la salle de bains, elle avait enfilé une chemise de nuit. Elle grimpa sans hésiter sur le lit géant de Li Guangtou et s'allongea dessus à plat ventre. Serrant l'oreiller entre ses bras, elle enfouit son visage dedans. Li Guangtou se déshabilla et grimpa à son tour sur le lit, apportant avec lui la loupe, les jumelles et le microscope. Il souleva la chemise de nuit de la miss vierge comme on relèverait une jupe, et découvrit ses fesses bien rondes :

— Quel cul ! s'exclama-t-il, ravi.

Il prit le derrière entre ses mains, l'embrassa quatre fois et le mordilla quatre fois. Sous les baisers et les morsures, la numéro 1358 tremblait de tout son corps. Puis Li Guangtou empoigna sa loupe et ses jumelles. Il s'était rendu compte d'emblée que le microscope ne lui servirait à rien et l'avait jeté au pied du lit. Comme son angle d'observation était trop plat, Li Guangtou n'apercevait pas l'hymen de la jeune femme, il lui enjoignit donc de se retourner et de s'allonger sur le dos. Celle-ci, au lieu d'obtempérer, se contenta de se tortiller. Li Guangtou n'insista pas et il la pria de soulever les fesses, mais elle continua de résister, en se tortillant toujours. Li Guangtou ne put s'empêcher de jurer :

— Putain, les vierges, c'est pas de la tarte !

Li Guangtou, considérant que moyennant récompense on trouve toujours des femmes héroïques, en vint aux promesses :

— Si tu lèves les fesses, je te garantis que tu seras dans le trio de tête.

La numéro 1358 continuait à se tortiller comme si elle refusait toujours, mais ce faisant elle commença à soulever son postérieur. Le visage enfoui dans l'oreiller, elle lança d'une voix étouffée :

— Maman a dit que vous pouviez regarder, mais rien d'autre.

Li Guangtou, fou de joie, empoigna sa loupe et observa un moment. Puis il abandonna la loupe pour les jumelles, mais comme il ne voyait pas aussi bien il reprit la loupe. Il inspecta l'hymen sous toutes les coutures, et quand l'endroit lui fut aussi familier que les doigts de sa main, il empoigna derechef les jumelles. Cette fois-ci, il examina par le petit bout de la lorgnette. D'un seul coup, l'hymen lui parut très lointain et il avait l'impression de contempler une fleur à travers le brouillard. Ce spectacle le laissa perplexe :

— Cet hymen est bête à pleurer, marmonna-t-il. Qu'on le considère de loin ou de près, il n'a rien d'ingénu ou de romantique.

La numéro 1358 lui demanda, d'une voix toujours étouffée :

— C'est terminé ?

— Non.

Et sur ce, Li Guangtou posa les jumelles, mais au lieu de reprendre la loupe, il fit ce que la mère de la miss vierge ne voulait pas qu'il fît. Il la pénétra d'un seul coup, et l'hymen se déchira instantanément. La numéro 1358 poussa un cri de douleur, et elle fondit en larmes :

— Maman ne veut pas…

— Tu me casses les pieds avec ta mère.

Et tout en s'activant, Li Guangtou lui dit d'un ton allègre :

— Tu devrais téléphoner à ta mère pour lui annoncer que tu as remporté le premier prix, et que tu vas toucher 1 million.

Les pleurs de la numéro 1358 s'apaisèrent peu à peu, mais elle continuait à gémir de douleur, et à crier d'une voix étouffée :

— Maman, maman…

Au bout d'un moment, Li Guangtou voulut qu'elle se tourne pour changer de position, mais elle refusa tout net. Li Guangtou tenta de la forcer, et elle se remit à pleurer et à supplier : elle prétendait que c'était la première fois, qu'elle avait peur et qu'elle n'osait pas le regarder. Li Guangtou, par respect du beau sexe, n'insista pas :

— Les vierges, putain, c'est pas de la tarte !

Ce soir-là, Li Guangtou la laissa à demi-morte. La numéro 1358 avait cru qu'une fois son affaire faite, Li Guangtou la laisserait partir. Elle ne s'attendait pas à ce qu'il la garde toute la nuit et réitère ses assauts à trois reprises encore. Les deux premières fois, elle demeura obstinément couchée sur le ventre, résolue à ne pas se retourner. Elle craignait, si elle se mettait sur le dos, que Li

Guangtou ne remarque les vergetures de grossesse qui striaient son ventre. Là-dessus, la douleur et la fatigue eurent raison d'elle, et elle s'endormit, tandis que Li Guangtou faisait de même. Mais deux heures plus tard, il se réveillait et, profitant de son sommeil, il la retourna sans crier gare et monta à l'assaut derechef. C'est alors qu'il découvrit les marques sur son ventre. Réveillée en sursaut, elle comprit que Li Guangtou avait tout vu et se remit sur le ventre en vitesse, lui offrant à nouveau son dos. Li Guangtou reprit sa position des deux premières fois et, sans s'interrompre, il s'enquit de la raison de ses vergetures. Tout en geignant, elle lui expliqua qu'elle avait eu une maladie de peau dans son enfance. Li Guangtou ne poussa pas plus avant son interrogatoire, mais elle n'osa plus se rendormir, de crainte qu'en voyant encore les marques il ne découvre le pot aux roses. Allongée à plat ventre, elle serrait son oreiller, et même quand Li Guangtou, son affaire terminée pour la troisième fois, se fut endormi, elle s'obligea à rester éveillée. Le jour allait se lever quand Li Guangtou la reprit pour la quatrième fois, sans qu'elle se retourne. Là-dessus, il dormit cinq heures d'affilée, et quand il se réveilla, la numéro 1358 s'était rhabillée et était assise dans un fauteuil.

Après avoir raccompagné la numéro 1358, Li Guangtou nagea deux heures durant dans le bonheur. Quand Liu l'Attaché de presse arriva, il avait encore l'air joyeux. Liu l'Attaché de presse était ravi, convaincu que Li Guangtou avait dû faire des étincelles au lit la veille au soir :

— Je viens de croiser la numéro 1358, elle avait du mal à marcher, rapporta-t-il, tout sourire. J'en infère qu'hier soir, M. le directeur Li a été impérial…

Li Guangtou montra quatre doigts :

— Quatre fois.

Liu l'Attaché de presse sursauta et, montrant lui aussi quatre doigts, il déclara :

— Pour moi, une seule fois en quatre semaines, ce serait déjà une belle performance.

— Je sais enfin ce qu'est un hymen, annonça Li Guangtou en souriant fièrement. Mais aussitôt, une expression de désarroi envahit son visage : Putain, ce n'est pas ce que je pensais, ça n'a rien d'ingénu ou de romantique.

Li Guangtou montra la loupe, les jumelles ainsi que le microscope, et il poursuivit :

— Le microscope ne sert à rien. Avec les jumelles, c'est plus drôle de regarder par le petit bout, c'est comme si on matait l'hymen d'une fille dans l'immeuble d'en face. L'instrument le plus pratique, c'est la loupe, c'est avec ça qu'on voit le mieux. Le bémol, c'est que les quatre fois, j'ai dû la prendre par derrière.

Tout en expliquant cela, Li Guangtou fronça brusquement les sourcils. Il venait de se souvenir des stries sur le ventre de la numéro 1358. Elles étaient semblables à celles qu'il avait observées sur le ventre de jeunes mères avec lesquelles il avait fait la chose. Comprenant enfin pourquoi la numéro 1358 était restée couchée sur le ventre toute la nuit, refusant obstinément de se retourner, il s'écria tout à coup :

— Putain, je me suis fait blouser !

Liu l'Attaché de presse sursauta et ouvrit des yeux ronds.

— Elle a déjà eu un enfant, ajouta Li Guangtou. Elle a des vergetures de grossesse sur le ventre. Putain, elle s'est sûrement fait restaurer l'hymen. Putain, ce n'était pas un produit d'origine, c'était du bricolé…

Liu l'Attaché de presse fixa longuement Li Guangtou avant de saisir ce qui s'était passé, il n'en menait pas large :

— Toutes mes excuses, monsieur le directeur Li. Ce sera de ma faute si vous ne réussissez pas à battre votre record…

— Non, toi tu n'y es pour rien. C'est moi qui l'avais choisie.

Puis Li Guangtou eut un sourire magnanime et poursuivit :

— Cette fille a vraiment un corps magnifique, des fesses bien rondes, la taille fine et les épaules larges, des jambes longues et galbées, et un joli visage. Quoi qu'il en soit, j'ai tout de même battu mon record pour ce qui est de la taille…

Liu l'Attaché de presse jura à Li Guangtou qu'il allait lui ramener une autre fille sur-le-champ, et que celle-là serait une vierge authentique. De sorte qu'avant la fin du concours, Li Guangtou aurait battu son deuxième record.

Liu l'Attaché de presse connaissait à présent les goûts de Li Guangtou. Examinant soigneusement les candidates admises à disputer la finale, il en sélectionna une dont la taille dépassait également les 1,80 mètre, et qui elle aussi avait des fesses rondes et de longues jambes. En revanche, celle-là avait un visage moins agréable que la précédente. Il la jugea néanmoins acceptable eu égard aux canons définis par Li Guangtou.

Ce que Liu l'Attaché de presse ignorait, c'est que cette numéro 864 n'était plus une vierge d'origine depuis longtemps, et qu'elle n'était même pas une vierge bricolée. C'était plutôt une vierge discount. Pour remporter la palme, elle avait déjà couché avec six des jurés, et elle avait acheté successivement au charlatan Zhou You six hymens artificiels importés de la marque Sainte Jeanne d'Arc. Par six fois, le sang avait coulé, et chacun des six jurés, abusé, avait cru posséder une vierge. Son cas était encore pire que celui de la numéro 1358, car si cette dernière s'était fait restaurer l'hymen, au moins avait-elle gardé sa virginité bricolée jusqu'à ce qu'elle arrive dans le lit de Li Guangtou.

Quand Liu l'Attaché de presse envoya chercher la numéro 864, cette vierge discount était en train de flirter avec le septième juré, bien décidée à l'attirer dans ses rets.

Liu l'Attaché de presse rencontra la numéro 864 également à la cafétéria. Ses manières naturelles l'emballèrent. Au lieu de jouer les timides comme la numéro 1358, elle s'assit d'emblée à côté de lui, et engagea la conversation sur un ton familier. Liu l'Attaché de presse se sentit beaucoup plus à l'aise : cette fois-ci, il n'était pas obligé de tourner autour du pot et pouvait se montrer direct. Il déclara tout de go que des problèmes étaient apparus lors du concours : de fausses vierges s'étaient glissées parmi les concurrentes, et certaines n'avaient pas hésité à tenter de circonvenir des membres du jury dans l'espoir de figurer au palmarès.

Liu l'Attaché de presse n'avait pas accusé explicitement les fausses vierges en question d'avoir couché avec des membres du jury, il s'était contenté d'employer le mot "circonvenir". La numéro 864 se raidit en l'entendant. Elle s'imagina qu'on l'avait dénoncée auprès de Liu l'Attaché de presse. Elle se troubla et crut bon d'expliquer que certaines candidates, qui avaient eu des relations sexuelles avec des membres du jury, cherchaient à salir celles de leurs concurrentes qui n'avaient rien à se reprocher en les diffamant. Pendant qu'elle parlait, ses larmes coulaient. Elle répéta à plusieurs reprises qu'elle-même était pure et n'avait rien à se reprocher, et qu'elle était disposée à se soumettre à n'importe quel contrôle :

— Vous n'avez qu'à me conduire à l'hôpital pour qu'on m'examine, ou bien procédez vous-même à l'examen.

Liu l'Attaché de presse ne s'attendait pas à ce que le dialogue se noue aussi facilement et qu'au bout de quelques phrases on soit déjà allé à l'essentiel. Il sourit avec bienveillance :

— Il est nécessaire que vous subissiez un examen pour qu'on vérifie vos dires, et cet examen, c'est notre directeur, M. Li en personne, qui doit le pratiquer.

En quittant Liu l'Attaché de presse, la numéro 864 se rendit illico auprès du charlatan Zhou You. Dans sa poche, il ne lui restait plus qu'un seul hymen, de la marque Meng Jiangnü. Assis dans la boutique de *dim sum*, il était en train de conter fleurette à Su Mei. La numéro 864 lui lança un clin d'œil depuis le seuil de la porte, et Zhou You comprit que cette bonne cliente avait encore besoin d'un de ses articles. Il feignit de ne pas l'avoir vue, et continua à roucouler devant Su Mei. La numéro 864 était aussi affolée que s'il y avait eu le feu chez elle. Zhou You attendit que Su Mei se lève et qu'elle soit partie dans la cuisine pour quitter son siège et se diriger lentement vers la porte. La numéro 864, aux abois, lui demanda un Sainte Jeanne d'Arc. Zhou You tira de sa poche le Meng Jiangnü :

— Les Sainte Jeanne d'Arc sont épuisés, je n'ai plus que ça, et c'est le dernier.

La numéro 864 prit le Meng Jiangnü, et tendit l'argent :

— Quelle bande de putes ! s'exclama-t-elle.

Il était à nouveau 20 heures quand Liu l'Attaché de presse introduisit la numéro 864 dans la chambre de Li Guangtou. Comme la dernière fois, Li Guangtou regardait la télévision, nu sous son pyjama. La numéro 864 se tenait là, timide. Li Guangtou n'avait toujours pas appris à parler d'amour. Il éteignit la télévision et se leva, mais cette fois-ci il commença par expédier les courbettes et les excuses. Puis il montra la direction de la salle de bains, et ajouta d'une voix douce :

— Va dans la salle de bains, s'il te plaît.

La numéro 864 ne bougea pas. Elle annonça qu'elle avait une révélation à lui faire. Li Guangtou, étonné, songea que les vierges, décidément, ce n'était pas de la tarte, et que dorénavant il les observerait de loin, car il ne se sentait plus la patience de les affronter.

La numéro 864 se lança dans un long discours pour expliquer à quel point elle admirait Li Guangtou. Elle affirma que, quand elle avait lu dans le journal des articles le concernant, elle s'était promis que si elle devait sacrifier sa vie pour un homme ce serait pour quelqu'un comme lui. Là-dessus, elle tourna les talons et pénétra dans la salle de bains.

Li Guangtou exultait : cette numéro 864 avait un caractère franc, elle était bien moins casse-pieds que la numéro 1358, et s'il avait su il se serait épargné les courbettes de tout à l'heure. Après avoir pris sa douche, la numéro 864 plaça subrepticement l'hymen artificiel au fond de son vagin. Cette fois-ci, il était de la marque locale Meng Jiangnü, et si elle l'avait choisi, ce n'était pas par souci d'économie mais faute d'avoir pu se procurer un Sainte Jeanne d'Arc d'importation.

Quand elle revint vers lui, en chemise de nuit, elle constata que Li Guangtou, hilare, s'était déjà déshabillé et l'attendait debout, les fesses à l'air. Elle eut un sursaut de frayeur et se couvrit le visage des deux mains. Li Guangtou lui retira sa chemise de nuit, et la conduisit jusqu'au lit sans qu'elle ôte ses mains de son visage.

Li Guangtou, armé de sa loupe, scruta d'abord son ventre et n'y décela aucune marque de grossesse. Ravi, il passa à l'hymen. Il lui apparut très distinctement, mais il lui sembla un peu différent de celui de la numéro 1358. Il ne poussa pas plus loin sa réflexion, estimant qu'il n'y avait pas lieu de s'inquiéter de cette légère différence dès lors que chez une même femme les deux seins ne sont pas de grosseur identique.

La numéro 864 continua de se cacher la figure tandis que Li Guangtou procédait avec entrain à ses investigations, sa loupe et ses jumelles à la main. Cependant, elle s'était mise à se tortiller, et ses poses de coquette effarouchée plurent tellement à Li Guangtou qu'il ne tarda pas à se désintéresser de ses explorations. Il abandonna sa loupe et ses jumelles et se jeta sur elle. Aussitôt, elle enleva les mains de son visage pour s'agripper au cou de Li Guangtou. La numéro 864 gémissait, Li Guangtou soufflait, et leur étreinte durait maintenant depuis un moment, or non seulement l'hymen artificiel Meng Jiangnü n'avait pas cédé, mais quand Li Guangtou se retira l'hymen sortit en même temps que lui.

Le produit de contrefaçon que Zhou You lui avait refilé faillit détruire les brillantes perspectives d'avenir de la numéro 864. Quand Li Guangtou, stupéfait, prit l'hymen artificiel dans sa main pour l'examiner, la numéro 864 se dit que tout était fichu. Elle tremblait et fixait Li Guangtou avec un vrai sentiment de crainte. Li Guangtou comprit de quoi il retournait :

— Putain, jura-t-il. Encore du faux.

La numéro 864, voyant Li Guangtou jeter l'hymen artificiel d'un air furieux, fondit en larmes et le supplia de la laisser s'expliquer. Mais alors qu'elle s'apprêtait à débiter on ne sait quel mensonge, Li Guangtou l'arrêta d'un geste de la main : il n'avait ni l'envie ni la patience d'écouter ses justifications.

— Allez, épargne-moi tes chialeries, et tes commentaires aussi. Puisque tu n'es plus vierge, alors conduis-toi comme une catin, et donne-moi du plaisir. Même si tu n'es qu'une grue, tu pourras quand même avoir la troisième place.

La numéro 864 eut un moment de saisissement, puis elle sécha en vitesse ses larmes et, d'un coup de rein, elle se retourna et chevaucha Li Guangtou. Li Guangtou fut stupéfait de la voir déployer une telle force. A cheval sur lui, elle entra en action : elle gémissait en se tortillant, et sa poitrine exécutait une sorte de danse, la plus obscène qui soit. Même un vieux baroudeur comme Li Guangtou n'en revenait pas. Lui qui ne s'en laissait pas compter au lit, il trouvait enfin une partenaire à sa mesure. Il sortit le grand jeu, elle fit de même, et nul ne sait combien de rounds dura leur combat.

Le lendemain, Liu l'Attaché de presse trouva un Li Guangtou radieux. Il en conclut que, la nuit précédente, son patron était bien tombé sur une marchandise authentique. Résultat des courses, Li Guangtou lui annonça :

— C'était encore de la marchandise frelatée, de l'artificiel. Putain, il est même ressorti.

Li Guangtou expliqua qu'au moment de la pénétration, il avait senti quelque chose de bizarre. Il recourut à une métaphore :

— C'est comme quand on met le pied dans une chaussure où il y a une chaussette, on sent quelque chose qui gêne.

Liu l'Attaché de presse, épouvanté, battit sa coulpe et s'invectiva lui-même en se traitant de tous les noms, avant de conclure, dépité :

— Je peux tout essayer à votre place, sauf ça : si j'essayais une vierge pour vous, même si c'était une vraie, elle cesserait de l'être.

Li Guangtou fit un geste de la main et déclara que si la femme qui avait partagé sa couche la nuit précédente n'était pas vierge, cette numéro 864, en revanche, l'avait fait monter au septième ciel. Il avait beau être un coureur de jupons aguerri, jamais il n'avait rencontré une telle furie, une femme aussi entreprenante. Cette fois, déclara-t-il, il avait trouvé à qui parler : qu'une amante véritable est une douce chose. Il décrivit leurs ébats : Le vent printanier souffle, le tambour de guerre retentit[1] ; Ou bien le vent d'est l'emporte sur le vent d'ouest, ou c'est le vent d'ouest qui l'emporte sur le vent d'est[2] ; Quand l'ennemi approche les troupes sont là pour l'accueillir, quand les eaux menacent les digues sont là pour les retenir[3] ; Si le démon avance d'un pied, le bien avance d'une toise[4]. Il déclara que la décrire comme une grue était encore trop doux : elle était la superchampionne des grues poids lourds du monde entier. La nuit précédente, ils s'étaient livrés à un corps-à-corps comme on en voit peu, et tous deux en étaient sortis couverts de plaies, sans qu'on puisse distinguer un vainqueur et un vaincu.

Li Guangtou chargea Liu l'Attaché de presse d'aller s'arranger avec les dix jurés : ils ne devaient élire personne ni à la première, ni à la troisième place, il suffisait qu'ils désignent la deuxième. La première place reviendrait à la numéro 1358, et la troisième à la numéro 864. Aucune des deux n'était vierge, mais elles étaient venues dans son lit et, dans un moment d'enthousiasme, il leur avait fait des promesses :

— Moi, Li Guangtou, je suis un homme de parole, conclut-il en se frappant la poitrine. Je ne reviens jamais sur ce que j'ai dit.

Le Premier Grand Concours national des miss vierges se clôtura au cinéma de notre bourg des Liu. Liu l'Attaché de presse s'était acquitté de la mission confiée par Li Guangtou. Il s'était arrangé avec les dix jurés pour qu'ils abandonnent la première place à la numéro 1358 et la troisième à la numéro 864. La deuxième place revint à la numéro 79. C'était la meilleure cliente de Zhou You. A la différence de la numéro 864, elle ne lui avait pas acheté les hymens artificiels un par un, chaque fois qu'elle devait coucher avec un juré. Elle lui avait pris dix Sainte Jeanne d'Arc d'un coup, avant d'expédier prestement les dix jurés.

La fin du concours fut bâclée, et en une seule journée les cent finalistes eurent quitté les lieux. Li Guangtou fit le planton pendant toute cette journée devant la porte de sa compagnie pour prendre congé des miss vierges, des dirigeants du comité organisateur et des membres du jury. En serrant la main à la numéro 1358, il lui glissa :

— Quel âge a ton gamin ?

La numéro 1358, d'abord saisie, lui sourit d'un air complice et répondit à voix basse :

— Deux ans.

En serrant la main à la numéro 864, Li Guangtou se pencha à son oreille pour lui dire :

— Chapeau bas.

Les dix jurés montèrent en voiture, soutenus comme s'ils étaient infirmes. Ils étaient complètement vidés, deux d'entre eux souffraient d'une fièvre légère, trois ne pouvaient plus rien avaler, et quatre se plaignaient que leur vue ait beaucoup baissé. Un seul d'entre eux avait encore figure humaine, et il prit place dans le véhicule sans l'aide de personne. Au moment où il serrait la main de Li Guangtou, il avait encore la force de parler. Li Guangtou lui demanda en catimini s'il avait bien profité de toutes les bonnes fortunes qui s'étaient présentées, mais il répondit en soupirant qu'il ne pouvait plus voir une femme en peinture.

Quand le concours fut terminé, les critiques commencèrent à affluer dans les journaux, à la radio et à la télévision. On dénonça un retour en force du féodalisme, une atteinte à la dignité de la femme, etc. Les attaques se concentrèrent sur l'initiateur de ce concours ignoble, Li Guangtou, et Liu l'Attaché de presse fut épinglé au passage. Peu après, le scandale éclata : quelques miss vierges, qui n'avaient pas terminé dans les trois premières et qui ne digéraient pas leur défaite, révélèrent, sous couvert de l'anonymat, les actes de corruption sexuelle active et passive auxquels s'étaient livrés jurés et candidates. Evidemment, ce fut le cas de la numéro 1358 qui constitua le plus gros scandale. Bientôt tout le pays ne tarda pas à savoir que le concours des vierges avait été remporté par une femme qui était maman. Face aux journalistes, la numéro 1358 se comporta comme une Li Guangtou en jupons, multipliant les apparitions en public et ne refusant aucune interview. Elle reconnut qu'elle avait une fille de deux ans, mais elle n'en continuait pas moins à se considérer comme une vierge. Elle soutenait qu'elle serait toujours une vierge moralement, car elle avait su garder sa pureté sur le plan éthique. Elle n'hésita pas à donner une nouvelle définition de la virginité, et cette nouvelle définition suscita immédiatement de larges débats dans l'opinion. Les uns étaient contre, les autres étaient pour, et les discussions firent rage pendant six bons mois.

Au cours de ces six mois, Li Guangtou fut dans son élément : tant que les discussions autour de lui continueraient, il serait toujours un os. Il était un ardent défenseur de la nouvelle définition de la virginité forgée par la numéro 1358, et il confia à Liu l'Attaché de presse que l'aspect moral était essentiel. Il se désolait de voir qu'à présent aucune jeune femme n'était digne de confiance. En l'espace de seulement vingt ans, les mœurs s'étaient considérablement dégradées : vingt ans plus tôt, neuf femmes célibataires sur dix étaient vierges, et maintenant c'était le contraire, une sur dix, tout au plus, l'était. A peine avait-il fini sa phrase qu'il se reprit, et affirma que sur dix il n'y en avait même pas la moitié d'une. Il n'y avait pas une seule vierge aujourd'hui dans les rues, il n'y en avait plus que dans les jardins d'enfants. Vouloir en trouver une ailleurs, c'était chercher une aiguille dans une botte de foin.

— Cependant, concéda-t-il, des vierges moralement vierges, il y en a partout.

Et il étendit la théorie des vierges moralement vierges de la numéro 1358. Il savait que les journalistes qui l'assaillaient comme des chiens l'oublieraient très vite, mais il n'en avait cure :

— Moralement, moi Li Guangtou, je serai toujours un os.

XXXIX

Zhou You avait vendu le dernier hymen artificiel qui lui restait avant la fin du Grand Concours des miss vierges. On venait à peine d'entrer dans la phase finale quand le charlatan décida de quitter notre bourg des Liu, les petits pains à paille de la boutique de *dim sum* de Su Mei et les miss vierges qui lui avaient acheté ses hymens. Il alla prendre congé de Zhao le Poète. Il calcula que celui-ci avait travaillé pour lui dix jours et qu'il lui devait un salaire de 1 000 yuans, plus 200 yuans pour la location de son logement qui lui avait servi d'entrepôt. Et comme Zhao le Poète avait travaillé remarquablement, il lui accorda une prime de 2 000 yuans. Zhou You se passa un doigt sur la langue, et compta à toute vitesse une liasse de billets, pour un montant de 3 200 yuans. Puis il mouilla à nouveau son doigt, et compta encore 500 yuans, qu'il remit à Zhao le Poète en lui expliquant que c'était la somme qu'il devait à Su Mei pour ses petits pains. Il avait oublié le montant exact de son ardoise chez elle, mais il affirma qu'avec 500 yuans, il y en avait plus qu'assez, et il chargea donc Zhao le Poète de les lui remettre.

Zhou You ne fit pas ses adieux à Song Gang. Après lui avoir versé à lui aussi 1 000 yuans de salaire et 2 000 yuans de prime, il s'assit sur le canapé de Song Gang et lui dépeignit avec volubilité les brillantes perspectives qui s'offraient à eux. L'énorme succès remporté par la vente des hymens artificiels au bourg des Liu lui avait fait pousser des ailes. Il confia à Song Gang qu'il avait besoin d'un associé, et que son associé ce serait lui. Zhao le Poète avait certes une plus grande capacité de travail que Song Gang ; en revanche, il n'était pas fiable et risquait à tout moment de trahir. Les dix jours qu'il avait passés au contact de Song Gang l'avaient persuadé que ce dernier, au contraire, était un ami en qui on pouvait avoir une confiance aveugle…

— Je te connais, dit Zhou You en croisant les jambes sur le canapé de Song Gang. Si je partais pendant un an en te confiant tout mon argent, à mon retour je retrouverais la somme intacte.

Puis il ajouta, d'un ton ému :

— Allez Song Gang, viens avec moi.

Song Gang fut bouleversé face à cet horizon tout neuf qui s'ouvrait devant lui. Il savait que son avenir au bourg des Liu était bouché, et qu'il était condamné à jouer éternellement les "suppléants en chef". Alors que s'il partait sur les routes avec Zhou You, il parviendrait peut-être à faire quelque chose de sa vie. Il ignorait combien Lin Hong avait dépensé pour qu'on le soigne, et il ignorait aussi que c'était Li Guangtou qui payait. Lin Hong prétendait que l'argent venait de ses parents et de ses amis, or il savait pertinemment qu'aucun d'eux ne roulait sur l'or. Il s'imaginait donc que Lin Hong avait contracté un emprunt pour son traitement médical et qu'à la longue elle se retrouverait sur la paille. Il hocha la tête à l'adresse de Zhou You, assis sur le canapé, et lança d'une voix ferme :

— Je pars avec vous.

Le soir venu, Song Gang remit à Lin Hong les 3 000 yuans qu'il avait gagnés en vendant des hymens artificiels. Lin Hong fut stupéfaite, jamais elle n'aurait pensé qu'en arpentant dix jours les rues du bourg en compagnie du dénommé Zhou You, Song Gang rapporterait autant d'argent. Devant l'étonnement de Lin Hong, Song Gang, bafouillant, se lança dans un long discours. Il raconta d'abord que, grâce au traitement médical, il se sentait beaucoup mieux, tout en se lamentant sur son coût. Puis il aligna une suite de proverbes, tels que "L'homme n'est pas un arbre, pour vivre il doit bouger" ou "L'eau coule vers le bas, l'homme va vers le haut". Lin Hong était en plein brouillard, elle ne comprenait pas où il voulait en venir. Pour finir, Song Gang lui avoua qu'il comptait prendre la route avec Zhou You, dans l'espoir de réussir à faire quelque chose de sa vie. Il répéta, au mot près, tout ce que lui avait dit Zhou You, puis il demanda instamment à Lin Hong :

— Es-tu d'accord pour que je parte ?

— Non, répondit Lin Hong en secouant la tête, avant de poursuivre, résolue : Soigne-toi d'abord, et on en reparlera plus tard.

Song Gang prit une expression tragique :

— J'ai bien peur de ne pas pouvoir attendre.

— Et pourquoi donc ? s'étonna Lin Hong.

Song Gang soupira :

— Nous ne sommes pas assez riches pour payer mon traitement, tes parents et tes amis non plus, et cet argent je sais bien que tu l'as emprunté. Même si je guéris, nous ne serons pas capables de rembourser.

— Ne te fais pas de bile pour l'argent, dit Lin Hong, qui saisissait mieux maintenant. Soigne-toi bien, et ne t'occupe pas du reste.

Song Gang secoua la tête et se tut. Il savait qu'il était inutile d'insister. En vingt ans de vie commune, il n'avait jamais rien tenté contre l'avis de Lin Hong. Comme il se taisait, Lin Hong crut qu'il avait renoncé à son projet. Elle ne se doutait pas que sa décision était déjà prise et qu'il était déterminé à tenter l'aventure avec Zhou You. Elle avait oublié à quel point Song Gang pouvait être têtu. Tandis que Lin Hong s'était endormie comme à son habitude, Song Gang, couché à ses pieds, ne trouva pas le sommeil de toute la nuit. Il écoutait sa respiration régulière, caressait son mollet chaud et d'innombrables souvenirs jaillissaient dans son esprit. En songeant que le lendemain il allait la quitter, il ressentait malgré lui un pincement au cœur. Ce serait leur première séparation depuis leur mariage.

Le lendemain matin, quand Lin Hong partit à bicyclette, Song Gang, debout sur le pas de la porte, la suivit du regard tandis qu'elle s'éloignait dans la grande rue. Puis il rentra dans la maison, s'assit devant la table, étala dessus une feuille de papier blanc et écrivit à Lin Hong. La lettre était très simple : il priait Lin Hong de lui pardonner son départ, et l'exhortait à lui faire confiance ; en quittant la maison cette fois-là, il avait la certitude de réussir, et même s'il n'avait aucune chance de rivaliser un jour avec Li Guangtou, il gagnerait suffisamment d'argent pour mettre Lin Hong à l'abri du besoin. Il terminait en disant à Lin Hong qu'il emportait avec lui une photo de tous les deux et une clef de la maison : chaque soir, avant de s'endormir, il regarderait la photo, et s'il prenait avec lui une clef c'est qu'à tout moment il était susceptible de revenir, car dès qu'il aurait gagné assez d'argent il rentrerait.

Quand il eut terminé sa lettre, Song Gang se leva et alla chercher la photo où on les voyait tous les deux, Lin Hong et lui. Elle avait été prise alors qu'ils venaient d'acheter la Forever rutilante. Ils souriaient, heureux, appuyés sur leur bicyclette. Song Gang contempla la photo longuement avant de la ranger dans sa poche intérieure. Il fouilla dans les placards et en ressortit le sac de voyage où était imprimé le mot “Shanghai”. C'était le seul bien qu'il avait hérité de son père, Song Fanping. Il fourra dedans quelques vêtements d'été et d'hiver, ainsi que les médicaments qui lui restaient à prendre. Comme il avait encore du temps devant lui, il mit le linge sale de Lin Hong à laver dans la machine et entreprit de faire le ménage. Il s'activa jusqu'à ce qu'il ne subsiste plus un seul grain de poussière dans l'appartement et que les carreaux étincellent comme un miroir.

Ce jour-là, à midi, Song Gang et Zhou You s'enfuirent de notre bourg des Liu comme deux voleurs. Zhou You voyait d'un très mauvais œil le vieux sac de voyage de Song Gang : avec un truc pareil, un vestige de l'ancienne société, les affaires étaient compromises. Il vida le contenu du sac dans un carton et le jeta en chemin, dans une poubelle. Comme Song Gang se résignait mal à se séparer de son vieux sac, Zhou You le consola en promettant de lui offrir une valise portant des inscriptions en langue étrangère dès qu'ils seraient arrivés à Shanghai.

Ensuite, sous le soleil torride de midi, les deux hommes se dirigèrent d'un pas pressé vers la gare routière, Song Gang avec son carton dans les bras, et Zhou You avec son gros sac noir à la main. Song Gang ignorait que le sac de Zhou You renfermait plus de 100 000 yuans en espèces. En débarquant dans notre bourg des Liu, Zhou You, qui avait investi tout son argent dans l'achat d'hymens artificiels, n'avait plus que 5 yuans en poche. Il avait fait un pari et l'avait gagné, et à présent il s'en allait la tête haute, avec plus de 100 000 yuans. Quand l'autocar à bord duquel ils avaient pris place s'ébranla, le charlatan Zhou You se retourna vers notre bourg des Liu :

— Nous nous reverrons.

Song Gang se retourna lui aussi vers son bourg des Liu, il regarda les visages familiers défiler rapidement dans les rues, il regarda les maisons et les rues familières s'éloigner peu à peu, et il eut un pincement au cœur. Il songea que, dans quelques heures, Lin Hong rentrerait à la maison en vélo, en empruntant ces mêmes rues familières, et quand elle découvrirait qu'il était parti, peut-être se mettrait-elle en colère, ou peut-être verserait-elle des larmes de chagrin. Dans son for intérieur, il lui dit : "Pardon." L'autocar filait, et dans les yeux de Song Gang le bourg des Liu s'éloignait de plus en plus, jusqu'à disparaître derrière la vaste campagne. Song Gang regarda à nouveau devant lui. A ses côtés, Zhou You dormait, son gros sac noir dans les bras. Song Gang sentit ses larmes couler et se perdre dans son masque.

Au crépuscule, Lin Hong rentra à la maison sur sa bicyclette. En poussant la porte, elle trouva la maison nette et bien rangée. Elle sourit et s'extasia sur la propreté des lieux. Puis elle se dirigea vers la cuisine en appelant Song Gang, mais ne le trouva pas. D'habitude, à cette heure, il était occupé à préparer le dîner, et Lin Hong fut surprise de ne pas le voir. Elle ressortit de la cuisine et traversa le salon. Elle passa près de la table sans remarquer la lettre qui était posée dessus. Elle revint vers la porte, l'ouvrit, et demeura un moment sur le seuil. Le soleil déclinait, les gens allaient et venaient dans la rue. En face, dans la boutique de la mère Su, la lumière était déjà allumée. Lin Hong rentra chez elle et se rendit dans la cuisine pour s'occuper du repas. Elle crut entendre un bruit de clef dans la serrure et pensa que c'était Song Gang. Elle jeta un coup d'œil depuis la porte de la cuisine, mais la porte d'entrée n'avait pas bougé. Elle retourna donc à ses fourneaux.

Quand le repas fut prêt, elle apporta les plats sur la table. La nuit était tombée. Elle alluma la lumière et aperçut la feuille de papier, mais elle n'y prêta pas attention. Elle s'assit à table, les yeux fixés sur la porte, attendant le retour de Song Gang. C'est alors qu'elle eut soudain l'impression qu'il y avait quelque chose d'écrit sur la feuille à côté d'elle. Elle la ramassa, gagnée par l'appréhension, la lut en hâte et comprit que Song Gang était parti. La lettre à la main, elle sortit de la maison en trombe et se dirigea vers la gare routière, comme si elle pensait rattraper Song Gang. Quand elle eut parcouru une centaine de mètres dans la rue illuminée par les réverbères et les néons, elle ralentit le pas, prenant conscience de ce que Song Gang, à cette heure, était déjà loin du bourg des Liu, loin d'elle. Elle s'arrêta, désemparée face au flot des passants et des véhicules. Elle baissa la tête et jeta un coup d'œil sur la feuille qu'elle avait en main, et elle rebroussa chemin lentement.

Ce soir-là, Lin Hong, assise sous la lampe, lut et relut en secouant la tête le court billet que lui avait laissé Song Gang. Ses larmes tombaient une à une sur le papier, et formaient dessus des auréoles, si bien que les mots écrits par Song Gang finirent par devenir illisibles. Elle reposa alors la feuille. Lin Hong n'en voulait pas à Song Gang, elle savait que c'était pour elle qu'il avait agi ainsi. C'est à elle-même qu'elle en voulait, pour n'avoir pas senti que Song Gang était déterminé à partir. Les jours qui suivirent lui parurent aussi longs que des années. Harcelée sans arrêt à l'usine par Liu le Fumeur, de retour chez elle elle se retrouvait face au silence. Song Gang n'était plus à ses côtés, et, écrasée par un sentiment de solitude, elle n'avait d'autre recours que de laisser la télévision allumée très longtemps. Elle écoutait les sons qui s'en échappaient : Song Gang lui manquait, et même le masque qu'il portait. Et le soir, avant de s'endormir, elle souffrait en songeant avec tristesse que Song Gang n'avait pas emporté un sou sur lui en quittant la maison.

Lin Hong ne raconta à personne que Song Gang s'en était allé avec Zhou You. Elle expliqua seulement qu'il était descendu dans le Sud, au Guangdong[1], pour faire du commerce. Zhou You avait vendu des hymens artificiels au bourg des Liu, et Lin Hong estimait que ce n'était pas un commerce honorable. Croyant que Song Gang avait suivi Zhou You au Guangdong pour s'y livrer à la même activité, elle n'osait pas en souffler mot.

Lin Hong attendait chaque jour une lettre de Song Gang. Tous les jours, à midi, elle se rendait à la loge de l'usine, et quand le facteur jetait un paquet de lettres sur le rebord de la fenêtre, elle l'ouvrait fébrilement, cherchant son nom sur chacune des enveloppes. Song Gang ne lui écrivit pas, mais au bout d'un mois il lui téléphona. C'était le soir, Song Gang appela à la boutique de *dim sum* de la mère Su. Celle-ci traversa la rue en toute hâte et frappa à la porte de Lin Hong. Lin Hong, à son tour, traversa la rue en courant, elle entra dans la boutique de *dim sum* et prit le combiné. Elle entendit la voix de Song Gang. A l'autre bout du fil, il s'adressait à elle d'une voix pressante :

— Tu vas bien, Lin Hong ?

Lin Hong, en entendant la voix de Song Gang, avait les larmes aux yeux. Elle cria dans le combiné :

— Reviens, reviens tout de suite !

Song Gang répondit :

— Je reviendrai…

Lin Hong continua à crier :

— Reviens tout de suite !

Ils se parlèrent ainsi, Lin Hong exigeant que Song Gang rentre sur-le-champ, et Song Gang répondant inlassablement qu'il allait revenir. Au début, Lin Hong le sommait de rentrer, puis elle se mit à l'implorer. Song Gang ne cessait de lui assurer qu'il rentrerait, qu'il lui en donnait sa parole. Puis il annonça qu'il devait raccrocher, qu'il appelait de loin et que la communication coûtait cher. Lin Hong continuait à le supplier :

— Reviens vite, Song Gang…

Song Gang raccrocha. Lin Hong parlait encore, le combiné dans la main. Quand elle entendit une suite de signaux sonores indiquant que la communication avait été coupée, elle reposa l'appareil, déboussolée. Elle se rendit compte trop tard qu'elle n'avait pas pensé à demander à Song Gang ce qu'il faisait, elle s'était contentée de lui répéter "Reviens". Elle se mordit tristement les lèvres et, apercevant le visage morose de Su Mei assise derrière sa caisse, elle échangea avec elle un sourire mélancolique. Au moment où elle quittait la boutique, elle voulut dire un mot à Su Mei, mais rien ne lui vint et elle sortit la tête basse.

Su Mei vécut les mois qui suivirent dans le même état de désarroi que Lin Hong. Depuis que le charlatan Zhou You était parti sans prendre congé d'elle, son ventre avait commencé de s'arrondir. Les masses en faisaient des gorges chaudes, et chacun s'interrogeait sur l'identité du coupable. On se perdait en conjectures, et le nombre des suspects ne cessait d'enfler, jusqu'à atteindre au final le chiffre de 101. Même Zhao le Poète n'échappa pas aux soupçons, et c'est lui qui fut le cent et unième sur la liste. Il jura ses grands dieux qu'il était blanc comme neige, mais plus il cherchait à se défendre et plus il aggravait son cas, renforçant la méfiance des masses à son égard. Zhao le Poète protesta de sa bonne foi devant les masses de notre bourg des Liu : si Su Mei n'était pas particulièrement jolie, tout le monde savait qu'elle avait du bien. S'il l'avait engrossée, pourquoi continuerait-il à vivre dans son taudis ?

— Cela ferait belle lurette que je me serais installé en face, et que je serais devenu le patron de la boutique.

L'argument fit mouche, et les masses de notre bourg des Liu furent convaincues de son innocence. Les gens continuèrent à se soupçonner mutuellement, sans que jamais personne ne songe à Zhou You. Zhou You était un escroc de haute volée, il avait débarqué dans notre bourg des Liu en même temps que trois mille miss vierges, et celles-ci avaient couché avec les membres du jury, avec les dirigeants du comité organisateur, avec Li Guangtou, avec Liu l'Attaché de presse, et avec encore Dieu sait qui. Les jurés, les dirigeants, Li Guangtou et Liu l'Attaché de presse, tous s'étaient laissé abuser, soit par des vierges bricolées qui s'étaient fait restaurer l'hymen, soit par des vierges discount qui recouraient à des hymens artificiels. Seul Zhou You avait couché avec une vierge authentique, faisant de Su Mei, l'unique vierge du bourg, une ex-vierge.

Cinq mois après le départ de Zhou You, Su Mei avait un ventre proéminent. Elle n'avait rien changé à ses habitudes, et chaque jour elle était à sa caisse. Cependant, elle ne parlait plus, ni avec les serveuses, ni avec les clients. Le départ brutal de Zhou You l'avait blessée au plus profond d'elle-même, et désormais son visage était morose et elle ne souriait plus. Sa mère, la mère Su, soupirait souvent, perdue dans ses pensées, et parfois elle versait des larmes en cachette. Elle ne parvenait pas à comprendre comment son destin avait pu se répéter en la personne de sa fille. Les masses, d'abord curieuses et émoustillées, se blasèrent peu à peu : c'était comme ça, personne ne savait qui avait mis la mère Su enceinte, tout ce qu'on savait c'est qu'elle avait eu Su Mei ; et à présent, Su Mei à son tour avait été mise enceinte par un géniteur anonyme. Au bout de neuf mois, Su Mei accoucha, c'était encore une fille, et elle lui donna le nom de Su Zhou. Pour autant, les masses ne firent pas le rapprochement avec le charlatan Zhou You. Ces devinettes n'intéressaient plus personne, à présent les gens s'étaient mis à jouer les prophètes avec passion : on se hasardait à des pronostics audacieux, en affirmant que cette petite fille nommée Su Zhou, une fois grande, tomberait mystérieusement enceinte comme sa grand-mère et sa mère. Et les masses concluaient, sentencieuses :

— C’est ce qu’on appelle le destin.

XL

Avec ses hymens artificiels, le charlatan Zhou You avait fait un tabac dans notre bourg des Liu. Bien décidé à ne pas en rester là, il se lança dans la vente de pilules destinées à renforcer le pénis. Flanqué de Song Gang, il commença son périple vers le Sud en longeant la voie ferrée au départ de Shanghai. Ses pilules étaient elles aussi réparties en deux catégories, celles d'importation et celles de fabrication nationale : les pilules d'importation étaient de la marque Apollon ; et celles de fabrication nationale, de la marque Brave Zhang Fei[1]. Les deux hommes descendaient dans les villes moyennes, le long de la ligne de chemin de fer, et écoulaient leurs pilules dans les gares, sur les quais et dans les quartiers commerçants. Zhou You, en complet-veston et souliers de cuir, les pilules Apollon dans la main gauche et les pilules Brave Zhang Fei dans la droite, récitait son boniment en criant presque :

— Tous les hommes rêvent d'avoir un gros pénis pour paraître le plus viril possible. Or pour toutes sortes de raisons, beaucoup d'hommes, à l'âge adulte, ont un petit pénis. C'est un phénomène très répandu…

Zhou You agitait les flacons, pour faire entendre aux masses qui l'entouraient le bruit des pilules qui s'entrechoquaient. Il affirmait que les pilules Brave Zhang Fei, de fabrication chinoise, celles qu'il tenait dans sa main droite, étaient un trésor de la pharmacopée nationale. Elles avaient été fabriquées à partir d'une recette originale sélectionnée dans les archives médicales des empereurs Ming et Qing qui étaient conservées au musée du Palais impérial[2]. Les pilules importées de la marque Apollon, celles qu'il tenait dans la main gauche, étaient quant à elles la fierté des étrangers. Elles avaient été élaborées sur la base du Viagra, produit phare de la compagnie américaine Pfizer, auquel on avait intégré les apports du génie génétique et des nanotechnologies, et leur mise sur le marché avait été saluée comme un événement. Zhou You secouait ses pilules Apollon et ses pilules Brave Zhang Fei, respectivement de la main gauche et de la main droite, comme un marchand ambulant qui agite des rhombes. Il s'adressait sans façons aux masses, leur expliquant que le nom officiel de ces médicaments était "pilules renforçantes", et que pour l'exprimer plus simplement, c'étaient des pilules destinées à allonger, élargir, prolonger. Il se frappa la poitrine et garantit aux hommes présents que moyennant deux ou trois cures ils deviendraient :

— Des durs de durs !

Song Gang savait maintenant que Zhou You était un charlatan. Quand l'autocar à bord duquel ils avaient pris place au départ de notre bourg des Liu s'était engagé dans les rues de Shanghai, Zhou You avait arraché le masque qui couvrait le bas du visage de Song Gang et l'avait jeté par la fenêtre. Le masque était allé s'accrocher à une branche d'arbre. Zhou You avait expliqué à Song Gang qu'ici personne n'était au courant de sa maladie, de sorte qu'on pouvait considérer qu'il était guéri. Song Gang avait respiré l'air de Shanghai et s'était retourné pour regarder le masque qui se balançait au bout de la branche, jusqu'à ce que dans un tournant il disparaisse de sa vue.

Song Gang sut vraiment à quoi s'en tenir sur Zhou You quand, quelques jours plus tard, au terme d'un parcours compliqué, ils arrivèrent dans un entrepôt souterrain de la banlieue où s'entassaient cigarettes et alcools de contrefaçon. Dans un coin sombre de l'entrepôt, Zhou You acheta deux cartons de pilules pour renforcer le pénis, puis les deux hommes sautèrent dans un train en partance pour le Sud, Zhou You avec le carton contenant les pilules Brave Zhang Fei, et Song Gang avec celui des pilules Apollon. Débuta alors pour eux une odyssée qui dura plus d'un an.

Song Gang était assis dans un compartiment à banquettes dures[3] plein d'ouvriers migrants qui descendaient vers le Sud. Ils parlaient toutes sortes de dialectes. Les uns se rendaient au Guangdong, et d'autres avaient l'intention, une fois là-bas, de traverser la mer et de rallier l'île de Hainan. Tous étaient de jeunes célibataires qui espéraient gagner de l'argent pour ensuite, de retour au pays, se marier et fonder une famille. Zhou You était assis au milieu d'eux, un sourire pincé sur le visage, et il adressait de loin en loin la parole à ces paysans qui partaient de chez eux pour chercher du travail, sans perdre de vue les deux cartons de pilules pour renforcer le pénis placés sur le porte-bagages. Song Gang trouvait très amusant le spectacle de Zhou You en complet-veston et souliers de cuir assis au milieu des ouvriers migrants. Deux d'entre eux demandèrent à Zhou You quel genre de commerce il faisait. Zhou You lança un regard vers Song Gang avant de répondre sans se fatiguer : "Les produits d'hygiène." Ces migrants n'avaient pas le sou et Zhou You jugeait inutile de chercher à les ferrer, si bien qu'il avait la flemme de leur faire l'article.

Song Gang n'ignorait plus à présent que tout ce qu'avait raconté Zhou You au bourg des Liu n'était que bobards. Il contemplait tristement par la fenêtre les champs qui s'étendaient à l'infini, incertain quant à l'avenir qui l'attendait auprès de ce charlatan. Quand il pensait à tout ce que Zhou You avait gagné au bourg des Liu, il reprenait courage : son souhait était de mettre de côté le plus d'argent possible et de réintégrer aussitôt après ses pénates. Il rêvait d'amasser 100 000 yuans, de quoi subvenir aux besoins de Lin Hong jusqu'à la fin de ses jours. "Pour elle, se disait-il, je suis prêt à faire n'importe quoi."

Voilà des années que Song Gang ne respirait plus qu'à travers un masque imbibé de salive, et maintenant qu'il ne le portait plus, il avait l'impression que l'air était plus sec. Lui qui ne parlait déjà pas beaucoup, depuis qu'il secondait Zhou You dans ses escroqueries, il était de plus en plus taciturne. Souvent, au cœur de la nuit, il se réveillait et se revoyait quittant le bourg des Liu. Il imaginait la solitude de Lin Hong, le soir, quand elle rentrait à bicyclette, et ses yeux se mouillaient. Souvent, le matin, alors que le soleil pointait à l'est, au moment où il quittait un hôtel inconnu pour s'aventurer dans des rues étrangères, il était pris d'une violente impulsion : il aurait voulu retourner au bourg des Liu, retourner auprès de Lin Hong. Mais il ne pouvait pas faire machine arrière, il ne se sentait pas le droit de revenir les mains vides, il lui fallait d'abord gagner suffisamment d'argent, et en attendant il n'avait pas d'autre solution que de prendre son mal en patience et de continuer à suivre Zhou You dans son périple.

Song Gang sortait souvent la photo où il était avec Lin Hong, et il l'examinait avec attention : Ah qu'ils avaient été heureux ! Cette bicyclette Forever était le symbole même de leur bonheur. Dans les premiers temps, la photo lui servit de soutien moral, mais au bout de six mois, il n'osait plus la regarder. Dès qu'il apercevait le beau sourire de Lin Hong sur la photo, il ne tenait plus en place et n'avait plus qu'un désir, filer sur-le-champ au bourg des

Liu. Si bien qu'à la fin, il la cacha au fond de son carton et s'efforça de l'oublier.

En deux mois, les deux hommes écumèrent cinq villes. Zhou You montait au front en personne pour vendre ses pilules fortifiantes. Il procédait comme un bandit de grand chemin, attrapant le chaland par le bras pour le soûler de paroles. Mais, bien qu'il se fût cassé la voix, il ne réussit à vendre que onze flacons : cinq de la marque Apollon, et six de la marque Brave Zhang Fei. Song Gang l'accompagnait, tenant ses flacons de pilules de la même manière que ses bouquets de magnolias blancs naguère au bourg des Liu, et il s'adressait courtoisement à chacun des hommes adultes qu'il croisait :

— Avez-vous besoin de pilules fortifiantes ?

— Pour fortifier quoi ?

Song Gang tendait en souriant le mode d'emploi des pilules Apollon et des pilules Brave Zhang Fei, et il attendait patiemment que son interlocuteur l'ait lu, le laissant décider seul de l'opportunité d'essayer le produit. Certains hommes lisaient plusieurs fois la notice, mais repartaient tout de même les mains vides. Zhou You estimait que Song Gang laissait échapper trop d'occasions, mais celui-ci n'était pas d'accord. Selon lui, l'efficacité thérapeutique de ces pilules était très sujette à caution et si l'on insistait trop auprès des acheteurs potentiels, on risquait simplement d'éveiller leur méfiance. A son avis, il fallait procéder avec doigté. Au bout de deux mois, Song Gang avait écoulé vingt-trois flacons de pilules fortifiantes : grâce à son "doigté", il avait fait deux fois mieux que Zhou You avec ses méthodes de "bandit de grand chemin".

Zhou You se mit à regarder Song Gang d'un œil neuf, et à le traiter avec plus de déférence : il ne le considérait plus comme son bras droit, mais comme un associé. Il lui annonça que dorénavant il partagerait les gains, à raison de 80 % pour lui et de 20 % pour Song Gang, et qu'il le tiendrait au courant des résultats financiers de leur entreprise. Ce soir-là, ils étaient descendus dans une petite ville du Fujian[4], et ils occupaient une chambre au sous-sol d'un petit hôtel. Zhou You était maussade, il expliqua que même en fréquentant les hôtels les moins chers et en se nourrissant à bon marché ils ne réalisaient aucun bénéfice, car les trente-trois flacons qu'ils avaient vendus en deux mois suffisaient tout juste à couvrir leurs frais. Song Gang se tut un long moment, il avait l'esprit ailleurs. Il pensait à Lin Hong, seule au bourg des Liu.

Quand Song Gang fut sorti de sa rêverie, il expliqua lentement à Zhou You qu'il avait vendu autrefois des magnolias blancs au bourg des Liu, et qu'il s'était rendu compte qu'il était plus facile de les vendre à la porte des boutiques de vêtements que dans la rue. Pourquoi cela ? Parce que c'était là que toutes les femmes coquettes se donnaient rendez-vous, et qu'une fois leurs emplettes achevées elles lui prenaient au passage un bouquet de fleurs.

— C'est logique, estima Zhou You en hochant la tête, avant de poursuivre : Et les hommes, où est-ce qu'ils se retrouvent ? Je veux parler des hommes qui rêvent d'être des durs de durs.

— Dans les établissements de bains, répondit Song Gang, après un moment de réflexion. Puis il sourit : Là-bas, on voit tout de suite qui en a une petite…

— C'est logique, estima encore Zhou You, les yeux brillants. C'est ce qu'on appelle cibler la clientèle.

Song Gang hésitait :

— Le problème, c'est que pour entrer là-bas, il faut payer.

— Il faut ce qu'il faut, rétorqua Zhou You, déterminé. Qui ne risque rien n'a rien.

Aussitôt dit, aussitôt fait, les deux hommes emportèrent avec eux dix flacons d'Apollon et dix de Brave Zhang Fei, et se rendirent dans un établissement de bains proche de leur hôtel. Ils rangèrent leurs pilules fortifiantes dans une armoire, se déshabillèrent et circulèrent dans les lieux nus comme des vers. L'endroit n'était pas luxueux mais Song Gang fut tout de même impressionné : il y avait trois grands bassins, au centre un bassin d'eau claire, et de part et d'autre une piscine de lait et une piscine d'eau de rose. Zhou You, prenant les choses en main, alla s'asseoir dans la piscine de lait, et Song Gang le suivit. Zhou You jeta un coup d'œil sur des clients qui prenaient une douche, et il confia tout bas à Song Gang que puisqu'ils en étaient de leur poche mieux valait en profiter au maximum. Song Gang acquiesça, et tandis qu'il s'enfonçait dans le bassin il glissa à voix basse à Zhou You :

— C'est vraiment du lait ?

— C'est un bain à base de lait en poudre, répondit Zhou You, en connaisseur. Du lait en poudre bas de gamme.

Quand les deux hommes eurent barboté une demi-heure dans la piscine de lait en poudre bas de gamme, Zhou You en sortit et, contournant le bassin d'eau claire, il entra avec un air béat dans le bassin d'eau de rose. Song Gang resta assis tout seul dans la piscine de lait, mais comme il n'était pas rassuré, il en sortit à son tour et alla rejoindre Zhou You dans le bassin plein de pétales de roses. Il attrapa une poignée de pétales et, constatant que l'eau était rouge, s'en étonna auprès de Zhou You :

— Les pétales ont déteint dans l'eau.

— C'est de l'encre rouge, expliqua tranquillement Zhou You. Ils ont versé dans l'eau quelques bouteilles d'encre rouge, puis ils ont répandu par-dessus des pétales de roses.

Entendant parler d'encre, Song Gang s'empressa de se relever. Zhou You le retint par le bras et le fit se rasseoir à côté de lui, en lui faisant observer que même si c'était de l'encre rouge, cela coûtait plus cher que de l'eau claire. Là-dessus, Zhou You huma les effluves des pétales de roses, et déclara, satisfait :

— Ils ont même répandu quelques gouttes d'essence de rose.

Puis les deux hommes, les yeux mi-clos, bras et jambes écartés, macérèrent dans la piscine d'encre rouge. C'est alors qu'un type baraqué arriva. Son sexe, énorme, ballottait à chacun de ses pas, et il était suivi par un gros chien-loup. Zhou You lorgna le bas-ventre de l'homme qui venait d'arriver, et il murmura :

— Ça, c'est un dur de dur.

Le type comprit que Zhou You parlait de lui, il s'arrêta au bord du bassin d'eau claire et cria :

— Hé, mec, qu'est-ce que tu as dit ?

Le chien se mit à aboyer et Song Gang trembla. Zhou You, avec un sourire forcé, sortit une main de la piscine d'eau de rose et montra le bas-ventre de l'homme :

— J'ai dit que vous étiez un dur de dur.

L'homme baissa les yeux et admira son sexe avec un sourire satisfait, puis il sauta dans la piscine d'eau claire comme une bombe de fond, éclaboussant les visages de Zhou You et de Song Gang, qui se tenaient à l'extrémité opposée du bassin d'eau de rose. Le type barbotait dans la piscine d'eau claire, et le chien-loup était couché au bord du bassin. L'homme se frictionnait la poitrine avec sa main droite et frictionnait le dos du chien de la main gauche. Le chien fixait Zhou You et Song Gang avec des yeux de tueur à gages, si bien qu'ils n'en menaient pas large.

— Comment se fait-il qu'on laisse entrer les chiens ?

A peine Song Gang avait-il marmonné cette phrase à voix basse que l'animal aboya furieusement dans sa direction. Song Gang et Zhou You, effrayés, n'osaient plus parler. Ils restaient immergés dans la piscine, immobiles.

Sur ces entrefaites, plusieurs clients complètement nus firent leur apparition, des serviettes blanches à la main. Ils venaient avec l'intention de faire trempette un moment, et ils entrèrent en bavardant joyeusement. Quand ils aperçurent le molosse couché à côté du bassin d'eau claire, leurs visages se décomposèrent immédiatement et ils se retirèrent sur la pointe des pieds. De retour dans les vestiaires, ils s'en prirent bruyamment aux garçons de bain : comment pouvait-on accepter les chiens dans un endroit pareil ? et un chien-loup par-dessus le marché, putain ! Le chien-loup couché au bord du bassin, entendant le vacarme à l'extérieur, se désintéressa un moment de Zhou You et de Song Gang. Il tourna la tête et aboya en direction des vestiaires, sur lesquels un silence total tomba aussitôt. Puis un garçon de bain entra avec précaution, il s'arrêta à cinq mètres du chien et appela doucement son propriétaire :

— Monsieur, monsieur…

Le garçon de bain intervenait pour essayer de convaincre l'homme de faire sortir son chien, mais, effrayé par les grondements de l'animal, il recula et retourna dare-dare dans les vestiaires. Zhou You en profita pour s'approcher du bord du bassin, mais à peine s'était-il mis debout que le chien, reprenant sa position initiale, l'aperçut en haut des marches. Il se dressa sur ses pattes, prêt à bondir, et aboya. Zhou You ne savait que faire. Il regardait le propriétaire du chien avec un aimable sourire. L'homme donna une petite tape à son chien pour l'obliger à se coucher. Zhou You retenait son souffle, il descendit l'échelle en prenant l'air dégagé et avisant une porte en bois il la poussa. Song Gang se déplaça à son tour lentement vers le bord du bassin. Comme le chien-loup ne le quittait pas des yeux, il ne cessait de lui lancer de grands sourires. Arrivé au bout du bassin, il se leva, et le chien se dressa lui aussi, brutalement, et aboya. Son maître lui donna à nouveau une tape, et quand le chien se fut couché, Song Gang sauta prestement des marches et, imitant Zhou You, il poussa la porte en bois et s'y engouffra.

Zhou You et Song Gang se retrouvèrent dans le sauna. Une fois là, Song Gang réalisa qu'il était dans une cabine en bois où la chaleur était si intense qu'il en avait le vertige. Zhou You, pas encore remis de sa frayeur, était assis. Song Gang lui demanda :

— Qu'est-ce que c'est que cet endroit ?

En voyant entrer Song Gang, Zhou You avait pris aussitôt un air dégagé :

— C'est le sauna.

Song Gang, qui suffoquait, s'installa à côté de Zhou You. Celui-ci prit la louche en bois et versa de l'eau sur le poêle. Une vague de vapeur s'éleva. Song Gang avait des difficultés pour respirer :

— Il fait trop chaud ici.

— Evidemment, c'est un sauna, répliqua Zhou You, fier de son savoir.

A cet instant, la porte en bois s'ouvrit, et le type baraqué entra. Zhou You et Song Gang sursautèrent à nouveau, mais ne voyant pas venir le chien, ils poussèrent un soupir de soulagement. Comme l'homme s'apprêtait à s'allonger, Zhou You et Song Gang s'empressèrent de se lever pour lui laisser la place. Celui-ci hocha la tête, avec une satisfaction évidente. Il s'allongea sur la marche la plus haute, tandis que Zhou You et Song Gang s'asseyaient sur le premier gradin. Au bout d'un moment, n'en pouvant plus, Zhou You décida que le bain de vapeur avait assez duré, et il se leva en annonçant qu'il allait quitter le sauna.

Il ouvrit la porte en bois : le gros chien-loup, étalé devant, aboya dans sa direction. Zhou You, effrayé, referma la porte en vitesse, et, se retournant, il déclara, pour s'encourager :

— Tout compte fait, je vais encore rester un petit moment.

Zhou You s'assit à côté de Song Gang, tandis que le type couché sur la marche du haut leur dictait ses instructions :

— Ajoutez un peu d'eau.

— Voilà.

Sur ce, Zhou You aspergea le poêle. Des volutes de vapeur s'élevèrent. Song Gang avait si chaud qu'il était à deux doigts de défaillir :

— Je crois que je vais me trouver mal, confia-t-il à Zhou You.

— Alors, dépêche-toi de sortir, lança Zhou You en le poussant.

Song Gang se leva, et comme il savait que le chien-loup montait la garde devant le sauna il dut prendre sur lui pour ouvrir la porte. Aussitôt, l'animal se dressa sur ses pattes et gronda, comme s'il s'apprêtait à mordre le bas-ventre de Song Gang. Song Gang referma la porte sur-le-champ, et battit en retraite en protégeant instinctivement de ses mains l'endroit menacé. Il se rassit à côté de Zhou You, un sourire crispé sur le visage. Les deux hommes, enfermés dans le sauna, avaient la tête qui tournait, mais ils auraient préféré traverser un champ de mines plutôt que d'affronter le gros chien-loup qui les attendait de l'autre côté. Ils se résignèrent à demeurer ainsi et à endurer cette chaleur suffocante. Ils espéraient que l'homme allongé se lèverait d'une minute à l'autre et quitterait le sauna en emmenant son chien. Mais l'homme donnait l'impression de se sentir de plus en plus à son aise, et il s'était même mis à siffloter. Zhou You songea qu'à ce train-là, ils allaient crever sur place. Il se leva et s'approcha de l'homme en chancelant. Il se pencha à son oreille :

— Monsieur, monsieur…

L'homme, qui sifflotait, ouvrit les yeux et regarda Zhou You. Celui-ci expliqua d'une voix faible :

— Votre garde du corps…

— Quel garde du corps ? répliqua l'homme, qui ne comprenait pas.

— Votre chien, à l'entrée. Il nous empêche de sortir.

L'homme ricana :

— Rajoute un peu d'eau.

Zhou You essuya la sueur qui dégoulinait sur sa figure, il se retourna et aspergea à nouveau le poêle. De puissantes volutes s'élevèrent. Song Gang, la tête inclinée, était sur le point de s'effondrer. Zhou You, mal assuré sur ses jambes, fit un pas en avant et annonça à l'homme :

— C'est fait.

— Bien, répondit l'homme. Vous pouvez sortir.

— Mais, dit Zhou You, et votre chien qui monte la garde…

L'homme descendit de son perchoir en riant, il ouvrit la porte en bois et écarta le chien, qui grondait, pour permettre à Zhou You et Song Gang de quitter le sauna en toute sécurité. Après quoi il retourna s'étendre, tandis que le chien recommençait à monter la garde devant la porte. Zhou You et Song Gang gagnèrent les vestiaires, avec le sentiment de l'avoir échappé belle. Zhou You but huit verres d'eau d'affilée, et Song Gang en but sept. Les deux hommes, la tête penchée, restèrent assis une dizaine de minutes dans les vestiaires, et quand ils se furent enfin remis de leurs émotions, ils enfilèrent les pyjamas mis à la disposition des clients, récupérèrent leur sac noir qui contenait les pilules fortifiantes, et pénétrèrent fièrement dans le hall de repos.

Une vingtaine de clients étaient allongés là, certains avaient confié leurs pieds à un pédicure, tandis que d'autres se faisaient masser la voûte plantaire. Sur un écran géant, on projetait un match de football. Zhou You adressa un clin d'œil à Song Gang, et chacun d'eux se dirigea vers une des extrémités du hall. Song Gang s'allongea à côté d'un homme qui pouvait avoir la quarantaine et qui était occupé à suivre le match de football. Il attendit patiemment la mi-temps, avant de sortir la notice des pilules fortifiantes et de la lui tendre, en lui demandant courtoisement :

— Monsieur, pourriez-vous prendre le temps de lire ceci ?

L'autre, interloqué, entreprit de lire consciencieusement la feuille qu'on lui avait remise. Quand il fut parvenu au bout de la notice, qui se trouvait être celle des pilules de fabrication chinoise Brave Zhang Fei, Song Gang lui tendit la notice des pilules d'importation Apollon. Après avoir lu attentivement les deux notices, l'homme lança un regard vers les autres clients qui se reposaient dans le hall et il murmura à Song Gang :

— C'est combien le flacon ?

Zhou You avait un style plus direct. Tenant en main, toutes prêtes, les pilules d'importation et les pilules de fabrication nationale, il entreprit avec le sourire un jeune homme étendu à côté de lui :

— Ça vous plairait de devenir un dur de dur ?

— Un quoi ? répondit le jeune homme, étonné.

Zhou You se lança dans des explications interminables, et le jeune homme, impressionné par son discours, prit les deux flacons et les examina, puis il tira sur le pantalon de son pyjama pour examiner son membre. Zhou You en profita pour jeter un coup d'œil lui aussi, et il conclut :

— Vous êtes un dur, mais pas encore un dur de dur.

Le jeune homme le dévisagea, suspicieux :

— Ce ne sont pas des produits bidon, au moins ?

— Essayez, et vous verrez bien, répondit Zhou You souriant.

Le type baraqué les avait rejoints avec son chien-loup dans le hall de repos. L'homme et l'animal avancèrent droit devant eux en semant la panique sur leur passage. Les garçons de bain abordèrent l'homme avec déférence et réussirent à le convaincre de laisser son chien à l'extérieur. Celui-ci se coucha à l'entrée du hall, tel un général tenant une position-clé face à une armée de dix mille hommes. Les clients allongés dans le hall n'osaient plus sortir, et ils durent attendre patiemment le départ du maître. Zhou You et Song Gang étaient comme des poissons dans l'eau, ils accostaient les clients l'un après l'autre, sans se presser, pour tenter de leur fourguer leur camelote. Le propriétaire du chien-loup s'étonna de voir que les deux hommes faisaient des messes basses avec tout le monde et ne lui adressaient pas la parole. Il appela Zhou You, et voulut savoir ce qu'il manigançait. Zhou You lui mit alors dans la main les Apollon et les Brave Zhang Fei, en affirmant d'un ton flagorneur :

— Vous, vous n'en avez pas besoin.

Le maître du chien parcourut la notice sur le flacon, et s'exclama à voix haute :

— Qu'est-ce que tu en sais si je n'en ai pas besoin ! On n'est jamais trop fort.

— Ça c'est bien vrai ! dit Zhou You ravi.

Et montrant de la main les autres clients, qui se reposaient, il ajouta tout bas :

— Eux, ces pilules fortifiantes leur sont nécessaires ; pour vous, c'est juste un petit plus.

Le propriétaire du chien eut un sourire satisfait. Il tendit deux doigts :

— J'en veux deux flacons.

— Deux flacons, ça ne fait qu'une cure, expliqua Zhou You, patiemment. Les effets ne sont visibles qu'au bout de deux ou trois cures.

Le propriétaire du chien repartit sans hésiter :

— Dans ce cas, j'en prends huit.

— Très bien, acquiesça Zhou You. Je vous mets des pilules d'importation ou des pilules de fabrication chinoise ?

— Quatre de chaque.

Zhou You eut un moment d'hésitation, et prenant un ton docte, il déclara :

— Les pilules d'importation sont le fruit du génie génétique et des nanotechnologies ; les pilules de fabrication chinoise sont issues des archives médicales impériales des dynasties Ming et Qing. Il est déconseillé de les mélanger.

— Les pilules d'importation, c'est pour moi, dit l'homme avant d'ajouter, en montrant son chien couché à la porte du hall : Les pilules de fabrication chinoise, c'est pour lui.

XLI

Zhou You et Song Gang continuèrent à écumer le Fujian et à vanter dans les établissements de bains leurs pilules fortifiantes. Ils repéraient les petits pénis, proposaient un remède à la situation, déployaient des trésors de persuasion, et ils n'avaient pas peur de l'exagération. Quand ils quittèrent le Fujian pour le Guangdong, les deux cartons de pilules fortifiantes étaient vides. Zhou You tira le bilan de l'expérience : il leur avait fallu près de cinq mois pour écouler toute leur marchandise, le rendement était réellement trop faible, et le profit insignifiant ; et si l'on prenait en compte les frais de bouche, de logement et de transport, ils en étaient même de leur poche. Zhou You regrettait les temps glorieux où, au bourg des Liu, il faisait la promotion des hymens artificiels. Il était convaincu que le commerce des produits d'hygiène pour hommes était une voie sans avenir, car en la matière, c'étaient surtout les femmes qui étaient prêtes à dépenser de l'argent. Aussi, en arrivant au Guangdong, les deux hommes se mirent-ils à vendre du gel pour augmenter la taille des seins, de la marque Bimbo.

Cela faisait six mois que Song Gang était parti de la maison. Pendant qu'il séjournait au Fujian, il avait téléphoné à trois reprises à Lin Hong, et chaque fois après le coucher du soleil : il se tenait debout, devant une petite boutique où l'on vendait du tabac, de l'alcool et de l'alimentation, la poussière tournoyait dans les rues, et les passants s'interpellaient bruyamment en dialecte du Minnan[1]. Song Gang s'agrippait au combiné comme s'il craignait qu'on le lui arrache, et il en avait les mains moites. Il bégayait et sautait du coq à l'âne. A l'autre bout de la ligne, Lin Hong tempêtait : elle l'exhortait à rentrer, à rentrer tout de suite. Et au milieu de ses appels réitérés, elle s'enquérait anxieusement de sa santé. Song Gang assurait qu'il se portait très bien, et que ses poumons étaient guéris. Sa voix était aussi faible que le bourdonnement d'un moustique :

— Je ne tousse plus.

Lin Hong le fit répéter plusieurs fois, et quand elle eut enfin compris, elle lui cria :

— Tu prends encore tes médicaments ?

Song Gang alors raccrocha, et quand il eut reposé le téléphone, il répondit tout doucement à Lin Hong :

— Non.

Puis Song Gang était resté là, désemparé, dans la rue éclairée maintenant par les lampadaires. Il regardait les visages étrangers, écoutait ce dialecte qui lui était étranger. Il avait secoué la tête et était rentré à pas lents à son petit hôtel miteux.

Zhou You était assis en tailleur sur le lit et suivait en pleurant un feuilleton coréen à la télévision. Au Fujian, Zhou You avait suivi trois de ces séries et la moitié d'une quatrième, et en débarquant au Guangdong il avait vainement passé toutes les chaînes en revue, de sorte qu'il avait été privé de la fin de ce dernier feuilleton. Il en avait fait toute une histoire et avait dit pis que pendre du Guangdong, puis il s'était concentré sur la vente de son gel Bimbo.

Au cours des mois qui suivirent, leurs oreilles, qui s'étaient habituées au dialecte du Fujian, n'entendirent plus que du cantonais[2]. Ils visitèrent quinze endroits, mais n'écoulèrent qu'une dizaine de flacons. Ils étaient dos au mur, quand Zhou You eut une idée : il décida de baisser le prix du gel, et de proposer le produit aux instituts de beauté. Hélas, l'expérience montra que tous les instituts de beauté vendaient déjà des gels semblables. Zhou You cibla alors les pharmacies et les centres commerciaux, mais les unes et les autres en vendaient également. Zhou You et Song Gang découvrirent qu'il existait des centaines de marques meilleur marché que leur gel Bimbo. Zhou You était à court d'inspiration. Song Gang et lui, munis de leurs flacons de gel Bimbo, erraient dans ces rues inconnues comme deux mouches sans tête. Leur désarroi augmentait à chaque carrefour : ils jetaient des regards à droite et à gauche, en s'interrogeant mutuellement sur la direction qu'ils devaient prendre. Zhou You avait perdu la foi. Quand il voyait approcher une jeune femme, il poussait Song Gang en avant, tandis que lui-même demeurait en retrait, figé. Song Gang s'avançait donc, la tête basse, et s'adressait poliment à la jeune femme :

— Avez-vous besoin de gel pour faire grossir la poitrine ?

Les femmes ainsi interpellées s'éloignaient, affolées, la main sur leur sac à main comme si elles étaient tombées sur un voleur. Un jour, une jolie fille, qui n'avait pas bien entendu, s'arrêta et demanda :

— Du quoi ?

Song Gang, se dessinant des mains une paire de seins imaginaires, répondit :

— Du gel pour faire grossir la poitrine. Pour que vos seins soient plus gros, plus hauts.

— Voyou !

La fille s'éloigna en se retournant de temps en temps pour continuer à l'insulter. Des grappes de passants s'immobilisaient pour dévisager Song Gang, et celui-ci, rouge jusqu'aux oreilles, un sourire crispé sur les lèvres, rejoignit Zhou You, lequel s'efforçait de prendre l'air indifférent.

Zhou You avait déniché sur une des chaînes de la télévision locale un nouveau feuilleton coréen. Si dans la journée il allait d'échec en échec, le soir venu il reprenait du poil de la bête. Une heure avant le début du feuilleton, il s'installa donc sur le lit, l'air très sérieux, la télécommande à la main, et il envoya Song Gang se promener, avec consigne de ne pas le déranger pendant qu'il regardait la télévision. Song Gang avait à la rigueur le droit de rester dans la pièce, mais à une condition :

— Tu la boucles.

Song Gang préféra sortir. Il marcha au hasard dans cette ville qui n'était pas la sienne, examinant chacune des fenêtres de chacun des bâtiments, puis il s'adossa à un arbre en bordure de la chaussée et s'absorba dans la contemplation d'un jeune couple à travers une de ces fenêtres. Le mari et la femme se déplaçaient dans la pièce, tantôt une silhouette apparaissait, tantôt deux, et d'autres fois encore on ne voyait plus personne devant la fenêtre illuminée. Song Gang les observa un long moment, jusqu'à ce que tous les deux s'approchent ensemble de la fenêtre et tirent les rideaux, chacun de son côté, en échangeant un baiser à la fin. Face à ce spectacle attendrissant, les yeux de Song Gang se mouillèrent. Il pensait, éperdu de nostalgie, à Lin Hong, que mille *li* séparaient de lui. Il aurait aimé avoir des ailes pour voler vers le bourg des Liu. Mais il ignorait quand il aurait assez d'argent pour rentrer, et il sentait avec tristesse la perspective du retour s'éloigner de plus en plus.

Après avoir suivi au Guangdong quatre feuilletons coréens du premier au dernier épisode, Zhou You n'en trouva pas un cinquième à se mettre sous la dent, ce qui le plongea dans une humeur massacrante. Song Gang et lui habitaient alors au bord de la mer, à l'étage d'un petit hôtel délabré. De l'autre côté de la rue se dressait un panneau publicitaire vantant les mérites d'un gel pour faire grossir les seins. L'affiche ne montrait pas une gracieuse demoiselle mais un malabar tout en muscles. Curieusement, il avait une poitrine saillante et arborait fièrement un soutien-gorge rouge, ainsi qu'un slip de la même couleur. Tout à son emportement, Zhou You n'avait pas remarqué le panneau en question. Quand il eut vidé sa colère et se fut rendu à l'idée que la télévision ne diffuserait pas d'autre feuilleton coréen, il s'assit sur le lit, déprimé, et se remit enfin à songer à son gel Bimbo. Notre charlatan sortit sa calculette, pianota dessus, et au bout d'une demiheure il releva le nez, l'air désespéré :

— C'est foutu ! déclara-t-il sobrement.

Cela, Song Gang l'avait compris depuis longtemps. Ils n'avaient cessé de crapahuter pendant six mois pour ne vendre qu'une dizaine de flacons de gel. Pendant tout ce temps, Zhou You avait été obsédé par ses feuilletons coréens comme un prince débauché ne songeant qu'aux femmes. A présent que le filon des feuilletons coréens était épuisé, Zhou You était obligé d'affronter la réalité. Il annonça à Song Gang que s'ils n'écoulaient pas toute leur marchandise dans un délai d'un mois, ils allaient finir devant un tribunal. Song Gang voulut savoir pourquoi. Zhou You, serrant son nœud de cravate des deux mains, répondit, avec l'air d'un patron d'une entreprise d'Etat au bord du dépôt de bilan :

— Pour demander à bénéficier de la protection contre les faillites.

Song Gang sourit tristement : pourquoi Zhou You éprouvait-il encore le besoin d'employer des grands mots alors qu'ils étaient dans la dèche ? Au moment où les deux hommes avaient le sentiment que les jeux étaient faits,

Zhou You aperçut brusquement la publicité pour le gel de l'autre côté de la rue. Il fixa le malabar qui se pavanait en soutien-gorge et en slip, et s'exclama :

— Bikini !

Song Gang avait aperçu l'affiche lui aussi. Sa bouche s'ouvrit et resta béante. Même en rêve, il n'avait jamais vu une publicité aussi stupéfiante. Zhou You marmonna :

— Je n'imaginais pas qu'un homme puisse avoir des seins comme ça...

Zhou You fut pris d'une inspiration. Ses yeux quittèrent le panneau de l'autre côté de la rue pour se poser avec concupiscence sur Song Gang. Ce regard insistant mit Song Gang mal à l'aise :

— Qu'est-ce que tu as ?

Zhou You soupira :

— Si tu avais une paire de gros seins, notre gel Bimbo s'arracherait, c'est sûr.

Song Gang rougit et, en l'espace d'un éclair, Zhou You vit passer sur son visage un soupçon de pudeur féminine. Zhou You, l'œil brillant, entreprit d'exposer son plan avec fougue : on ferait subir à Song Gang une opération de chirurgie mammaire, et lorsqu'il serait équipé d'une paire de seins altiers, il capterait l'attention autant que le malabar de l'affiche d'en face. Zhou You expliqua longuement à Song Gang que cette intervention était bénigne, et qu'elle était même pratiquée dans les services de consultation externe des hôpitaux :

— C'est aussi simple que l'opération de réfection de l'hymen.

Song Gang, désemparé, se tourna vers la fenêtre. Il regarda le panneau de l'autre côté de la rue, il regarda l'immeuble au-dessus du panneau, il regarda le ciel au-dessus de l'immeuble, et le chagrin et le désespoir qu'il portait en lui s'envolèrent au loin avec son regard. Il se retourna vers Zhou You et hocha la tête, l'air déterminé :

— Tant que ça me rapporte de l'argent, je suis prêt à tout.

Zhou You ne s'attendait pas à ce que Song Gang accepte aussi facilement. Il sauta de joie, marcha de long en large dans la pièce, ne trouvant pas de mot assez flatteur pour signifier à Song Gang tout le bien qu'il pensait de lui. Il affirma que dorénavant ils partageraient les bénéfices à raison de 50-50, et non plus de 80-20, et il conclut, ému :

— Au bourg des Liu, déjà, j'ai su que tu étais prêt à te faire tuer pour moi.

— Ce n'est pas pour toi que je fais ça, répliqua Song Gang, c'est pour Lin Hong.

A la clinique de chirurgie esthétique où ils se rendirent ensemble, Zhou You, qui du Fujian au Guangdong avait été bercé toute l'année par les feuilletons coréens, ne prêta attention qu'aux méthodes coréennes de chirurgie mammaire sans s'intéresser le moins du monde aux autres méthodes. Le chirurgien leur présenta trois méthodes différentes : la méthode coréenne du lifting sans cicatrice, la méthode coréenne fondée sur l'implantation de prothèses, et la méthode coréenne ayant recours à la lipo-autogreffe. Il expliqua que la première utilisait la technique du *untouch*[3] qui venait d'être mise au point en Corée. L'opération laissait si peu de traces que même vos proches ne se rendaient compte de rien. En outre, le résultat était stupéfiant de ressemblance : galbe naturel et tonicité, souplesse et douceur au toucher, les seins tremblotaient au rythme des pas et des mouvements du corps, ils étaient sexy et gracieux, bref d'une féminité troublante. Au terme de la démonstration, Zhou You sourit :

— Va pour le lifting sans cicatrice.

Cet après-midi-là fut le moment le plus humiliant dans la vie de Song Gang. Il était assis, tête basse, et écoutait en silence Zhou You raconter, avec son talent de beau parleur, comment il avait toujours rêvé, quand il était enfant, puis adolescent, puis jeune homme, et encore aujourd'hui, d'avoir un corps de femme. Tout en discutant avec Zhou You, le chirurgien examinait Song Gang. Le visage de celui-ci passait par toutes les couleurs tandis qu'il les écoutait détailler les différentes étapes de sa métamorphose : après lui avoir fait ressortir la poitrine, on lui couperait le pénis et les testicules, puis on déplacerait l'urètre et on lui fabriquerait un vagin artificiel. Le chirurgien garantissait que la vulve qu'il allait lui faire aurait l'air d'une vraie, que le vagin aurait une profondeur et une largeur suffisantes, et que le clitoris aurait la même sensibilité qu'un clitoris naturel. A mesure que le chirurgien parlait, Song Gang était submergé par la nausée. Zhou You, lui, exultait. Il n'arrêtait pas d'acquiescer aux propos du médecin, tout en regardant Song Gang avec un air radieux, comme s'il allait vraiment devenir une femme. A la fin, le chirurgien observa gravement Song Gang, et il ajouta qu'il faudrait aussi remodeler son nez, son menton et ses pommettes pour féminiser son visage.

Zhou You et le chirurgien tombèrent d'accord sur la date du lifting sans cicatrice, qui devait intervenir trois jours après. En sortant de la clinique de chirurgie esthétique, Zhou You, la mine resplendissante, déclara à Song Gang :

— Si tu te transformes vraiment en femme, je t'épouserai. Je t'aimerai à la vie à la mort, comme dans les feuilletons coréens.

Song Gang, qui jusqu'ici n'avait jamais proféré de gros mots, blêmit et cria :

— Va te faire foutre !

Par une matinée pluvieuse, Song Gang quitta le petit hôtel délabré sur les talons de Zhou You. Ils avancèrent sur la chaussée mouillée. Zhou You hélait les taxis et Song Gang contemplait la mer enveloppée de brume : il entendait les cris des mouettes, mais il ne les voyait pas tourbillonner. Trois heures plus tard, Song Gang était allongé sur la table d'opération. Le chirurgien traça deux cercles violets sur sa poitrine, et Song Gang ferma les yeux sous la lampe sans ombre. Pendant qu'on l'anesthésiait, une mouette solitaire surgit brusquement dans sa tête, elle glissa à la surface de la mer couverte de brouillard, mais il n'entendit pas son cri.

Bien que le chirurgien eût prévenu Zhou You qu'en raison d'une différence structurelle l'opération de lifting de la poitrine était plus délicate pour les hommes que pour les femmes, l'intervention se déroula sans complications. En moins de deux heures, tout était fini. Song Gang fut gardé en observation à la clinique pendant une journée. Le lendemain, quand il en sortit, il pleuvait toujours. Les plaies sous ses aisselles le faisaient souffrir. Il prit place avec Zhou You dans un taxi et ils rentrèrent à leur petit hôtel en bord de mer. En descendant de la voiture, tandis que Zhou You payait la course, Song Gang s'abîma à nouveau dans la contemplation de la mer embrumée : il n'y avait plus rien, ni cris ni vols d'oiseaux.

Song Gang se reposa six jours dans le petit hôtel, et pendant six jours, la pluie tourbillonna devant la fenêtre. Sur le panneau en face, le malabar en soutien-gorge rouge était à peine visible. Chaque fois qu'il l'apercevait, Song Gang éprouvait un sentiment de honte, comme si l'homme sur l'affiche, c'était lui. Zhou You était aux petits soins pour Song Gang. Tous les jours, il s'inquiétait de savoir ce qu'il lui plairait de manger, puis il recopia carrément les cartes des gargotes alentour pour que Song Gang puisse faire son choix. Song Gang sélectionnait les plats les moins chers, et aussitôt Zhou You téléphonait aux restaurants concernés pour qu'on leur livre la commande à domicile. Chaque fois, Zhou You pérorait :

— M. le directeur Song est las des plats trop sophistiqués, apportez-lui du pâté de soja et des légumes.

Song Gang était devenu le directeur Song, un directeur Song auquel il avait poussé brusquement une opulente poitrine de femme. Quand on eut retiré les fils à Song Gang, Zhou You, tout heureux, lui acheta un soutien-gorge rouge et lui expliqua qu'il avait pris le D comme taille de bonnet, la taille des femmes aux très gros nichons. Après quoi, il ajouta, voulant flatter Song Gang :

— Comme toi.

Song Gang constata que le soutien-gorge que lui avait apporté Zhou You était le même que celui de l'affiche d'en face. Il le prit et le jeta par terre. Zhou You le ramassa :

— Le rouge, c'est vachement bien, ça attire l'œil…

— Va te faire foutre ! répliqua Song Gang.

— Je cours le changer, assura Zhou You, obséquieux. Je savais bien que tu étais quelqu'un de réservé. Je vais t'en prendre un blanc à la place.

Le temps avait fini par s'éclaircir. Song Gang enfila son soutien-gorge blanc sous sa chemise et s'embarqua avec Zhou You pour l'île de Hainan. Ils avaient sillonné la province du Guangdong pendant sept mois pour finalement ne vendre que très peu de flacons de gel Bimbo. Zhou You en avait conclu que le Guangdong ne leur portait pas chance, et il avait jeté son dévolu sur Hainan pour réaliser ses ambitions. Depuis qu'il portait deux faux seins, Song Gang avait perdu son équilibre. Son corps penchait imperceptiblement vers l'avant, et au bout de quelques mois son dos se voûta. Quand Song Gang, le buste entraîné vers l'avant, monta sur le vapeur qui les emmenait, Zhou You et lui, à Hainan, et qu'il se retrouva debout sur le pont, les mains agrippées au bastingage, avec la sensation d'un poids sur sa poitrine, une détresse profonde s'empara de lui. Il regardait s'éloigner les côtes du Guangdong en se demandant ce que l'avenir lui réservait. Dans le bruit des vagues, dans le miroitement de la lumière, entre le ciel bleu et la mer, il voyait le vol bien réel des mouettes, il entendait leurs cris bien réels. Il pensa à ce que lui avait dit Lin Hong au téléphone, quand elle l'implorait de rentrer au plus vite à la maison. Le bateau était ballotté par les flots, la brise ébouriffait sa chevelure et les appels de Lin Hong s'amenuisaient peu à peu comme les cris des mouettes. Song Gang ne put retenir ses larmes, il s'essuya le coin des yeux, et songea qu'il était parti depuis plus d'un an. En quittant le bourg des Liu, il rêvait du jour où il reviendrait, et à présent plus d'un an s'était écoulé et il était de plus en plus loin de chez lui.

Zhou You et Song Gang commencèrent à faire la promotion du gel Bimbo sur l'île de Hainan. Leur technique était la même que celle qu'ils avaient employée un peu plus d'un an auparavant, quand ils vendaient des hymens artificiels au bourg des Liu : ils se postaient tous les deux dans la rue, et les passants, hommes et femmes, s'agglutinaient autour d'eux. Song Gang, tel un mannequin, déboutonnait sans un mot sa chemise pour laisser apparaître le soutien-gorge blanc et sa paire de seins opulents dans leurs bonnets D, tandis que Zhou You agitait sa langue bien pendue : brandissant un flacon de gel Bimbo, il faisait l'article avec volubilité. Le produit, certifiait-il, était un composé de vitamines et d'activateurs de croissance naturels : il entrait dedans pour 35 % de vitamines, et pour 65 % d'activateurs de croissance obtenus par les techniques de la biogénétique. Les activateurs de croissance étaient capables de provoquer en quelques jours une augmentation de *x* fois du volume des seins, de provoquer un développement spectaculaire des seins, à une vitesse *x* fois supérieure à celle, comme dit le poète, dont repoussent les herbes dans la prairie[4]. Les vitamines ne préservaient pas seulement l'élasticité des seins, elles rendaient aussi l'épiderme plus fin et plus tendre. En outre…

— Le produit ne contient aucune hormone. Il est garanti sans danger.

Après avoir présenté le gel dont il tenait un flacon, Zhou You se tournait vers les seins de Song Gang. Il expliquait à son auditoire que Song Gang était le directeur de leur compagnie, et avec une chaleur communicative il faisait observer que s'il y avait actuellement pléthore de gels pour les seins sur le marché, ceux qui étaient vraiment efficaces se comptaient sur les doigts d'une main : le directeur Song, pour vérifier l'efficacité réelle du produit, l'avait testé sur lui-même, sans se douter que deux mois plus tard… Ici, Zhou You, ému, s'interrompait pour écraser une larme, avant de poursuivre, en montrant le torse de Song Gang :

— M. le président Song a perdu sa prestance virile. Il a maintenant le charme d'une jeune demoiselle…

La foule des badauds se tordait de rire. Les gens se bousculaient afin de voir Song Gang comme si c'eût été un Martien. Chacun voulait être au premier rang pour scruter les seins de Song Gang. Certains mêmes, affligés de myopie, collaient leur bouche et leur nez dessus, comme s'ils voulaient les téter. Song Gang était cramoisi. Une femme menue s'enhardit à lui pincer un téton. Song Gang, furieux, lui donna une tape sur la main. Aussitôt, un homme s'en prit à la femme :

— Comment osez-vous toucher les organes sexuels d'un homme ?

— Ça des organes sexuels ! s'exclama la femme.

— Du moment qu'ils sont gros et qu'ils peuvent procurer un orgasme quand on les touche, ce sont des organes sexuels.

Et l'homme, montrant les seins menus de son interlocutrice, ajouta :

— Et ce que vous avez là, ce ne sont pas des organes sexuels ?

Sur ce, l'homme pinça aussi le sein de Song Gang. Song Gang se fâcha, donna une tape sur la main de l'homme et le repoussa. Les femmes de l'assistance se mirent de la partie. Elles déclarèrent qu'avec des seins de cette taille, on devait considérer Song Gang comme une femme, et elles s'en prirent toutes ensemble à l'homme :

— Comment osez-vous toucher les seins d'une femme avec autant de désinvolture ?

— Ça, une femme ! s'exclama l'homme à son tour.

— Avec des seins aussi gros, ce ne peut être qu'une femme, répliquèrent les femmes d'une seule voix.

— Homme ou femme, la question n'est pas là, trancha Zhou You en brandissant son gel Bimbo. L'essentiel, c'est que quiconque utilise ce produit peut remporter le prix des plus gros seins.

La femme menue qui avait touché les faux seins de Song Gang s'approcha la première. Elle sortit son argent timidement et acheta deux flacons du produit, puis elle s'éclipsa. Quelques femmes dans la quarantaine en achetèrent plusieurs, et au moment de payer elles prétendirent les acheter pour leur fille, aussitôt imitées par des jeunes femmes qui prétendirent les acheter pour une amie, et enfin par des hommes qui prétendirent les acheter pour une amie de leur petite amie ou pour une sœur de leur épouse. Zhou You, souriant aimablement, prenait l'argent d'une main et livrait la marchandise de l'autre, et en moins d'une heure il avait vendu trente-sept flacons. Il souleva fièrement une caisse de flacons de gel Bimbo, et s'écria bien fort :

— Trente-sept flacons ont déjà trouvé preneur. A qui le tour ?

Quand Zhou You eut reposé sa caisse, un homme se fraya un passage jusqu'à lui et, montrant discrètement l'entrejambe de Zhou You, l'interrogea tout bas :

— Si on en met à cet endroit-là, est-ce que ça marche aussi ?

— Vous voulez dire sur la verge ? répondit Zhou You à voix haute. Evidemment que ça marche.

— Oh, oh, pas si fort, murmura l'homme.

— D'accord, poursuivit Zhou You, en adressant un signe de tête à l'homme. Et brandissant un flacon de gel, il s'écria à l'intention des hommes qui l'entouraient : Ce gel Bimbo agit aussi comme des pilules fortifiantes pour le pénis. Il peut augmenter la longueur et la largeur du pénis, et prolonger l'érection. Toutefois, il convient de l'utiliser avec précaution, et de se conformer strictement à la prescription du médecin, sinon ça risque de devenir trop gros, et alors ça ne sera plus une verge.

— Si ce n'est plus une verge, alors ce sera quoi ? demanda un homme, hilare.

— Si ça devient trop gros… (Zhou You réfléchit un moment.) Alors, ça deviendra un sein.

Zhou You se réjouissait du succès de sa campagne : dès le premier jour, il avait fourgué cinquante-huit flacons de gel. En revanche, Song Gang avait été au supplice durant toute cette journée : il avait dû ouvrir sa chemise pour laisser ces hommes et ces femmes inconnus contempler à leur aise la paire de seins artificiels qui ornait son buste ; certains, même, ne s'étaient pas contentés de les regarder et les avaient touchés, et d'autres s'étaient interrogés tout haut sur son sexe. Song Gang avait été à deux doigts d'éclater, mais il avait tenu bon en serrant les dents. Au coucher du soleil, Zhou You rangea son stock de flacons de gel, et Song Gang reboutonna sa chemise avec le même sentiment d'humiliation qu'une femme qui vient de se faire violer. La mine livide, il suivit Zhou You jusqu'à l'hôtel. Zhou You comprit son désarroi et essaya de le réconforter :

— Ici, personne ne sait qui tu es.

Le lendemain matin, tous les deux se rendirent à nouveau dans la rue de la veille, et ils poursuivirent leur numéro. Zhou You écoula soixante-quatre autres flacons de gel. D'habitude, Zhou You ne passait jamais plus de deux jours au même endroit, mais considérant ses chiffres de vente en hausse, il préféra s'attarder un peu plus longtemps, et Song Gang et lui revinrent encore une fois le surlendemain. A midi, la femme menue qui avait pincé le sein de Song Gang le premier jour se présenta avec un homme costaud qui avait l'air d'un boucher. L'homme s'approcha de Song Gang et examina attentivement sa paire de faux seins. Zhou You, occupé à débiter avec entrain son boniment, n'avait pas remarqué que l'homme avait les lèvres tellement enflées qu'elles paraissaient hypertrophiées. Quand il eut fini de scruter les faux seins de Song Gang, l'homme empoigna Zhou You par le col et se mit à l'engueuler copieusement en affirmant que le gel qu'il vendait contenait du poison. Cette agression soudaine prit Zhou You au dépourvu. Il écoutait le bourdonnement qui s'échappait des lèvres énormes de l'homme, et au bout d'un moment il crut comprendre que celui-ci s'était enduit la bouche de gel. Zhou You écarta brutalement la main de l'homme et l'apostropha, sûr de lui :

— A-t-on idée d'utiliser du gel pour les seins comme si c'était de la crème pour les lèvres ! Qu'est-ce qui vous a pris…

— Mon cul ! répliqua d'un ton féroce l'homme aux lèvres gonflées. Vous vous imaginez peut-être que je me suis enduit les lèvres de votre gel ?

— Alors qu'est-ce que vous vous êtes mis dessus ? demanda Zhou You, perplexe.

— Je…

L'homme ne savait par quel bout commencer. Son épouse, rougissante, vint à sa rescousse :

— C'est moi qui ai mis…

Zhou You la coupa et s'exclama :

— Comment avez-vous pu lui mettre du gel sur les lèvres ?

— Je ne lui en ai pas mis sur les lèvres.

La femme était rouge comme une écrevisse. Elle désigna sa poitrine et reprit :

— Je m'en suis mis ici, sans le prévenir. Il ne le savait pas, et du coup…

Une vague de rires secoua soudain la foule silencieuse qui les entourait. Song Gang lui-même ne put réprimer son hilarité, et Zhou You à plus forte raison :

— Je vois, je vois…

— Alors, rugit l'homme, est-ce qu'il y a du poison dedans ?

— Non, il n'y a pas de poison. Ce sont les activateurs de croissance qui ont agi, dit Zhou You en pointant son doigt sur les lèvres gonflées de l'homme, avant de prendre l'assistance à témoin : Vous voyez le résultat, et au bout de deux jours seulement. On voit même l'aréole rouge !

L'épouse de l'homme lui glissa tout bas, mal à l'aise :

— Pourtant, chez moi, ça ne fait aucun effet.

— Pas étonnant, tout le principe actif a été aspiré par votre mari !

Et, le doigt toujours pointé sur les lèvres gonflées de l'homme, Zhou You, sautant sur l'occasion, continua à vanter le produit auprès du public :

— Constatez par vous-mêmes, et encore n'a-t-il subi les effets du produit qu'indirectement ; s'il les avait subis directement, ses lèvres seraient maintenant aussi grosses que des oreilles !

Tandis que la foule se boyautait, l'homme aux lèvres gonflées, passant de la confusion à la colère, administra une gifle à Zhou You, qui chancela sous le coup. A l'instar du jeune Li Guangtou autrefois rossé par Tong le Forgeron dans les rues du bourg des Liu, Zhou You en eut longtemps l'oreille qui bourdonnait comme si des abeilles y avaient élu domicile.

L'aide inopinée de ces lèvres gonflées se révéla précieuse et permit à Zhou You de vendre quatre-vingt-dix-sept flacons de gel. Le quatrième jour au matin, Zhou You, sa main gauche couvrant son oreille bourdonnante, quitta les lieux en catimini, en compagnie de Song Gang. Au cours de la dizaine de jours qui suivirent, leurs affaires à Hainan marchèrent du feu de Dieu. Telles des libellules se posant sur les eaux, ils ne restaient que deux ou trois jours sur place, et filaient à l'anglaise avant d'avoir été démasqués. Song Gang s'était accoutumé peu à peu à ouvrir sa chemise, et le sentiment d'humiliation ressenti au début s'était estompé progressivement. L'argent liquide qui s'entassait dans le sac noir de Zhou You le rassurait. Le soir venu, Zhou You s'installait sur le lit de la chambre d'hôtel et, avec en bruit de fond le bourdonnement de son oreille gauche, il comptait la recette du jour en humectant de temps en temps son doigt. Et quand il annonçait à Song Gang la somme qu'ils avaient gagnée, le visage de celui-ci s'éclairait : il se sentait plus proche d'un jour du retour.

Zhou You avait de nouveau déniché à la télévision un feuilleton coréen qu'il n'avait pas encore vu. Un soir, assis gravement sur le lit, il invita gentiment Song Gang à le regarder avec lui, et il prit la peine de lui résumer les épisodes précédents. Cela faisait déjà longtemps que Song Gang n'avait pas appelé Lin Hong. Il se leva et s'apprêtait à sortir, quand Zhou You le rappela en lui proposant de téléphoner depuis la chambre. Song Gang objecta que les communications passées depuis l'hôtel étaient trop chères, mais Zhou You lui assura qu'ils en avaient désormais les moyens. Song Gang objecta que sa conversation risquait de couvrir le son de la télévision, mais Zhou You protesta que c'était sans importance. Les deux hommes étaient assis, chacun sur son lit, l'un suivant avec passion son feuilleton coréen, l'autre composant le numéro de la boutique de *dim sum* de la mère Su à mille *li* de là.

Song Gang serrait le combiné des deux mains. Pendant que la mère Su courait chercher Lin Hong de l'autre côté de la rue, il entendit dans la boutique un brouhaha de voix parmi lesquelles on distinguait les pleurs d'un bébé. Puis il entendit des pas pressés se rapprocher du téléphone, et il comprit que c'était Lin Hong qui arrivait. Ses mains se mirent à trembler. Il entendit la voix anxieuse de Lin Hong :

— Allô…

Les yeux de Song Gang se mouillèrent instantanément. Lin Hong cria plusieurs fois "Allô", avant qu'il ne parvienne à balbutier, entre deux sanglots :

— Lin Hong, tu me manques.

A l'autre bout du fil, Lin Hong demeura silencieuse un moment. Sa voix à elle aussi était entrecoupée par les sanglots :

— Toi aussi, tu me manques, Song Gang.

Ils se parlèrent longuement, Song Gang informa Lin Hong qu'il était à présent à Hainan. Il se contenta de lui indiquer que ses affaires marchaient très fort, en se gardant bien de préciser qu'il vendait du gel pour faire grossir les seins. Lin Hong lui donna des nouvelles du bourg des Liu, et comme les pleurs du bébé étaient de plus en plus perçants, elle lui confia à voix basse que Su Mei avait accouché d'une petite fille qu'elle avait appelée Su Zhou, et dont personne au bourg des Liu ne savait qui était le père. Ils ne virent pas le temps passer : les deux épisodes du feuilleton coréen que suivait Zhou You étaient terminés, qu'ils en étaient encore à échanger des confidences. Song Gang, en voyant Zhou You assis sur le lit à ne rien faire et qui l'observait, comprit qu'il devait raccrocher. Lin Hong l'interpella alors d'une voix pressante :

— Quand reviendras-tu ?

— Bientôt, très bientôt, répondit Song Gang, d'une voix emplie de nostalgie.

Quand il eut reposé le téléphone, Song Gang, désemparé, regarda Zhou You assis sur le lit d'en face. Zhou You avait l'air tout aussi désemparé, mais lui, c'était parce qu'il ne connaissait pas la fin de son feuilleton. Song Gang, troublé, sourit mélancoliquement, puis il chercha à engager la conversation avec Zhou You. Il commença par soliloquer tristement, s'interrogeant sur la façon dont Lin Hong avait vécu au cours de cette année écoulée. Zhou You, qui était encore absorbé dans son feuilleton coréen, ne prêtait pas attention aux paroles de Song Gang. Puis Song Gang demanda à Zhou You s'il se souvenait de Su Mei, la fille de la boutique de *dim sum* du bourg des Liu. Zhou You, comme s'il se réveillait en sursaut d'un rêve, hocha la tête et fixa Song Gang d'un air méfiant. Song Gang lui raconta que Su Mei avait donné naissance à une petite fille appelée Su Zhou, dont personne au bourg des Liu ne savait qui était le père. Après avoir écouté ce récit, Zhou You resta bouche bée un long moment.

Ce soir-là, les deux hommes se tournèrent et se retournèrent dans leur lit. Song Gang pensait à Lin Hong, il revoyait chacun de ses gestes, il revoyait ses sourires et ses colères ; et dans la tête de Zhou You ne cessait de ressurgir le sourire de Su Mei, et aussi le sourire d'une petite fille. Song Gang finit par s'endormir, tandis que Zhou You, les yeux grands ouverts, continuait à se repasser dans la tête le sourire de Su Mei et celui de la petite fille. Lorsque Song Gang, au lever du jour, se réveilla, il découvrit Zhou You déjà habillé et deux liasses de billets posées sur le lit. Zhou You lui annonça solennellement :

— C'est moi le père de Su Zhou.

Sur le coup, Song Gang ne comprit pas. Zhou You lui montra l'argent sur le lit et lui expliqua que c'était là la totalité de leurs biens. Il y avait en tout 45 000 yuans, et si l'on partageait comme prévu moitié-moitié, il revenait à chacun d'eux 22 500 yuans. Tout en parlant, Zhou You ramassa une liasse et la fourra dans sa poche, puis il dit à Song Gang en montrant l'autre :

— Ça, c'est ta part.

Song Gang regardait Zhou You, interloqué. Zhou You ajouta qu'il lui abandonnait les quelque deux cents flacons de gel qui leur restaient. Après quoi il se lança dans un discours enflammé, expliquant qu'il roulait sa bosse depuis plus de quinze ans, qu'il était fatigué des dangers de cette vie errante, et que l'heure avait sonné pour lui de raccrocher. Il avait décidé de faire ses adieux officiels à son existence de vagabond. Il souhaitait se retirer au bourg des Liu, et aspirait à être un bon mari pour Su Mei et un bon père pour Su Zhou. Quel plus grand bonheur qu'une épouse, un enfant et un nid douillet !

Là-dessus, Zhou You prit son sac noir et sortit. Song Gang comprit enfin : il comprit qui avait fait cet enfant à Su Mei, et il comprit que Zhou You venait de plaquer son commerce de gel pour faire grossir les seins. Il le rappela et, montrant ses faux seins, lui demanda :

— Qu'est-ce que je vais faire de ça si tu t'en vas ?

Zhou You fixa la paire de faux seins de Song Gang avec un air compatissant, et répondit :

— A toi de voir.

XLII

Près de dix mois après que Song Gang fut parti en compagnie de Zhou You, un événement important se produisit au bourg des Liu. Li Guangtou avait fait venir de Russie un grand peintre, à qui il avait offert un pont d'or pour qu'il exécute son portrait. On prétendait que ce portrait aurait les mêmes dimensions que celui du président Mao qui trônait à Pékin, sur la place Tian'anmen. Il se murmurait aussi que le grand peintre en question s'était juste avant gobergé pendant trois mois comme un coq en pâte au palais du Kremlin pour réaliser celui de Poutine. Eltsine, qui depuis qu'il avait disparu de la scène politique n'avait plus la cote, aurait souhaité lui aussi que le peintre fasse le sien : mais hélas pour lui, comme il proposait moins d'argent que Li Guangtou, l'artiste russe avait préféré venir dans notre bourg des Liu. Tout le monde, au bourg, avait vu de ses yeux ce grand peintre russe, avec ses cheveux blancs et sa barbe blanche, son nez proéminent et ses yeux bleus. Il adorait les *dim sum* chinois, et tous les jours il déboulait par la grande rue, la mine réjouie, et dégustait des petits pains à la boutique de la mère Su et de Su Mei.

Ce qu'il préférait par-dessus tout, c'étaient les petits pains à paille, il en commandait à chaque fois cinq paniers de trois unités chacun. Une paille était plantée sur chacun des quinze petits pains, et l'on aurait cru qu'il avait devant lui un gâteau d'anniversaire à quinze bougies. Il aspirait lentement, avec précaution, le jus de viande, et quand il n'en restait plus il s'attaquait aux petits pains eux-mêmes. C'était le charlatan Zhou You qui avait introduit la recette au bourg des Liu, il l'avait enseignée personnellement à Su Mei, Su Mei qu'il avait personnellement mise enceinte. Zhou You s'était enfui en claquant la porte, mais les petits pains à paille avaient pris racine dans notre bourg des Liu où ils étaient devenus célèbres d'un coup. Hommes et femmes, quel que soit leur âge, faisaient la queue quotidiennement pour les déguster, et la boutique était emplie de bruits de succion.

Trois mois durant, le grand peintre russe aspira du jus de viande et avala des petits pains dans la boutique de Su Mei, et au bout de tout ce temps, le portrait était achevé. Ce jour-là, il vint à la boutique en traînant ses valises. Il était là, à aspirer et à manger, et les masses comprirent qu'il allait partir, qu'il allait retourner dans sa Russie, vraisemblablement pour se mettre au service de Eltsine. Quand il eut fini d'aspirer et de manger, la Santana de Li Guangtou se gara devant la boutique. Lin Hong était debout sur le pas de sa porte, et elle assista à la scène. Li Guangtou n'était pas dans la voiture. Son chauffeur rangea les valises du peintre dans le coffre du véhicule, le peintre sortit de la boutique en s'essuyant la bouche et il se glissa dans la Santana, toujours en s'essuyant la bouche. Lin Hong vit la voiture s'éloigner avec le peintre russe à bord.

Cela faisait plus d'un an que Lin Hong et Song Gang étaient séparés. Lin Hong n'avait plus que son ombre pour lui tenir compagnie. Elle partait le matin à bicyclette et rentrait le soir de même. La maison, pourtant exiguë, lui paraissait vide maintenant que Song Gang n'était plus là. Le silence y régnait, et on entendait parler seulement quand la télévision était allumée. Depuis que Song Gang avait téléphoné pour la première fois à la boutique de *dim sum* d'en face, elle se postait souvent, en fin de journée, debout près de sa porte, et suivait, d'un air absent, les va-et-vient des clients. Au début, elle espérait les appels de Song Gang, mais comme ceux-ci étaient imprévisibles elle avait oublié pourquoi elle attendait devant sa porte.

Lin Hong traversait alors une période difficile. A peine avait-il appris le départ de Song Gang que Liu le Fumeur s'était fait de plus en plus pressant. Un jour, il l'avait convoquée, et après avoir fermé la porte, il l'avait renversée sur le canapé, arrachant son chemisier et son soutien-gorge. Lin Hong s'était débattue de toutes ses forces en hurlant, et Liu le Fumeur, de peur qu'on ne le découvre, n'avait pas osé poursuivre plus avant. A la suite de cet incident, Lin Hong avait décidé de ne plus se rendre dans le bureau de Liu le Fumeur. Celui-ci l'avait fait appeler plusieurs fois par le chef d'atelier, mais elle avait secoué la tête d'un air résolu :

— Non, je n'irai pas.

Le chef d'atelier, qui craignait de déplaire au directeur, avait insisté, conjurant Lin Hong d'obtempérer immédiatement. Mais Lin Hong n'avait pas mâché ses mots :

— Non, je n'irai pas. C'est un vicieux.

Lin Hong refusant de venir le rejoindre dans son bureau, Liu le Fumeur prit l'habitude d'aller faire une visite d'inspection quotidienne dans l'atelier de Lin Hong. Il arrivait furtivement derrière elle, tel un fantôme, et lui pinçait les fesses sans crier gare. Parfois aussi, profitant de ce que la machine les masquait à la vue des autres ouvrières, il lui pétrissait brusquement les seins, et Lin Hong, invariablement, lui donnait une tape rageuse sur les mains. Un jour, Liu le Fumeur l'enlaça par surprise et l'embrassa fougueusement dans le cou. Cette fois la coupe était pleine. Lin Hong, profitant de la présence d'autres ouvrières, le repoussa brutalement :

— Je vous prie de surveiller un peu votre comportement ! cria-t-elle.

Les autres ouvrières, à ses cris, accoururent, étonnées, et Liu le Fumeur, mortifié, s'en prit à elles :

— Qu'est-ce que vous regardez comme ça ? Allez, au travail.

Lin Hong avait pleuré un nombre incalculable de fois en rentrant chez elle. Elle n'avait personne à qui se confier. A plusieurs reprises, elle fut tentée d'en parler à Song Gang lors de leurs conversations téléphoniques, mais comme il y avait du monde autour d'elle, elle avait pris sur elle et ravalé ses mots. Après avoir raccroché le combiné, revenue chez elle, dans la solitude de la maison, elle avait pleuré en songeant que même si elle avait tout raconté à Song Gang, il n'aurait rien pu faire.

Tandis qu'elle attendait ainsi, le soir, sur le pas de sa porte, Lin Hong avait souvent aperçu Li Guangtou passer devant elle comme une flèche, dans sa Santana. Un jour, deux mois après le départ de Song Gang, la Santana s'arrêta devant sa porte, Li Guangtou en descendit, et vint jusqu'à elle, rayonnant. Lin Hong ne put s'empêcher de rougir en le voyant approcher, elle ne savait pas quelle contenance prendre. Les yeux de Li Guangtou la contournèrent pour regarder à l'intérieur de la maison :

— Où est Song Gang ? où est Song Gang ? marmonna-t-il.

Puis, quand il apprit que Song Gang était parti au loin faire du commerce avec un associé, il rentra dans une rage furieuse :

— Quel salopard, quel salopard…

Li Guangtou répéta ce mot cinq fois de suite, puis il s'adressa à Lin Hong, furibond :

— Ce salopard me désole. Il préfère s'acoquiner avec le premier venu plutôt que de s'associer avec moi…

Lin Hong s'empressa de voler au secours de Song Gang :

— Ne dis pas ça. Tu as toujours été l'être le plus cher à ses yeux…

Li Guangtou avait déjà tourné les talons et se dirigeait vers sa Santana. Au moment d'ouvrir la portière, il se retourna vers Lin Hong et lui lança, d'un ton apitoyé :

— Comment as-tu pu épouser ce salopard ?

Quand la voiture de Li Guangtou eut disparu dans le crépuscule, Lin Hong fut assaillie par des sentiments contradictoires. Des images du passé lui revenaient en mémoire, celles du jeune Li Guangtou et du jeune Song Gang, deux silhouettes inséparables, une grande et une petite, qui cheminaient dans notre bourg des Liu. Jamais Lin Hong n'aurait imaginé que vingt ans après leurs destins auraient divergé à ce point. Song Gang était parti depuis plus d'un an maintenant, et Li Guangtou avait tenu promesse : tous les six mois, il versait 100 000 yuans sur le compte en banque de Lin Hong. Ils avaient dépensé plus de 20 000 yuans pour soigner Song Gang, et Lin Hong n'avait pas touché au solde, quelque 270 000 yuans. Bien que Song Gang fût très loin de là, et bien qu'il l'assurât au téléphone que ses affaires marchaient comme sur des roulettes, Lin Hong n'osait pas entamer son compte en banque : cet argent était destiné à soigner Song Gang, et aussi à lui servir de bâton de vieillesse. Elle savait que Song Gang n'avait pas l'étoffe d'un commerçant et redoutait qu'un beau jour il ne réapparaisse les mains vides. Liu le Fumeur se faisait menaçant à son égard, et elle était bien consciente que tôt ou tard il lui faudrait quitter la manufacture de tricots pour se retrouver au chômage. Elle n'en hésitait que plus à écorner son capital. Il lui était arrivé de s'attarder dans un magasin de prêt-à-porter et d'avoir un coup de cœur pour un vêtement qui lui allait à ravir, mais chaque fois elle s'était retenue de l'acheter.

Quand il passait devant chez elle, Li Guangtou, dès qu'il apercevait Lin Hong sur le pas de sa porte, faisait arrêter sa Santana. Il descendait la vitre et demandait si Song Gang était rentré. A chaque réponse négative, Li Guangtou s'exclamait : "Quel salopard !" Mais un jour, après avoir pris des nouvelles de Song Gang, il s'inquiéta subitement du sort de Lin Hong :

— Et toi, comment ça va ?

Lin Hong tressaillit. Li Guangtou n'ouvrait généralement la bouche que pour proférer des grossièretés, et cette douceur inattendue lui fit monter les larmes aux yeux.

Cet après-midi-là, Liu le Fumeur avait été clair et net : Lin Hong ferait partie de la prochaine charrette des licenciés dont la liste serait rendue publique une semaine plus tard. Voilà trois mois que Liu le Fumeur n'était pas retourné dans l'atelier, depuis ce fameux esclandre. Il s'était dirigé vers Lin Hong non plus comme un fantôme, mais en se pavanant, et il lui avait annoncé sa décision à voix basse. Il ne la toucha pas, mais lui conseilla froidement, si elle voulait éviter d'être mise à la porte, de venir le rejoindre dans son bureau en fin de journée. Lin Hong n'avait pas réagi, elle s'était simplement mordu les lèvres, et c'est encore en se mordant les lèvres qu'à la fin de la journée elle était rentrée chez elle sur sa vieille Forever. Puis elle s'était plantée sur le pas de sa porte, inerte comme un piquet, et quand Li Guangtou lui demanda "Et toi, comment ça va ?" elle éclata en sanglots. Tout en essuyant ses larmes, elle pensait à ce que lui avait fait subir Liu le Fumeur.

La voiture avait déjà redémarré, quand Li Guangtou s'aperçut que Lin Hong pleurait. Il ordonna à son chauffeur de stopper, descendit en hâte du véhicule et courut vers elle :

— Il est arrivé quelque chose à Song Gang ?

Lin Hong secoua la tête. C'était la première fois qu'elle épanchait ce qu'elle avait sur le cœur. Tout en s'essuyant les yeux, elle implora Li Guangtou :

— Est-ce que tu ne pourrais pas dire au directeur Liu…

Li Guangtou regarda d'un air ahuri le triste visage de Lin Hong :

— Qui ça, Liu le Fumeur ?

Lin Hong fit oui de la tête, et après un moment d'hésitation elle continua, d'un ton plaintif :

— Est-ce que tu ne pourrais pas lui dire de me laisser tranquille…

— Putain, le salopard ! jura entre ses dents Li Guangtou, qui avait tout compris. Donne-moi trois jours, et d'ici là tout sera réglé.

Trois jours plus tard, un émissaire du gouvernement du district annonça la destitution du directeur Liu. Officiellement, on le rendait responsable des mauvais résultats enregistrés à la manufacture de tricots au cours des trois dernières années. Liu le Fumeur, la mine défaite, rangea ses affaires dans son bureau, puis il quitta la manufacture, l'air penaud. Il était révoqué avant même d'avoir eu le temps de publier la liste des personnels licenciés pour cause de compression. Pendant deux bonnes heures il n'alluma pas la moindre cigarette, et il n'avait pas non plus de cigarette entre les doigts quand il franchit la porte de la manufacture. Le vieux concierge certifia qu'il l'avait côtoyé pendant trente ans et que c'était la première fois qu'il ne lui voyait pas une cigarette à la main. Les ouvriers et les ouvrières de l'usine plaisantaient : il fallait vraiment que cet accro du tabac soit mal pour en oublier de fumer.

La première décision du nouveau directeur de la manufacture fut de transférer Lin Hong de l'atelier aux bureaux. Il l'accueillit avec un grand sourire et lui annonça discrètement que si elle n'aimait pas ce poste on pourrait l'affecter ailleurs, n'importe où dans la manufacture, à sa convenance.

Lin Hong ne s'attendait pas à un tel dénouement. Elle était stupéfaite de constater que Li Guangtou avait pu résoudre avec une facilité déconcertante un problème pour elle insoluble. Elle lui en était infiniment reconnaissante, et elle s'en voulait de l'avoir détesté autant jusque-là. Dans les jours qui suivirent, quand elle se tenait sur le pas de sa porte, elle ne savait plus si elle attendait un coup de fil de Song Gang ou bien le passage de Li Guangtou.

Quand le peintre russe fut parti, les masses de notre bourg des Liu comprirent que le portrait géant de Li Guangtou était achevé. On racontait qu'il l'avait accroché dans son bureau de cent mètres carrés ; que la toile était recouverte d'un drap de velours rouge ; et que, à part Li Guangtou lui-même, personne ne l'avait vu. A en croire les employés de la compagnie de Li Guangtou, leur patron comptait inviter une personnalité de premier plan pour dévoiler le tableau, et les pronostics allaient bon train. Au début, on misa sur Tao Qing, le chef du district. Cependant le tableau était enveloppé dans son drap de velours rouge depuis plus d'un mois, et Li Guangtou ne paraissait pas décidé à l'enlever. Pendant tout ce mois, Tao Qing resta cloué à son bureau, attendant du matin au soir que Li Guangtou lui téléphone pour l'inviter à inaugurer le tableau. Par la suite, les subordonnés de Li Guangtou répandirent un autre bruit : si Li Guangtou tardait à découvrir le tableau, c'était parce que sa nouvelle voiture ne lui avait pas encore été livrée, et que c'était avec elle qu'il comptait passer prendre ce personnage de premier plan. Les masses en inférèrent qu'il devait s'agir de quelqu'un de plus haut placé qu'un chef de district, sinon pourquoi Li Guangtou aurait-il tenu à aller le chercher avec une voiture neuve ? A partir de là, les rumeurs se déchaînèrent : il fut successivement question du maire de la municipalité et du gouverneur de la province. Après quoi d'aucuns prétendirent que cette grosse légume devait descendre de Pékin, et qu'il s'agissait peut-être d'un dirigeant du Parti et de l'Etat. Et, finalement, quelqu'un affirma sans ciller que Li Guangtou comptait inviter le secrétaire général des Nations unies pour procéder au vernissage. Parmi les masses, alors, on commença à guetter la télévision, les journaux et la radio, mais les jours filaient et on ne voyait rien, on ne lisait rien et on n'entendait rien à ce propos.

— Nulle part il n'est annoncé la visite du secrétaire général des Nations unies ! s'étonnaient les masses.

Et d'autres concluaient :

— C'est bien pour ça que Li Guangtou ne bouge pas !

D'aucuns voulurent se renseigner auprès de Liu l'Attaché de presse, lequel avait été promu P-DG adjoint. Les masses du bourg des Liu lui avaient d'abord donné du "monsieur le directeur Liu", mais celui-ci, craignant qu'on ne le soupçonne de vouloir se mettre sur un pied d'égalité avec "monsieur le directeur Li", avait exigé qu'on l'appelle "monsieur le P-DG adjoint Liu", ce que les masses, par commodité, avaient abrégé en "monsieur l'adjoint Liu". La bouche de M. l'adjoint Liu restait hermétiquement close comme si elle avait été protégée par un hymen. A tous ceux qui essayaient de lui tirer les vers du nez, qu'ils fussent amis ou parents, il répondait, la mine grave :

— Je n'ai pas de déclaration à faire.

Deux mois passèrent, et les deux voitures commandées par Li Guangtou arrivèrent, une Mercedes noire et une BMW blanche. Pourquoi en avait-il acheté deux d'un coup ? Li Guangtou proclama qu'il voulait se fondre dans la nature, il se déplacerait le jour dans sa BMW blanche, et la nuit dans sa Mercedes noire. Ce furent les premières voitures haut de gamme à faire leur apparition dans notre bourg des Liu. Quand la Mercedes noire et la BMW blanche se garèrent devant la compagnie de Li Guangtou, les masses firent cercle autour d'elles en s'extasiant. Les gens soutenaient mordicus qu'ils n'avaient jamais rien vu de plus noir que cette Mercedes, ni de plus blanc que cette BMW : la Mercedes était plus noire que les Noirs d'Afrique, et la BMW plus blanche que les Blancs d'Europe ; la Mercedes était plus noire que le charbon, et la BMW plus blanche que la neige ; la Mercedes était plus noire que l'encre noire qu'utilisent les écoliers, et la BMW plus blanche que le papier blanc qu'utilisent les écoliers. En résumé : la Mercedes était plus noire que la nuit, et la BMW plus blanche que la clarté du jour. La BMW plus blanche que tout fit deux tours pendant la journée dans notre bourg des Liu, et la Mercedes plus noire que tout fit deux tours pendant la nuit. Et ces quatre tours se firent sans Li Guangtou, avec le chauffeur tout seul au volant. Le chauffeur de la Santana avait été promu chauffeur de la Mercedes et chauffeur de la BMW. Quand il sortait une des deux voitures, il avançait une lippe méprisante, et les gens du bourg disaient de lui que si on le regardait sans faire attention on avait l'impression qu'il avait des hémorroïdes sur les lèvres.

Puisque la BMW blanche et la Mercedes noire de Li Guangtou étaient enfin là, les masses présumèrent que le gros bonnet qu'on attendait pour dévoiler le tableau n'allait pas tarder à surgir. Les spéculations reprirent concernant l'identité du mystérieux personnage. On se remit à lancer des noms, depuis celui du maire de la municipalité jusqu'à celui du secrétaire général des Nations unies, mais celui du chef de district Tao Qing ne fut plus prononcé.

Ce jour-là, au coucher du soleil, alors que Lin Hong, après avoir dîné seule, se tenait, toujours seule, sur le pas de sa porte, M. l'adjoint Liu apparut. Il s'approcha d'un pas pressé, suivi d'un homme qui portait sur l'épaule un tapis rouge roulé. L'homme avait trotté derrière M. l'adjoint Liu tout le long du chemin, et il était hors d'haleine. M. l'adjoint Liu fonça droit sur la maison de Lin Hong, en quelques enjambées il fut devant elle et il la pria, avec beaucoup de déférence, de se ranger sur le côté. Lin Hong, étonnée, s'écarta, tandis que M. l'adjoint Liu ordonnait à l'homme qui le suivait de dérouler par terre le tapis rouge, depuis la porte jusqu'à la chaussée. Les masses qui assistaient à cette scène en restèrent bouche bée, ne comprenant pas ce qui se tramait. Lin Hong était ébahie elle aussi. M. l'adjoint Liu s'adressa en souriant à Lin Hong comme il l'aurait fait devant des journalistes :

— M. le directeur Li vous prie de venir inaugurer son portrait.

Lin Hong ouvrait toujours de grands yeux, elle croyait avoir mal compris. Dans la foule muette d'étonnement qui l'entourait des cris finirent par s'élever comme dans un zoo. M. l'adjoint Liu baissa la voix et susurra à Lin Hong :

— Allez vite vous changer.

Lin Hong reprit ses esprits, elle comprenait maintenant ce qui était en train de se passer. Elle regardait, troublée, les gens massés autour d'elle, elle entendait le bourdonnement des voix, et il lui sembla que quelqu'un avait parlé d'un vilain petit canard transformé en cygne comme par enchantement. Elle sourit tristement et fixa M. l'adjoint

Liu, désemparée. Celui-ci la pressa à nouveau à voix basse d'aller se changer, mais elle vit seulement ses lèvres bouger et elle n'entendit rien de ce qu'il lui disait.

Lin Hong se tenait debout, dans le crépuscule de notre bourg des Liu. Elle paraissait être devenue insensible et promenait un œil vide sur les gens qui s'agglutinaient peu à peu dans la rue. L'espace d'un instant, ce fut comme si elle ne savait plus où elle en était. Elle réfléchit, sourcils froncés, et parvint enfin à rassembler ses idées. Elle secoua la tête, un peu mélancolique, et jeta un regard inquiet derrière elle. Elle ne vit pas Song Gang, mais seulement la porte entrebâillée de sa maison. Quand elle tourna de nouveau la tête vers la rue, elle entendit des exclamations dans la foule : une BMW blanche arrivait en roulant au pas, suivie d'une Mercedes noire.

— C'est Li Guangtou ! distingua-t-on dans le brouhaha.

C'était bel et bien Li Guangtou, il était venu avec ses deux voitures, car il avait à présent deux chauffeurs. La BMW blanche, qui ouvrait la marche, s'immobilisa devant le tapis rouge, et la Mercedes noire stoppa derrière elle. M. l'adjoint Liu se précipita pour ouvrir la portière, et Li Guangtou, en complet-veston et souliers de cuir, descendit en souriant du véhicule, une rose rouge à la main et une autre à la boutonnière. Li Guangtou s'approcha de Lin Hong, médusée. Quand il lui tendit la rose qu'il tenait à la main, ce rustre plein aux as avait des airs de gentilhomme. Il huma d'abord tout doucement le parfum de la rose, avant de la remettre à Lin Hong. Lin Hong regarda la rose en secouant la tête, Li Guangtou lui prit la main et la força à accepter la fleur. Il l'entraîna avec lui sur le tapis rouge jusqu'à la BMW, en la tirant par la main, et tel un gentilhomme l'invita d'un geste à monter dans la voiture. Lin Hong se retourna, inquiète, mais elle ne vit toujours que la porte entrebâillée, puis elle regarda les masses qui l'environnaient. Elle aperçut des visages bizarres et entendit des bruits de voix assourdissants. A ce moment-là, une idée claire traversa son esprit : il fallait qu'elle quitte ces lieux au plus vite. Elle s'engouffra donc dans la BMW. Comme elle n'avait jamais voyagé dans une automobile, elle n'entra pas dans la voiture en s'y asseyant, mais en grimpant sur la banquette à quatre pattes, et les masses la virent se glisser dedans les fesses en l'air, comme un chien dans un terrier. Li Guangtou, au contraire, après avoir adressé un signe aux masses, posa d'abord son postérieur dans la voiture, puis il se plia pour faire entrer le haut du corps.

M. l'adjoint Liu claqua la portière, et la BMW blanche démarra, suivie de près par la Mercedes noire. Son assistant roula le tapis rouge, le remit sur son épaule et tous deux s'en allèrent. Au moment où ils partaient, quelqu'un, dans la foule, interpella M. l'adjoint Liu :

— Quand elle aura inauguré le portrait, est-ce que Lin Hong va finir la nuit avec Li Guangtou ?

— Je n'ai pas de déclaration à faire, répondit M. l'adjoint Liu, sans même se retourner.

XLIII

La BMW blanche et la Mercedes noire remontèrent lentement la grande rue de notre bourg des Liu. Quand le soleil se fut couché et que ses dernières lueurs se furent éteintes, la BMW s'arrêta à l'angle de la rue. Li Guangtou déclara : "Il fait nuit." Il ouvrit la portière et descendit de la voiture en tirant Lin Hong par la main pour s'engouffrer avec elle dans la Mercedes noire qui était derrière, et se fondre ainsi dans la nuit tombante. Lin Hong, serrant dans sa main sa rose, ne savait toujours pas ce qui lui arrivait, et ne se rendit même pas compte qu'ils avaient changé de voiture, tandis que Li Guangtou, sans se départir de son sourire de gentleman, ne la quittait pas des yeux.

Sous le manteau de la nuit, la Mercedes noire s'engouffra dans la compagnie de Li Guangtou. Celui-ci sauta hors du véhicule et en fit le tour pour aller ouvrir la portière à Lin Hong et l'aider à descendre. Puis, comme l'eût fait un gentleman, il prit Lin Hong par la main et ils entrèrent dans le bureau brillamment éclairé. Ils s'assirent tous deux sur le canapé, Li Guangtou tenant toujours la main de Lin Hong :

— Voilà vingt ans que j'attendais ce jour, confia-t-il, ému, en regardant Lin Hong.

Lin Hong fixait Li Guangtou, l'air hagard, et souriait avec une prudente réserve. Li Guangtou lui prit la rose des mains et la jeta sur la petite table basse, puis il tendit ses deux mains et caressa le visage de Lin Hong. Lin Hong tremblait de tous ses membres, les mains de Li Guangtou glissèrent jusqu'à ses épaules, puis jusqu'à ses bras, et enfin il serra ses deux mains, en attendant que ses tremblements se calment. Il avait des millions de choses à dire à Lin Hong, mais il ne savait pas comment les formuler. Il secoua la tête d'un air malheureux :

— Je t'en prie, Lin Hong, il faut que tu comprennes…

Lin Hong le regarda, perplexe, se demandant ce qu'elle devait comprendre. Li Guangtou poursuivit, pitoyable :

— Je ne sais plus parler d'amour. Il faut que tu comprennes…

— Comprendre quoi ? murmura Lin Hong.

— Putain, pesta Li Guangtou, furieux contre lui-même. Je sais faire l'amour, mais je ne sais pas en parler.

Aussitôt, le brigand chez lui reprit le dessus. Tandis que Lin Hong l'observait avec stupéfaction, en se demandant ce qu'il voulait dire, il l'enlaça brusquement, tout en glissant une main dans sa culotte. Son geste avait été prompt comme la foudre, et Lin Hong, avant d'avoir eu le temps de dire "ouf", se retrouva plaquée sur le canapé, son pantalon sur les genoux. Elle essaya de retenir son vêtement des deux mains :

— Non, non, pas ça… supplia-t-elle en criant.

Li Guangtou était comme une bête sauvage. En moins de deux minutes, il avait ôté tous ses vêtements à Lin Hong, et en une minute il s'était lui-même déshabillé. Lin Hong tentait de repousser de ses bras et de ses jambes le corps nu de Li Guangtou, et elle appelait son mari d'un ton implorant :

— Song Gang, Song Gang…

Li Guangtou se coucha sur Lin Hong, il lui prit les poignets et lui écarta les cuisses en s'aidant de ses jambes :

— Song Gang, pardonne-moi ! cria-t-il.

Li Guangtou pénétra Lin Hong. Voilà plusieurs années que celle-ci n'avait pas été touchée par un homme, et l'assaut de Li Guangtou lui arracha d'abord un cri de surprise. Le plaisir inattendu qu'elle ressentit la mena au bord de l'évanouissement. Pendant que Li Guangtou allait et venait en elle, elle éclata en sanglots. Après une aussi longue période d'abstinence elle était comme une brindille sèche qui prend feu. Elle sanglotait sans savoir si c'était de honte ou de plaisir. Au bout d'une dizaine de minutes, ses sanglots se muèrent en gémissements, et Li Guangtou redoubla d'ardeur. Peu à peu, elle oublia le temps qui passait pour s'immerger totalement dans les spasmes qui la secouaient. Li Guangtou s'activa pendant plus d'une heure, et pendant cette heure Lin Hong éprouva des orgasmes tels qu'elle n'en avait jamais connus, trois orgasmes dont l'intensité alla crescendo. Si bien que son corps vibrait comme le moteur d'une Mercedes ou d'une BMW, et que ses cris étaient aussi sonores que le klaxon de ces deux voitures.

Quand ce fut fini, Lin Hong resta étendue sur le canapé, si fatiguée qu'elle ne parvenait plus à bouger. Li Guangtou, toujours sur elle, haletait. Lin Hong songeait qu'avec Song Gang les rapports n'avaient jamais duré plus de deux minutes. Quand il était en bonne santé, il s'en acquittait à la va-vite, et depuis qu'il était malade il ne faisait plus rien. Lin Hong caressa le corps de Li Guangtou :

— Je ne me doutais pas que c'était comme ça un homme, songea-t-elle.

Après être resté allongé sur elle pendant quelques minutes, Li Guangtou sauta à bas du canapé, tout fringant, et alla se doucher dans la salle de bains attenante au bureau. Quand il en ressortit après s'être rhabillé, il constata que Lin Hong s'était recouverte de ses vêtements. Il lui proposa d'aller prendre une douche à son tour, mais Lin Hong n'avait pas envie de bouger, et elle secoua la tête, sans force.

Li Guangtou n'insista pas, il s'assit dans son fauteuil, à son bureau, et passa plusieurs coups de téléphone. Il parlait bruyamment dans le combiné, et discutait seulement affaires. Pendant ce temps-là, Lin Hong, toujours enfouie sous ses vêtements, se remémorait vaguement tout ce qui venait d'arriver. Il y avait une véritable tempête sous son crâne, et ses pensées étaient aussi erratiques qu'un frêle esquif secoué par les vagues. Elle n'était sûre que d'une chose, tout s'était déroulé à la vitesse d'un éclair. Puis elle sentit une lumière aveuglante sur ses paupières, et elle prit conscience qu'elle était étendue toute nue sur le canapé de Li Guangtou. Elle se mit sur ses pieds en vacillant, enveloppée dans ses vêtements, et se rendit dans le cabinet de toilette d'un pas mal assuré, pour se doucher. Quand elle fut habillée, reprenant peu à peu ses esprits, elle se regarda dans le miroir, et elle rougit aussitôt. Elle hésitait, comme si elle n'osait pas sortir de la pièce, ne sachant comment affronter Li Guangtou.

Li Guangtou avait fini de passer ses coups de fil, il poussa la porte du cabinet de toilette et annonça à haute voix qu'il avait faim. Il prit Lin Hong par la main, et ils quittèrent le bureau. Ils avaient l'un et l'autre totalement oublié le tableau. Lin Hong, hébétée, monta avec Li Guangtou dans la Mercedes, et ils se rendirent dans un restaurant dépendant de la compagnie de Li Guangtou, où ils dînèrent dans un salon privé. Lin Hong mangea pour la première fois des ormeaux et des ailerons de requin. Elle en avait souvent entendu parler, et elle savait que pour en goûter ne fût-ce qu'une ou deux fois, son salaire de toute l'année à la manufacture de tricots aurait tout juste suffi. Pourtant, elle ne leur trouva aucun goût.

Lin Hong croyait qu'après le repas elle rentrerait chez elle. Elle ignorait que la soirée ne faisait que commencer. Après le dîner, Li Guangtou était encore en pleine forme, et il emmena Lin Hong dans un night-club, dépendant lui aussi de sa compagnie. Lin Hong, toujours dans un état second, se retrouva dans un salon privé de karaoké. Li Guangtou, très en verve, chanta trois chansons d'amour d'affilée, et invita Lin Hong à l'imiter. Lin Hong prétendit qu'elle ne savait pas chanter, alors Li Guangtou la plaqua sur le canapé et voulut à nouveau lui retirer son pantalon. Lin Hong essaya d'arrêter son geste, en le suppliant :

— Non, non, pas ça…

Li Guangtou hocha la tête :

— Je vais te retirer simplement une jambière…

Li Guangtou fit ce qu'il avait annoncé. Cette fois, Lin Hong n'appela pas Song Gang. Couchée de biais sur le canapé, elle enlaça Li Guangtou, et celui-ci s'agita encore plus d'une heure sur elle, tel un générateur d'électricité. Lin Hong, demeurée comme une terre aride pendant si longtemps, sentit à nouveau l'orgasme monter en elle, mais cette fois il ne se répéta pas. Puis, les jambes molles, elle sortit du night-club avec Li Guangtou, et le suivit machinalement jusque chez lui. Là, appuyés contre le lit, ils regardèrent un film de Hong Kong. Il était près de trois heures du matin, et Lin Hong, qui avait l'habitude de se coucher tôt, ne parvenait plus à garder les yeux ouverts. Li Guangtou la renversa, et voulut faire l'amour à nouveau. Elle ne le repoussa pas, elle se laissa faire. Cette fois-ci, elle n'eut pas d'orgasme mais ressentit quand même du plaisir. Simplement, elle avait de plus en plus mal. Quand enfin, au bout d'une heure, Li Guangtou eut terminé, elle ferma les yeux et s'endormit immédiatement. Elle ne dormait que depuis deux heures environ, quand Li Guangtou la réveilla : il s'était souvenu que son portrait n'avait toujours pas été dévoilé. Elle se résigna à se lever, et suivit Li Guangtou en chancelant jusqu'à son bureau, et là elle se réveilla complètement. Le bureau de Li Guangtou lui apparut pour la première fois dans toute sa majesté. Elle s'approcha du tableau géant, et arracha la pièce immense de velours rouge qui le recouvrait. Elle se rendit compte que le tableau occupait presque la totalité du mur. Dessus, on voyait se dresser la silhouette imposante de Li Guangtou, en complet-veston, qui souriait. Lin Hong observa le tableau, puis Li Guangtou. Au moment où elle disait que la peinture était très ressemblante, Li Guangtou la culbuta pour la quatrième fois sur l'étoffe de velours rouge tombée à terre, et la posséda pour la quatrième fois en dix heures. Lin Hong n'éprouva rien, si ce n'est de la douleur, une douleur cuisante, comme si Li Guangtou la lacérait. Elle serrait les dents en laissant échapper de temps en temps des petits cris que Li Guangtou prit pour des gémissements de plaisir. Rien ne semblait pouvoir arrêter Li Guangtou : au bout d'une heure, il ne donnait toujours pas de signes de fatigue, et Lin Hong, qui n'en pouvait plus, se mit à pousser des soupirs. Comme Li Guangtou s'en étonnait, elle lui avoua que la douleur était insupportable. Li Guangtou s'arrêta tout net, et il lui souleva les fesses pour constater que son vagin était rouge et enflé. Contre toute attente, il lui reprocha de ne pas s'être plainte plus tôt, assurant que s'il avait su qu'elle souffrait il ne l'aurait plus touchée, quitte à compromettre ses chances de remporter le prix Guinness. Là-dessus, il s'enveloppa avec Lin Hong dans le velours rouge, et l'invita à dormir. Et ils sombrèrent dans un profond sommeil. Ils dormirent jusqu'à midi, allongés sur le sol, et ce furent les coups frappés à la porte par M. l'adjoint Liu qui les réveillèrent.

— Qui est là ? C'est pour quoi ? hurla Li Guangtou.

M. l'adjoint Liu répondit d'une voix craintive qu'il n'était rien arrivé de grave, il s'inquiétait seulement de ne pas avoir vu M. le directeur Li de toute la matinée, et c'est pourquoi il s'était permis de frapper à la porte. "Hum", fit Li Guangtou, avant de s'écrier :

— Je vais très bien, je suis encore au lit, avec Lin Hong.

Lin Hong quitta la compagnie de Li Guangtou à midi. Li Guangtou voulut la faire raccompagner dans la BMW blanche, mais elle refusa : c'était trop voyant, et les masses du bourg risquaient d'en faire des gorges chaudes. Elle déclara qu'elle rentrerait à pied. Elle remonta lentement la grande rue, en direction de chez elle. Elle éprouvait une douleur à chaque pas. Elle ajoutait foi maintenant à la rumeur publique qui voulait que Li Guangtou fût une bête : toutes les femmes, en descendant de son lit, avaient le sentiment d'être des rescapées.

Quand Lin Hong arriva devant chez elle, ses voisins lui lancèrent des clins d'œil entendus. Elle feignit de ne rien voir et s'enferma dans l'appartement. Elle se coucha toute habillée et attendit ainsi jusqu'à la tombée de la nuit. Des pensées désordonnées l'agitaient. Elle se remémora longuement les événements de cette brève nuit, et chaque détail lui revenait clairement. Elle se rappelait aussi les vingt longues années vécues auprès de Song Gang. Song Gang était parti depuis plus d'un an, et maintenant que les kilomètres s'étaient accumulés entre eux, Lin Hong avait le sentiment que leur passé commun s'était éloigné en même temps. Tandis que la nuit qu'elle venait de vivre avec Li Guangtou, elle, était bien réelle. En pensant à Song Gang, Lin Hong fondit en larmes, mais elle comprenait au fond d'elle-même qu'après cette aventure d'une nuit avec Li Guangtou, elle était désormais liée à lui, quels que fussent les remords qu'elle en éprouvait.

Le scandale de la liaison entre Li Guangtou et Lin Hong fit immédiatement le tour de la ville. Les masses, par petits groupes, échangeaient leurs commérages. Li Guangtou avait époustouflé son monde quatre fois de suite : au moment de son procès, quand il avait organisé le Grand Concours des miss vierges, lorsqu'il avait commandé son portrait à un grand peintre russe, et maintenant en le faisant inaugurer par Lin Hong. Grâce à lui, les masses avaient une existence trépidante, et chaque jour leur paraissait aussi neuf que le soleil se levant à l'horizon. Toutefois, même en rêve, ils n'auraient jamais imaginé qu'à la place du secrétaire général des Nations unies, ce serait l'ancienne beauté de notre bourg des Liu, Lin Hong, qui dévoilerait le portrait de Li Guangtou. Les gens parlèrent d'abord de coup de théâtre, puis, à la réflexion, ils se dirent que tout cela était normal : après tout, c'était à cause de cette fille-là que Li Guangtou, dans un accès de colère, était allé se faire vasectomiser à l'hôpital, renonçant ainsi à toute postérité. Et à présent, il avait réussi à mettre Lin Hong dans son lit en prétextant l'inauguration de son tableau, réalisant ainsi le même coup que Xiang Zhuang qui sous couvert d'exécuter la danse du sabre avait tenté d'assassiner le duc de Pei[1] ! En organisant cette mise en scène fracassante, Li Guangtou avait été fidèle à sa devise : “Là où je tombe, je me relève.” Et il avait fini par atteindre son but. De sorte que les masses en conclurent, avec la mine des gens avertis :

— C'était inattendu, et pourtant dans l'ordre des choses.

XLIV

Li Guangtou accorda quatre jours de répit à Lin Hong. Au vrai, dès le soir du troisième jour, celle-ci ne tenait plus en place, elle se tournait et se retournait dans son lit, brûlant de sentir le corps de Li Guangtou contre le sien. Elle avait été mariée avec Song Gang pendant vingt ans, et ses sens étaient restés en sommeil pendant vingt ans. A présent qu'elle avait dépassé la quarantaine, sa sensualité, réveillée par Li Guangtou, commençait à déferler comme une vague impétueuse. Elle s'était enfin découverte elle-même. Elle connaissait désormais la force de ses désirs. Le soir du quatrième jour, quand la Mercedes noire de Li Guangtou se gara devant la porte de chez elle, le son du klaxon la fit trembler d'excitation. Elle sortit de la maison, les jambes flageolantes, et s'engouffra dans la voiture.

Dans les temps qui suivirent, la Mercedes ou la BMW de Li Guangtou vint chaque jour chercher Lin Hong à son domicile et la raccompagner. Tantôt c'était la BMW qui venait pendant la journée, tantôt c'était la Mercedes qui venait au milieu de la nuit. Li Guangtou était pris par de multiples occupations, mais dès qu'il avait un moment de libre, il en profitait pour s'ébattre avec Lin Hong. Lin Hong avait perdu sa timidité, elle serrait Li Guangtou par le cou comme si elle avait voulu l'étrangler, et elle s'enhardit même jusqu'à lui ôter ses vêtements. Li Guangtou ne s'attendait pas à la trouver si ardente :

— Putain, tu es encore plus chaude que moi ! s'étonna-t-il.

Lin Hong, instruite par l'expérience du premier soir, savait qu'elle ne supporterait pas les assauts répétés de Li Guangtou, et elle lui imposa ses conditions : pas plus de deux fois en vingt-quatre heures, et si possible une seule.

— Laisse-moi vivre quelques années de plus, dit-elle, pour la plus grande joie de Li Guangtou.

Au cours des trois mois qui suivirent, Lin Hong faisait l'amour presque quotidiennement avec Li Guangtou, sur le lit de Li Guangtou, sur le canapé du bureau de Li Guangtou, dans un salon privé de son restaurant, dans un salon privé de son night-club, et même une fois, à une heure avancée de la nuit, dans la Mercedes : Li Guangtou, pris d'une fantaisie subite, avait voulu la posséder sur-le-champ sans attendre d'arriver jusqu'à son lit ou jusqu'au canapé de son bureau. Il avait envoyé son chauffeur aux toilettes, avec consigne d'y rester une heure et demie, même s'il n'avait rien à y faire. Et Lin Hong et lui s'étaient étalés dans la voiture où leurs ébats bruyants avaient duré une heure.

Au bout de trois mois à ce rythme effréné, Li Guangtou et Lin Hong se sentirent subitement blasés. Ils avaient essayé toutes les positions, dans tous les lieux possibles et imaginables : sur le lit, sur le canapé, par terre, dans la baignoire, dans la voiture, debout, assis, à genoux, sur le dos, sur le ventre, devant, derrière, à gauche, à droite. Et Lin Hong avait poussé tous les cris possibles et imaginables. Maintenant que l'attrait du neuf avait disparu, Li Guangtou s'était mis à penser avec nostalgie au passé. Il déclara à Lin Hong que son souhait le plus cher aurait été de faire l'amour avec elle vingt ans auparavant, et il lui avoua qu'à l'époque, dès que la nuit tombait, il se masturbait frénétiquement en visualisant deux ou trois parties de son corps :

— Sais-tu combien de fois dans l'année, je me masturbais en pensant à toi ?

— Non, dit Lin Hong, en secouant la tête.

— Trois cent soixante-cinq jours sur trois cent soixante-cinq. Je ne faisais jamais relâche, même le jour de l'An ou les jours de fête.

Puis Li Guangtou fixa Lin Hong avec des yeux brillants :

— En ce temps-là, tu étais vierge !

Après s'être ainsi exclamé trois fois, Li Guangtou décida d'envoyer Lin Hong se faire restaurer l'hymen dans un grand hôpital de Shanghai. Quand elle serait redevenue vierge, il ferait l'amour avec elle comme il aurait rêvé de le faire vingt ans plus tôt. Et ensuite ils cesseraient d'être amants.

— Alors, je te rendrai à Song Gang ! ajouta Li Guangtou, avec un geste de la main.

Lin Hong savait que l'heure de leur séparation était proche, et tout à coup elle se sentit perdue. Dans la frénésie de Li Guangtou elle avait pleinement satisfait sa propre frénésie, au cours de cette période son cœur et son corps s'étaient éloignés l'un de l'autre, et la distance entre eux était devenue un abîme. Chaque jour, son cœur songeait à Song Gang, mais son corps se languissait de Li Guangtou. Elle se demandait comment elle parviendrait à passer les longues nuits sans avoir auprès d'elle la force de Li Guangtou. La sensualité de Lin Hong était comme ces feux de forêt qui sont difficiles à éteindre. Elle devinait avec tristesse qu'elle serait incapable désormais de renouer avec son ascétisme d'autrefois, et elle se haïssait pour cela. Mais elle ne pouvait rien faire contre.

Lin Hong avait le vague pressentiment que Song Gang serait bientôt là. Un mois auparavant Zhou You, avec qui il était parti, avait brusquement refait son apparition à la boutique de *dim sum* de Su Mei. Lin Hong avait appris la nouvelle, et elle l'avait vu de ses propres yeux. Elle en avait eu un choc. Elle avait voulu s'approcher de lui pour s'informer de Song Gang, mais la BMW blanche de Li Guangtou arrivait au même instant, et le courage lui avait manqué. Plus tard, elle avait envoyé M. l'adjoint Liu se renseigner auprès de Zhou You, et c'est ainsi qu'elle avait appris que Song Gang ne reviendrait pas dans l'immédiat : il continuait à vendre des produits d'hygiène sur l'île de Hainan, et Zhou You avait ajouté qu'il gagnait beaucoup d'argent et qu'il n'était donc pas pressé de rentrer.

Lin Hong n'en était pas moins mal à l'aise, elle vivait dans la crainte d'un retour inopiné de Song Gang, et cette crainte refroidissait ses ardeurs. Dès qu'elle songeait à Song Gang, elle avait les larmes aux yeux, elle éprouvait de la culpabilité vis-à-vis de lui et ne désirait plus autant Li Guangtou. Ces trois mois qu'ils avaient passés ensemble lui paraissaient suffisants. Quand Song Gang serait là, elle redoublerait d'amour pour lui. Elle connaissait son époux, elle savait qu'il n'y avait pas d'homme meilleur que lui au monde, et que, quelles que soient ses fautes à son égard, il l'aimerait comme avant. Et c'est pourquoi, soucieuse de mettre fin à sa liaison avec Li Guangtou avant que Song Gang ne soit de nouveau là, elle accepta immédiatement d'aller subir à Shanghai l'intervention chirurgicale que Li Guangtou lui proposait.

Le lendemain, Li Guangtou et Lin Hong se rendirent à Shanghai dans la BMW. Li Guangtou, qui avait des contrats à conclure à Pékin et dans le Dongbei[1], devait s'absenter pendant quinze jours. Sachant que l'opération de réfection de l'hymen ne prenait pas plus d'une heure, il pria Lin Hong de l'attendre à Shanghai et laissa sa voiture et son chauffeur à sa disposition, pour qu'elle puisse s'amuser pendant son séjour et courir les magasins.

C'était en octobre, à l'époque où les arbres jaunissent, que Zhou You était réapparu dans notre bourg des Liu. Comme lors de sa première visite au bourg, il avait quitté la gare routière en portant deux gros cartons, mais cette fois ils ne contenaient pas des hymens artificiels, ils étaient pleins de jouets d'enfant. Il héla un cyclopousse et prit place dessus, avec la mine du lettré qui rentre au pays en habits de brocart. Tout le long du chemin, il dévisagea les hommes et les femmes du bourg :

— Ça n'a pas beaucoup changé, ce sont toujours les mêmes têtes, confia-t-il, dépité, au conducteur.

Quand le cyclopousse arriva devant la boutique de *dim sum* de Su Mei, Zhou You en descendit, il paya la course et donna 3 yuans de pourboire au conducteur pour qu'il porte à sa place les deux gros cartons. Zhou You entra d'un pas majestueux dans la boutique et, avisant Su Mei assise derrière sa caisse, il l'interpella chaleureusement, comme s'il n'avait pas disparu de la circulation pendant plus d'un an et qu'il rentrait simplement d'un déplacement de quatre ou cinq jours :

— Ma chère femme, me revoilà.

Su Mei devint blême, comme saisie de frayeur. Quand elle vit Zhou You s'approcher d'elle d'un air dégagé, elle quitta sa caisse en tremblant et se réfugia dans la cuisine. Zhou You se retourna en souriant et jeta un regard circulaire sur les clients qui dégustaient des petits pains à la vapeur en le fixant bouche bée :

— Comment les trouvez-vous ? leur lança-t-il, comme s'il avait été le patron de la boutique.

Puis il aperçut la mère Su, atterrée, qui tenait dans ses bras un bébé de quatre ou cinq mois. Il se dirigea en souriant vers elle, et l'apostropha affectueusement :

— Maman, me revoilà.

La mère Su tremblait autant que sa fille. Sans lui laisser le temps de réagir, Zhou You lui prit l'enfant des bras, couvrit celui-ci de baisers et lui glissa tendrement :

— Alors, fifille, papa t'a manqué ?

Zhou You demanda au conducteur du cyclopousse d'ouvrir les deux cartons et d'étaler tous les jouets sur une table. Il posa sa fille au milieu des jouets et commença à s'amuser avec elle comme s'ils étaient seuls. La brave mère Su voyait avec stupéfaction Zhou You frayer tranquillement avec les clients de la boutique, lesquels venaient de comprendre qui avait engrossé Su Mei. Les gens s'esclaffaient et parlaient avec animation. Ils montrèrent le bébé, qui jouait sur la table :

— C'est votre fille ?

— Evidemment, répondit Zhou You avec aplomb.

Les gens échangèrent des regards et poursuivirent :

— Su Mei et vous, vous vous êtes mariés ?

— Evidemment, répondit Zhou You avec le même aplomb.

— Quand ça ? ajoutèrent les masses, qui voulaient tout savoir.

— Avant, répliqua laconiquement Zhou You.

— Avant ! s'étonnèrent les masses. Comment se fait-il que nous n'ayons pas été au courant ?

— Vous n'allez pas me raconter que vous ne le saviez pas ! rétorqua Zhou You, affichant lui aussi un air consterné.

Tout en faisant rire le bébé aux éclats, notre charlatan entortillait les masses dans ses discours, si bien que d'aucuns finirent par y ajouter foi :

— Ils sont vraiment mariés, se disaient-ils entre eux.

La mère Su n'arrêtait pas de secouer la tête : quel fieffé menteur que ce Zhou You ! Su Mei n'était toujours pas ressortie de la cuisine. Quand, à la nuit tombée, elle entendit Zhou You pérorer dans la salle avec les masses du bourg des Liu, elle eut honte de se montrer. Elle s'esquiva donc par la porte de derrière, et regagna ses pénates en catimini. A onze heures du soir, à l'heure de la fermeture de la boutique, Zhou You prit dans ses bras sa fille endormie et suivit tranquillement la mère Su jusque chez elle. Tout le long du chemin, il lui parla avec chaleur. La mère Su baissait la tête en silence. Elle essaya plusieurs fois de reprendre sa petite-fille des mains de Zhou You, mais celui-ci l'en empêcha poliment :

— C'est moi qui m'en occupe, maman.

Quand Zhou You, sa fille dans les bras, fut arrivé chez la mère Su, celle-ci ne ferma pas la porte immédiatement. Elle regarda Zhou You d'un air hésitant, mais n'eut finalement pas le cœur de le chasser. Zhou You s'incrusta trois jours de suite, dormant sur le canapé du salon, et tant qu'il fut là Su Mei refusa de quitter sa chambre. A voir la bonne humeur de Zhou You, on aurait cru qu'il ne s'était rien passé : le matin, il sortait avec la mère Su et l'accompagnait jusqu'à la boutique, et tard dans la soirée il rentrait avec elle au logis. Pendant ces trois jours, Su Mei n'alla pas à la boutique, elle resta à la maison avec le bébé. Zhou You se montra très discret, et bien qu'il n'eût pas vu sa fille pendant trois jours, car à l'heure où il rentrait l'enfant était dans la chambre de Su Mei, il ne se plaignit pas. Il allait se coucher de lui-même sur le canapé. Le soir du quatrième jour, la mère Su pénétra dans la chambre de sa fille et, après s'être assise au bord de son lit, elle finit par lui dire doucement au bout d'une demi-heure environ cette simple phrase :

— Ton homme a sans doute des torts envers toi, mais lui au moins, il est revenu.

Etendue sur le lit, Su Mei se mit à pleurer. La mère Su poussa un soupir, elle prit dans ses bras sa petite-fille qui dormait profondément et sortit de la chambre. Elle s'approcha de Zhou You, déjà allongé sur le canapé. Celui-ci se leva d'un bond et voulut prendre le bébé. La mère Su secoua la tête et lui désigna la chambre de Su Mei. Zhou You s'aperçut que la porte était entrebâillée. Il déposa un baiser sur la joue de sa fille et entra solennellement dans la chambre de Su Mei. Il referma la porte et, comme s'il avait dormi dans cette pièce tous les soirs, il se dirigea sans hésiter vers le lit, se glissa sous la couverture et éteignit la lumière. Su Mei lui tournait le dos. Il se coucha tranquillement sur le côté et la prit dans ses bras. Su Mei résista un peu avant de se laisser faire. Quand il l'eut prise dans ses bras, il n'entreprit rien d'autre, et se contenta de dire sobrement :

— Désormais les déplacements, pour moi, c'est fini.

XLV

Song Gang continua à errer dans l'automne de l'île de Hainan. Il partait tôt le matin, en emportant ce qui lui restait de flacons de gel pour les seins, et rentrait tard le soir. Depuis qu'il ne travaillait plus en tandem avec Zhou You, Song Gang était déboussolé. Il n'avait plus le courage d'ouvrir sa chemise pour montrer ses faux seins, et se tenait debout au bord de la rue, le regard fixe, comme un arbre silencieux, ses flacons de gel Bimbo alignés sur le carton. Les passants des deux sexes le regardaient avec étonnement, ils regardaient cet homme aux seins proéminents, qui attendait, planté là, heure après heure, apparemment immobile. Des femmes s'approchaient de lui et se penchaient pour examiner les flacons. Elles en prenaient un dans leur main pour voir de plus près, et devant la poitrine avantageuse de Song Gang, qui gonflait sa chemise, elles se cachaient la bouche pour rire. Elles n'osaient pas interroger Song Gang, et se contentaient de jeter alternativement des coups d'œil sur les flacons de gel Bimbo et sur les gros nichons de Song Gang, en cherchant à faire le lien entre les uns et les autres :

— Vous vous en êtes servi ? demandaient-elles prudemment, en levant le flacon qu'elles avaient dans la main.

Song Gang rougissait et, par réflexe, il tournait la tête pour chercher Zhou You. Mais autour de lui, il n'y avait que des visages inconnus, et il était contraint de répondre à la question à laquelle c'était habituellement Zhou You qui répondait. Il hochait la tête, mal à l'aise, et disait dans un murmure :

— Hmm.

Les femmes montraient du doigt sa poitrine puis le flacon de gel, et insistaient :

— Ils sont devenus comme ça grâce à ça ?

Song Gang baissait la tête, gêné, et répétait, d'une voix toujours aussi basse :

— Hmm.

La timidité de Song Gang toucha nombre de femmes. Elles lui trouvaient l'air honnête et digne de confiance. C'est pourquoi, bien que Zhou You ne fût plus là pour faire son boniment, le stock de flacons de gel Bimbo continua de diminuer. Les hommes, eux, n'étaient pas aussi allusifs que les femmes dans leurs propos. La poitrine saillante de Song Gang leur faisait l'effet d'un excitant : ils collaient quasiment leurs yeux dessus comme sur un microscope, puis, après s'être reculés, ils pointaient deux doigts sur le torse de Song Gang :

— Ces deux trucs, ce sont tes pectoraux ou bien ce sont des seins comme ceux des femmes ?

Song Gang, à nouveau, chercha Zhou You machinalement, mais celui-ci dormait maintenant dans le lit de Su Mei, et avait entamé avec elle une vie conjugale normale. Song Gang était seul au monde à l'autre bout de la Chine, et il devait supporter, cramoisi, les commentaires des autochtones. Il ne savait pas quoi répondre. Heureusement quelqu'un, croyant faire le malin, prit la parole à sa place :

— Je crois que j'ai compris, lança l'homme en brandissant un flacon de gel. Tes deux machins, là, avant c'étaient des pectoraux ; après tu t'es passé ce gel… “Bim… bo…”, et alors ils se sont transformés en seins de femmes.

Au milieu d'une tempête de rires, Song Gang, sans se départir de sa timidité, inclina la tête légèrement et acquiesça d'une petite voix :

— Hmm.

Après le départ subit de Zhou You, Song Gang erra encore pendant plus d'un mois à Hainan. Une membrane fibreuse s'était formée sur ses deux seins artificiels, qui commençait à durcir, sans que Song Gang en sache la raison. Il constatait simplement que ses seins devenaient peu à peu aussi durs que des pierres. En même temps, sa maladie pulmonaire regagna du terrain. Alors qu'il ne toussait plus, comme il avait cessé de suivre son traitement et que depuis très longtemps il s'épuisait dans des déplacements incessants, Song Gang se sentait souvent terriblement oppressé et il n'était pas rare qu'il se réveillât en pleine nuit, secoué par une quinte de toux. Il n'avait pas peur pour sa santé, il s'inquiétait pour l'avenir. Dans le carton, le stock de gel diminuait régulièrement, et il finit pas n'en plus rester que cinq flacons. Song Gang se tourmentait : qu'allait-il bien pouvoir vendre quand cette marchandise serait épuisée ? Sans Zhou You, il n'avait plus de mentor pour le guider dans cette existence vagabonde et il ressemblait à une feuille détachée de la branche qui se laisse emporter par le vent. Il avait fait l'expérience de la solitude. Il n'avait, pour l'accompagner, que la Lin Hong de sa photo. Cette photo, où on les voyait tous les deux, Lin Hong et lui, il ne s'en séparait jamais, même s'il n'osait plus la sortir. Il mourait d'envie de rentrer à la maison, mais il n'avait pas encore gagné assez d'argent, pas assez en tout cas pour assurer les vieux jours de Lin Hong. Il était condamné à poursuivre son errance, telle une feuille solitaire.

Song Gang s'était posté sur la place d'une petite ville, et s'efforçait d'écouler ses cinq derniers flacons. Un homme d'une cinquantaine d'années s'égosillait d'une voix éraillée pour vendre sa coutellerie. Il avait étalé par terre, sur une seule ligne, une dizaine d'instruments différents : des couteaux à légumes, des hachoirs, des couteaux à peler les fruits, des canifs à tailler les crayons, et aussi des baïonnettes, des poignards à lancer et des dagues. Brandissant un hachoir, il criait :

— Ce hachoir a été fondu avec de l'acier au tungstène. Il peut couper de l'acier au carbone, de l'acier matrice, de l'acier inoxydable, de l'acier fondu et des alliages au titane. Il tranche parfaitement, sans s'abîmer…

Là-dessus, il s'accroupit pour faire une démonstration. D'un seul coup, il sectionna un fil de fer épais, puis il se releva et, décrivant un arc de cercle devant la foule, il exhiba l'instrument pour que chacun vérifiât que la lame était intacte. Quand l'assistance eut constaté la chose, il s'accroupit à nouveau, retroussa son pantalon, et, comme s'il se rasait, coupa quelques poils de sa jambe avec le même hachoir. Après quoi, il refit un tour devant la foule, en serrant ostensiblement dans ses doigts la touffe de poils :

— Vous avez vu ? demanda-t-il de sa voix éraillée. C'est un couteau précieux, comme dans les vieilles légendes. Il coupe le fer comme de la terre, il sectionne un cheveu dans un souffle…

Puis il commença à expliquer :

— Qu'est-ce que l'acier au tungstène ? C'est le métal le plus dur et le plus rare au monde. On s'en sert non seulement en coutellerie, mais aussi en horlogerie. Une montre au tungstène vaut encore plus cher qu'une montre en or. Les deux "Ni" suisses et les Yibo chinoises sont des montres en acier au tungstène…

— Ces deux "Ni" suisses et ces Yibo chinoises, c'est quoi ? s'enquit l'assistance.

— Les deux “Ni” suisses, ce sont les Ge*nie* et les Rossi*ni*, ce sont des montres connues dans le monde entier, expliqua l’homme en essuyant la salive aux coins de sa bouche. Quant à la Yibo, c’est une grande marque chinoise.

Cet après-midi-là, Song Gang vendit trois flacons de gel. Comme il était dans un coin éloigné de la place, il ne distinguait pas clairement le visage de l’homme, mais il l’entendit s’égosiller de sa voix éraillée pendant trois heures, et il eut l’impression que l’autre n’avait fourgué tout au plus que cinq ou six couteaux. L’homme remballa sa marchandise dans un sac de toile qu’il jeta sur son épaule, et il marcha en direction de Song Gang dans un cliquetis de métal. Tandis qu’il passait devant lui, son attention fut attirée par ses seins proéminents, il vint voir de plus près et leva la tête vers Song Gang avec une expression de stupéfaction :

— Pourtant, y a pas à dire, tu es un homme…

Song Gang était habitué à ce genre de commentaires. Il regarda l’homme en souriant, puis tourna la tête et fixa un point dans le lointain. Brusquement, il eut l’impression que cette figure ne lui était pas inconnue, mais lorsque ses yeux revinrent vers l’homme, celui-ci s’était déjà éloigné en riant. L’homme avait déjà parcouru une dizaine de mètres quand il s’arrêta. Il se retourna et dévisagea Song Gang :

— Song Gang ? lança-t-il prudemment.

La mémoire revint à Song Gang d’un coup, et il laissa échapper un cri :

— Tu es Guan les Ciseaux le Jeune !

Nos deux compatriotes du bourg des Liu, perdus au bout du monde, s’étaient retrouvés dans cette contrée étrangère. Guan les Ciseaux le Jeune s’approcha de Song Gang et l’examina avec autant d’attention que s’il vérifiait le fil d'un couteau. Il scruta son visage, puis ses faux seins. Il se retint de justesse de faire des commentaires à propos des seins, et il se contenta de cette remarque au moment où il revenait sur le visage :

— Song Gang, tu as vieilli.

— Toi aussi.

— Ça fait plus de dix ans, dit Guan les Ciseaux le Jeune, avec un sourire désabusé. Voilà plus de dix ans que je n'avais pas croisé quelqu'un du bourg des Liu. Si je m'attendais à tomber sur toi aujourd'hui ! Et toi, ça fait combien de temps que tu es parti ?

— Plus d'un an, répondit Song Gang, d'une voix pleine de mélancolie.

— Pourquoi es-tu parti ? demanda Guan les Ciseaux le Jeune en secouant la tête. Pour quoi faire ?

— Produits d'hygiène, articula péniblement Song Gang.

Guan les Ciseaux le Jeune prit les deux derniers flacons de gel sur le carton, il jeta un coup d'œil dessus et ne put s'empêcher de regarder les faux seins de Song Gang. Celui-ci rougit, et confia à voix basse à Guan les Ciseaux le Jeune :

— Ce sont des faux.

Guan les Ciseaux le Jeune hocha la tête pour signifier qu'il avait compris, et prenant Song Gang par le bras il lui proposa de venir visiter la maison qu'il louait provisoirement ici. Song Gang fourra les deux flacons qui restaient dans la poche de son pantalon, puis Guan les Ciseaux le Jeune et lui marchèrent pendant longtemps, et au coucher du soleil ils arrivèrent dans un endroit en dehors de la ville où vivaient plein de travailleurs migrants. Guan les Ciseaux le Jeune entraîna Song Gang sur un chemin de terre cabossé, bordé de part et d'autre de petites masures. Du linge pendait devant les maisons, des femmes cuisinaient devant leur porte, sur des réchauds, tandis que les hommes, debout, fumaient en discutant entre eux nonchalamment, et que les enfants couraient dans tous les sens, tous plus sales les uns que les autres. Guan les Ciseaux le Jeune expliqua à Song Gang qu'il déménageait presque tous les mois, car sinon il ne parviendrait pas à vendre ses couteaux. Il avait justement prévu de s'en aller le lendemain pour s'installer ailleurs. Ils étaient maintenant en face d'une bicoque devant laquelle une femme au teint noiraud d'une quarantaine d'années était en train d'étendre son linge :

— On part demain, qu'est-ce qui t'a pris de faire la lessive ? lui cria Guan les Ciseaux le Jeune.

La femme se retourna et répliqua sur le même ton :

— C'est justement parce qu'on part demain que j'ai fait la lessive aujourd'hui.

Guan les Ciseaux le Jeune était agacé :

— On prend l'autocar aux aurores. Si le linge n'est pas sec, qu'est-ce qu'on va faire ?

Sans se laisser démonter, la femme rétorqua :

— Tu n'auras qu'à partir tout seul, et moi j'attendrai que le linge ait fini de sécher.

— Putain, jura Guan les Ciseaux le Jeune, je devais être aveugle le jour où je t'ai épousée.

— C'est plutôt moi qui devais être aveugle quand je t'ai épousé, rétorqua la femme.

Guan les Ciseaux le Jeune expliqua à Song Gang, d'un ton irrité :

— C'est mon épouse.

Song Gang fit un signe de tête à la femme en souriant. Celle-ci fixa d'un air étonné la paire de seins qui pointait sur son buste.

— C'est Song Gang, un pays à moi, dit Guan les Ciseaux le Jeune en montrant Song Gang du doigt.

Et comme les yeux de sa femme étaient toujours rivés sur la poitrine de Song Gang, il s'énerva :

— Qu'est-ce que tu mates comme ça ? Ce sont des faux, c'est pour les besoins du commerce.

La femme de Guan les Ciseaux le Jeune comprit, elle hocha la tête et sourit à Song Gang. Guan les Ciseaux le Jeune entraîna Song Gang à l'intérieur de la maison, qui mesurait environ dix mètres carrés. Elle était meublée uniquement d'un grand lit, d'une armoire, d'une table et de quatre chaises. Guan les Ciseaux le Jeune se déchargea de son sac et le posa dans un angle de la pièce. Il invita Song Gang à s'asseoir et en fit autant, puis il cria à sa femme, qui était toujours dehors :

— Dépêche-toi de nous préparer à manger…

— Tu n'as pas vu que j'étais en train d'étendre le linge ? répondit la femme, en criant elle aussi.

— Putain, explosa Guan les Ciseaux le Jeune, qui continua à crier : Ça fait plus de dix ans que je n'ai pas vu Song Gang. Dépêche-toi, cours acheter une bouteille d'alcool, et achète aussi un poulet et un poisson…

— Que je me dépêche ? Pfft. Et c'est toi qui vas étendre le linge à ma place ?

Guan les Ciseaux le Jeune frappa brutalement du poing sur la table, et remarquant l'air gêné de Song Gang, il secoua la tête :

— Saloperie.

La femme avait fini d'étendre son linge, elle retira son tablier et le posa sur le rebord de la fenêtre, tout en insultant à son tour son mari :

— Saloperie toi-même.

— Putain. (Guan les Ciseaux le Jeune regarda son épouse s'éloigner, et se retourna vers Song Gang.) Ne nous occupons plus d'elle.

Puis Guan les Ciseaux le Jeune s'enquit avidement auprès de Song Gang de ce qu'étaient devenus les gens du bourg : Li Guangtou, Yu l'Arracheur de dents, Wang les Esquimaux, Tong le Forgeron, Zhang le Tailleur, la mère Su… Song Gang donna lentement des nouvelles de tout le monde, en entrelardant son récit d'épisodes qui le concernaient plus directement. Sur ces entrefaites, l'épouse de Guan les Ciseaux le Jeune revint avec de l'alcool, du poisson et de la viande. Elle posa l'alcool sur la table, remit son tablier et prépara le repas sur le réchaud installé dehors. Guan les Ciseaux le Jeune dévissa le bouchon de la bouteille et, s'apercevant qu'il n'y avait pas de verres, il cria à nouveau :

— Et les verres ? Putain, apporte vite des verres.

— Tu es manchot ? cria la femme. Va les chercher toi-même.

— Putain.

Et tout en jurant, Guan les Ciseaux le Jeune se leva et alla chercher deux verres, les remplit d'alcool, et but une gorgée sans attendre. Il s'essuya la bouche et, remarquant que Song Gang n'avait pas pris son verre, il lui dit :

— Bois.

Song Gang secoua la tête :

— Je ne bois pas d'alcool.

— Bois, ordonna Guan les Ciseaux le Jeune.

Là-dessus, il leva son verre en attendant que Song Gang prenne le sien. Song Gang fut obligé de trinquer. Il trempa ses lèvres dans l'alcool. L'alcool lui brûla la gorge et il se mit à tousser. Ce soir-là, c'était la première fois qu'il en buvait. Guan les Ciseaux le Jeune vida les deux tiers de la bouteille, et Song Gang avala le reste. Les deux hommes discutaient tout en buvant, et leurs paroles coulaient sans interruption comme les eaux d'une rivière. En apprenant que Li Guangtou était devenu un nabab, que Yu l'Arracheur de dents et Wang les Esquimaux s'étaient enrichis grâce à lui, que Tong le Forgeron était lui-même sur le chemin de la fortune, et que Zhang le Tailleur et la mère Su vivaient de mieux en mieux, Guan les Ciseaux le Jeune hochait la tête et souriait tranquillement : après toutes les épreuves qu'il avait endurées, il n'éprouvait plus de ressentiment, plus de jalousie. Puis Song Gang évoqua avec précaution Guan les Ciseaux l'Ancien : il déclara qu'il ne l'avait pas vu depuis plusieurs années et qu'il croyait savoir qu'il était grabataire. Des larmes perlèrent aux coins des yeux de Guan les Ciseaux le Jeune. Il se rappela que quand il avait quitté le bourg des Liu, la fleur au fusil, son vieux père, appuyé sur sa canne, l'avait poursuivi de ses cris. Il s'essuya les yeux :

— N'en dis pas plus. J'ai trop honte, je n'aurai jamais le courage d'aller le voir.

Song Gang raconta comment lui-même s'était retrouvé au chômage, comment il avait cherché partout du travail, comment il s'était esquinté les poumons et comment il était parti à l'aventure en compagnie d'un dénommé Zhou You. A présent, Zhou You était reparti au bourg des Liu, et lui continuait à errer, tandis que Lin Hong, restée seule là-bas, attendait tous les jours son retour. Guan les Ciseaux le Jeune ne cessait de soupirer. Touché par cette histoire qui lui rappelait la sienne, il marmonna :

— Je sais, je sais à quel point c'est difficile de vivre loin de chez soi. Moi, ça fait plus de dix ans que je suis parti, et si j'avais su ce qui m'attendait, c'est sûr je n'aurais pas quitté la maison.

Song Gang baissa la tête tristement, et marmonna lui aussi :

— Moi non plus, je ne serais pas parti, si j'avais su.

— C'est le destin. Toi et moi, on n'était pas faits pour gagner de l'argent.

Guan les Ciseaux le Jeune regarda Song Gang avec compassion :

— Mon père me répétait souvent : "Mon fils, tu es né pour être pauvre, et où que tu ailles tu le resteras."

Song Gang avala une grande gorgée d'alcool et fut secoué par une violente quinte de toux. Guan les Ciseaux le Jeune prit à son tour une longue rasade et tandis que la toux de Song Gang se calmait lentement il lui déclara, ému :

— Tu devrais rentrer, va. Au bourg des Liu, tu as encore Lin Hong.

Guan les Ciseaux le Jeune avoua à Song Gang que les deux premières années après son départ pour la grande aventure il avait songé presque chaque jour à rentrer au bourg des Liu, et que seule la honte l'avait retenu. Au bout de quatre ou cinq ans, il était trop tard :

— Toi, tu n'es parti que depuis un peu plus d'un an, il est encore temps de rentrer. Dans quelques années, tu n'en auras même plus envie.

Pendant qu'ils s'épanchaient en buvant leur alcool, la femme de Guan les Ciseaux le Jeune avait préparé le dîner. Elle mangea en vitesse et commença à faire les bagages. Elle allait et venait dans la pièce, sans s'occuper des deux hommes. Il était déjà plus de onze heures du soir quand elle eut fini de ranger toutes leurs affaires dans un angle de la pièce. Elle se coucha sans un mot, étendit la couverture sur elle et s'endormit. Song Gang se leva pour prendre congé, il dit qu'il était très tard et qu'il voulait retourner à son hôtel. Guan les Ciseaux le Jeune le retint, il ne voulait pas le laisser partir et lui confia, avec une tristesse infinie :

— Voilà plus de dix ans que je n'ai vu personne du bourg des Liu, et je ne sais pas s'il y aura une prochaine fois.

Song Gang se rassit, et les deux hommes continuèrent à se raconter leurs malheurs. Quand Guan les Ciseaux le Jeune avait quitté le bourg des Liu pour se rendre à Hainan, il avait été docker pendant un an, comme Song Gang. Puis il était allé au Guangdong et au Fujian, où il s'était embauché pendant plusieurs années sur des chantiers de construction : il avait travaillé successivement pour cinq entrepreneurs qui avaient filé à l'anglaise à la fin de l'année, avant d'avoir à verser les salaires. Et c'est ainsi qu'il avait fini par prendre ce boulot de camelot en coutellerie. Au bourg des Liu, poursuivit Guan les Ciseaux le Jeune avec un sourire amer, il aiguisait les couteaux ; et maintenant, il en vendait. Sa vie entière était placée sous le signe des lames. Puis ils se remémorèrent des épisodes de leur enfance, et ils commencèrent à rire. Guan les Ciseaux le Jeune était de meilleure humeur, il se retourna et jeta un regard vers sa femme qui dormait. Il eut un sourire de contentement et affirma que si depuis plus de dix ans qu'il avait quitté la maison il n'avait pas rencontré la fortune, en revanche il avait été heureux en amour. Il certifia en riant qu'il était tombé sur une chic fille :

— Je n'en aurais jamais trouvé une aussi bien au bourg des Liu.

Et Guan les Ciseaux le Jeune entreprit de relater leur mariage, treize ans plus tôt. Il avait fait la connaissance de sa future épouse alors qu'il vendait des couteaux au Fujian. Elle était accroupie, seule, au bord de la rivière, et lavait du linge tout en essuyant ses larmes. Cette scène lui avait fendu le cœur, et il était demeuré un long moment à l'observer sans qu'elle le remarque. Elle n'avait pas non plus entendu le soupir qu'il avait poussé, tant elle était absorbée par son chagrin, et elle avait continué à nettoyer son linge en s'essuyant les yeux. Guan les Ciseaux le Jeune s'était résolu à tourner les talons et à s'en aller. La vie solitaire qu'il menait depuis plusieurs années l'avait rendu mélancolique. La silhouette affligée de cette femme continuait à hanter son esprit, et après avoir parcouru quelques kilomètres il était revenu en arrière, animé d'une ferme résolution. Il avait regagné le bord de la rivière. Elle était toujours accroupie, et lavait son linge en sanglotant. Guan les Ciseaux le Jeune avait descendu les marches qui menaient à l'eau, et s'était assis à côté d'elle. Ils s'étaient mis à discuter. Il avait appris que ses parents à elle étaient morts et que son mari l'avait abandonnée pour une autre femme. De son côté, elle avait appris que Guan les Ciseaux le Jeune avait quitté le bourg des Liu en se jurant de n'y revenir que fortune faite, et qu'après de multiples déboires il était tombé dans la dèche. Et ces deux êtres perdus à l'autre bout du monde n'avaient pas eu besoin de se connaître pour se comprendre. Guan les Ciseaux le Jeune lui avait dit du fond du cœur :

— Viens avec moi, je m'occuperai de toi.

Elle avait fini de laver son linge, et elle était sur le point de se lever, mais en entendant les paroles de Guan les Ciseaux le Jeune elle était restée accroupie à sa place encore un moment, fixant d'un air hagard la surface des eaux, puis elle avait pris à deux mains sa cuvette remplie de vêtements, s'était mise debout et avait gravi les marches. Guan les Ciseaux le Jeune l'avait suivie jusque devant chez elle, et tandis qu'elle étendait le linge sur une corde, il avait insisté :

— Viens avec moi.

Elle avait dévisagé Guan les Ciseaux le Jeune d'un air ahuri, et prononcé cette phrase absurde :

— Mon linge n'est pas encore sec.

Guan les Ciseaux le Jeune avait hoché la tête :

— Je reviendrai quand il sera sec.

Sur ces mots, il avait filé. Il s'était installé dans ce petit bourg du Fujian, et le lendemain matin il s'était présenté chez elle, pour constater qu'elle avait préparé ses bagages, une grosse valise, et qu'elle l'attendait debout devant la porte. Guan les Ciseaux le Jeune, comprenant qu'elle acceptait sa proposition, s'était avancé jusqu'à elle et lui avait demandé :

— Le linge est sec ?

— Oui, avait-elle répondu, en hochant la tête.

— Eh bien, allons-y, avait dit Guan les Ciseaux le Jeune avec un geste de la main.

Tirant sa grosse valise, elle avait suivi Guan les Ciseaux le Jeune dans ses pérégrinations, et une autre existence de misère s'était ouverte pour elle.

Au moment où Guan les Ciseaux le Jeune terminait l'histoire de son mariage, le jour pointait. Son épouse se réveilla et descendit du lit. Quand elle vit que les deux hommes étaient toujours là à discuter, elle ne manifesta pas le moindre étonnement, et elle quitta la pièce après avoir éteint la lampe. Quelques instants plus tard, elle revint avec dix petits pains à la vapeur fumants, et tandis que les deux hommes les mangeaient, elle ramassa le linge étendu dehors, l'étala sur le lit et le plia prestement, et elle le rangea dans la grande valise. Elle prit un pain à la vapeur, et tout en mordant dedans elle vérifia qu'elle n'avait rien oublié dans la pièce. Guan les Ciseaux le Jeune engloutit quatre petits pains d'affilée, mais Song Gang se contenta d'un en déclarant qu'il n'avait plus faim. La femme de Guan les Ciseaux le Jeune remit les quatre petits pains qui restaient dans leur emballage, puis elle les glissa avec soin dans un énorme sac de voyage. Après quoi elle enfila sur ses épaules un sac à dos et sortit de la maison, en portant le grand sac de voyage de la main droite et en tirant la grosse valise de la main gauche.

Debout devant la porte, elle attendait que Guan les Ciseaux le Jeune la rejoigne. Celui-ci prit sur ses épaules le sac qui contenait les couteaux, et sortit à son tour, en tirant une valise de la main droite. Quand ils furent tous dans la rue, Guan les Ciseaux le Jeune donna une tape énergique de sa main gauche sur l'épaule de Song Gang :

— Song Gang, rentre ! Suis mon conseil, retourne au bourg des Liu. Si tu laisses passer les années, tu ne pourras plus y retourner.

Song Gang hocha la tête et donna lui aussi une tape sur l'épaule de Guan les Ciseaux le Jeune :

— Je sais.

La femme de Guan les Ciseaux le Jeune sourit à Song Gang, et Song Gang lui rendit son sourire. Song Gang resta là, à regarder ce couple infortuné marchant dans la direction du soleil levant. Avec le gros sac qu'elle avait sur le dos, il ne distinguait pas la silhouette de la femme, il voyait seulement la grosse valise qu'elle tirait de la main gauche et le grand sac de voyage qu'elle portait de la main droite. Tout en s'éloignant, Guan les Ciseaux le Jeune et son épouse s'engueulaient à nouveau bruyamment. Guan les Ciseaux le Jeune portait sur son dos le sac aux couteaux, et la valise qu'il tirait de sa main gauche était beaucoup plus petite que celle que tirait sa femme. Il voulait lui prendre de force le grand sac de voyage qu'elle tenait de la main droite, mais elle refusait obstinément de le lui donner. Puis il essaya de lui prendre la grosse valise qu'elle tirait de la main gauche, mais elle ne la céda pas davantage. Ils juraient l'un et l'autre comme des charretiers, Guan les Ciseaux le Jeune cria :

— Putain, j'ai encore une main libre.

— Ta main ? pfft, répliqua-t-elle d'une voix sonore. Tu as des rhumatismes et de l'arthrite dans l'épaule.

— Putain, continua Guan les Ciseaux le Jeune, je devais être aveugle le jour où je t'ai épousée.

— C'est plutôt moi qui devais être aveugle quand je t'ai épousé.

XLVI

Song Gang, dans le soleil levant de l'île de Hainan, fit ses adieux d'un geste de la main à Guan les Ciseaux le Jeune et à son épouse. Il passa ensuite une journée entière debout, solitaire et la tête vide, sur cette même place où il avait rencontré Guan les Ciseaux le Jeune, et il vendit ses deux derniers flacons de gel.

Song Gang avait décidé de rentrer à la maison. Sa conversation avec Guan les Ciseaux le Jeune lui avait donné le désir impérieux de revoir Lin Hong, au loin là-bas, au bourg des Liu. Il craignait de finir comme Guan les Ciseaux le Jeune, et que dans quelques années l'envie même de rentrer l'ait quitté. Il passa sa dernière nuit dans son petit hôtel, et le lendemain il se rendit dans une clinique de chirurgie esthétique afin qu'on lui ôte ses faux seins. Ceux-ci avaient durci, et le médecin, face à ce patient silencieux, crut qu'il venait se faire retirer ses prothèses à cause de la capsule fibreuse qui s'était formée. Le médecin s'inquiéta de savoir s'il avait pratiqué régulièrement des massages des seins. Song Gang secoua la tête sans rien répondre, et le médecin lui expliqua que le problème venait de là, et que les seins avaient durci faute d'avoir été massés régulièrement. Une fois l'opération terminée, le médecin l'invita à revenir dans six jours pour se faire retirer les fils, puis il lui recommanda chaleureusement sa propre clinique : c'était là qu'il trouverait les meilleurs services s'il souhaitait changer de sexe. Song Gang hocha la tête, ramassa les anti-inflammatoires qu'on lui avait prescrits, et il quitta les lieux.

Dans l'après-midi, Song Gang prit l'autocar pour Haikou. Tandis que la voiture longeait la côte, il revit les oiseaux de mer, qui voltigeaient en bandes sous le soleil et au-dessus des vagues. Mais comme ses oreilles étaient remplies du brouhaha des voix et du bruit du moteur, il n'entendait pas leurs cris. Il ne les perçut enfin, au milieu du fracas des vagues, qu'en embarquant à Haikou, pour effectuer la traversée vers Canton. Debout sur le pont, à la poupe, il regardait les oiseaux suivre l'écume et se confondre avec elle. Quand le soleil déclina à l'ouest, et que les lueurs du soir montèrent dans le ciel, les oiseaux s'en allèrent, ils s'envolèrent en bandes et, telles des volutes de fumée qui s'élèvent, ils s'évanouirent doucement au loin, entre le ciel et la mer.

Lorsque Song Gang monta dans le train Canton-Shanghai, il n'y avait plus d'oiseaux de mer. Song Gang avait remis son masque. Il sentait que son mal s'aggravait. A chaque quinte de toux, les cicatrices sous ses aisselles l'élançaient, il avait l'impression qu'elles se déchiraient. A présent, il pouvait ressortir la photo qui lui était si chère : ils étaient jeunes alors, Lin Hong et lui, et même la Forever était jeune. Voilà plus de six mois qu'il ne l'avait pas regardée, de peur d'être dans les affres pendant plusieurs jours et d'être tenté de tout plaquer pour filer au bourg des Liu. Mais c'était terminé, il n'avait plus de scrupules. Ses yeux revenaient sans arrêt sur Lin Hong, et de loin en loin il jetait un regard sur lui jeune, sur son sourire. Cependant, dans sa tête les silhouettes des oiseaux de mer continuaient de tournoyer.

Au moment où le vent d'automne balayait les feuilles mortes, Song Gang sortit de la gare routière de notre bourg des Liu, en traînant sa valise. Cet homme et son masque étaient de retour dans le crépuscule. Il se dirigea vers sa maison en piétinant les feuilles mortes, et sa respiration, derrière le masque, faisait le même bruit que les feuilles froissées. Il était extraordinairement ému car, dans un instant, il allait revoir Lin Hong. A cette idée, il fut pris d'une violente quinte de toux, mais il ne ressentit pas la douleur sous ses aisselles. Il marchait à toute vitesse dans la grande rue de notre bourg des Liu. Les néons qui clignotaient des deux côtés de la chaussée et les musiques qui se mélangeaient défilaient comme dans un rêve. Quand il aperçut de loin la porte de sa maison, les yeux de Song Gang s'embuèrent. Il retira ses lunettes et continua d'avancer, tirant son bagage d'une main et essuyant ses verres de l'autre, avec un pan de sa veste.

Song Gang était arrivé à la porte. Il était encore dans la gare routière quand il avait pris sa clef dans sa main, et maintenant la clef était au creux de la main qui tirait la valise. Il posa la valise, et alors qu'il s'apprêtait à introduire dans la serrure la clef mouillée de sueur, il se ravisa et préféra frapper d'abord. Il frappa trois coups, puis trois coups encore. Le souffle court, il attendait l'instant heureux où Lin Hong lui ouvrirait. Mais aucun mouvement ne se produisit à l'intérieur de la maison, et Song Gang se résolut à tourner la clef dans la serrure. Il poussa la porte et entra, en appelant d'une voix tremblante :

— Lin Hong.

Personne ne lui répondit. Il posa sa valise, se rendit dans la chambre, puis dans la cuisine, et même dans la salle de bains. Toutes les pièces étaient vides. Il demeura stupidement planté dans le salon, puis il songea que Lin Hong venait peut-être de sortir du travail et qu'elle était en route, sur sa bicyclette. Vite, il se posta sur le pas de la porte, surveillant au loin la rue éclairée par les lueurs du crépuscule. Les passants et les véhicules allaient et venaient, et Song Gang attendait, ému. Les lueurs du crépuscule s'estompèrent lentement, et le manteau de la nuit descendit peu à peu. Mais Song Gang n'apercevait toujours pas la silhouette de Lin Hong sur sa bicyclette. Des passants, en revanche, s'arrêtèrent quand ils le reconnurent. Ils l'apostrophèrent, quelque peu étonnés :

— Song Gang ! Tu es revenu ?

Song Gang hochait la tête mécaniquement. Ces visages lui étaient familiers, mais comme Lin Hong l'occupait tout entier, sur le coup il ne put mettre de noms dessus. Song Gang patienta au même endroit, debout, pendant plus d'une heure. Ses yeux se portèrent sur la boutique de *dim sum* d'en face. Il constata avec surprise que l'enseigne en néons avait changé : ce n'était plus "Chez Su, boutique de *dim sum*", mais "Chez Zhou le Voyageur repenti[1], boutique de *dim sum*". Puis il vit passer dans la boutique le visage de Zhou You. Il s'avança, traversa la chaussée et entra dans la boutique.

Song Gang vit Su mei, qui était assise derrière sa caisse. Zhou You parlait à des clients. Song Gang fit un signe de la tête en souriant à Su Mei. Su Mei, apercevant Song Gang avec son masque, resta pétrifiée, et sur le coup elle ne répondit pas à son salut. Song Gang se tourna vers le charlatan :

— Zhou You.

Zhou You resta pétrifié, comme Su Mei. Puis, quand il eut reconnu Song Gang, il s'approcha aussitôt en s'adressant à lui chaleureusement :

— Song Gang, c'est toi, te voilà de retour ?

En arrivant devant Song Gang, Zhou You se rappela qu'il avait changé de nom, et il rectifia :

— Désormais, je m'appelle Zhou le Voyageur repenti.

Song Gang songea au nom du magasin inscrit en néon dehors, il rit derrière son masque, puis avisant une petite fille assise sur une chaise d'enfant, il demanda à Zhou You, devenu Zhou le Voyageur repenti :

— C'est Su Zhou ?

Zhou le Voyageur repenti secoua la main en se rengorgeant, et rectifia à nouveau :

— Elle s'appelle Zhou Su.

Su Mei s'était approchée à son tour. Comme Song Gang toussait, elle s'inquiéta :

— Tu viens d'arriver, Song Gang ? Est-ce que tu as dîné ?

Immédiatement, Zhou le Voyageur repenti s'adressa à une serveuse avec des airs de patron :

— Apporte la carte.

La serveuse s'exécuta. Zhou le Voyageur repenti lui fit signe de tendre la carte à Song Gang, et dit :

— Song Gang, tu peux manger tout ce que tu veux, pour toi c'est gratuit.

Song Gang secoua la main en toussant :

— Je ne reste pas, j'attends que Lin Hong rentre et je mangerai avec elle.

— Lin Hong ? (Une expression d'étonnement apparut sur le visage de Zhou le Voyageur repenti.) Ce n'est pas la peine que tu l'attendes, elle est partie à Shanghai avec Li Guangtou.

A ces mots, Song Gang ressentit un choc. Su Mei, inquiète, se tourna vers Zhou le Voyageur repenti :

— Ne raconte pas n'importe quoi.

— Qui raconte n'importe quoi ? répliqua Zhou le Voyageur repenti, sûr de son fait. Beaucoup de gens peuvent en témoigner.

Su Mei lui adressa un clin d'œil appuyé, et Zhou le Voyageur repenti n'osa pas poursuivre. Il regarda avec sollicitude la poitrine de Song Gang, lui fit un sourire mystérieux et murmura :

— Tu les as enlevés ?

Song Gang hocha la tête, l'air hagard. Les propos de Zhou le Voyageur repenti l'avaient complètement déboussolé. Zhou le Voyageur repenti tira Song Gang à lui et le fit asseoir. Il croisa les jambes et déclara, avec une expression de fatuité :

— Après t'avoir abandonné cette affaire de produits d'hygiène, j'ai commencé à m'intéresser à la restauration. Je m'apprête à ouvrir au bourg des Liu deux boutiques de *dim sum* à l'enseigne de "Zhou le Voyageur repenti", et dans les trois années qui viennent j'ai l'intention de créer une chaîne de cent boutiques sur tout le territoire chinois.

Su Mei, qui se tenait à côté de lui, l'interrompit :

— Les deux boutiques du bourg des Liu ne sont pas encore ouvertes.

Zhou le Voyageur repenti glissa un regard vers elle, mais poursuivit comme si elle n'était pas là :

— Sais-tu qui est mon concurrent ? Ce n'est pas Li Guangtou, Li Guangtou est trop petit. C'est McDonald's. Je veux que chez nous, en Chine, les "Zhou le Voyageur repenti" écrasent les McDonald's, et que la cote de l'action McDonald's chute de 50 %.

Su Mei intervint, mécontente :

— J'ai honte pour toi quand je t'entends parler comme ça.

Zhou le Voyageur repenti glissa derechef un regard vers Su Mei, puis il baissa la tête et jeta un coup d'œil sur sa montre. Il se leva, nerveux :

— On reparlera de tout ça un autre jour, Song Gang. A présent, je dois y aller, c'est l'heure de mon feuilleton coréen.

Après le départ de Zhou le Voyageur repenti, Song Gang quitta la boutique à son tour. De retour dans l'appartement vide, il alluma toutes les lumières, retira son masque et resta debout un moment dans la chambre à coucher. Après quoi il se rendit dans la cuisine, où il resta debout un moment, puis dans la salle de bains où il resta aussi debout un moment. Enfin, il se planta au milieu du salon, et commença à tousser violemment. A chaque quinte, il éprouvait de vives douleurs sous les aisselles, comme si les plaies suturées se rouvraient. Song Gang avait si mal qu'il en pleurait. Il se courba et s'assit sur une chaise, en se tenant la poitrine des deux mains. Quand la toux se fut peu à peu calmée et que la douleur se fut apaisée, il releva la tête et s'aperçut qu'il ne voyait plus rien. Ne comprenant pas ce qui lui arrivait, il cligna des yeux plusieurs fois, mais à sa grande surprise il ne voyait toujours rien. Il lui fallut un long moment pour se rendre compte que ses verres de lunettes étaient couverts de larmes. Il ôta ses lunettes et essuya les carreaux avec un coin de sa veste, puis il les rechaussa : tout était clair maintenant.

Song Gang mit son masque, se leva et ressortit de la maison. Il avait toujours l'illusion que Lin Hong allait surgir au loin. Il scrutait le flot des passants dans la rue. Le scintillement des réverbères et des néons donnait un aspect étrange à la grande rue de notre bourg des Liu. C'est alors que Zhao le Poète arriva. Frôlant Song Gang, il examina son masque, puis recula d'un pas et s'exclama :

— Song Gang !

Song Gang acquiesça d'une petite voix. Ses yeux qui scrutaient la foule se tournèrent vers Zhao le Poète. Il mit du temps à le reconnaître. Celui-ci éclata de rire :

— Je n'ai pas eu besoin de voir ton visage, rien qu'au masque j'ai su que c'était toi.

Song Gang hocha la tête et toussa. La douleur fut telle qu'il dut malgré lui se tenir les côtes. Zhao le Poète le regarda d'un air compatissant :

— Tu attends Lin Hong, hein ?

Song Gang hocha la tête puis la secoua. Son regard hébété se porta à nouveau sur le flot des passants. Zhao le

Poète lui donna une petite tape sur l'épaule, et lui dit, comme pour le réconforter :

— Il est inutile que tu attendes, Lin Hong est partie avec Li Guangtou.

Song Gang se mit à trembler de tous ses membres. Il dévisagea Zhao le Poète avec une certaine crainte. Zhao le Poète eut un sourire énigmatique et donna à nouveau une tape sur l'épaule de Song Gang :

— Tu sauras tout plus tard.

Zhao le Poète avait toujours aux lèvres son sourire mystérieux quand il monta l'escalier pour rentrer chez lui. Song Gang resta debout à la porte. Son esprit était dans la tempête et il ne pensait plus à rien, ses yeux étaient dans la tourmente et il ne voyait plus rien, sa bouche ne cessait de tousser derrière son masque mais il ne sentait plus la douleur sous ses aisselles. Il demeura figé au bord de la grande rue de notre bourg des Liu jusqu'à ce que les passants se fassent rares, que les néons s'éteignent peu à peu et que le calme s'installe alentour. Alors, tel un vieillard chancelant, il se retourna et, la tête basse, il pénétra dans son logis, dans ce logis où il n'y avait plus Lin Hong.

Song Gang passa une nuit pénible. Il était couché, seul dans ce lit où naguère ils étaient deux, et il avait l'impression que son corps était glacé sous la couverture, que les draps eux aussi étaient glacés, et que la chambre elle-même était glacée. Il n'arrivait pas à mettre de l'ordre dans ses idées. Après ce que lui avaient raconté Zhou le Voyageur repenti et Zhao le Poète, il comprenait qu'il y avait eu quelque chose entre son frère, dont il avait été si proche, et son épouse, à laquelle il vouait un amour éternel. Il n'avait pas le courage de s'interroger davantage, car il avait peur, et la nuit s'acheva pour lui dans un demi-sommeil.

Le lendemain matin, Song Gang, le visage recouvert de son masque et la tête vide, s'engagea dans la grande rue de notre bourg des Liu. Il ignorait à quel endroit il se rendait, il se laissait mener par ses pas, qui le guidèrent jusqu'à l'entrée de la compagnie de Li Guangtou. Quand ses pas se furent arrêtés, il ne sut plus du tout ce qu'il devait faire ensuite. C'est alors qu'il vit Wang les Esquimaux s'éjecter de la loge. Wang les Esquimaux l'interpella chaleureusement :

— Song Gang, Song Gang, mais tu es revenu !

Après que Wang les Esquimaux était devenu une grosse fortune de notre bourg des Liu, il avait baguenaudé dans les rues du matin au soir comme un fainéant. Toutefois, au fil des années, il s'était dégoûté de ces flâneries sans but, et il avait pris l'habitude de passer ses journées au bureau de la compagnie, en bon P-DG adjoint qui se respecte. Mais comme lui seul n'avait rien à faire au milieu de l'agitation générale, au bout d'un an il s'était à nouveau dégoûté de cette vie sédentaire, et il s'était alors proposé pour exercer les fonctions de concierge : à ce poste, au moins, il verrait défiler des gens et il pourrait discuter avec eux. Comme Wang les Esquimaux était le troisième actionnaire de la compagnie, M. l'adjoint Liu, craignant de lui manquer d'égards, fit démolir la loge d'origine et construire à sa place une loge luxueuse, qui se composait d'un grand salon, d'une grande chambre à coucher, d'une grande cuisine et d'une grande salle de bains, et qui avait le standing d'un hôtel cinq étoiles : climatisation centrale l'été, chauffage géothermique l'hiver, canapé importé d'Italie, lit double importé d'Allemagne, armoire importée de France, bureau immense et fauteuil directorial, rien ne manquait. Wang les Esquimaux fut tellement enchanté de sa loge cinq étoiles qu'il ne remit plus les pieds chez lui. Il ne tarissait pas d'éloges sur M. l'adjoint Liu, et chantait ses louanges dès qu'il le rencontrait, pour la plus grande satisfaction de celui-ci. Wang les Esquimaux était particulièrement content de son siège de toilettes TOTO[2] : il n'avait plus besoin de se torcher, car un jet d'eau lui nettoyait l'anus, qui était ensuite séché. M. l'adjoint Liu avait en outre fait installer sur le toit de la loge cinq antennes paraboliques, en expliquant à Wang les Esquimaux que grâce à elles il capterait les télévisions de tous les pays plus riches que la Chine, celles de tous les pays aussi riches que la Chine, et celles de quelques-uns des pays plus pauvres que la Chine. Voilà pourquoi on entendait en permanence, s'échappant de la loge de Wang les Esquimaux, toutes sortes de langues, comme si les Nations unies tenaient leur assemblée chez lui.

A cette époque, le plus proche compagnon d'armes[3] de Wang les Esquimaux, Yu l'Arracheur de dents, avait franchi un degré supplémentaire dans ses pérégrinations autour du monde. Pour lui, voyager dans des groupes, avec ou sans guide, c'était de l'histoire ancienne. Où qu'il aille, il louait les services d'une interprète. Il en avait assez également de contempler les paysages : il se passionnait maintenant pour les cortèges de manifestants. Il avait déjà participé à des manifestations dans plusieurs dizaines de villes d'Europe et des Etats-Unis. Il se mêlait avec enthousiasme et sans discrimination au premier défilé croisé, et quand deux cortèges s'opposaient il rejoignait le plus gros. Yu l'Arracheur de dents était désormais capable de crier des slogans dans une dizaine de langues et souvent, quand il téléphonait à Wang les Esquimaux, il en glissait quelques-uns par inadvertance dans la conversation.

Pour Wang les Esquimaux, tous ces cortèges auxquels Yu l'Arracheur de dents participait étaient autant de révolutions culturelles. Chaque fois que Yu l'Arracheur de dents lui racontait au téléphone qu'il avait défilé dans telle ou telle ville, Wang les Esquimaux téléphonait à son tour immédiatement à M. l'adjoint Liu, en qui il avait une confiance aveugle, pour lui annoncer que dans telle ou telle ville étrangère on faisait la révolution culturelle.

Yu l'Arracheur de dents s'offusqua de cette interprétation de Wang les Esquimaux. A l'occasion d'un appel de l'étranger, il lui fit la leçon :

— Tu es vraiment un péquenot qui ne comprend rien à la politique.

Et Yu l'Arracheur de dents expliqua au téléphone pourquoi il s'était pris comme cela de passion pour la politique :

— Comme dit le proverbe : "Le bien-être engendre la luxure ; et la richesse, le goût pour la politique[4]."

Au début, Wang les Esquimaux n'était pas convaincu, jusqu'à ce qu'un jour, brusquement, il aperçoive Yu l'Arracheur de dents dans un journal télévisé étranger. Le profil gauche de Yu l'Arracheur de dents apparut fugitivement dans un cortège de manifestants. Wang les Esquimaux en resta baba, et dès lors il voua une admiration sans bornes à son alter ego. Quand celui-ci l'appela, Wang les Esquimaux lui annonça en bégayant d'émotion qu'il l'avait vu à la télévision. A l'autre bout du fil, Yu l'Arracheur de dents fut tellement surpris qu'il en bégaya lui aussi. Il proféra une suite de cris d'animaux, puis s'inquiéta aussitôt de savoir si son correspondant avait enregistré la séquence, et quand il apprit que ce n'était pas le cas il entra dans une violente colère. Il traita Wang les Esquimaux de tous les noms de la terre, avant de se lamenter sur son sort : quel manque de pot que d'avoir pour ami intime un type même pas fichu d'enregistrer la séquence où il apparaissait jeté au travers des airs, comme hors du monde[5]. Wang les Esquimaux était confus, et il jura ses grands dieux que la prochaine fois il ne manquerait pas de mettre en marche son magnétoscope. Depuis ce jour, Wang les Esquimaux suivait à la trace Yu l'Arracheur de dents sur toutes les chaînes que captaient ses récepteurs. Dès que Yu l'Arracheur de dents arrivait dans un pays, Wang les Esquimaux mémorisait la chaîne correspondante et cherchait consciencieusement des images de manifestations, et quand il en avait trouvé, il fixait l'écran sans ciller comme un chat guettant une souris, la télécommande à la main, prêt à appuyer sur le bouton d'enregistrement dès que Yu l'Arracheur de dents montrerait le bout de son nez.

Quand Wang les Esquimaux aperçut Song Gang debout à la porte, Yu l'Arracheur de dents était dans l'avion quelque part entre Madrid et Toronto, ce qui lui laissait un répit. Il n'avait pas vu Song Gang depuis une éternité, et se précipita aussitôt dehors pour le faire entrer. Il l'invita à s'asseoir sur le canapé italien et commença à le soûler de discours à propos des voyages extraordinaires de Yu l'Arracheur de dents. Après quoi il soupira :

— Comment ce Yu l'Arracheur de dents peut-il avoir autant de cran ? Il ne parle pas un mot d'une langue étrangère, et il ose aller partout.

Song Gang était plongé dans un état d'hébétude, la douleur sous ses aisselles l'élançait. Par-dessus le masque, ses yeux regardaient Wang les Esquimaux sans se poser sur lui. Il n'avait rien entendu de ce que l'autre lui avait raconté. Il savait que Li Guangtou n'était pas là, et Lin Hong non plus, et il se demandait pourquoi il était venu jusqu'ici. Il resta assis une demi-heure sans décrocher un mot, puis se leva, toujours sans parler, et quitta la loge luxueuse de Wang les Esquimaux. Celui-ci le suivit en continuant à l'accabler de paroles. Quand ils furent arrivés à la porte, Wang les Esquimaux s'arrêta. Il lui parlait toujours, mais Song Gang n'entendait rien, il jetait des regards vides sur la grande rue de notre bourg des Liu et rentra chez lui d'un pas lourd.

XLVII

Après son retour dans notre bourg des Liu, Song Gang vécut six jours dans la plus grande discrétion. Au cours de ces six jours, il se prépara six fois à manger, mais chaque jour il n'avala rien d'autre qu'un bol de riz. Il se terra chez lui, ne sortant que pour faire les courses. Il rencontra pas mal de gens qu'il connaissait, et leurs propos laconiques lui firent comprendre vaguement ce qui s'était passé entre Li Guangtou et Lin Hong, mais il ne laissa rien paraître. Le soir du septième jour, il prit l'album photo, regarda une à une toutes les photos où il était avec Lin Hong, et le referma en poussant un soupir. Puis il alla chercher la photo où toute la famille posait : son père Song Fanping, sa mère Li Lan, son frère Li Guangtou, et lui-même. Le cliché noir et blanc, au bout de toutes ces années, avait jauni. Song Gang soupira à nouveau, rangea la photo dans l'album, s'étendit sur le lit et versa un torrent de larmes.

Après sept jours d'hébétude, Song Gang avait enfin les idées plus claires. Les démêlés amoureux de jadis entre Li Guangtou, Lin Hong et lui, lui revinrent à l'esprit. Vingt ans avaient filé comme un éclair, et à présent Song Gang comprenait enfin que c'était Li Guangtou et non pas lui que Lin Hong aurait dû épouser. A cette pensée, il éprouva subitement un sentiment de libération, et il eut l'impression d'être plus léger, comme si sa poitrine était délivrée d'un grand poids.

Quand l'aurore du huitième jour se leva, Song Gang, assis à la table de la salle à manger, entreprit d'écrire avec application deux lettres, l'une pour Lin Hong, l'autre pour Li Guangtou. Il avait beaucoup de peine à s'exprimer, il n'était pas sûr que toutes ses phrases étaient correctes, et il y avait beaucoup de caractères qu'il avait oubliés. Il songea avec tristesse qu'à l'âge de vingt ans il adorait la lecture et se passionnait pour la littérature. Il avait d'ailleurs composé une nouvelle sur laquelle Li Guangtou s'était extasié. Au fil des années, écrasé par la vie, il n'avait plus eu un moment à lui, et il ne lisait plus, ni livres ni journaux. Et à présent, tout à coup, il se rendait compte qu'il n'était même plus capable de rédiger une lettre.

Song Gang nota dans sa tête les caractères qu'il avait oubliés, puis, son masque sur la bouche, il alla consulter un dictionnaire à la librairie. Vérification faite, il rentra chez lui et continua ses lettres. Il n'osait pas acheter ne fût-ce qu'un simple dictionnaire. Bien qu'il eût rapporté 30 000 yuans pour Lin Hong, il estimait que n'ayant pas été capable de lui offrir une existence agréable, il n'avait pas le droit de toucher à cet argent, le dernier qu'il gagnerait jamais. En l'espace de quelques jours, il fit une dizaine d'allers et retours à la librairie. Les employés ricanaient en le voyant : ce Song Gang, disaient-ils entre eux, après avoir été naguère le "suppléant en chef", était devenu maintenant le "lettré en chef". Comme il leur rendait plusieurs visites quotidiennes, après l'avoir surnommé, par moquerie, le "lettré en chef", ils finirent par l'appeler le "dictionnaire en chef". Song Gang souriait en les entendant, et il ne bronchait pas, le nez plongé dans son dictionnaire. Cinq jours durant, le "dictionnaire en chef" Song Gang écrivit, compulsa les dictionnaires et corrigea ses phrases, et quand enfin les deux lettres furent achevées il les recopia avec grand soin. Après quoi, il se leva comme soulagé, alla acheter à la poste deux enveloppes et deux timbres, inscrivit les noms et les adresses sur les enveloppes, colla les timbres, et fourra les lettres dans la poche intérieure de sa veste.

Ses aisselles le faisaient souffrir de plus en plus et le tiraillaient de plus en plus fort. Intrigué par cette sensation de tiraillement, il déboutonna lentement sa veste et s'aperçut que sa chemise, qu'il portait à même la peau, avait adhéré à ses chairs. Quand il retira sa chemise, ce fut comme s'il s'arrachait la peau. La douleur fut si vive qu'il en trembla de tous ses membres. Quand la douleur se fut progressivement calmée, il leva les bras et, en baissant la tête, il constata que les plaies des deux côtés suppuraient. Les fils noirs qui les suturaient comprimaient les cicatrices rouges et gonflées. Il se souvint qu'il aurait dû se faire ôter les fils six jours après l'opération, or treize jours s'étaient déjà écoulés, et c'est pourquoi le tiraillement était de plus en plus douloureux.

Song Gang prit une paire de ciseaux et un miroir et décida d'ôter les fils lui-même. Toutefois, craignant que les ciseaux ne fussent pas assez propres, il les chauffa pendant cinq minutes pour les désinfecter. Puis il patienta pendant dix minutes, les ciseaux à la main, et quand ils furent complètement froids, il commença à couper les fils un à un. Les bouts de fil noirs restèrent collés aux ciseaux. Cela lui faisait mal à chaque fois, mais il eut l'impression que sous ses aisselles les chairs comprimées se détendaient peu à peu. Quand il se fut débarrassé de tous les fils, il sentit tout son corps se relâcher comme s'il avait brusquement grandi.

Le soir venu, Song Gang enveloppa soigneusement dans du vieux papier journal l'argent qu'il avait rapporté et plaça le tout sous l'oreiller. Il ne mit que 10 yuans dans sa poche. Il prit la clef et l'examina attentivement, puis il la posa sur la table. Il enfila son masque et se dirigea vers la sortie. Tandis qu'il ouvrait la porte, il se retourna et regarda sa maison. Il fixa la clef posée sur la table. Il voyait tout clairement dans la pièce, mais la clef sur la table lui paraissait floue. Il ferma la porte tout doucement, puis demeura immobile un moment. Il songea que la clef était à l'intérieur et qu'il ne reviendrait pas.

Song Gang se retourna et traversa la rue. Il entra dans la boutique de *dim sum* de Zhou le Voyageur repenti. Il n'avait jamais goûté les petits pains à paille, et à présent il avait envie de les essayer. En entrant, il ne vit ni Zhou le Voyageur repenti, ni Su Mei. Il jeta un coup d'œil circulaire et n'aperçut pas non plus la mère Su. Il ignorait que Zhou le Voyageur repenti avait converti la mère Su et Su Mei, et qu'elles étaient devenues elles aussi des fans des feuilletons coréens. A cette heure-ci, du lundi au vendredi, tous les trois étaient assis bien sagement à la maison, les yeux rivés sur l'écran de la télévision. Song Gang hésita un moment à la porte. Une serveuse qu'il ne connaissait pas était assise derrière la caisse, il se décida à s'approcher d'elle et, après un moment de réflexion, il prononça les premiers mots qui lui passèrent par la tête :

— Comment est-ce qu'on mange…

— Comment est-ce qu'on mange quoi ? demanda la serveuse, intriguée.

Song Gang se rendit compte qu'il s'était mal exprimé, mais sur le coup il ne trouva pas les mots justes. Il montra du doigt des clients en train de consommer des petits pains à paille :

— Ces petits pains à paille…

Les clients s'esclaffèrent. L'un d'eux s'adressa à lui :

— Tu as bien tété ta mère quand tu étais petit ?

Song Gang sentit que l'homme se moquait de lui. Il eut la présence d'esprit de répondre :

— Comme tout le monde.

— Et depuis que tu es grand, tu as bien mangé des petits pains farcis ? continua l'autre.

— Comme tout le monde, répondit Song Gang sur le même ton que précédemment.

— Très bien, poursuivit l'homme. Alors je vais t'expliquer. Tu aspires d'abord le jus du petit pain comme si tu tétais ta mère, et puis tu manges ce qui reste comme tu le ferais pour un petit pain normal.

Les clients se tordaient de rire, et la serveuse, assise derrière sa caisse, ne put s'empêcher de les imiter. Song Gang, lui, ne riait pas, les réponses qu'il venait de donner lui avaient éclairci les idées, et il dit à la serveuse :

— Je voulais savoir combien ça coûtait.

La serveuse comprit, elle prit l'argent que lui tendait Song Gang et lui remit un ticket en échange. Song Gang, son ticket à la main, se tenait debout devant le comptoir. La serveuse l'invita à s'installer à une table et lui expliqua que les petits pains étaient en train de cuire et qu'il lui faudrait patienter dix minutes. Song Gang tourna la tête vers les clients hilares et alla s'asseoir à une table éloignée d'eux. Il avait l'air impassible et attendait ses petits pains à paille, assis bien droit comme un écolier.

Les petits pains à paille de Song Gang arrivèrent enfin. Devant la vapeur qui s'échappait de l'étuve, Song Gang ôta lentement son masque, il prit la paille dans sa bouche et aspira le jus de viande. Les clients qui s'étaient moqués de lui furent saisis, car si le jus n'était pas bouillant il ne devait pas en être loin, or Song Gang l'aspirait sans avoir l'air de se brûler, comme s'il suçait de l'eau glacée. Après avoir vidé un petit pain de son jus, il passa au suivant, et il eut vidé les trois petits pains en un rien de temps. Après quoi il leva la tête vers les clients estomaqués, leur sourit, et son sourire leur fit froid dans le dos. Ils eurent l'impression que Song Gang avait l'esprit dérangé. Song Gang baissa la tête, il prit un petit pain, le mit dans sa bouche et commença à le mastiquer. Quand il les eut mangés tous les trois, il remit son masque, se leva et quitta la boutique.

A cet instant, le soleil déclinait à l'ouest. Song Gang, le visage masqué, avança face au soleil couchant. Contrairement à son habitude, il ne baissait pas la tête en marchant, il l'avait relevée et ses yeux regardaient à droite et à gauche, ils regardaient les magasins et les passants des deux côtés de la rue. Quand quelqu'un l'appelait par son nom, il ne lui répondait plus à la va-vite, en fuyant son regard, mais il lui faisait un salut amical de la main. Quand il longeait la vitrine d'un magasin, il s'arrêtait et regardait attentivement les objets exposés à l'intérieur. Ils furent nombreux dans notre bourg des Liu à le voir, et plus tard ils se souvinrent qu'auparavant, lorsqu'il se montrait dans les rues, Song Gang avait toujours l'air pressé, alors que ce soir-là, et ce soir-là seulement, il avait l'air de flâner : il s'attardait devant chaque vitrine, se retournait derrière les passants qu'il croisait, et il s'intéressait à tout, y compris aux platanes plantés de part et d'autre. Il resta même cinq bonnes minutes devant un magasin de disques, le temps d'écouter deux tubes à la mode, et à travers son masque il dit aux gens qui étaient là :

— Qu'est-ce qu'elles sont jolies ces chansons !

En passant devant la poste, il tira de la poche intérieure de sa veste les lettres destinées à Li Guangtou et à Lin Hong. Quand il les eut jetées dans la boîte, il s'accroupit et scruta l'intérieur pour s'assurer qu'elles étaient bien dedans. Puis il s'éloigna, rassuré, et continua à avancer vers l'ouest.

Song Gang sortit de notre bourg des Liu et marcha jusqu'à la voie de chemin de fer. Il s'assit sur une pierre à côté des rails, retira son masque et respira avec bonheur l'air frais du soir. Il regarda autour de lui le riz prêt à être moissonné. Une petite rivière coulait tout près, et l'eau était rougie par les lueurs du soir. Les lueurs dans l'eau lui firent lever la tête, il contempla le ciel où le soleil se couchait, et il le trouva encore plus beau que la terre. Le soleil cramoisi était suspendu dans le ciel rougeoyant, des nuages flottants étincelaient, et des couleurs enchevêtrées jaillissaient comme les vagues de la mer. Il eut la sensation de la lumière, une lumière multicolore qui zébrait le ciel et qui changeait sans arrêt. Puis il baissa la tête et porta à nouveau ses regards sur les rizières alentour. Les épis recouverts de lumière s'étalaient comme des roses, et il eut l'impression d'être assis au milieu de dix mille fleurs qui s'épanouissaient.

Il entendit alors le sifflet d'un train au loin. Il retira ses lunettes pour les essuyer, puis les chaussa à nouveau : la moitié du soleil était tombée derrière l'horizon et un train surgissait dans ce demi-soleil qui tombait. Il se leva et se dit que le moment de quitter ce monde était venu. S'inquiétant pour ses lunettes, et craignant qu'elles ne soient écrasées par le convoi, il les ôta et les posa sur la pierre où il était assis l'instant d'avant. Et estimant qu'on ne les voyait pas assez, il retira sa veste, l'étala sur la pierre et posa les lunettes dessus. Après quoi il avala une profonde bouffée de l'air de ce monde, remit son masque : oubliant que les morts ne respirent plus, il craignait de transmettre sa maladie pulmonaire aux gens qui ramasseraient son cadavre. Il fit quatre pas en avant, et se coucha sur la voie, les bras en croix. Comme ses aisselles, posées sur les rails, lui faisaient très mal, il rampa vers l'avant, de façon à ce que ce soit son ventre qui repose sur les rails, et il se sentit beaucoup mieux dans cette position. Le train qui approchait faisait trembler les rails sous lui, et son corps lui aussi tremblait. Il eut à nouveau envie de voir la couleur du ciel, il leva la tête et regarda le ciel au loin, il le trouva superbe. Ensuite, il tourna la tête et jeta un coup d'œil sur les rizières semblables à une roseraie, et les trouva superbes elles aussi. C'est alors qu'il eut la surprise d'apercevoir un oiseau de mer. L'oiseau criait, il arrivait de loin en battant des ailes. Le train roula en grondant sur les reins de Song Gang. La dernière image qu'il eut sous les yeux au moment de mourir fut celle d'un oiseau de mer solitaire tourbillonnant au milieu de dix mille fleurs qui s'épanouissaient.

XLVIII

Li Guangtou et Lin Hong rentrèrent au bourg des Liu à la tombée de la nuit, dans la BMW blanche. La voiture pénétra dans la luxueuse résidence de Li Guangtou. Lin Hong s'était fait refaire l'hymen et Li Guangtou avait conclu quelques contrats à Pékin et dans le Dongbei, et tous deux affichaient un air triomphant en descendant du véhicule. Ils étaient à peine entrés dans le salon, quand le portable de Li Guangtou sonna. C'était M. l'adjoint Liu qui l'appelait pour lui annoncer que le dîner était prêt et qu'il pourrait passer à table dès qu'il le souhaiterait.

— Ce salopard pense vraiment à tout ! s'exclama-t-il en raccrochant.

Li Guangtou et Lin Hong abandonnèrent leurs bagages dans le salon et gagnèrent la salle à manger comme un couple d'hirondelles. Il faisait noir maintenant, et Li Guangtou alluma le lustre. Il constata que le dîner avait déjà été servi. Un bouquet de roses était posé au milieu de la table, et une bouteille de vin rouge français au millésime de 1985 avait été mise au frais dans un seau à glace en acier inoxydable. La bouteille avait été ouverte, et le bouchon de liège renfoncé dans le goulot. Li Guangtou et Lin Hong s'assirent face à face. Li Guangtou était très content de M. l'adjoint Liu :

— Ce salopard fait les choses de façon romantique, confia-t-il à Lin Hong.

Lin Hong s'esclaffa devant les mets et le bouquet de fleurs. Elle dit qu'on avait l'impression d'être à l'étranger. Li Guangtou prit aussitôt des manières de gentleman. Le dos bien droit, il attrapa la bouteille de vin rouge dans le seau à glace, la déboucha et versa un peu de vin dans son verre. Il reposa la bouteille, leva son verre, qu'il remua tout doucement avant de le porter à son nez, puis il en but une gorgée. Il conclut par un commentaire élogieux :

— Ce vin n'est pas mauvais du tout.

Il quitta son siège et, la main gauche dans le dos et la bouteille dans la main droite, il remplit, avec beaucoup d'élégance, le verre de Lin Hong. Après quoi il se rassit, leva son verre et attendit galamment que Lin Hong lève à son tour le sien. Lin Hong ne put s'empêcher de rire. C'était la première fois qu'elle voyait ce Li Guangtou, qui n'avait que des gros mots à la bouche, adopter subitement des manières aussi distinguées :

— Où as-tu appris tout cela ?

— A la télévision, répondit Li Guangtou avec distinction.

Son verre levé, il attendit que Lin Hong rapproche le sien, et les deux verres s'entrechoquèrent. Lin Hong prit une petite gorgée et reposa son verre. Li Guangtou, comme s'il faisait un concours de buveurs d'alcool, vida le sien d'un trait avant de le reposer. Puis le naturel reprenant le dessus, il cria sans ménagement à Lin Hong :

— Dépêche-toi de manger, et quand tu auras fini va vite te laver. Une fois que tu auras pris ta douche, attends-moi sur le lit.

Au même moment, Song Gang était assis dans la boutique de *dim sum* de Zhou le Voyageur repenti, et il mangeait les premiers petits pains à paille de sa vie. Le liquide bouillant lui brûlait la bouche, mais il ne sentait rien.

Tandis que Song Gang se levait, quittait la boutique et se dirigeait vers la voie ferrée à l'ouest de la ville, Li Guangtou avait déjà fini de s'empiffrer et il s'impatientait parce que Lin Hong ne mangeait pas assez vite. C'est ainsi que va le monde : un être humain marchait vers la mort, quittant à regret la vie éclairée par les lueurs du soir ; deux autres couraient à leur plaisir en ignorant la beauté des derniers rayons du soleil couchant.

Les lueurs du soir avaient disparu, le soleil couchant avait disparu, seule la nuit profonde enveloppait notre bourg des Liu. Song Gang s'était suicidé, couché sur la voie, dans la faible clarté de la lune. Au même instant, Lin Hong s'était étendue nue sur le lit de Li Guangtou. Elle attendait que celui-ci sorte de la salle de bains. Li Guangtou y traînait depuis un long moment et venait d'ouvrir un robinet quand M. l'adjoint Liu, qui le supposait à cet endroit, l'appela à nouveau. Il lui expliqua avec déférence qu'il y avait dans l'armoire de cette pièce une arme dernier cri pour l'examen des hymens. Li Guangtou le traita affectueusement de "salopard". Il se doucha, s'essuya en vitesse et se pencha pour chercher dans l'armoire l'arme en question. A sa grande surprise, il sortit de l'armoire un accessoire pour mineur. Il fut d'abord interloqué, avant de s'extasier sur l'ingéniosité de ce salopard de M. l'adjoint Liu.

Appuyée contre le lit, Lin Hong entendait Li Guangtou jacasser dans la salle de bains, mais ne comprenait pas ce qu'il disait. Quand il sortit, elle eut un choc : Li Guangtou, nu comme un ver, était coiffé d'un casque de mineur muni d'une lampe et portait à la taille une ceinture à laquelle était accrochée, à l'arrière, une batterie. Un fil électrique, semblable à une natte mandchoue, reliait le casque à la ceinture. Comme Lin Hong restait pétrifiée, Li Guangtou alluma la lampe d'un coup sec, et un faisceau de lumière éclaira le bas-ventre de Lin Hong. Li Guangtou déclara, tout heureux, que cette fois il allait pouvoir contempler à son aise l'hymen de Lin Hong. Il grimpa en riant sur le lit avec des gestes de mineur rampant dans une galerie. Lin Hong eut enfin une réaction : elle éclata de rire en se tenant le ventre. Jamais elle ne se serait attendue à voir Li Guangtou avec un tel attirail. Elle riait tellement, qu'elle en suffoquait et fut prise d'une quinte de toux. Li Guangtou était vexé, il leva la tête et le faisceau de lumière tomba sur la poitrine de Lin Hong :

— Tu t'imagines qu'une vierge réagirait comme ça ?

Lin Hong ne pouvait pas s'arrêter de rire, elle en avait les larmes aux yeux :

— C'est trop drôle, c'est trop drôle…

Li Guangtou, fâché, s'assit sur le bord du lit, le faisceau de lumière éclairant le mur. Il regarda Lin Hong, attendant qu'elle se calme :

— Putain, grogna-t-il, tu as tout d'une grue. On ne dirait jamais que tu es une vierge.

Lin Hong se couvrit la bouche de la main, et son rire se calma peu à peu. Elle prit un air sérieux :

— Pourquoi ? Une vierge, ça doit se comporter comment ?

— C'est la première fois que tu vois un homme nu, expliqua Li Guangtou, sentencieux. Normalement, tu devrais te cacher tout de suite le visage.

Lin Hong rit furtivement et se couvrit le visage de ses mains. Cependant, ses jambes étaient encore écartées, et Li Guangtou, pointilleux, le lui fit remarquer :

— Il n'y a que les grues qui écartent les jambes quand elles voient un homme nu. Où as-tu vu que les vierges écartaient les jambes ?

Lin Hong serra ses jambes :

— Et comme ça, ça va ?

Li Guangtou continua à lui donner ses instructions :

— Tu devrais mettre tes mains à cet endroit-là, pour que l'homme ne puisse rien voir.

Lin Hong se fâcha :

— Tu m'as demandé de me couvrir le visage avec les mains, et maintenant il faudrait aussi que je les mette là. Tu t'imagines que j'ai quatre mains ?

Li Guangtou admit qu'elle avait raison. Il commença à se renseigner :

— Comment as-tu fait la première fois avec Song Gang ?

— On était sous les draps, et on avait éteint la lumière.

Li Guangtou s'empressa de descendre du lit, et d'éteindre toutes les lumières. La lumière sur son casque paraissait encore plus brillante, et elle éblouit Lin Hong. Celle-ci lui demanda de l'éteindre, mais il refusa, en expliquant que s'il l'éteignait il ne verrait pas son hymen. Et il continua à l'interroger :

— Comment est-ce que Song Gang s'y est pris pour regarder ton hymen ?

— Il ne l'a pas regardé. Il n'aurait jamais osé.

— Quel idiot. Eh bien moi, je veux regarder, je serais bien bête de ne pas le faire.

Sur ce, il rampa jusqu'aux cuisses de Lin Hong. Lin Hong défendait l'endroit de ses deux mains pour boucher la vue à Li Guangtou. Il lui écarta brutalement les mains, elle fit alors basculer son bassin sur le côté et à peine Li Guangtou avait-il énergiquement replacé son bassin dans l'axe qu'à nouveau elle couvrait l'endroit de ses mains. Quand ce manège se fut répété plusieurs fois sans résultats, Li Guangtou s'écria :

— Putain, laisse-moi voir !

— C'est toi qui m'as dit de me couvrir avec les mains.

— Putain, tu dois mettre les mains, mais il ne faut pas que tu te défendes pour de vrai.

— D'accord, comme tu voudras.

Après deux tentatives de Li Guangtou pour lui desserrer les mains, Lin Hong se laissa faire. Elle se débattit un moment avec les jambes en poussant des grognements, puis elle les écarta en prenant un air boudeur. Li Guangtou était ravi :

— Parfait ! Tu joues très bien !

Li Guangtou regarda à la lueur de sa lampe, et Lin Hong couvrit à nouveau l'endroit de ses mains, avec des airs effarouchés.

— C'est ça, c'est tout à fait ça ! s'exclama Li Guangtou, aux anges.

Ce fut au tour de Lin Hong d'être mécontente :

— Toi, en revanche, personne ne croirait que tu es un boy-scout qui fait ça pour la première fois. Avec ta lampe de mineur sur la tête, tu as tout d'un vieux débauché. Les hommes aussi, la première fois, ils sont un peu intimidés. Song Gang, lui, était très intimidé.

Li Guangtou trouva que le reproche de Lin Hong était justifié. Il éteignit sa lampe, défit sa ceinture et la jeta au pied du lit avec le casque :

— A présent, les feux sont éteints, nous sommes un puceau et une pucelle.

Ils s'étreignirent dans l'obscurité, et quand ils se furent caressés un moment, Li Guangtou la pénétra. Lin Hong poussa un cri, c'était un vrai cri de douleur. Li Guangtou en trembla d'émotion. Il avait fait l'amour tant de fois avec Lin Hong, et pourtant c'était la première fois qu'il entendait un tel cri. Puis Lin Hong commença à gémir, c'étaient des gémissements de douleur et en même temps de plaisir. Elle transpirait. La sensation de plaisir mêlée à la douleur monta progressivement. Son corps n'avait jamais connu une telle excitation. Elle avait la sensation puissante que la douleur propulsait le plaisir comme une fusée propulse un vaisseau spatial. Puis l'orgasme l'envahit tel un raz-de-marée et son corps se tordit sous la déferlante du plaisir. Elle cria à tue-tête :

— Ça fait mal…

A cet instant, Li Guangtou eut l'impression de revenir vingt ans en arrière. Lui qui était rompu aux jeux amoureux n'avait jamais connu lui non plus une excitation aussi puissante. Les deux corps se stimulaient mutuellement : lorsque Lin Hong se serrait contre Li Guangtou, Li Guangtou l'étreignait plus fort ; et lorsque le corps de Lin Hong commença à trembler, celui de Li Guangtou trembla lui aussi. Quand, sous la poussée de l'orgasme, le corps de Lin Hong se tordit, Li Guangtou eut l'impression de tenir dans ses bras la terre secouée par un séisme, et c'est alors que son plaisir éclata avec une splendeur inouïe.

Après cela, ils restèrent étendus sur le lit tous les deux, comme paralysés, le cœur battant à tout rompre. Lin Hong semblait sur le point de rendre l'âme, et Li Guangtou soufflait bruyamment. Ils avaient éprouvé tous les deux une jouissance folle, ils étaient parvenus à une cime jamais atteinte jusque-là. Et à présent, c'était comme s'ils tombaient tout doucement du sommet de l'Everest. La neige s'étendait autour d'eux, leur corps était aussi léger qu'une feuille de papier qui redescend vers le sol, en flottant au gré du vent.

XLIX

Ce soir-là, après avoir connu un orgasme d'une intensité sans précédent, Lin Hong avait l'impression que son corps était disloqué. Elle était étendue sur le lit, les yeux fermés, épuisée, et tel un agneau qu'on égorge elle s'abandonnait aux assauts répétés de Li Guangtou : un deuxième, un troisième, un quatrième. Entre ses mains, elle apprenait de nouveau ce que signifie être plus mort que vif. Au troisième assaut de Li Guangtou, Lin Hong avait protesté, et d'une voix sans force elle avait rappelé à Li Guangtou qu'aux termes de leur contrat il s'était engagé à ne pas faire la chose plus de deux fois. Li Guangtou, sûr de son bon droit, avait allégué qu'aujourd'hui il était redevenu puceau et que quand un puceau a goûté à l'amour il est comme un jeune chien fou, incapable de s'arrêter. Lin Hong avait dû se résoudre passivement à le laisser faire, mais quand il avait voulu passer à l'action pour la quatrième fois, elle avait failli pleurer. Elle était morte de fatigue. Li Guangtou lui assura que c'était la dernière, et qu'après celle-là, il la rendrait à Song Gang.

Quand, vers deux heures du matin, M. l'adjoint Liu téléphona à Li Guangtou, ils en étaient précisément là. Lin Hong subissait la douleur en serrant les dents, elle subissait cet homme aux ardeurs bestiales. Le portable sonna et Li Guangtou, sans s'interrompre, le prit et regarda le numéro qui s'affichait sur l'écran : c'était celui de M. l'adjoint Liu. Il poussa un juron et ne décrocha pas. Au bout d'un moment, le téléphone sonna de nouveau. Li Guangtou poussa encore un juron et ne décrocha pas plus. Ensuite, le téléphone ne cessa plus de sonner, tant et si bien que Li Guangtou, furieux, prit la communication :

— Tu m'appelles au plus mauvais moment…

Quand après avoir dit cela, Li Guangtou entendit ce que M. l'adjoint Liu avait à lui annoncer, il poussa aussitôt un cri qui retentit comme un tir d'obus :

— Ah !

Affolé, il se retira du corps de Lin Hong et sauta à bas du lit. Puis il se tint debout là, tout nu, hébété, le portable levé et la bouche entrouverte, tremblant à chacun des mots de M. l'adjoint Liu. Quand son interlocuteur eut raccroché, il garda l'oreille collée à son portable et resta immobile, comme s'il avait perdu conscience. Au bout d'un moment, le portable tomba par terre et le bruit qu'il fit réveilla Li Guangtou. Il revint à lui et, tout en pleurant, il commença à se maudire lui-même :

— Putain, je vais mal finir. Si je ne meurs pas sous les roues d'une voiture, je grillerai dans un incendie ; si je ne grille pas dans un incendie, je finirai noyé ; et si je ne finis pas noyé je mourrai sous les roues d'une voiture… Je suis vraiment un salopard…

Lin Hong, terrassée par la fatigue, eut vaguement la sensation que Li Guangtou, couché sur elle, avait décroché le téléphone et que l'appel qu'il avait reçu l'avait éjecté du lit comme un ressort. Puis il n'y avait plus eu de bruit, et, enfin, Li Guangtou, le poing levé, s'agitait dans la pièce en se frappant la tête et en se traitant de tous les noms. Elle ouvrit les yeux et s'assit sur le lit, inquiète, ne comprenant pas ce qui se passait. Quand elle vit le portable tombé à terre et Li Guangtou qui sanglotait en se frottant les yeux comme un enfant, elle eut un pressentiment :

— Il est arrivé quelque chose ? demanda-t-elle avec angoisse.

Li Guangtou, des larmes plein les yeux, lui répondit :

— Song Gang est mort, ce salopard s'est suicidé, il s'est couché sur les rails !

Lin Hong, la bouche entrouverte, fixa Li Guangtou avec épouvante, et comme s'il venait de la violer, elle sauta du lit et se rhabilla en vitesse. Une fois vêtue, elle ne sut plus ce qu'elle devait faire. Sur son visage, on lisait le désarroi de celui à qui le médecin vient d'annoncer qu'il souffre d'un mal incurable. Quelques instants plus tard ses larmes coulaient, et bien qu'elle se mordît les lèvres jusqu'au sang elle n'arrivait plus à les retenir. Li Guangtou était planté là, et son corps nu lui inspira soudain du dégoût :

— Tu ne pouvais pas crever à sa place, lança-t-elle à Li Guangtou, d'un ton venimeux.

— Pauvre pute, tonna Li Guangtou, content d'avoir trouvé un bouc émissaire. Cela fait plus de trois heures que le cadavre de Song Gang attend devant chez toi que tu lui ouvres la porte ; et toi, pendant ce temps-là, pauvre pute, tu le trompes avec un autre homme…

— Je suis peut-être une pute, dit Lin Hong en serrant les dents, mais toi, qu'est-ce que tu es ? Une ordure et un salopard !

— Je suis peut-être une ordure et un salopard, dit Li Guangtou en serrant lui aussi les dents, mais toi tu es une salope et une pouffiasse.

— Je suis peut-être une salope et une pouffiasse, dit Lin Hong, haineuse, mais toi, tu es pire qu'une bête.

— Je suis peut-être pire qu'une bête, dit Li Guangtou, les yeux injectés de sang, mais toi, putain, qu'est-ce que tu es ? A cause de toi, ton mari est mort !

— Mon mari est peut-être mort à cause de moi, cria Lin Hong d'une voix stridente, mais à cause de toi ton frère est mort !

A ces mots, Li Guangtou éclata à nouveau en sanglots. Brusquement, il était devenu pitoyable. Il s'approcha de Lin Hong, les bras en avant, et il lui dit en gémissant :

— C'est à cause de nous que Song Gang est mort. On va mal finir tous les deux…

Lin Hong écarta la main que lui tendait Li Guangtou, et elle cria, révulsée :

— Fous le camp !

Lin Hong tourna les talons et quitta la chambre de Li Guangtou. Elle descendit l'escalier de Li Guangtou et, arrivée dans le salon de Li Guangtou, elle s'aperçut que ce dernier, qui était toujours nu, l'avait suivie. Quand elle ouvrit la porte et qu'elle sortit, il sortit avec elle. Lin Hong s'immobilisa :

— Cesse de me suivre !

— Putain, où as-tu vu que je te suivais ! cria Li Guangtou, tout nu, en dépassant Lin Hong et en se mettant devant elle. Je vais voir Song Gang !

— Reste là ! cria à son tour Lin Hong. Tu ne mérites pas d'aller le voir.

— C'est vrai, je ne mérite pas d'aller voir Song Gang, dit Li Guangtou, qui s'arrêta, touché par la réflexion de Lin Hong, avant de se retourner et de pointer un index accusateur sur elle : Et toi, pauvre pute, tu ne mérites pas non plus d'aller le voir.

— Je ne mérite pas non plus d'aller le voir, dit Lin Hong, en hochant la tête d'un air sombre, comme si elle approuvait les paroles de Li Guangtou. Je suis une pute, mais c'était mon mari…

Li Guangtou se mit à pleurer :

— C'était mon frère…

Li Guangtou, en larmes, s'engagea dans la grande rue en gesticulant, et s'apercevant subitement qu'il n'avait rien sur le dos, il s'arrêta, désemparé. Lin Hong courut derrière lui, et, saisi d'une timidité inattendue, il se couvrit le bas-ventre des deux mains. Lin Hong eut pitié de lui, et dit doucement :

— Allez, rentre chez toi.

Li Guangtou hocha la tête comme un enfant docile. Lin Hong, en passant à côté de lui, l'entendit se lamenter :

— Je vais le payer, et toi aussi tu vas le payer.

Lin Hong hocha la tête, et essuya ses larmes :

— C'est sûr, je vais le payer.

Ce soir-là, sous les rafales du vent d'automne, et sous la froide clarté de la lune, un homme qui ramassait des morceaux de charbon le long de la voie ferrée avait découvert le cadavre de Song Gang. Et il avait averti deux familles qui habitaient près de la voie ferrée. Il n'y avait pas la moindre trace de sang sur le corps de Song Gang, les roues du train avaient roulé sur sa taille. Ses vêtements n'étaient même pas abîmés, mais son corps avait été sectionné en deux. A onze heures du soir, deux hommes qui habitaient près de la voie ferrée avaient transporté Song Gang chez lui sur une voiture à bras. Ces deux hommes, qui avaient travaillé avec Song Gang du temps qu'il était docker, avaient été choqués quand ils l'avaient reconnu, avec son masque sur le visage. Ils avaient remarqué la veste sur la pierre et les lunettes sur la veste, et après s'être concertés ils étaient allés chercher la voiture à bras et avaient hissé Song Gang dessus. Ils avaient mis les lunettes dans la poche de la veste de Song Gang, et avaient recouvert le corps avec la veste. Le corps de Song Gang était très long, et quand on l'eut couché sur la charrette sa tête pendait dans le vide, tandis que ses pieds traînaient toujours par terre. Alors, pendant qu'un des deux ouvriers tirait la voiture, l'autre, derrière, soutenait les jambes de Song Gang, et c'est ainsi qu'ils s'étaient engagés dans les rues silencieuses de notre bourg des Liu. Les feuilles mortes qui jonchaient les rues crissaient sous les roues. De loin en loin, ils croisaient des passants qui s'arrêtaient au bord de la rue pour les regarder avec curiosité. Les deux anciens camarades de Song Gang ne disaient rien, ils avançaient en courbant le dos, l'un devant et l'autre derrière, et ils arrivèrent ainsi devant chez lui. Après avoir posé les bras de la charrette, ils firent glisser légèrement le corps de Song Gang, de telle sorte que ce n'était plus sa tête qui pendait hors de la voiture mais ses jambes pliées, et que ses pieds reposaient sur le sol. Puis ils frappèrent tout doucement à la porte et appelèrent à voix basse. Ils attendirent sans bruit pendant plus d'une demi-heure et comprirent que Lin Hong n'était pas à la maison. Tandis qu'un des deux hommes assis sur un des brancards veillait sur le cadavre, l'autre s'en allait le long des rues désertes à la recherche d'un employé de Li Guangtou. Il savait que Song Gang était son frère, et il avait entendu les rumeurs qui circulaient à propos de lui et de Lin Hong. Song Gang, mort, était revenu chez lui, mais il ne pouvait rentrer dans sa maison. Il était couché le visage vers le ciel, sur une charrette, devant la porte. Son compagnon, assis sur le brancard, regardait, hébété, les feuilles soulevées par le vent d'automne qui ne cessaient de tomber en tourbillonnant sur le corps de Song Gang. Certaines venaient des arbres au-dessus d'eux, d'autres étaient arrachées au sol par le vent et poussées sur la voiture. L'ouvrier qui veillait sur Song Gang avait attendu jusqu'à 2 heures du matin avant que son camarade ne revienne en compagnie de M. l'adjoint Liu.

M. l'adjoint Liu, debout devant la voiture, jeta un coup d'œil sur Song Gang, et après avoir secoué la tête il s'écarta un peu pour téléphoner à Li Guangtou. Quand il eut enfin joint celui-ci, il revint devant la charrette, et les trois hommes attendirent, silencieux, à la porte de Song Gang. Il était presque trois heures du matin, quand ils virent Lin Hong arriver de loin. Elle surgit dans les rues vides de notre bourg des Liu. Elle passa sous un réverbère, et son corps s'illumina tout entier. Aussitôt, elle replongea dans l'obscurité, puis, à nouveau, son corps s'illumina, pris dans la lumière d'un autre réverbère, pour aussitôt replonger dans l'obscurité. Elle avançait comme une ombre, en baissant le front, et en se tenant les épaules. On aurait dit qu'elle sortait de la vie pour entrer dans la mort, puis qu'elle sortait de la mort pour entrer dans la vie.

Quand Lin Hong eut rejoint les trois hommes, évitant leurs regards elle se glissa de profil à côté de la voiture. Tandis qu'elle déverrouillait la porte, elle se retourna pour regarder Song Gang étendu dans la voiture, le corps recouvert de feuilles mortes. La porte s'ouvrit, il faisait noir à l'intérieur de la maison. Après avoir regardé Song Gang, Lin Hong ne put s'empêcher de se pencher au-dessus de la voiture pour ramasser les feuilles sur son visage. Mais à la place de son visage, c'est son masque qui lui apparut et tout à coup elle tomba à genoux par terre, en larmes. Elle ôta en tremblant son masque à Song Gang, et à la lumière de la lune elle vit son visage paisible. Elle passa en pleurant ses mains tremblantes sur le visage de Song Gang. Ce visage qui avait souri si souvent de bonheur, ce visage qui peu de temps auparavant, dans le train, exprimait une si grande attente, ce visage, maintenant que la vie l'avait quitté, était aussi glacé que la nuit.

L

Lin Hong passa les premières heures de la matinée dans le silence. Quand les deux anciens compagnons de travail de Song Gang le transportèrent jusqu'à son lit, elle se rendit compte que son corps était coupé en deux. Tandis que les deux hommes se dirigeaient vers le lit en le tenant, l'un par les bras, l'autre par les pieds, le corps de Song Gang parut se plier. Ses fesses frottèrent contre le sol de ciment, et les feuilles qui le recouvraient tombèrent. Une fois couché, son corps se déplia et retrouva toute sa longueur, et quelques feuilles glissèrent sur le lit. Lorsque M. l'adjoint Liu et les deux compagnons de travail de Song Gang furent partis, l'aube n'était pas encore levée, et le bourg des Liu était plongé dans le silence. Lin Hong était assise sur le lit, les bras croisés autour de ses genoux. Song Gang était tranquille, les feuilles étaient tranquilles, et Lin Hong les regardait en pleurant sans arrêt. Elle avait l'esprit tantôt confus, tantôt parfaitement lucide. Dans les phases de confusion elle était comme murée dans l'opacité de la nuit, et dans les phases de lucidité Song Gang parlait, souriait, marchait, il la caressait avec une infinie tendresse. C'était leur doux secret à tous les deux, et personne ne pouvait s'immiscer dedans. Vingt ans de vie commune venaient de s'achever brutalement, et désormais il n'y aurait plus de temps partagé. Lin Hong avait une sensation de froid, le froid de la solitude et du vide, elle ne cessait de se répéter que Song Gang était mort à cause d'elle, et pour cette raison elle se haïssait. Elle aurait voulu crier, mais elle ne cria pas. Elle s'arracha sans bruit une poignée de cheveux et les serra dans sa main en tirant de toutes ses forces. Les cheveux lui entaillèrent les doigts, elle avait les deux mains en sang. Elle regarda d'un air pitoyable Song Gang, Song Gang qui était désormais plongé dans un calme éternel, et elle psalmodiait :

— Pourquoi es-tu parti ?

Puis tous les affronts qu'elle avait subis lui revinrent en mémoire. Elle songea que Song Gang, en partant, l'avait laissée seule et sans appui. Elle se remémora les avances humiliantes de Liu le Fumeur, et elle ne put s'empêcher de gémir :

— Tu es parti avant que je te dise tout ce que j'avais sur le cœur…

Le lendemain matin, Lin Hong reçut la lettre que Song Gang lui avait envoyée avant de se suicider. Elle était longue de six pages, et chaque ligne la bouleversa. Song Gang y confiait à Lin Hong à quel point il avait été heureux tout au long de ces années. Il la remerciait d'être toujours restée à ses côtés, et il lui confiait que depuis que ses poumons étaient fichus, il avait pensé à se séparer d'elle. Il lui savait gré de lui avoir dit que quoi qu'il arrive jamais elle ne le quitterait : rien que pour cette simple phrase il mourrait sans regret. Il adjurait Lin Hong de lui pardonner son suicide, et il lui demandait de ne pas être triste pour lui. Les vingt ans qu'il avait vécus avec elle valaient plus que vingt vies auprès d'une autre femme, et il était pleinement satisfait de l'existence qui avait été la sienne. Song Gang s'excusait aussi d'être parti sans la prévenir un peu plus d'un an auparavant : il n'avait d'autre but que de gagner suffisamment d'argent pour la mettre à l'abri du besoin jusqu'à la fin de ses jours, mais, hélas ! il n'était pas doué pour les affaires, et il n'avait rapporté que 30 000 yuans, qu'elle trouverait sous l'oreiller. Maintenant qu'elle ne l'aurait plus à sa charge, il espérait que Lin Hong aurait les moyens de mener une existence confortable sans dépendre de personne, et il terminait en assurant qu'il n'en voulait pas à Li Guangtou, et encore moins à Lin Hong, et pas davantage à lui-même : c'était lui le premier qui s'en allait, voilà tout, et il veillerait sur Lin Hong depuis l'autre monde, persuadé qu'un jour ils se retrouveraient, et que plus rien alors ne les séparerait jamais.

Lin Hong lut et lut encore la lettre de Song Gang, pleura et pleura encore en la lisant, et le papier était trempé. Puis elle se leva en sanglotant, elle déshabilla Song Gang et, tandis qu'elle le lavait, elle remarqua une bosse rougeâtre au creux de son estomac. Sa main affolée, qui tenait la serviette, remonta du creux de l'estomac de Song Gang jusqu'aux plaies suppurantes sous ses aisselles, et elle se mit à trembler de tous ses membres. Elle sécha ses larmes et examina attentivement les cicatrices. En un instant, les larmes lui brouillèrent la vue. Elle s'essuya à nouveau les yeux, examina à nouveau de près les cicatrices de Song Gang, mais aussitôt sa vue se brouilla de plus belle. Elle ne comprenait pas d'où venaient ces deux cicatrices : qu'était-il arrivé à Song Gang au cours de ses lointains voyages ? Elle demeura debout longtemps, figée, la serviette à la main : en larmes, incrédule, perplexe, perdue, égarée. Quand elle retira de sous l'oreiller les 30 000 yuans soigneusement enveloppés par Song Gang dans du vieux papier journal, elle faillit s'évanouir. Ses jambes fléchirent, et elle s'écroula à genoux près du lit. Face aux billets éparpillés sur le lit, elle avait enfin compris. Elle prit les billets un par un dans ses mains tremblantes, et les plia. Elle avait compris en se rappelant la bosse sur la poitrine de Song Gang et les plaies sous ses aisselles que chacun de ces billets était imprégné de la sueur et du sang de Song Gang.

Cinq jours plus tard, au moment de la crémation du corps de Song Gang, les masses de notre bourg des Liu virent réapparaître Lin Hong, les yeux rouges et gonflés comme des ampoules électriques. Elle ne pleurait plus, son visage était sans expression et son regard était froid. Lorsque la dépouille de Song Gang fut poussée dans l'incinérateur, elle n'éclata pas en sanglots comme les gens s'y attendaient, elle ferma douloureusement les yeux et s'adressa en son for intérieur à Song Gang, au moment où il se transformait en cendres :

— Quoi que j'aie pu faire, je n'aurai jamais aimé que toi dans cette vie.

Li Guangtou, lui aussi, avait reçu la lettre que Song Gang lui avait adressée, et il l'avait lue les larmes aux yeux. Dans sa lettre, Song Gang se remémorait leur enfance misérable à tous les deux, et les liens qui les avaient unis. Il se souvenait du jour où, après être retourné vivre à la campagne, il avait marché des kilomètres pour venir rendre visite à Li Guangtou en ville. Il se souvenait de son retour au bourg des Liu, l'année de ses dix-huit ans, et du bonheur de Li Guangtou lorsqu'il était allé lui faire faire une clef. Il se souvenait de leur joie à tous les deux au moment de toucher leur première paie. Puis il se souvenait de Lin Hong, et alors le ton de sa lettre se faisait allègre. C'était de lui dont Lin Hong était tombée amoureuse, et non pas de Li Guangtou : Song Gang était presque fier en écrivant ces mots. Song Gang confiait à Li Guangtou qu'il s'était réjoui en secret de chacun de ses succès. Leur mère, au moment de mourir, lui avait recommandé de prendre bien soin de lui, et à présent il était content, car lorsqu'il la reverrait il n'aurait pas de souci à se faire et il pourrait lui annoncer que son fils était un type formidable. A ce point de sa lettre, Song Gang avait été à nouveau envahi par la tristesse : son père lui manquait terriblement, écrivait-il, mais sans la fameuse photo de famille il ne se rappellerait certainement plus son aspect physique. Il espérait qu'après toutes ces années son père n'avait pas changé, de sorte qu'il puisse le reconnaître au premier coup d'œil quand il le rencontrerait dans l'autre monde. Dans la dernière page de sa lettre, Song Gang exhortait Li Guangtou, au nom de leur tendresse fraternelle, à veiller sur Lin Hong. Il terminait sa lettre sur ces mots : "Li Guangtou, tu m'as dit un jour : Même si le Ciel est culbuté et la Terre chavirée, nous resterons frères. A présent, c'est moi qui te dis : Même séparés par la mort, nous resterons frères."

Li Guangtou relut lui aussi plusieurs fois la lettre de Song Gang, et après chaque lecture il s'administra une gifle avant de lâcher la bonde à son chagrin. Depuis la mort de Song Gang, Li Guangtou était devenu un autre homme. Il ne mettait plus les pieds à sa compagnie, et restait cloîtré dans sa somptueuse résidence, sans parler à personne. Seul M. l'adjoint Liu était autorisé à venir chez lui et à l'approcher. Tandis qu'il lui présentait son rapport sur les activités de la compagnie, Li Guangtou le regardait comme un enfant de l'école maternelle regarde son maître. Et au moment où M. l'adjoint Liu, son rapport fini, attendait ses instructions, Li Guangtou jetait un coup d'œil par la fenêtre et soupirait :

— Il va bientôt faire nuit.

M. l'adjoint Liu demeurait debout un moment, et comme les instructions ne venaient pas, il se risquait à le solliciter plus directement :

— Monsieur le directeur Li, dois-je comprendre que…

Li Guangtou se retournait vers lui et le fixait d'un air misérable :

— Désormais, je suis orphelin.

En rangeant les affaires de Song Gang, Lin Hong découvrit qu'il y avait deux documents qu'elle devait remettre à Li Guangtou : leur photo de famille et la copie, réalisée par Song Gang, de l'arrêté de nomination de Li Guangtou à son poste de directeur d'usine. Elle glissa ces pièces dans deux enveloppes séparées, qu'elle confia à M. l'adjoint Liu, lequel les transmit à Li Guangtou. En ouvrant la première, Li Guangtou laissa échapper la photo de famille, qui tomba à terre. Il s'agenouilla pour la ramasser et l'emporta, avec la deuxième enveloppe, à sa table de bureau. Il s'assit, fouilla longuement dans un tiroir, et en sortit l'autre tirage de cette même photo. Il examina attentivement les deux, puis les rangea soigneusement ensemble dans le tiroir. Après quoi il se leva et, tout en revenant vers M. l'adjoint Liu, il décacheta la deuxième enveloppe. Il y découvrit l'arrêté de nomination que Song Gang avait recopié de sa main quelque vingt ans auparavant. Il cessa tout net d'avancer, et commença à parcourir le document avec perplexité : quand il vit le sceau dessiné à l'encre rouge au bas de la feuille, il comprit de quoi il s'agissait. Il vacilla sur ses jambes et s'écroula, la tête la première.

Li Guangtou ne sortit de sa résidence que pour assister à la crémation de Song Gang. Dédaignant sa Mercedes et sa BMW, il se rendit seul au crématorium, les yeux humides. Lorsque Song Gang fut poussé dans l'incinérateur, Lin Hong ne versa pas une larme, au contraire de Li Guangtou qui pleurait à fendre l'âme. Après quoi Li Guangtou quitta le crématorium, seul et éploré. La Mercedes noire et la BMW blanche le suivaient en roulant au pas. Il se retourna et les envoya au diable. Puis il continua à marcher tout seul, en séchant ses larmes. Les masses de notre bourg des Liu n'en revenaient pas :

— Qui aurait cru que Li Guangtou allait se transformer en Lin Daiyu[1]...

Li Guangtou ne voulait plus se rendre à sa compagnie : il retourna à l'usine d'assistés sociaux. L'ancien "*Kabushiki-kaisha* de recherches en économie du bourg des Liu" était devenu entre-temps l'Institut de recherches économiques du bourg des Liu. L'arrêté de nomination recopié par Song Gang de sa belle calligraphie avait réveillé chez Li Guangtou la nostalgie du passé. Cela faisait de nombreuses années qu'il n'avait pas vu ses quatorze fidèles, et maintenant il se languissait d'eux.

L'apparition soudaine de Li Guangtou surprit agréablement les deux boiteux qui, comme toujours, jouaient aux échecs en rejouant sans arrêt leurs coups et en s'engueulant. Tandis qu'ils se précipitaient tout émus en criant : "Monsieur le directeur Li", un des deux se cassa la figure et l'autre, trébuchant, alla heurter le chambranle de la porte. Li Guangtou, tel un père, releva celui qui était tombé et frotta le front tuméfié de celui qui s'était cogné contre la porte. Puis, les prenant tous les deux par la main, il les entraîna vers le reste de la bande. Les deux boiteux criaient, excités :

— M. le directeur Li est là ! M. le directeur Li est là !

Les trois idiots et les quatre aveugles les entendirent, mais pas les cinq sourds. Les quatre aveugles réagirent plus vite que les trois idiots. Ils se dirigèrent vers la porte en tâtonnant devant eux avec leur perche de bambou. Un seul réussit à sortir, les trois autres restèrent coincés dans l'encadrement de la porte, aucun d'eux ne voulant s'effacer. Ils hurlaient : "Monsieur le directeur Li", et par contraste avec leurs yeux à demi clos, leur bouche ouverte avait l'air monstrueuse. Les trois idiots finirent par réagir à leur tour. Ils arrivèrent à la porte en même temps et en apercevant Li Guangtou s'exclamèrent en chœur : "Monsieur le directeur Li !" Trois des aveugles obstruaient la sortie, mais les trois idiots ne se laissèrent pas décourager pour autant : leurs six mains poussèrent en même temps devant eux, faisant mordre la poussière aux trois aveugles qui les empêchaient de passer. Ce fut encore Li Guangtou qui releva ceux-ci, un par un, puis les neuf fidèles boiteux, idiots et aveugles, l'escortèrent, radieux, jusqu'à la salle de réunion. Les cinq sourds, jusque-là bien sagement assis dans la salle, s'éjectèrent de leur siège en découvrant le bonheur qui leur tombait du ciel, et les deux qui savaient produire des sons grognèrent : "Monsieur le directeur Li", tandis que les trois autres remuaient la bouche en cadence avec eux, en reproduisant comme toujours à la perfection la position de leurs lèvres. Li Guangtou, debout au milieu de ses quatorze fidèles, écoutait le concert d'acclamations, et quand il en eut assez il les arrêta d'un geste, puis, montrant du doigt les sièges, il invita tout le monde à s'asseoir. Une fois assis, certains continuaient à jacasser. Un des deux boiteux leur intima l'ordre de se taire, tandis que l'autre répétait plusieurs fois devant les cinq sourds le geste de se couvrir la bouche. Aussitôt, le silence tomba dans la salle de réunion, et l'ex-directeur boiteux s'adressa aux treize autres fidèles :

— J'invite M. le directeur Li à prendre la parole.

Les quatorze fidèles applaudirent. Li Guangtou leur fit un signe, et les applaudissements cessèrent immédiatement. Li Guangtou dévisagea l'un après l'autre ses quatorze fidèles, puis il soupira :

— Vous avez vieilli, et moi aussi.

Quand Li Guangtou eut achevé sa phrase, les trois idiots, craignant de se laisser distancer, se précipitèrent pour applaudir. Les cinq sourds, qui ignoraient ce que Li

Guangtou avait dit, s'empressèrent de les imiter, et les quatre aveugles, suivant le mouvement sans réfléchir, se mirent également à applaudir à tout rompre. Les deux boiteux n'avaient pas le sentiment que la phrase de Li Guangtou appelait des applaudissements, mais puisque tout le monde applaudissait ils se crurent obligés d'en faire autant. Li Guangtou les arrêta de nouveau d'un signe de la main :

— Il n'y a pas lieu de m'applaudir.

Les deux boiteux reposèrent immédiatement leurs mains, suivis par les quatre aveugles, puis par les cinq sourds qui guettaient leurs moindres expressions. Les trois idiots continuaient d'applaudir, mais comme tous les autres avaient cessé, pris d'un doute ils s'arrêtèrent eux aussi. Li Guangtou leva la tête et regarda la salle, puis les arbres derrière la fenêtre. Il soupira à plusieurs reprises. Du coup, les visages des quatorze fidèles se firent graves. Li Guangtou rappela avec émotion les circonstances dans lesquelles, vingt ans auparavant, il était entré à l'usine. Tout en parlant, il sortit de la poche intérieure de sa veste l'arrêté de nomination recopié par Song Gang, il le déplia pour en donner lecture, puis le brandit pour que les quatorze fidèles puissent le voir. Tandis que les quatorze hommes tendaient le cou et se penchaient au-dessus de la table, Li Guangtou déclara, avec un sourire mélancolique :

— Ceci est une copie. L'original se trouve dans les archives du département de l'organisation du comité du district[2]. A l'origine, le sceau était rouge, mais il a jauni. C'est Song Gang qui a recopié le document de sa main, et c'est lui aussi qui a dessiné le sceau. Il l'avait conservé jusqu'à aujourd'hui. Il était content pour moi, il m'avait même tricoté un pull, avec dessus un long-courrier…

Li Guangtou, trop ému, ne put achever sa phrase. Les deux boiteux et les quatre aveugles étaient accablés.

Les trois idiots ne comprenaient pas vraiment ce qui se passait, et comme Li Guangtou s'était interrompu, ils se mirent aussitôt à applaudir. Cette fois, les cinq sourds furent plus prudents : observant alternativement l'expression affligée de Li Guangtou et les trois idiots, ils restaient dans l'expectative.

— Il n'y a pas lieu d'applaudir, il n'y a pas lieu d'applaudir, soufflèrent les deux boiteux aux trois idiots.

Les trois idiots jetèrent un regard autour d'eux et, comprenant qu'ils avaient gaffé, ils cessèrent de battre des mains. Li Guangtou, le visage triste, avait entrepris d'évoquer ses souvenirs communs avec Song Gang, et quand il fut parvenu au moment tragique où Song Fanping était mort devant la gare routière et où Song Gang et lui s'étaient retrouvés seuls et sans appui, l'émotion l'empêcha de continuer. Les deux boiteux, les premiers, se mirent à sangloter et à s'essuyer les yeux ; les quatre aveugles, leur perche entre les mains, avaient rejeté la tête en arrière et les larmes coulaient lentement de leurs yeux sans lumière ; les cinq sourds n'avaient rien entendu de ce qu'avait raconté Li Guangtou, mais ils avaient vu qu'il était triste, et la tristesse de Li Guangtou avait déteint sur eux, si bien qu'ils pleuraient aussi amèrement que les deux boiteux ; les trois idiots ne comprenaient toujours pas grand-chose, mais quand ils virent le grand directeur Li plongé dans l'affliction et leurs onze compagnons en larmes, ils ouvrirent la bouche et se mirent à sangloter, et leurs sanglots déchirants finirent par prendre le dessus et par couvrir les pleurs des onze autres.

Au cours des quelque dix jours qui suivirent, Li Guangtou retourna quotidiennement à ce fameux Centre de recherches économiques du bourg des Liu. Il ressassait ses souvenirs, et ses quatorze fidèles témoignaient de leur loyauté en pleurant. Li Guangtou, lui, ne pleurait plus, mais son histoire tragique faisait sangloter ses quatorze fidèles. Le dévouement sans faille de ces quatorze boiteux, idiots, aveugles et sourds, procura à Li Guangtou un réconfort énorme : c'était comme s'ils avaient endossé son chagrin. Tout en revenant sur son histoire, Li Guangtou les consolait et leur disait de ne pas être tristes, mais plus il cherchait à les consoler et plus ils étaient tristes. Alors, c'était un concert de pleurs, chacun entraînant l'autre. Li Guangtou avait la conviction profonde que dans le vaste monde seuls ses quatorze fidèles pouvaient partager ses remords et son chagrin.

Par la suite, Li Guangtou reprit le chemin de sa compagnie. S'il revenait au bureau, c'était pour exaucer les vœux formulés par Song Gang de son vivant. Il pria M. l'adjoint Liu de téléphoner à tous ses partenaires commerciaux, pour les inviter à un banquet de tofu qui durerait trois jours et se tiendrait dans son restaurant. Il voulait attirer au bourg des Liu tous les gens riches qu'il connaissait. Quand M. l'adjoint Liu eut dressé la liste des hôtes, il empoigna son téléphone et fut occupé pendant toute la journée à passer des appels. Il expliquait à ses correspondants que le frère de Li Guangtou étant mort, ce dernier les priait de venir le soutenir en participant au banquet qu'il comptait donner pour célébrer la mémoire de Song Gang. A la fin de la journée, M. l'adjoint Liu avait la voix cassée, il avait parlé à tous les partenaires commerciaux de Li Guangtou des quatre coins de la Chine, ainsi qu'à tous les gens qui comptaient en ville et dans le district, en évitant tous les pauvres et ceux qui ne comptaient pas.

Le banquet de tofu donné par Li Guangtou commença par le petit déjeuner, et se poursuivit par le déjeuner et le dîner. Certains convives, qui devaient faire plusieurs heures d'avion, puis encore deux heures de route, n'arrivèrent que tard dans la nuit, et Li Guangtou organisa à leur intention un souper. C'était la première fois que Li Guangtou revoyait Lin Hong depuis la crémation de Song Gang. Ils restèrent froids l'un envers l'autre, comme des étrangers. Vêtus de lin blanc[3] et de gaze noire, ils se tinrent debout pendant trois jours à la porte du restaurant. Tous les hôtes de marque glissaient dans les mains de Lin Hong une enveloppe qui contenait quelques milliers, voire quelques dizaines de milliers de yuans. A la banque, on voyait tous les jours Lin Hong venir déposer de l'argent, et c'était chaque fois une grosse liasse de billets. Au bout des trois jours, elle avait récolté plus d'une centaine d'enveloppes, et à en croire les masses elle avait touché plusieurs millions de yuans. La rumeur prétendait qu'à force de compter les billets, elle avait les doigts enflés, le poignet luxé et les yeux injectés de sang.

Le banquet terminé, Li Guangtou dit à Lin Hong :

— Song Gang m'a recommandé de veiller sur toi. Qu'est-ce que tu veux que je fasse encore pour toi ?

— Rien, ça ira comme ça, répondit Lin Hong.

ÉPILOGUE

Trois ans filèrent en un clin d'œil. Certains quittèrent ce monde tandis que d'autres y faisaient leur entrée : Guan les Ciseaux l'Ancien était parti, Zhang le Tailleur également, mais, en trois ans, trois bébés portant le patronyme de Guan et neuf autres celui de Zhang étaient arrivés, et notre bourg des Liu était plein de vie du matin au soir.

Personne ne sut quelle marque la mort de Song Gang avait imprimée dans le cœur de Lin Hong. On apprit seulement qu'elle avait démissionné de son travail à la manufacture de tricots et qu'elle avait déménagé. Avec l'argent reçu lors du banquet de tofu, elle avait acheté une nouvelle maison, où elle s'était installée seule et où elle avait vécu retirée pendant six mois. Les masses du bourg la voyaient très rarement, et son visage était toujours froid : un vrai visage de veuve, à les en croire. Des personnes attentives, très peu, avaient noté le changement qui s'était produit en elle : elle s'habillait maintenant de plus en plus à la mode et portait de plus en plus de vêtements de marque. Six mois après avoir abandonné son ancien appartement, Lin Hong refit surface, mettant un terme à son existence recluse, et les masses se réhabituèrent à la voir. Elle transforma son ancien appartement en salon de coiffure, et en devint la patronne. A compter de ce jour, là-bas, la musique coulait à flots et les néons clignotaient, et les affaires prospérèrent.

Quand les hommes de notre bourg des Liu se rendaient au salon de Lin Hong, ils ne disaient plus comme les péquenots : “Je vais au coiffeur”, mais, en affectant le chic occidental : “Je me rends au salon de coiffure”. Même ceux qui s’exprimaient d’ordinaire avec des mots grossiers ne parlaient plus d’“aller au coiffeur” mais de “se rendre à ce putain de salon de coiffure”.

Zhou le Voyageur repenti, celui qui tenait la boutique d’en face, continuait à proclamer qu’en moins de trois ans il serait à la tête d’une chaîne de cent boutiques sur tout le territoire chinois. Voilà trois ans que Zhou le Voyageur repenti tenait ce discours, et non seulement il n’avait pas inauguré la première de ces cent boutiques, mais du côté des deux autres magasins qu’il s’était fait fort d’ouvrir au bourg des Liu rien n’avait bougé. Toujours pas guéri de sa vantardise, il s’obstinait à jurer qu’il allait faire chuter l’action McDonald’s de 50 %. Su Mei s’était habituée aux rodomontades de son compagnon, elle savait que cet homme n’aurait pas pu vivre sans ses hâbleries de la journée et ses feuilletons coréens du soir, et elle n’avait même plus honte pour lui quand il proférait ses bobards.

Si la boutique de *dim sum* de Zhou le Voyageur repenti était demeurée en l’état, le salon de coiffure de Lin Hong, en revanche, se métamorphosa tout doucement. Au départ, il n’employait que trois coiffeurs et trois shampouineuses. Au bout d’un an, des jeunes filles avaient débarqué des quatre coins de la Chine, des grandes et des petites, des grosses et des maigres, des belles et des moches, toutes très décolletées et vêtues de jupes ultracourtes. Il y en avait vingt-trois au total, et après leur arrivée au bourg des Liu, elles emménagèrent dans l’immeuble de cinq étages où était domicilié le salon. Les locataires, parmi lesquels Zhao le Poète, s’étaient transportés ailleurs les uns après les autres, et Lin Hong avait loué les deux-pièces libérés.

Elles les avait retapés et avait installé une demoiselle dans chacun d'eux, si bien que l'immeuble entier résonnait des accents du nord et du sud de la Chine.

Ces jeunes filles passaient la journée à dormir dans l'immeuble silencieux, mais le soir venu les lieux s'animaient. Les vingt-trois jeunes filles aux tenues voyantes se rassemblaient dans le salon de coiffure du rez-de-chaussée, et, brillant comme vingt-trois lanternes rouges de nouvel an, elles attiraient le chaland. Les hommes dans la rue piétinaient tous en chœur, jetant dans le salon des regards de voleurs ; tandis qu'à l'intérieur, calées dans leur fauteuil, les filles à l'envi leur lançaient des clins d'œil. Puis le salon se transformait en un marché noir où l'on discutait les prix : les hommes parlaient bas comme un drogué qui n'ose attirer l'attention en achetant sa dose ; les filles en revanche manquaient de discrétion, on eût dit à les voir qu'elles vendaient du savon. Quand on s'était mis d'accord sur le prix, les couples montaient l'escalier collés l'un contre l'autre en échangeant des propos lestes, et une fois qu'ils étaient entrés dans la chambre, l'immeuble de cinq étages, transformé en un zoo d'où s'échappaient toutes sortes de râles, devenait une encyclopédie sonore des cris amoureux.

Les masses de notre bourg des Liu appelaient l'endroit "le quartier chaud". La boutique de *dim sum* de Zhou le Voyageur repenti profita de sa proximité avec lui et les affaires décollèrent. Auparavant, la boutique fermait à onze heures du soir, mais à présent elle était ouverte vingt-quatre heures sur vingt-quatre. A partir d'une heure du matin et jusqu'à quatre ou cinq heures, les clients et les demoiselles qui sortaient du quartier chaud traversaient la rue en flux continu pour se rendre dans la boutique de *dim sum*. Ils s'y attablaient et dégustaient des petits pains à paille en aspirant le jus bruyamment.

Qui, dans notre bourg des Liu, avait réellement suivi le parcours de Lin Hong de bout en bout ? La jeune fille pure et timide, la tendre amoureuse, l'épouse vertueuse qui n'avait pas eu d'autre homme dans sa vie que Song Gang, l'amante ardente qui avait vécu une passion charnelle de trois mois avec Li Guangtou, la veuve éplorée, la femme solitaire aux traits figés retirée du monde. Puis, du jour où le salon de coiffure s'était ouvert, une patronne ne souriant jamais qu'à demi avait surgi opportunément pour accueillir les clients. Lorsque les jeunes filles aux tenues voyantes étaient arrivées, elle s'était faite plus accommodante et plus affable. Ces demoiselles ne l'appelaient pas Lin Hong, mais Grande Sœur Lin, et peu à peu les masses de notre bourg des Liu avaient pris le pli. Maintenant que Lin Hong était devenue Grande Sœur Lin, c'était comme si elle s'était dédoublée. Quand un client se présentait, elle le recevait avec de grands sourires et des paroles mielleuses, mais, dans la rue, quand elle croisait un homme qui n'avait rien à voir avec son commerce, le regard qu'elle lui lançait était glacé.

Bien que des rides serrées eussent envahi son front et les coins de ses yeux, Grande Sœur Lin avait conservé un corps ferme et aguichant. Elle était invariablement moulée dans des vêtements noirs, qui faisaient ressortir son postérieur bien rond et sa poitrine bien ronde. Sa main droite tenait en permanence un téléphone portable, elle ne le lâchait jamais, comme si c'eût été un lingot d'or. Le portable sonnait jour et nuit, et elle répondait en souriant à “monsieur le chef de département”, à “monsieur le directeur”, à “mon cher monsieur” ou à “mon cher” :

— Quelques-unes de nos anciennes nous ont quittés, mais des nouvelles les ont remplacées. Et elles sont toutes jeunes et jolies.

Si elle ajoutait ensuite : "Je vous les envoie, et vous verrez vous-même", c'est que, à coup sûr, son interlocuteur était un VIP, soit un haut fonctionnaire du district, soit un grand patron du district. Si elle disait : "Passez, et vous verrez vous-même", c'est qu'elle s'adressait à un client ordinaire, un petit fonctionnaire ou un petit patron du district. Et quand elle avait affaire à un simple salarié, elle gardait son sourire, mais son ton n'était pas le même, elle se contentait de ces mots :

— Chez moi, toutes les filles sont belles.

Chez Grande Sœur Lin, Tong le Forgeron était considéré comme un VIP. Il avait à présent la soixantaine, et sa femme avait un an de plus que lui. Il avait ouvert une chaîne de trois supermarchés dans notre bourg des Liu, mais "M. le P-DG Tong" refusait que ses employés l'appellent ainsi, il préférait son ancien titre, "Tong le Forgeron", qu'il trouvait beaucoup plus ronflant.

A son âge, Tong le Forgeron était encore vert comme un jeune homme, et tel un voleur qui aperçoit un magot il avait l'œil qui brillait à la vue d'une jolie fille. Son épouse, vers la cinquantaine, avait subi deux opérations lourdes : on lui avait retiré d'abord la moitié de l'estomac, puis l'utérus. Et depuis quelques années, cette femme autrefois bien en chair avait fondu. En même temps que sa santé s'était détériorée et qu'elle était devenue maigre comme un clou, elle avait perdu tout intérêt pour la bagatelle. Son mari, en revanche, était toujours aussi fringant, il continuait à la solliciter au moins deux fois par semaine, et c'était pour elle autant d'épreuves. Elle en ressortait à chaque fois avec l'impression d'avoir subi une ablation de l'utérus dont il lui aurait fallu deux mois pour se remettre. Mais las ! au bout de quelques jours Tong le Forgeron montait à l'assaut derechef.

Pour sauver sa peau, l'épouse de Tong le Forgeron décida donc de se refuser à son mari. Dès lors, celui-ci fut d'aussi méchante humeur qu'un porc en rut qui ne trouve pas de partenaire bien disposée. A la maison, il cassait la vaisselle, et dans ses magasins il engueulait ses employés. Un jour même, il en vint aux mains avec un client. Son épouse en conclut que l'abstinence forcée qu'elle lui imposait finirait par tourner mal, et que tôt ou tard il tomberait entre les griffes d'une rivale. Il prendrait une concubine, une deuxième, une troisième, voire six ou sept, et l'argent qu'il avait péniblement mis de côté et qu'elle n'avait pas osé dépenser, d'autres qu'elle se chargeraient de le dilapider. Après mûre réflexion, elle se résigna à envoyer Tong le Forgeron chez Grande Sœur Lin pour que ses filles le guérissent de ses sautes d'humeur. La dépense n'était pas mince, compte tenu du pourboire de ces demoiselles et des frais de gestion de Grande Sœur Lin, et cela lui crevait le cœur de débourser cet argent, mais, en un sens, c'était comme si elle avait envoyé son mari se faire soigner à l'hôpital. La dépense était incontournable, ce qui, du coup, la rassura. Le jeu en valait la chandelle.

Tong le Forgeron arrivait toujours très sûr de lui chez Grande Sœur Lin, et invariablement flanqué de son épouse en personne. Craignant qu'il ne se fasse rouler par ces demoiselles, elle les choisissait elle-même, discutait le prix et payait avant de partir. Elle laissait Tong le Forgeron livrer bataille au lit avec sa partenaire, et attendait à la maison qu'il lui rapporte son bulletin de victoire.

La première fois que Tong le Forgeron revint à la maison après sa visite au lupanar, son épouse fut très contrariée d'apprendre qu'il avait besogné la demoiselle pendant plus d'une heure, et elle s'inquiéta de savoir s'il n'était pas tombé amoureux de cette jeune personne. Tong le Forgeron répondit que, du moment qu'il payait, mieux valait en profiter :

— C'est ce qu'on appelle le retour sur investissement.

Son épouse admit qu'il avait raison, et désormais, dès qu'il était rentré, la première chose dont elle s'inquiétait, c'était le temps qu'avait duré la chose. Tong le Forgeron avait beau avoir dépassé la soixantaine, il était encore d'une vigueur stupéfiante, et il ne prenait pas moins d'une heure presque chaque fois. Son épouse était ravie de ce retour sur investissement. Mais il advint que Tong le Forgeron traversa un passage à vide, et à plusieurs reprises il eut terminé au bout d'une demi-heure seulement. Son épouse en fut très mécontente, elle estima que le retour sur investissement n'était pas suffisant, aussi modifia-t-elle le plan d'investissement, passant d'un investissement bihebdomadaire à un investissement hebdomadaire.

Tong le Forgeron était très vexé de ce que, par économie, son épouse retînt systématiquement pour lui des filles pas très jolies. Au tout début, il s'en contentait encore, car les filles, même si elles n'étaient pas jolies, étaient jeunes malgré tout. Mais avec le temps il se désintéressa complètement des filles qu'on lui proposait, et le nombre de rounds qu'il livrait au lit avec elles diminua peu à peu. Or des filles très jolies, il y en avait dans l'immeuble de Grande Sœur Lin, et elles le faisaient baver d'envie. Il supplia son épouse d'en choisir une pour lui, ce à quoi elle se refusa au prétexte que les jolies coûtaient plus cher et que cela alourdissait l'investissement. Tong le Forgeron jura à son épouse que s'il pouvait en avoir une jolie, il passerait au moins deux heures avec elle, de sorte que le capital serait amorti et qu'on n'y perdrait pas.

Depuis plusieurs dizaines d'années qu'ils étaient mariés, Tong le Forgeron avait toujours joué les gros bras devant son épouse, et plus encore depuis qu'il avait ouvert son magasin puis sa chaîne de supermarchés, ses succès en affaires l'ayant rendu encore plus imbu de lui-même. Et il se permettait souvent de reprendre son épouse et de l'engueuler. Mais à présent, tandis qu'il la suppliait de choisir pour lui une fille plus jolie, il n'hésitait pas à s'agenouiller et à pleurer devant elle. Cette humilité, comparée à son arrogance de naguère, parut à celle-ci pitoyable :

— Comment un homme peut-il s'abaisser autant ? soupira-t-elle.

Sur ce, elle consentit à lui offrir une jolie fille les jours de fête. Tong le Forgeron, comme s'il avait reçu un édit impérial, alla aussitôt chercher un calendrier, et il nota sur le papier et dans sa mémoire tous les jours de fête. Il chercha d'abord les fêtes traditionnelles, en commençant par la fête du Printemps, et sans en omettre aucune : la fête de la Mi-Automne, la fête du Double-Cinq, la fête du Double-Neuf[1], la fête de la Pure Clarté, etc. Ensuite, ce furent la fête du Travail, le 1er mai, la fête de la Jeunesse, le 4 mai, la fête de la Fondation du Parti, le 1er juillet, la fête de la fondation de l'Armée populaire de libération, le 1er août, et la Fête nationale, le 1er octobre[2]. Il y ajouta la fête des Enseignants, la fête des Amoureux, la fête des Célibataires et la fête des Vieux. Et encore des fêtes étrangères : la Toussaint, la fête de *Thanksgiving* et Noël. Et pour finir, il inclut aussi dans sa liste la fête des Femmes du 8 mars, et la fête des Enfants du 1er juin. Tandis qu'il égrenait devant sa femme les noms de toutes les fêtes qu'il avait répertoriées, celle-ci sursauta et s'exclama :

— Oh là là !

Puis ils commencèrent à marchander comme deux maquignons. D'emblée, l'épouse de Tong le Forgeron raya les noms des fêtes étrangères :

— Nous sommes Chinois, nous ne fêtons pas les fêtes étrangères, déclara-t-elle dans un accès de fierté nationale.

Tong le Forgeron n'était pas d'accord. Il faisait du commerce depuis une dizaine d'années, et évidemment il en savait plus long que sa femme. Il argumenta :

— A quelle époque crois-tu que nous vivons ? Nous vivons à l'époque de la mondialisation. Nos réfrigérateurs, nos téléviseurs, nos lave-linge, toutes nos machines sont de marque étrangère. Oserais-tu prétendre que, parce que tu es Chinoise, tu ne veux pas utiliser de machine d'une marque étrangère ?

Son épouse ouvrit la bouche à plusieurs reprises, mais ne sachant que rétorquer elle dit :

— Comme tu veux.

On garda donc les fêtes étrangères. L'épouse de Tong le Forgeron s'arrêta, parmi les fêtes traditionnelles, sur celle de la Pure Clarté :

— C'est la fête des morts, or toi tu es vivant.

Tong le Forgeron, à nouveau, ergota :

— La fête de la Pure Clarté, c'est le jour où les vivants rendent hommage à leurs parents défunts. C'est donc, en définitive, une fête des vivants. Chaque année, ce jour-là, nous allons d'abord sur la tombe de mes parents, puis sur celle des tiens. On est bien obligés de la compter.

Après avoir longuement réfléchi, son épouse conclut :

— Comme tu veux.

On garda donc aussi la fête de la Pure Clarté. Là-dessus, l'épouse de Tong le Forgeron opposa résolument son veto pour la fête de la Jeunesse du 4 mai et pour la fête des Enseignants, ainsi que pour la fête des Enfants du 1er juin. Tong le Forgeron accepta de rayer la fête des Enseignants, mais il refusa de supprimer les deux autres, au motif que l'adulte qu'il était aujourd'hui avait été enfant puis jeune auparavant. Il se fit sentencieux :

— Le camarade Lénine nous a enseigné qu'oublier le passé, c'était trahir.

Tong le Forgeron et son épouse débattirent pied à pied pendant plus d'une heure, jusqu'à ce que celle-ci finisse par céder :

— Comme tu veux.

Le dernier sujet de polémique porta sur la fête des Femmes du 8 mars :

— En quoi ça te regarde, la fête des Femmes ?

— S'il y a un jour où il faut aller voir des femmes, c'est bien le jour de leur fête.

L'épouse de Tong le Forgeron, accablée, fondit soudain en larmes :

— Quoi que je dise, à la fin c'est toujours comme tu veux.

Tong le Forgeron s'engouffra dans la brèche :

— Il y en a encore deux autres : ton anniversaire et le mien.

Son épouse finit par éclater :

— Tu voudrais aussi aller aux putes le jour de mon anniversaire ?

Aussitôt, Tong le Forgeron fit machine arrière. Il secoua la tête et les mains :

— C'est bon, c'est bon, n'en parlons plus ! Le jour de ton anniversaire, il n'est pas question que j'aille où que ce soit. Je passerai toute la journée avec toi. Et même chose le jour de mon anniversaire. Ces deux jours-là, ce sera pour moi la fête de la Chasteté. Non seulement je ne coucherai avec aucune femme, mais je ne les regarderai même pas.

Cette concession *in extremis* de Tong le Forgeron procura à son épouse le sentiment naïf qu'elle avait finalement remporté la victoire. Satisfaite, elle conclut, avec un geste de la main :

— N'importe comment, c'est toujours comme tu veux.

Les hommes mariés de notre bourg des Liu enviaient terriblement ce Tong le Forgeron que sa femme en personne accompagnait chez Grande Sœur Lin et qui avait même le droit, les jours de fête, de s'offrir une des filles les plus jolies, celles qui coûtaient le plus cher. A leurs yeux, c'était un veinard, il avait le cul bordé de nouilles, le salopard, pour s'être dégotté une épouse aussi compréhensive et aussi ouverte d'esprit, qui encourageait les écarts de son mari tout en faisant preuve à son égard d'une fidélité exemplaire. Et les hommes mariés de notre bourg des Liu pensaient alors à leurs propres femmes, toutes des mégères intolérantes, qui tenaient fermement le porte-monnaie de leur mari d'une main, et la ceinture de son pantalon de l'autre, et sans jamais lâcher prise. Ils soupiraient, et quand ils tombaient sur Tong le Forgeron, ils lui glissaient :

— Qu'est-ce qui te vaut une chance pareille ?

Tong le Forgeron, radieux, répondait modestement :

— Ma chance, c'est d'être tombé sur une bonne épouse.

Et si celle-ci était à ses côtés, il ajoutait :

— Une femme comme elle, il n'y en a pas deux au monde. Et même si on fouillait le ciel ou le fond de la mer avec une lanterne, on n'en trouverait pas d'autre.

Du jour où l'épouse de Tong le Forgeron avait commencé à l'escorter chez les demoiselles de Grande Sœur Lin, ses sautes d'humeur avait cessé instantanément. L'attitude arrogante qu'il avait eue pendant toutes ces années face à son épouse avait disparu, et il n'engueulait plus ses employés. Il était désormais aussi policé qu'un intellectuel, s'adressait aux gens avec le sourire et ne proférait plus de gros mots. Son épouse était ravie de sa métamorphose : non seulement Tong le Forgeron ne la prenait plus de haut, mais il lui obéissait au doigt et à l'œil. Lui qui, auparavant, ne voulait jamais l'accompagner en ville, voilà qu'il lui portait son sac dans la rue ; lui qui, auparavant, ne la consultait jamais sur rien, voilà qu'il sollicitait son accord sur tout. Il lui céda même la présidence du conseil d'administration de son entreprise, se contentant pour lui-même du poste de P-DG. Tous les documents de l'entreprise devaient être signés par elle, elle n'y entendait goutte, mais du moment qu'ils lui étaient soumis par son mari, elle savait qu'il fallait apposer dessus son paraphe. En revanche, par prudence, elle ne signait jamais un document soumis par un tiers, à moins que son mari ne l'ait déjà fait lui-même. Elle n'était plus une femme au foyer, elle avait des horaires de bureau, les mêmes que ceux de Tong le Forgeron, et elle prêtait désormais attention à sa toilette et à son maquillage : elle s'habillait avec des vêtements de marque et se mettait du rouge à lèvres de marque. Bien qu'elle fût parfaitement ignorante des activités de l'entreprise, les employés s'inclinaient devant elle, ce qui lui donnait un sentiment de réussite. Elle se plaisait maintenant à pérorer, et quand elle rencontrait une femme au foyer comme elle l'avait été elle-même pendant des décennies, elle lui faisait la leçon : une femme, lui expliquait-elle, ne devait pas se reposer entièrement sur son mari, elle devait avoir un métier à elle. Et elle terminait sa harangue sur une phrase à la mode :

— Il faut se réaliser.

Comme Tong le Forgeron avait gravé dans sa mémoire tous les jours de fête, il était devenu le calendrier vivant de notre bourg des Liu. Quand les femmes du bourg voulaient persuader leur mari de les laisser s'acheter un vêtement neuf, elles interpellaient Tong le Forgeron en pleine rue :

— Quelle est la prochaine fête ?

Quand les hommes du bourg cherchaient un prétexte pour que leur femme les autorise à jouer toute la nuit au mah-jong, eux aussi s'adressaient à Tong le Forgeron :

— On fête quoi, aujourd'hui ?

Et les enfants qui harcelaient leurs parents pour qu'ils leur achètent un jouet, criaient à leur tour quand ils voyaient approcher Tong le Forgeron :

— Hé, Tong le Forgeron, est-ce qu'il y a une fête pour les enfants, aujourd'hui ?

Tong le Forgeron, donc, le célèbre roi des fêtes de notre bourg des Liu, travaillait avec une énergie redoublée. Non seulement ses magasins marchaient de mieux en mieux, mais il s'était lancé dans le commerce en gros d'articles d'usage courant. Beaucoup de petites boutiques du bourg des Liu s'approvisionnaient chez lui, et les profits de son entreprise, naturellement, avaient grimpé en flèche. Son épouse estimait qu'il était redevable de tout cela à la stratégie éclairée qu'elle avait mise en œuvre en résolvant à temps la crise de libido qui le menaçait : Tong le Forgeron débordait de vitalité, et ses affaires étaient en plein essor. Comparé à l'augmentation incessante des profits de l'entreprise, l'argent dépensé chez les filles était réellement insignifiant. Comme les profits dépassaient désormais les investissements, l'épouse de Tong le Forgeron jugea qu'elle pouvait se permettre d'offrir de temps en temps à son mari, même en dehors des jours de fête, une belle demoiselle haut de gamme.

Deux fois par semaine, nos deux sexagénaires grimpaient les escaliers du quartier chaud de Grande Sœur Lin. Tong le Forgeron montait tout content, et sa femme le suivait en soufflant. Ils parlaient ensemble sans se soucier qu'on surprenne leur conversation. Depuis que, exceptionnellement, Tong le Forgeron avait eu l'occasion de choisir une belle fille en dehors des jours de fête, il aurait voulu en avoir une à chaque fois. Debout dans les escaliers, il suppliait son épouse en prenant l'air pitoyable d'un enfant qui réclame un jouet à sa mère :

— Allez, choisis-m'en une haut de gamme.

Son épouse, affichant l'air pénétré qui convient à une présidente de conseil d'administration, rétorquait :

— Pas question, nous ne sommes pas au jour de l'An, et ce n'est pas un jour de fête.

Et lui reprenait avec le ton qui sied au subordonné d'un président de conseil d'administration :

— Aujourd'hui, on doit avoir une rentrée d'argent.

Alors sa présidente d'épouse, que ce genre de propos mettait en joie, hochait la tête :

— C'est bon, je vais te choisir une fille haut de gamme.

Les demoiselles de l'immeuble n'aimaient pas Tong le Forgeron. Elles se plaignaient de ses exigences excessives. Quand on montait sur le lit avec lui, on ne savait jamais quand on allait en redescendre. Malgré ses cheveux blancs et sa barbe chenue, au lit il avait l'air d'un jeunot de vingt ans, mais de tous les clients, c'était le plus chiche en pourboires. Il était invariablement flanqué de sa femme souffreteuse, et celle-ci exigeait toujours une ristourne sur le prix annoncé. Les filles s'épuisaient à discuter avec elle, elles en usaient leur salive : chaque fois il fallait dépenser une heure en palabres. L'épouse souffreteuse de Tong le Forgeron devait boire un verre d'eau et marquer une pause à intervalles réguliers pour reprendre son souffle, avant de poursuivre son marchandage. Les filles arguaient qu'il était plus fatigant de recevoir Tong le Forgeron tout seul que de recevoir quatre autres clients ensemble, et qu'en revanche le pourboire n'était pas plus lourd. Sans compter le rabais qu'il fallait consentir. Aucune des demoiselles ne voulait servir Tong le Forgeron, mais c'était un personnage haut placé de notre bourg des Liu, Grande Sœur Lin le considérait comme un VIP, et il était hors de question qu'elles lui interdisent leur porte. Quand l'une d'entre elles avait l'heur de plaire à Tong le Forgeron et à son épouse, elle lâchait d'une voix éteinte, en souriant tristement :

— Zut alors, il va falloir encore que je joue les Lei Feng[3].

Liu Chenggong, alias Liu l'Ecrivain, alias Liu l'Attaché de presse, alias M. l'adjoint Liu, était devenu Liu le CEO[4], et il figurait également au nombre des VIP de Grande Sœur Lin. Après la mort de Song Gang, Li Guangtou lui avait cédé son poste de P-DG, et quand M. l'adjoint Liu était devenu Liu le P-DG, il avait demandé qu'on l'appelle "Liu le CEO", plutôt que "monsieur le président Liu". Mais comme les masses de notre bourg des Liu trouvaient ce nom trop long, aussi long qu'un nom japonais, elles se contentaient de lui donner du "Liu le C." Liu Chenggong, après avoir été le pauvre célibataire Liu l'Ecrivain, était désormais le riche Liu le C. Il portait à présent des costumes de marque italiens, et circulait dans la BMW blanche que lui avait offerte Li Guangtou. Il avait racheté sa liberté à son épouse en échange de 1 million de yuans qu'il lui avait versés à titre d'indemnisation pour sa jeunesse perdue, moyennant quoi il avait enfin réussi à éjecter cette femme dont il rêvait de se débarrasser depuis plus de vingt ans. Puis il avait couru les jupons à droite et à gauche, et il avait pris une, deux, trois, quatre, cinq superbes maîtresses, qu'il considérait comme ses *sun girls*. Alors que sa maison regorgeait déjà de jeunes beautés, il ne pouvait s'empêcher d'aller rendre de loin en loin une petite visite à Grande Sœur Lin, sous prétexte qu'il en avait assez de la popote quotidienne et qu'il voulait goûter un peu du sauvage.

Liu le C. méprisait plus que jamais Zhao le Poète. Celui-ci se flattait de n'avoir jamais cessé d'écrire, et Liu le C. considérait que cette affectation littéraire était suicidaire. Exhibant quatre doigts, il railla Zhao le Poète :

— Ça fait bientôt trente ans qu'il écrit, et il n'a pas été fichu de publier autre chose qu'un quatrain dans une de ces revues ronéotées comme on en avait autrefois. Au bout de tout ce temps, on ne lui connaît pas un point ou une virgule supplémentaires, et pourtant il s'obstine à se faire appeler Zhao le Poète. Zhao le Poète ronéoté, oui…

Zhao le Poète, qui était au chômage depuis plusieurs années, n'avait pas davantage d'estime pour Liu le C. Quand on lui raconta que Liu le C. s'était moqué de lui en exhibant quatre doigts et en le traitant de poète ronéoté, il piqua d'abord une colère, puis ricana : pour exprimer ce qu'on pensait de quelqu'un d'aussi veule que Liu le C., il n'était nul besoin d'exhiber quatre doigts, un seul suffisait amplement. Et, joignant le geste à la parole, il ajouta :

— Un type qui a vendu son âme !

Zhao le Poète avait quitté l'appartement qu'il occupait dans le quartier chaud de notre bourg des Liu, et il louait une baraque près de la voie ferrée, à l'ouest de la ville. Chaque jour, au moins cent trains passaient devant chez lui, et la bicoque était secouée au moins autant de fois comme sous l'effet d'un tremblement de terre. Les tables et les chaises vacillaient et le lit avec, l'armoire vacillait et la vaisselle avec, le toit vacillait et le plancher avec. Zhao le Poète comparait ces secousses aux spasmes provoqués par une décharge électrique, et cette comparaison le poursuivait dans son sommeil : quand, au passage des trains, la pièce était prise d'un spasme, il arrivait souvent à Zhao le

Poète de rêver qu'il était assis sur la chaise électrique, et qu'il disait adieu en pleurant aux nuages de l'ouest[5].

Zhao le Poète ne survivait que grâce au loyer mensuel que lui versait Grande Sœur Lin. S'il était habillé à l'occidentale, son costume était sale et fripé. Alors que les masses de notre bourg des Liu avaient depuis vingt ans la télévision en couleurs et commençaient à la troquer contre la télévision à projection et les téléviseurs à cristaux liquides ou plasma, Zhao le Poète, lui, regardait toujours son téléviseur noir et blanc à écran 14 pouces, et comme l'image était intermittente il avait parcouru toute la ville avec son appareil dans les bras, sans réussir à trouver un réparateur qui puisse s'en occuper. Si bien qu'il s'était résolu à réparer sa télévision lui-même : quand l'image disparaissait brusquement, il flanquait une gifle à l'appareil, et l'image revenait. Parfois, au bout de plusieurs gifles, l'image ne revenait toujours pas, et il lui fallait alors recourir à la technique du balayage qu'il avait pratiquée dans sa jeunesse.

Zhao le Poète, jadis si courtois, était devenu un misanthrope, et il s'était mis à user d'un langage brutal. Tandis que les femmes se bousculaient dans la vie de Liu le C. comme les nuages dans le ciel, Zhao le Poète n'en avait pas une seule dans la sienne. Il en était réduit à tromper sa faim en contemplant les pin-up du vieux calendrier qu'il avait accroché à un mur délabré de sa bicoque. Pas une femme en chair et en os ne daignait lui accorder un regard. Il avait bien essayé d'entreprendre quelques veuves plus âgées que lui, mais elles l'avaient vu arriver de loin et lui avaient mis les points sur les *i* : il ne fallait pas qu'il songe à la bagatelle tant qu'il ne parviendrait pas à subvenir lui-même à ses besoins. Zhao le Poète se rappelait avec mélancolie que bien des années auparavant il avait eu une séduisante petite amie, et qu'ils avaient vécu ensemble une année merveilleuse. Hélas, il avait voulu courir deux lièvres à la fois et courtiser Lin Hong en même temps que celle-ci, si bien qu'il s'était finalement retrouvé le bec dans l'eau : il n'avait pas réussi à avoir Lin Hong, et sa petite amie était partie avec un autre.

L'épouse répudiée de Liu le C., bien qu'elle fût fort satisfaite du million de yuans qui dormait sur son compte en banque, n'en prenait pas moins la rue à témoin de ses malheurs, dénonçant l'ingratitude de son ex-mari. Elle ouvrait et elle refermait deux fois de suite ses deux mains en écartant les doigts, non plus évidemment pour indiquer le nombre de leurs étreintes, mais pour évoquer leurs vingt ans d'affection conjugale. Elle expliquait que pendant vingt ans elle avait fait la lessive et la cuisine pour Liu le C., et qu'elle s'était occupée de lui en toutes circonstances. Quand il s'était retrouvé au chômage, elle ne l'avait pas abandonné, et s'était montrée encore plus présente. Elle se flattait d'avoir un corps chaud en hiver et frais en été : si l'hiver comme un poêle elle chauffait sa place, elle était en été plus froide que la glace. Elle ajoutait en pleurant que désormais Liu le C. puait le fric, et empestait le vice. Autrefois, c'était un écrivain au cœur pur : il marchait élégamment, il parlait courtoisement. Si elle l'avait aimé, si elle l'avait épousé, c'est parce qu'il était Liu l'Ecrivain. Mais à présent, Liu l'Ecrivain avait disparu et son mari avec lui…

Certains de ses auditeurs, songeant à Zhao le Poète, voulurent servir d'entremetteurs entre elle et lui :

— Liu l'Ecrivain n'est plus, mais Zhao le Poète est toujours là, et il n'est toujours pas marié. C'est un célibataire en or.

— Zhao le Poète ? Un célibataire en or ? fit-elle en haussant les épaules. Un célibataire en toc, oui.

L'ex-épouse de Liu le C. considérait qu'elle appartenait au club des gens aisés du bourg des Liu, et elle se scandalisait qu'on la ravale au même rang que ce pauvre diable de Zhao le Poète :

— Même une poule ne voudrait pas de lui, poursuivit-elle rageusement.

Zhao le Poète, dont même une poule n'aurait pas voulu, fréquentait assidûment la loge de luxe cinq étoiles de Wang les Esquimaux. Il s'asseyait sur son canapé italien, caressait l'armoire française, se vautrait sur le lit allemand et, bien entendu, ne manquait pas d'utiliser le siège de toilettes TOTO où l'on pouvait se laver et se sécher les fesses. Il ne tarissait pas d'éloges sur le téléviseur à cristaux liquides géant que Wang les Esquimaux avait fixé sur un des murs : il disait que l'écran était encore plus mince que la plaquette de poèmes qu'il s'apprêtait à publier, et que les chaînes qu'on pouvait capter dessus étaient plus nombreuses que les titres de ses œuvres inscrites dans la table des matières de sa plaquette. Comme Zhao le Poète ne cessait de parler de cette plaquette, Wang les Esquimaux, non sans l'avoir félicité, s'informa de l'endroit où elle paraîtrait :

— Je suppose que ce n'est pas au bourg des Liu, hein ?

— Evidemment que non, répondit Zhao le Poète qui s'empara du premier nom de lieu venu, un nom qu'il avait entendu dans la bouche du charlatan Zhou You lors du grand concours des miss vierges : Il sera publié aux Iles vierges britanniques.

Wang les Esquimaux s'ennuyait au milieu de son luxe, et jour après jour, il suivait à la trace, sur toutes les chaînes de télé, les activités politiques de Yu l'Arracheur de dents ; et jour après jour, il racontait à tout le monde les aventures politiques de Yu l'Arracheur de dents. Les masses de notre bourg des Liu, fatiguées de l'entendre, l'avaient affublé du surnom de "Frère Xianglin"[6]. Seul Zhao le Poète ne se lassait pas d'écouter ses récits, il leur prêtait une oreille attentive et semblait fasciné par eux, si bien que Wang les Esquimaux s'imaginait avoir découvert un ami sincère. En réalité, ce dont Zhao le Poète ne se lassait pas, c'était du réfrigérateur géant de Wang les Esquimaux, empli de toutes sortes de canettes qu'il vidait consciencieusement.

C'était l'époque où une vague anti-japonaise avait commencé à balayer tout le pays. A la télévision, dans les journaux et sur l'Internet, il n'était question que des manifestations anti-japonaises[7] de Shanghai et de Pékin. En voyant des images de magasins japonais détruits à Shanghai et de voitures japonaises brûlées, des masses de notre bourg des Liu ne voulant pas être en reste manifestèrent à leur tour avec des calicots, et cherchèrent ce qu'elles pourraient bien briser ou incendier elles aussi. Elles jetèrent leur dévolu sur le restaurant japonais de Li Guangtou, et une masse excitée déboula sur les lieux. On cassa les portes-fenêtres, on sortit les chaises dans la rue et on y mit le feu. Les chaises brûlèrent pendant environ deux heures, mais il n'y eut pas d'autres dégâts. Tong le Forgeron, sentant que les choses tournaient mal, s'empressa de retirer de la vente tous les produits nippons de ses supermarchés, et il fit suspendre à l'entrée de ses magasins une grande banderole sur laquelle on lisait : "Ici, on ne vend pas de marchandises japonaises !"

Yu l'Arracheur de dents, qui était à la recherche de tous les points chauds sur la scène politique du globe, était rentré lui aussi, et depuis que son véritable ami était de retour, Wang les Esquimaux négligeait Zhao le Poète. Il avait verrouillé la porte de sa loge de luxe, laissant Zhao le Poète se morfondre dehors et contempler par la fenêtre le réfrigérateur géant en salivant devant les boissons inaccessibles. Pendant ce temps, il ne lâchait pas Yu l'Arracheur de dents d'une semelle, il le suivait dans les rues avec dévotion toute la journée, et le soir peu s'en fallait qu'il ne l'accompagne dans son lit. Alors que les manifestations anti-japonaises avaient cessé dans notre bourg des Liu, l'étincelle Yu l'Arracheur de dents remit le feu à toute la plaine[8]. Yu l'Arracheur de dents ressortit opportunément la dizaine de slogans en différentes langues qu'il connaissait, et il ne fallut pas plus de dix jours aux masses du bourg des Liu pour se les mettre en tête et les recracher au moment voulu. A présent, Yu l'Arracheur de dents n'était plus le meilleur dentiste à cent *li* à la ronde, il avait assisté à des tempêtes politiques dans le monde entier et, de retour au bourg, il se donnait les airs d'un leader politique qu'aucune turbulence n'effraie. Pour le dire comme il l'aurait dit :

— J'ai traversé toutes les mitrailles politiques.

Yu l'Arracheur de dents décida d'emmener Wang les Esquimaux à Tokyo pour protester contre les visites du premier ministre Junichiro Koizumi[9] au sanctuaire Yasukuni[10]. Wang les Esquimaux l'écouta lui faire cette proposition en tremblant : sans parler même de se rendre à l'étranger, les occasions qu'il avait eues de quitter le bourg des Liu se comptaient sur les doigts d'une main. En outre, il s'agissait d'aller chez le voisin pour manifester contre son Premier ministre. Wang les Esquimaux, pour le moins circonspect, hasarda une proposition :

— Et si on manifestait plutôt au bourg des Liu ?

— Si on reste ici, on sera des anonymes parmi les anonymes, objecta Yu l'Arracheur de dents, qui nourrissait des ambitions politiques, pour faire entendre raison à Wang les Esquimaux. Alors que si on va à Tokyo, on nous considérera comme des hommes politiques.

Wang les Esquimaux n'avait cure de n'être qu'un simple quidam ou bien d'être considéré comme un homme politique. Ce qui lui importait en l'occurrence, c'était Yu l'Arracheur de dents. Il éprouvait de la vénération à son endroit, et misait sur l'expérience que Yu l'Arracheur de dents avait accumulée en parcourant le monde : avec lui, on ne risquait pas de se tromper de direction. Wang les Esquimaux regarda son visage flétri dans le miroir, et il songa que sa vie allait bientôt finir et qu'il n'avait jamais mis les pieds dans un pays étranger. Il serra les mâchoires et décida qu'il allait suivre Yu l'Arracheur de dents à Tokyo : Yu l'Arracheur de dents s'occuperait de sa politique, et lui, il ferait un peu de tourisme.

Liu le C., qui prenait très au sérieux le déplacement à Tokyo du deuxième et du troisième actionnaires de la compagnie, mit à leur disposition, pour les conduire à l'aéroport de Shanghai, une Toyota Crown tout juste livrée. Croyant leur être agréable, Liu le C. leur expliqua que personne n'était encore jamais monté dedans, et qu'ils allaient étrenner une voiture vierge.

Yu l'Arracheur de dents et Wang les Esquimaux attendaient, assis sur le canapé italien de la loge de luxe. Quand Yu l'Arracheur de dents constata qu'on venait les prendre avec une voiture japonaise, il fit signe au chauffeur de descendre et lui ordonna, d'un ton aimable :

— Va chercher un marteau.

Le chauffeur, déconcerté, se demanda à quoi ce marteau allait bien pouvoir servir. Il dévisagea successivement Yu l'Arracheur de dents et Wang les Esquimaux, qui lui aussi avait l'air perplexe :

— Allez, va, répéta Yu l'Arracheur de dents, sur le même ton aimable.

Wang les Esquimaux ne savait pas davantage quel usage Yu l'Arracheur de dents comptait faire de cet outil, mais il se dit qu'il devait avoir ses raisons, et il pressa le chauffeur :

— Dépêche-toi !

Le chauffeur s'éloigna, l'air ahuri, et Wang les Esquimaux se tourna vers Yu l'Arracheur de dents :

— Pourquoi as-tu besoin d'un marteau ?

— C'est un produit japonais, déclara Yu l'Arracheur de dents, les jambes croisées sur le canapé italien, en montrant la Toyota Crown garée devant la porte. Si nous allons manifester au Japon dans une voiture japonaise, ça pose un problème sur le plan politique…

Wang les Esquimaux acquiesça : décidément Yu l'Arracheur de dents était très fort ! C'était un véritable homme politique. Il fallait être bien étourdi et ne pas avoir la tête politique pour mettre à leur disposition une voiture nippone en sachant pertinemment qu'ils partaient manifester au Japon.

Le chauffeur, de retour avec un marteau, se tenait devant la porte de la loge, attendant les instructions de Yu l'Arracheur de dents. Celui-ci fit un geste de la main :

— Casse-la.

— Qu'est-ce que je dois casser ? demanda le chauffeur, qui ne comprenait pas.

— Casse cette marchandise japonaise, ordonna Yu l'Arracheur de dents, sans se départir de son ton aimable.

— Quelle marchandise japonaise ? demanda encore le chauffeur, qui ne comprenait toujours pas.

Wang les Esquimaux, le doigt pointé en direction de la voiture, s'exclama :

— Eh bien, celle-là !

Le chauffeur, terrorisé, recula sans quitter des yeux ces deux vénérables actionnaires, et quand il eut atteint la Toyota Crown, il posa son marteau et s'enfuit. Au bout d'un moment, Liu le C. arriva, tout sourire, et expliqua aux deux vénérables actionnaires que cette Toyota Crown n'était pas une marchandise japonaise mais une marchandise fabriquée avec des capitaux mixtes sino-japonais, et qu'elle était au moins à 50 % nationale. Wang les Esquimaux, qui avait toujours eu confiance en Liu le C., se tourna vers Yu l'Arracheur de dents :

— C'est exact, ce n'est pas une marchandise japonaise.

Yu l'Arracheur de dents ne se démonta pas :

— Tout ce qui touche à la politique doit être pris au sérieux, rien ne saurait être négligé. Epargnons les 50 % nationaux, et cassons les 50 % japonais.

Wang les Esquimaux se rangea aussitôt à l'avis de Yu l'Arracheur de dents :

— Entièrement d'accord, cassons-en la moitié.

Liu le C. était blême de colère, et c'était sur le crâne de ces deux salopards qu'il aurait été partisan de flanquer des coups de marteau ! Mais n'osant pas éclater devant ces deux vénérables actionnaires, il cria rageusement au chauffeur :

— Cassez ! Dépêchez-vous de casser !

Quand Liu le C. se fut éloigné, hors de lui, le chauffeur leva son marteau et, après avoir hésité à plusieurs reprises, il brisa d'un seul coup le pare-brise. Yu l'Arracheur de dents se leva, satisfait, et tira Wang les Esquimaux par la main :

— On y va.

— Comment est-ce qu'on va y aller, maintenant qu'il n'y a plus de voiture ?

— En taxi. On va prendre un taxi allemand, une Santana.

Les deux septuagénaires pleins aux as de notre bourg des Liu sortirent dans la rue en traînant leur valise, et hélèrent tous les taxis qui passaient. Wang les Esquimaux était impressionné par le flegme dont Yu l'Arracheur de dents venait de faire preuve : il avait commis une action dure sans prononcer une seule parole dure. Yu l'Arracheur de dents hocha la tête :

— Un homme politique n'a pas besoin d'être dur en paroles, il laisse ça aux petits voyous qui se bagarrent.

Wang les Esquimaux opina plusieurs fois du chef, et à la pensée qu'il serait bientôt au Japon avec un type aussi formidable, il eut le cœur chaviré. Mais une crainte subite vint troubler son enthousiasme :

— Si nous manifestons au Japon, n'y a-t-il pas un risque qu'on se fasse arrêter par la police japonaise ?

— Mais non, affirma Yu l'Arracheur de dents, avant de poursuivre : Et pourtant, moi, je ne demanderais que ça !

— Et pourquoi donc ? s'étonna Wang les Esquimaux.

Yu l'Arracheur de dents s'assura qu'il n'y avait personne aux alentours :

— Si la police japonaise nous arrêtait tous les deux, la Chine élèverait certainement une protestation et engagerait des négociations. Il y aurait certainement une médiation de l'ONU et nos portraits seraient certainement imprimés dans les journaux du monde entier. De sorte que nous deviendrions des célébrités internationales.

Wang les Esquimaux semblait un peu dérouté par ce raisonnement, et Yu l'Arracheur de dents conclut, navré :

— Toi, alors, tu ne comprendras jamais rien à la politique.

Li Guangtou ne figurait pas parmi les VIP de Grande Sœur Lin. Plus de trois ans avaient passé, et il n'avait jamais revu Lin Hong. Il n'avait pas non plus touché d'autre femme. Sa dernière étreinte avec Lin Hong n'était plus qu'un lointain souvenir. La nouvelle de la mort de Song Gang avait été comme une bombe qui l'avait arraché au corps de Lin Hong. Il ne s'était pas relevé du choc qu'il avait éprouvé sur l'instant et des remords qui avaient suivi, et il était devenu impuissant :

— Je suis foutu, se plaisait-il à répéter.

Depuis qu'il était foutu, Li Guangtou avait perdu aussi toute énergie. Il ne se rendait que de loin en loin à son bureau, et ressemblait de plus en plus à un roi fainéant. Aussitôt après avoir assuré l'avenir de Lin Hong en organisant le banquet de tofu, il avait cédé son poste de P-DG à M. l'adjoint Liu.

Ce jour-là, nous étions le 27 avril 2001. C'était le soir, et Li Guangtou était assis sur le siège de toilettes plaqué or de sa salle de bains. Le téléviseur à cristaux liquides accroché au mur diffusait des images du lancement du vaisseau russe Soyouz : on voyait l'homme d'affaires Dennis Tito, vêtu d'une combinaison de cosmonaute et arborant une mine de cosmonaute, partir fièrement pour un voyage dans l'espace qu'il avait payé vingt millions de dollars. Li Guangtou tourna la tête et se regarda dans le miroir : sa mine à lui était celle de quelqu'un qui était en train de faire ses besoins, et il eut l'impression qu'il voyait une bouse de vache après avoir contemplé une fleur. Li Guangtou était très mécontent de l'image que lui renvoyait la glace, il enrageait à l'idée qu'un Amerloque allait manger et faire ses besoins dans l'espace tandis que lui gaspillait son temps, assis sur sa tinette dans le minuscule bourg des Liu :

— Moi aussi j'irai là-haut, se jura-t-il…

Un peu plus d'un an après, le milliardaire sud-africain d'IT[11], Mark Shuttleworth, déboursa à son tour vingt millions de dollars pour aller faire une virée dans l'espace à bord de Soyouz. Il déclara qu'en tournant en orbite autour de la Terre, il avait vu chaque jour le soleil se lever seize fois et se coucher seize fois. Puis ce fut le chanteur pop américain Lance Bass qui proclama qu'il allait se rendre dans l'espace en octobre de cette année-là… C'en était trop pour Li Guangtou, qui ne tenait plus en place :

— Il y a déjà trois salopards qui me sont passés devant…

Li Guangtou engagea deux étudiants russes qui poursuivaient leurs études en Chine, et leur assura le gîte et le couvert en échange de cours de langue. Dans l'espoir de progresser rapidement, il imposa dans sa résidence l'usage exclusif du russe, au grand dam de Liu le C., à qui son rapport mensuel sur les activités de la compagnie prenait désormais trois heures au lieu des vingt minutes de naguère. Li Guangtou, feignant de ne pas comprendre le chinois, demandait aux deux étudiants de lui traduire en russe ce qu'il avait pourtant parfaitement compris, et après avoir entendu la version russe, il branlait du chef d'un air pensif, cherchait dans sa tête les quelques mots de russe qu'il connaissait, et ne trouvant pas l'expression adéquate, choisissait au hasard les termes qui lui venaient. Les deux étudiants traduisaient alors en chinois ses paroles, qui provoquaient la consternation de Liu le C. Li Guangtou savait pertinemment qu'il n'avait pas dit ce qu'il aurait dû dire, mais il ne pouvait pas rectifier de lui-même, car il s'était interdit de parler chinois, et il continuait à puiser dans son maigre vocabulaire russe des termes inappropriés. Liu le C. était aussi harassé que s'il lui avait fallu parler le langage des humains avec un animal, ou bien le langage des animaux avec un être humain, et il pestait intérieurement contre Li Guangtou :

— Putain de faux diable étranger[12].

Tout en étudiant assidûment le russe, Li Guangtou avait entrepris aussi un entraînement physique. Il commença par faire de la musculation, puis de la course à pied et de la natation, et enchaîna avec le ping-pong, le badminton, le basket-ball, le tennis, le football, le bowling et le golf. Il changeait souvent de sport, se lassant de chacun d'eux au bout de deux semaines. Son mode de vie était devenu austère, il mangeait végétarien comme les moines, et quand il n'était pas en train de travailler son russe ou de s'entraîner, il songeait souvent au riz extraordinaire que Song Gang lui avait cuisiné quand ils étaient petits. Dès qu'il évoquait

Song Gang, il en oubliait de s'exprimer en russe, et, avec un air d'enfant abandonné, il parlait sans s'en rendre compte le patois de notre bourg des Liu, avant de répéter, en marmonnant, la dernière phrase de la lettre de Song Gang :

— Même séparés par la mort, nous resterons frères.

Li Guangtou avait ouvert onze restaurants dans notre bourg des Liu, il alla tester la cuisine de chacun d'eux sans y retrouver le goût du riz préparé par Song Gang dans leur enfance. Il alla aussi dans les restaurants de la concurrence, et ne l'y retrouva pas davantage. Li Guangtou était généreux, et même si on ne lui servait pas du "riz à la Song Gang", il ne se levait jamais de table sans y avoir déposé quelques centaines de yuans. Les masses de notre bourg des Liu se mirent aux fourneaux, et chacun invita Li Guangtou à venir goûter son riz dans l'espoir que cela lui rappellerait le légendaire "riz à la Song Gang". Li Guangtou accepta toutes les invitations, mais à la longue il n'avait plus besoin de goûter, un coup d'œil lui suffisait. Il déposait l'argent sur la table et se levait en secouant la tête :

— Ce n'est pas du "riz à la Song Gang".

La nostalgie de Li Guangtou pour le "riz à la Song Gang" donna des idées aux masses de notre bourg des Liu qui avaient le sens du commerce. Tels des archéologues, ils s'employèrent à exhumer les reliques de Song Gang avec l'intention de les vendre un bon prix à Li Guangtou. Un veinard réussit à mettre la main sur le sac de voyage marqué du mot "Shanghai". Quand Song Gang avait quitté le bourg des Liu en compagnie de Zhou You, il avait avec lui ce sac, mais Zhou You l'avait jeté dans une poubelle du bourg. Li Guangtou le reconnut immédiatement, et tout son passé lui revint. Il le serra dans ses bras, bouleversé, et le racheta pour pas moins de 20 000 yuans.

Ce fut une explosion dans notre bourg des Liu. Toutes sortes de reliques ayant appartenu à Song Gang, des fausses comme des vraies, sortirent de terre. Zhao le Poète, lui aussi, en avait déniché une. Une paire de baskets jaunes élimées à la main, il écuma tous les terrains de sports à la recherche de Li Guangtou, et finit par le trouver sur un court de tennis, où il était venu s'entraîner. Il lui présenta pieusement des deux mains la paire de chaussures usées, et lui lança avec une mine affable :

— Monsieur le directeur Li, monsieur le directeur Li, jetez donc un coup d'œil là-dessus, s'il vous plaît !

Li Guangtou s'arrêta, il regarda les baskets jaunes élimées et demanda :

— Pourquoi me montres-tu ça ?

— C'est une relique de Song Gang ! dit Zhao le Poète, mielleux.

Li Guangtou prit les baskets jaunes élimées, les examina attentivement puis les rendit à Zhao le Poète en les lui balançant :

— Song Gang n'a jamais porté ces baskets.

— Oui, je le sais, avoua Zhao le Poète, et retenant Li Guangtou il expliqua : C'étaient les miennes, vous vous en souvenez ? Quand nous étions petits, je vous faisais des balayages à tous les deux, et c'étaient ces chaussures-là que je portais. Je m'en prenais surtout à Song Gang et un peu moins à vous, on peut donc considérer quand même que c'est une relique de Song Gang.

A ces mots, Li Guangtou poussa un cri, et sur la pelouse du court de tennis il infligea dix-huit balayages de suite à Zhao le Poète. Zhao le Poète, qui avait dépassé la cinquantaine, fit dix-huit fois la culbute, et tout son corps lui faisait mal, de la racine des cheveux jusqu'aux orteils, des muscles jusqu'aux os. Li Guangtou était en nage et hors d'haleine, et il ne cessait de crier :

— C'est bon ! C'est bon ! C'est bon !

Li Guangtou venait de s'apercevoir que le balayage était son activité physique favorite. Il fixa Zhao le Poète étendu sur l'herbe et qui geignait, il lui fit signe de la main de se relever, mais celui-ci se contenta de se mettre en position assise et il continua de geindre.

— Est-ce que tu veux travailler pour moi ? lui proposa Li Guangtou.

Aussitôt, Zhao le Poète sauta sur ses pieds et cessa de geindre. Il rayonnait :

— Quel genre de travail, monsieur le directeur Li ?

— Tu seras mon sparring-partner, lui annonça Li Guangtou. Tu bénéficieras d'un traitement équivalent à celui des personnels administratifs de rang intermédiaire de ma compagnie.

Si Zhao le Poète n'avait pas réussi à vendre ses baskets jaunes usées, il était devenu le sparring-partner de Li Guangtou, avec un salaire confortable. Dorénavant, chaque jour, équipé de protège-genoux et de protège-poignets, et vêtu même par grosse chaleur d'une veste et d'un pantalon matelassés, on le trouvait par tous les temps, fidèle au poste, sur la pelouse du court de tennis, attendant que Li Guangtou vienne lui faire des balayages.

Au bout de trois ans, Li Guangtou avait accompli de grands progrès en russe, et il était de mieux en mieux préparé physiquement. Dans six mois, il devait se rendre au Centre d'entraînement spatial de Russie pour y recevoir l'entraînement de base du cosmonaute. Le jour où il allait partir dans l'espace approchait, et Li Guangtou laissait vagabonder son imagination. Assis sur le canapé de son salon, il oubliait souvent la règle qu'il avait édictée, mélangeant le patois du bourg des Liu avec le russe. Tel un vieillard, il aimait ressasser, et parlait sans arrêt de Song Gang aux deux étudiants russes. Il expliqua, en comptant sur ses doigts, que l'Amerloque, Tito, avait emporté dans l'espace un appareil photo, une caméra, des CD-ROM, et des photos de sa femme et de ses enfants, et que l'Africain du sud, Shuttleworth, quant à lui, avait emporté des photos de sa famille et de ses amis, ainsi qu'un microscope, un ordinateur portable et des disquettes. Puis il tendit un doigt et ajouta que lui, le Chinetoque Li Guangtou, n'emporterait qu'une seule chose dans l'espace, et quoi donc ? L'urne funéraire de Song Gang. A travers la baie vitrée, les yeux de Li Guangtou se portèrent sur le ciel nocturne profond et brillant. Le visage empreint d'une expression romantique, il déclara qu'il voulait placer l'urne de Song Gang en orbite, de telle sorte que chaque jour il verrait le soleil se lever seize fois et se coucher seize fois. Ainsi, il naviguerait à jamais entre la lune et les étoiles.

— Désormais, dit Li Guangtou, en passant subitement au russe, mon frère Song Gang sera un extraterrestre !

20 février 2006.

POSTFACE

Il y a cinq ans, j'avais entrepris d'écrire un roman-fleuve, le récit de tout un siècle. En août 2003, je me suis rendu aux Etats-Unis et j'ai sillonné le pays pendant sept mois. De retour à Pékin, je me suis rendu compte que je n'avais plus envie de poursuivre cette fresque, et c'est alors que j'ai commencé Brothers. *Ce roman est né de la rencontre entre deux époques. La première partie de l'histoire se déroule pendant la Révolution culturelle : une époque de fanatisme, de répression morale et de tragédies, analogue au Moyen Age européen. La seconde partie se passe à l'heure actuelle : une époque de subversion de la morale, de légèreté et de permissivité, l'ère de tous les possibles, plus encore que dans l'Europe d'aujourd'hui. Seul un Occidental qui aurait vécu quatre cents ans aurait pu vivre deux époques aussi dissemblables, quand il n'aura fallu aux Chinois que quarante ans pour les connaître toutes les deux. Quatre cents ans de bouleversements résumés en quarante années, l'expérience n'a pas d'équivalent. C'est donc un couple de frères qui fait le lien entre les deux époques : leurs existences se fissurent dans un monde qui se fissure, leurs joies et leurs peines explosent dans un monde qui explose, leurs destins sont emportés dans les bouleversements de ces deux époques, et finalement ils sont contraints de récolter ce qu'ils ont semé, dans un mélange d'amour et de haine.*

Au départ, je prévoyais de composer un roman d'environ cent mille caractères mais, emporté par la narration, j'ai écrit un livre cinq fois plus long. Tel est le miracle de l'écriture : on commence par quelque chose d'étroit et on débouche sur quelque chose de large ; ou bien le contraire. C'est exactement comme dans la vie : on démarre sur une avenue pour se retrouver dans une impasse, ou bien on part d'un sentier pour parvenir au bout du monde. Jésus n'a-t-il pas dit : "Entrez par la porte étroite" ? Et il nous a prévenus : "Car large est la porte et spacieux le chemin qui mène à la perdition, et ils sont beaucoup à y entrer ; car étroite est la porte et resserré le chemin qui mène à la vie (éternelle), et ils sont peu à la trouver[1]*."*

Dans l'écriture comme dans la vie, je pense qu'il faut s'engager par la porte étroite. Gardons-nous de nous laisser séduire par la porte large, car derrière le chemin n'est pas long.

YU HUA,
11 juillet 2005.

NOTES DES TRADUCTEURS

LIVRE PREMIER

CHAPITRE I (p. 9 à 22)

1. Le bourg est une unité administrative située au-dessus du village, qui est placée sous la juridiction d'une ville ou, comme ici, d'un district.
2. Il s'agit de la langue littéraire, très concise, qui s'écrivait en Chine jusqu'au milieu du XXe siècle.
3. Li Bai (ou Li Po ; 701-762) et Du Fu (712-770), deux poètes de la dynastie Tang (618-907).
4. Cao Xueqin (1715 ?-1763), auteur d'un roman tenu pour un des chefs-d'œuvre de la littérature universelle, et en tout cas pour le plus grand roman chinois non seulement de son époque – la dynastie Qing (1644-1911) –, mais encore de tous les temps : *Le Rêve dans le pavillon rouge* (version française par Li Tche-houa et Jacqueline Alézaïs, Gallimard, La Pléiade, 1981, 2 vol.).
5. Guo Moruo (1892-1978), poète et dramaturge, qui occupa des fonctions officielles importantes dans la Chine communiste, notamment la vice-présidence du conseil des Affaires d'Etat, la présidence de l'Académie des sciences de Chine et celle de la Fédération chinoise des cercles littéraires et artistiques ; Lu Xun (1881-1936), romancier et essayiste, considéré comme le père de la littérature chinoise moderne.
6. Propos tiré d'une directive de Mao Zedong (1893-1976) – "Sur les luttes *sanfan* et *wufan*" (5 mars 1952) –, devenu par la suite un lieu commun du langage politique chinois.

CHAPITRE II (p. 23 à 41)

1. La particularité de ce mot, “masses”, qui appartient au lexique politique (il désigne le peuple, par opposition aux dirigeants et aux membres du parti communiste), est qu'il peut s'employer au singulier : une “masse”, c'est-à-dire un individu appartenant aux masses.
2. *Qigong*, ou “travail du souffle”, art énergétique qui plonge ses racines dans le taoïsme. Mouvements accompagnés de respiration externe et interne.
3. L'unité monétaire chinoise de base est le *yuan*, appelé plus communément *kuai*. Le *mao* (ou *jiao*) correspond à un dixième de *yuan*, et le *fen* à un dixième de *mao*, soit à un centième de *yuan*.
4. Les nouilles aux trois fraîcheurs sont des nouilles au bouillon, accompagnées généralement, au contraire des nouilles nature, de poisson, de viande et de crevettes.
5. Parole prononcée par Mao lors des “Interventions aux causeries sur la littérature et l'art à Yan'an”, dans son discours de conclusion (23 mai 1942).
6. Cette expression, qui revient à de nombreuses reprises dans le texte, certaines fois dans des circonstances plus saugrenues, est un détournement d'une expression toute faite que la presse chinoise utilisait invariablement à propos de Mao dans les dernières années de sa vie, et notamment quand il rencontrait une personnalité étrangère, comme ce fut le cas par exemple en février 1972 lors de la visite en Chine du président américain Nixon. Il était toujours, contre toute évidence car il était déjà visiblement très malade, “plein de vitalité et resplendissant de santé”.

CHAPITRE III (p. 42 à 48)

1. Ces toilettes publiques sont en fait des toilettes collectives, toutes les maisons individuelles n'étant pas pourvues de sanitaires. On doit y apporter son propre papier hygiénique.
2. L'idéogramme qui signifie “bonheur” est répété, pour porter doublement chance selon les uns, parce qu'il symbolise ainsi les deux jeunes époux se tenant par la main selon les autres. Rouge, puisque telle est, traditionnellement, la couleur du mariage en Chine.

CHAPITRE IV (p. 49 à 60)

1. Argent factice que l'on brûle pour acheter le droit de passage d'un mort : cette aumône destinée aux esprits devant les convaincre de ne pas nuire à l'âme du défunt.
2. Ancienne monnaie, de faible valeur, les sapèques restèrent en usage en Chine jusqu'au début du XXe siècle. C'étaient des pièces en cuivre, de forme ronde, percées au centre d'un trou carré par lequel on passait une cordelette pour les réunir ensemble. Mille sapèques formaient une ligature. Les lingots d'argent servaient pour les grosses transactions : ils n'étaient pas identiques, on en vérifiait le poids et le titre en argent chaque fois, et ceux qui avaient déjà circulé étaient estampillés. Dans la Chine ancienne, ils avaient la forme d'un ravioli.

CHAPITRE V (p. 61 à 65)

1. L'invasion japonaise de la Chine commença en juillet 1937. S'est ouverte alors ce que les Chinois appellent la "période de la guerre de résistance contre le Japon", laquelle s'est terminée en septembre 1945.

CHAPITRE VI (p. 66 à 86)

1. Technique utilisée dans les arts martiaux, qui a pour but de déséquilibrer ou de renverser l'adversaire à l'aide du pied ou de la jambe. Le balayage s'effectue au ras du sol.
2. Le vin jaune est un alcool de riz qu'on déguste après l'avoir fait chauffer. Il est également utilisé en cuisine, pour assaisonner certains plats. Le plus réputé de tous est celui qu'on produit à Shaoxing, dans le Zhejiang (province côtière du sud-est de la Chine, à proximité de Shanghai).
3. Bonbons Lapin Blanc, *"White Rabbit"*. Sucreries au lait imitées des sucreries anglaises qui furent commercialisées en Chine à compter de 1943 par la Fabrique de bonbons *ABC (Aipixi)* de Shanghai. Très populaires, car moins onéreux que les confiseries d'importation, ces bonbons étaient enveloppés dans des papiers à l'effigie de Mickey Mouse. L'entreprise *ABC* fut nationalisée par les communistes après leur accession au pouvoir, et la petite souris de Walt Disney, symbole par trop connoté, fut remplacée par le "lapin blanc" qui figure aujourd'hui encore sur les emballages.

CHAPITRE VII (p. 87 à 101)

1. Il ne s'agit pas ici d'une boîte isotherme, mais d'une simple caisse en bois dans laquelle les esquimaux sont maintenus à température constante grâce à des pains de glace ou à la couverture épaisse qui les enveloppe.

CHAPITRE IX (p. 108 à 123)

1. La "Grande Révolution culturelle prolétarienne" a commencé en mai 1966, avec la diffusion, d'abord interne, d'une circulaire du Comité central du parti communiste, la circulaire dite du 16 mai, qui ne sera publiée qu'un an plus tard. Et elle s'est achevée, officiellement, un peu plus d'un mois après la mort de Mao, en octobre 1976, avec la chute de la "bande des quatre" (expression qui désigne la femme de Mao, et trois de ses acolytes), au terme de ce qu'on appelle aujourd'hui en Chine les "dix années de grande catastrophe". Au sens strict, toutefois, on peut considérer qu'elle était finie dès avril 1969, date à laquelle s'est tenu le IXe congrès du parti communiste, lequel a entériné un nouvel ordre social dominé par une équipe totalement dévouée, du moins en apparence, à Mao.

Son but officiel était "de combattre et d'écraser les responsables engagés dans la voie capitaliste, de critiquer les «autorités» académiques réactionnaires de la bourgeoisie, de critiquer l'idéologie de la bourgeoisie et de toutes les autres classes exploiteuses, et de réformer le système d'enseignement, la littérature, l'art et toutes les autres branches de la superstructure qui ne correspondent pas à la base économique socialiste, ceci pour contribuer à la consolidation et au développement du système socialiste." En réalité, règlement de comptes au sein de la classe dirigeante chinoise mené par Mao, le mouvement, sous couvert de "détruire de fond en comble la pensée, la culture, les mœurs et coutumes anciennes" (les "quatre vieilleries"), s'est soldé simplement par une épuration de l'appareil du pouvoir : Liu Shaoqi (1898-1969), le président de la République, fut mis à l'écart (il mourra en prison, à peu de temps de là), et Deng Xiaoping (1904-1997) le suivit dans sa chute.

2. Il s'agit du brassard rouge des gardes rouges, qu'on enfilait au bras gauche et sur lequel étaient inscrits, en jaune, ces trois caractères : *"Hong wei bing"* (garde rouge), et plus généralement du brassard qu'arboraient les "rebelles révolutionnaires" et autres partisans de Mao pendant la Révolution culturelle.

"Gardes rouges" est le nom que prirent, pendant la Révolution culturelle, les groupes de lycéens et d'étudiants venus se mettre au service de Mao. Ainsi qu'on peut le lire dans cet "Eloge des gardes rouges" : "Les gardes rouges ont été nourris de la pensée de Mao Zedong. Ils l'ont très bien dit eux-mêmes : le président Mao est notre commandant rouge, nous sommes les petits soldats rouges du président Mao. Nos gardes rouges sont ceux qui aiment le plus les œuvres du président Mao, ceux qui aiment le plus écouter ses paroles et ceux qui sont le plus ardemment épris de la pensée de Mao Zedong. Ils portent toujours sur eux le recueil des *Citations du président Mao*, et ils considèrent comme leur devoir suprême d'étudier, de diffuser, de mettre en pratique et de défendre la pensée de Mao Zedong" (*Drapeau rouge*, n° 12, 1966). Ces groupes se constituèrent à Pékin et s'étendirent bientôt à l'ensemble du pays. Forts du soutien de Mao, qui avait dit "On a raison de se révolter", les gardes rouges sillonnèrent toute la Chine pour déboulonner les "responsables engagés dans la voie capitaliste" et détruire en chemin les "quatre vieilleries", n'hésitant pas à user de la violence la plus arbitraire pour parvenir à leurs fins. Au début de 1967, des dissensions éclatèrent entre eux, les plus radicaux jugeant leurs camarades trop "conservateurs" et chacun se prévalant de l'orthodoxie maoïste, lesquelles dissensions aboutirent même à des affrontements physiques et sanglants. A l'automne, Mao fit appel à l'armée, seule institution encore structurée, pour qu'elle rétablisse l'ordre et mette un terme aux agissements des gardes rouges, dont quelques-uns menaçaient même de devenir une force autonome, et à la fin de l'année, on commença à les envoyer à la campagne, afin, prétendra-t-on, qu'ils y soient rééduqués par les paysans. Certains restèrent là-bas presque dix ans.

3. Le *Petit Livre rouge*, ainsi nommé en raison de la couleur de sa couverture en matière plastique et de son format, et dont le titre exact est *Citations du président Mao*, se présente comme un recueil de courts extraits d'écrits et autres discours datant de différentes périodes qui sont distribués en trente-trois chapitres portant sur des sujets variés : le parti communiste, la lutte des classes, le peuple, la culture, ou bien encore les femmes et la jeunesse. La compilation fut réalisée par le département politique général de l'Armée populaire de libération, et la première édition sortit des presses en mai 1964. Une version complétée parut en août 1965, qui fut rééditée en décembre 1966 lestée d'une préface de Lin Biao (1907-1971), alors ministre de la Défense (elle disparaîtra des rééditions subséquentes après la mort du "traître"). De 1966 à 1968, le *Petit Livre rouge* fut imprimé à 740 millions d'exemplaires (soit un exemplaire par habitant) – sans compter les versions en langues étrangères –, et

tout un chacun se devait de posséder en permanence sur lui le "précieux livre rouge", et d'en connaître le contenu sur le bout des doigts.
4. *Dazibao*, littéralement : "affiches à grands caractères". Rédigées à la main et apposées dans les lieux publics, elles servaient généralement de support à la propagande des autorités, lors des campagnes politiques en particulier, mais elles pouvaient constituer également, en principe, un moyen d'expression pour la population. Le point 4 de la "Décision du Comité central du parti communiste chinois sur la Grande Révolution culturelle prolétarienne" (8 août 1966) stipulait : "Il faut utiliser pleinement la méthode des *dazibao* et des grands débats pour permettre de larges et francs exposés d'opinions, afin que les masses puissent exprimer leurs vues justes, critiquer les vues erronés et dénoncer tous les génies malfaisants." Officiellement autorisé par la Constitution de 1975 (art. 13), le *dazibao* a disparu de la Constitution de 1982.
5. Les gardes rouges affublaient les gens qu'ils arrêtaient d'un chapeau pointu, mesurant plus d'un mètre parfois, et ils leur accrochaient aussi éventuellement autour du cou une pancarte, avant de les exhiber dans la rue ou sur des estrades. Sur ce chapeau et sur cette pancarte étaient inscrits le nom de l'intéressé, souvent barré d'une croix ou calligraphié à l'envers en signe de mépris, et les délits qu'on lui reprochait. On pouvait aussi, par-dessus le marché, lui raser le crâne et lui barbouiller le visage d'encre noire.
6. Ennemis de classe, encore appelés les "ennemis du peuple". Mao en donnait la définition suivante : "A l'étape actuelle, qui est la période de l'édification socialiste, toutes les classes et couches sociales, tous les groupes sociaux qui approuvent et soutiennent cette édification, et y participent, forment le peuple, alors que toutes les forces sociales et tous les groupes sociaux qui s'opposent à la révolution socialiste, qui sont hostiles à l'édification socialiste ou s'appliquent à la saboter, sont les ennemis du peuple" ("De la juste solution des contradictions au sein du peuple", 27 février 1957). Déjà, en mars 1926, il écrivait : "Qui sont nos ennemis, qui sont nos amis ? C'est là une question d'une importance primordiale pour la révolution" ("Analyse des classes de la société chinoise", mars 1926). Et la "Décision du Comité central du parti communiste chinois sur la Grande Révolution culturelle prolétarienne" (8 août 1966) de préciser : "Qui sont nos ennemis, qui sont nos amis ? C'est là une question d'une importance primordiale pour la révolution, c'est là également une question d'une importance primordiale pour la grande révolution culturelle."

Dès qu'ils prirent le pouvoir, les communistes chinois cataloguèrent les citoyens en se fondant sur la source des moyens d'existence qui avaient été les leurs au cours des trois années ayant précédé la fondation de la République populaire (1949), et chacun d'eux fut doté d'un "statut personnel de classe" qui équivalait plus ou moins à son statut socioprofessionnel. A la campagne, par exemple, ceux qui possédaient des terres mais les faisaient cultiver par d'autres ou ceux qui n'en exploitaient eux-mêmes qu'une partie furent respectivement rangés dans la catégorie des "propriétaires fonciers" et dans la catégorie des "paysans riches" ; ceux qui possédaient juste assez de terre pour subvenir à leurs besoins, dans la catégorie des "paysans moyens" ; et ceux qui en étaient réduits à vendre leur force de travail, dans la catégorie des "paysans pauvres". Ces distinctions étaient en réalité de nature purement politique : à preuve, les "propriétaires fonciers", quand ils ne furent pas exécutés immédiatement, conservèrent leur étiquette pendant trente ans, même après qu'on leur eut confisqué leurs terres pour les redistribuer aux "paysans moyens" et aux "paysans pauvres" (l'opération eut lieu dès 1950), et ces derniers continuèrent d'être appelés ainsi alors qu'ils avaient été intégrés depuis belle lurette dans des coopératives et autres communes populaires. Cela, au motif que la transformation sociale en cours n'avait pas modifié les mentalités. Inutile de préciser que tous les statuts n'étaient pas aussi bien considérés : "paysan moyen" ou "paysan pauvre" étaient de bons statuts, au contraire de "propriétaire foncier" ou de "paysan riche".

Quatre catégories furent mises au ban de la société, et les individus qui les composaient tenus pour des "ennemis de classe du peuple" : les "propriétaires fonciers", les "paysans riches", les "contre-révolutionnaires" et les "mauvais éléments" (les délinquants de droit commun). En 1957, une cinquième catégorie, celle des "droitistes bourgeois", vint allonger la liste, laquelle s'enrichit encore, pendant la Révolution culturelle, des quatre que voici : les "renégats", les "agents ennemis", les "éléments engagés sur la voie capitaliste" et les "intellectuels", ces derniers étant qualifiés de "puants de la neuvième catégorie".

7. Allusion à ce slogan, répété à tout bout de champ à l'époque : "Vive notre grand dirigeant, le président Mao ! Qu'il vive longtemps ! Qu'il vive très longtemps !"

8. *Dim sum* : nous avons retenu le terme cantonais, plus connu que son équivalent mandarin *(dianxin)*. Dans les boutiques de *dim sum*, on vend toutes sortes de spécialités cuites à la vapeur : bouchées salées ou sucrées, et en particulier ces petits pains farcis à la viande *(baozi)*, un peu plus gros, dont il est question tout au long du roman.

9. Pourquoi Mao surplombe-t-il ici la mer ? Parce qu'il était considéré alors comme le "Grand Timonier" qui menait glorieusement le navire de

la Chine nouvelle sur la voie du socialisme. Une chanson, créée en 1964 à sa gloire, avait pour titre : *Pour naviguer en haute mer, il faut un timonier*.
10. Allusion à la "guerre de résistance contre le Japon".
11. En plus de son "statut de classe", on hérita d'une "origine de classe", laquelle correspondait au "statut personnel de classe" des parents – ou plus exactement à celui du père, la transmission étant en l'espèce patrilinéaire –, et l'on estimait que cette origine, pour peu qu'elle fût mauvaise, pouvait vous influencer fâcheusement, indépendamment de votre "statut de classe". Les adeptes de la théorie du "lignage", il n'en manqua pas pendant la Révolution culturelle, le proclamaient : "A papa héros, fiston vaillant ; à père réac, rejeton taré." Song Fanping est professeur dans un collège, il s'agit là de son "statut personnel de classe" ; mais, pour son malheur, il est issu d'une famille de propriétaires fonciers.

CHAPITRE XI (p. 136 à 147)

1. Séances au cours desquelles, sous les huées de la foule, – plusieurs centaines de personnes parfois –, les "ennemis du peuple" étaient "luttés" (dans le lexique bureaucratique, ce verbe s'emploie également de façon transitive) et devaient faire amende honorable pour les péchés politiques qu'on leur imputait. Elles avaient lieu pendant les heures de travail, et la présence y était obligatoire.
2. Le caractère *zhu* signifie "maître", et le caractère *di*, "la terre". Leur association, *dizhu*, donne littéralement "maître de la terre", soit "propriétaire foncier". Le caractère *xi* désigne le siège de celui qui détient l'autorité ; combiné avec le caractère *zhu*, il forme un mot qu'on traduit par "président". Mais les enfants interprètent mal l'association des deux caractères *di* et *zhu*.
3. "Fleurs de la patrie", expression d'usage courant dans la Chine communiste pour désigner les enfants. En 1955, ce fut le titre d'un film de Yan Gong (1914-).
4. "Le grand leader, le grand guide, le grand commandant, le grand timonier, le président Mao." Formule de l'époque, résumée parfois en "quatre grands" *[sige weida]*, et qui fut employée dès 1966 par Lin Biao, par exemple lors de son allocution au "rassemblement destiné à accueillir les élèves et les étudiants révolutionnaires venus à Pékin des différentes parties du pays" qui se tint le 31 août de cette année-là. C'est sur ces mots que s'achève l'éditorial conjoint du *Quotidien du peuple* et de la revue *Drapeau rouge* paru le 1er janvier 1967, "Menons jusqu'au bout la Grande Révolution culturelle prolétarienne".

CHAPITRE XII (p. 148 à 158)

1. “La révolution n’est pas un dîner de gala ; elle ne se fait pas comme une œuvre littéraire, un dessin ou une broderie ; elle ne peut s’accomplir avec autant d’élégance, de tranquillité et de délicatesse, ou avec autant de douceur, d’amabilité, de courtoisie, de retenue et de générosité d’âme. La révolution, c’est un soulèvement, un acte de violence par lequel une classe en renverse une autre.” Citation tirée du “Rapport sur l’enquête menée dans le Hunan à propos du mouvement paysan” (mars 1927), reprise dans le *Petit Livre rouge*.
2. Extrait d’un poème de Mao, composé à l’automne 1928, *Les Monts Jinggang*.
3. Le monde des aventuriers : *jianghu*, littéralement “les rivières et les lacs”, expression qui désigne le monde parallèle dans lequel évoluent les rebelles et les hors-la-loi des romans de cape et d’épée.

CHAPITRE XIII (p. 159 à 175)

1. Tous les produits, ou peu s’en faut, étaient rationnés, en particulier les biens de première nécessité, dont les biens alimentaires. Les céréales (ou les produits à base de céréales), l’huile, la viande, les œufs ou encore le sucre, de même, par exemple, que le charbon, donnaient droit à des tickets mensuels ; le textile, à des coupons annuels. Les tickets étaient exigés aussi au restaurant. Ils étaient délivrés par l’unité de travail et n’avaient qu’une validité locale, cela pour empêcher les déplacements illégaux. Le système entra en vigueur vers le milieu des années 1950, et il a disparu progressivement à compter du milieu des années 1980. S’agissant des tickets de céréales, en revanche, leur usage n’a été abandonné qu’au début de 1993.
2. Les “contre-révolutionnaires” sont les individus à qui l’on reproche de s’être opposés au parti communiste, d’avoir essayé de saboter le nouvel ordre social, ou bien encore de s’être livrés à des activités d’espionnage. Les “contre-révolutionnaires actifs” sont ceux qui ont commis leurs délits après la fondation de la République populaire ; les “contre-révolutionnaires historiques”, ceux qui les ont commis avant. Sachant qu’une fois sa peine purgée, et sous réserve qu’il ne recommence pas, un “contre-révolutionnaire actif” devient en principe un “contre-révolutionnaire historique”.

CHAPITRE XIV (p. 176 à 187)

1. Allusion aux huit rassemblements de gardes rouges qui se tinrent en août, septembre, octobre et novembre 1966. Le premier en réunit 1 million (18 août), et le dernier plus du double (25-26 novembre). Au total, ce sont près de 13 millions de gardes rouges qui se massèrent sur la place Tian'anmen pour acclamer Mao.

CHAPITRE XV (p. 188 à 194)

1. Entendre : "abattu politiquement", renversé.

CHAPITRE XVII (p. 201 à 218)

1. L'oncle, terme d'adresse familier qu'on emploie à l'égard d'un interlocuteur de la génération de ses parents, même si on ne le connaît pas. Le chinois est en l'occurrence plus précis : on dit *"shushu"*, comme ici, s'il semble plus jeune que votre père, ou *"bobo"*, par exemple, s'il a l'air d'être son aîné.

CHAPITRE XIX (p. 230 à 240)

1. Terme emprunté au lexique taoïste, qui désigne le monde souterrain où les âmes des morts sont appelées à séjourner.

CHAPITRE XXI (p. 249 à 256)

1. Soit 1949, date à laquelle la République populaire de Chine a été proclamée.
2. Le *mu* est une unité de surface qui équivaut à 666,7 m^2.
3. La "Loi sur la réforme agraire" fut adoptée le 28 août 1950, et promulguée deux jours plus tard. Son but : "Abolir le système de la propriété foncière basée sur l'exploitation féodale de la classe des propriétaires fonciers et réaliser le système de la propriété foncière paysanne, en vue de libérer les forces productives des régions rurales et de développer la production agricole, pour ouvrir la voie à l'industrialisation de la Chine nouvelle" (art. 1). Les terres, les bêtes de trait, le

matériel agricole, les excédents de grains et de bâtiments appartenant aux propriétaires fonciers furent confisqués (art. 2), et ces biens redistribués aux paysans pauvres et moyens pauvres. L'opération fut menée en trois vagues successives, entre l'hiver de 1950 et l'été de 1953, dans un climat de violence dûment orchestré par les autorités chinoises : on estime qu'elle aurait provoqué entre deux et cinq millions de morts, sans compter les victimes qui furent envoyées au bagne. Peu après, les autorités chinoises décidèrent de collectiviser l'agriculture, un objectif qui était plus conforme à leur doctrine réelle, et les terres qu'on venait de partager furent reprises et devinrent propriété de l'Etat.
4. *Le Détachement féminin rouge*, "ballet à thème révolutionnaire contemporain", une des rares œuvres qui pouvaient être interprétées durant la période appelée par antiphrase "Révolution culturelle". Il fut porté à l'écran en 1971 par Pan Wenzhan (1924-). L'action – qui avait déjà donné matière, en 1961, à un film de fiction portant le même titre, réalisé par Xie Jin (1923-) – se déroule dans l'île de Hainan, au début des années 1930. Il raconte l'histoire d'une jeune esclave qui échappe à son maître, lequel a tué son père, et rejoint une compagnie communiste composée exclusivement de femmes en lutte contre les forces du Guomindang (le parti nationaliste).

CHAPITRE XXII (p. 257 à 279)

1. Terme du lexique bureaucratique. Puisque, donc, dans l'énoncé général du maoïsme, on distingue entre le "peuple" et les "ennemis du peuple", il s'agit de démasquer ceux des "ennemis du peuple" qui sont parvenus à s'infiltrer au sein du "peuple", et de les extirper de ses rangs.
2. Sans doute s'agit-il de la guerre civile, qui opposa forces communistes et forces nationalistes de 1945 à 1949 ; ou bien de la guerre sino-japonaise, qui lui est antérieure, et dura de 1937 à 1945. A moins qu'il ne s'agisse des deux.
3. Extrait d'un poème de Mao, composé en 1925, *Changsha*.
4. Les gardes rouges traquaient donc les "quatre vieilleries", et une coupe de cheveux trop longue – à l'instar de pantalons serrés aux chevilles et de souliers à bouts pointus ou à talons hauts, par exemple – en était pour eux un indice, qu'il fallait éliminer sur-le-champ au moyen d'une tondeuse.

CHAPITRE XXIV (p. 292 à 302)

1. Littéralement : "Il recherchait la vérité dans les faits." Allusion à une épigraphe forgée par Mao à l'intention de l'Ecole centrale du parti communiste, à l'époque de Yan'an, dont Deng Xiaoping, fit, en 1977, une des maximes de son pragmatisme.
2. Les gardes rouges, quand ils perquisitionnaient les maisons, détruisaient ou emportaient avec eux tout ce qui relevait des "quatre vieilleries". Une "recommandation urgente" fut diffusée par la suite, datée du 21 janvier 1967, stipulant que "les objets et les fonds confisqués" devaient "entrer entièrement dans le trésor public", et que tout ce qui avait déjà été partagé devait "être restitué et remis à l'Etat pour augmenter la recette financière nationale".
3. Unité de mesure équivalant à environ un demi-kilomètre.

CHAPITRE XXV (p. 303 à 323)

1. Véritable passeport intérieur, le *hukouben* (littéralement : livret d'état civil) est un livret de résidence, détenu par le chef de famille, qui indique le lieu de naissance et l'appartenance de classe de tous les membres du foyer. Il fixe en un endroit donné les citoyens chinois – selon le principe de la matrilocalisation –, ne serait-ce que parce que les tickets de rationnement – nécessaires pour les biens de première nécessité – sont délivrés sur place par l'unité de travail et qu'ils n'ont qu'une valeur locale. La population se distribue selon une hiérarchie dont il est pratiquement impossible de gravir les échelons, et où la base est formée par le *hukou* de village et le sommet par celui de Pékin. Conçu d'abord pour réguler les flux migratoires et empêcher l'exode rural, il aura eu pour conséquence de limiter autant la mobilité spatiale que la mobilité sociale : qu'un citadin veuille épouser une paysanne, par exemple, et il perd son certificat de résidence urbain et doit émigrer là où vit sa femme.
2. La "fête de la Pure Clarté", ou fête des Morts. Ce jour-là, on se rend sur la tombe des ancêtres pour la nettoyer et y déposer des offrandes. Elle a lieu au printemps, le 15e jour de la 3e lune, soit aux alentours du 5 avril.
3. Librairie de la Chine nouvelle, ou librairie Xinhua. La maison mère, si l'on peut dire, fut formellement créée le 24 avril 1937, avant donc la fondation de la République populaire de Chine, à Yan'an, là où les communistes s'étaient réfugiés. En 1949, la librairie fut transférée à Pékin et

tout un réseau de librairies portant la même enseigne se mit en place dans le pays. La filière de l'édition étant alors contrôlée de bout en bout par l'Etat, la distribution des livres se faisait exclusivement par l'entremise des librairies Xinhua. Elles existent toujours mais ont perdu ce dernier monopole.
4. Unité de poids équivalant à 50 grammes.
5. "Le torrent impétueux…" Formule consacrée, dans la Chine maoïste, quand il était question de la révolution.
6. Les Immortels sont des créatures dotées d'une vie éternelle, habitant dans les montagnes ou sur des îles. Les femmes sont réputées être d'une merveilleuse beauté.

CHAPITRE XXVI (p. 324 à 335)

1. Ce soulier a été confisqué à sa propriétaire car il symbolisait un mode de vie ressortissant aux "quatre vieilleries".
2. Fête du Printemps – ou nouvel an –, la plus importante des fêtes en Chine, se tient entre la dernière décade du mois de janvier et la seconde du mois de février. Elle marque le début de l'année lunaire.

LIVRE SECOND

CHAPITRE I (p. 339 à 349)

1. Entendre le Paradis de l'ouest, ou Terre pure, des bouddhistes.
2. Technique de boxe.
3. La période de "réforme et d'ouverture" et la mise en œuvre d'un "socialisme aux couleurs de la Chine" commencent en décembre 1978, lorsque Deng Xiaoping réussit à imposer ses vues sur les derniers des maoïstes encore au pouvoir. L'expression doit s'entendre dans un sens exclusivement économique.
4. Song Gang était inscrit sur le *hukou* de Li Lan.
5. Le costume Sun Yat-sen – du nom du "père de la nation" (1866-1925) – est en fait l'habit que portaient, naguère encore, les cadres chinois, et qui s'inspire en réalité des uniformes de l'armée rouge soviétique. On a tendance, aujourd'hui, à parler de "costume Mao".

6. Deux personnages du roman de Wu Cheng'en (1506-1582), *La Pérégrination vers l'Ouest* (trad. par André Lévy, Gallimard, La Pléiade, 1991), dont les noms chinois sont Tang Sanzang (Tripitaka) et Zhu Bajie (Porcet).

CHAPITRE II (p. 350 à 365)

1. *Shouhuo (Harvest)*, revue de l'Association des écrivains de Shanghai, créée en juillet 1957 et qui existe toujours. Sa parution fut suspendue entre mai 1960 et janvier 1964, puis derechef, à cause de la Révolution culturelle, de mars 1966 à janvier 1979. Longtemps animée par le célèbre romancier Pa Kin (1904-2005), elle l'est aujourd'hui par sa fille, Li Xiaolin (née en 1945). Yu Hua a confié plusieurs de ses œuvres à cette revue avant de les reprendre en volume, et le présent roman, *Brothers*, y a aussi été publié, mais partiellement, et cette fois après sa sortie en librairie.
2. Il s'agit de faire ressortir les qualités propres au peuple travailleur, que les intellectuels (ou les dirigeants) portent en eux, mais qu'ils ont laissées se perdre en se séparant des masses.
3. Li Kui, le Tourbillon noir, personnage du roman *Au bord de l'eau*, œuvre attribuée à Shi Nai'an (1296-1370). Il existe une version française, par Jacques Dars (Gallimard, La Pléiade, 1978, 2 vol.).

CHAPITRE III (p. 366 à 378)

1. Département de l'organisation du parti communiste.

CHAPITRE IV (p. 379 à 408)

1. Traditionnellement, les bébés chinois ne sont pas langés. Ils portent une culotte, fendue dessous, qui leur permet de se soulager à n'importe quel moment, et n'importe où, sans qu'il soit besoin ensuite de les changer.
2. Allusion à un des principes du maoïsme : "L'exercice de la dictature démocratique populaire implique deux méthodes. À l'égard des ennemis, nous employons celle de la dictature ; autrement dit, aussi longtemps qu'il sera nécessaire, nous ne leur permettrons pas de participer à l'activité politique, nous les obligerons à se soumettre aux lois du gouvernement populaire, nous les forcerons à travailler de leurs mains pour

qu'ils se transforment en hommes nouveaux" (Mao, "Allocution de clôture à la deuxième session du Ier Comité national de la Conférence consultative politique du peuple chinois, 23 juin 1950 ; citation reprise dans le *Petit Livre rouge*).
3. "Nos sentiments révolutionnaires prolétariens." Figure de rhétorique de l'époque, généralement utilisée envers le président Mao et le parti communiste.
4. "N'oublions jamais la lutte des classes." Un des slogans de la Révolution culturelle. Il servit de titre à l'éditorial du *Quotidien de l'Armée de libération* du 4 mai 1966, et fait référence à cette injonction de Mao, prononcée en septembre 1962, lors du dixième plénum du VIIe Comité central du parti communiste : "Camarades, n'oubliez jamais la lutte des classes !"
5. Ouvrage de Sun Zi. Premier traité jamais écrit sur la question, il est vieux de quelque vingt-cinq siècles. Une traduction française en fut réalisée dès 1772, que l'on doit au P. Amiot (1718-1794).
6. Allusion à *Spectacles curieux d'aujourd'hui et d'autrefois*, un recueil anonyme de quarante contes paru aux alentours de 1640. Il s'agit d'un florilège de pièces empruntées à Feng Menglong (1574-1646) et à Ling Mengchu (1580-1644), reprises telles quelles ou remaniées. Il en existe une traduction française intégrale (par Rainier Lanselle, Gallimard, La Pléiade, 1996), et de nombreuses versions partielles, parmi lesquelles celle que le marquis d'Hervey-Saint-Denys (1822-1892) publia entre 1885 et 1892 (elles ont été rééditées : *Six nouvelles chinoises* et *Six nouvelles nouvelles chinoises*, éditions établies par Angel Pino, Bleu de Chine, 1999).
7. Allusion au principe de la "ligne de masse" chère à Mao, lequel écrivait, par exemple : "Il faut apprendre à chaque camarade à aimer ardemment les masses populaires, à prêter une oreille attentive à leur voix…" ("Du gouvernement de coalition", 24 avril 1945 ; citation reprise dans le *Petit Livre rouge*).
8. Terme d'adresse familier qu'on emploie à l'égard d'une interlocutrice plus jeune que soi, avec une connotation affectueuse.

CHAPITRE V (p. 409 à 419)

1. Allusion au très célèbre film de Yuan Muzhi (1909-1978), *Les Anges du boulevard*, produit en 1937, l'histoire d'un jeune trompettiste qui aide la jeune fille dont il est tombé amoureux et sa sœur, une prostituée, à échapper à la pègre de Shanghai.

2. L'histoire se déroule sous la dynastie des Song du nord (960-1127). Chen Shimei, reçu premier aux concours mandarinaux, épouse la fille de l'empereur, mais en se gardant de lui avouer qu'il est déjà marié et père de deux enfants. Sa première femme, Qin Xianglian, sans nouvelles de lui, finit par monter à la capitale, et Chen Shimei tente de la faire assassiner. Celle-ci le dénonce à la justice, et Chen Shimei est finalement exécuté.
3. *Shaolin si [Le Temple de Shaolin]*, film de kung-fu hongkongais de Zhang Xinyan (ou Cheung Yam-yim ; 1934-), datant de 1982.
4. Li Lianjie (1963-), champion d'arts martiaux devenu acteur, plus connu sous le nom de Jet Li, héros du *Temple de Shaolin*, qui fut son premier film.
5. *Shuang xiong hui [Les Retrouvailles des deux héros]*, film chinois de 1984, réalisé par Chen Huai'ai (1920-).
6. *Les Trois Royaumes*, œuvre attribuée à Luo Guanzhong (1330 ?-1400 ?), dont il existe une version française par Louis Ricaud et Nghiêm Toan, complétée par Jean et Angélique Lévi (Flammarion, 7 vol., 1987-1991).
7. Cao Cao (155-220), Liu Bei (161-223) et Sun Quan (182-252), souverains respectifs des royaumes de Wei, de Shu et de Wu, Etats rivaux de l'époque dite des Trois Royaumes (220-266). Ils apparaissent dans le roman *Les Trois Royaumes* déjà cité.
8. Zhuge Liang (181-234), célèbre stratège militaire, Premier ministre du royaume de Shu, et autre personnage du roman *Les Trois Royaumes*.
9. Autre allusion au roman *Les Trois Royaumes*, et aux royaumes de Wu et de Wei.
10. "Chaque communiste doit s'assimiler cette vérité que «le pouvoir est au bout du fusil»", phrase tirée d'un texte intitulé "Problèmes de la guerre et de la stratégie" (6 novembre 1938), reprise dans le *Petit Livre rouge*.

CHAPITRE VI (p. 420 à 435)

1. Selon la légende, la Septième Immortelle, fille cadette de l'Empereur de jade, tombe amoureuse de Dong Yong, un jeune esclave, dont elle devient l'épouse. Elle tisse des étoffes de brocart afin de lui permettre de se racheter. Mais un jour elle remonte au ciel, rappelée par son père.

CHAPITRE VII (p. 436 à 457)

1. Détournement du célèbre mot de Mao, prononcé le 9 août 1958 : "Les communes populaires, c'est bien."
2. Détournement d'un mot de la période de la Révolution culturelle : "On peut se passer de boire et manger durant un jour entier, mais on ne saurait un seul jour se passer de lire les œuvres de Mao Zedong sans que l'oreille devienne sourde, l'œil obscurci et que l'esprit entier ne perde son orientation" (Agence Xinhua, janvier 1969).
3. Sun Wukong, le roi des singes, autre personnage du roman de Wu Cheng'en, *La Pérégrination vers l'Ouest*.
4. Poème de février 1935, *Le Défilé de Loushan* : "Ne croyez pas qu'il soit de fer, ce défilé puissant./ Dès ce jour, à grands pas nous le passerons par ses crêtes,/ Nous le passerons par ses crêtes…"

CHAPITRE IX (p. 464 à 472)

1. Extrait d'un écrit de Mao datant du 13 août 1945 qui a pour titre "La Situation et notre politique après la victoire dans la guerre de résistance contre le Japon", repris dans le *Petit Livre rouge*.
2. Les beignets en question, qui ont la forme, mais en plus grand, des chichis (ou *churros* espagnols) sont, avec le lait de soja, la base du petit déjeuner chinois traditionnel.

CHAPITRE X (p. 473 à 484)

1. Les entreprises chinoises, les unités de travail d'alors, logeaient tout ou partie de leurs personnels. Aux employés célibataires étaient réservés des dortoirs.
2. *Forever (Yongjiu)*, marque de bicyclette fabriquée à Shanghai, l'une des trois plus connues en Chine, avec *"Flying Pigeon" (Feige)* et *"Phoenix" (Fenghuang)*.
3. Pour certains biens, comme les bicyclettes ou les machines à coudre, il fallait s'inscrire sur une liste d'attente avant de pouvoir prétendre les acheter.
4. Xi Shi, Diaochan, Wang Zhaojun et Yang Guifei sont considérées comme les "quatre beautés de la Chine antique". Xi Shi est née vers 506 av. J.-C., à l'époque des Printemps et Automnes ; Wang Zhaojun, aux alentours de 30 av. J.-C., sous la dynastie des Han ; Yang Guifei (719-756)

vécut sous celle des Tang. Au contraire des trois autres, Diaochan est un personnage fictif, une héroïne du roman *Les Trois Royaumes*, que son auteur fait naître vers l'an 169.
5. Le chiffre 49 (7 x 7) est un chiffre symbolique dans les traditions bouddhistes. Allusion à la période de méditation du Bouddha qui l'a conduit à l'"éveil".
6. La guerre de résistance contre le Japon, qui dura de 1937 à 1945.
7. *Les Trente-six stratagèmes*, ouvrage anonyme datant de la fin de la dynastie Qing, redécouvert seulement au début des années 1940. Le stratagème en question est le trente-sixième et dernier.
8. Allusion au titre d'un roman de Jin Yong (1924-), un auteur de Hong Kong, le maître du roman de cape et d'épée, intitulé en anglais *The Smiling, Proud Wanderer*, et datant de 1967, dont il existe de nombreuses adaptations télévisuelles ou cinématographiques.
9. Sous le règne de l'empereur Qin Shihuang (221-210 av. J.-C.), on recrutait de force des paysans pour qu'ils participent à la construction de la Grande Muraille. L'époux de Meng Jiangnü, qui avait réussi à se soustraire à la corvée, est emmené finalement sur le chantier, avec des milliers d'autres, trois jours à peine après s'être marié. Là, il est exécuté et enterré à l'intérieur de l'édifice. Meng Jiangnü se rend sur place et pleure si fort et si longtemps qu'un tronçon de la Grande Muraille s'effondre, laissant apparaître des ossements humains, parmi lesquels elle identifie ceux de son mari. Elle les emporte et les inhume, et se suicide ensuite. La légende comporte de nombreuses variantes.
10. L'histoire se passe sous la dynastie des Jin (265-420 apr. J.-C.). Pour pouvoir être admise dans un collège, Zhu Yingtai se déguise en garçon. Trois ans durant, elle a là-bas pour condisciple Liang Shanbo, qu'elle aime en secret et qui ignore qu'elle est une femme. Ses études achevées, elle rentre chez elle, et deux ans plus tard Liang Shanbo vient lui rentre visite. Découvrant alors qui elle est vraiment, le jeune homme demande sa main à ses parents, mais hélas pour lui ceux-ci ont déjà promis leur fille à un autre. Liang Shanbo en meurt de chagrin, et on l'enterre au pied d'une montagne. Quelques mois plus tard, Zhu Yingtai, qui est maintenant mariée, passe en bateau près de l'endroit où Liang Shanbo repose. Une tempête l'oblige à accoster. Arrivée devant la tombe de Liang Shanbo, elle se met à pleurer toutes les larmes de son corps : la tombe s'ouvre et elle se glisse à l'intérieur. Dorénavant chaque année quand les azalées sont en fleurs, on voit voler un couple de papillons multicolores, et la légende prétend qu'il s'agit de Zhu Yingtai et Liang Shanbo.

11. Extrait d'un poème de Mao, composé en avril 1949, *L'Armée populaire de libération occupe Nankin*. L'expression complète est : "Le ciel est culbuté, la terre chavirée, [dans ce] généreux élan."

CHAPITRE XI (p. 485 à 497)

1. Les cartons sont rouges non pas par référence au symbole du communisme, mais parce que le rouge, comme nous l'avons déjà indiqué, est la couleur du mariage en Chine.
2. Enveloppe contenant de l'argent, la couleur rouge symbolisant la chance qu'on souhaite à qui l'offrande est faite.
3. L'unité de travail n'est pas seulement l'employeur. Elle constitue la structure de base de l'organisation sociale urbaine. Les travailleurs en dépendent pour leur emploi et leur salaire, ou pour les diverses prestations sociales (logement, éducation des enfants, soins médicaux, retraite), mais aussi pour tout ce qui touche à leur vie quotidienne : mariage, planning familial ou loisirs.
4. Titre anglais du roman de Guo Jingming (1983-), *Mengli hualuo zhi duoshao*, publié en 2003, qui raconte des histoires d'amour compliquées entre plusieurs jeunes gens. Le livre a remporté un énorme succès à sa sortie, mais son auteur a été condamné pour plagiat l'année suivante.

CHAPITRE XII (p. 498 à 504)

1. En chinois *Quanmin jingshang*. L'expression commença à être employée après la célèbre tournée effectuée par Deng Xiaoping dans le Sud de la Chine en janvier et février 1992 : "Si l'on veut poursuivre la réforme et l'ouverture, avait-il déclaré alors, il faut montrer plus d'audace, oser faire des expériences nouvelles. On ne peut pas marcher à petits pas comme les femmes aux pieds bandés. Une fois que l'on sait ce qu'il faut faire, il faut se lancer à l'eau sans avoir peur des risques, oser faire un bond dans l'inconnu."
2. On appelle "documents à en-tête rouge" les règlements administratifs édictés par les bureaux ou les unités de travail, et dont le titre est imprimé en rouge.
3. Entendre le Comité central du parti communiste chinois.

CHAPITRE XIII (p. 505 à 519)

1. Les "entreprises individuelles" *[getihu]* sont des entreprises qui appartiennent à une seule personne et comptent moins de huit salariés. Juridiquement parlant, et bien que financées par des fonds privés, elles sont exclues de la catégorie des entreprises privées.
2. Détournement d'un mot du roman *Les Trois Royaumes* (chap. 49).

CHAPITRE XIV (p. 520 à 530)

1. Allusion à la chanson *L'Orient rouge*, chanson adaptée d'un chant populaire du Nord Shaanxi, publiée en 1944 dans le *Quotidien Libération*, à Yan'an, et devenue par la suite un hymne de la Chine populaire. Les paroles sont de Li Youyuan (1903-1955), un "paysan pauvre" : "L'Orient flamboie sous le soleil levant/ Et Mao Zedong est sur la terre de Chine./ Au peuple, il a apporté le bonheur,/ Il en est le sauveur…" (à chanter sur un rythme *andante maestoso*).

CHAPITRE XV (p. 531 à 545)

1. Activiste, ou "élément actif". Terme appartenant au lexique politique, dont on trouve une occurrence dans ce texte de Mao : "Les masses, en tout lieu, comprennent *grosso modo* trois sortes d'éléments : ceux qui sont relativement actifs, ceux qui sont relativement arriérés et ceux qui sont entre les deux. C'est pourquoi les dirigeants doivent être capables de réunir autour d'eux le petit nombre des éléments actifs et s'appuyer sur ces derniers pour élever le niveau des éléments intermédiaires et rallier les éléments arriérés" ("A propos des méthodes de direction", 1er juin 1943).
2. C'est bien d'une vache qu'il est question en effet dans l'expression habituelle.
3. Ces "tendances malsaines", autre figure de rhétorique du pouvoir communiste chinois. Elle était en usage au milieu des années 1980. Voir, par exemple, la "Résolution du Comité central du parti communiste chinois sur les principes directeurs de l'édification de la civilisation spirituelle socialiste", adoptée le 28 septembre 1986 à la sixième session plénière du Comité central issu du XIIe congrès du parti communiste chinois.
4. Le roi Zheng de Qin, que Jing Ke (?-227), un spadassin, tenta d'assassiner, était le futur Qin Shihuang, premier empereur de Chine.

5. “Le vent mugit, glaciales sont les eaux de la Yi”. Extrait du passage qui concerne Jing Ke dans le chapitre intitulé “Biographies d’assassins” des *Mémoires historiques* de Sima Qian (145-86 ? av. J.-C.). Cité ici d’après la version française qu’en propose Jacques Pimpaneau dans son *Anthologie de la littérature chinoise classique* (Philippe Picquier, 2004).
6. Allusion aux troupes chinoises qui participèrent à la Guerre de Corée (1950-1953).

CHAPITRE XVI (p. 546 à 555)

1. Allusion à une technique pratiquée par les moines de Shaolin, consistant à se tenir debout, tête en bas, en appui sur un seul doigt.
2. Teng Li-chun (1953-1995), célèbre chanteuse taïwanaise, morte à la suite d’une crise d’asthme, lors d’un voyage en Thaïlande.
3. Expression du langage politique. Dans un discours du 19 décembre 1950, Mao écrit : “Pour écraser les éléments contre-révolutionnaires, il faut lutter avec fermeté, avec précision, avec énergie, de manière à ce qu’il n’y ait pas de plaintes des différents milieux de la société.”
4. Qu Yuan (343-277 av. J.-C.), poète et ministre du roi Huai de Chu, qui fut banni par son prince. Il exprima alors sa douleur dans un poème célèbre, le *Li sao*, *Tristesse de l’éloignement*, traduit en français par le marquis d’Hervey-Saint-Denys. Quand il apprit ensuite que sa patrie avait été anéantie par le royaume de Qin, il se donna la mort en se jetant dans la rivière Miluo, une pierre attachée au coup, le cinquième jour du cinquième mois lunaire. Les riverains montèrent sur leurs barques pour essayer de repêcher son corps, et lancèrent des *zongzi* dans l’eau afin d’attirer les poissons et d’éviter qu’ils ne le dévorent. C’est donc à sa mort qu’est associée la fête du Double-Cinq et son cérémonial.

CHAPITRE XX (p. 588 à 604)

1. Montre fabriquée à Shanghai, très chère à l’époque.

CHAPITRE XXI (p. 605 à 613)

1. Détournement d’un mot de Mao. Durant la guerre sino-japonaise, Mao édicta trois grandes règles de discipline à l’intention des soldats communistes, réaffirmées pendant la guerre civile : “1°) Obéissez aux

ordres dans tous vos actes ; 2°) Ne prenez pas aux masses une seule aiguille, un seul bout de fil ; 3°) Remettez tout butin aux autorités" ("Instructions du Haut Commandement de l'Armée populaire de libération de Chine à l'occasion d'une nouvelle proclamation des trois grandes règles de discipline et des huit recommandations", 10 octobre 1947 ; citation reprise dans le *Petit Livre rouge*).

CHAPITRE XXII (p. 614 à 626)

1. En 1928, après leur rupture avec le Guomindang, et l'échec des soulèvements armés tentés par eux dans les grandes villes, les communistes chinois se replièrent dans les monts Jinggang (massif situé aux confins du Jiangxi et du Hunan), où ils créèrent leur première base révolutionnaire. Ces monts inspireront à Mao ce poème déjà cité que, durant la Révolution culturelle, tout un chacun connaissait par cœur. C'est sur ce territoire, en novembre 1931, que fut proclamée la République des soviets chinois. Après avoir réussi plusieurs fois à repousser les assauts des troupes nationalistes, les communistes devront quitter la place en octobre 1934. À cette date, quelque 100 000 soldats communistes entreprennent, à travers les fleuves et les montagnes de toutes les provinces de l'ouest, tout en se heurtant régulièrement aux forces du Guomindang, un périple de 13 000 km pour rejoindre une petite base "rouge" située dans le nord du pays, où ils arriveront un an plus tard, en octobre 1935, alors qu'ils ne sont plus que 30 000. A l'issue de cette Longue Marche, les communistes s'installeront à Yan'an, ville du nord de la province du Shaanxi, dont ils feront la capitale d'une région qu'ils contrôlent, aux confins de trois provinces limitrophes : le Shaanxi, le Gansu et le Ningxia.
2. Extrait d'un poème de Mao, composé à l'été 1934, *Huichang*.
3. "Servir le peuple", une expression centrale dans la rhétorique maoïste. On en trouve de nombreuses occurrences dans les œuvres de Mao, dont plusieurs ont été sélectionnées dans le *Petit Livre rouge*, et regroupées à l'intérieur de la rubrique qui s'intitule précisément "Servir le peuple" (chap. XVII).
4. Poème de Mao, daté du 9 janvier 1963, *Réponse au camarade Guo Moruo* (sur l'air de *Man jiang hong*) : "Le temps presse,/ Dix mille ans, c'est trop long…"
5. Chanson qui a pour titre *Notre père, notre mère nous sont chers*. Elle fut composée par Li Jiefu (1913-1976) en 1966, pour célébrer la sollicitude du parti communiste envers les populations victimes du séisme

s'étant produit cette année-là à Xingtai (Hebei). Pour les curieux, en voici la fin : "La pensée de Mao est le trésor de la révolution,/ Qui tentera de s'y opposer sera notre ennemi."

CHAPITRE XXIII (p. 627 à 634)

1. Expression empruntée au lexique communiste. On appelle ainsi ceux qui vont se mettre au service de la cause communiste dans un pays autre que le leur.

CHAPITRE XXIV (p. 635 à 638)

1. Artère principale de Shanghai.
2. Le démon au squelette blanc, autre personnage du roman de Wu Cheng'en, *La Pérégrination vers l'Ouest*.

CHAPITRE XXV (p. 639 à 650)

1. Titre du discours prononcé par Kawabata Yasunari (1899-1972) lorsqu'il reçut, en 1968, le prix Nobel de littérature.
2. Il existe une version française de ce roman de Mishima Yukio (1925-1970), *Le Temple du pavillon d'or* : *Le Pavillon d'or*, trad. par Marc Mécréant, Gallimard, 1961.
3. Matsushita, plus connu en Europe sous le nom de Panasonic.
4. Deux parangons de la beauté masculine : Song Yu vécut à l'époque des Royaumes combattants (IVe-IIIe siècles av. J.-C.) ; et Pan An, au IIIe siècle apr. J.-C.
5. *Le Fanal rouge*, qui date de 1967, se déroule pendant la guerre sino-japonaise (1937-1945). Il s'agit d'une œuvre à la gloire d'un cheminot – membre du parti communiste, qui résiste à l'occupant et sera dénoncé aux envahisseurs par un traître –, dans laquelle apparaît un capitaine japonais, du nom de Hatoyama.
6. Nakasone Yasuhiro (1918-) a été Premier ministre de 1982 à 1987.
7. Takeshita Noboru (1924-1989) a été Premier ministre de 1987 à 1989.

CHAPITRE XXVI (p. 651 à 667)

1. “Société par actions”, en japonais.
2. Les assemblées populaires de district sont les organes, à l’échelon du district, du pouvoir d’Etat. Leurs membres sont élus au niveau de la circonscription, au suffrage direct depuis juillet 1979, pour un mandat de trois ans renouvelable. Ces assemblées élisent un gouvernement, le gouvernement populaire de district, qui est leur organe exécutif en même temps que l’organe administratif local de l’Etat.
3. En 494 av. J.-C., le pays de Yue fut vaincu par le pays de Wu. Le roi du pays de Yue, Goujian, jura de prendre sa revanche, ce qu’il finit par faire plus tard. En attendant, afin de garder en mémoire la honte subie par son pays et de ne pas oublier son serment, il couchait sur la paille et n’hésitait pas à goûter le fiel d’une vésicule biliaire accrochée au mur de sa chambre. La période dite des Printemps et Automnes s’est étendue de 722 à 481 av. J.-C.
4. Avant et après la fondation de la République populaire de Chine (1949), et jusque dans les années 1960, le parti communiste chinois a organisé des séances publiques au cours desquelles les travailleurs, et notamment les paysans, étaient invités à se remémorer “l’oppression subie pendant la période féodale”.
5. Les billets de 100 yuans firent leur apparition en 1987.
6. D’abord roi de Qin, à compter de 246 av. J.-C., Wang Zheng, né en 260, unifia la Chine en 221 et devint son premier empereur, sous le nom de Qin Shihuang. Il régna jusqu’à sa mort, en 210.
7. L’île de Hainan se trouve au sud de la Chine. Il s’agit de la province la plus petite du pays, dont on a fait, en avril 1988, une “zone économique spéciale”, soit une sorte de zone franche. Sa capitale a pour nom Haikou.
8. Une des séries de voitures fabriquées par Volkswagen à Shanghai.

CHAPITRE XXVII (p. 668 à 675)

1. Façon chinoise de décrire la garantie de l’emploi.
2. Ces vers sont tirés d’un poème de Du Fu, datant de l’hiver 755, *En allant de la capitale à Fengxian*. Nous reprenons ici la version proposée par Tchang Fou-jouei et Yves Hervouet dans Paul Demiéville, *Anthologie de la poésie chinoise classique*, Gallimard, 1962.
3. Qingqi est le nom d’un fabricant chinois de deux-roues motorisés installé à Jinan, dans la province du Shandong (au nord-est du pays),

depuis 1956. En 1985, la société s'associe au Japonais Suzuki et commercialise le premier scooter entièrement produit localement.

CHAPITRE XXX (p. 700 à 710)

1. La Fédération nationale des femmes de Chine – fondée en avril 1949 – fait partie des "organisations de masse", au même titre que la Fédération des syndicats ou la Ligue de la jeunesse communiste, et comme elles, elle a pour objet de relayer la politique du parti communiste au sein de la société, et en l'espèce de lui servir de courroie de transmission parmi les femmes. Elle possède des ramifications dans tout le pays, à chacun des échelons de l'administration territoriale, et donc, ici, au niveau du district.
2. Qi Baishi (1864-1957), célèbre peintre, calligraphe et graveur de sceaux, qui enseigna aussi les Beaux-Arts et présida l'Association des peintres de Chine ; Zhang Daqian (1899-1983), autre peintre très célèbre, qui émigra à l'étranger (en Argentine, au Brésil et aux Etats-Unis) lors de l'arrivée au pouvoir des communistes, et finit ses jours à Taiwan, où il s'était établi en 1978.

CHAPITRE XXXI (p. 711 à 719)

1. Littéralement : "Haut, grand, complet." C'était une façon de qualifier les "héros" des Opéras modèles de la Révolution culturelle. La figure devait être grande, parfaite et sans défaut.
2. "Système du A.A.", équivalent du *"Going Dutch"* anglais, qu'on traduit par "payer à l'américaine" en Espagne, "payer à la romaine" en Italie, ou "manger à la hollandaise" en Belgique, et qui veut dire partager la note au restaurant. Les avis divergent quant à la signification du double A, il pourrait s'agir de l'abréviation de *"Algebraic Average"*, moyenne algébrique.
3. Zhou Yu (175-210), stratège militaire du royaume de Wu, personnage du roman *Les Trois Royaumes*.
4. Le mandarin, c'est-à-dire ce qu'on appelle en Chine la "langue commune", celle que tous les Chinois, quel que soit par ailleurs le dialecte qu'ils utilisent localement, sont censés parler.

CHAPITRE XXXV (p. 751 à 775)

1. *Forbes* (*Fubusi*, en transcription chinoise), du nom de son fondateur, est un magazine économique américain qui paraît depuis 1917, et qui est célèbre pour les différents palmarès qu'il établit chaque année, dont celui des 100 plus grandes fortunes de Chine.
2. Ming (1368-1644) ; Qing (1644-1911).
3. Euphémisme servant à désigner les articles sexuels.
4. Zhou Enlai (1898-1976), Premier ministre de 1949 à sa mort, en 1976.
5. China Mobile Communications Corporation (CMCC) ou China Mobile, le plus grand opérateur de téléphonie mobile du pays (et du monde). China Unicom ou China United Telecommunications Corporation.

CHAPITRE XXXVII (p. 784 à 793)

1. "En mettant la Chine en phase avec", ou "en mettant la Chine au diapason de" : formule en vogue dans le lexique politique chinois au début des années 2000, à l'époque du président Jiang Zemin (1926-).
2. "Battre, briser et piller" *(da za qiang)*. Les trois activités des gardes rouges pendant la Révolution culturelle. On leur en imputait deux autres : perquisitionner et kidnapper *(chao zhua)*.

CHAPITRE XXXVIII (p. 794 à 816)

1. "Le vent printanier souffle, le tambour de guerre retentit ; Aujourd'hui dans le monde qui, en définitive, craint qui ?" Extrait de la chanson *Aujourd'hui dans le monde qui, en définitive, craint qui ?*, qui fut composée après la déclaration de Mao relative à la politique américaine au Cambodge et au Viêt-nam, le 20 mai 1970 : "Peuples du monde, unissez-vous, pour abattre les agresseurs américains et tous leurs laquais !" Mais le "vent printanier" évoque aussi l'union sexuelle.
2. Allusion à une intervention de Mao, le 18 novembre 1957, à la Conférence des représentants des partis communistes et ouvriers tenue à Moscou (reprise dans le *Petit Livre rouge*) : "J'estime que la situation internationale est arrivée à un nouveau tournant. Il y a maintenant deux vents dans le monde : le vent d'est et le vent d'ouest. Selon un dicton chinois, «ou bien le vent d'est l'emporte sur le vent d'ouest, ou c'est le vent d'ouest qui l'emporte sur le vent d'est». A mon avis, la caractéristique de la situation actuelle est que le vent d'est l'emporte sur le vent

d'ouest, ce qui signifie que les forces socialistes ont acquis une supériorité écrasante sur les forces de l'impérialisme."
3. "Quand l'ennemi approche, les troupes sont là pour l'accueillir, quand les eaux menacent les digues sont là pour les retenir." Proverbe datant de l'époque des Yuan (1277-1367).
4. "Si le démon avance d'un pied, le bien avance d'une toise." Inversion d'un dicton bouddhiste ("Si le bien avance d'un pied, le démon avance d'une toise"), qui a pris un sens politique après 1949, pour signifier que les forces révolutionnaires l'emporteront toujours sur les forces réactionnaires. On trouve ce sens en particulier dans cet "opéra révolutionnaire" de la période de la Révolution culturelle déjà mentionné, *Le Fanal rouge* (1967).

CHAPITRE XXXIX (p. 817 à 827)

1. Guangdong, région de Canton.

CHAPITRE XL (p. 828 à 842)

1. Zhang Fei (167 ?-221), général du royaume de Shu, un des héros du roman *Les Trois Royaumes*.
2. Le musée du Palais impérial se trouve à Pékin, à l'intérieur de l'ancienne Cité interdite. Il fut fondé le 10 octobre 1925.
3. Banquettes dures, euphémisme pour désigner la seconde classe, la première classe se disant "banquettes molles".
4. Fujian, province côtière du sud-est, qui fait face à Taiwan.

CHAPITRE XLI (p. 843 à 861)

1. Dialecte parlé dans le Sud de la province du Fujian.
2. Langue parlée dans le Guangdong.
3. En anglais dans le texte.
4. Allusion à Bai Juyi (772-846), poète de la dynastie Tang, qui a écrit : "Un feu de prairie ne saurait détruire les herbes, elles repoussent sous la brise printanière."

CHAPITRE XLIII (p. 877 à 884)

1. Au cours d'un banquet – resté dans les annales sous le nom de "banquet de Hongmen" – auquel Xiang Yu (232-202 av. J.-C.), un éminent général de la dynastie Qin, avait invité Liu Bang (256-195 av. J.-C.), duc de Pei et futur fondateur de la dynastie Han, le général Xiang Zhuang, à l'instigation d'un conseiller de Xiang Yu, tenta d'assassiner Liu Bang en exécutant la danse du sabre. Le complot échoua.

CHAPITRE XLIV (p. 885 à 892)

1. Dongbei, région du Nord-Est, l'ancienne Mandchourie.

CHAPITRE XLVI (p. 909 à 920)

1. Littéralement : Zhou Buyou, c'est-à-dire "Celui qui ne voyage pas". Zhou You, dont le prénom, You, si on le traduit, signifie "Celui qui voyage", a changé son prénom en lui ajoutant une négation *("bu")*.
2. Toilettes à bidet intégré, appelées *washlets*, fabriquées au Japon par la société TOTO.
3. Expression qui fut appliquée notamment à Lin Biao, considéré comme le "plus proche compagnon d'armes" de Mao, jusqu'à ce qu'il disparaisse tragiquement dans des circonstances jamais élucidées.
4. Proverbe détourné. L'original dit : "Le bien-être engendre la luxure ; et la misère, l'envie de voler."
5. "Jeté au travers des airs, comme hors du monde", premier vers d'un poème de Mao, d'octobre 1935, intitulé *Kunlun*, décrivant la majesté des monts en question. Les monts Kunlun s'étendent du Pamir jusqu'à la Chine du sud-ouest, en passant par les confins du Xinjiang et du Tibet.

CHAPITRE L (p. 943 à 954)

1. Lin Daiyu, héroïne du roman de Cao Xueqin, *Le Rêve dans le pavillon rouge*, d'un tempérament très mélancolique.
2. Département de l'organisation du comité du parti communiste du district.
3. Dans la Chine ancienne, les vêtements de deuil étaient taillés dans un tissu écru.

ÉPILOGUE (p. 955 à 985)

1. La fête de la Mi-Automne tombe le huitième jour du huitième mois lunaire (vers le mois de septembre), et à cette occasion, on se réunit autour d'une table garnie de "gâteaux de lune" et de fruits, et l'on admire la lune. La fête du Double-Cinq se tient le cinquième jour du cinquième mois en l'honneur, donc, du poète Qu Yuan : on mange des *zongzi* (des gâteaux de riz enveloppé dans des feuilles de roseau) et on organise des courses de bateau symbolisant des combats de dragons. La fête du Double-Neuf a lieu le neuvième jour du neuvième mois, et elle est l'occasion d'une excursion en montagne ; depuis 1989, cette fête est aussi celle des personnes âgées.
2. La fête de la Jeunesse a lieu le 4 mai (on commémore le mouvement du 4 mai 1919) ; la fête de la Fondation du Parti, le 1er juillet (le parti communiste chinois fut fondé le 1er juillet 1921) ; la fête de la fondation de l'Armée populaire de libération, le 1er août (l'APL fut fondée le 1er août 1927) ; et la Fête nationale, le 1er octobre (la République populaire de Chine fut proclamée le 1er octobre 1949).
3. Lei Feng (1940-1962), fils de "paysans pauvres" et soldat modèle mort en service commandé, célébré pour son esprit d'abnégation et son dévouement. En mars 1963, Mao invitera ses concitoyens à : "Prendre exemple sur le camarade Lei Feng." Devenu depuis cette date un héros de la mythologie communiste, sa figure sera régulièrement vantée auprès de la jeunesse chinoise. Le journal qu'il tenait, et dans lequel il se montre un grand zélateur de Mao, sera édité et abondamment diffusé. On peut y lire notamment cette pensée, expression de son ambition sociale : "Etre une vis qui ne rouille pas. Une vis n'attire pas l'attention, mais une machine sans vis ne fonctionne pas."
4. *Chief Executive Officer*, chef de la direction.
5. Allusion à un vers du poète Xu Zhimo (1897-1931), tiré de son poème *Nouvel Adieu à Cambridge* (1928).
6. Allusion à la Belle-Sœur Xianglin, le personnage de la nouvelle de Lu Xun, *La Bénédiction* (ou *Le Sacrifice du nouvel an*, 1924), que personne n'écoute plus parce qu'elle ressasse sans arrêt ses malheurs.
7. En avril 2005, dans les grandes villes du pays, des manifestations anti-japonaises eurent lieu en réaction à la publication des nouveaux manuels scolaires japonais qui minimisaient les exactions commises par les troupes nippones en Chine durant la Deuxième Guerre mondiale. Les missions diplomatiques, les magasins et les restaurants japonais furent attaqués.
8. Détournement d'un mot de Mao, qui sert de titre à un de ses textes, daté du 5 janvier 1930, "Une étincelle peut mettre le feu à toute la plaine", dont un extrait figure aussi dans le *Petit Livre rouge*.

9. Junichiro Koizumi (1942-), Premier ministre du Japon de 2001 à 2006.
10. Le sanctuaire Yasukuni, ou temple du pays apaisé, est un sanctuaire shintô de Tokyo qui fut construit en 1869 pour rendre hommage aux Japonais "ayant donné leur vie au nom de l'empereur du Japon". Il est devenu un objet de polémiques depuis que, en 1978, on a ajouté à la liste des militaires déifiés certains criminels de guerre ayant combattu en Chine. Les visites là-bas de Junichiro Koizumi, en particulier, ont été controversées.
11. Internet Tools.
12. Allusion à un mot tiré du roman de Lu Xun, *La Véridique Histoire d'A-Q* (1921).

POSTFACE (p. 987 à 988)

1. Citation de l'Evangile selon Matthieu (VII, 13).

TABLE

Livre premier 7
Livre second... 337
Epilogue... 955

Postface... 987
Notes des traducteurs.. 989

Ouvrage réalisé
par l'atelier graphique Actes Sud.
Reproduit et achevé d'imprimer
en avril 2011
par Normandie Roto Impression s.a.s.
61250 Lonrai
sur papier fabriqué à partir de bois provenant
de forêts gérées durablement (www.fsc.org)
pour le compte des éditions
Actes Sud
Le Méjan
Place Nina-Berberova
13200 Arles.

Dépôt légal
1re édition : mars 2010
N° impr. : 111414
(Imprimé en France)

BABEL

Extrait du catalogue

992. ANTOINE PIAZZA
La Route de Tassiga

993. ASSIA DJEBAR
Nulle part dans la maison de mon père

994. LUIGI GUARNIERI
La Jeune Mariée juive

995. ALAIN BADIOU
La Tétralogie d'Ahmed

996. WAJDI MOUAWAD
Visage retrouvé

997. MAHASWETA DEVI
La Mère du 1084

998. DIETER HILDEBRANDT
Le Roman du piano

999. PIA PETERSEN
Une fenêtre au hasard

1000. DON DELILLO
L'Homme qui tombe

1001. WILFRIED N'SONDÉ
Le Cœur des enfants léopards

1002. CÉLINE CURIOL
Permission

COÉDITION ACTES SUD – LEMÉAC